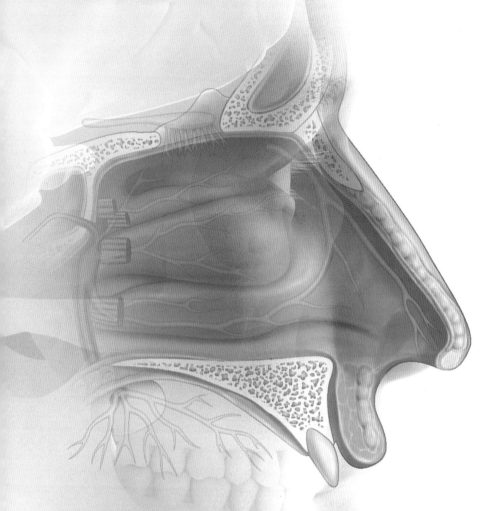

보완판

최신
임상비과학

Clinical Rhinology

대한비과학회

보완판

최신
임상비과학
Clinical Rhinology

첫째판 1쇄 인쇄 | 2017년 2월 24일
첫째판 1쇄 발행 | 2017년 3월 10일
보완판 1쇄 발행 | 2020년 8월 21일

지 은 이 대한비과학회
발 행 인 장주연
출 판 기 획 장희성
책 임 편 집 이경은
표지디자인 김재욱
편집디자인 주은미
일 러 스 트 이호현
제 작 담 당 신상현
발 행 처 군자출판사(주)
　　　　　등록 제4-139호(1991. 6. 24)
　　　　　본사 (10881) **파주출판단지** 경기도 파주시 회동길 338(서패동 474-1)
　　　　　전화 (031) 943-1888　팩스 (031) 955-9545
　　　　　홈페이지 | www.koonja.co.kr

ISBN　979-11-5955-594-7
정가　120,000원

최신
임상비과학
Clinical Rhinology

집필진

편찬위원회

편찬위원장

이승훈　고려의대 이비인후과학교실

편찬위원

권재환　고신의대 이비인후과학교실
김대우　서울의대 이비인후과학교실
김병국　가톨릭의대 이비인후과학교실
조석현　한양의대 이비인후과학교실

신재민　고려의대 이비인후과학교실
최지호　순천향의대 이비인후과학교실
허성재　경북의대 이비인후과학교실

간사

홍석진　한림의대 이비인후과학교실

저자

강일규　꽃보다이비인후과
강제구　김양박이비인후과
강주완　제주의대 이비인후과학교실
강준명　가톨릭의대 이비인후과학교실
구수권　부산성모병원 이비인후과
권삼현　전북의대 이비인후과학교실
권장우　홍기수이비인후과
권재환　고신의대 이비인후과학교실
김경래　한양의대 이비인후과학교실
김경수　연세의대 이비인후과학교실
김경수　중앙의대 이비인후과학교실
김규보　한림의대 이비인후과학교실
김대우　서울의대 이비인후과학교실
김동영　서울의대 이비인후과학교실

김동현　가톨릭의대 이비인후과학교실
김명구　성균관의대 이비인후과학교실
김병국　가톨릭의대 이비인후과학교실
김선태　가천의대 이비인후과학교실
김성완　경희의대 이비인후과학교실
김성원　가톨릭의대 이비인후과학교실
김수환　가톨릭의대 이비인후과학교실
김영효　인하의대 이비인후과학교실
김용대　영남의대 이비인후과학교실
김용민　충남의대 이비인후과학교실
김용복　한림의대 이비인후과학교실
김정수　경북의대 이비인후과학교실
김정홍　제주의대 이비인후과학교실
김정훈　서울의대 이비인후과학교실

김진국	건국의대 이비인후과학교실	**이재서**	서울의대 이비인후과학교실
김창훈	연세의대 이비인후과학교실	**이재용**	순천향의대 이비인후과학교실
김태훈	고려의대 이비인후과학교실	**이재훈**	원광의대 이비인후과학교실
김현준	아주의대 이비인후과학교실	**이주형**	가톨릭의대 이비인후과학교실
김현직	서울의대 이비인후과학교실	**이철희**	중앙의대
김효열	성균관의대 이비인후과학교실	**이흥만**	고려의대 이비인후과학교실
나기상	충남의대 이비인후과학교실	**임대준**	임대준이비인후과
노환중	부산의대 이비인후과학교실	**임상철**	전남의대 이비인후과학교실
동헌종	하나이비인후과병원	**장용주**	울산의대 이비인후과학교실
모지훈	단국의대 이비인후과학교실	**장정현**	국민건강보험 일산병원 이비인후과학교실
박도양	아주의대 이비인후과학교실	**장진순**	중앙보훈병원 이비인후과학교실
박동준	연세 원주의대 이비인후과학교실	**장태영**	삼성드림이비인후과의원
박석원	동국의대 이비인후과학교실	**전시영**	예일이비인후과
박성국	인제의대 이비인후과학교실	**정승규**	성균관의대 이비인후과학교실
박용진	가톨릭의대 이비인후과학교실	**정영준**	단국의대 이비인후과학교실
박일호	고려의대 이비인후과학교실	**정용기**	성균관의대 이비인후과학교실
박찬순	가톨릭의대 이비인후과학교실	**정유삼**	울산의대 이비인후과학교실
박찬흠	한림의대 이비인후과학교실	**정진혁**	한양의대 이비인후과학교실
배우용	동아의대 이비인후과학교실	**조규섭**	부산의대 이비인후과학교실
배정호	이화의대 이비인후과학교실	**조석현**	한양의대 이비인후과학교실
백병준	순천향의대 이비인후과학교실	**조재훈**	건국의대 이비인후과학교실
신승헌	대구가톨릭의대 이비인후과학교실	**조진희**	가톨릭의대 이비인후과학교실
심우섭	충북의대 이비인후과학교실	**조형주**	연세의대 이비인후과학교실
예미경	대구가톨릭의대 이비인후과학교실	**진홍률**	닥터진이비인후과
원태빈	서울의대 이비인후과학교실	**최지윤**	조선의대 이비인후과학교실
유명상	울산의대 이비인후과학교실	**최지호**	순천향의대 이비인후과학교실
이건희	경희의대 이비인후과학교실	**홍상덕**	성균관의대 이비인후과학교실
이동훈	전남의대 이비인후과학교실	**홍석진**	한림의대 이비인후과학교실
이상학	고려의대 이비인후과학교실	**홍석찬**	건국의대 이비인후과학교실
이승훈	고려의대 이비인후과학교실	**홍승노**	서울의대 이비인후과학교실

발간사

대한비과학회는 지난 1997년 당시 새로운 병태생리학적 규명 접근법들의 개발과 CT, MRI 등의 영상 진단법들, 새로운 내시경 수술법의 도입으로 비과 임상의 전환기를 맞아서 회원 여러분의 최신 지견의 이해 및 진료에 도움을 드리고자 임상비과학을 발간한 바 있습니다. 당시 대한비과학회의 역량을 모두 결집하여 무려 24장의 700쪽에 육박하는 방대한 내용을 기술하여 내용 면에 있어서도 비과학의 최신지견을 광범위하고 전문적으로 학회 회원들이 이해하기 쉽게 발간되었습니다. 이에 비과를 전공하는 회원들의 필독서로 자리를 잡아왔습니다. 하지만 20년이 지나면서 여러 질환에 대한 이해의 증가 및 다양한 치료 방법의 개발되었고 최근 보험과 관련된 문제에 대해서 많이 접하기 때문에 이와 같은 내용을 포함하여 세분화, 전문화되어가는 비과학의 변화 양상을 반영하고 소개하고자 하는 필요성이 커져 왔습니다.

이번 개정판은 기전의 비과학의 전반적인 내용을 다루었던 임상비과학을 바탕으로 하여 기존의 내용을 보다 세분화하고 동시에 새로이 내용을 추가하여 43 chapter로 증판하였습니다. 일 예로 알레르기 비염은 알레르기 비염의 진단과 알레르기 비염의 치료로 나누었고, 비강과 부비동의 악성질환은 악성질환 I(개요 및 각론, 항암치료와 방사선치료)과 악성질환 II(수술)로, 수면호흡장애는 폐쇄성 수면무호흡질환의 진단과 치료와 소아수면질환, 코성형술과 관련된 chapter는 코성형술과 2차 코성형술로 세분화하였습니다. 또한 내시경 수술이 보다 보편화되고 새로운 적응증의 개발 및 도구들의 발달로 내시경 두개저 수술이 추가되고 네비게이션, 풍선카테터 부비도확장술, 3차원 내시경에 대한 내용이 추가되었으며 최근 보험과 법적인 문제에 대해서 이해를 돕기 위한 코질환의 감정내용을 추가하였습니다.

대한비과학회는 발전하는 의학 분야의 최신 지견과 의료정보를 회원님들께 정리하여 제공해드리기 위해 노력하고 있습니다. 이번 최신 임상비과학은 대략 3년 전부터 비과학회 내의 연구분과들의 분과장님 이하 집필진과 편집위원들의 헌신적인 노력에 힘입어 비과 분야의 기초 과학과 임상의학에 관한 최신 지견을 충실히 담아 질과 양에 있어서 초판을 능가하는 개정판이 발간되었습니다. 이를 바탕으로 하여 비과학회 발간 교과서가 비과 분야의 중심 교과서로서의 위치를 더욱 공고히 할 것으로 생각됩니다.

마지막으로 최신 임상비과학 발간을 위해서 애쓰신 대한비과학회 김경수 편찬위원장, 집필선생님들의 노고에 감사드리며 부족하나마 이 책이 비과학에 관심이 있는 이비인후과 전문의, 전공의 및 학생들에게 도움이 되길 바랍니다.

2017년 3월

대한비과학회 회장 **이 홍 만**

머리말

1997년에 임상비과학이 발간되고 20년이 흘렀습니다. 10년이면 강산이 변한다는데 강산이 두 번 바뀔 시간이 지났음에도 대한비과학회의 교과서가 개정되지 않아 회원의 한 사람으로 항시 마음이 무거웠습니다. 이번에 대한비과학회 회원의 열정과 성원으로 교과서를 개정하여 『최신 임상비과학』을 편찬하게 되어 이 짐을 조금이나마 덜게 되었다고 생각합니다.

근자에 여러 교과서와 참고문헌이 발간되어 과연 어떤 책을 참조하는 것이 효과적일지 결정하는 데 어려움이 있으리라 생각합니다. 최신임상비과학은 전공의와 초급 전문의 수준에 맞추는 것에 주안점을 두었습니다. 또한 이 책에 최근 지식을 포함하도록 집필진이 최선을 다하였습니다. 그리고 알기 쉽게 그림과 표를 가능한 한 많이 삽입하였고 각 장의 시작에 HIGHLIGHT를 두어 각 장에서 중요한 것이 무엇인지를 알도록 하였습니다.

논문 한편을 쓰더라도 오자가 나오고 내용이 마음에 들지 않는 경우가 허다합니다. 집필진께서 보내주신 옥고를 편집위원들이 정성을 가지고 다듬었지만 이러한 경우도 있으리라 생각합니다. 이러한 점들은 가까운 시일에 추가로 수정이 필요하다고 생각합니다. 아무쪼록 20년만에 나온 최신임상비과학에 애정을 가지고 보아주시기를 부탁드립니다.

마지막으로 교과서 발간에 정열을 가지고 임해주신 이흥만 회장님, 바쁜 중에도 헌신적으로 도와준 편찬위원님, 실질적으로 가장 많은 일을 하여준 황세환 간사님과 이은정 간사보님께 진심으로 감사를 드립니다.

2017년 3월
대한비과학회 교과서편찬위원장 **김 경 수**

보완판 머리말

보완판을 내며…

대한비과학회는 비과학 분야의 교과서인 임상비과학을 1997년에 처음 발간하였습니다. 당시에는 이 책도 비과 분야의 최신 지견들을 섭렵하는 방대한 분량의 책으로 비과학을 공부하고자 하는 많은 전문의와 전공의들에게 당시 새롭게 자리잡은 내시경부비동수술을 비롯하여 비과학 전 분야에 대한 것을 다루는 첫번째 한글판 교과서로 큰 의미가 있었다고 생각합니다.

비과학 분야는 그 이후 20여년에 걸쳐 많은 변화가 있었습니다. 비부비동염과 알레르기비염 등에 대한 병인과 치료 개념의 많은 진보와 함께 내시경수술도 부비동을 넘어 뇌기저부 수술로까지 시술범위가 확장되었고 특히, 비부비동 수술시 사용되는 네비게이션 시스템과 절삭기류, 고주파와 코블레이션 장비, 부비동풍선확장술, 3차원수술내시경장비 등과 같은 첨단의료기기 발전이 지속적으로 있었습니다. 미용적 영역의 코성형에 대한 개념도 기능적 코성형술이라는 틀로 확대되면서 비과 수술의 기본적인 한 부분으로 자리잡았으며, 수면무호흡증에 있어서도 수면다원검사의 해석과 임상적 적용, 폐쇄성수면무호흡증 치료를 위한 다양한 상기도 수술방법과 양압호흡기 치료 등에 대한 심도있는 교육의 필요성이 요구되었습니다. 이에 전임 이흥만 회장님의 임기였던 2017년 학회는 이러한 내용들을 담은 새로운 개정판인 "최신 임상비과학" 을 발간하였습니다.

지난 조진희 회장님 임기부터 시작된 보완판의 작업은 그동안 문자 위주의 교과서를 탈피하여 "디자인은 시각화된 생각이다."라는 개념으로 그림을 통해 내용들이 잘 전달할 수 있도록 많은 그림과 일러스트를 알기 쉽고 세련되게 새로 제작하였습니다. 비과를 공부하는 전공의 및 이비인후과 전문의들을 위해 그림과 표를 많이 삽입하였고, 저자들과 편찬위원들이 수차례 감수하며 완성도를 높였습니다. 최신 지견으로 Local allergic rhinitis, 후각 훈련을 추가하였고, 수면다원검사와 양압호흡기 치료의 보험 급여화 시기에 맞춰 폐쇄성수면무호흡증의 치료 부분에서 양압호흡기 치료에 대한 내용 등을 좀더 추가 및 보완하였습니다.

2020년 새로이 발간되는 "최신 임상비과학" 보완판이 새로운 의료기술이 발전해 나가고 최신의 연구들이 지속적으로 발표되고 있는 가운데 비과학을 공부하고 싶어하는 모든 이비인후과 전공의와 전문의들에게, 더 나아가 학생들에게도 좀 더 쉽고 명확하게 지식을 습득할 수 있는 자료로 사용될 수 있기를 기대해 봅니다.

　　마지막으로 이번 보완판을 위해 애써주신 여러 집필선생님들과 편집간사인 홍석진 교수를 비롯한 편찬위원님들의 수고에 다시 한번 감사의 말씀을 드립니다.

2020년 8월

대한비과학회 회장 **김 성 완**

대한비과학회 교과서보완판 편집위원장 **이 승 훈**

Contents

Chapter 01 코의 해부 및 조직	1
I | 외비	2
II | 비강	6
III | 부비동	13
IV | 비강과 부비동의 혈관계, 림프계 및 신경지배	25
V | 비강 및 부비동의 조직학적 구조	32

Chapter 02 코의 생리	35
I | 비강 및 부비동의 생리	36
II | 후각 및 미각 생리	46

Chapter 03 코의 발생과 선천적 이상	55
I | 코의 태생학	56
II | 선천성 코 이상	62

Chapter 04 코의 진찰 및 검사	75
I | 병력청취	76
II | 시진과 촉진	83
III | 비부비동검사	84

Chapter 05 코의 영상의학 검사	101
I | 개념	102
II | 영상의 해석	104
III | 비강의 성장 과정, 적응 그리고 과거력에 따른 변화소견	112
IV | 질환별	117
V | 방사선검사의 위험성에 대한 이해	131

Chapter 06 외비 및 비강질환	133
I | 외비의 질환	134
II | 비전정의 질환	135
III | 비강의 질환	136

Chapter 07 비출혈	139
I | 비강의 혈관 구조	141
II | 원인	143
III | 진단	146
IV | 치료	147
V | 유전성 출혈성 모세혈관확장증	154

Chapter 08 비성 두통	157
I | 비성 두통의 정의	159
II | 비성 두통의 분류	160
III | 점막 접촉점 두통	164

Chapter **09** 알레르기 비염의 병태생리 **171**

Ⅰ | 개념 ·········· 172
Ⅱ | 분류 ·········· 173
Ⅲ | 유병률 ·········· 174
Ⅳ | 원인 항원 ·········· 175
Ⅴ | 병태생리 ·········· 178
Ⅵ | 합병증 및 동반질환 ·········· 184
Ⅶ | 국소 알레르기 비염 ·········· 190

Chapter **10** 알레르기 비염의 진단 **197**

Ⅰ | 병력의 청취 ·········· 198
Ⅱ | 이학적 검사 ·········· 199
Ⅲ | 실험실 검사 ·········· 200
Ⅳ | 생체 검사 ·········· 201

Chapter **11** 알레르기 비염의 치료 **207**

Ⅰ | 회피요법 ·········· 210
Ⅱ | 약물치료 ·········· 211
Ⅲ | 면역치료 ·········· 213
Ⅵ | 특수상황에서의 알레르기 비염 ······ 217

Chapter **12** 비알레르기 비염 **229**

Ⅰ | 정의 ·········· 230

Ⅱ | 원인 및 병태생리학 ·········· 231
Ⅲ | 분류 및 임상적 특징 ·········· 232

Chapter **13** 비중격 **251**

Ⅰ | 비중격의 해부 ·········· 252
Ⅱ | 비중격의 혈관 분포 ·········· 253
Ⅲ | 비중격의 신경 분포 ·········· 255
Ⅳ | 비중격 질환 ·········· 256

Chapter **14** 비중격의 수술 **261**

Ⅰ | 비중격성형술 ·········· 262
Ⅱ | 비중격 천공 ·········· 279
Ⅲ | 비중격 농양 ·········· 283
Ⅳ | 비중격 혈종 ·········· 286

Chapter **15** 비밸브와 비갑개 **289**

Ⅰ | 비밸브 ·········· 290
Ⅱ | 비갑개 ·········· 307

Chapter **16** 급성 비부비동염 **319**

Ⅰ | 서론 ·········· 320
Ⅱ | 원인 ·········· 320
Ⅲ | 병원체 ·········· 322

Ⅳ │ 병리학적 변화 ················· 323
Ⅴ │ 증상 ························· 323
Ⅵ │ 신체검사 ····················· 324
Ⅶ │ 진단 ························· 324
Ⅷ │ 치료 ························· 325

Chapter 17 만성 비부비동염과 진균성 부비동염 333

Ⅰ │ 만성 비부비동염 ··············· 334
Ⅱ │ 진균성 부비동염 ··············· 354

Chapter 18 불응성 만성 비부비동염 367

Ⅰ │ 서론 ························· 368
Ⅱ │ 불응성의 원인과 병태생리 ········· 369
Ⅲ │ 불응성 만성 비부비동염의 진단 ····· 374
Ⅳ │ 불응성 만성 비부비동염의 치료 ····· 375
Ⅴ │ 결론 ························· 378

Chapter 19 비용 381

Ⅰ │ 서론 ························· 382
Ⅱ │ 역학 ························· 382
Ⅲ │ 비용과 연관된 질환들 ············ 383
Ⅳ │ 비용의 조직병리학 ·············· 383
Ⅴ │ 비용의 발생기전 ··············· 383
Ⅵ │ 징후 및 증상 ·················· 385

Ⅶ │ 진단 ························· 386
Ⅷ │ 감별 진단 ···················· 386
Ⅸ │ 치료 ························· 387

Chapter 20 내시경 부비동수술 393

Ⅰ │ 내시경 부비동수술의 원리와 개념 ··· 394
Ⅱ │ 적응증 ······················ 395
Ⅲ │ 수술 전 준비 ·················· 397
Ⅳ │ 수술 중 고려사항 ··············· 398
Ⅴ │ 수술 방법 ···················· 400
Ⅵ │ 특수한 상황 ··················· 409
Ⅶ │ 수술 후 처치 ·················· 410

Chapter 21 부비동 재수술 413

Ⅰ │ 부비동 재수술 원인과 수술 전 평가 ····· 414
Ⅱ │ 부비동 재수술의 기본 원칙과 해부학적 지표 ·················· 415
Ⅲ │ 부비동 재수술의 예후와 수술 후 관리 418

Chapter 22 내시경 부비동수술의 발전 419

Ⅰ │ 영상유도수술 ·················· 420
Ⅱ │ 풍선-보조 부비동수술 ············ 424
Ⅲ │ 3차원 내시경 ·················· 428

Chapter **23** 내시경 부비동수술 합병증 **431**

Ⅰ | 합병증 분류 …………………… 432

Chapter **24** 비외 부비동수술 **443**

Ⅰ | 상악동 수술 …………………… 444
Ⅱ | 사골동 수술 …………………… 447
Ⅲ | 접형동 수술 …………………… 450
Ⅳ | 전두동 수술 …………………… 451

Chapter **25** 비부비동염의 합병증 **461**

Ⅰ | 분류 …………………………… 462
Ⅱ | 역학 …………………………… 463
Ⅲ | 병태생리 ……………………… 464
Ⅳ | 임상 양상 …………………… 466
Ⅴ | 진단 …………………………… 469
Ⅵ | 치료 …………………………… 470
Ⅶ | 결론 …………………………… 473

Chapter **26** 소아 비부비동염 **475**

Ⅰ | 병태생리 ……………………… 477
Ⅱ | 원인균 ………………………… 478

Ⅲ | 진단 …………………………… 478
Ⅳ | 급성 비부비동염의 치료 ………… 481
Ⅴ | 만성 비부비동염,
    재발성 비부비동염의 치료 ……… 482
Ⅵ | 합병증 ………………………… 483

Chapter **27** 후각 및 미각장애 **487**

Ⅰ | 후각장애 ……………………… 488
Ⅱ | 미각장애 ……………………… 499

Chapter **28** 비강과 부비동의 양성종양 **509**

Ⅰ | 상피성 종양 …………………… 510
Ⅱ | 간엽성 종양 …………………… 514
Ⅲ | 골성 양성종양 ………………… 519

Chapter **29** 비강과 부비동의
         악성종양 Ⅰ **525**

Ⅰ | 병태생리 ……………………… 526
Ⅱ | 진단 …………………………… 533
Ⅲ | 치료 …………………………… 539
Ⅳ | 분류 …………………………… 542

Chapter 30 비강과 부비동의 악성종양 II — 553

- I | 해부학적인 위치에 따른 치료 ········ 555
- II | 수술요법 ········ 556

Chapter 31 치성 질환 — 577

- I | 치아의 발생과 구조 ········ 579
- II | 치성 질환의 종류 ········ 581
- III | 임플란트 관련 비과 질환 ········ 594

Chapter 32 두개저 질환의 진단과 치료, 뇌하수체종양의 수술 — 601

- I | 두개저 해부학 ········ 603
- II | 두개저의 병변 ········ 605
- III | 전두개저 수술 ········ 606
- IV | 뇌하수체종양의 수술 ········ 621
- V | 익구개와 병변 ········ 626

Chapter 33 악안면 외상 — 633

- I | 골절에 대한 기초 지식 ········ 634
- II | 안면외상 치료의 기본 지식 ········ 636

- III | 전두동 골절 ········ 640
- IV | 비골 골절 ········ 648
- V | 비전두사골복합체 골절 ········ 653
- VI | 협골 골절 ········ 657
- VII | 안와외향 골절 ········ 666
- VIII | 상악골 골절 ········ 673
- IX | 소아의 안면부 외상 ········ 677

Chapter 34 코성형술 — 681

- I | 서론 ········ 682
- II | 해부학적 구조 ········ 687
- III | 절개방법 ········ 691
- IV | 수술방법 ········ 694

Chapter 35 2차 코성형술 — 729

- I | 재수술의 원인 ········ 731
- II | 수술 전 준비사항 및 유의사항 ········ 731
- III | 재수술 시 사용 가능한 자가 조직 ········ 732
- IV | 원인에 따른 2차 코성형술 ········ 732
- V | 성공적인 2차 코성형술을 위한 10가지 핵심 개념들 ········ 734
- VI | 코성형 재수술 합병증 ········ 742
- VII | 부작용들의 예방 및 관리 ········ 742
- VIII | 수술 후 관리 ········ 742
- IX | 결론 ········ 743

Contents

Chapter **36** 외비재건술   745

Ⅰ ｜ 결손부위 분석 ························ 748
Ⅱ ｜ 결손정도에 따른 단계별 재건방법 ··· 748
Ⅲ ｜ 외비재건술의 실제 ··················· 755

Chapter **37** 수면생리   765

Ⅰ ｜ 정상수면 ····························· 766
Ⅱ ｜ 수면단계 ····························· 767
Ⅲ ｜ 수면과 관련된 생리적인 변화 ······· 768
Ⅳ ｜ 수면관련호흡장애의 정의 및 분류 ··· 768
Ⅴ ｜ 수면호흡장애 관련 지표 ············ 769

Chapter **38** 폐쇄성 수면무호흡증의
            진단과 치료   771

Ⅰ ｜ 진단기준 및 분류 ··················· 772
Ⅱ ｜ 폐쇄성 수면무호흡증의 진단 ········ 774
Ⅲ ｜ 폐쇄성 수면무호흡증의 치료 ········ 779
Ⅳ ｜ 치료 후 예후 및 환자관리 ············ 789

Chapter **39** 소아수면질환   793

Ⅰ ｜ 임상적 특징 및 병태생리 ············ 794
Ⅱ ｜ 진단 ································· 796
Ⅲ ｜ 치료 ································· 799

Chapter **40** 안질환의 진단과 치료   803

Ⅰ ｜ 기초 해부학 ························· 804
Ⅱ ｜ 갑상선 안질환 ······················ 810
Ⅲ ｜ 비루관 폐쇄 ························· 813
Ⅳ ｜ 시신경병증 ························· 816

Chapter **41** 뇌척수액 비루   821

Ⅰ ｜ 뇌척수액의 생리 ··················· 822
Ⅱ ｜ 발생 원인에 따른 분류와 병태생리 ··· 823
Ⅲ ｜ 진단 및 수술 전 검사 ················ 827
Ⅳ ｜ 뇌척수액 비루의 치료 ·············· 832
Ⅴ ｜ 수술 후 처치 ······················· 834

Chapter **42** 비과 관련 전신질환   837

Ⅰ ｜ Wegener 육아종증 ·················· 838
Ⅱ ｜ 악성 림프종 ························· 841
Ⅲ ｜ 원발성 섬모운동이상증 ············· 842
Ⅳ ｜ Churg-Strauss 증후군 ·············· 843
Ⅴ ｜ 사르코이드증(유육종증) ············ 844
Ⅵ ｜ 비결핵 ······························· 845
Ⅶ ｜ 비매독 ······························· 845

Chapter **43** 코질환의 감정   849

Ⅰ ｜ 후각/호흡장애 ······················ 850

II │ 코의 추상장해의 평가 ················ 855

III │ 진단서 작성 ····························· 856

IV │ 상해진단서 작성을 위한 각 상병별
    치료기간 ······························· 858

찾아보기 ·································· 859

코의 해부 및 조직

연세의대 이비인후과 **김경수**, 한림의대 이비인후과 **김규보**

> ## CONTENTS

Ⅰ. 외비

Ⅱ. 비강

Ⅲ. 부비동

Ⅳ. 비강과 부비동의 혈관계, 림프계 및 신경지배

Ⅴ. 비강 및 부비동의 조직학적 구조

HIGHLIGHTS   〉〉〉

- 외비를 구성하는 각 해부학적 지표 및 명칭을 인지하고 골부와 연골부, 특히 비익연골의 연삼각과 약삼각의 해부학적 의미를 파악해야 함
- 비갑개와 비도 및 기판의 개념을 알고, 부비동 내 전사골봉소군과 후사골봉소군을 구분하고 각 봉소군의 명칭 및 해부학적 위치를 파악하고 그 배출 경로를 인지해야 함
- 수술을 시행하기에 앞서, 부비동의 발달 및 각 부비동과 관련된 중요 해부학적 구조물에 대해 확인하고 수술 전 이에 대해 평가함
- 비강 및 부비동의 혈관계, 림프계 및 신경 지배를 파악하고 특히 기판과 주요 혈관의 주행 경로에 대해 인지함

Ⅰ | 외비

능형으로 안면의 중앙부에 돌출되어 있는 외비external nose는 골, 연골 및 이를 덮고 있는 피하조직과 피부로 구성되어 있고 모양과 크기는 인종과 개인에 따라 차이가 크다. 다른 구조물은 평면에서 구성되어 있는 데 반해 코는 입체적이어서 얼굴의 미를 결정하는 데 있어 매우 중요한 부분을 차지한다. 얼굴의 측면에서 보면 이마, 코, 상/하악의 균형있는 조화가 중요하다.

　외비는 전두에서 시작하여 비근부nasal root에서 일시 함몰되었다가 점차 융기하여 비배nasal dorsum를 따라 비첨tip of the nose을 이루고, 아래로 상구순upper lip과 만나며 옆으로는 이상구pyriform aperture 위로 이어져서 상악골에 놓여 있다. 비근nasion은 비골nasal bone이 전두골frontal bone과 만나는 부위이다. 비첨으로부터 좌우로 나누어져 비익ala nasi이 되고, 그 중앙에는 비주columella 혹은 비중격 가동부mobile septum가 있어 외비공을 좌우로 나눈다. 비주에서부터 상구순에 이르는 선을 인중

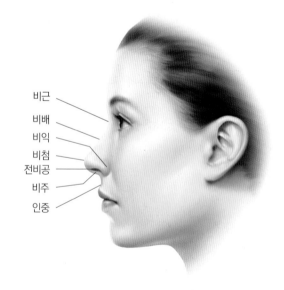

비근
비배
비익
비첨
전비공
비주
인중

| 그림 1-1　외비

philtrum이라 하고, 비주 저부와 상구순이 만나는 부위를 비구순각nasolabial angle이라 하며, 비익의 상연으로부터

2

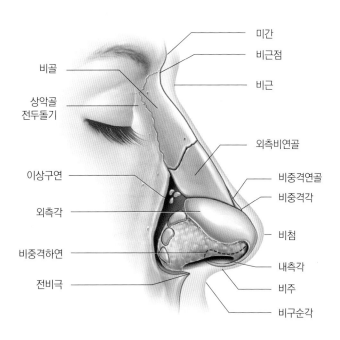

비골

상악골
전두돌기

이상구연

외측각

비중격하연

전비극

미간

비근점

비근

외측비연골

비중격연골

비중격각

비첨

내측각

비주

비구순각

┃ 그림 1-2 외비의 구조

구각anguli oris에 이르는 선을 비순구nasolabial sulcus라 한다(그림 1-1).

상부의 비골부는 딱딱하게 고정되어 있으며 하부는 여러 가지 연골과 연조직으로 부드럽게 움직이는 부분이다.

1. 골부

비골부는 좌우의 비골, 전두골 비돌기nasal process와 상악골 전두돌기frontal process 등으로 이루어진다. 비골은 한 쌍으로 되어 있으며 위로는 전두골의 비돌기, 양옆으로는 상악골의 전두돌기, 아래로는 비중격 연골과 연결되어 있다. 비골은 사각형 모양으로 윗부분으로 올라갈수록 두껍고 좁은 반면, 아래는 얇고 넓다(그림 1-2). 비

골 골절이 흔히 발생하는 곳은 두꺼운 뼈와 얇은 뼈의 경계 부위이다.

2. 연골부

외비의 연골부는 외측비연골upper lateral cartilage, lateral nasal cartilage과 비익연골alar cartilage, lower lateral cartilage 이 각각 좌우로 있다. 위로 비골, 옆으로 이상구, 아래로는 상악골의 전비극anterior nasal spine의 범위 내에 있으며 여러 가지 연골로 구성되어 주위 조직과 연결되어 있다. 중앙부에는 비중격연골의 전단이 나와 있으며 외측에는 작은 소비익연골minor alar cartilage과 부비연골accessory nasal cartilage, sesamoid cartilage이 부착되어 있다.

1) 외측비연골

한 쌍의 외측비연골upper lateral cartilage은 비골과 상악골의 전두돌기 내측에 붙어 나오며 중앙부는 비중격연골과 연결되어 있고 아래로는 결체조직에 의해 비익연골과 연결되어 있다. 비골과 외측비연골이 연결되는 부위는 비골이 외측비연골 위에 위치하고, 비골과 외측비연골이 겹치는 길이는 5~10 mm 정도로 이 부분은 연골막과 골막이 서로 단단하게 붙어 있기 때문에 비골골절 때에도 골편이 떨어져 나가지 않고 외측비연골에 붙어 있다(Lang, 1989)(그림 1-3). 외측비연골이 비골과 단단히 결합되어 있는 부위를 코초석keystone area이라고 하는데 코초석은 콧등을 지지하는 데 매우 중요한 부위로 그 연속성이 잘 유지되지 않을 경우 안장코saddle nose가 발생할 수 있다.

2) 비익연골

C자 모양을 하고 있는 비익연골alar cartilage, lower lateral cartilage은 비주columella와 비첨부를 지지하고 있다. 비익연골은 외측각lateral crus과 내측각medial crus으로 갈라져서 외비공을 둘러싸며 내측각과 외측각의 이행부를 원개dome라 한다. 내측각은 비주를 따라 아래로 내려오면서 벌어지고, 외측각은 대부분의 비익을 구성하며 형태를 유지시키고 그 주위의 치밀한 섬유윤문상조직fibroareolar tissue에 의해 지지된다. 비주와 외비공연nostril border이 만나는 부위에는 연골이 없고 피부만으로 구성되어 있는 삼각형 모양의 부분이 있는데 이곳을 연삼각soft triangle이라 부르며, 이곳이 손상을 받으면 외비의 변형이 초래되기 쉬우므로 주의를 요하는 부위이다(Ballenger, 1995). 양쪽의 외측각이 상비첨부supratip 부위에서 서로 만나는 곳에 형성되는 삼각형 부분은 약한 섬유윤문상조직만으로 덮여 있어 약삼각weak triangle이라 한

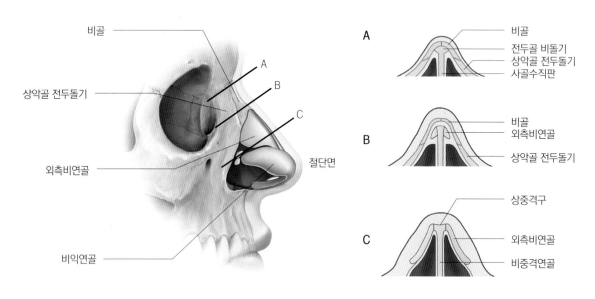

| 그림 1-3 비골과 비연골과의 관계

다(Lund, 1997). 코끝에서 가장 돌출되어 보이는 부위는 비익연골의 외측각과 내측각이 이어지는 부분으로 양측 연골이 섬유윤문상조직으로 연결되어 부드러운 형태를 이루고 있다(그림 1-4).

3. 피부

피부는 비익연골과 밀착되어 있으나 외측비연골과 비

골부 위에서는 떨어져 움직인다. 비첨 부위의 피부는 피지선이 풍부하게 분포되어 있고 두꺼우나, 나머지 부분의 피부는 얇다. 특히, 비공점rhinion 부위의 피부가 가장 얇아 매부리코를 교정할 때 이를 고려해야 한다. 피부와 피부 아래의 뼈나 연골 사이를 얕은 지방층superficial fatty layer, 섬유근육층fibromuscular layer, 깊은 지방층deep fatty layer 및 골막periosteum 혹은 연골막perichondrium 등 4개의 층으로 나눌 수 있다. 얼굴의 피부 밑 지방층에는 이를 두 층으로 분리하는 천근건막체계superficial mus-

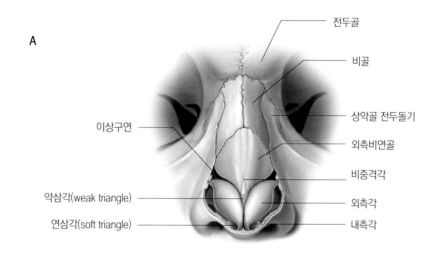

A

전두골
비골
상악골 전두돌기
외측비연골
비중격각
외측각
내측각

이상구연
약삼각(weak triangle)
연삼각(soft triangle)

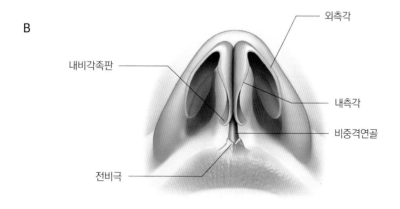

B

외측각
내비각족판
내측각
비중격연골
전비극

▍그림 1-4   비익연골

culoaponeurotic system, SMAS가 있는데 외비의 주요 혈관과 신경은 SMAS층이나 지방층을 지나기 때문에 코수술 시 반드시 깊은 지방층과 연골막 또는 골막 사이를 박리해야 피부의 혈류를 유지하고 수술 후 상처조직의 수축으로 인한 변형을 피할 수 있다(Tardy, 1990).

4. 근육 및 신경

코의 근육은 코길이와 외비공의 크기를 어떻게 변화시키는지에 따라 크게 네 부분으로 나눈다(그림 1-5). 코길이를 줄이고 외비공을 확장시키는 거상근elevator muscle으로는 비근근procerus m., 상순비익거근levator labii superioris alaeque nasi m. 및 비이상근anomalous nasi m.이 있다. 코길이를 늘리고 외비공을 확장시키는 하체근depressor muscle으로는 비근nasalis m.의 익부alar part; alar nasalis와 비중격하체근depressor septi m.이 있다. 코길이를 늘리고 외비공을 좁히는 압축근compressor muscle으로는 비근의 횡부transverse part; transverse nasalis와 소비압축근compressor narium minor m.이 있다. 이 밖에도 작은 확장근minor dilator muscle으로는 전비확장근anterior dilator naris m.이 있다(Letourneau, 1988).

코의 근육은 안면신경facial nerve의 관골분지zygomatic branch, 측두분지temporal branch와 협분지buccal branch의 지배를 받는다. 외비상부의 지각은 삼차신경의 제1 분지인 안신경ophthalmic nerve; V1의 분지인 활차상신경supratrochlear nerve과 활차하신경infratrochlear nerve이 담당하고 하부는 안신경의 외비신경 및 상악신경maxillary nerve의 안와하신경infraorbital nerve이 담당한다(Hollinshead, 1968). 외비하부의 지각은 안신경으로부터 나오는 전사골신경anterior ethmoidal nerve의 외비신경external nasal nerve과 삼차신경의 제2 분지인 상악신경maxillary nerve,

V2의 안와하신경infraorbital nerve이 담당한다. 혈관은 안면동맥과 안각정맥 및 안정맥 등이 분포하고 있다.

II | 비강

비강nasal cavity은 비중격에 의해 좌우로 분리되며, 그 입구부를 외비공external aperture of the nose; anterior nares, 그 후단부를 후비공choana; posterior nares이라 부르고 여기서 비인두nasopharynx로 통한다.

1. 비전정

비전정vestibule은 측비연골의 하단에 있으며 추벽fold을 형성하여 튀어 나온 부위를 내비공internal nares이라 한다. 외비공으로부터의 거리는 일정치 않지만 약 1 cm의 부위로서 그 표면은 보통의 피부로 덮여 있어 비모vibrissae, 피지선, 한선 등이 있다. 이 부위의 후방은 비점막이 시작되는 부위로 고유비강을 이룬다. 이들 경계부의 측벽에 외측비연골의 미단caudal end에 해당하는 약간 융기된 부분을 비역limen nasi이라 하며 비강에서 가장 좁은 부위가 된다.

2. 비강 상벽

상벽의 전하방은 비골의 내면과 전두골 비부의 내면으로 형성되어 있고 가장 높이 위치하고 있는 중앙부는 사골의 사판cribriform plate으로 되어 있다. 후하방은 접형

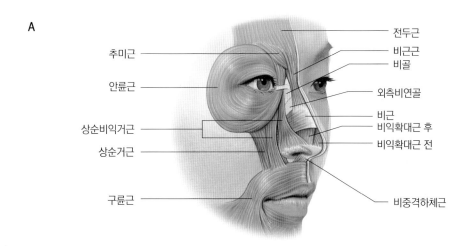

A

추미근
안륜근
상순비익거근
상순거근
구륜근

전두근
비근근
비골
외측비연골
비근
비익확대근 후
비익확대근 전
비중격하체근

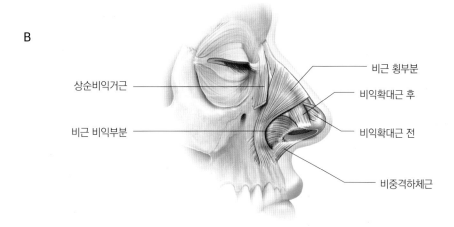

B

상순비익거근
비근 비익부분

비근 횡부분
비익확대근 후
비익확대근 전
비중격하체근

❙ 그림 1-5 코의 근육

동의 전벽과 서골익ala of the vomer, 구개골의 접형돌기 sphenoidal process of the palatal bone, 접형골의 초상돌기 vaginal process of sphenoid bone 등으로 구성되어 있다. 이 부위는 후점막olfactory mucosa으로 이루어져 있으며 후 신경olfactory nerve이 사판의 사골공을 통하여 분포한다.

3. 비중격

좌우비강의 경계를 이루고 있는 비중격nasal septum은 비 주columella와 비첨의 지지에 도움을 주는 연골과 골판으 로 형성되어 있고 서로 단단하게 접합하고 있다. 비중격 연골의 미측연caudal edge과 비주 사이를 막성 중격mem- braneous septum이라 하는데 양측으로 비전정 피부의 외층과 그 사이에 피하지방층으로 구성되어 있어 매우 유동적이고 비강 내로의 외과적 접근 시 쉽게 외측으로 전위될 수 있다.

전방 가동부는 비중격연골로 일명 사각연골quadrilateral cartilage이라고도 하며 중심부위는 3~4 mm의 두께이며 전하방으로 올수록 그 두께는 두꺼워져 4~8 mm까지 증가한다. 상방으로는 외측비연골과 연결되고 비중격각septal angle을 형성한다. 후상방은 사골수직판perpendicular plate of the ethmoid으로 되어 있고, 후하방은 서골vomer로 되어 있어 연골막은 미세하게 서골의 골막으로 이어진다. 사골수직판은 전상부 골성 중격을 형성하며 사판 위쪽으로 계관crista galli과 이어진다. 서골은 후하방 골성 중격bony septum을 이루며 위로 사골수직판과 아래로는 상악골과 구개골의 비릉nasal crest, 전방으로는 연골과 접하고 있고, 후방으로는 접형골 비릉과 접하고 있어 종종 접형동에 의해 서골이 함기화될 수 있으

며 유리된 경계는 평탄하고 오목하며 후비공의 경계를 이루고 있다(Hollinshead, 1982)(그림 1-6).

비중격연골을 덮고 있는 점막성 연골막은 비중격 저부의 상악골릉maxillary crest의 골막과 단단하게 연결되어 있다. 비골과 비중격연골의 배측 접합부위로부터 전비극을 지나는 가상의 수직선에 의해 비중격에서 주된 지지역할을 하는 앞쪽 부위와 그렇지 않은 뒤쪽 부위로 나뉜다. 비중격을 수술할 경우에 이 가상선의 뒤쪽에 있는 구조물들은 이보다 앞쪽에 있는 연골 구조물에 비해 크게 주의를 기울일 필요 없이 제거해도 된다.

비중격연골의 후하방에는 2~9 mm 길이의 후관흔적 vomeronasal organ (VNO, Jacobson's organ)이 있을 수 있다. 전상방에 있는 점막의 융기는 비중격 결절septal tubercle이라고 하며, 전하방은 비강에 분포하는 동맥혈관이 군을 형성하고 있어 비출혈epistaxis과 가장 관계가 깊은 곳으로 Little's area 또는 Kisselbach's plexus라고 한다.

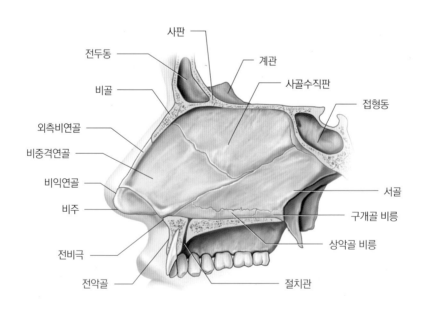

전두동
사판
계관
비골
사골수직판
접형동
외측비연골
비중격연골
비익연골
비주
서골
구개골 비릉
상악골 비릉
전비극
전악골
절치관

| 그림 1-6 비중격

4. 비강저

좌우로는 약간 오목하며 전후로는 수평을 이루고 있는 비강저의 전방 3/4부는 상악골 구개돌기로 형성되어 있고 그 전단부에서 약 12 mm 후방에 절치관incisive canal이 있어 비구개신경nasopalatine nerve의 분지, 대구개동맥greater palatine artery의 분지 등이 통과한다. 후방 1/4부는 구개골의 수평판으로 되어 있고 연구개가 그 뒤에 이어진다. 좌우의 골이 합쳐지는 중앙부는 약간 융기되어 비중격의 비릉nasal crest이 되고 그 가장 선단부는 전비극anterior nasal spine이 되어 돌출하게 된다.

5. 비강측벽

비강측벽은 해부학적으로 가장 복잡한 구조를 보이고 있는 부위로서 보통의 경우 상·중·하 비갑개turbinate; concha가 존재하며 그 상부에 최상비갑개supreme turbinate가 있을 수 있다(그림 1-7). 각 비갑개 사이에는 그에 대응하는 비도meatus 및 각 부비동의 자연개구부 등이 존재하여 임상적으로도 중요한 의의를 가지고 있다(그림 1-8).

측벽을 구성하는 골은 상악골이 주를 이루며 그외에 상악골 전두돌기, 누골lacrimal bone, 사골, 구개골 수직판 및 내측익상판medial pterygoid plate 등으로 되어 있다. 비갑개가 비강 내에 돌출하게 되고 각 비갑개 아래에는 비도가 있고 내측으로는 각 비도가 합쳐져 총비도common nasal meatus를 이루고 그 상방을 후열olfactory cleft이라 한다.

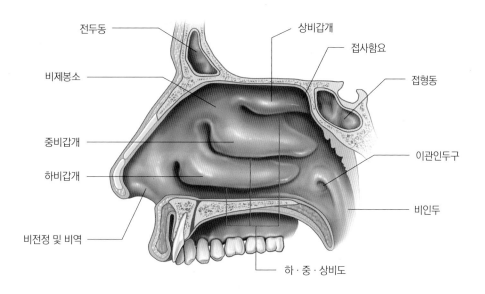

전두동
비제봉소
중비갑개
하비갑개
비전정 및 비역
상비갑개
접사함요
접형동
이관인두구
비인두
하·중·상비도

┃ 그림 1-7 비강측벽

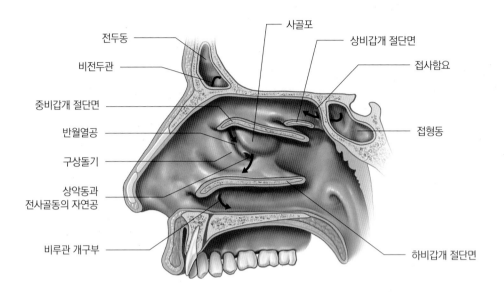

전두동
비전두관
중비갑개 절단면
반월열공
구상돌기
상악동과
전사골동의 자연공
비루관 개구부
사골포
상비갑개 절단면
접사함요
접형동
하비갑개 절단면

┃ 그림 1-8 　비강측벽 골구조
화살표는 전두동, 사골동, 상악동, 접형동 및 비루관의 배출경로를 의미한다.

1) 비갑개 Turbinate, Concha

(1) 하비갑개

하비갑개inferior turbinate는 독립된 뼈로 구성되어 있으며 길이는 3.5~5.8 cm, 폭은 0.5~1.5 cm 정도이고 고르지 못한 표면에 점막성골막mucoperiosteum이 단단하게 붙어 있으며 이것을 덮고 있는 점막은 두껍고 많은 정맥총을 포함하여 특유한 해면체를 형성한다(Lang, 1989). 이 정맥총은 비주기nasal cycle나 다양한 환경 물질에 의해 자극되어 확장될 수 있다. 하비갑개는 상악동열공 maxillary hiatus의 하연과 접하는 상악돌기를 포함하며 사골, 구개골 및 누골과도 접하고 있다.

(2) 중비갑개

중비갑개middle turbinate는 골의 일부로서 길이가 3.0~5.4 cm, 폭이 0.4~2.1 cm인 중비갑개의 가장 전상방 부착부위는 상악골의 사골릉crista ethmoidalis과 연접

해 있고, 이것은 비제agger nasi라고 알려져 있는 전방으로 팽창된 구조를 형성한다. 중비갑개의 후방 끝은 구개골의 수직돌기의 사골릉에 부착되어 있다.

중비갑개는 부착부위에 따라 3개의 부분으로 나누어진다. 중비갑개의 전방 1/3은 완전히 수직인 상태로 시상면sagittal plane으로 주행하며 사판의 외측 끝에서 두개저에 직접 부착되므로 수술 시 두개강 내로 들어가는 것을 방지하기 위한 가장 중요한 지표가 된다. 여기서부터 부착선은 외측으로 휘어지고 지판lamina papyracea에 도달한다. 중비갑개의 중앙 1/3은 기저판에 의해 지판에 고정되어 있고, 여기서는 거의 관상면coronal plane 내에서 주행한다. 이부분이 전사골동과 후사골동의 경계가 된다. 후방 1/3은 거의 수평면axial plane의 기저판으로 중비도 후방 대부분의 상벽을 형성하며 지판에 고정되거나 상악동의 내측벽에 부착된다. 이와 같이 수직면, 관상면, 수평면을 따라 분포하는 부착부위는 중비갑개의 안정성에 많은 공헌을 한다. 그러므로 부비동수술 시 중

비갑개의 후방을 과다하게 제거하면 남아 있는 전방부가 불안정해질 수 있다(Stammberger, 1991). 내시경수술에 있어서 중비갑개 전체구조의 안정성이 유지되게 하려면, 후사골봉소군이나 접형동의 병변처치를 위한 기저판의 과다한 제거는 피해야 한다.

관상면의 부착부위는 반드시 매끈하거나 평탄한 표면은 아니며 함기화가 잘 된 전사골봉소군은 이 판상구조를 뒤쪽으로 팽대시켜 후상방으로 향하게 할 수도 있다. 이것은 특히 측동lateral sinus이 잘 발달된 경우에서 잘 볼 수 있다. 어떤 경우에는 이런 전사골봉소군이 거의 접형동의 가장자리까지 연장되어 있기도 하다. 반대로 후사골봉소군이 기저판의 중앙부위를 전방으로 팽대되게 만들기도 하며, 상비도가 전하방으로 많이 발달되어 그것이 중비갑개의 기판을 전방으로 팽대시키기도 한다(Stammberger, 1991). 어떤 경우에는 중비갑개 자체도 크게 함기화가 될 수 있으며 큰 봉소는 중비갑개의 과잉 팽창을 일으켜 비폐색을 일으킬 수 있다. 이렇게 중비갑개의 골구조 안으로 자라 들어가 수포성 갑개concha bullosa를 만드는 것을 interlamellar cell이라 한다. 이와 같이 중비갑개의 기판은 매우 다양한 형태를 가질 수 있어 수술 시나 술 전 방사선검사에서 확인하기가 매우 어렵다.

(3) 상비갑개
상비갑개superior turbinate는 비교적 작아서 길이가 0.7~2.7 cm, 폭이 0.1~0.9 cm로서 점막은 얇고 후상피olfactory epithelium를 포함하고 있다.

최상비갑개supreme turbinate는 사골의 흔적 기관으로서 약 20~60%의 사람에서만 편측 혹은 양측에서 발견된다.

2) 비도 Meatus

(1) 하비도
하비도inferior meatus는 하비갑개, 비강측벽과 비강저에 의해 이루어지며 비도 중 가장 크다. 이는 비강의 전장에 걸쳐 뻗어 있으며 전 1/3과 중 1/3이 만나는 지점이 가장 높아 어른의 경우 1.6~2.3 cm 정도이다. 하비갑개 부착부의 앞 1/3부(비입구부에서 2.5~3.0 cm), 즉 하비도 중 가장 높은 부위의 바로 전방에서 비루관nasolacrimal duct이 개구한다. 비루관에는 판막은 없으며 개구부는 점막의 작은 주름으로 덮여 있다Hasner's valve. 또한 하비도의 측벽은 비교적 골이 얇아서 상악동의 시험천자나 내시경검사 및 상악동수술 시의 대공counter opening을 만드는 데 이용된다.

(2) 중비도
중비도middle meatus는 임상적으로 가장 중요한 부위로서 상악동, 전두동 및 전사골봉소군이 개구한다(그림 1-9). 중비도의 전상부에는 전두동의 개구부가 있는 전두와frontal recess가 있고 외측벽은 평평하지 않고 심한 요철이 있으며 중비갑개의 직하부에는 사골동의 융기로 인한 사골포ethmoid bulla가 있고, 그 아래는 사골포와 대칭되게 돌출되어 있는 구상돌기uncinate process가 후하방으로 가늘게 연장된다. 이 둘 사이의 좁은 간격을 반월열공hiatus semilunaris이라 한다.

반월열공은 낫모양을 하고 있고 초생달 모양과 매우 흡사한 2차원적인 시상면에 위치한 구조물로 앞쪽으로는 오목한 구상돌기의 후연, 뒤쪽으로는 볼록한 사골포의 전면으로 되어 있다. 중비도로부터 이 열공을 통하여 사골누두ethmoidal infundibulum라고 알려진 전하방과 외상방으로 향하는 공간으로 접근할 수 있다. 하반월열공은 이곳을 통하여 사골누두에 도달할 수 있는 구상돌기와 사골포 사이의 '문'이 된다. 상반월열공은 사골포의

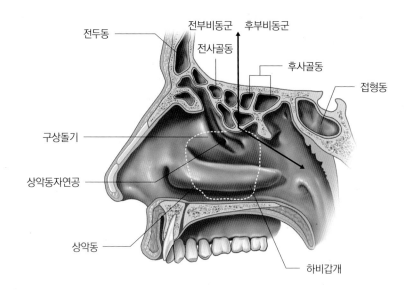

전두동 · 전부비동군 후부비동군 · 전사골동 · 후사골동 · 접형동 · 구상돌기 · 상악동자연공 · 상악동 · 하비갑개

| 그림 1-9　비강측벽 및 중비도

후방과 상방으로 확실한 측동lateral sinus이 있을 때 사골포와 중비갑개 사이에 나타나는 열cleft을 의미한다. 상반월열공은 낫모양의 열로, 이곳을 통하여 측동은 사골포의 배내측dorsomedial으로 탐침되어질 수 있다(Don-ald, 1995).

상악골의 내측은 큰 구멍을 형성하는데 이를 상악동열공maxillary hiatus이라 한다. 하벽은 하비갑개의 상악돌기로 이루어져 있고, 후벽은 구개골의 수직판, 전상방은 약간의 누골, 그리고 상벽은 구상돌기와 사골포로 이루어져 있다. 구상돌기와 하비갑개 사이에는 중비도와 상악동의 점막 및 치밀한 결체조직으로 구성되어 있는 막성 구조물이 있어 각각 전천문anterior fontanelle 및 후천문posterior fontanelle이라 한다. 상악동 자연공natural os-tium은 구상돌기 자체를 기준으로 할 경우 후천문의 앞쪽에 위치하며, 부공accessory ostium은 주로 정상 성인의

약 0~40% 정도에서 발견될 수 있으며 부비동염이 있는 환자에서 더 흔히 보인다. 부공은 상악동의 자연공과 달리 구상돌기를 제거하지 않아도 비내시경 과정에서 발견할 수 있으며 주로 원형이고 자연공보다 크며 관을 형성하지 않는다. 상악동 내 점액은 점막섬모운동을 통하여 부공이 아닌 자연공을 향하여 흐르기 때문에 수술 시 상악동 자연공을 잘 열어주는 것이 중요하다.

(3) 상비도
상비도superior meatus는 상비갑개와 중비갑개 후반부 사이의 좁은 통로로서 대부분의 후사골봉소가 여기에 개구한다. 내측에는 접사함요sphenoethmoidal recess가 있어 여기에 접형동이 개구하고 후하방, 즉 중비갑개가 비강측벽에 부착되는 최말단 부위에는 접형골에 접하여 접구개공sphenopalatine foramen이 있다.

III | 부비동

부비동질환의 병태생리와 치료의 기본은 부비동parana-
sal sinus 해부의 상세한 이해이다. 모든 형태의 부비동질
환에 대한 수술적 처치는 부비동의 해부학적 구조와 주
위 구조에 대한 정확한 지식 없이는 위험하다. 대부분의
부비동은 고형골solid bone에서 함기화pneumatization에
의해 발생하고 이 과정의 진행 정도는 각 개인마다 큰
차이를 보이고 있으며 같은 사람에 있어서도 양측이 큰
차이를 보일 수 있다. 이와 같은 고도의 다양성이 부비
동수술을 매우 어렵게 하고, 특히 부비동과 인접한 주위
의 수많은 주요 구조물에 대한 고려가 있어야 한다.

부비동은 비강 둘레에 있는 강cavity으로 고형의 안면
골 구조에 호흡점막이 침입하여 이것이 함기화되는 과
정에 의해 생성된다. 사골동, 상악동 및 전두동은 비강외
측벽의 팽출외번evagination으로부터 발생되며 접형동은
비낭nasal capsule의 팽출외번으로부터 발생한다. 부비동
은 태생 3개월부터 발생하며 출생 시 사골동과 상악동만
존재하나 연령이 증가하면서 점차 발육해서 사춘기에
거의 완성된다. 비강과의 교통은 공동의 각 개구부를 통
하여 이루어지고 동벽을 덮고 있는 점막은 비점막과 연
속되어 있어 비강의 염증은 쉽게 동내로 확대되어 부비
동염을 일으킨다. 각 부비동은 그 개구부의 위치에 따라
서 2군으로 구분하는데 중비도에 개구하는 전두동, 전사
골봉소군 및 상악동은 전군anterior group이라 하고(그림
1-10), 상비도나 최상비도에 개구하는 후사골봉소군과
접형동은 후군posterior group이라 한다(그림 1-11).

1. 사골동

사골동ethmoidal sinus은 부비동 염증질환의 중심 부비동

이며 가장 복잡한 부비동으로 사골동미로ethmoidal laby-
rinth라는 이름이 잘 어울린다. 호흡상피로 덮인 얇은 골
판으로 이루어진 일련의 봉소들은 각각 자기의 개구부
를 가지며 복합체를 이룬다. 봉소들은 안와와 비강외측
벽 사이의 공간과 상측으로 전두와frontal recess와 하측으
로는 하비갑개의 상악돌기 사이의 공간을 점유한다. 사
골동의 측벽인 지판lamina papyracea은 안와의 내측벽의
대부분을 이루는 종이처럼 얇은 골판이다. 사골동의 내
측벽은 비강의 측벽을 형성하며 중비갑개의 부착부이다.
사골의 수평판cribriform plate은 한쪽의 사골봉소군을 반
대측 사골봉소와 연결한다.

사골동은 중비갑개기판basal or ground lamella of the
middle turbinate을 중심으로 전하부의 전사골봉소군과
후상부의 후사골봉소군으로 나뉘며, 전사골군은 중비
도로, 후사골군는 상비도로 배출된다. 4~5 cm의 길이와
2.5~3 cm의 높이를 가지며 넓이는 전방은 0.5 cm 정도
로 좁고 후방은 1.5 cm 정도로 넓다. 한쪽 사골동미로
는 적게는 4개에서 많게는 17개의 봉소를 가지며 대개
7~11개로 이루어져 있다. Onodi cell은 접형동의 전상
부를 침범하는 후사골동봉소 중 가장 후방에 위치하는
봉소이다. 종종 접형동으로 오인되지만 대개 이 봉소의
내하방에 접형동이 있다. Haller cellinfraorbital cell은 중
비갑개의 부착부위에서 비강의 외측벽으로 생긴 봉소로
서 사골누두ethmoidal infundibulum의 외측에 주로 위치
한다. 이것은 안와의 내측벽과 안와저에 인접해 있고 하
방으로 상악동강antrum으로 연장될 수 있어 클 경우 상
악동내의 격막으로 오인될 수 있으며 상악동으로부터의
배출에 영향을 미칠 수 있다.

전두와frontal recess의 주위에는 크기가 다양하고 수가
일정치 않은 봉소들이 모여 있다. 위치에 따라 전두사골
봉소frontoethmoidal cell, 전두와에 있어 전두동에서의 배
출을 방해할 수 있는 전두와봉소frontal recess cell, 안와상
벽의 측부까지 뻗어 있는 상안와봉소supraorbital cell, 중

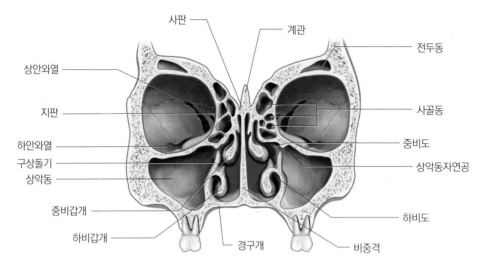

사판 — 계관 — 전두동

상안와열 — 사골동

지판 — 중비도

하안와열 — 상악동자연공

구상돌기 —

상악동 —

중비갑개 — 하비도

하비갑개 — 경구개 — 비중격

| 그림 1-10   부비동의 관상면

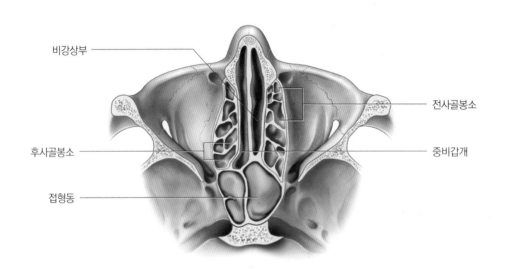

비강상부 — 전사골봉소

후사골봉소 — 중비갑개

접형동 —

| 그림 1-11   부비동의 횡단면

비갑개의 전상방에 위치한 비제봉소agger nasi cell 및 사골봉소가 전두동의 관내로 팽창하여 전비관 주위를 좁게 하는 전두포frontal bulla 등이 있는데 이 봉소들은 대부분 전사골봉소의 매우 다양한 발생과정 때문에 일정한 모양을 갖추고 있는 것이 아니므로 명백한 비제 봉소나 상안와봉소 등을 제외하고는 수술 시야에서 각각을 구분하여 명명한다는 것은 불가능하다(Kasper, 1936; Stammberger, 1991).

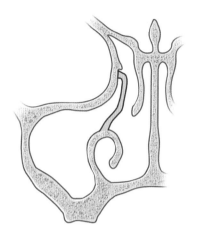 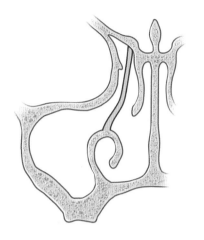 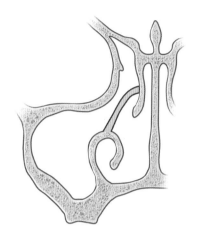

▌ 그림 1-12 구상돌기의 부착부위

1) 전사골봉소군

전사골봉소anterior ethmoidal cell은 그 개구 위치에 따라서 전두와봉소frontal recess cell, 누두봉소infundibular cell 등으로 분류되기도 하고 해부학적 위치에 따라서 비제봉소, 구상돌기봉소, 사골포 및 수포성갑개 등으로도 분류된다.

(1) 구상돌기봉소

구상돌기는 얇고 대부분이 시상면으로 위치한 골성 구조로, 전상방에서 후하방을 향하고 있다. 구상돌기의 뒤쪽 끝부분과 전하측 부위에 있는 몇 개의 골편을 제외하면, 구상돌기는 마치 구부러진 갈고리나 부메랑과 유사하게 보인다. 구상돌기의 후상방연은 날카롭고 오목하며, 그 바로 뒤에 위치하는 사골포와 많은 부분에서 평행하게 놓여 있다. 전방 부착부위는 비측벽과 연속되는 점막층으로 덮여 있어서 구별할 수는 없다. 가끔 약간의

함몰이 구상돌기봉소가 비강 외측벽으로부터 기원하는 선을 따라 나타날 수 있다. 상방으로 향하는 구상돌기봉소는 비강의 골성외측벽인 누관과 접하고 있으며, 최상부분은 중비갑개의 기시부에 가려서 더 이상 볼 수 없다. 이 최상부분은 두개기저부까지 연장되거나 외측으로(부분적으로 혹은 완전히) 휘어져 지판에 부착되기도 한다. 이것은 또한 내측으로 휘어져 중비갑개의 기시부와 융합하기도 한다(Min, 1995).

구상돌기의 최상부위가 크게 세 곳에 부착될 수 있는데 그 부착 부위에 따라 전두동의 배출 경로가 달라진다(그림 1-12). 구상돌기의 최상부위가 외측으로 구부러져 지판에 붙게 되면 사골누두는 'terminal recess'라고 불리는 맹낭부blind pouch로 상방이 막혀진다. 이 경우에 사골누두와 전두와는 서로 분리되어 전두와는 사골누두의 내측에 구상돌기와 중비갑개 사이에 중비도로 열린다. 또한 이 경우 전두동의 배출과 환기 경로는 사골누두의 내측으로 지나간다. 구상돌기봉소는 또한 직접 상

부로 뻗어 사골상벽으로 뻗쳐 있거나 점진적으로 앞쪽으로 와서 끝날 수도 있고, 또한 내측으로 방향을 바꾸어 중비갑개에 부착할 수 있는데, 이 두 가지 상황에서는 전두와와 전두동은 직접 사골누두로 개방된다. 물론 이것은 염증과정의 확산에 중요한 의미를 가진다. 만일 사골누두가 terminal recess를 형성하여 전두와로부터 분리되면 사골누두의 병변이 전두와로 확산될 가능성은 줄어들고, 마찬가지로 전두와 내의 병변이 사골누두까지 확산될 가능성이 적어진다(Stammberger, 1991). 한국인의 두개골을 이용한 연구결과에서는 약 40%에서 전두동이 사골누두 안으로 배출되었다(Kim, 2001).

(2) 사골포

사골포bulla ethmoidalis는 전사골봉소 중 가장 변이가 적고, 가장 큰 봉소로서 지판에 부착되어 있으며 사골포 기판bulla ethmoidalis lamella의 함기화에 의해 형성된다. 약 8%에서는 사골포가 빈약하게 발달되어 있거나 전혀 없는 경우도 있어 사골포 기판에서 골조직이 팽창된 측 융기lateral torus로서 존재한다. 사골포의 후방으로는 중비갑개의 기판이 있고, 사골포 기판은 상방으로 사골의 상벽인 두개저에 도달할 수도 있고 그렇지 못한 경우도 있다.

(3) 사골누두

반월열공을 통하는 전방, 하방, 상방으로 우묵한 공간이며, 갈라진 틈새 같은 모양으로서 비강측벽에 있는 삼차원 공간으로 전사골동에 속한다. 사골누두ethmoidal infundibulum의 내측벽은 구상돌기 및 반월열공, 외측벽의 대부분은 안와의 지판, 후벽은 사골포의 전벽, 상부는 구상돌기의 부착부위에 따라 다양한 모양을 가지며 전방은 구상돌기가 지판을 만나면서 생기는 예각으로 된 맹낭부blind pouch로 막혀 있다. 하방과 후방에서 사골누두의 외측벽은 후천문의 점막층으로 덮인 결체조직으로

형성된다.

상악동의 자연개구부는 구상돌기가 제거된 후 사골누두 후방의 하비갑개 직상부에서 찾아볼 수 있다.

여러 개의 분명히 보이는 약간 움푹한 형상을 사골누두의 상측벽에서 볼 수 있는데, 그 수와 크기는 다양하며 전방으로 확장되어 소위 누두봉소infundibular cell라는 것으로 발전된다. 그러한 봉소가 전방과 상방으로 발달한다면 그것은 누골까지 도달하고 사골누봉소ethmolacrimal cell라 한다.

구상돌기의 형태에 의존해서 사골누두의 전체 길이는 4 cm까지 이를 수 있다. 구상돌기의 후방자유연free margin에서 수직으로 측정하였을 때 최대 깊이는 12 mm까지 이를 수 있고 구상돌기의 자유연에서 지판까지의 최대 넓이는 5~6 mm이다. 후자는 구상돌기가 내측으로 굽어 있거나 전방으로 젖혀져 있는 경우에 주로 일어난다. 수술의는 구상돌기가 전장에 걸쳐서 안와지판으로부터 1~1.5 mm 이내에 존재할 수 있다는 것을 기억해야 한다(Lund, 1997).

사골누두는 역곡중비갑개paradoxical middle turbinate나 수포성 갑개concha bullosa 같은 해부학적 변이나 비강외측벽 쪽으로 구상돌기를 압박하는 어떤 병리학적 병변이 있는 경우에는 무기화atelectasis 될 수도 있다.

(4) 비제봉소

중비갑개 전방 부착부의 전상측부에 위치하는 비제봉소agger nasi cell는 대부분 전두와로부터 함기화 된다. 비제는 퇴화한 비갑개를 나타내기 위해 명명된 것으로 능선ridge을 의미하며 비제봉소는 흔적기관인 'nasoturbinal concha'에서 생긴다고 한다. 봉소의 수와 크기는 매우 다양하며 심지어 비골과 상악골 전두돌기를 침범하는 경우도 있다. 외측벽에 누골이 위치하며 전두와의 전방에 위치하고 있어 잘 발달된 비제봉소는 후방의 전두와를 가로막아 전두동으로부터의 점액배출에 영향을 미

친다. 시체해부에만 의존했던 과거의 연구에 따르면 40~50% 정도에서 존재하였으나, CT scan을 이용한 연구에 의하면 거의 100%에서 발견된다(Kuhn, 1991).

(5) 전두와봉소

Killian 이후로 전사골의 전두와frontal recess라고 부르는 부위에 대한 명명과 기술에 대한 혼란은 사골누두와 관련된 명칭의 다양성이나 변화보다 더 심하다. 전두와는 '전두동의 비부', '전두누두', '비전두관' 등으로 불리어져 왔으며, 사골누두와 혼동되는 경우도 있었다. 전두동은 이 전두와에서 전두골 내로의 함기화로 생기게 된다. '비전두관nasofrontal duct'이란 용어는 실제로 드문 경우에서만 존재하는 것으로 전사골동과 전두동을 연결하는 관상의 골구조물을 지칭한다. 전두동자연공frontal sinus ostium은 전두동이 사골동에 접해 있을 때와 개구부의 바로 주변 경계가 사골의 일부로 되어 있을 때만 형성된다. 두개골을 시상면으로 절단하여 전두동에서부터 사골동으로 이행되는 부위를 보면, 전두동의 저부내측으로 끝이 좁아지면서 자연공을 향해 깔때기 모양이라는 것을 알 수 있다. 자연공의 아래쪽으로는 또다른 깔때기 모양의 공간이 존재하게 되는데 전두동자연공의 가장 좁은 부위로부터 시상면의 방향으로 넓어지는 부위이다. 따라서 시상면에서 모래시계 모양의 구조가 존재하며, 가장 좁은 부위는 전두자연공에 해당하며 그 아래 부위를 전두와라고 지칭한다. 그 부위의 경계, 모양, 너비 등은 주위 구조물에 의해 많이 영향받는다(**그림 1-13**).

중비갑개, 상비갑개, 최상비갑개가 위로 합쳐져 하나의 판으로 형성되는 갑개판conchal plate과 구상돌기와 사골포의 위쪽이 만나 역시 하나의 판을 이루는 상누두판 suprainfundibular plate이 존재하는데 이들의 해부학적 관계에 따라 전두동의 개구부위가 달라진다(Kim, 2001 ; Yoon, 2002)(**그림 1-14**).

전두동개구는 전두와의 가장 전상부에서 찾을 수 있

다. 전벽은 비제봉소들로 이루어지며 후벽은 사골포의 기판이 연속적으로 상승하여 사골상벽으로 향할 때 사골포의 전벽으로 이루어지며, 이 경우에 사골포의 전벽으로 인해 측동으로부터 전두와를 분리시킨다. 그러나 사골포의 기판은 종종 불완전하고 몇몇 분지만으로 사골상벽에 도달하거나 전혀 발육되지 않기 때문에, 전두와는 후방에서 사골포상부(때로는 후부)의 공간 즉, 측동과 연결된다. 두개저 및 전사골신경이 전두와의 후벽을 이룰 수도 있다. 구상돌기의 위치에 따라 전두와는 구상돌기와 중비갑개 사이로 중비도에 개구하기도 하며 직접 사골누두에 개구하기도 한다. 이것은 이 부위의 발생학적 변이에 기인한다.

사골포기판의 상태는 전두와의 모양에 큰 영향을 미친다. 만일 이것이 앞쪽으로 많이 뻗어 있고 사골포가 잘 발달되어 있다면 전두와는 좁아진다. 만약 비제봉소의 함기화 정도가 심하고 또한 부수적인 전두사골봉소가 존재하는 경우, 전두와는 좁은 통로 혹은 관상의 강 tubular cavity이 될 것이다. 이러한 경우에는 '비전두관' 이라는 용어가 적절하다(Stammberger, 1991 ; Levin and May, 1993).

많은 경우에 전사골봉소들이 전두와로부터 발달되어 전두와의 구조는 매우 복잡한데 이들 봉소를 전두와봉소frontal recess cell라 한다. 이들에는 비제봉소, 전두봉소frontal cell, 상안와봉소supraorbital cell, 상사골포봉소 suprabullar cell, 전두포봉소frontal bulla cell 등이 있다(**그림 1-15A**). 이들은 해부학적으로는 전사골봉소에 해당되나 기능적으로는 전두동의 배출에 영향을 미친다. 전사골봉소들이 주로 전두동의 후벽을 따라 전두골 내로 발달되는 전두포는 10~20%에서 존재하며, 단순한 전두동의 저부내로 전두와의 팽창에서부터 일측 전두골에 동등하게 큰 2개 혹은 그 이상의 봉소를 형성하는 것까지 다양하다. 이러한 모든 봉소들은 전두와 내로 열려져 있다. 몇몇 예에서는 어느 봉소가 진정한 전두동이고, 전

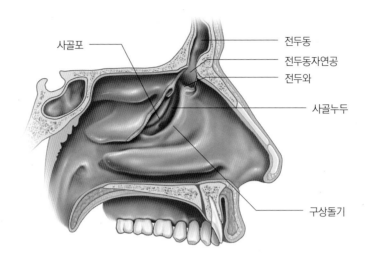

사골포 — 전두동
전두동자연공
전두와
사골누두
구상돌기

| 그림 1-13   반월열공과 전두와

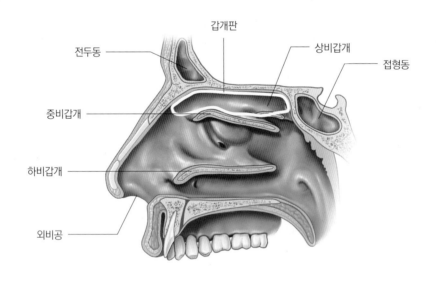

갑개판
전두동 — 상비갑개
접형동
중비갑개
하비갑개
외비공

| 그림 1-14   갑개판

두봉소인지 구별하기가 불가능한 경우도 있다. 또한 전
두봉소는 Kuhn(1991)에 의해 네 가지로 구분 되었는데
1형은 비제봉소의 상부에 한 개의 전두와봉소가 있을
때, 2형은 비제봉소 상부의 전두와 내에 2개 이상의 일

련의 봉소들이 있을 때, 3형은 전두동까지 침범하여 크
게 함기화된 하나의 큰 봉소가 있을 때이며, 4형은 전두
동내에 독립적으로 존재하여 비내시경수술만으로는 제
거하기 힘든 경우로 구분하였다(그림 1-15B). 상안와 봉

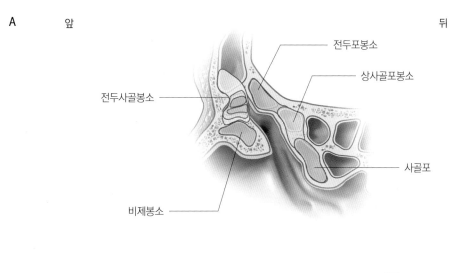

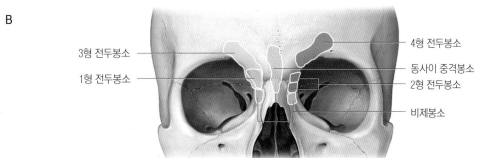

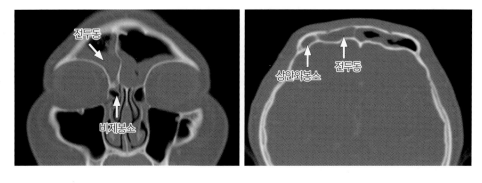

┃ 그림 1-15 전두와봉소

소는 전두동 뒤에 있는 봉소가 상안와벽 위로 함기화되는 것이고, 상사골포봉소는 사골포 위의 봉소이며, 전두포는 사골포 위의 봉소가 전두동 후벽쪽으로 함기화되는 것이다.

(6) 측동

측동lateral sinus은 일정한 모양을 이루고 있는 것은 아니다. 사골봉소의 크기에 따라, 전하방으로는 사골포의 후상벽, 외측으로는 지판, 상방으로는 사골의 상벽, 후벽은 중비갑개의 기판, 내측으로는 중비갑개에 의해 경계되며, 사골포와 중비갑개 사이의 상부의 반월열공을 통해 열려 있다. 측동의 함기화가 좋은 경우에는 사골포는 대개 여기에 개구한다.

(7) 사골상벽

사골상벽의 구조는 높이, 넓이, 모양이 개개인마다 다르고 좌우측에 따라서도 매우 다양하므로 수술의가 수술을 시행하기에 앞서서 이 부위의 해부에 대해 CT scan을 통해 완전히 이해하는 것이 중요하다.

사판의 측벽은 사골천정ethmoid roof의 내측벽이 되며 그 높이와 모양은 개인에 따라 매우 다양하다. 사골상벽의 가장 높은 곳은 사판보다 17 mm까지도 높게 위치할 수 있다는 사실은 임상적으로 매우 중요하다.

2) 후사골봉소군

후사골봉소posterior ethmoidal cell는 상비갑개와 중비갑개 사이의 상비도로 배출된다. 전사골봉소군보다 적어서 2~6개 정도이나 각각의 봉소크기는 훨씬 크다. 이들은 다시 상비도에 개구하는 후사골봉소와 최상비도에 개구하는 최후사골봉소postreme ethmoidal cell로 나뉘기도 한다. 후사골동에서 세포의 수는 상비갑개의 기판이 지판까지 연장되는지 세부 중격이 존재하는지에 따라 크게 다르며, 부피 또한 중비갑개의 기판의 구조와 주행에 따라 크게 달라진다. 임상적으로는 대수롭지 않으나 대부분의 최후사골봉소의 분포 양상은 접형동을 따라 외측으로 그리고 접형동을 넘어 상방으로 분포할 수 있으므로 수술의에게는 매우 중요하다. 어떤 경우에는 후사골동의 후벽이 접형동의 전벽을 지나 외측으로 1.5 cm까지 확대되는 경우도 있다. Onodi cell이라 불리는 이 세포는 인체에서 9~12%에서 발견되는데 Lang에 의하면 태생기에 접형골에 대한 사골의 관계에 의해 형성되어 전방에 위치한 사골이 후방으로 자라 들어가면서 접형골을 감싸게 된다고 한다(Lang, 1989). 함기화 정도에 따라 시신경과 밀접한 공간적 관계를 갖고 있어 시신경관 optic canal이 이 세포의 측면으로 튀어나와 보일 수 있으

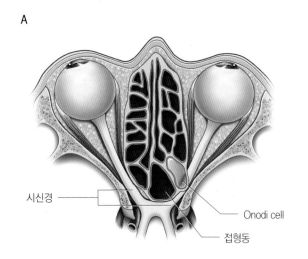
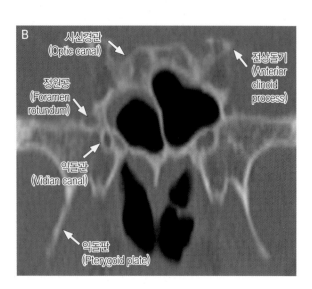

| 그림 1-16 Onodi cell

며, 그 세포에 의해 둘러싸일 수도 있다. 내경동맥 또한 후사골동세포 측면으로 불거져 나올 수 있어 주의를 요한다(그림 1-16).

수술 중 전·후사골동을 경유하여 접형골의 전벽을 개방할 경우에 가능하면 내하측으로 접근하는 것이 좋다. 기판의 천공 후 Onodi cell 뒤쪽의 접형동을 찾기 위해 지판을 따라 후외측으로 향하는 실수를 범해서는 안된다. 이곳이 시신경이 가장 손상받기 쉬운 지점이다.

후사골동의 측벽은 지판으로 이루어져 있는데 이곳은 매우 얇고 피열dehiscence이 있을 수 있다. 이곳을 통해 안구 내용물이 후사골동으로 빠져나올 수 있으므로 노란색의 안구지방조직이 지판을 통해 빠져나온 것으로 의심되면 안구를 압박하여 지방조직이 움직이는지를 확인하여야 한다Stankiewicz's sign(Levine and May, 1993).

2. 전두동

전두동frontal sinus은 전두골이 함기화된 것으로 전두와 전체가 전두골 방향으로 확장되어 생성되거나, 발생 당시 전두와에 있던 4개의 코오목nasal pit 중 하나에서 생성되거나, 중비도의 사골누두가 상부로 확장되어 생성되거나, 또는 사골포로부터 함기화됨으로써 발생한다(Kasper, 1936). 생후 3개월이 되면 전두와frontal recess가 생성된다. 이 전두와가 상방으로 점점 자라 전두동이 되는데 6세에는 X-선상에 전두동이 잘 관찰되고 양측 전두동이 점점 팽창하여 얇은 전두동 종격frontal septum을 경계로 만나게 되고 사춘기가 끝날 무렵에 성장이 끝난다(Van Alyea, 1951). 전두동의 크기는 1 cm³에서부터 전체 전두골을 차지하는 것까지 매우 다양하다. 전두동의 높이는 5~66 mm(평균 24.3 mm)이고 중앙선에서 측벽까지의 거리가 17~49 mm(평균 29 mm)이다(Lund, 1997).

전두동은 전두골의 내외골판의 중간에 위치하며 하벽의 대부분은 안와상벽으로 구성되며 일부는 중앙선 근처에 위치하고, 일부는 사골상벽과 겹치고 일부는 전사골동 상부에 위치한다. 하벽의 최전방부는 비근의 직상부이고 견고하고 두터운 뼈로 되어 있다.

전두동을 좌우로 나누는 전두동중격은 정중앙에 위치하지 않을 수도 있으며 약 9% 정도에서는 불완전하다. 전두동의 모양은 불규칙한 추체형을 하고 있고 양측 동의 크기는 개체에 따라 차이가 심하며, 동 자체가 완전히 결여된 경우도 종족에 따라 많은 차이를 보여 에스키모인에서는 50% 이상이 보고되고 있다. 그런가 하면 일측에 2개 이상이 존재하는 과잉전두동supernumerary frontal sinus의 경우도 있어 Boege는 1.5%, Onodi는 10%, Jovanovic는 3%라고 하였다(Hollinshead, 1982).

전두동의 전내측으로부터 자연공을 통해 중비도로 이행되는 부위에 대하여 van Alyea는 80%에서 관보다는 구멍의 형태라고 지적한 반면에, Lang은 77%에서 관, 23%에서 구멍의 형태라고 하면서 관의 넓이는 넓은 곳이 평균 5.1 mm, 가장 좁은 곳이 2~6 mm라 하였다. 이와 같이 학자마다 상반된 의견을 내고 있으나 많은 학자들은 관이라기보다는 상하의 깔때기 모양이 만나 좁아져 있는 구멍으로 이루어진다는 주장이 더 우세하다(Van Alyea, 1941; Lang, 1989).

전두동으로부터 중비도로 점액이 배출되는 경로는 앞에서 언급한 바와 같이 구상돌기와 사골포 기판의 형태에 따라 전두와, 사골누두 및 측동 등으로 다양하다.

전두동의 후벽과 하벽은 전벽에 비해 얇아서 염증이 이곳을 통하여 두개내 혹은 안와 내로 파급되기도 한다.

3. 상악동

비록 현재는 부비동질환의 병태생리에 사골동이 강조되

어지나, 전통적으로 부비동질환의 주요 구조물로 상악동maxillary sinus이 고려되어 왔다. 상악동은 상악골의 함기화에 의해 형성되는데 측면으로는 협골zygoma의 체부까지, 후방으로는 구개골까지 다양한 정도로 확장되며 일측의 용적은 약 15 ml이지만 개인에 따라 차가 크다. Lang에 의하면 우측 상악동의 평균길이는 38.4 mm, 좌측은 39.1 mm이다. 평균폭은 우측은 26.2 mm, 좌측은 26.9 mm이다(Lang, 1989).

상악골은 4개의 돌기(협골돌기, 전두돌기, 구개돌기, 치조돌기)를 가지고 있으며 8개의 골(반대편 상악골, 협골, 전두골, 구개골, 사골, 누골, 하비갑개, 비골)과 연접해 있다(Donald, 1995).

상악동은 대략 육면체를 이루고 있으며 상악골과 측면으로 관절을 이루는 협골은 이 부비동에 의해 함기화되어 있다. 일반적으로 전벽, 상벽과 측벽하부는 얇은 뼈로 되어 있으며 후벽, 측벽상부와 대부분의 하벽은 두꺼운 뼈로 되어 있다. 상악동의 하벽은 상악골의 치조돌기alveolar process of the maxilla에 의해 형성되며 대개 해면조직의 두꺼운 골로 상부 치열을 고정하고 있다. 일부 내측 하벽은 경구개 위에 놓여 있으며, 흔히 중앙면의 수 mm까지 확장되어 있고, 그 면은 8~12세에 비강저와 거의 같은 높이를 이루며, 성인이 되면 비강저보다 5~10 mm 정도 낮아진다. 또 치근이 동저sinus floor에 밀접해 있어 제1 대구치는 약 2.2%에서, 제2 대구치는 2% 정도에서 동내로 돌출되어 치성 병변이 동내로 파급되기도 하고, 발치 후에 구강상악동루oroantral fistula가 형성되기도 한다.

상악동의 상벽인 안와하벽은 내측에서 외측으로 경사져 있고 상악동쪽으로 볼록한 모양을 하고 있으며 얇은 벽으로 이루어져 있어 외상 시 손상받기 쉽다. 안와하신경infraorbital nerve은 안와하벽을 관통하여 안와하공infraorbital foramen을 통해 상악골 전면으로 나온다. 안와하신경관은 약 14%에서 피열dehiscence되어 있다. 상악동의 상벽 내측은 1개 혹은 그 이상의 사골봉소의 하벽으로 구성되며 이 봉소들은 대부분이 후사골봉소로 이루어져 있으며, 전방보다 후방에 더 넓게 분포하며 상악동을 통한 사골동절제술을 할 수 있는 통로가 된다.

전면부는 약간 두텁고 안와륜orbital rim으로부터 치아부위까지 뻗어 있으며, 위쪽에 안와하공이 있어 신경과 혈관이 통과하며 가장 얇은 부위는 견치canine tooth 직상부로 소위 견치와canine fossa라 한다.

후벽은 측두하부와 접해 있으며 종종 상악골이 아닌 다른 골로 구성되어 있다. 하방으로는 구개골과 때때로 접형골이 삼각형의 벽을 구성하며, 익돌판pterygoid plate은 하방에서 구개골과 합쳐지고 상방으로는 익돌상악와pterygomaxillary fossa를 형성한다. 상악동의 후벽과 접형골의 익상돌기pterygoid process 사이에는 종으로 길고 좁은 간격이 있는데 이를 익구개와pterygopalatine fossa라 한다. 여기에는 비 · 부비동으로 가는 신경과 혈관이 집결해 있는데, 상악신경maxillary nerve, CN V2이 통과하는 정원공foramen rotundum과 익돌관신경vidian nerve이 통과하는 익돌관 및 하안와열infraorbital fissure, 대구개관greater palatine canal, 접형구개공sphenopalatine foramen 등이 있다. 또한 이 익구개와에는 비 · 부비동의 자율신경계를 담당하는 익구개신경절pterygopalatine ganglion이 존재한다(Donald, 1995).

내벽은 가장 복잡한 구조를 가지며 비강측벽의 하부에 해당하고 비루관nasolacrimal duct이 통과한다. 비루관의 출구는 이상구piriform aperture로부터 대략 1 cm 내에 있다. 비루관 후벽에서 개구부의 전벽까지의 거리가 평균 5 mm 정도밖에 되지 않기 때문에 내시경수술 시 상악동 전벽으로의 과도한 back biter의 사용은 비루관 손상을 초래할 수 있다.

4. 접형동

접형동sphenoidal sinus은 접형골이 함기화된 공간으로서 태생 3개월에 비낭nasal capsule의 후상방에서 ectodermal pit로 나타나며 3~4세 때 X-선상에서 보인다. 대부분 쌍으로 존재하고 좌우 비대칭적으로 발달된다. 이 부비동은 두개골의 중심에 위치하며 1~1.5%에서는 존재하지 않는다. 함기화의 모양과 정도는 매우 다양하여 심하면 접형골대익greater wing of sphenoid bone, 익상돌기pterygoid process, 접형부리sphenoidal rostrum 및 후두골occipital의 저부에까지도 확장될 수 있다. 접형동의 함기화는 네 가지 형태로 구분한다. 접형동이 매우 작을 때 생기는 conchal type(2~3%)은 터키안 전방에 위치하며 두꺼운 골조직에 의해 터키안과 분리되어 었다. Presellar type(11%)은 하수체와pituitary fossa의 전벽까지 함기화된 경우이고, postsellar type(59%)은 하수체와를 넘어서 후방으로 함기화된 경우이며, 나머지 27%는 mixed type이다(Lund, 1997). Postsellar type에서 심한 경우에는 뇌간brain stem과 접형동 사이의 골조직이 극히 얇을 수 있다(그림 1-17).

접형동의 중격은 대부분 중앙선에서 벗어나서 존재한다. 중앙에 중격을 가지는 접형동은 단지 27%에서만 존재한다. 43%에서는 중앙선에서 시작하지만 수직선에서 기울어져 후방으로 가면서 S형이나 C형, 또는 다른 형태를 나타낸다. 단지 25%에서만 수직형의 중격을 볼 수 있다. 종종 후방으로 가면서 외상측으로 만곡되며 시신경이나 내경동맥 위에 위치하여 접형동중격을 뚫거나 제거하려 할 때 주의가 필요하며 제거하기 전에 횡단면상axial view을 확인하는 것이 바람직하다.

함기화가 잘 된 접형동은 주위 골로 퍼져 나가 여러

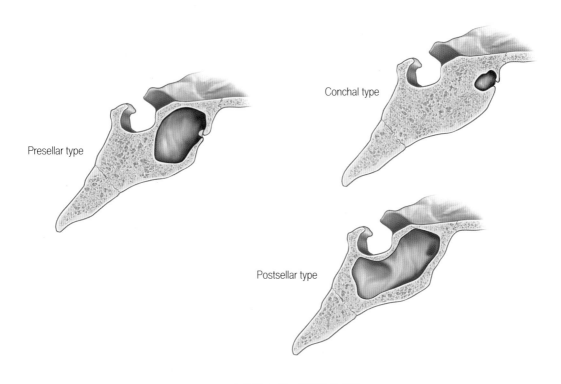

Presellar type

Conchal type

Postsellar type

┃ 그림 1-17   접형동의 함기

돌기를 가진다. 접형서골포sphenovomerine bulla로 불리는 septal recess는 접형동이 서골vomer 내로 퍼져 들어가 함기화된 것이며 사골와ethmoidal recess는 후사골봉소 쪽으로 함기화된 것으로 특히 후하방이 가장 많다. 더욱 심한 경우에는 안와나 상악골로도 연장된다. 시신경의 상방이나 하방으로 함기화되면 접형동 내로 시신경관이 돌출되어 보인다. 이 경우 시신경관의 골조직이 결손되어 있을 수 있다. 구개골안와돌기orbital process of palatine bone의 함기화는 접형동으로부터 일어날 수 있으며, 흔한 경우는 아니지만 사골동 또는 상악동으로부터도 일어날 수 있다. 외하방으로의 함기화는 접형골대익, 안와의 후외측벽까지도 진행될 수 있으며, 정원공foramen rotundum, 난원공foramen ovale, 추체첨petrous apex까지 도달할 수 있다.

하벽은 익돌신경vidian nerve과 접해 있으며 상벽은 터키안에 면해 있어 이 동을 통해 뇌하수체종양을 제거할 수 있다. 접형동의 외측벽에는 시신경, 내경동맥, 해면정맥동, 뇌하수체, 외전신경abducens nerve, CN VI 및 상악신경 등의 중요한 구조물들이 있다. 함기화가 잘 되어 있

는 경우에 접형동 측벽에 돌출된 시신경관과 내경동맥을 볼 수 있다. 시신경과 내경동맥 사이에 외측과 상측으로 깊은 함요를 형성할 수 있으며 시신경 상부의 함기화는 전방에서 후방까지 확대될 수 있다. 시신경은 내측으로 궁형 주행을 따라 주행하여 시신경교차optic chiasm가 접형동 내로 팽창된 듯이 보일 수 있다. 내경동맥도 심한 경우 돌출되어 두드러져 보일 수 있으며, 돌출된 양측 내경동맥은 거의 중앙선에서 인접해 보일 수 있다. 많은 경우(25%)에서 내경동맥을 둘러싸는 골관이 극도로 얇아져 있거나 부분적으로 피열되어 있으며, 시신경의 경우는 내경동맥에 비해서는 적은 빈도(6%)에서 발견된다(그림 1-18).

접형동 자연공은 접형사골함요sphenoethmoidal recess로 개구된다. 내시경 부비동수술 시 접형동의 자연공을 찾는 데 가장 좋은 지표는 상비갑개의 후하단이며 83%에서는 상비갑개 또는 최상비갑개의 후하단 내측에서 개구된다. 이 자연공은 70% 정도에서 원형이며, 평균 지름은 3.4 mm 정도이지만 1~2 mm 크기의 자연공도 18%에서 보인다. 자연공은 대부분 사골수직판에서 수

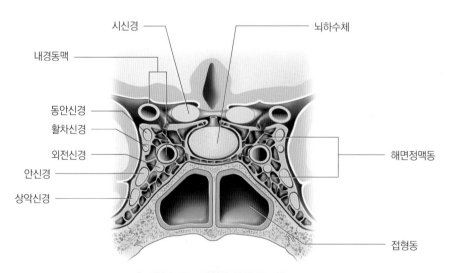

| 그림 1-18 접형동 주위 구조물

mm 내외에서 발견되며 대개의 경우 접형동 전벽의 상 1/3 또는 접형동의 저면에서 약 1.5 cm 상방에 위치하며, 상비갑개의 하방으로 진입하여 내시경 관찰이 용이하다. 그러나 드물게 접형동저부, Onodi cell이나 다른 후사골동봉소로 개구하며, 더 드물게는 익상돌기의 기시부나 구개골안와돌기로 개구한다(Donald, 1995).

IV | 비강과 부비동의 혈관계, 림프계 및 신경지배

1. 비강의 혈관계, 림프계 및 신경지배

1) 동맥계

비점막에 존재하는 동맥혈관은 내외경동맥internal and external carotid artery으로부터 유래된 몇 개의 분지로 나누어져 비강에 분포한다. 외경동맥external carotid artery으로부터 발생된 상악동맥maxillary artery은 접형구개공sphenopalatine foramen을 지나 접형구개동맥sphenopalatine artery이 되어 비중격과 비강측벽의 후방부에 분포한다. 이 분지는 주로 수술 후 출혈에 관련되며 이 부분에서 출혈이 생기면 중비갑개의 뒷부분에 패킹이 필요하게 된다. 이 분지 중 주된 분지는 비갑개의 점막 뒤쪽에서 앞쪽으로 진행하면서 중·하비갑개의 전후길이를 따라 분포하여 비갑개점막에 혈액을 공급하고 있다. 비중격 후방부의 분지는 접형동의 전벽을 지나 분지를 내기 때문에 접형동 수술을 할 때에 쉽게 손상을 입을 수 있다. 상악동맥의 분지인 하행구개동맥descending palatine artery은 대구개동맥greater palatine artery과 소구개동맥lesser palatine artery으로 나누어지며, 소구개동맥은 연구

개에 분포하고, 대구개동맥은 대구개공greater palatine foramen을 지나 경구개와 상악치은에, 절치관incisive canal을 지나 비강의 저부에 분포한다.

내경동맥internal carotid artery으로부터 분지된 안동맥ophthalmic artery은 안와 내에서 각각 분지를 내어 전·후사골공을 통하여 두개 내로 들어가 사판cribriform plate을 관통하거나 혹은 전내측에 있는 구멍을 통하여 비강 내에 분포하는데, 대개 전사골동맥anterior ethmoidal artery은 정상적으로 후사골동맥posterior ethmoidal artery에 비하여 훨씬 크며 주로 비강측벽의 전 1/3 부위와 그곳과 인접해 있는 비중격부위에 분포한다. 이 동맥의 분지인 외비분지external nasal branch는 비골과 외측비연골lateral nasal cartilage 사이를 지나 비배부의 피부에 분포한다. 후사골동맥은 주로 상비갑개와 그곳과 인접해 있는 비중격부위에 제한되어 분포한다.

부비동수술 시에는 전사골동맥의 위치관계가 중요한 의미를 가지는데, 이 동맥은 안와에서 후와olfactory fossa까지 주행하면서 안와, 사골미로, 전두와를 통과한다. 이 동맥은 수술 중 전사골동맥의 전체 주행 중에서 가장 위험한 부위인 사판의 측벽을 통해 전두와로 들어간다. 전사골동맥 주위의 골구조들은 두께에 있어서 현저한 다양성을 보이는데, 전두골에 의해 형성된 사골상벽부위는 사골천정의 내측벽보다 더 두껍고 강하다. 사골상벽의 전두골은 평균 두께가 0.5 mm인 반면에 내측벽의 평균 두께는 0.2 mm에 지나지 않는다. 특히 사골동맥이 통과하는 부위는 0.05 mm까지 감소될 수 있어 사골상벽의 강도에 비해 단지 1/10에 지나지 않아 가장 약한 부위이다(Kainz, 1989).

전사골동맥은 안와 속에서 안와동맥으로부터 기시한 후 전사골공anterior ethmoidal foramen을 통하여 단지 얇은 벽으로 된 골관에 의해 싸여져 있는 전사골 부위로 들어간다. 사골상벽이 낮을 때나 사판보다 높게 위치할 때는 이 사골관이 사골상벽 안에 묻혀져 있지만 대부

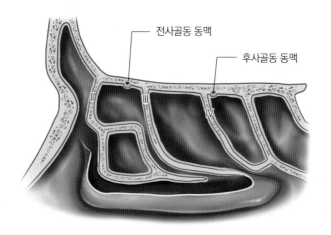

| 그림 1-19   사골동맥과 기판의 관계

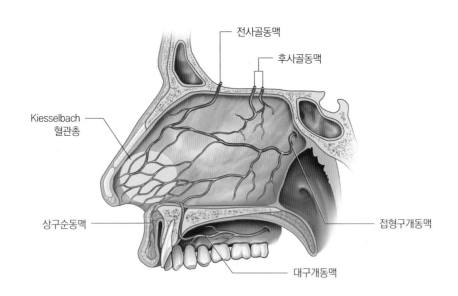

| 그림 1-20   비중격 점막에 분포하는 동맥혈관

분의 경우에 골간막bony mesentery에 의해 사골상벽에서 5 mm 정도의 공간에 연결되어져 있다. 이러한 사골관의 부착부는 보통 사골상벽이 전상방으로 구부러져 전두와의 후방경계를 형성하는 바로 뒤로 주행한다(Stamm-berger, 1991). 그러나 한국인의 경우에는 91%에서 골간

막이 아닌 사골동 천장에서 융기된 형태로 존재한다고 보고되었다(박인용, 2001).

사골포 기판이 사골상벽까지 뻗쳐져 있다면 전사골동맥은 바로 그 근처 또는 직후방에서 발견된다(그림 1-19). 사골포 기판이 사골상벽까지 뻗쳐져 있지 않아

서 전두와와 측동 사이에 골분리가 완전치 않으면 사골
동맥은 측동의 모양에 따라 측동 내부에서 보일 수도 있
다. 그러므로 경우에 따라서는 사골포의 일부를 제거하
지 않고도 넓은 상부의 반월열공이나 더 드물게는 전두
와를 통해 진단적 내시경술 중에 발견될 수 있다.

안면동맥facial artery의 분지인 상순동맥superior labial
artery은 비전정과 비중격에 주로 분포하며, 비중격의 전
하부에서 접형구개동맥의 비중격분지septal branch, 대
구개동맥 그리고 전사골동맥과 연결되어 Kiesselbach'
s area 또는 Little's area라고 하는 혈관망을 형성한다
(Hollinshead, 1982)(그림 1-20).

2) 정맥계

비강의 정맥은 하비갑개, 하비도 그리고 비중격 후반부
에서 발달되어 있는 정맥총venous plexus에서부터 시작되
며, 비강 내 분포하는 동맥과 평행하게 주행한다. 대체로
비강 내 정맥은 익구개공sphenopalatine foramen을 지나
익돌근정맥총pterygoid plexus을 형성하고, 다른 부위에
서는 사골동맥과 평행하게 주행하면서 상안정맥superior
ophthalmic vein으로 이행된다. 그리고 비익연골alar carti-
lage 부위에서는 비배부의 피하정맥총과 연결되어 있고
결국 안면정맥으로 이행된다.

3) 림프계

비강의 전반부에 있는 림프관은 전비공을 통하여 안면
피부의 림프관과 연결되나, 대부분의 비강 내 림프관은
비강 후방부로 연결되고 편도조직으로 연결된다고 추측
하고 있다. 그리고 심경부림프절deep cervical node과 인
두림프총pharyngeal plexus으로 유입되며, 그 후 후인두림

프절retropharyngeal node로 유입된다.

4) 비강의 신경지배

비점막의 신경은 후각신경과 일반감각을 감지하는 지각
신경 그리고 자율신경으로 구성되어 있다(그림 1-21).
후각신경으로 구성되어 있는 후각점막olfactory mucosa은
비강 상부의 1/3 즉, 중·상비갑개의 내측면과 그곳과
인접해 있는 비중격부위, 그리고 비강의 천정부위에 위
치하고 있다.

(1) 지각신경
비점막의 일반감각을 담당하는 지각신경은 삼차신경
과 안면신경의 분지인 대추체신경greater petrosal nerve에
서 분지한다. 비점막의 감각을 담당하고 있는 삼차신경
의 안와분지ophthalmic branch는 비모양체신경nasociliary

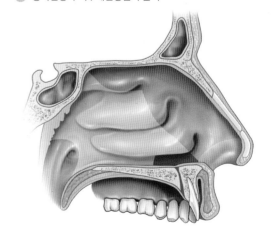

● 전사골동신경영역　　○ 안와하신경
● 후각신경　　● 전상치조신경
● 상악신경과 익구개신경절의 분지

┃ 그림 1-21　비강측벽의 신경지배 영역

nerve이며, 이 신경은 안신경으로부터 유래하며 전사골신경anterior ethmoidal nerve과 활차하신경infratrochlear nerve으로 나누어진다. 전사골신경은 전사골공을 통하여 전사골동맥과 함께 두개 내로 들어가 사골판의 외측면을 따라 앞으로 주행하면서 계관crista galli의 옆에 있는 작은 구멍들을 통하여 비강으로 주행한다. 이 분지들은 비강내로 들어와 상비갑개의 전반부, 중비갑개의 상부, 중비도전방, 동antrum, 중·하비갑개의 전반부, 그리고 이 부위들과 인접해 있는 비중격 부위에 분포한다. 그리고 전사골신경의 또 하나의 분지인 외비신경은 비골과

외비연골 사이를 지나 비배부와 비첨부위의 피부에 분포한다. 상악신경의 분지인 안와하신경infraorbital nerve과 전상치조신경anterior superior alveolar nerve은 각각 비전정부위의 피부, 하비도와 비강저부의 전반부에 주로 분포한다. 익구개신경절로부터 비강 내로 주행하는 신경은 익구개공을 지나 두 개의 분지를 내어 상·중비갑개의 후반부에 분포하고 후사골동, 비중격과 접형동의 전하면에도 분포한다. 비중격에 분포하는 분지 중 가장 큰 비구개신경nasopalatine nerve은 전하방으로 주행하여 절치관incisive canal에 도달하며, 여기에서 전상치조신경과

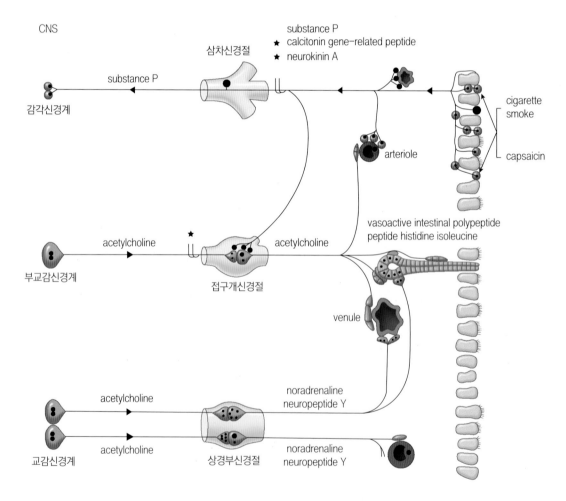

그림 1-22 비점막에 분포하는 신경전달물질들

문합anastomosis 된다.

지각신경은 비강 내로 흡입되는 공기 속의 여러가지 자극물질에 대하여 비점막을 보호하는 역할을 하고 있다. 비강의 호흡점막respiratory mucosa의 지각신경에 존재하는 자극물질에 대한 수용체와 더불어 후각olfaction도 비점막방어작용에 참여한다. 비점막에서 지각신경의 활성화는 재채기반응, 회피행동 그리고 비즙분비 및 혈압상승과 같은 방어적인 반사작용이 발생한다. 그리고 축삭반사를 통한 매개체분비를 통하여 혈장성분의 혈관외유출과 혈관확장을 일으킨다. 상피층에 존재하는 지각신경의 분포는 후반부에 비하여 비강의 전반부에 밀집되어 있다.

비점막의 지각신경의 신경전달물질로는 substance P, neurokinin A, neuropeptide K, calcitonin gene-related peptide^CGRP 등이 있다(그림 1-22). Substance P와 CGRP는 캡사이신에 민감하게 반응하여 신경종말로부터 소멸된다. Substance P와 CGRP 신경은 호흡상피의 하층에 존재하며, 또한 동맥, 세동맥, 세정맥, 정맥

동에 분포하며 분비선 조직에도 존재하고 있다. 그러나 분비선에 주로 존재하는 부교감신경보다는 분포밀도가 적다. Substance P와 CGRP 신경은 삼차신경의 세 가지 분지에 존재하며 CGRP 신경은 substance P 신경과 같은 신경분지 내에서 공존하는데 CGRP 신경이 substance P에 비하여 더 많이 분포한다. 이 지각신경의 말단분지를 자극하면 비점막에서 혈장성분의 혈관외유출이 일어나며, 이때 모세관후세정맥postcapillary venule의 혈관내피세포의 간격이 확장된다. 발생한 이러한 반응은 capsaicin-sensitive nerve로부터 substance P가 분비됨으로써 발생한다.

(2) 부교감신경

비강에 분포하는 자율신경은 익구개신경절을 통하여 비강 내로 들어오는데, 이중 부교감신경은 안면신경의 중간신경nervus intermedius인 절전신경preganglionic nerve이 대추체신경의 일부로서 연결되고 익구개신경절에서 후절신경postganglionic nerve과 연결되어 익구개신경 속의

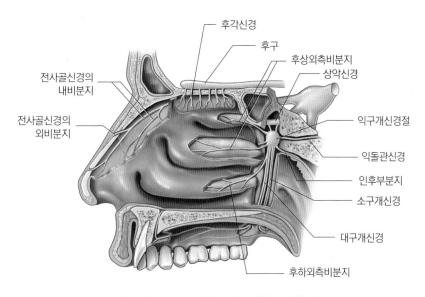

┃ 그림 1-23 비강측벽에 존재하는 신경분지

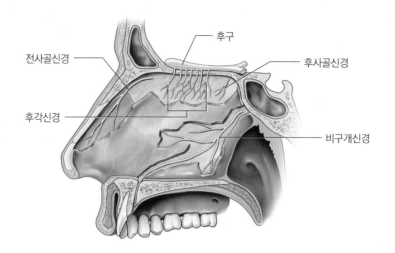

┃ 그림 1-24   비중격에 존재하는 신경분지

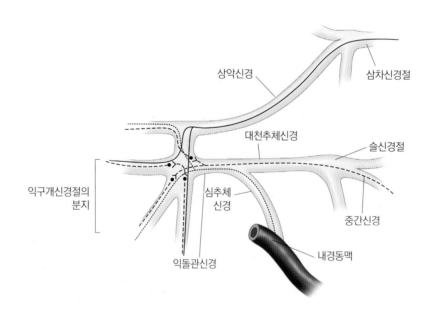

┃ 그림 1-25   익구개신경절과 주위신경의 연결도

교감신경, 지각신경과 함께 비강 내에 분포한다. 교감신경은 척수로부터 유래되며 절전신경은 상경신경절에서 후절신경과 연결되어 내경동맥총을 형성한 후 심부추체신경을 따라 주행한 후 대추체신경과 합쳐져 익돌관신경vidian nerve을 형성한 후 익구개신경절에서 시냅스 없이 비강 내에 분포한다(Hollinshead, 1982; Lundberg,

1988)(그림 1-23, 1-24, 1-25).

비점막의 분비선과 혈관은 부교감신경의 지배를 받고 있다. 부교감신경계의 신경전달물질로는 acetylcholine 외에도 vasoactive intestinal polypeptide^{VIP}, peptide histidine isoleucine^{PHI}, nitric oxide^{NO} 등이 있다(그림 1-23). VIP는 비점막의 혈관과 분비선 주위에 분포하는 신경과 익구개신경절에 존재하는 매개체로서 강력한 혈관확장 기능을 가지고 있으며, 아세틸콜린과 공존하고 있다. 이것은 부교감신경 자극시에 비콜린성 혈관확장을 일으키는 데 관여하고 있다. Nitric oxide은 nitric oxide synthase와 nicotine amide adenine dinucleotide^{NADPH}의 상호작용에 의하여 생성되는데, nitric oxide를 생성하는 세포로는 대식세포, 호중구, 비만세포, 혈관내피세포 등이 있으며 상피세포에도 존재하고 있다. Nitric oxide synthase^{NOS}는 구성성 형태constitutive form와 유발성 형태inducible form로 나누어진다. Constitutive form은 신경세포와 혈관내피세포에 존재하며, inducible form은 여러가지 염증매개체에 의하여 생성된다.

(3) 교감신경

비점막의 교감신경들은 주로 비점막의 혈관에 분포되어 있으며 분비선에도 약간 분포하고 있다. 비점막에 분포하는 큰 혈관, 즉 익구개동맥과 정맥에 고밀도로 분포하고 있으며, 익구개정맥에는 외막과 중막에 분포하고 있다. 절전교감신경섬유preganglionic sympathetic nerve fiber와 익돌관신경vidian nerve의 절후교감신경postganglionic sympathetic nerve의 자극은 비점막혈관수축과 정맥동venous sinusoid의 수축을 일으키나, 분비선으로부터 비즙분비에 대한 관련여부는 명확하게 밝혀져 있지 않다.

교감신경계의 신경절달물질로는 noradrenaline, neuropeptide Y, avian pancreatic polypeptide^{APP} 등이 있으며 noradrenaline는 동맥, 세동맥, 정맥의 수축을 유도하는 반면, neuropeptide Y는 세동맥의 수축만 일으킨다(그림 1-22).

2. 부비동의 혈관계 림프계 및 신경지배

전두동은 안와상공supraorbital foramen이나 절흔의 천정에 있는 여러 개의 작은 구멍을 통하여 안와상동맥 및 신경의 지배를 받는다. 정맥은 비강 내 정맥과 연결되거나 안와상동맥과 평행하게 주행하는 정맥과 연결되어 안와상정맥supraorbital vein과 상안정맥superior ophthalmic vein으로 유출된다. 사골동의 신경 및 혈관은 익구개신경 및 동맥, 전사골신경 및 동맥, 및 후사골동신경 및 동맥으로부터 분포한다. 그리고 사골포 중 제일 앞부분은 상안신경의 분지가 분포하며 후사골포는 익구개신경절로부터 발생한 분지와 후사골동신경 및 동맥이 분포한다. 접형동은 후사골동에 분포하는 신경 및 동맥과 같은 분포를 보인다. 상악동의 혈관과 신경의 분포는 후상치조posterior superior alveolar 신경 및 동맥, 하안infraorbital 신경 및 동맥, 전상치조anterior superior alveolar 신경 및 동맥으로부터 유래되며, 상악동에 존재하는 정맥과 림프관은 주로 자연공을 통하여 비강으로 유출된다.

부비동의 조직학적 신경분포는 비점막의 그것과 유사하다. 지각신경은 호흡상피의 점막분비선 가까이 존재하며, 비수초성 신경종창의 형태로 주행하는 축삭속axon bundle이 상악동에 존재한다. 이것은 상악동의 호흡상피도 국소축삭반사local axon reflex의 기능을 가지고 있다는 것을 제시한다. 부교감신경은 익구개신경절에서 유래하며, 부비동의 혈관에 분포하며 분비선에도 존재한다. 교감신경역시 상악동 내의 혈관 주위에 분포한다(Lundberg, 1988).

V | 비강 및 부비동의 조직학적 구조

비강과 부비동은 호흡기의 입구부위로서 외부공기의 영향을 많이 받고 있다. 따라서 생체 방어기구의 역할을 하기 위하여 후각 이외에도 흡기의 온도 및 습도 조절, 감염방어기능 그리고 공명관으로서의 기능을 하고 있다. 이러한 기능을 원활하게 하기 위하여 비·부비동의 구조는 정교하게 구축되어 있다(그림 1-26).

비강은 비전정을 이루는 피부와 호흡점막respiratory mucosa 및 후점막olfactory mucosa으로 구성되어 있다. 비전정의 피부는 땀샘과 피지선이 존재하며 많은 비모vibrissae가 나 있다. 비전정부위는 비역limen nasi에 의하여 점막과 구별되는데, 이 부위는 비전정의 피부가 점막으로 이행되는 부위와 일치한다. 비강은 점막으로 덮여 있으며, 자연공을 통하여 모든 부비동의 내면까지 연결되어 있다. 비갑개, 비중격 그리고 비강저부를 덮고 있는 점막은 특히 혈관이 풍부하고 두꺼운 반면, 부비동의 점막은 얇고 혈관이 적으며 전형적인 원주섬모상피로 덮여 있다(Takasaka, 1990).

후각부위는 노란색을 띤 점막으로 덮여 있으며, 후신경세포와 지지세포로 구성된 무섬모상피세포로 이루어져 있다. 후점막고유층에는 장액선세포가 존재한다.

비강의 호흡점막은 위중층섬모원주상피pseudostratified ciliated columnar epithelium로 구성되어 있으나 부위에 따라 다른 조직학적 소견을 보인다. 즉, 신생아에서는 상피세포는 원주섬모상피로 이루어져 있으나 비강 내로 흡입되는 흡기의 건조효과 때문에 하비갑개의 앞부분부터 뒤쪽 1 cm 부위에는 섬모가 없어지면서 비전정의 편평상피는 미세융모microvilli를 가진 입방상피세포로 이행되며, 이 부위를 지나면서 위중층섬모원주상피가 나타난다. 호흡점막의 위중층섬모원주상피는 섬모세포, 무섬모세포(미세융모 세포), 기저세포basal cell 및 배세포goblet cell로 구성되어 있다. 섬모세포는 표면에 250~300개의 섬모가 존재하며 섬모의 길이는 5~6 μm, 직경은 300 nm로 끝부분은 점액층과 접하고 있다. 섬모는 9+2 축사구조를 가지고 있으며 자율적인 운동을 하고 있다. 섬모세포의 표면에는 섬모 외에 짧은 미세융모도 존재하며 그 수는 200~400개이다. 섬모세포의 표면에 가까운 세포질에는 풍부한 과립체가 있을 뿐만 아니라 소포체 endoplasmic reticulum, 공포vacuole, 라이보좀ribosome 등의 세포소기관이 존재하고 있다(Takasaka, 1990).

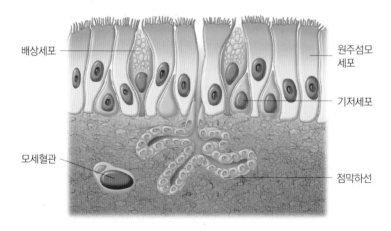

배상세포
원주섬모세포
기저세포
모세혈관
점막하선

┃ 그림 1-26   비점막 위중층섬모상피세포의 모식도

배세포는 분비세포로서 세포 내에 여러 가지 형태학적 특징을 갖는 분비과립을 가지고 있다. 무섬모세포의 세포질 내에는 과립체가 존재하여 활발한 대사기능을 가지고 있는 세포로 생각되고 있다. 기저세포는 기저막 위에 존재하고 점막표면에 노출되어 있지 않아 상피의 구축에 중요한 역할을 하고 있다. 즉, 상피세포는 탈락 및 재생을 반복하고 있는데 새로운 세포는 기저세포로부터 분화, 성숙된다고 생각하고 있다.

점액층 위에 2층으로 된 점액융단mucous blanket이 존재한다. 즉 젤gel층과 졸sol층으로 이루어져 있다.

섬모원주상피하층인 점막고유층에는 풍부한 혈관망과 분비선이 존재하며, 주로 콜라겐섬유로 구성된 결합조직에 의하여 3차원적 구조로 유지되고 있다. 특히 중/하비갑개의 내측면에는 혈관이 풍부하게 존재하며 특히, 점막심층에는 큰 정맥과 정맥동이 존재함으로써 비강저항을 조절하는 역할을 한다.

종말소동맥terminal arteriole은 모세혈관으로 이행되며 이 모세혈관은 주로 비점막상피하층에 집중적으로 분포되어 있다. 비점막에 존재하는 모세혈관은 혈관내피세포의 창fenestration의 존재여부에 따라 유창모세혈관fenestrated capillary과 무창모세혈관nonfenestrated capillary으로 나눌 수 있는데, 전자는 상피하층과 점막하선조직 주위에 주로 분포하고 있는 반면, 후자는 주로 점막고유층의 제일 아래 부위인 골막부위에 분포하고 있다. 유창모세혈관의 내피세포에 존재하는 유창부fenestrated part는 점막 상피층과 분비선을 향하고 있어 이것을 polar differentiation이라고 한다. 이와 같이 특이하게 유창 부분이 존재하고 있는 것으로 미루어 비점막의 분비기능에 유창모세혈관이 관여할 수 있다고 생각되고 있다. 그 외 종말소동맥은 모세혈관으로 이행되지 않고 직접 동정맥문합arteriovenous anastomosis되는 특이한 혈관망을 이루기도 한다. 모세혈관은 모세혈관후세정맥postcapillary venule으로 이행되는데, 이 혈관은 비점막에서 발생하는

여러 가지 염증매개체에 반응하여 내피세포 간격이 벌어지면서 혈장성분을 혈관 밖으로 누출시키는 데 중요한 역할을 하고 있다. 모세혈관후세정맥은 정맥동이나 정맥으로 이행되는데 특히 정맥동은 자율신경 지배를 받는 평활근에 의하여 싸여져 있기 때문에 자율신경의 자극에 의하여 팽창 및 수축한다. 이 정맥동은 중비갑개와 하비갑개에 많이 분포되어 있고, 이 혈관이 혈액으로 충만되면 비점막의 팽창이 발생하여 비폐색을 일으키게 된다. 이와 같이 비점막은 혈관이 매우 풍부하게 분포하고 있는 조직으로 비강 내로 흡입된 공기는 비점막과 접촉함으로써 공기의 온도와 습도가 정교하게 조절되고 있다. 따라서 비점막의 생리기능은 특징적으로 분포된 혈관망에 의하여 이루어지고 있다. 비점막에 분포하는 혈관계를 기능적으로 분류하면 교환혈관exchange vessel (모세 혈관), 저항혈관(세동맥, 전모세혈관괄약근), 수용혈

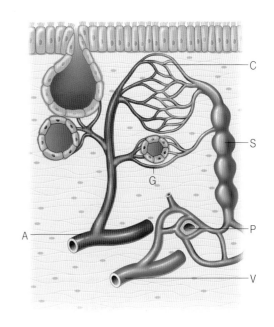

‖ **그림 1-27** 비점막에 존재하는 혈관들의 기능적 분류

A: 세동맥(arteriole), **V**: 세정맥(venule), **C**: 상피하모세혈관(subepithelial capillary), **G**: 분비선주위 모세혈관(glandular capillary), **S**: 정맥동(sinusoid), **P**: 정맥총(venous plexus)

관(정맥, 정맥동)으로 나눌 수 있다. 흡기의 습도를 조절하는 비점막기관은 분비선과 상피하층에 존재하는 유창모세혈관subepithelial fenestrated capillary이고, 온도는 점막표층에 존재하는 혈관을 통한 혈류속도에 의하여 조절된다. 비점막의 혈관들은 비점막을 팽창시킴으로써 비강저항을 조절하고 있으며, 정상적인 상태에서는 비주기nasal cycle를 일으키는 데도 관여한다. 특히 이러한 비점막의 팽창을 조절하는 혈관으로는 동정맥문합과 정맥 특히, 직경이 큰 정맥동이라 불리는 해면정맥cavernous vein이 있다(Grevers, 1993; Skladzien, 1995)(그림 1-27).

참고문헌

1. 대한이비인후과학회. 이비인후과학-두경부외과학. 2nd ed. 일조각 2009;82-128.
2. 박인용, 윤주헌, 이정권, 정인혁. 코임상해부학. 아카데미아 2001;197-205.
3. Adams D, Cinnamond M. ScottBrown's Otolaryngology. 6th ed. London, Butterworth & Heinemann Co. 1997;5:1-25.
4. Donald PJ, Gluckman JL, Rice DH. The Sinuses. New York : Raven Press 1995.
5. Flint PW, Haughey BH, Lund VJ, Niparko JK, Robbins KT, Thomas JR, Lesperance MM. Cummings Otolaryngology: Head and Neck Surgery. 6th ed. Philadelphia: Elsevier Saunders; 2015.
6. Grevers G. The role of fenestrated vessels for the secretory process in the nasal mucosa. A histological and transmission electron microscopic study in the rabbit. Laryngoscope 1993;103:1255-58.
7. Hollinshead WH. Anatomy for surgeons. 3rd ed. Philadelphia: Harper & Row 1982;223-62.
8. James B. Snow Jr., P. Ashley Wackym. Ballenger's Otorhinolaryngology Head and Neck Surgery. 17th ed. Hamilton, Ontario: BC Decker 2015.
9. Kainz J, Stammberger H. The roof of the anterior ethmoid : a place of least resistance in the skull base. Am J Rhinol 1989;3:191-9.
10. Kasper KA. Nasofrontal connection. Arch Otolaryngol 1936; 23:322-43.
11. Kim KS, Kim HU, Chung IH, Lee JG, Park IY, Yoon JH. Surgical anatomy of the nasofrontal duct: anatomical and computed tomographic analysis. Laryngoscope 2001;111:603-8.
12. Kuhn FA, Bolger WE, Tisdal RG. The agger nasi cell in frontal recess obstruction: an anatomic, radiologic and clinical correlation. Oper Tech Otolaryngol 1991;2:226-31.
13. Lang J. Clinical anatomy of the nose, nasal cavity and paranasal sinuses. New York: Thieme 1989.
14. Lee HY, Kim CH, Kim JY, Kim JK, Song MH, Yang HJ, et al. Surgical anatomy of the middle turbinate. Clin Anat 2006;19:493-6.
15. Lee HY, Kim HU, Kim SS, Son EJ, Kim JW, Cho NH, et al. Surgical anatomy of the sphenopalatine artery in lateral nasal wall. Laryngoscope 2002;112:1813-8.
16. Letourneau A, Daniel RK. The superficial musculoaponeurotic system of the nose. Plast Reconstr Surg 1988;82:48-57.
17. Levine HL, May M. Endoscopic sinus surgery. New York: Thieme 1993.
18. Lund VJ. Anatomy of the nose and paranasal sinuses, Scott Brown's Otolaryngology, Basic Sciences 6; 1997.
19. Min YG, Koh TY, Rhee CS, Han MH. Clinical implications of the uncinate process in paranasal sinusitis : Radiologic evaluation. Am J Rhinol 1995;9:131-5.
20. Skladzien J, Litwin J A, Nowogrodzka - Zagorska N, Miodonski AJ. Corrosion casting study on the vasculature of nasal mucosa in the human fetus. Anat Record 1995;242:411-16.
21. Stammberger H. Functional endoscopic sinus surgery. Philadelphia: BC Decker 1991.
22. Takasaka T. Electronmicroscopic reconstruction of nasal mucosa. JOHNS 1990;6:1311-7.
23. Tardy ME, Brown RJ. Surgical anatomy of the nose. New York: Raven Press 1990.
24. Van Alyea OE. Frontal cells. Arch Otola ryngol 1941;34:11-23.
25. Yoon JH, Moon HJ, Kim CH, Hong SS, Kang SS, Kim K. Endoscopic frontal sinusotomy using the suprainfundibular plate as a key landmark. Laryngoscope 2002;112:1703-7.

코의 생리

가톨릭의대 이비인후과 **김병국**, 고려의대 이비인후과 **이상학**

> **CONTENTS**

Ⅰ. 비강 및 부비동의 생리
Ⅱ. 후각 및 미각 생리

HIGHLIGHTS　　　　　　　　　　　　　　　　　　　　　　　　　　　　》》》

- 호흡기로서의 비강 형태의 특징을 알고, 비강의 해부학적 구조와 호흡양상에 따라서 달라지는 비강 내 호흡기류를 인지해야 함
- 비주기의 개념 및 조절 중추를 알고, 비주기에 영향을 미치는 다양한 인자에 대해 인지해야 함
- 비점막의 기본 생리 중 점액섬모수송기능에 대해 이해함. Gel층과 Sol층의 특징을 이해하고 섬모 기능에 영향을 주는 다양한 인자에 대해 인지함. 또한, 점액섬모수송기능의 저하와 연관된 다양한 질병의 특징을 이해해야 함
- 호흡상피는 섬모원주상피, 무섬모원주상피, 기저세포 그리고 배세포로 구성되어 있음을 인지해야 함
- 호흡 작용 외 비강 점막의 다양한 기능(흡기의 온도 조절과 가습, 감각기, 면역작용, 여과기능, 반사작용, 구음작용 등)이 있음을 이해해야 함
- 후각물질이 후각수용체에 결합하면 특정한 G 단백질(G olf) 이차 메신저 경로를 활성 후 adenylate cyclase 자극하여 cAMP를 생성하게 되고, cAMP는 cyclic nucleotide 이온채널을 여는 이차 메신저로 작용하여 Na+, Ca++의 유입과 K+의 배출로 신경의 탈극화를 일으켜 축삭을 통해 후구까지 전달되는 후각의 신호전달을 이해해야 함
- 비강 점막의 작열감, 시원한 감각, 톡 쏘는 감각, 아픈 감각은 삼차신경, 설인두신경, 미주신경, 이들 3개 뇌신경의 자유신경 종말에 의한 또 다른 화학적인 감각으로 후각과 구분해야 함
- 미뢰는 기저세포, 미각 수용체 세포, 가장자리 세포로 구성되고, 미각 수용체세포는 초미세구조에 따라 dark cell, light cell, intermediate cell 세 가지 종류가 있음을 인지해야 함
- 혀의 전방 2/3와 후방 1/3을 구분하여 미각 신경의 분포를 알아야 함
- 미각 인지에 있어 세포 내 Ca++의 증가가 구심성 시냅스에서 신경전달물질을 분비하게 됨을 이해하고 Ca++이 중요한 역할을 함을 인지해야 함

Ⅰ | 비강 및 부비동의 생리

인간은 안정된 상태에서 비강을 통하여 주로 호흡하고 있으며, 비강은 기도의 입구부에 위치하고 있어 비강 및 부비동, 그리고 하기도의 생체방어기능에 중요한 역할을 하고 있다. 비강 및 부비동은 인체에 있어서 반드시 필요한 장기인데도 불구하고 일상생활을 영위하는 데 있어 그 중요성은 크게 부각되지 않고 있다. 비강과

부비동에 이상증상이 발생하거나 질환이 발생하더라도 중요 장기로서 인식되고 있지 않다(Cole, 1973; Eccles, 2000). 코로 호흡을 하는 것은 모든 동물에서 생명을 영위하는데 중요하며, 영아의 경우 태어난 후 수주간은 절대적으로 코로 호흡을 하기 때문에 선천성 비폐색을 일으키는 질환을 가지고 태어난 영아에게는 매우 치명적일 수 있다. 이 시기가 지나면 구강호흡을 하더라도 생명을 영위할 수 있지만, 비강점막의 생리기능이 저하되는 경우는 코로 호흡을 하더라도 만족스럽지 않을 수

있다(Proctor, 1977).

비강은 후각을 담당하는 기관이기도 하지만 주로 호흡작용을 하고 있고 성인의 경우 매일 12리터의 공기를 비강을 통하여 흡입하고 있다. 이때 비강은 호흡기로서 기능을 하는데, 감각기, 면역기능, 점액수송기능, 여과기능, 가온가습 작용을 한다(Cole, 1992). 비강점막은 흡기 시 대기 중에 부유하고 있는 생물학적, 물리적, 혹은 화학적 인자가 하기도로 유입되는 것을 방지함으로써 하기도의 생리현상이 정상적으로 유지되도록 흡기의 온도와 습도상태를 적절하게 조절하는 기능을 하며air-conditioning, 흡기에 혼재되어 있는 먼지 등 크기가 큰 오염물이나 세균 등 크기가 작은 이물질을 제거하기도 하고, 인체방어에 필수적인 물질을 분비하여 병원균의 활동을 억제하여 비강점막과 하기도 점막을 보호하는 역할을 한다. 호기 시에 저항을 유지하여 폐기포의 수축을 방지하는 기능도 한다(Dahl and Mygind, 1998 ; Beule, 2010 ; Watelet and Cauwenberge, 1999).

1. 호흡기로서 비강 형태의 특징

정상적인 비강에서 호흡작용이 원활하게 유지되도록 공기와 비점막 사이의 접촉면을 가능하면 넓게 유지하기 위하여 공기가 지나가는 통로는 특징적으로 매우 좁은 간격으로 유지되고 있다. 비강의 측벽에는 상, 중, 하비갑개가 돌출되어 있고, 내측에는 비중격으로 경계를 이루고 있다. 비갑개 사이의 간격, 즉 비도의 간격도 좁고, 비갑개와 비중격 사이의 간격도 협소하기 때문에 비강으로 흡입되는 공기는 이 좁은 간격을 지나갈 수 밖에 없고 비점막표면으로부터 좁은 간격을 통과하는 공기의 중심부까지의 거리가 매우 짧기 때문에 넓은 기도에 비하여 용이하게 비점막 표면의 온도가 흡기로 전달되는 가능성이 크다고 할 수 있다(Elad et al., 2008).

비점막 고유층에는 풍부한 혈관망과 분비선조직이 존재하는데 이들은 콜라겐이 풍부한 결합조직에 의해서 삼차원적구조를 잘 유지하고 있다. 비점막의 심부에 분포하는 동맥은 분지하면서 모세혈관으로 이행되는데 모세혈관은 표재성으로 존재하는 것과 분비선조직 주위에 존재하고 있다. 비점막에는 유창성 모세혈관이 있어 각 부위에서는 물질의 흡수와 투과작용으로 주변조직과 세포사이에 풍부한 물질교환이 이루어지고 있다. 이러한 기능에 의하여 흡입된 공기의 가온도 행하여지고 있다. 모세혈관은 혈관의 내경이 큰 동양혈관으로 이행된다. 이 동양혈관이 차지하는 용적은 비점막의 70~80%에 달하며 대량의 혈액이 저류되고 있어 가습기능과 비점막의 확장과 수축에 관여한다. 흡기 성상의 변화에 따라 동양혈관의 수축 및 팽창이 발생함으로써 비강의 간격이 신속하게 변한다. 동양혈관은 주로 하비갑개와 비중격의 전반부에 주로 위치하고 있어 비호흡의 저항을 조절하고 있으며 이 부위를 비판이라 한다(Eccles, 2000). 또한 비강점막에는 특징적으로 동맥과 정맥이 직접적으로 연결되어 있어 말초혈류가 조절되어 흡기의 온도가 조절된다(Dahl and Mygind, 1998). 비점막에는 점액이 항상 분비되고 있다. 점액은 수분(95%), 점액다당류(2%), 그리고 다양한 단백성분 즉 알부민, 면역글로불린, 라이소자임 등이 포함되어 있다(Dahl and Mygind, 1998).

비점막상피층에는 배세포가 존재하며 그 분포 밀도는 성인의 하비갑개에는 800~11,000/mm^{2}이고, 점막고유층에는 풍부한 분비선이 존재한다. 분비선에는 장액선세포와 점액선세포가 혼재되어 있는 혼합선으로 성인에서는 비점막 1 mm^{2}당 8개가 존재한다. 이와 같이 배세포와 점막고유층의 분비선이 점액분비를 주로 담당하고 있으며, 배세포와 분비선 세포로부터 점액이 끊임없이 분비되어 비점막상피의 표면을 덮고 있고, 비강의 가습작용에 관여할 뿐만 아니라 점액섬모수송기능에 중요한 역할을 하고 있다(Proctor, 1966 ; Dahl and Mygind, 1998).

부비강 점막의 배세포는 약 5,900~9,700/mm²이고 분비선 분포는 상악동 점막에는 0.09~0.32/mm²의 밀도로 존재한다. 따라서 부비강점막의 분비선 분포는 비강에 비하여 현저하게 적다고 할 수 있다(Proctor, 1966; Dahl and Mygind, 1998).

2. 비강 내 호흡기류

비강 내 호흡기류는 비강의 해부학적 구조와 호흡양상에 따라서 달라진다. 비강은 크기는 작고 구조적으로 복잡하여 비강의 호흡기류를 상세하게 측정하는 것이 실험적으로 어려워 비강구조를 본뜬 모델을 만들어 많은 연구가 이행되어 왔다. 흡기 시 대부분의 기류는 중비갑개와 비중격 사이로 통과한다고 하였으나 하비도 혹은 중비도로 통과한다는 결과도 있어 일정하지 않다(Swift, 1977; Simmen D et al., 1999; Elad et al., 1993; Keyhani et al., 1995; Kelly et al., 2000; Chung et al., 2006). 그럼에도 불구하고 그 결과를 종합하면 비강의 기류의 대부분은 하비도와 비강저부를 통하여 진행되며 비판을 지나면서 기류속도가 가장 빠르게 된다(그림 2-1A). 그 다음은 비중격에 맞닿은 중비도에서 발생하고, 흡기의 약 5~10%는 후각점막이 위치한 상비도로 지나간다(Zhao and Dalton, 2007; Kelly et al., 2000)(그림 2-1B). 그러나 비강기류는 실제적으로 정상인에서도 일정하지 않다고 하고 있다(Zhao and Ziang, 2014). 실험방법에 따라 층류가 일반적으로 관찰되지만 와류도 발생된다고 하고 있어 사용된 비강모델에 따라 다른 결과를 얻고 있다(keyhani et al., 1995; Zhao et al., 2004; Subramaniam et al., 1998).

비강기류에서 와류의 발생은 비강점막의 생리작용에 매우 중요하다. 층류는 가온, 가습작용, 여과기능에 미치는 영향이 적다(Churchill et al., 2004). 와류는 점막과 공

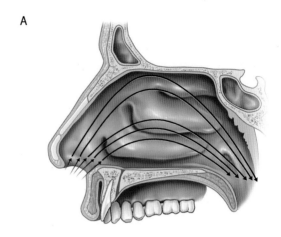

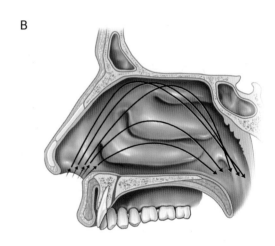

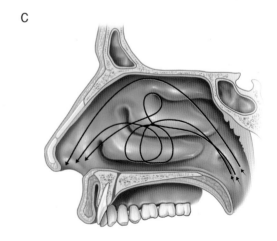

| 그림 2-1 비강 내 공기의 방향
A. 정상적인 흡기 시 공기의 방향 방향. B. 냄새를 맡기 위한 흡기 시 공기의 방향. C. 정상적인 호기 시의 공기의 방향

기사이에서 온도와 여과기능, 용해성 가스의 제거에 매우 효과적으로 작용한다. 일반적으로 평상시 휴식기 호흡은 기류속도는 초당 200 ml 이하이며 이때는 주로 층류양상을 띄며, 와류는 주로 비강의 전반부, 즉 하비갑개의 전반부에서 발생하고, 강한 흡기 시에도 와류를 일으킬 수 있다는 데 일반적으로 동의하고 있다(Zhao and Ziang, 2014; Wang et al., 2012).

1) 비판과 호흡기류

비판nasal valve은 비강구조 중에 가장 좁은 부위이며, 비강기류의 기능을 조절하는 중요한 부위이다(Cole, 2000; Eccles, 2000). 정상인에서 비판은 와류를 일으키는 운동에너지, 음압, 기류속도를 증가시키는 역할을 한다(Wang et al., 2012). 비판은 비전정부위 바로 후반부에 위치하며 외측비연골의 전단부, 비중격의 전단부로 구성된다. 비중격의 전단부(1.5 × 2 cm)도 비판의 경계를 이루며 nasal septal swell body 혹은 septal tubercle이라 하는 비점막중 혈관과 분비선의 밀도가 높은 조직으로 이루어져 점막의 확장 및 축소가 발생함으로써 기능적으로 비판의 역할을 한다(Elwany et al., 2009; Wexler et al., 2006). 비판의 단면적은 40 mm²이며 150 mm²까지 증가한다(Cole, 1992). 단면적은 비확장근dilator naris에 의하여 증가하며 비강기류를 증가시킨다(Mann et al., 1977). 임상적으로 비전정 확장nasal flaring으로 나타나는데 호흡을 하려고 할 때 발생한다. 외비에 부착시키는 외비 확장기구stripes도 비판의 단면적을 증가시킨다(Latte and Taverner, 2005).

비판은 흡기 시의 비강저항의 50~70%를 이루고 있으며 흡기의 방향을 중비갑개 혹은 하비갑개를 향하여 전상방으로 유도하며 기류의 속도를 증가시켜 초당 18 m에 다다르게 하며 그 부위를 지나면 수평으로 향하게

하며 기류의 속도는 초당 2~3 m로 감소한다. 기류의 속도는 비중격벽에 가까울수록 빠르다(Proctor, 1977; Yu et al., 2008, Swift and Proctor, 1977; Cole, 1992).

비판은 폐기포에서 가스교환을 위한 적절한 시간을 주기 위하여 일종의 저항을 제공하는데 호기시간은 흡기보다 길며 와류가 더 발생한다(그림 2-1C). 호기 시에는 주된 호흡기류는 중비도에서 발견되며 흡기보다 속도가 늦어 초당 2~3 m까지 저하된다. 기류 역시 비중격벽에 가까울수록 빠르다(Hairfield et al., 1987).

2) 비주기

비주기nasal cycle는 1895년 kayser가 처음으로 기술하였으며, 4시간의 주기로 비갑개의 점막이 수축과 확장을 반복하는 현상을 일컫는다(kayser, 1895). 전체 비저항이 변화되지는 않고 한쪽비강의 저항이 증가되면 반대쪽 비강의 저항이 감소되는 현상이 비강통기도검사를 이용하여 증명되었다(Eccles, 1983). 인간의 70~90%에서 발견되며 소아에서는 성인보다 순환주기가 짧다(Lang et al., 2003; Ohki et al., 2005). 비주기가 존재하는 이유는 불확실하지만 비점막의 방어작용에 관여한다고 제시되고 있다. 비저항에 영향을 주는 요소로서 운동은 비저항을 감소시키지만, 먼지, 연기, 알코올은 대개 비저항을 증가시킨다. 신체의 한쪽면에 압력이 가해지면 같은 면의 비저항이 증가한다(Hanif et al., 2000).

비주기의 조절 중추는 시상하부에 존재하며 vidian 신경을 따라 주행하는 신경에 의하여 조절되며 비중격점막, 중하비갑개점막 그리고 부비동점막에서도 관찰된다(Bamford and Eccles, 1982; Eccles, 1983; Kennedy et al., 1988). 비점막이 수축되면서 비강저항이 감소되면 비강기류가 증가하면서 와류가 형성되고 이와는 반대로 비점막이 확장되면서 비강저항이 증가되면 비강기류가

감소하면서 와류가 감소된다(Lang et al., 2003). 점액섬모수송기능도 비강저항이 감소된 쪽에서 증가된다(Soane et al., 2001).

3) 기도저항

기도저항nasal resistance은 비강구조에 의하여 비강 내로 흡입되는 기류에 의하여 발생되는 저항으로 정의되며, 기도 저항의 약 50%를 비강저항이 맡고 있다(Butler, 1960; Bailey, 1998). 비강의 저항은 폐조직의 수축을 억제하는 효과를 가져오며 비강저항을 유지하는 해부학적 구조는 비전정, 비판, 비갑개와 비확장근 등으로 구성되어 있으며, 비전정은 흡기 시에 발생하는 음압에 대하여 수축되며 비강 내 기류의 감소를 유발한다. 비판은 비강 내에서 가장 좁은 부위이며 최대한 저항을 유발한다. 비갑개를 덮고 있는 점막은 탄력적으로 점막의 크기가 변화하면서 비강저항을 조절한다. 비확장근도 비강저항을 결정하는 데 중요한 역할을 하며 비확장근의 수축은 비전정을 확장시켜 비강저항을 감소시킨다. 안면신경마비로 인한 비확장근의 마비는 비전정이 흡기 시 수축되어 저항을 증가시킨다. 운동시에는 비확장근의 수축이 되면서 비저항을 감소시킨다(Nigro et al., 2009).

비점막 부종은 비강저항에 영향을 주는 주요인자이며 자율신경 및 대기의 조건에 따라 변화한다(Drettner, 1961; Drettner, 1965). 흡기의 온도가 약 7℃ 정도 하강하면 비강저항이 증가하며, 반면에 23℃ 정도 혹은 이 온도보다 상승하면 저항에는 영향이 없다(Salman et al., 1971; Takagi et al., 1969). 신체의 위치에 따라 영향을 주기도 하는데 이것은 혈관에 대한 압력 때문에 발생한다. 즉 앉은 자세나 선 자세에서 가로누운 자세를 취하면 비강저항이 증가한다. 측와위를 취하면 아래쪽 비강점막은 더 확장된다(Rao and Potdar, 1970; Runderantz, 1969).

3. 점액섬모수송기능

점액섬모수송기능은 비점막의 방어와 생리기능을 유지하는 데 가장 기본적이고 중요한 기능으로 점액층과 섬모운동사이의 상호작용에 의해서 이루어진다. 호흡상피는 섬모원주상피, 무섬모원주상피, 기저세포 그리고 배세포로 구성되어 있으며, 섬모원주상피에는 100~200개의 섬모가 존재하며 섬모의 길이는 5 μm 이다(Rhodin, 1966; Jafek, 1983). 섬모는 9+2라는 독특한 조합의 미세관쌍paired microtubule으로 구성되어 있다. 이 중 변연부에 위치한 9개의 미세관쌍이 상호간에 미끄러지는 운동에 의하여 섬모가 구부러지게 된다는 것이 sliding microtubule 가설이다(Satir, 1974)(그림 2-2).

점액층은 수분으로 이루어진 졸층과 점액으로 이루어진 겔층으로 구성되어 있다. 졸층에서는 섬모운동이 이루어지며 섬모의 말단부위는 겔층에 접촉되어 있어 섬모운동에 의하여 수송기능이 이루어진다. 섬모는 분당 1,000회 정도 움직이며 섬모운동은 후방을 향한다(Dahl and Mygind, 1998).

비강에 침착된 다양한 입자는 비점막표면을 덮는 점액층에 접촉되어 점액과 함께 비강의 섬모운동에 의해 비인강으로 향하여 운반된다. 비인강에서는 연하에 의해 소화관으로 운반되어 처리된다. 이와 같이 점액과 섬모에 의한 수송기능이 점액섬모수송기능이다(Brofelt and Mygind, 1987).

졸층의 높이가 섬모운동에 영향을 미치는데, 졸층이 얇으면 섬모운동이 겔층에 의하여 장애를 받으며, 졸층이 너무 두꺼우면 섬모의 끝이 겔층과 접촉하기 어려워 수송기능이 저하된다. 점액섬모수송기능은 37℃, 100% 상대습도에서 원활하게 이루어진다. 섬모운동은 온도의 변화에 민감하며 35~40℃에서 가장 적절하게 이루어지며 이 온도보다 높거나 낮으면 섬모운동이 저하된다. 점액섬모수송기능은 건조한 상태에 매우 예민하지만, 평상

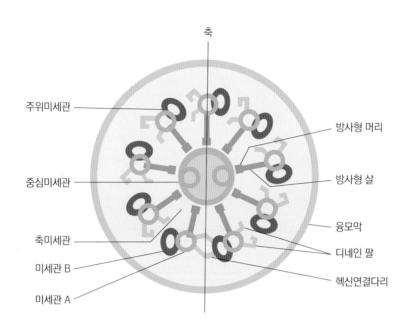

▮ 그림 2-2   섬모의 전자현미경 구조

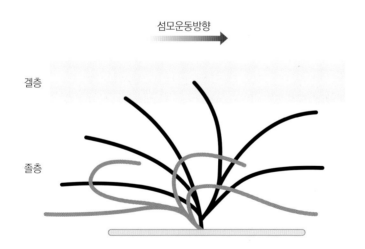

▮ 그림 2-3   섬모운동의 모식도

시의 흡기상태에서는 비점막의 가온가습작용에 의하여 건조한 상태에 노출되지 않는다(Dahl and Mygind, 1998).

점액층인 겔층은 90% 수분, 당단백질과 이온으로 구성되어 있으며 점막하 분비선, 배세포, 혈장의 혈관외 유출, 점막조직액 및 눈물에 의하여 이루어진다(Kaliner et al., 1984). 섬모운동에 의하여 점액층 즉 겔층은 2~25 mm/분의 속도로 이동한다(Dahl and Mygind, 1998)(**그림 2-3**).

점액섬모수송기능의 측정방법은 사카라인-염색약 방법 등으로 측정되는데, 색깔을 띤 사카라인 가루를 하비갑개의 전반부에서 후방 약 1 cm되는 곳에 위치시키고 인두점막에 도착하는 시간으로 측정한다. 비강의 점액섬모수송기능은 대체적으로 전방으로부터 후방으로 향하는데 정상 성인의 80%에서 3~25 mm/분(평균 6 mm/분)이고 약 20%에서는 지연되기도 한다. 비강의 최전방에서는 점액섬모수송기능이 전방으로 향한다. 이 기능에 의해 점막표면은 항상 신선한 점액으로 덮여있게 되며 흡기의 가습효과는 물론이고 흡입된 가스도 점액에 흡수되어 버려짐으로써 방어기능이 이루어진다.

부비동에서 점액섬모수송기능은 각 부비동의 자연공으로 향하며 비강 내로 운반된 점액은 비강의 점액섬모수송기능과 합류되어 비인강으로 향하게 된다. 점액섬모수송기능은 외층점액의 물리적 성질, 예를 들면 점성률, 탄성률과 섬모운동사이의 상호작용에 의해 주로 결정된다. 따라서 점액층과 섬모 사이의 상호작용을 변화시키는 다양한 조건 혹은 병태에 의해 점액섬모수송기능은 저하된다(Proctor, 1982).

비점막 방어기능의 일환으로 비점막에 침착된 입자들은 코를 푸는 것이랑 혹은 재채기에 의해서도 비강 외로 제거될 수 있다. 그리고 비강세척이나 분무제에 의하여 점도가 높은 점액과 점액에 침착된 입자도 제거될 수 있다(Dahl and Mygind, 1998).

4. 섬모운동에 영향을 주는 인자들

바이러스와 세균 즉 인플루엔자*hemophilus Influenza*, 폐렴구균*Streptococcus pneumonia*, 포도상구균*Staphylococcus aureus*, 녹농균*Pseudomonas*에 의하여 섬모가 파괴된다(Ferguson et al., 1988). 염증조직에 침투한 호중구가 분비하는 일레스타제*elastase*가 호흡상피를 파괴한다. 감기 바이러스도 섬모의 미세소포를 파괴하여 수송기능이 저하된다(lale et al., 1998). 섬모구조의 변화는 장기간 지속

된 알레르기성 비염에서도 발생한다(Maurizi et al., 1984). 만성부비동염 환자에서 섬모가 탈락된 부위가 발견되며 섬모가 유지되고 있는 부위에서는 수송기능은 정상이다. 부비동염 점막에서는 점막부종, 상피세포 탈락, 편평상피화, 비정상적인 섬모가 발견되지만 상악동염에서 세균의 독성 때문에 점액섬모수송기능이 지연된다(Takasaka et al., 1980; Sakakura et al., 1985; Ohashi and Nakai, 1983). 특별한 질병이 없는 건강한 소아와 성인에서도 섬모의 5~10%에서 비정상적인 섬모가 발견된다(Lale et al., 1998). 카타지너 증후군*kartagener syndrome*에서는 섬모를 이루는 dynein arm의 결손이 있다. 이 질환에서는 40%의 섬모만이 작동하며 섬모운동의 협조운동이 장해를 일으킨다. Primary ciliary dyskinesia에서는 ciliary axoneme의 구조적인 결함 때문에 섬모운동이 저하된다(Eliasson et al., 1977; Sturgess et al., 1979; Dalhamn and Ryander, 1962).

5. 흡기의 온도 조절과 가습

비강점막은 전술한 특징에 의하여 흡기의 온도조절을 효과적으로 하고 있다. 즉, 비강점막의 표면과 기류의 중심부까지 거리가 매우 짧아 열전도효과가 용이하다. 비강의 제일 좁은 협착부위로부터 후방으로 이행되면서 흡기의 유속이 저하됨으로써 비점막표면이 흡기와 접촉시간이 길어지게 된다. 동양정맥 등 풍부한 혈관분포뿐만 아니라 비강의 용적이 불과 20 cm³에 불과하지만 표면적은 160~180 cm²으로 넓기 때문에 비점막과 흡기의 접촉면적이 증가한다(Dahl and Mygind, 1998).

비강의 온도조절과 가습효과를 분석한 결과 23℃, 40%의 공기가 기관지에 도착할 때 32℃, 98%의 공기가 되며, 생활에 쾌적한 23℃의 경우 비강을 통과한 흡기는 비인강에서 32.4±0.8℃이고, 15℃의 흡기가 비인강에

서는 31.0±2.1℃, 31℃의 흡기는 비인강에서는 32.3±
1.3℃로 상승한다. −7℃의 흡기는 비갑개에 도달하면
17℃, 그리고 비강의 중앙부에 도달하면 25℃가 되고,
54℃의 흡기는 비갑개에서는 39℃, 비강의 중앙에서는
38℃ 정도 된다. 이와 같이 흡기의 온도조절의 대부분은
비강에서 발생하고 부가적인 작은 변화가 인두, 후두, 하
기도에서 이루어진다(Dahl and Mygind, 1998).

흡기가 충분히 가습되는 것은 하기도는 물론이고 비
강의 점액섬모운동에도 중요하다. 섬모의 운동에 적절한
습도는 90~100%이고 30% 이하로 되면 점액섬모운동
이 저하된다. 습도가 낮은 흡기는 점막상피표면의 점액
층의 수분을 흡수하여 점액층의 점도를 상승시켜 점액
섬모운동기능을 저하시킬 뿐만 아니라 기도에 가피형성
을 일으키기도 한다(Dahl and Mygind, 1998).

6. 감각기

외부에서 코안으로 흡입할 때 들어오는 자극적인 물질,
예를 들면 암모니아 혹은 고추가루 같은 것이 들어오면
화끈거리는 느낌이 드는 것은 상피층에 무수초성 신경
말단을 자극하기 때문이다. 이 자극은 삼차신경과 설인
두신경에 의하여 말단자극이 삼차신경핵을 경유하여 중
추로 전달된다. 이러한 자극은 일종의 점막방어작용으로
재채기반응, 눈물 혹은 분비작용을 유발한다.

7. 면역작용

점액분비 및 점액섬모수송작용에 의한 방어작용뿐만
아니라, 점액속에는 많은 면역성분을 포함하고 있는데
IgA, IgG, IgM, IgE, 라이소자임, 락토페린과 같은 효소,
보체 complement 같은 단백성분, 비점막 속에는 호중

구, 임파구 등이 존재하며 점막속에 존재하는 항원발현
세포 antigen presenting cells, B와 T임파구 lymphocyte
등이 국소면역 뿐만 아니라 알레르기반응에 관여한다.

8. 여과기능

비강은 상 하기도 중에서 흡기시 입자가 주로 침착되
는 부위이며, 비강의 여과효과는 입자의 크기에 따라 다
르다. 흡기 중에 포함된 15 µm보다 큰 입자는 비강에
서 95% 정도 여과된다(Cole, 1992). 꽃가루의 크기에 해
당되는 10 µm보다 큰 입자는 안정 호흡을 할 때 비강에
침착되며, 곰팡이 입자에 해당되는 2 µm 이하의 입자는
비강에 침착되지 않고 지나간다(Dahl and Mygind, 1998).

공기 중에는 직경이 0.001 µm의 미세한 입자로부터
100 µm의 큰 입자까지 다양하게 존재하는데 공기 중 함
유량은 지역에 따라 다르지만 0.1~1 mg/m³ 정도라고
한다. 항상 흡기와 함께 많은 입자가 유입되면서 기도에
침착되는데 다음 4개의 침착방식에 의하여 이루어진다
(Houman and Morgan, 1977).

① gravitational settling : 입자가 중력에 의하여 하강하
여 침착하는 것으로 입자의 크기, 입자 밀도, 공기 밀
도 등에 의하여 결정된다.

② inertial impaction : 기류에 포함된 입자가 폐색부위
에 충돌하는 경우의 침착으로 이것은 폐색부위에서
기류가 방향을 변화시키는 경우의 관성저항에 의하
여 침착된다. 비강에서 이와 같이 침착이 생기는 부
위는 비강입구에 가까운 가장 좁은 부위와 이 부위의
후방에서 기류가 하방에서 상승한 것이 수평적으로
방향을 변환하는 부위이다. 또 하기도에 있어서는 기
관, 기관지의 분지부에 이러한 침착이 생기기 쉽다.

③ Diffusion : 입자가 1 µm 이하로 되면 공기 중에서
확산되어 침착된다.

④ Interception : 석면asbestos 등의 섬유상 물질에서 발생할 수 있다. 흡입된 섬유상 물질의 길이가 기도의 직경보다 긴 경우에는 물질이 기도에 진입할 때 진입각도에 의해 기도에 걸리면서 침착하게 된다.

비강에서는 입자의 크기가 5 μm 이상의 입자는 inertial impaction에 해당되며, 이 경우는 제일 좁은 부위와 기류의 방향이 변화하는 부위에 많다. 비강에 침착하는 입자의 80%가 비강의 전반부에 침착한다(Fry and Black, 1973). 입자가 10 μm 이상이 되면 하기도보다는 주로 대부분은 비강에 침착되는데, 8 μm 이상의 입자에 대해서도 비강은 효과적인 필터로서 역할을 한다(Becquemin et al., 1991). 비강의 가장 좁은 부위보다 후방에서는 기류의 속도가 저하되어 있고, 비갑개의 존재에 의해 기류에 활류가 생겨 0.01 μm 이하의 미세한 입자는 분산에 의해 비강에도 침착한다. 성인과 소아에 있어서도 비강속에 입자의 침착은 큰 차이가 없다고 하고 있다(Becquemin et al., 1991 ; Dahl and Mygind, 1998).

이산화황 등의 수용성 가스에도 비강은 효과적인 여과지 역할을 하고 있는데(Speizer and Frank, 1966), 수용성 가스는 비점막 표면을 덮고 있는 점액에 흡수된다. 오존은 비수용성 가스인데 흡입된 오존의 40%가 흡수되어 제거된다(Gerrity et al., 1988). 이와 같이 기도에 다양한 영향을 미치는 가스가 비강의 여과효과에 의하여 제거되므로 비강점막은 하기도의 방어에 있어서 중요한 역할을 한다.

9. 반사작용

비강점막은 물리, 화학적자극에 대하여 비강점막을 보호하는 방어적인 생리기능을 하고 있는데 이러한 기능은 비강점막에 분포되어 있는 감각신경과 자율신경에 의하여 이루어진다. 감각신경은 비강점막에 분포되어 있는 삼차신경이 담당하고 있으며, 비강폐색의 정도, 화학적 자극 및 염증반응에 대하여 반사적으로 작용한다. 삼차신경은 화학적 지각섬유chemosensory fibers와 물리적 지각섬유mechanosensory fibers를 가지고 있다. 물리적 지각섬유는 large fast-conducting Aβ-fibers가 담당하며, thin fast-conducting myelinated Aδ-fibers, thin slow-conducting unmyelinated C-fibers는 온도감지 즉, 냉, 온자극, 통증 인지를 하고 있다. 삼차신경의 신경전달물질은 substance p, calcitonin gene related peptideCGRP, 및 그 외 다른 신경펩타이드가 존재하면서 외부자극에 대하여 화끈거림, 냉, 온감각을 담당하고 있다. 삼차신경의 C형 구심성 무수신경을 통하여 축삭반사를 통하여 신경성 염증반응을 유발한다(Finger et al., 1990).

신경전달 물질뿐만 아니라 transient receptor potential channelsTRP이 감각신경에서 발현되는데 화학 및 물리적 자극에 의하여 작동된다. TRP는 6개의 아형이 존재하는데 TRPV1(바닐로이드 수용체), P2X(푸리너직 수용체), ASIC/DRASIC(산성에 예민한 이온 channels), TRPM8(멘톨에 반응하는 channels), TRPV3(온도 변화에 예민한 channels), TRPA1(isothiocyanate에 예민한 channels)이 발현된다(Bessac and Jordt, 2008).

감각신경은 소양감 혹은 재채기와 같은 일반적인 감각을 담당하며, 자율신경을 구성하고 있는 교감신경과 부교감신경은 분비선과 혈관에 분포되어 분비기능과 혈관수축 및 확장에 관여한다. 이러한 신경망을 통하여 비강점막에서 발생하는 재채기, 분비작용 등은 비강점막 이외의 다른 부위에서 발생한 자극에 의하여 발생할 수 있으며, 비강점막이 자극되면서 발생한 신경반응은 기관지 점막이나 심혈관계통에 반사 반응을 유발하게 된다(Sarin et al., 2006).

비강점막간 반사Nasonasal refex는 일측의 비강점막이 자극을 받으면 양측 비강점막에 반응이 유발되는 것을 일컫는다. 예를 들면, 알레르기 비염 환자의 일측 비강점막에 시행된 항원 유발 반응은 substance p, calcitonin gene related peptide, vasoactive intestinal peptide를 분비하게 되어 양측비강점막의 비점막부종, 재채기 및 콧물반응이 일어난다. 이 반응은 알레르기 비염에 축삭반응 및 부교감신경반응이 비강점막 간 반사작용에 관련되어 있다는 증거를 제공한다(Mosimann et al., 1993).

비안반사Naso-ocular reflex는 화학자극 혹은 물리적 자극에 비강점막이 반응하면서 양측 혹은 반대측 안반사를 유발하여 눈물, 결막의 홍조가 발생한다.

Foot-cooling reflex는 하지가 냉자극을 받으면 비강점막에 혈류가 감소되면서 비강점막이 축소된다. 또한 안면부 피부를 냉자극하면 비강점막이 수축되는 현상과 유사하다(Koskela and Tukianinen, 1995).

비폐반사Nasobronchial reflex는 먼지, 연기, 암모니아, 페닐에틸아세테이트(향수), 이산화황, 그리고 수용성화학물질들이 비강점막을 자극하면 흡기 시 작용하는 근육이 이완되면서 호흡이 멈추는 반응이 발생하게 된다. 이와 같이 비강점막과 기관지점막 사이의 상호 반사작용을 일컫는다(Baraniuk and Merck, 2008).

10. 구음 기능

비강 및 부비동은 호흡기능 외에 구음기능을 가지며 발성에 직접 관련하지는 않지만 공명에 관여하여 음성의 특징에 영향을 준다(Chen and Metson, 1997). 비강으로 들어가는 공기가 너무 적은 경우에 폐쇄성 비성rhinolalia clausa이 생기고 너무 많은 경우에는 개방성 비성rhinolalia aperta이 생긴다. 폐쇄성 비성은 급성비염, 알레르기성 비염, 만성비염, 만성부비동염에서 자주 관찰되며 개방성 비성은 구개열 등의 velopharyngeal insufficiency에서 관찰된다(Warren et al., 1992).

11. 부비동의 생리

부비동의 생리에 대해서는 결정적인 이론은 없다. 부비동은 생리적인 역할을 하는 기관이라고 하는 이론도 있지만 한편으로는 인간에 있어서 부비동은 기능이 없는 기관이라고 하고 있다. 그러나 추정되고 있는 기능을 거론하고자 한다.

1) 두개골의 중량을 감소시키는 역할

가장 오랫동안 제시되어 온 이론으로 부비동이 골부spongy bone로 채워있는 것보다 두개골의 중량이 1% 감소한다고 하고 있으나(Braune and Clasen, 1877), 부비동이 머리의 평형을 유지하기 위하여 두개골의 중량을 감소시키는 역할을 하는 것은 아니라고 주장하고 있다(Biggs and Blanton, 1970).

2) 구음 기능

부비동은 음성에 관여하는 보조적인 발성기관으로 작용한다는 이론이 제시된 이래, 개인의 음성은 부비동과 안면골의 구조에 따라 다르다고 하고 있다(Howell, 1917). 그러나 현재에는 부비동의 구음기능은 정설로 확정되지 않고 있다(Blanton and Biggs, 1969).

3) 두개골에 가해진 충격으로부터 감각기관을 보호하기 위한 충격흡수 역할

처음 제시된 이론으로 두개골과 뿔을 가진 동물에서 부비동과 같은 기관이 두개골뿐만 아니라 뿔까지 확장되어 있는 것은 외부로부터 가해진 충격을 분산시키는 효과가 있다고 제시하고 있다(Negus, 1958). 그러나 부비동은 피라미드 모양으로 기저부는 앞쪽에 위치하고 첨부는 접형동쪽으로 위치하고 있어 뇌를 보호하기 위한 구조를 가지고 있다고 하고 있다(Rui, 1960).

4) 가습작용을 위한 점액분비기관

이 이론은 비강점막에 비하여 분비선숫자가 적어 비강점막을 가습할 정도로 분비능력이 충분하지 않다(Dahl and Mygind, 1998). 다만, 정상상태에서는 점액의 분비가 일어나며, 자연공을 향하여 배설이 이루어지고 있다(Blanton and Biggs, 1969).

5) 흡기의 가온 가습

호흡 동안에 부비동 안에서도 가스교환이 이루어진다고 오랫동안 알려져 왔다. 그러나 가스교환이 흡기의 가습과 가온을 할 수 있다는 결과에는 의견의 일치가 되지 않고 있다. 즉 비강과 부비동 사이에 가스교환은 무시할 정도이고 부비동의 흡기의 가온, 가습작용은 의미가 없다고 하고 있다(Paulsson et al., 2001).

6) 안면골 성장 및 구조에 대한 영향

전두동과 상악동의 발달은 성인이 되면서 성장이 멈추는 것에 근거하여 안면부가 전하방으로 발달됨에 따라 이루어진다고 처음으로 제시되었다(Proetz, 1953). 그 후 부비동은 저작작용에 의하여 발생된 압력에 의하여 두개골에 가해지는 힘에 의하여 발생된다는 학설과 전두

골과 전두기저부가 이루는 각이 증가되는 것과 동시에 중간 기저부가 이루는 각이 감소되어 발생된다고 하고 있다(Proetz, 1953). 최근 보고에 의하면 안면두개골이 부비동의 형태에 중요한 관련성을 가진다는 점에 근거하여 안면 및 두개골의 구조론architectural theory에 의하여 부비동이 형성된다고 하는 이론이 명백해지고 있다(Blaney, 1986).

II | 후각 및 미각 생리

후각과 미각은 생존과 삶의 질에 중요한 역할을 하는 화학감각이다. 두 감각은 모두 냄새, 미각 분자가 수용체 세포들에 위치한 수용체에 결합하여 이루어진다. 후각과 미각 모두 복잡한 부호화를 거치나 서로 다르다. 두 감각 모두 중추신경계에 다양한 경로로 투사되기 때문에 이 중요한 감각들의 인지와 분석이 가능하다.

1. 후각의 생리

1) 후각의 신호전달 Transduction

후각은 냄새분자가 흡기류에 의해 비강 상부의 후각상피에 도달하고 그곳의 후각 수용체에 결합함으로써 전달이 된다. 기류의 방향, 속도, 양이 자극의 정도를 결정한다. 일반적으로 흡기의 15% 정도가 후각상피 부위를 지나며 킁킁거리며 냄새 맡는 행동이 와류를 증가시켜 더 많은 흡기를 전달하고 후각계를 활성화시킬 수도 있다(Scherer et al., 1989). 비후방retronasal 후각은 구강과 인두를 통해 냄새를 맡고 이것이 후각장애를 미각장

애로 잘못 혼동하는 이유가 된다. 후각 점액은 후각상피의 표면에 있어서 후각물질을 이동시키는데 adrenergic, cholinergic, peptidergic 자극에 의해 조절된다. 친수성 후각점막은 후각분자를 용해, 흡수, 화학반응을 조절하며 후각감지에 영향을 준다. 냄새물질과 결합하는 단백질은 후각물질이 후각 수용체에 접속하는 것을 증가시키는데 보통 대기보다 1,000에서 10,000배 정도의 농도로 증가시킨다.

우리가 냄새를 어떻게 인식하는지에는 여러 가지 가설이 있다. 주로 후각물질의 흡수성질에 의한다는 설이 있는데 사람에서 점액흡수가 후각 지각과 관계되어 있음이 밝혀지고 있다(Mozell and Jagodowicz, 1973). 또한 기본적인 후각 물질과 이들의 조합에 의해 후각이 인식된다는 설이 있는데 이는 시각과 같은 생리적인 원리에 따른다(Amoore, 1967). 후각물질의 파동 특성에 따른다는 설도 제기되었는데 이는 최근 연구에 의해 부정되고 있다(Keller and Vosshall, 2004). 이는 후각물질은 화학적 구조를 가지고 있고 리간드ligand-수용체 상호작용의 존재가 발표되었기 때문이다.

복합된 냄새로부터 특정한 냄새를 어떻게 감지하고 인지하는지는 일부만이 알려져 있으나, 냄새분자와 후각신경세포의 후각수용체 결합으로 신호전달이 처음으로 발생되는 것은 Buck에 의해 밝혀졌다(Buck and Axel, 1991). 후각물질이 후각수용체에 결합하면 특정한 G 단백질G olf 이차 메신저 경로를 활성화하고, 이는 adenylate cyclase를 자극하여 cAMP를 생성한다. cAMP는 cyclic nucleotide 이온채널을 여는 이차 메신저로 작용하여 Na^+, Ca^{++}의 유입과 K^+의 배출로 신경의 탈극화를 일으킨다. 이는 축삭axon을 통해 후구olfactory bulb까지 전달된다(그림 2-4).

분자학적 그리고 전기생리학적 연구에 의하면 후각수용체는 한 가지 후각 물질에만 선택적으로 작용하지는 않고, 수많은 입자들이 다양한 친화력affinity으로 특정 후각수용체에 결합한다. 또한 화학기에 따라 친화력은 달라진다(Malnic, 1999). 모든 후각물질은 한 가지 후각수용체에 의해 인식되지 않고 동시에 여러 가지 후각수용체에 의해 인식되는데 이는 특정한 화학 특성에 따라 다르다. 후각물질의 입체화학적sterochemical 특성을 보고 후각의 특성을 알아낼 수 있는가에 대한 문제는 해결해야 할 문제이다. 냄새에 오랫동안 노출되어 냄새의

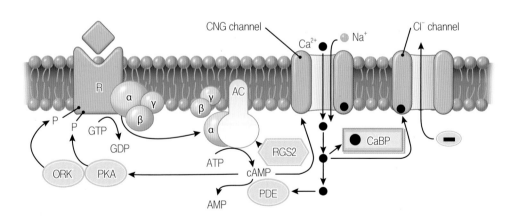

| **그림 2-4** 후각수용체와 후각전달과정 도해

AC: adenylyl cyclase, AMP: adenosine monophosphate, ATP: adenosine triphosphate, CaBP: calmodulin-binding protein, cAMP: cyclic adenosine monophosphate, CNG channel: cyclic nucleotide-gated channel, GDP: guanosine diphosphate, GTP: guanosine triphosphate, ORK: olfactory receptor kinase, P: phosphate, PDE: phosphodiesterase, PKA: protein kinase A, RGS: regulator of G proteins

강도가 감소하는 후각의 순응adaptation은 말초 및 중추 과정에 의한다. 이는 아마도 cAMP 관문통로gated channel의 억제 작용에 의한 세포 내 Ca^{++}의 증가가 중요한 역할을 할 것으로 믿고 있다. 순응은 보통 15초 이내에 일어난다. 후각물질이 삼차신경을 자극하는 경우 순응이 덜 일어난다.

대부분의 냄새는 한 가지 이상의 후각 수용체를 자극하고, 대부분의 수용체는 여러 가지의 냄새에 의해 자극되어 수십억의 조합을 만들 수 있다. 더욱이 후구에서 다양한 활성 연결, 억제 연결, 수렴이 일어난다. 후각 물질은 보통 천만분의 1인 낮은 농도에서 감지될 수 있다.

인간의 후각 유전자군은 339개의 정상 유전자와 297개의 위유전자 pseudogene이 있는데 이는 마우스의 것보다 적지만, 인간유전자 가운데 가장 큰 유전자군을 구성하고 있다(Malnic B et al., 2004). 인간에게서 후각수용체와 사구체와의 비 receptor-to-glomeruli는 1:16이다(Maresh A et al., 2008). 한 후각물질이 후각신경의 한 부분subset을 자극하고 이어서 후구에 있는 특정 사구체군을 자극한다(Johnson and Leon, 2007 ; Wachowiak and Cohen, 2003). 따라서 냄새는 여러 개의 후각수용체에 의해 부호화되어 독특한 형태의 사구체 활성화가 일어나고 이후 상부 뇌 신경계에 전해져서 후각을 느끼게 되는 것이다.

2) 후각 인지 Olfactory cognition

냄새는 경험에 크게 연관되어 느껴진다. 후각은 기억과 연관되면 연관된 일이 잊어지거나 비합리적일지라도 잘 없어지지 않는다(Engen, 1982 ; Herz and Cupchik, 1995 ; Wippich et al., 1989). 한 조사에 의하면 후각기억odor memory는 적어도 1년 이상 지속되며, 몇 개월 지속되는 시각 기억보다 더 오래 간다(Engen, 1982) 아주 좋은 음

식인 경우도 과도한 섭취 시 그 냄새에 혐오감이 생길 수 있고 마찬가지로 무해한 음식도 어떤 이유로 해를 줄 수가 있다(Bromley and Doty, 1995) 후각기억에 의한 이런 현상을 이용하여 동물 훈련을 시킬 수가 있다. 이러한 이유로 후각 기억은 아마도 다른 기억 시스템과 구별될 수 있다(Bromley and Doty, 1995 ; Annett and Cook, 1995). 6일에서 10일된 신생아도 엄마의 냄새를 구별하고, 3세에서 5세의 경우 아이가 엄마와 친밀감을 느끼는데 냄새 인식이 중요한 역할을 한다는 보고가 있다(Pelosi P, 1994).

페로몬pheromone은 인간 이외의 동물의 세계에서 많은 역할을 하는데 이를 통해 특정한 행동이나 발달과정이 일어난다(Karlson and Lauuscher, 1959). 사람의 페로몬에 대한 연구에서 사람의 소변, 겨드랑이 분비물, 질 분비물에서 여러 가지 냄새 성분이 추출되고 이것이 논제가 되기도 하였으나 보다 많은 증거가 필요하다(Doty, 1986 ; Doty et al., 1975, Doty et al., 1981). 한 여성의 겨드랑이 분비물을 다른 여성들에게 냄새 맡게 하여 생리주기가 서로 비슷해졌던 실험(Russel, 1980)과 남자의 겨드랑이 분비물을 여성에게 맡게 하여 황체호르몬의 변화를 확인했던 연구들(Preti, 2003)은 사람의 화학감각에 의한 소통의 결과로 보고 되었으나 아직 논란이 있다.

3) 화학적 감각 Common chemical sense

비강 점막의 작열감, 시원한 감각, 톡 쏘는 감각, 아픈 감각은 삼차신경trigeminal nerve, 설인두신경glossopharyngeal nerve, 미주신경vagus nerve, 이들 3개 뇌신경의 자유신경종말free nerve ending에 의한 또 다른 화학적인 감각이다(Cain, 1979 ; Cain and Murphy, 1980). 이 중 삼차신경이 주된 역할을 한다. 통각을 의식하지 못한 경우도 거의 대부분의 냄새물질은 후각신경과 삼차신경을 모두 자

극한다. 이들 뇌신경의 상호 작용과 다른 감각과의 연관과 관계된 중추연결은 최근에야 밝혀지기 시작했다(Laing, 1980; Murphy and Cain, 1977). 삼차신경과 후각계와의 연결은 시상 thalamus에서 일어난다.

암모니아에 의한 자극인 경우, 일반 화학적 감각은 농도보다는 전체 양에 더 연관되어 있다(Cometto-Muniz and Cain, 1984).

비중격 전하방부의 보습코기관vomeronasal organ은 다른 포유류에서는 페로몬을 맡는 기관이나 사람에게서는 중추연결이 없어서 기능을 하지 않는 것으로 생각된다.

2. 미각의 생리

1) 미각 수용체

미각은 화학물질이 미각 수용체세포를 자극하여 생긴다. 미각에서 기본이 되는 해부학적 단위는 미뢰taste bud이다. 미뢰는 주로 혀에 분포하지만 인두, 후두, 연구개의 표면에도 존재한다 미뢰는 유두papillae라는 구조 안에 존재하고 혀 이외의 미뢰는 상피에 존재한다. 미뢰는 방추형spindle모양의 세포들의 집합체로 구성되어 있다. 미뢰에는 기저세포basal cell, 미각 수용체 세포taste receptor cell, 가장자리 세포edge cell로 구성되고, 미각 수용체세포는 초미세구조에 따라 dark cell, light cell, intermediate cell 세 가지 종류가 있다. Dark cell은 과립이 첨부에 많이 있고, 결핍되어 있는 경우 light cell이다. 기저세포는 지속적으로 분화하여 후각 수용체 세포를 교체한다. 미뢰 내의 세포들은 가운데 구멍을 중심으로 모아진 모양이며 구멍은 구강의 상피를 통해 열려 있다. 척추동물의 미각세포는 변화된 상피세포이지만 신경세포의 많은 특성을 가지고 있다(그림 2-5).

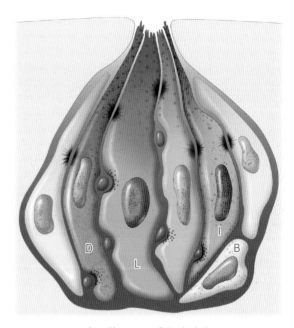

┃ 그림 2-5 　포유류의 미뢰
B: 기저세포(basal cells), D: dark cells, L: light cells, I: intermediate cells

혀에는 세 가지의 유두papillae가 있는데 용상유두fungiform papilla는 혀의 전방 2/3에 분포한다. 혀의 후방에는 성곽유두circumvallate papillae와 잎새유두foliate papillae가 있다. 사람에게선 200~300개의 fungiform papillae가 있고, inverted V 형태로 혀의 전반 2/3을 나누는 circumvallate papilla가 8에서 12개가 있는데 각각 250개의 미뢰를 가지고 있다. 혀의 가장자리에 분포하는 foliate papillae는 약 100개의 미뢰를 가지고 있다. 그리고 실유두filiform papillae가 있는데 이는 미뢰를 가지고 있지 않아 미각과 관계가 없다.

타액은 미각 전달에 중요한 역할을 하는데, 이는 미각 수용체 세포의 세모막에 미각 분자를 용해하여 전달한다. 미각은 짠맛, 단맛, 쓴맛, 신맛 그리고 감칠맛unami이 있다. 사람에게서 모든 미뢰가 모든 미각을 느낄 수 있다.

2) 미각신경

각각의 미뢰는 여러 신경의 지배를 받는다. 안면신경 VII, 설인신경IX, 미주신경X의 분지에 지배를 받는데, 태생학적 기원에 따라 혀의 전반 2/3는 안면신경의 고삭신경chorda tympani 분지에 의해 지배를 받는다. 안면신경의 greater superficial petrosal branch는 연구개의 미뢰를 지배한다. 미각신경은 설신경을 거쳐 고삭신경으로 중이를 통과하여 안면신경과 만난다. 미각 섬유는 pseudounipolar cell body가 있는 슬신경절geniculate ganglion을 지나간다. 그 후 nerveus intermedius를 통해 뇌간으로 가는데 이곳에서 medulla에 위치하는 nucleus of the solitary tractNST의 상부에서 끝난다. 설인신경의 설편도 분지는 혀의 후반부 1/3의 성곽유두circumvallate papilla와 잎새유두foliate papilla를 지배한다. 이 신경섬유는 하부설인신경절에 pseudounipolar cell body가 있고 NST에서 끝난다. 미주신경은 후두개와 식도의 미각을 담당하는데 이는 상후두신경의 내분지를 통한다. 이 신경섬유의 세포체는 하미주신경절에 위치하며 NST에 투사된다. 미각 신경은 특정한 맛에 특정되는 것이 아니라 여러가지 미각 자극에 반응하는 것으로 보인다. 하지만 특정 맛에 더 잘 반응하는 신경이 있어서, 기본자극 물질에 best를 붙여 sucrose-best, NaCl-best, HCl-best, quinine-best로 분류하기도 한다.

3) 중추 미각 경로

미각 신경섬유는 안면신경VII, 설인신경IX, 미주신경X을 통해 NST에 종단부가 있다. NST에서의 2차 미각 신경 세포는 교뇌 pons의 parabronchial nucleiPBN에 투사되어 central tegmental tract을 통해 thalamus의 ventral posteromedial nucleus의 parvicellular division에서 끝난다. thalamus에서 신경섬유는 insular cortex와 frontal operculum에 투사된다. 또한 PBSN에서 중추자율신경조절과 영양에 관계되는 ventral forebrain에 투사된다. 미각은 다른 신경들과는 달리 모두 동측 경로를 이용한다.

4) 미각의 생리

미각의 인지는 섭취한 미각 분자가 미각 수용체 세포의 미세융모의 첨단의 표면에 있는 수용체에 결합함으로써 이루어진다. 이는 수용체 세포의 탈분극이나 과다분극을 일으킨다. 탈분극이 되면 세포 내 Ca^{++}의 증가로 구심성 시냅스에서 신경전달물질을 분비하게 된다. 수용체 세포와 일차성 구심성 섬유 간에 작용하는 신경전달물질은 정확히 알려져 있지 않다. 미각의 전달 기전은 여러 가지가 있다. 짠맛과 아마도 신맛은 미각 자극 물질과 특정한 이온 통로 사이의 직접적인 상호관계가 미각전달을 할 것이라 생각된다. 신맛의 전달은 여러 가지 경로를 통한다고 여겨지는데, 주된 경로는 기저측 통로 basolateral channel를 통한 세포주위paracellular 경로로 보인다. 단맛, 쓴맛, 감칠맛은 G 단백질 second-messenger 시스템을 활성화 하는 특정한 막 수용체에 의하는 것으로 여겨진다. 다른 감각과 마찬가지로 순응adaptation이 있다. 이는 맛의 종류별로 일어나는데 예를 들면 쓴맛을 오래 맛보면 다른 쓴맛을 먹을 때 덜 느껴진다.

참고문헌

1. Amoore JE. Specific anosmia: a clue to the olfactory code. Nature 1967;214:1095-8.
2. Annett JM, Cook NM, Leslie JC. Interference with olfactory memory by visual and verbal tasks. Percept Mot Skills 1995;80:1307-17.

3. Bailey B, Calhoun K. Nasal function and evaluation, nasal obstruction. In: Head and Neck Surgery: Otolaryngology. 2nd ed. New York, NY: Lippincott Raven? 1998:335-344, 376, 380-390.

4. Bamford OS, Eccles R. The central reciprocal control of nasal vasomotor oscillations. Pflügers Arch 1982;394:139-43.

5. Baraniuk JN, Merck SJ. Nasal reflexes: inplications for exercise, breathing, and sex. Curr Allergy Asthma Rep 2008;8:147-53.

6. Becquemin MH, Swift DL, Bouchikhi A, Roy M, Teillac A. Particle deposition and resistance in the noses of adults and children. Eur Respir J 1991;4:694-702.

7. Bessac BF, Jordt SE. Breath taking TRP channels: TRPA1 and TRPV1 in airway chemosensation and reflex control. Physiology (Bethesada) 2008;23:360-70.

8. Beule AG. Physiology and pathophysiology of respiratory mucosa of the nose and the paranasal sinuses. GMS Curr Top Otorhinolaryngol Head Neck Surg 2010;9:Doc 07.

9. Biggs NL, Blanton PL. The role of paranasal sinuses as weight reducers of the head determined by electromyography of postural neck muscles. J Biomech 1970;3:255-62.

10. Blaney SP. An allometric study of the frontal sinus in gorilla, pan and pongo. Folia Primatol (Basel) 1986;47:81-96.

11. Blanton PL, Biggs NL. Eighteen hundred years of controversy: the paranasal sinuses. Am J Anat 1969;124:135-48.

12. Braune W, Clasen FE. Die Nebenhohlen der Menschlichen nase in ihre Bedeutung fur den Mechanismus des Riechens. Z Anat Entwicklungsgesch 1877;2:1-15.

13. Brofeldt S, Mygind N. Viscosity and spinability of nasal secretions induced by different provocation tests. Am Rev Respir Dis 1987;36:353-6.

14. Bromley SM, Doty RL. Odor recognition memory is better under bilateral than unilateral test conditions. Cortex 1995;31:25-40.

15. Buck L, Axel R. A novel multigene family may encode odorant receptors: a molecular basis for odor recognition. Cell 1991;65:175-87.

16. Butler J. The work of breathing through the nose. Clin Sci 1960;19:55-62.

17. Cain WS: Olfaction and the common chemical sense: similarities, differences, and interactions. In Moskowitx HR, Warren CB, editors: Odor Quality and Chemical Structure: Based on a Symposium Sponsored by the Division of Agricultural and Food Chemistry at the 178th Meeting of the American Chemical Society, Washington, D.C., September 13. 1979, Washington, DC, 1981, American Chemical Society. ACS Symposium Series No. 148.

18. Cain WS, Murphy CL. Interaction between chemoreceptive modalities of odor and irritation. Nature 1980;284:255-7.

19. Chen MY, Metson R. Effects of sinus surgery on speech. Arch Otolaryngol Head Neck Surg 1997;123:845-52.

20. Chung SK, Son YR, Shin SJ, Kim SK. Nasal airflow during respiratory cycle. Am J Rhinol 2006;20:379-84.

21. Churchill SE, Shackelford LL, Georgi JN, Black MT. Morphological variation and airflow dynamics in the human nose. Am J Hum Biol 2004;16:625-38.

22. Cole, P. Nasal turbinate function. Can J Otolaryngol 1973;2:259-62.

23. Cole P. Nasal and oral airflow resistors. Site, function, and assessment. Arch Otolaryngol Head Neck Surg 1992;118:790-3.

24. Cole P. Acoustic rhinometry and rhinomanometry. Rhinol Suppl 2000;16:29-34.

25. Cometto-Muniz JE, Cain WS: Temporal integration of pungency. Chem Senses 1984;8:315.

26. Dahl R, Mygind N. Anatomy, physiology and function of the nasal cavities in health and disease. Adv Drug Deliv Rev 1998;29:3-12.

27. Dalhamn T, Rylander R. Frequency of ciliary beat measured with a photosensitive cell. Nature 1962;196:592-3.

28. Doty RL. Gender and endocrine-related influences on human olfactory perception. Clinical measurement of Taste and Smell 1986;377-413.

29. Doty RL, Ford M, Preti G, Huggins GR. Changes in the intensity and pleasantness of human vaginal odors during the menstrual cycle. Science 1975;190:1316-8.

30. Doty RL, Snyder PJ, Huggins GR, Lowry LD. Endocrine, cardiovascular, and psychological correlates of olfactory sensitivity changes during the human menstrual cycle. J Comp Physiol Psychol 1981;95:45-60.

31. Drettner B. Vascular reactions of the human nasal mucosa on exposure to cold. Acta Otolaryngol (Stockh) 1961;166 (Supplement, p. 1).

32. Drettner B. The effect of cigarette smoking on the blood flow of the skin, muscle and nasal mucosa. Acta Soc Med Ups 1965;70:49-58.

33. Eccles R. Sympathetic control of nasal erectile tissue. Eur J Respir Dis Suppl 1983;128:150-4.

34. Eccles R. Nasal airflow in health and disease. Acta Otolaryngol 2000;120:580-95.

35. Elad D, Liebenthal R, Wenig BL, Einav S. Analysis of air flow patterns in the human nose. Med Biol Eng Comput 1993;31:585-92.

36. Elad D, Wolf M, Keck T. Air-conditioning in the human nasal cavity. Respir Physiol Neurobiol 2008;163:121-7.

37. Eliasson R, Mossberg B, Camner P, Afzelius BA. The immotile cilia syndrome. A congenital abnormality as an etiologic factor in chronic airway infections and male sterility. New Engl J Med 1977;297:1-6.

38. Elwany S, Salam SA, Soliman A, Medanni A, Talaat E. The septal body revisited. J Laryngol Otol 2009;123:303-8.

39. Engen T. The perception of odors. New York: Elsevier 2012.

40. Ferguson JL, McCaffrey TV, Kern EB, Martin WJ 2nd. The effects of sinus bacteria on human ciliated nasal epithelium in vitro. Otolaryngol Head Neck Surg 1988;98:299-304.

41. Finger TE, St Jeor VL, Kinnamon JC, Silver WL. Ultrastructure of substance p - and CGRP- immunoreactive nerve fibers in the nasal epithelium of rodents. J Comp Neurol 1990;294:293-305.

42. Fry FA, Black A. Regional deposition and clearance of particles in the human nose. J Aerosol Sci 1973;4:113-24.

43. Gerrity TR, Weaver RA, Berntsen J, et al. Extrathoracic and intrathoracic removal of O3 in tidal-breathing humans. J Appl Physiol 1985;65:393-400.

44. Hairfield WM, Warren DW, Hinton VA, Seaton DI. Inspiratory and expiratory effects of nasal breathing. Cleft palate J 1987;24:183-89.

45. Hanif J, Jawad SS, Eccles R. The nasal cycle in health and disease. Clin Otolaryngol Allied Aci 2000;25:461-7.

46. Herz RS, Cupchik GC. The emotional distinctiveness of odorevoked memories. Chem Senses 1995;20:517-28.

47. Houman RF, Morgan A. Particle deposition. In: Brain JD, Proctor

DF, Reid LM, editor. Respiratory defense mechanisms. Part 1. New York: Mracel Dekker 1977;125-56.

48. Howell HP. Voice production from the standpoint of the laryngologist. Ann Otol Rhinol Laryngol 1917;26:643-55.

49. Jafek BW. Ultrastructure of human nasal mucosa. Laryngoscope 1983;93:1576-99.

50. Johnson BA, Leon M. Chemotopic odorant coding in a mammalian olfactory system. J Comp Neurol 2007;503:1-34.

51. Kaliner M, Marom X, Patow C, Shelhamer J. Human respiratory mucus. J Allergy Clin Immunol 1984;73:318-23.

52. Karlson P, Lauuscher M. "Pheromones": a new term for a class of biologically active substance. Nature 1959;183:55-6.

53. Kayser R. Die exakte Messung der Luftdurchg?ngigkeit der Nase. Arch Laryngol Rhinol (Berl) 1895;3:101-120.

54. Keller A, Vosshall LB. A psychophysical test of the vibration theory of olfaction. Nat Neurosci 2004;7:337-8.

55. Kelly JT, Prasad AK, Wexler AS. Detailed flow patterns in the nasal cavity. J Appl Physiol 2000;89:323-37.

56. Kennedy DW, Zinreich SJ, Kumar AJ, Rosenbaum AE, Johns ME. Physiologic mucosal changes within the nose and ethmoid sinus: imaging of the nasal cycle by MRI. Laryngoscope 1988;98:928-33.

57. Keyhani K, Scherer PW, Mozell MM. Numerical simulation of airflow in the human nasal cavity. J Biomech Eng 1995;117:429-41.

58. Koskela H, Tukiainen H. Facial cooling, but not nasal breathing of cold air, induces bronchoconstriction: a study in asthmatic and healthy subjects. Eur Respir J 1995;8:2088-93.

59. Laing DG. Quantification of the variability of human responses during odor perception. In van der Starre H, editor. Olfaction and Taste VII. Proceedings of the Seventh International Symposium on Olfaction and Taste and of the Fourth Congress of the European Chemoreception Research Organisation. Joint meeting held in Noordwijkerhout, the Netherlands, July, 1980, Washington, DC, 1980, IRL Press.

60. Lale A, Mason JDT, Jones NS. Mucociliary transport and its assessment. Clin Otolaryngol Allied Sci 1998;23:388-96.

61. Lang C, Grutzenmacher S, Mlynski B, Plontke S, Mlynski G. Investigating the nasal cycle using endoscopy, rhinoresistometry, and acoustic rhinometry. Laryngoscope 2003;113:284-89.

62. Latte J, Taverner D. Opening the nasal valve with external dilators reduces congestive symptoms in normal subjects. Am J Rhinol 2005;19:215-9.

63. Malnic B, Godfrey PA, Buck LB. The human olfactory receptor gene family. Proc Natl Acad Sci USA 2004;101:2584-9.

64. Malnic B, Hirono J, Sato T, Buck LB. Combinatorial receptor codes for odors. Cell 1999;96:713-23.

65. Mann DG, Sasaki CT, Fukuda H, Mann DG, Suzuki M, Hernandez JR. Dilator naris muscle. Ann Otol Rhinol Laryngol 1977;86:362-370.

66. Maresh A, Gil DR, Whitman MC, Greer CA. Principles of glomerular organization in the human olfactory bulb-implications for odor processing. PLoS One 2008;3:e2640.

67. Maurizi,M, Paludetti G, Todisco T, Almadori G, Ottaviani C, Zappone C. Ciliary ultrastructure and nasal mucociliary clearance in chronic allergic rhinitis. Rhinology 1984;22:233-40.

68. Mosimann BL, White MV, Hohman RJ, Goldrich MS, Kaulbach HC, Kaliner MA. Substance P. calcitonin-gene related peptide, and vasoactive intestinal peptide increase in nasal secretions after allergen challenge in atopic patients. J Allergy Clin Immunol 1993;92:95-104.

69. Mozell MM, Jagodowicz M. Chromatographic separation of odorants by the nose: retention times measured across in vivo olfactory mucosa. Science 1973;181:1247-9.

70. Murphy C, Cain WS, Bartoshuk LM. Mutual action of taste and olfaction. Sens Processes 1977;1:204-11.

71. Negus V. The comparative anatomy and physiology of the nose and paranasal sinuses. Livingstone, London 1958.

72. Nigro CEN, Nigro JFA, Mello JF. Nasal valve: anatomy and physiology. Braz J Otorhinolaryngol 2009;75:305-10.

73. Ohashi Y, Nakai Y. Functional and morphological pathology of chronic sinusitis mucus membrane. Acta Otolaryngol Suppl (Stock.) 1983;397:11-48.

74. Ohki M, Ogoshi T, Yuasa T, Kawano K, Kawano M. Extended observation of the nasal cycle using a portable rhinoflowmeter. J Otolaryngol 2005;34:346-9.

75. Paulsson B, Dolata J, Larsson I, Ohlin P, Lidberg S. Paranasal sinus ventilation in healthy subjects and in patients with sinus disease evaluated with the 133-xenon washout technique. Ann Otol Rhinol Laryngol 2001;110:667-74.

76. Pelosi P. Odorant-binding proteins. Crit Rev Biochem Mol Biol 1994;29:199-228.

77. Preti G, Wysocki CJ, Barnhart KT, Sondheimer SJ, Leyden JJ. Male axillary extracts contain pheromones that affect pulsatile secretion of luteinizing hormone and mood in women recipients. Biol Reprod 2003;68:2107-13.

78. Proctor DF. Nasal physiology and defense of the lungs. Am Rev Respir Dis 1977;115:97-129.

79. Proctor DF. Airborne disease and the upper respiratory tract. Bacteriol Rev 1966;30:498-513.

80. Proctor DF. The mucociliary system, in: D.F. Proctor, I. Andersen (Eds.), The Nose: Upper Airway Physiology the Atmospheric Environment, Amsterdam: Elsevier Biomedical Press 1982;245-78.

81. Proetz AW. Applied physiology of the nose. 2nd ed. Annals publishing, ST Louis 1953.

82. Rao S, Potdar A. Nasal airflow with body in various positions. J Appl Physiol 1970;28:162-5.

83. Rhodin JAG. Ultrastructure and function of human tracheal mucosa. Am Rev Respir Dis 1966;93:1-15.

84. Rui L. Contribution a Petude du role des sinus paranasaux. Rev Laryngol Otol Rhinol (Bordeaux) 1960;81:796-839.

85. Russell MJ, Switz GM, Thompson K. Olfactory influences on the human menstrual cycle. Pharmacol Biochem Behav 1980;13:737-8.

86. Sakakura Y, Majima Y, Saida S, Ukai K, Miyoshi Y. Reversibility of reduced mucociliary clearance in chronic sinusitis. Clin Otolaryngol Allied Sci 1985;10:79-83.

87. Salman SD. Proctor DF, Swift DL, Eveering SA. Nasal resistance: Description of a method and effect of temperature and humidity changes. Ann Otol rhinol Laryngol 1971;80:736-43.

88. Sarin S, Undem B, Sanico A, Togias A. The role of the nervous system in rhinitis. J Allergy Clin Immunology 2006;118:999-1016.

89. Satri P. How cilia move. Sci Am 1974;231:45-52.

90. Scherer PW, Hahn II, Mozell MM. The biophysics of nasal air-

flow. Otolaryngol Clin North Am 1989;22:265-78.

91. Simmen D, Scherrer JL, Moe K, Heinz B. A dynamic and direct visualization model for the study of nasal airflow. Arch Otolaryngol Head Neck Surg 1999;125:1015-21.

92. Soane RJ, Carney AS, Jones NS, et al. The effect of the nasal cycle on mucociliary clearance. Clin Otolaryngol Allied Sci 2001;26:9-15.

93. Spizer FE, Frank NR. The uptake and release of SO2 by the human nose. Arch Environ Health 1966;12:725-8.

94. Sturgess JM, Chao J, Wong J, Aspin N, Turner JA. Cilia with defective radial spokes: a cause of human respiratory disease. New Engl J Med 1979;300:53-6.

95. Subramaniam RP, Richardson RB, Morgan KT, Kimbell JS. Computational fluid dynamics simulations of inspiratory airflow in the human nose and nasopharynx. Inhal Toxicol 1998;10:473-502.

96. Swift, DL. Proctor, DF. Access of air to the respiratory tract. In: Brain, JD.; Proctor, DF.; Reid, LM., editors. Respiratory defense mechanism. New York: Marcel Dekker Inc. 1977;63-91.

97. Takagi Y. Proctor DF, Salman S, Eveering S. Effects of cold air and carbon dioxide on nasal air flow resistance. Ann Otol Rhinol Laryngol 1969;78:40-8. Takahashi R. The formation of paranasal sinuses. Acta Otoalryngol Suppl (Stock) 1984;408:1-28.

98. Takasaka T, Sato M, Onodera A. Atypical cilia of the human nasal mucosa. Ann Otol Rhinol Laryngol 1980;89:37-45.

99. Wachowiak M, Cohen LB. Correspondence between odorant-evoked patterns of receptor neuron input and intrinsic optical signals in the mouse olfactory bulb. J Neurophysiol 2003;89:1623-39.

100. Wang DY, Lee HP, Gordon BR. Impacts of fluid dynamics simulation in study of nasal airflow physiology and pathophysiology in realistic human three-dimensional nose models. Clin Exp Otolaryngol 2012;5:181-187.

101. Watelet IB, Van Cauwenberge P. Applied anatomy and physiology of the nose and paranasal sinuses. Allergy 1999;54:14-25.

102. Warren DW, Drake AF, Davis JU. Nasal airway in breathing and speech. Cleft palate Craniofac J 1992;29:511-9.

103. Wexler D, Braverman I, Amar M. Histology of the nasal septal swell body (septal turbinate). Otolaryngol Head Neck Surg 2006;134:596-600.

104. Wippich W, Mecklenbrauker S, Trouet J. Implicit and explicit memories of odors [in German]. Arch Psychol (Frankf) 1989;141:198-211.

105. Yu S, Liu Y, Sun X, Li S. Influence of nasal structure on the distribution of airflow in nasal cavity. Rhinology 2008;46:137-43.

106. Zhao K, Dalton P. The way the wind blows: implications of modeling nasal airflow. Curr Allergy Asthma Rep 2007;7:117-25.

107. Zhao K, Jiang J. What is normal nasal airflow? A computational study of 22 healthy adults. Int Forum Allergy Rhinol 2014;4:435-46.

108. Zhao K, Scherer PW, Hajiloo SA, Dalton P. Effect of anatomy on human nasal air flow and odorant transport patterns: implications for olfaction. Chem Senses 2004;29:365-79.

CHAPTER

03

코의 발생과 선천적 이상

성균관의대 이비인후과 **김명구**, 원광의대 이비인후과 **이재훈**

> **CONTENTS**

Ⅰ. 코의 태생학
Ⅱ. 선천성 코 이상

HIGHLIGHTS 〉〉〉

- 코와 부비동의 발육은 태생 3주에 시작하여 청년기에 완성됨
- 외비, 비강, 비중격의 발육을 그림과 함께 이해해야 함
- 태생 7~8주경에 구비막은 점차 나아지다 결국 파열되고 비강과 소화관이 연결되어 후비공을 형성하게 되는데, 구비막이 파열되지 않고 생후에도 지속적으로 남아 있는 질환을 선천성 후비공폐쇄라고 함
- 각 부비동의 발생 시기를 이해해야 하고, 소아 연령 별로 영상에서 관찰될 수 있는 부비동을 인지해야 함
- 선천성 정중선 코 종양은 신생아 2만 명에서 4만 명 중 1명꼴로 발생하며 유피종이 선천성 정중선 코 종양 중 가장 흔한 질환임
- 선천성 정중선 코 종양의 치료 원칙으로 종양으로 인한 코의 외형적인 변형을 방지하고, 뇌막염과 뇌농양 등과 같은 두개 내 합병증을 방지하기 위해 수술시기는 가능한 빨리 시행하는 것이 좋음
- 또한, 유피종, 신경교종, 뇌류의 치료는 병변과 함께 존재하는 관의 완전한 수술적 절제하고 종양의 두개 내와의 연결 여부에 따라 수술적 접근방법이 선택함
- 후비공폐쇄는 출생아 5,000명 혹은 10,000명당 1명꼴로 나타나는 매우 드문 선천성 질환으로 남아에 비해 여아에서 2배 많으며 일측성이 50~60%로 양측성보다 약간 많고 양측성인 경우에 선천성 기형의 동반이 흔함

| | 코의 태생학

코와 부비동의 발육은 태생 3주에 시작하여 청년기에 완성된다. 코와 부비동의 해부학적 관계를 이해하기 위해서는 이들의 태생학을 이해하는 것이 필수적이다.

1. 외비의 발육

태생 3~4주경에 두개 외배엽cranial ectoderm에서 코의 원기analge가 나타나고 주위의 중배엽이 두꺼워지면서 신경과 전단부의 두측cephalic, 복측ventral, 외측lateral에 형성되어 전두비융기와 양측의 초기 비판nasal plate,

nasal placode을 형성한다. 양측의 비판의 중심부는 점차 함몰되어 비와nasal pit를 형성한 후 차츰 외측 및 내측 비돌기lateral/medial nasal process로 성장하게 되며(그림 3-1), 상피층이 비와 쪽으로 자라 들어가 신경돌기neural process를 형성하여 뇌와 연결되는 후각신경을 이루게 된다. 이후 태생 7~8주경에는 비낭nasal capsule을 형성하게 된다.

태생 6주 말경에 외측비융기lateral nasal prominence가 상악돌기maxillary process와 서로 융합되어 양측의 비익nasal ala을 형성하고 내측비융기medial nasal prominence도 계속 커져 상악돌기와 합쳐진 후 윗 입술과 위턱을 형성한다. 이때, 비강과 구강이 분리되기 시작하여 양측 상악돌기가 돌출하여 정중선에서 만나 태생 63~70일경에 구개palate를 형성하게 되고, 이때, 양측의 구개단

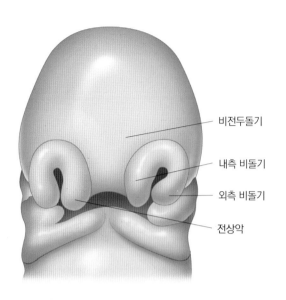

비전두돌기

내측 비돌기

외측 비돌기

전상악

| 그림 3-1   태생 4주경 비돌기의 형성

palatal shelf이 만나 비중격이 형성되어 양측 비강이 분리된다. 이후 내측비융기가 서로 합쳐져 향후 일차구개primary palate, 비첨부nasal tip, 비능nasal crest, 비중격nasal septum 일부가 형성된다(Carlson, 1994).

태생 6개월경에 비낭은 비익연골, 외측 비연골, 비중격으로 분화하며 이 구조들은 성인이 되어도 연골의 성상을 유지한다. 대부분의 비낭은 골화ossification되어 사골, 접형골의 일부, 서골vomer이 되며 외측으로는 상악골과 비골을 형성한다.

2. 비강의 발육

태생 4주경에 구와stomodeum는 전두비융기frontonasal process, 좌우 상악돌기 및 하악돌기의 다섯 가지 원시구조물로 둘러싸인다(Kim CH, 2004; Warbrick, 1960). 4주 말경에는 구와의 상외측 방향에 있는 전두비융기 외배엽이 두꺼워져 비판이 나타나고 비판의 중심부는 함몰

이 진행되어 비와nasal pit가 만들어져 향후 외비와 비강을 형성한다(Neskey, 2009; Moore and Persaud, 1998).

태생 5주경, 비와의 함몰이 진행되고 비판 변연부에 중간엽mesenchyme이 증식하여 말굽형 형태의 융기를 형성하여 외측비융기와 내측비융기를 형성하게 된다. 태생 6주경 비와는 구강쪽으로 계속 깊어지고 원시 비강과 구강은 구비막oronasal membrane에 의해 분리되어 있으며 태생 7~8주경에 구비막bucconasal membrane(비와 깊숙이 위치한 상피막)은 점차 얇아지다 결국 파열되고 비강과 소화관이 연결되어 후비공posterior choana을 형성한다(Som and Naidich, 2013)(그림 3-2). 구비막이 파열되지 않고 생후에도 지속적으로 남아 있는 질환을 선천성 후비공폐쇄congenital choanal atresia라고 한다.

태생 6주경에 외측비융기와 상악돌기의 접합부분을 따라 비루고랑nasolacrimal groove이 나타나고 고랑 외배엽이 두꺼워져 관이 형성되어 비루관nasolacrimal duct과 비루낭nasolacrimal sac으로 발달한다. 태생 후기까지 비루관은 안와내측에서 비강 외측벽의 하비도inferior meatus까지 확장되고 대부분의 경우 출생 후 통로가 완전하게 개방된다(Moore and Persaud, 1998).

3. 비중격의 발육

비중격은 비낭의 내측벽 중간엽에서 기원하며 구개 발생과 밀접한 관계를 가진다. 태생 6~7주경에 양쪽 비와의 함몰이 깊어지면서 내측비융기가 융합하여 만들어진 비중격은 전두비융기에서 구개단palatal shelve 높이까지 아래로 성장하여 이차구개secondary palate와 합쳐지며 비강을 두 개의 분리된 공간으로 나눈다(그림 3-3). 이후 내측비융기가 서로 합쳐져 향후 일차구개primary palate, 비첨부nasal tip, 비능nasal crest, 비중격nasal septum 일부가 형성된다(Carlson, 1994).

A

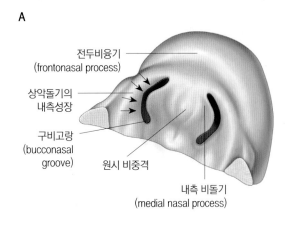

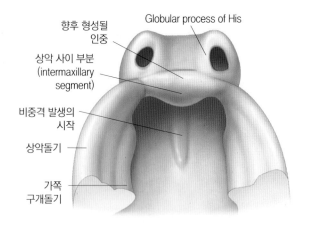

│ 그림 3-3 태생 6주경 비중격 및 이차구개의 형성

B

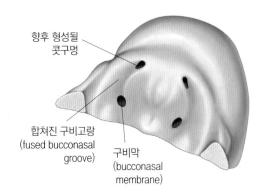

C

│ 그림 3-2 태생 6~7주경 후비공의 형성 과정

최근 일부 연구에서는 비중격의 기원은 일차 후비공 사이의 조직에서 유래하고 구개단이 앞쪽에서 수평방향으로 융기하면서 만나 합쳐져 비중격이 만들어진다고 주장하고 있다(Steding and Jian, 2010).

서비골기관은 비중격에서 양쪽의 상피가 두꺼워지면서 태생 6주경 처음 나타나고 비중격 안쪽으로 함입되어 맹낭을 형성하면서 비중격 상피와 분리된다. 서비골기관은 다른 척추동물에서는 보조 후각기관으로 발달하지만 사람에서는 흔적기관으로만 남는다.

4. 부비동의 발육

부비동의 성장형태는 개체마다 예측이 불가능하고 심지어 같은 개체에서도 양측이 다를 수 있다. 부비동은 태생 3~4개월경에 비와의 점막 바깥주머니로서 발달하며 각 부비동은 일정한 구형을 이룬다. 우선 사골과 사골의 부속물들이 초기의 견고한 구조에서 사골봉소의 발달에 따라 차츰 격자형이나 미로형의 구조를 갖게 되는데, 전두동, 상악동, 사골동은 외측 비강벽의 팽출로 형성되며 접형동은 비낭의 후측 팽출로 형성된다. 상악동, 사골동과 접형동은 태생기에 형성되며 청년기까지 서서히 발달한다. 생후 6~7년간 주변구조의 성장에 따라 차츰 비정형의 모양을 갖추게 되어 12~14세가 되면 성인과 같은 모양과 크기가 된다.

1) 상악동

상악동의 출생 전 발달은 구상돌기와 사골누두의 발달에 비례하여 이루어진다. 상악동은 가장 먼저 발생하는 부비동으로 태생 3개월에 하비갑개 위쪽의 구상돌기 후방에서 시작되며 사골누두의 비점막이 외측으로 돌출되어 점차 측하방으로 확장하여 형성된다. 상악동의 발생 초기에는 비낭의 연골막에 의하여 상악돌기로의 확장이 제한되므로 사골동, 하비갑개, 상악골의 체부 사이에 작은 세극slit 형태가 나타난다. 비낭이 골화과정에 따라 흡수되면 상악돌기 방향으로 확장되고 태생 말기가 되면 상악동은 전후방이 7 mm, 내측방 직경이 3~4 mm에 이른다. 상악동의 크기는 출생 시에는 7×4×4 mm 정도이고, 출생 이후에는 상악골의 성장과 치아의 하행에 따라 성장하는데 1년에 위아래로 2 mm, 앞뒤로 3 mm의 속도로 자란다. 8~12세에는 상악동의 기저부가 비강의 기저부와 같은 높이에 도달하고 이후에도 더 자라며 영구치가 생기면서 치조돌기를 침범하여 성장하고 성장이 멈추면 34×33×23 mm 정도의 크기가 된다. 이러한 상악동의 성장은 두 차례의 급성장 시기를 거치는데 첫 번째는 3세 동안에 발생하며, 마지막 주기는 7~17, 18세에 나타난다(그림 3-4).

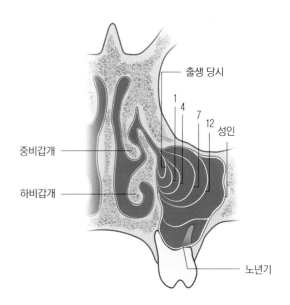

│ 그림 3-4   상악동의 성장(년)

2) 사골동

태생 3개월에 중비도 부위의 비강 외측 벽에서 외배엽의 팽출로 전후 사골동 세포가 나오기 시작하며 태생 5개월에는 연골성 사골포에 골화가 나타난다. 사골동에는 보통 출생 시에 3~4개의 사골세포들이 있고 3~7세와 7~12세 사이에 함기화된다. 출생 시기가 되면 사골동은 둥글게 되고 7세가 되면 사골을 벗어나 사춘기까지 성장을 계속한다. 사골동은 출생 시에 일반 방사선촬영에서는 잘 보이지 않으나 1세 이후에는 잘 관찰된다. 사골동은 점차 커지다가 청소년기 말에 성장을 멈추게 되며 성인에서 크기는 평균 33×27×14 mm에 달하며 앞뒤거리가 가장 길다.

사골동은 기판을 중심으로 전방의 전사골봉소와 후방의 후사골봉소로 구분되고, 청소년기와 사춘기에 사골동 크기는 청소년기 신체성장과 비례하나 그 정도는 예측하기 어렵다. 생후 6년이 지나면 보다 정형적인 발달이 관찰되며 소년기에 사골봉소체는 두터운 벽을 가진 공동cavity에서 복잡한 기포air space를 형성한다.

전사골동은 태생 전두와, 누두의 상부, 사골포 상부와 하부의 작은 함몰부에서 시작되고 이들은 모두 기판의 앞쪽에 위치한다. 후사골동은 기판의 후방, 즉 상비도와 최상비도에서 발생하며, 태생기에 시작하여 생후 15~20일에 성장이 마무리된다. 출생 시에 전사골동의 크기는 5 mm(높이)×2 mm(길이)×2 mm(너비)이며, 후사골동의 크기는 5 mm(높이)×4 mm(길이)×2 mm(너비)이다.

3) 전두동

전두동은 가장 나중에 발생하는 부비동으로 태생 26주 경에 중비도 비점막이 전두골 쪽으로 자라면서 기원하며 태생 전두와 또는 사골누두의 전상방, 상사골포 봉소suprabullar cell가 확장되어 발생한다(Schaeffer, 1916; Kasper, 1936). 원시 전두동은 연골성 비낭의 한 부분인 연골관으로 둘러싸여 있으며 출생 시에는 중비갑개의 전상부에서 전두고랑이 생겨 전두동의 전구체라 할 수 있는 2, 3개의 봉소로 관찰된다. 좌우의 전두골은 막성골membranous bone로 출생 시에는 분리되어 있으나, 생후 1년 내에 융합되어 전두봉합선metopic suture을 이룬다. 이 봉합선은 생후 2년경이 되면 사라진다. 생후 4개월 경에 전두와가 상부로 발달하여 전두동이 되고 6세에는 X-선상에 잘 관찰되며 양측 전두동이 점점 팽창하여 사춘기가 끝날 무렵에 성장이 끝난다. 전두동은 생후 4세 경 길이 4~8 mm, 높이 6~9 mm, 너비 11~19 mm 정도이며 12세경에는 사면체 모양을 이루고 성인 초기까지 함기화가 지속된다(Wolf, 1993)(그림 3-5).

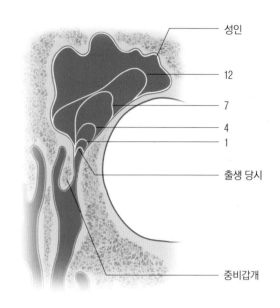

성인
12
7
4
1
출생 당시
중비갑개

그림 3-5 전두동의 성장(년)

4) 접형동

접형동은 비강측벽이 외측으로 확장하여 발생하는 다른 부비동들과 달리, 비낭의 후단에서 발생하는 유일한 부비동이므로 발생형태가 독특하다. 접형동은 태생 3~4개월경에 비낭의 후상방 외배엽에서 비점막이 함입됨으로써 발생하며(Vidic, 1968) 원시primodium 접형동은 출생 시에 2×2×1.5 mm 크기로 점차 후하방으로 확장하며 접사함요sphenoethmoidal recess를 형성하고 접형동의 함기화가 진행됨에 따라 후측방으로 확장된다. 접형동의 함기화는 유년기 동안에 발생하며, 7세 이후에 빠르게 발달하여 12~15세경에 완성된다. 접형동의 함기화가 후측방으로 확장되는데 경우에 따라 접형골의 대익, 소익, 내측 및 외측 익돌판, 후두골과 사골까지 진행하기도 한다(그림 3-6).

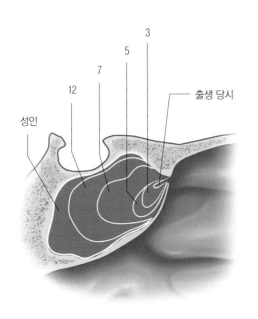

12
7
5
3
성인
출생 당시

| 그림 3-6 접형동의 성장(년)

5. 비강 외측 벽의 발육

태생 8주경에 비강 외측벽에서 6개의 능이 퇴화하고 합쳐져 3~5개의 사골갑개가 형성되어 각각 전상방과 후하방으로 발달한다. 첫 번째 사골갑개의 상하행부는 비제봉소와 구상돌기로 발달하고 두 번째 사골갑개는 중비갑개, 세 번째 사골갑개는 상비갑개로 발달한다. 또한 4, 5번째 사골갑개는 합쳐져 최상비갑개가 된다. 하비갑개는 사골 부분이 아닌 상악골과 구개골로 이루어진 악골갑개에서 발달하며 나머지 중, 상, 최상비갑개는 사골갑개에서 발달한다. 악골갑개와 사골갑개 사이에 형성되는 주름은 중비도로 발달한다.

사골갑개 사이의 공간은 향후 부비동 배출 통로가 되며 이러한 고랑들은 1, 2개로 세분화된다. 첫 번째 고랑은 사골누두, 반월열공, 중비도, 전두와로 발달한다. 두

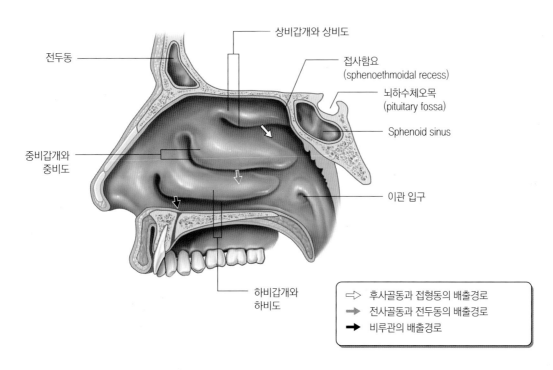

전두동
상비갑개와 상비도
접사함요
(sphenoethmoidal recess)
뇌하수체오목
(pituitary fossa)
Sphenoid sinus
중비갑개와
중비도
이관 입구
하비갑개와
하비도

⇨ 후사골동과 접형동의 배출경로
➡ 전사골동과 전두동의 배출경로
➠ 비루관의 배출경로

| 그림 3-7 비강 외측 벽의 구조

번째 고랑은 상비도, 세 번째 고랑은 최상비도로 발달한다. 그리고 두 번째 고랑은 상사골봉소와 후사골봉소를 형성한다. 또한, 전두와와 전두동은 첫 번째와 두 번째 사골갑개 사이에서 고랑이 팽창하면서 생성된다(그림 3-7).

태생 17~18주 경은 비갑개의 골화가 나타나는 시기로 하비갑개에서 시작된 후 중비갑개로 골화가 확대된다. 경구개에서 유래한 뼈의 융기부는 후측으로 발달하여 코의 후외측 벽을 형성한다. 원시 사골 누두는 구상돌기 외측에서 발생하며, 원시 상악동이 성장하면서 초기의 상악골에서 확대된 두 번째 수직판은 비강의 후하측 외측벽을 형성한다. 상비갑개와 중비갑개의 골화는 사골에서 이루어지는 반면에 하비갑개는 상악골과 외측 연골낭에서 이루어지고(Bingham, 1991) 비강 외측벽의 발달은 24주에 거의 완성된다.

II | 선천성 코 이상

1. 선천성 정중선 코 종양

선천성 정중선 코 종양congenital midline nasal masses은 신생아 2만명에서 4만명 중 1명 꼴로 발생한다(그림 3-8). 유피종dermoids은 선천성 정중선 코 종양 중 가장 흔한 질환이다. 비배부nasal dorsum의 유피종은 전체 유피종의 1~3%를 차지하며, 두경부 유피종의 4~12%를 차지한다. 상피, 골, 연골을 포함하면서 외배엽, 중배엽, 내배엽 모두에서 기원한 기형종teratoma과는 달리 유피종은 외배엽과 중배엽을 포함한다. 유피종은 비첨부로부터 미간glabella 사이의 정중선에서 낭cyst, 동sinus, 누공fistula

으로 존재한다(그림 3-9). 유피낭dermoid cyst은 피부와의 개구부 없이 존재하며, 유피동dermoid sinus은 피부에 연결부위가 있으며 낭종이 있는 경우와 없는 경우가 있다. 낭종이 있는 경우 비골 바로 위 혹은 비골보다 깊게 위치할 수 있으며 전뇌기저부anterior skull base까지 확장될 수 있다.

비신경교종nasal glioma은 비내부 혹은 비외부에 존재하는 비기능성의 뇌조직을 말한다. 많은 예에서 비신경교종은 두개내intracranial와 연결이 없으나 전체신경교종의 5~20%에서 두개 내로 연결되어 있다. 신경교종은 지주막하공간subarachnoid space이 통하지 않는 섬유성 연결로 뇌척수액으로 연결되지 않는 것이 특징이다(그림 3-9).

뇌류encephalocele는 전두개저부의 결손을 통해 뇌와 경막이 두개외로 돌출된 현상으로 지주막하공간을 통해 뇌척수액으로 연결되어 있다(그림 3-9). 뇌류에 포함된 신경조직에 따라 수막조직meninges만 있으면 수막류meningocele, 뇌조직과 수막조직이 있으면 수막뇌류meningoencephalocele으로 분류한다.

선천성 정중선 코 종양을 진단할 때 유의할 사항으로 첫째, 소아에서 비강 내부 혹은 비배부에서 종물이 관찰되면 선천성 정중선 코 종양인지를 확인해 보아야 한다. 둘째, 유피종, 신경교종, 뇌류 등이 의심될 때에는 CT와 MRI를 시행하여 두개 내 연결을 확인하고 감별진단을 하기 전까지는 조직검사를 해서는 안 된다.

선천성 정중선 코 종양의 치료는 첫째, 종양으로 인한 코의 외형적인 변형을 방지하고, 뇌막염과 뇌농양 등과 같은 두개 내 합병증을 방지하기 위해 수술시기는 가능한 빨리 시행하는 것이 좋다. 둘째, 유피종, 신경교종, 뇌류의 치료는 병변과 함께 존재하는 관tract의 완전한 수술적 절제이다. 셋째, 종양의 두개 내와의 연결 여부에 따라 수술적 접근방법이 선택될 수 있다.

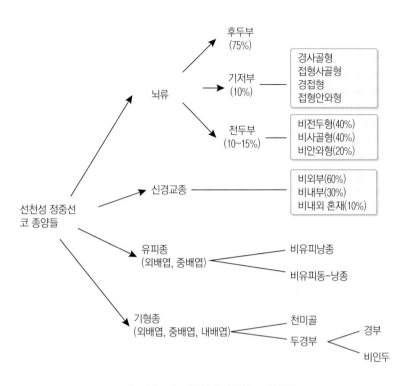

| 그림 3-8   선천성 정중선 코 종양들

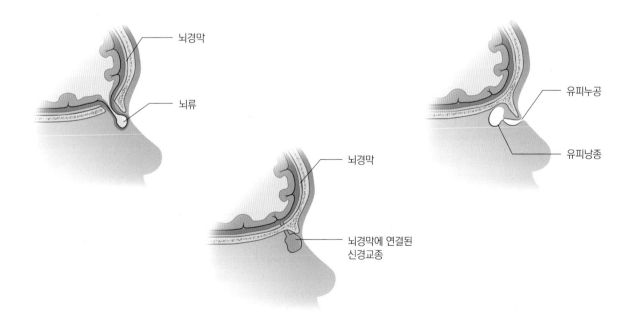

| 그림 3-9   선천성 정중선 코 종양들의 도식화

1) 유피종

(1) 발생기전

유피종의 발생은 가장 유력한 기전으로 태생기 때 전비 공간prenasal space 기전으로 설명된다. 비천두천문fonticulus nasofrontalis은 전두골과 비골사이의 공간이며, 전비공간은 비골과 비중격과 비연골의 전구체가 되는 비막nasal capsule 사이의 공간이다. 맹관foramen caecum은 사골과 전두골사이에 위치하고 있는데, 태생기의 정상적인 발달 단계에서 전비공간 또는 비천두천문으로 돌출되었던 경막dura이 맹관을 통해 정상적으로 복귀되어야 하나 전비공간 또는 비천두천문에 남아 있어 두개 내로 관이 형성될 수 있으며, 비첨부로부터 미간사이의 어느 부위에서 낭, 동, 누공의 형태로 존재한다.

(2) 증상 및 진단

출생 시부터 존재하여 소아기때 진단된다. 미간에서 비주nasal columella 사이의 정중앙부위에서 소와pit, 누공 또는 감염된 종물 형태로 발견된다. 소와에서 화농성 물질이 배출되거나 모발이 존재할 수 있으며 이런 소견은 진단에 매우 유용하다. 종물 형태를 가진 경우 비압축성의 견고한 상태이며, 광선에 비투과성이고 환아가 울거나 경정맥을 압박하여도 종물의 크기가 증가하지 않는 Furstenberg 검사에서 음성이다.

대부분 유피동이나 낭으로 국한되어 반복적인 국소 감염을 일으키지만, 두개 내와 연결이 있는 경우는 뇌막염을 유발할 수도 있다. 두개 내의 연결은 약 30%에서 보고되고 있으며, 단순히 외형적인 관찰로만 두개 내의 연결을 알 수는 없다.

CT와 MRI 촬영 소견으로 진단한다. CT에서 비중격의 방추상fusiform 비대나 이열bifidity 또는 비배부의 확장이나 미란 등을 관찰할 수 있다. 맹공의 크기가 증가되거나 이열 계관bifid crista galli이 관찰되면 두개 내의

교통을 의심할 수 있다. 맹공이 관찰되지 않거나 정상적인 계관인 경우는 두개 내의 교통이 없는 것으로 판단할 수 있다. 두개 내의 연장 여부를 확인하는 데 MRI가 매우 유용하다. 정상적으로 유아에서는 계관이 골화되지 않고 골수 지방marrow fat이 포함되어 있지 않으나 만약에 T1 영상의 계관주변부에서 고강도 신호high-intensity signal를 보이는 경우는 두개 내 교통 가능성이 많다. MRI를 통해 뇌조직과 감별할 수가 있어 다른 선천성 종물과의 감별진단에도 활용될 수 있다.

(3) 감별진단

비배부에서 누공이 관찰되면 유피종 진단이 용이하지만, 누공이 없는 경우 신경교종, 비뇌류, 혈관종, 표피낭종, 기형종과의 감별이 필요하다(표 3-1). 신경교종은 적색을 띠는 비압축성의 견고한 종물로 광선에 비투과성이고 울거나 양측 경정맥 압박 시 종물의 크기가 변하지 않는 Furstenberg 검사에서 음성을 보인다. 유피종과는 비슷한 양상을 보이나 피부 모세혈관의 확장이 관찰될 수 있고, 조직학적 검사에서 신경교 세포glial cells가 관찰된다. 비뇌류는 청색을 띠는 압축성의 부드러운 종물로 광선에 투과성이며 울거나 양측 경정맥 압박 시 종물의 크기가 증가하는 Furstenberg 검사에서 양성이다.

감별진단에 CT와 MRI을 이용하면 감별이 쉬워지는데 유피종은 조영이 잘 안되는 반면에, 혈관종과 기형종은 조영이 잘된다. 표피낭종은 피부 부속기가 없으면서 외배엽으로부터만 분화되며, 조직학적 검사로 유피종과의 감별진단이 가능하다.

(4) 치료

치료시기는 조기연령인 1~3세 사이에 외과적 절제가 필요하다. 그에 대한 이유로는 첫째, 유피종으로 인해 외비 변형이 야기될 수 있다. 둘째, 유피종의 잦은감염이 발생되면 수술적 제거가 용이하지 않을 수 있다. 두개내

표 3-1 선천성 정중선 코 종양들의 감별점들

	신경교종	뇌류	유피종
성상	신경세포	뇌막 ± 뇌 실질조직	외배엽/중배엽(예: 피부, 모발, 땀샘)
양상	붉고 단단하며 무박동성	푸르스름하고 부드러우며 박동성	비박동성 낭종, 동, 혹은 누공
Furstenberg test	음성	양성	음성
두개 내 연결	~15%	100%	~30%

와 교통이 있는 경우 뇌막염이나 뇌농양의 예방을 위해 관을 포함하여 유피종을 완전히 제거해야 한다. 이상적인 수술적 접근방법으로 첫째, 모든 정중선상의 병변을 제거할 수 있어야 하고, 경우에 따라 내측 혹은 외측 절골술이 가능해야 하며 둘째, 사상판의 결손이 있는 경우 바로 재건이 가능해야 하며 동시에 뇌척수액 비루의 치료도 가능해야 한다. 셋째는 비배부의 재건이 쉽게 이루어져야 하며 넷째, 비교적 수술 흉터가 적어야 한다. 많은 경우의 유피종은 두개 내 침범이 없어 외비접근법으로 시행한다. 외비접근법으로는 정중수직절개법vertical midline incision, 외비성형술 접근법external rhinoplasty approach, 외측비절개술lateral rhinotomy, 관상절개법bicoronal incision 등이 있다. 만약 두개 내로 침범이 있다면 신경외과의사와 협진하여 양측 전두부 개두술bifrontal craniotomy과 같은 두개 내 접근법을 사용해야 한다.

2) 신경교종

(1) 발생기전

신경교종의 발생기전은 여러 가지로 설명된다. 비전두천문의 비정상적 폐쇄로 두개 외에 교세포가 분리되어 형성된다는 설, 사골판cribriform plate 융합 시 후구bulb에서 나온 신경조직의 일부가 절단되어서 초래된다는 설,

후각신경세포를 따라 신경교세포가 이동되어서 발생된다는 설, 비강 내로 고립된 신경외배엽성 잔유물이 비신경교종을 형성한다는 설 등이 있다.

(2) 증상

비신경교종은 적색을 띠는 비압축성의 견고한 종물로 광선에 비투과성을 나타내며, 비외부에서 60%, 비내부에서 30%가 발생되고, 10%는 비내외에 혼재되어 발생된다. 비외부인 경우 주로 비배부에서 발생하여 미용상의 문제를 일으켜 대부분 출생 후 바로 진단되는 경우가 많으며, 비내부인 경우는 코막힘으로 인해 호흡곤란, 수유장애의 증상을 보일 수 있다. 비신경교종은 가족력이나 성별차이는 없고 다른 발달이상을 동반하지 않은 것으로 알려져 있다.

비외신경교종은 외비의 한쪽면을 따라서, 비상악 봉합부nasomaxillary suture 혹은 미간을 따라 발생되며 유피종과 달리 반드시 안면 중앙부위에 위치하지는 않는다.

비내신경교종은 주로 비강 내 중비갑개 근처의 외측벽에서 발생하며 일부에서는 비중격으로부터 발생되기도 한다. 적홍색의 견고하고 비압축성인 종물로 관찰되어 비강폴립과 감별해야 한다. 크기가 작은 경우 증상이 거의 없는 반면, 큰 경우는 편측성 비폐색, 비출혈, 수유장애, 유루, 비골격의 확장이나 양안 격리증이 발생할 수 있다. 혼합형인 경우 섬유띠로 연결된 아령모양의 종괴

가 특징적으로 관찰된다.

약 5~20%에서 맹관이나 천문을 통해 경막과 섬유조직으로 연결되며, 비외 신경교종에서 보다 비내 신경교종에서 더 흔하다. 비내 신경교종에서는 비전두 봉합부위에서, 비외 신경교종에서는 사골판 결손부위에서 경막과 연결된다.

(3) 진단

진단은 비내시경, CT와 MRI를 통해 하게 된다. 비내시경은 비내 종물의 위치, 발생부위, 범위를 평가할 수 있다. CT는 골결손을 포함한 골조직의 변화를 보여주며, MRI는 연조직을 잘 구별해준다. 술 전 생검은 뇌막염을 일으킬 수 있으므로 삼가하는 것이 좋다.

(4) 치료

비내 및 비외 신경교종의 근치적 치료는 수술적 제거이다. 감염을 예방하고, 종물이 큰 경우 비골격의 확장이나 양안 격리증이 발생할 수 있으므로 가능한한 조기연령에 시행하는 편이 좋다. 비내시경을 이용한 제거 또는 정중수직절개법, 외비성형술 접근법, 외측비절개술, 관상절개법과 같은 외부 절개를 통해 완전 절제한다. 외비성형술 접근법은 수술 흉터가 적으며, 미용적인 결과가 좋아 최근 많이 선호된다. 그러나 미간 부위에 있는 경우 외비성형술 접근법으로 완전히 제거가 어려워 정중수직절개법, 관상절개법이 필요하다. 두개 내 연결이 있는 경우 신경외과와 함께 합동수술을 하게 된다. 두개 내 신경교종의 크기에 따라 전두하경사골 접근법Subfrontal transethmoidal approach 또는 양측 전두부개두술 접근법 등을 이용한다.

3) 뇌류

(1) 발생기전

태생기 2개월 때 코를 형성하게 될 전비공간과 비천두천문에 돌출된 경막이 전두골의 비돌기가 전비공간과 비천두천문으로 성장함에 따라 맹관을 통해 정상적으로 복귀되어야 하나 전비공간 또는 비천두천문에 계속 남아 있는 경우를 말한다. 신경교종과 뇌류의 발생이 유사한 기전으로 추정되나 신경교종은 지주막하공간이 통하지 않는 섬유성 연결로 되어있는 반면, 뇌류는 뇌척수액이 흐르는 지주막하 연결된 뇌조직이 있는 경우이다.

(2) 위치

대부분의 뇌류는 후두부(75%)에서 발생하며, 15%에서는 전두부에서, 나머지 10%에서는 기저부에서 발생한다. 전두뇌류sincipital encephalocele는 해부학적으로 비전두형nasofrontal type, 비사골형nasoethmoid type, 비안와형nasoorbital type으로 나눌 수 있으며, 빈도는 각각 40%, 40%, 20% 정도이다. 기저뇌류basal encephalocele는 경사골형transethmoidal type, 접형사골형sphenoethmoidal type, 경접형형transsphenoidal type, 접형안와형spheno-orbital type으로 발생된다.

(3) 증상

뇌류는 청색을 띠는 압축성의 부드러운 종물로 광선에 투과성이며 환아가 울거나 양측 경정맥 압박 시 종물의 크기가 증가하는 Furstenberg 검사에 양성을 보인다. 뇌척수액의 누출이나 박동의 전달이 느껴지기도 한다.

위치나 크기는 따라 다양하게 증상이 나타날 수 있다. 전두뇌류에서 계관앞에 있는 전두골과 사골 사이의 골결손을 통하여 코, 미간 혹은 이마부위에 종물로서 발견된다. 비전두형은 미간에 종물로 발견되며 양안 격리증이나 비골의 하방 변위를 야기할 수 있으며, 경사골형은 비배부 종물로 비골의 상방 변위를 일으킬 수 있고, 비안와형은 안구주위의 종물로 안구돌출proptosis과 시야장애를 야기할 수 있다.

기저뇌류는 사상판cribriform plate과 상안와열superior orbital fissure 혹은 후상돌기posterior clinoid fissure 사이의 결손부위를 통해 비강 내 종물로 발견된다. 종물의 크기가 커져 코막힘을 야기할때까지 수년간 발견되지 않는 경우도 있다. 맑은 비루가 자주 나타나거나 두통, 뇌수막염이 재발하면서 비배부가 확장되거나 양안 격리증이 있는 경우 뇌류를 강력히 의심할 수 있다. 가족력이나 성별차이는 없고 약 40%의 환자에서 다른 기형과 동반된다.

(4) 진단

진단은 CT와 MRI를 통하여 하게 된다. CT는 뇌기저부의 결손을 확인하는 데 도움이 되며, MRI는 두개 내로

의 연결을 알아볼 뿐만 아니라 수막류와 수막뇌류를 구분하는 데에도 유용하다(그림 3-10A, B). 특히 유, 소아에서 비강 내 박동성이 있는 종물이 있는 경우 비용종으로 생각하고 조직검사 및 종물 제거술을 시행했다가 뇌막염 등의 두개내 합병증이 발생할 수 있으므로 방사선검사를 통한 진단 후에 수술적 제거를 계획해야 한다.

(5) 치료

치료는 탈출된 수막뇌류를 절제하고 결손된 두개골과 뇌경막을 복원하는 것이다. 두개 내 합병증 및 외비변형을 예방하기 위해 가능한 조기에 수술적 제거가 필요하다. 크기가 작은 경우 비내시경을 이용한 비강 내 접근만으로도 제거가 가능하다. 크기가 큰 경우 비강 내 부분의 제거는 이비인후과에서 내시경을 이용해 시행하며, 두개내 수막뇌류의 제거와 두개골의 재건은 신경외과에서 시행하게 됨으로써 두개 내 합병증과 사망률을 줄일수 있다.

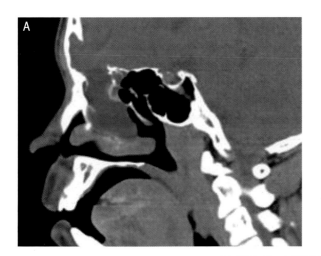
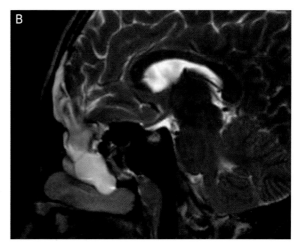

❙ 그림 3-10　뇌류의 CT(**A**)와 MRI 소견(**B**)

2. 선천성 후비공폐쇄

1) 역학

후비공폐쇄choanal atresia는 출생아 5,000명 혹은 10,000명당 1명꼴로 나타나는 매우 드문 선천성 질환으로 남아에 비해 여아에서 2배 많으며 일측성이 50~60%로 양측성보다 약간 많다. 양측성인 경우에 선천성 기형의 동반이 흔하다. 후비공폐쇄 환자의 약 75%에서 다지증polydactyly, 비-이-구개 기형nasal-auricular and palatal deformities, 두개골 조기봉합craniosynostosis, 뇌막류meningocele, 수막뇌류, 안면 비대칭, 눈과 안면의 발육부전, 구개열, 양안격리증hypertelorism 등의 선천성 기형을 동반하며, 약 50%에서 증후군과 동반된다. 후비공폐쇄는 가장 흔히 동반되는 CHARGEcoloboma, heart defects, atresia of the choanae, retardation of growth and development, genital anomalies, ear anomalies and deafness 증후군의 한 양상으로 발현될 수도 있다. 이 증후군은 chromodomain helicase DNA-binding protein 7CHD7 유전자의 돌연변이에 의해 발생된다.

2) 발생기전

후비공폐쇄의 원인은 아직 확실하게 밝혀지지 않았지만 첫째, 태생기 협인두막buccopharyngeal membrane 또는 비협막nasobuccal membrane이 없어지지 않고 계속 존재하여 후비공에서 비인두로의 교통이 실패된다는 가설이다. 둘째, 구개골의 수직돌기와 수평돌기가 내측으로 과성장하여 골성 폐쇄를 초래한다는 가설도 있다.

3) 분류

후비공폐쇄판의 구성은 골성이 90%, 막성이 나머지 10%를 차지하는 것으로 알려져 왔으나, 최근 CT를 통한 분류에 의하면 골성이 30%, 골성과 막성의 혼합성이 70%이고, 순수한 막성은 찾아볼 수 없었다.

4) 증상

출생 직후에의 신생아에서는 구강호흡이 불가능한 시기로 보편적으로 4~8주경이 되어서야 구강호흡이 가능해진다. 따라서 양측성 후비공폐쇄일 때에는 출생 직후부터 심한 호흡곤란과 청색증이 반복해서 나타나는 주기적 청색증cyclical cyanosis이 있는데 울게 되면 호전되고 수유 때 악화된다. 편측성일 때에는 증상이 신생아기에는 없을 수 있고 성장함에 따라 일측성 비폐색과 비루를 호소한다.

5) 진단

진단방법에는 부드러운 6~8 F 카테터를 전비강으로 삽입하여 후비공으로 통과여부를 관찰하는 법, 비강 앞에 반사경을 놓고 콧김이 서리는 것을 관찰하는 법, methylene blue를 비강 내에 점적하고 비인강으로의 통과 유무를 확인하는 법, 굴곡형 내시경을 이용한 관찰 및 인두로의 통과유무를 확인하는 법 그리고 CT를 이용하는 법이 있으며 최적의 CT영상을 얻기 위해 국소 비점막 수축제를 사용하여 비점막을 수축시키고 비내 분비물을 제거한 후 폐쇄의 양상과 정도를 평가한다(그림 3-11). CT에서 후비공폐쇄판, 서골의 비대, 내측으로 편위된 익돌판pterygoid plate이 관찰된다.

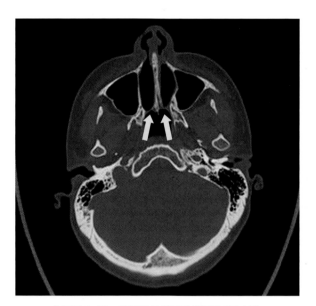

▌ 그림 3-11　선천성 후비공폐쇄증의 CT 소견
양측 후비공 폐쇄판이 관찰된다.

6) 감별질환

후비공폐쇄와 감별해야 할 질환은 인두기형, 선천성 성문하협착증, 선천성 성문하혈종, 후두연화증, 기관식도누공, 대설증 및 설하수glossoptosis 등이다. 울음소리가 비정상적인 경우에는 인두기형, 선천성 성문하협착증 혹은 선천성 성문하혈종 등과 감별해야 한다. 울음소리가 정상이고 울 때 호흡부전이 호전되지 않는 경우에는 후두연화증과 감별해야 하며, 울음에 따라 비폐색이 호전되고 고무 카테터가 비인강을 통과할 때에는 기관식도누공, 대설증 혹은 설하수 등과 감별해야 한다.

7) 치료

후비공폐쇄의 치료는 폐쇄의 정도, 폐쇄의 유형, 환자의 연령 및 다른 선천성 기형의 존재 유무에 따라 달라진다.

일측성인 경우 응급적인 상황이 아니므로 수술치료는 생후 1년 이후에 연기하면 된다. 양측성인 경우에는 호흡곤란을 일으키는 응급상황이므로 근본적인 수술치료에 앞서 McGovern's nipple이나 구인강 튜브로 구강기도를 확보하고 튜브를 통해 적절한 영양을 공급해야 한다. 수술치료에 앞서 다른 동반기형에 대한 전신 검사가 필요하며, CHARGE증후군이 의심되는 경우 심장검사, 청력검사, 안검사, 비뇨생식계 등에 대한 검사가 필요하다. 특히 후비공폐쇄의 치료 및 다른 기형교정에 대한 수술치료를 위해서는 심장기형으로 인한 마취위험성을 확인하기 위해서 심장 초음파를 이용한 심장검사는 꼭 필수적이다. 양측성인 경우 동반된 기형으로 수술이 연기되어야 하는 경우에는 우선 기관지절개술이 고려될 수 있다. 수술적인 접근법은 경비강법transnasal approach, 경구개법transpalatal approach, 경비중격법transseptal approach의 세 가지가 있다. 과거에는 경구개법이 가장 많이 이용되었으나 비내시경의 보급으로 현재 경비강법이 가장 널리 이용되며 비강 내 접근이 어려운 경우에 경구개법 혹은 경비중격법을 이용할 수 있다.

(1) 경비강법

현재 주로 사용하는 방법으로, 출혈량이 적고 소요시간이 적으며 경구개에 손상을 주지 않아 구개 발육장애를 가져올 가능성이 적으나 재협착의 빈도가 높다는 단점이 있다. 최근에는 내시경을 이용한 경비강법이 간단하고 안전하여 널리 사용되고 있으며, 전방접근법은 전비강 내로 0도 내시경을 이용하고, 후방접근법은 편도절제술과 동일한 자세를 취한 후 구강 내로 120도 내시경을 삽입한 후 비인두부위를 통해 후비공폐쇄판을 제거한다. 신생아인 경우 전방접근법은 시야 확보가 어려워 폐쇄판 제거가 어려운 경우가 있어 수술 시야가 좋고 폐쇄판 제거가 보다 쉬운 후방접근법을 고려할 수 있다. 수술은 후비공폐쇄판제거 및 두꺼워진 서골을 제거한 후, 내측

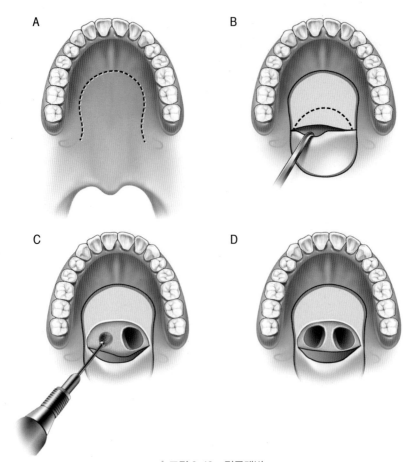

| 그림 3-12　경구개법
A. 경구개 점막 절개. B. 경구개 피판 박리. C. 드릴을 이용한 경구개 제거. D. 후비공 폐쇄 부위의 제거

으로 편위된 익돌판을 얇게 만들어 적절한 후비공을 확보한다. 재협착을 예방하기 위해 수술하는 과정에서 후비공폐쇄판과 서골을 제거한 후 골부의 노출이 최소화되도록 점막 피판으로 덮어줘야 한다.

(2) 경구개법

현재는 잘 사용되지 않으며 경비강법에 의해 실패한 경우에 사용될 수 있다. 경구개를 절개하고 경구개 피판을 분리한 후 드릴을 이용하여 경구개의 뼈를 제거한 다음, 후비공의 폐쇄된 부위를 제거한다(그림 3-12). 장점으로는 폐쇄부분을 충분히 제거할 수 있고 비점막을 보존할 수 있어 수술 후 재협착의 빈도가 적다. 그러나 수술 시간이 길고 출혈량이 다른 접근법에 비해 많으며, 수술 후 구개의 발육장애, 교합부전malocclusion이 초래될 수 있다.

8) 수술 후 처치

수술 후 재협착을 방지하기 위해 스텐트(1~8주 유치), 수술부위에 mitomycin C (0.4 mg/mL) 도포 및 스테로이드(Kenalog 40 mg/mL) 주사를 고려할 수 있다. 스텐트 제거 후 1~2주 간격으로 mitomycin C 도포와 스테로이드 주사를 사용할 수 있다. 추적관찰 중 협착의 우려가 있는 경우 balloon 카테터 등을 이용해 주기적 확장술을 시행할 수 있다.

3. 선천적 이상구 협착증

Congenital pyriform aperture stenosis

1) 발생기전

상악골maxilla의 비돌기nasal process의 과도한 성장으로 전상악 이상구premaxillary pyriform aperture의 협착이 야기되어 코막힘을 일으킨다. 독립적으로 발생되기도 하고, 전전뇌증holoprosencephaly, 점막하 구개열submucous cleft palate, 뇌하수체 저형성pituitary hypoplasia, 또는 저형성 상악동hypoplastic maxillary sinuses와 같은 선천성질환을 동반할 수 있다.

2) 증상과 진단

신생아에서 코막힘으로 인한 호흡곤란이 발생되고 central maxillary mega-incisor가 특징적인 소견이며 약 60%에서 나타난다. 후비공폐쇄와 증상이 유사하여 혼돈될 수 있다. 진단은 카테터를 전비강으로 삽입하여 통과 여부를 확인하는 방법과 CT를 통해 확진하는 방법이 있다. 축성axial 영상의 하비도 위치에서 이상구의 내측 너비width가 11 mm 미만인 경우 진단할 수 있다.

3) 치료

경한 경우는 수술적인 치료는 필요하지 않아 보존적인 치료를 하는데 비강내 튜브를 삽입하거나 국소 비점막 수축제를 사용한다. 심한 경우는 수술치료가 필요하며 구순하sublabial incision를 통해 이상구를 노출시킨 후 드릴을 사용하여 과도하게 성장된 뼈를 제거한다. 이때 비루관nasolacrimal duct과 발아될 치아tooth buds가 다치지 않도록 주의한다. 수술 후 재협착을 방지하기 위해 스텐트를 6~8주 정도 유치한다.

4. 선천성 비루관 폐쇄

Congenital nasolacrimal duct obstruction

출생 시 비루관nasolacrimal duct의 말단부위는 흔히 non-canalized 형태로 존재하다가 생후 첫 몇 주 내에 Hasner's valve 근처에서 자연개통이 이루어진다. 선천성 비루관 폐쇄는 이 부위의 개통이 이루어지지 않고 남아 있는 경우를 의미한다. 생후 몇 주 내 유루, 누낭염, 비내종물 등이 초래된다. 누점폐쇄punctal atresia, 누낭과 피부 사이의 누관과 같이 유루를 초래할 수 있는 질환과 감별이 필요하다.

치료는 보존적인 방법으로 가능하며 마사지나 항생제 투여가 효과적이며 때때로 부지법이 필요하다. 선천성 비루관 폐쇄는 보통 생후 12개월까지 95%에서 자연개통이 이루어지므로 부지법은 생후 12개월 이후에 시행한다.

5. 코의 결손

1) 무비증

무비증arrhinia, nasal aplasia은 아주 드문 질환으로 외비와 비강이 없는 상태로 단독 혹은 다른 기형과 동반되어 나타날 수 있다. 비강은 없거나 불완전하며 개궁palatal arch이 높게 나타나거나 혹은 형성이 불완전하다. 얼굴의 형태는 다양하지만 양안격리증을 동반하면서 접시안dish-face을 가지게 된다. 무안구증anopthalmia이나 안구형성부전증도 흔히 동반된다.

초기치료는 후비공폐쇄증과 같아 반사구강호흡 및 포유시 연하와 호흡이 동시에 가능할 때 시작하며, 대개 생후 첫 2~3일에 가능하다. 재건술은 안면중앙부가 충분히 발달되어 피부 및 점막판을 사용할 수 있는 5~6세에 시행하는 것이 좋다. 무비증을 치료하기 위해서는 장기적인 계획이 필요하며, 먼저 비강기도를 만들지 않고 외비성형만 해주는 것이 좋다.

2) 비성형부전증 Nasal dysplasia

매우 드문 기형으로 양안과다격리증, 넓은 비근부, 비첨의 형성부전 등을 동반하며 frontonasal dysplasia라고 부르기도 한다.

3) 정중비열 Medium nasal cleft

비배부의 중앙부 반흔에서 완전한 비배부 중앙부 결손까지 기형의 정도가 다양하게 나타나며 기도는 대개 정상이다. 비중격 내 표피양낭이나 수막류와 감별해야 한다.

4) 측비열 Lateral nasal cleft

비익과 코의 측면 부위에 결손이 생기는 매우 드문 질환이다.

6. 정중안면열증후군 Median facial cleft anomalies

10만 명 출생 중 1.4~4.9명 빈도로 발생하는 매우 드문 선천성 기형으로 정중두개안면열median craniofacial dysrrhaphia 또는 Tessier 분류법에 의한 0번 두개안면열이라고 명명한다.

1) 발생기전

유전에 의한 것은 드물고 대부분이 산발적으로 발생하며, 여러 가지 환경적 요인을 원인으로 들고 있으나 원인이 분명치 않은 경우가 많다. 방사선 조사, 감염, 임부의 대사장애, 약제 등 여러 가지 원인으로 인해 안면돌기들이 제대로 융합하지 못해서 발생한다.

(1) 안면돌기 융합실패설
안면돌기들의 가장자리가 서로 맞닿으면 상피세포는 죽고 중배엽이 융합하게 되는데, 그렇지 못하면 구순구개열이 생기는 기전과 마찬가지로 안면열이 생기게 된다는 전통적인 학설이다.

(2) 신경외배엽 이동실패설
얼굴 중앙부는 원래 두 겹의 얇은 외배엽으로 된 새막branchial membrane으로 구성되어 있다. 신경관neural tube의 배측에 있던 신경능세포가 앞쪽으로 이동하여 두 겹으로 된 새막 사이를 보강해주지 못하면 성장함에 따라 새막이 당겨져 찢어지거나 터져서 결과적으로 안면 열이 생기게 된다는 학설이다.

2) 증상 및 징후

두개안면열이 대천문anterior fontanel으로부터 전두골, 계관, 코의 정중선, 비주, 상악골, 구순을 주로 침범하며 혀, 하구순lower lip, 하악골을 침범하는 경우도 있다. 이 외에 전두부, 전두-비부 또는 전두-사골부에 뇌류를 일 으키거나 양안격리증, 이중비중격, 정중구개열을 일으킬 수도 있다. 경중의 경우 경한 양안격리증과 평평한 미간 만을 보일 수도 있다. 비부에 흔히 신경교종이 생긴다.

3) 치료

두개안면열의 치료원칙은 골조직 형성부전이 있는 곳과 벌어져 있는 곳에 골이식을 하고, 근층을 봉합한 후, 피 부를 연속 Z성형술로 봉합하는 것이다. 그 외에 형태적 으로 이상이 있는 부위를 교정한다.

　일반적으로 재건수술을 해주는 시기는 기형의 정도 와 생명유지에 필요한 기능장애의 정도에 따라 다르 다. 기능적 장애가 없는 경한 두개안면열인 경우에는 남 아 있는 구조물의 크기가 자라서 복원해 주기가 용이하 게 되고 지표를 정확히 잡아 접근시켜 줄 수 있을 때까 지 재건수술을 연기할 수 있다. 그러나 두개안면열이 심 한 경우에는 수술이 가능한 체중이 되면 즉시 수술해 주 는 것이 원칙이다. 이는 연조직이 비뚤어져 있는 골격에 대해 부목splint이나 틀mold과 같은 역할을 하게 되므로 유리하다. 유아기에는 골격수술로 인한 손상이 골성장을 방해하기 때문에 연조직에 국한된 수술만 시행한다.

7. 외측 코끝 기형 Proboscis lateralis

코의 반은 정상이고 반은 내측과 외측 비돌기 및 구형돌 기globular process의 결손으로 인해 발생한다. 환측의 상 악돌기가 건측의 비돌기 및 구상돌기uncinate process와 결합되어 환측의 내안각에 관상모양의 피부와 연부조직 이 붙어 있는 상태이다. 비강, 부비동 및 중추신경계 기 형이 동반되기도 한다.

1) 발생기전

발생학적으로 후각소와의 발생 후 비전두돌기 및 상악 돌기의 중배엽 발달이 불완전하게 일어나서 외측 비돌 기의 흔적이 없어지는 동시에 표피가 없어지면서 내안 각 주위에 관상모양의 기형조직을 형성한다는 설이 가 장 유력하다.

2) 치료

연부조직의 결손부위는 남아 있는 기형조직을 이용해 재건하며, 골결손은 늑연골이나 다른 골 등을 이용해 재 건술을 시행한다.

참고문헌

1. Belden CJ, Mancuso AA, Schmalfuss IM. CT features of congenital nasal piriform aperture stenosis: initial experience. Radiology 1999;213:495-501.
2. Bingham B, Wang RG, Hawke M, Kwok P. The embryonic development of the lateral nasal wall from 8 to 24 weeks. Laryngoscope 1991;101:992-7.
3. Boseley ME, Tami TA. Endoscopic management of anterior skull base encephaloceles. Ann Otol Rhinol Laryngol 2004;113:30-3.

4. Bradley PJ, singh SD. Nassal glioma. J Laryngol Otol 1985;99;247-52.

5. Bradley PJ. The complex nasal dermoid. Head Neck Surg 1983;5:469-73.

6. Brown K RK, Brown OE. Congenital malformations of the nose, 4th ed. Philadelphia: Elsevier Mosby 2005;4099-109.

7. Brown OE, Pownell P, Manning SC. Choanal atresia: A new anatomic classification and clinical management applications. Laryngoscope 1996;106:97-101.

8. Burrow TA, Saal HM, de Alarcon A, Martin LJ, Cotton RT, Hopkin RJ. Characterization of congenital anomalies in individuals with choanal atresia. Arch Otolaryngol Head Neck Surg 2009;135:543-7.

9. Carlson BM. Development of head and neck. In: Human embryology and developmental biology. 2nd ed. St Louis: Mosby 1994;235-42.

10. Cinnamond MJ. Congenital anomalies of the nose. In: Adams DA, Cinnamond MJ eds. Scott Brown's Otolaryngology. Paediatric Otolaryngology. 6th ed. Oxford: Butterworth-Heinemann Inc. 1997;1-15.

11. Corrales CE, Koltai PJ. Choanal atresia: current concepts and controversies. Curr Opin Otolaryngol Head Neck Surg 2009;17:466-70.

12. Friedman NR, Mitchell RB, Bailey CM, Albert DM, Leighton SE. Management and outcome of choanal atresia correction. Int J Pediatr Otorhinolaryngol 2000;52:45-51.

13. Hengener AS, Newburg JA. Cogenital malformations of the nose and paranasal sinus. In: Bluestone CD, Stool SS, Kenna MA eds. Pediatric Otolaryngology. 3rd ed. W.B. Saunders Co. 1996;718-28.

14. Josephson GD, Vickery CL, Giles WC, Gross CW. Transnasal endoscopic repair of congenital choanal atresia. Arch Otolaryngol Head Neck Surg 1998;124:537-40.

15. Kanski JJ. Clinical Ophthalmology. 3rd ed. 1994:64-5.

16. Kasper K. Nasofrontal connections, a study based on one hendred consecutive dissections. Arch Otolaryngol 1936;23:322-43.

17. Kawamoto HK. The kaleidoscopic world of rare craniofacial clefts. Order out of chaos (Tessier classification). Clin Plast Surg 1976;3:529-72.

18. Kim CH, Lee JG, Choi YS, Yoon JH. Congenital choanal atresia: Analysis of 7 cases. Korean J Otolaryngol 2000;43:296-9.

19. Kim CH, Park HW, Kim K, Yoon JH. Early development of the nose in human embryos: a stereomicroscopic and histologic analysis. Laryngosope 2004;114:1791-800.

20. Koltai PJ, Hoehn J, Bailey CM. The external rhinoplasty apporoach for rhinologic surgery in surgery in children. Arch Otolaryngol Head Neck Surg 1992;118:401-5.

21. Krakovitz PR, Koltai PJ, Neonatal nasal obstruction. NeoReviews 2007;8:e199-e205.

22. Lazar RH, Younis RT. Transnasal repair of choanal atresia using telescopes. Arch Otolaryngol Head Neck Surg 1995;121:517-20.

23. Lee JH, Oh CK, Choi JO. A case of CHARGE syndrome. J Clinical Otolaryngol 2003;14:137-40.

24. Lindbichler F, Braun H, Raith J, Ranner G, Kugler C, Uggowitzer M. Nasal dermoid cyst with a sinus track extending to the frontal dura mater: MRI. Neuroradiology 1997;39:529-31.

25. Moore KL, Persaud TVN. The developing human. Clinically oriented embryology. 6th edition. Philadelphia: WB Saunders 1998.

26. Morgan DW, bailey CM, Current management of choanal atresia. Int J pediatr Otolaryngol 1990;19:1-13.

27. Neskey D, Eloy JA, Casiano RR. Nasal, septal, and turbinate anatomy and embryology. Otolaryngol Clin North Am 2009;42:193-205.

28. Osguthorpe JD, Singleton GT, Adkins WY. The surgical approach to bilateral choanal atresia. Arch Otolaryngol 1982;108:366-9.

29. Paller AS, Pensler JM, Tomita T. Nasal midline masses in infants and children. Dermoid, encephaloceles and gliomas. Arch Dermatol 1991;127:362-6.

30. Pashley NRT. Congenital anomalies of the nose. In: Cummings CW. Fredrickson JM, Harker LA, Krause CJ, Schuler DE, eds. Otolaryngology-head and neck surgery. 2nd ed. St. Louis: Mosby-Year Book Inc. 1992;702-12.

31. Pensler JM, Bauer BS, Naidich TP. Craniofacial dermoids. Plast Reconstr Surg 1988;82:953-8.

32. Pollock RA. Surgical approaches to the nasal dermoid cyst. Ann Plast Surg 1983;10:498-501.

33. Rahbar R, Resto VA, Robson CD, et al. Nasal glioma and encephalocele: diagnosis and management. Laryngoscope 2003;113:2069-77.

34. Rahbar R, Shah P, Mulliken JB, et al. The presentation and management of nasal dermoid: a 90-year experience. Arch Otolaryngol Head Neck Surg 2003;129:464-71.

35. Schaeffer J. The genesis, development and adult anatomy of the nasofrontal duct region in man. Am J Anat 1916;20:125-45.

36. Sessions RB, Hudkins C. Congenital anomalies of the nose. In: Bailey BJ, Johnson JT, Kohut RI, Pillsbury III HC, Tardy ME Jr, eds. Head and neck surgery-otolaryngology. 1st ed. Phiadelphia: J.B. Lippincott 1993;793-801.

37. Shikowitz MJ. Congenital nasal pyriform aperture stenosis: diagnosis and treatment. Int J Pediatr Otorhinolaryngol 2003;67:635-9.

38. Som PM, Naidich TP. Illustrated review of the embryology and development of the facial region, part 1: early face and lateral nasal cavities. AJNR Am J Neuroradiol 2013;34:2233-40.

39. Steding G, Jian Y. The origin and early development of the nasal septum in human embryos. Ann Anat 2010;192:82-5.

40. Szeremeta W, Parikh TD, Widelitz JS. Congenital nasal malformations. Otolaryngol clin North Am 2007;40:97-112, vi-vii.

41. Tessier P. Anatomical classification of facial, craniofacial and laterofacial clefts. J Maxillofac Surg 1976;4:69-92.

42. Van Den Abbeele T, Triglia JM, Francois M, Narcy P. Congenital nasal pyriform aperture stenosis: diagnosis and management of 20 cases. Ann Otol Rhinol Laryngol 2001;110:70-5.

43. Vidic B. The postnatal development of the sphenoidal sinus and its spread into the dorsum sellae and posterior clinoid processes. Am J Roentgenol Radium Ther Nucl Med 1968;104:177-83.

44. Warbrick JG. The early development of the nasal cavity and upper lip in the human embryo. J Anat 1960;94:351-62.

45. Wardinsky TD, Pagon RA, Kropp RJ, Hayden PW, Clarren SK. Nasal dermoid sinus cysts: association with intracranial extension and multiple malformations. Cleft Palate-Craniofacial J 1991;28:87-95.

46. Wolf G, Anderhuber W, Kuhn F. Development of the paranasal sinuses in children: implications for paranasal sinus surgery. Ann Otol Rhinol Laryngol 1993;102:705-11.

코의 진찰 및 검사

순천향의대 이비인후과 **이재용**, 예일이비인후과 **전시영**

> **CONTENTS**

Ⅰ. 병력청취
Ⅱ. 시진과 촉진
Ⅲ. 비부비동검사

HIGHLIGHTS 〉〉〉

- 정확한 진단을 위하여 환자의 증상 및 과거력에 대한 자세한 문진, 비내시경 등을 통한 이학적 검사, 적절한 보조적 검사를 통해 환자의 상태를 평가하는 것이 매우 중요함
- 코막힘은 가장 흔하고 불편한 코 증상으로 증상의 발생시기, 지속기간, 일측성 혹은 양측성, 연속성 또는 간헐성에 따라 원인을 감별해 볼 수 있음
- 비내시경을 이용한 비강, 비인강 및 비측벽 등의 체계적 검사는 코의 진찰에서 가장 중요한 이학적 검사라 할 수 있음
- 음향 비강통기도 검사는 반사된 음파를 분석하여 거리에 따른 비강의 단면적과 부피를 측정하는 검사로, 재현성이 높고 불편감이 적기 때문에 소아에서도 시행이 용이하다는 등의 장점이 있음

I | 병력청취

환자가 호소하는 주증상을 확인하고, 주증상이 시작된 시점, 그 외 호소하는 부증상, 질병 치료의 기왕력, 코수술이나 외상의 과거력, 현재 복용하고 있는 약물, 전신질환의 동반 유무 등을 확인해야 한다.

1. 코막힘

코막힘은 인간이 호소하는 가장 흔한 불편감 중 하나이며 대부분의 비강 질환에서 가장 빈번하게 나타나는 증상이다. 코막힘을 호소하는 환자에게서 병력을 청취할 때는 코막힘의 발생시기, 증상이 지속된 기간, 일측성 또는 양측성 여부, 좌우가 번갈아가며 막히는지 여부, 그리고 코막힘이 연속적인지 간헐적인지 등을 물어보아야 한다. 또한 코막힘과 동시에 비루에서 냄새가 나는지, 농성 또는 피가 섞인 분비물이 있는지, 중이 질환이나 천식과 같은 호흡기 질환이 있는지 살펴보아야 한다(McCaffrey, 1993).

코막힘의 연중 및 하루 중의 변화, 악화를 유발하는 특별한 원인이 있는지, 특정 시기에 심해지는지, 수면 시 심해지는지 등을 물어보아야 하고, 외상이나 수술의 과거력, 현재 복용하고 있는 약물, 내분비 질환과 같은 동반 질환의 유무를 파악해야 한다. 여성의 경우 생리주기와의 관계, 임신과 출산 여부 등에 대한 파악이 필요하다. 비강의 수축과 이완의 주기적 반복을 비주기nasal cycle라고 하는데, 이 시기에는 특별한 병변 없이도 코막힘이 발생할 수 있다(Cole, 1998).

양측성 코막힘은 대개 전신적인 영향으로 인한 경우가 많고 일측성 코막힘은 국소적 원인인 경우가 많다. 유소아와 성인에서 일측성 및 양측성 코막힘의 원인에는 차이를 보일 수 있다(표 4-1).

일반적으로 비강 내에서 가장 좁은 부위는 서양인의 경우에는 비밸브nasal valve이고 동양인의 경우에는 하비갑개 전방부이다. 비전정부에 코막힘을 일으키는 원인은 다른 부위에 비하여 흔하지 않은데, 선천성 폐쇄증, 외

표 4-1 코막힘의 감별	
유소아	
일측성	비강 내 이물, 후비공폐쇄증
양측성	아데노이드, 후비공폐쇄증, 만성 비염, 선천성 비매독, 알레르기 비염
성인	
일측성	• 비루(유): 비강 또는 부비동 악성종양, 치성 상악동염, 진균성 부비동염 • 비루(무): 비중격만곡증, 만성 비후성 비염
양측성	급성 비염, 비인두 종양, 위축성 비염, 만성 비부 비동염, 비용종, 알레르기 비염
교대성	울혈성 비염, 혈관운동성 비염, 비주기

상, 염증 후 유착, 비전정절nasal furuncle이 이에 해당한다. 비밸브는 외측비연골과 비중격 사이에 형성되는 공간이며 이 사이에서 이루어지는 각을 비밸브각angle of the nasal valve이라고 한다. 이 각은 서양인의 경우에는

10~15°이며 동양인의 경우에는 이보다 크다. 비밸브구역nasal valve area이 의미하는 부분은 비밸브와는 차이가 있으며, 비밸브와 함께 비중격 하단, 하비갑개 전단, 이상구piriform aperture 주변의 조직에 의하여 경계를 이룬다. 비밸브구역으로 인해 코막힘을 일으키는 질환으로는 비중격만곡증, 비갑개 비후, 외측비연골의 결손, 비후, 만곡, 변위 등이 이에 포함된다. 비인강의 협착을 유발시키는 원인에는 아데노이드증식증, 종양, 후비공폐쇄증 등이 있다. 비밸브구역과 비인강 사이의 고유비강nasal cavity proper을 협착시키는 요인은 만성 비부비동염, 알레르기 비염, 비용종, 비중격만곡증, 비후성 비염 등으로 우리가 가장 흔하게 접하는 질환이 이에 해당된다. **그림 4-1**에서는 흔하게 코막힘을 유발하는 부위를, **그림 4-2**에서는 비밸브각 및 비밸브구역을 모식화하였다.

유소아에게 코막힘이 있으면 비강을 통한 호흡을 잘할 수가 없어 수면장애, 영양장애를 일으키고, 구강호흡을 지속하면 안면골의 발육장애로 인한 치열 불균형, 경구개 거상, 안면근 이완, 비순구 소실로 아데노이드 얼굴

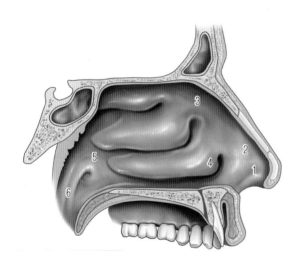

| 그림 4-1 코막힘을 일으키는 부위
1. 비전정, 2. 비밸브, 3. 비강상부, 4. 하비갑개 전방부,
5. 하비갑개 후방부 및 후비공, 6. 비인강

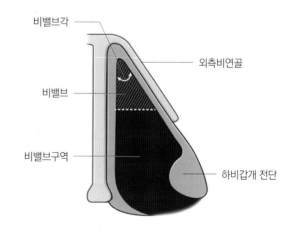

| 그림 4-2 비밸브 및 비밸브구역
점으로 표시된 부위가 비밸브이며,
굵은 실선 안쪽의 부위가 비밸브구역이다.

| 표 4-2 코막힘을 일으키는 원인 |

	비강이 좁아진 경우
전신적인 원인	• 알레르기(음식) • 대사 및 내분비 장애: 당뇨, 갑상선 기능 저하증, 임신, 월경, 경구피임약, 정서적 원인 • 화학물질: 약물

국소적인 원인	• 감염
	• 알레르기(흡입성)
	• 건조한 공기
	• 해부학적 요인
	  선천성: 후비공폐쇄증, 안면기형
	  후천성: 외상
	• 화학물질: 환경오염물질, 약물
	• 종양
	• 이물

	비강이 넓어진 경우
점막의 위축	• 궤양 및 천공 • 국소적인 원인: 화학물질, 건조한 공기, 의인성, 외상, 감염 • 전신적인 원인: 연령, 내분비장애
위축성 비염	
과다한 하비갑개 절제 등의 수술	빈코 증후군(empty nose syndrome)

| 표 4-3 코막힘을 일으킬 수 있는 약물 |

난소호르몬제	• 경구용 피임약
항고혈압제	• reserpine • hydralazine • methyldopa • prazosin • β수용체 차단제: propranolol, nadolol
항우울제 및 항정신병제	• thioridazine • chlordiazepoxide • amitryptyline • perphenazine
이뇨제	• hydrochlorothiazide • methyclothiazide • trichlormethiazide • benzthiazide • cyclothiazide • hydroflumethiazide

이며, 국소 비점막 수축제를 장기간 분무했을 때 오히려 비점막의 충혈로 인한 코막힘이 심해질 수 있으므로 이 와 같은 국소 약물 사용에 대해 물어보아야 한다(Mabry, 1982)(표 4-3).

을 초래할 수 있다.

비강이 비정상적으로 좁아진 경우나 반대로 과다하 게 넓어진 경우에도 코막힘을 유발할 수 있으며, 비강 내 감염, 음식 및 흡입성 알레르기, 차갑거나 건조한 공 기, 후비공폐쇄증이나 선천적 안면기형, 안면부 외상, 환 경공해물질, 알코올, 담배, 종양, 비강 내 이물, 당뇨 등 도 코막힘의 원인이 될 수 있다. 또한 갑상선 기능저하 증이나 말단 비대증 환자, 여성에서의 생리주기 변화 및 임신, 출산과 같이 호르몬과 관련된 코막힘이 발생할 수 있으므로 확인이 필요하다(표 4-2). 경구피임제, 항고혈 압제, 항우울제, 이뇨제 등의 약물 복용에 의해서도 코막 힘이 발생하므로 약물 복용 여부에 대한 질문은 필수적

2. 비루와 후비루

비루를 호소하는 환자에게서 병력을 청취할 때에는 비 루가 발생한 시점, 비루의 색깔, 분비물의 성상, 악취의 유무, 일측성 혹은 양측성 여부, 비루가 앞으로 흐르는지 또는 주로 목 뒤로 넘어가는지 여부 등을 확인해야 한다. 비루의 색깔 또는 성상에 따라 수양성, 점액성, 농성, 혈 성, 악취성으로 나눌 수가 있는데 이것이 혼합해서 발생 할 수 있다.

수양성 비루는 울 때, 급성 비염의 초기, 혈관운동성 비염, 알레르기 비염 등에서 볼 수 있다. 흔한 경우는 아 니지만 수술이나 외상 후에 발생하는 수양성 비루의 경

표 4-4 비루의 감별	
수양성	급성 비염(초기), 알레르기 비염, 혈관운동성 비염
점액성	급성 비염(말기), 만성 비염, 급성 또는 만성 비부비동염
농성	만성 비부비동염, 비강 내 이물, 결핵
혈성	디프테리아, 비강 또는 부비동 악성종양, 건성 전비염
악취성	비강 또는 부비동 악성종양, 치성 비부비동염, 비강 내 이물, 위축성 비염

우에는 뇌척수액 비루를 감별해야 한다. 뇌척수액 비루는 맛이 약간 씁쓸한 맛 혹은 짠맛이 나며, 보통 외상 후 55%에서 48시간 이내에, 70%에서 1주일 이내에 발생한다. 점액성 또는 점액농성인 비루는 일반적으로 감염을 의미하며 급성 비염의 이차 감염기, 만성 감염성 비염, 비용종이나 비부비동염을 생각해 볼 수 있다. 농성 비루가 한쪽에만 있을 때에는 일측성 비부비동염, 치성 부비동염, 진균성 부비동염 등을 의심할 수 있으며, 유소아에서는 우선적으로 비강 내 이물을 생각해야 한다. 혈성 비루는 비강이나 부비동의 악성종양, Wegener 육아종 등의 질환에서 관찰되며, 악취성 비루는 악성종양, 치성 비부비종염, 비강 내 이물, 위축성 비염 등의 질환에서 관찰된다(표 4-4).

후비루는 분비물이 인두로 넘어가는 것을 느끼는 증상으로 문진 시에 후비루의 양, 색깔 및 빈도 등을 알아보아야 한다. 후비루는 주로 비강 및 부비동 질환과 관련이 있으나 비인강 질환과도 관련이 있다. 특히 아침에 나타나는 혈성 후비루에서는 반드시 비인강 악성종양의 가능성을 염두에 두고 비인강에 대한 철저한 진찰이 필요하다.

3. 후각장애

후각장애는 후각이 부분적으로 소실된 후각감퇴hyposmia, 후각의 완전 소실로서 전혀 냄새를 맡지 못하는 후각소실anosmia, 후각자극에 과민반응을 나타내는 후각과민hypersmia, 실제 냄새를 전혀 다른 냄새로 느끼는 착후각parosmia, 냄새나는 물질이 없는데도 냄새를 느끼는 환후각phantosmia 등으로 나눠볼 수 있다.

후각장애는 발생기전에 따라 전도성conductive 후각장애와 감각신경성sensorineural 후각장애로 분류할 수 있다. 전도성 후각장애는 감각기관이나 신경의 기능 저하 없이 기류의 물리적인 차단으로 인해 후각점막에 냄새입자odorant가 전달되지 못해서 발생하는 후각장애이고, 심한 점막 비후, 폐쇄성 비부비동 질환, 종양 등이 대표적인 원인이며, 원인 질환을 치료하면 후각이 회복될 수 있다. 감각신경성 후각장애는 후각 점막의 손상이나 후각신경 또는 중추신경계의 기능 이상으로 인하여 생기는 후각장애로서, 두부외상, 상기도 감염 및 화학적 손상이 대표적인 원인이며 대부분 비가역적인 경과를 보인다. 전도성과 감각신경성 후각장애 두 가지가 서로 혼재되어 나타날 수도 있다.

후각장애를 호소하는 환자를 문진 시에는 증상이 시작된 시기에 외상, 바이러스성 상기도 감염, 화학물질 등에 노출된 경험이 있는지를 확인해야 한다. 증상의 발생이 급성인 경우는 바이러스나 외상에 의한 손상이 많고, 점진적인 경우는 비강이나 부비동의 질환인 경우가 많으며, 서서히 진행하는 경우는 전신질환이나 종양에 의한 경우가 많다. 또한 증상이 지속적인지 또는 간헐적인지 여부도 확인해야 한다.

후각장애를 호소하는 환자의 경우 삼차신경을 자극하는 냄새는 인지할 수 있으므로 꾀병malingering과 구별하기 위해 삼차신경 자극냄새를 포함시키든지, 또한 냄새를 알지 못하거나 못 맡는다 해도 네 개의 보기 중에 하나를 선택하게 함으로써 정답을 피해가는 경우 꾀병을 추정할 수 있다(정 등, 1991).

4. 재채기

재채기는 비점막의 자극에 의해 유발되는 기도의 반사작용으로, 예비적으로 깊이 숨을 들이마신 후 강하게 숨을 내쉴 때 발생하는 성문하 압력subglottic pressure의 급격한 증가로 인해 생기는 것이다. 결과적으로 갑자기 격렬하게 소리를 내면서 코와 입을 통해 불수의적으로 공기를 내뿜게 된다.

재채기를 일으키는 원인은 다양하며, 비점막의 분비 과다를 동반하는 알레르기 비염에 빈발하지만 호산구성 비알레르기 비염nonallergic rhinitis with eosinophilic syndrome, NARES이나 혈관운동성 비염에서도 흔히 나타난다. 이물이나 찬 공기, 악취 등의 기계적, 온열적, 화학적 자극에 의해서도 발생할 수 있다(표 4-5). 재채기의 반사경로는 비점막에 분포하는 삼차신경의 자극이 익구개 신경 등을 통해 비점막의 충혈 및 비분비물의 과도한 증가를 초래하고, 이것이 호흡중추를 자극하여 설인신경, 미주신경, 횡격막신경에 전달하며 이들 신경이 지배하는

| 표 4-5 재채기의 원인

- 알레르기 비염
- 혈관운동성 비염
- 비자극(nasal irritation): 국소자극제, 이물, 찬 공기
- 약물사용중단
- 감기
- 위팽륜(gastric distension)
- 간질
- 정신적 요인
- 성적 흥분
- 월경
- 오한
- 결핵성 경부 림프절염

근육을 자극하게 된다.

재채기는 심한 경우 비출혈을 초래하기도 하며, 늑막이나 척추의 동통을 심하게 한다. 자기도 모르게 눈을 감게 되어 운전할 때 위험하며, 아주 드물게 전음성 난청을 초래하는 등골의 골절이나 갑상연골의 골절, 심근경색증, 뇌졸중을 유발할 수도 있다(Leung and Robson, 1994).

5. 비출혈

비출혈을 호소하는 환자에게는 출혈의 양과 빈도, 일측 혹은 양측 출혈 여부, 유발인자(외상, 수술, 종양 등)가 존재하는지 여부, 비출혈의 과거력이 있는지 여부, 내과적 질환(고혈압, 동맥경화증 등의 심혈관질환, 폐질환, 간질환 등) 여부, 응고인자에 영향을 주는 약물(아스피린, 항응고제, 소염제)의 사용 여부 등에 관한 자세한 문진이 필요하다.

자발성 비출혈은 대부분 비중격의 전방에 위치한 Kisselbach's plexusLittle's area에서 발생한다. 이 부위는 내경동맥internal carotid artery의 분지인 전사골동맥anterior ethmoidal artery과 외경동맥external carotid artery의 분지인 접형구개동맥sphenopalatine artery, 대구개동맥greater palatine artery, 상순동맥superior labial artery의 분지가 문합되어 있다. 이 부위는 점막하 조직이 적고 혈관이 연골과 점막 사이에 끼여서 혈관의 보호가 불충분하여 외상을 받기 쉬우므로 비출혈의 90% 이상이 이곳에서 발생한다. 자발성 비출혈은 소아 및 20세 전후의 젊은 층에 많고 여자보다 남자에게 많다. 출혈부위를 확인하는 것이 중요하며 전비강 팩킹이나 전기소작 등으로 지혈을 시도할 수 있다.

비강의 후방부에서 나오는 출혈은 하비갑개의 후방에 위치한 Woodruff 영역에서 발생한다. 이 부위는 접

| 표 4-6 비출혈의 원인 |

국소적 원인	
외상	• 점막의 직접적 외상: 비입구부의 상처, 외비의 타박에 의한 골절 • 간접 외상에 의한 출혈: 두개골 골절
비강 점막의 건조	• 차고 건조한 기후 • 스트레스의 상승(재채기, 코 세게 풀기, 격렬한 운동)
비중격 천공	가피를 반복적으로 제거 시
비강 내 이물	소아에서 흔하며 코막힘과 냄새나는 비루가 동반, 주로 편측성
독소 또는 화학적 자극제	인쇄용 잉크, 황산, 암모니아, 인(phosphorus), 가솔린, 크롬산염(chromate) 등
종양	출혈성 비용, 비강 또는 부비동 양성 및 악성종양, 혈관성 종양, 비인강혈관섬유종 등
염증	급성 및 만성 비염, 비인두염, 비부비동염, 위축성 비염, 알레르기, 선천성 매독 등
기타	비중격만곡증, 유전성 출혈성 모세혈관확장증
전신적 원인	
순환장애	고혈압, 동맥경화증 등
혈액질환	백혈병, 혈우병, 자반병, 빈혈 등
급격한 기압변동	
대사성 출혈	
기타	간장 혹은 신장질환, 알코올중독, 항응고제 투여, 비타민 C 또는 비타민 K 결핍, 급성 열성 전염병, 기생충

의 출혈은 중대한 질병의 징후인 때가 많고 지속적인 출혈로 고도의 빈혈이 올 수도 있으며 때로는 치명적일 수 있다. 표 4-6에서는 비출혈의 국소적 원인과 전신적 원인에 대하여 열거하였다(McGarry and Moulton, 1993).

6. 눈 증상

해부학적으로 안와는 벽이 얇고, 전두동, 상악동, 사골동 및 접형동에 둘러싸여 있다. 부비동의 염증이 안와 내 감염을 유발할 수 있는 직접적인 경로는 얇은 지판이나 골봉합선suture line, 선천적 골피열bony dehiscence을 통해서이며, 안구나 전두개의 정맥계와 중추 정맥동계 사이에 판막이 없기 때문에 이를 통해 간접적으로도 염증이 파급될 수 있다. 비부비동염으로 의한 안와 내 합병증은 안와주위염, 안와 봉와직염, 안와골막하농양, 안와농양, 해면정맥동혈전염으로 구분하며, 안구주위부종, 안구동통, 안구돌출, 안구운동장애, 시력장애 등을 일으킨다(Kennedy et al., 2001). 이러한 안와합병증은 비교적 드물게 발생하나 증상 진행이 빠르고 실명 등의 치명적인 결과를 초래할 수 있어 빠른 진단과 치료가 필요하다.

7. 비성 두통

두통은 자주 경험하는 흔한 증상이며, 이 중 비성 두통rhinogenic headache은 전체 두통의 10% 미만을 차지한다. 급성 및 만성 비부비동염 환자에게 있어서 두통은 환자가 호소하는 유일한 증상이라기보다는, 코막힘 및 비루와 함께 동반되어 나타나는 증상인 경우가 많다(Scott and Walter, 1987; Stankiewicz, 1991).

코막힘, 비루를 호소하는 환자에서 두통이 동반될 때 그 원인이 부비동 질환에 의한 것인지 문진 및 이학적

형구개동맥과 후인두동맥posterior pharyngeal artery의 분지가 문합되어 Woodruff 혈관총을 형성한다. 후방부 출혈은 동맥경화 혹은 고혈압을 가진 고연령층인 40~50대에서 많이 일어나며 하비갑개의 후연은 잘 보이지 않기 때문에 출혈부위를 놓칠 수가 있어 내시경을 이용한 자세한 관찰이 필요하다. 일반적으로 고령자

검사를 통해 관찰해야 한다. 두통의 가장 흔한 원인인 편두통이나 군발성 두통Horton's cephalagia, 혈관성 두통, 긴장성 두통tension headache, 그 외에 신경통, 경부척추 질환, 측두하악관절질환, 혈관질환, 안성 두통ophthalmic headache 등과 감별해야 한다. 물론 비성 두통과 긴장성, 혈관성 두통 등이 복합적으로 발생할 수 있다(Stankiewicz, 1991).

비성 두통은 부비동의 부위에 따라 두부의 특정부위에 느끼는 것보다는 머리 전체와 미간 부위에 중압감이 나타나는 것이 일반적이다. 완고한 두통은 상인두 종양의 특징이며, 상악동 종양에서는 관자놀이 및 치아에 방사통이 있다.

부비동성 두통은 접형동 또는 후사골동에 병변이 있을 때는 양측 측두골 및 두정부에 통증이 있고, 전사골동 또는 전두동에 병변이 있으면 미간과 내안각inner canthus 주위에 주로 통증을 호소하며, 상악동 병변일 경우에는 뺨이나 치아 쪽의 통증이 발생한다. 통증은 대개 누르는 것 같고 충만감이 있는 둔통이며, 전두동 입구부, 사골누두infundibulum의 급성 병변이나 상악동 급성 염증 때 심한 압통이 나타나고, 비점막의 충혈이 심해져서 비전두관과 부비동 입구가 막히고 코막힘을 일으키면서 두부에 박동하는 통증을 느끼게 된다. 부비동에 의한 두통은 대개 아스피린이나 코데인으로 비교적 쉽게 조절된다(Ballenger, 1995).

8. 안면통

두통에서처럼 안면통은 다양한 원인에 의해 유발된다. 비부비동염이 안면통의 주된 원인이며, 이러한 비부비동염에 의한 동통은 주로 일측성이고, 농성 비루 및 부비동의 부위에 따라 안면 및 두부의 특정부위에 국소적 압통이 동반된다. 오전에 비하여 오후에 증상이 경감되는

특징이 있고 머리를 움직일 때 더 심해지는 유발통이 동반된다. 삼차신경통, 설인신경통, 측두하악골결합 기능장애, 안구 또는 치아의 염증, 대상포진, 편두통 등도 안면통을 유발하므로 비부비동염에 의한 안면통과 감별을 요한다(Ballenger, 1995).

안면통은 종양, 신경통, 부비동의 염증, 혈관의 폐색 등 여러 가지 원인이 있다. 따라서 안면통이 있는 모든 환자들은 이비인후과적 또는 신경과적 검사와 진단이 필요하다(Marshall et al., 1985).

9. 비음

비강은 호흡 및 후각기능 외에 발성할 때 공명기 역할을 하므로 비강 또는 비인강의 상태에 따라 음성의 변화가 생길 수 있다. 정상인에서 구음articulation 시에 구개인두폐쇄velopharyngeal closure가 정상적이면 비음rhinolalia이 생기지 않는다. 어떤 원인으로 인해 비강으로 빠져나가는 공기가 비정상적으로 많아지면 개방성 비음hypernasal speech, rhinolalia aperta이 생기고, 비강으로 나가는 공기가 적어서 공명이 되지 못하면 폐쇄성 비음hyponasal speech, rhinolalia clausa이 생기게 된다.

1) 개방성 비음

발성 시에 비강으로의 공기 배출량 증가로 생기는데, 연구개의 기능저하로 구개인두폐쇄가 부적절할 때, 구개열과 같은 선천성 이상, 외상으로 인한 구개 천공 시에도 생길 수 있으며, 아데노이드 제거술이나 구개인두성형술과 같은 코골이 수술 후 합병증으로 일시적 혹은 영구적 개방성 비음이 생길 수 있다.

2) 폐쇄성 비음

비강 혹은 비인강에 폐쇄가 있는 경우 비인강으로 빠져나가는 공기량이 감소하면서 공명이 없는 소리를 내게 되는데, 이것을 폐쇄성 비음이라 한다. 이것은 폐쇄의 위치에 따라 다음과 같이 나눈다.

(1) 전방부 폐쇄성 비음
비후성 비염, 비용종 등으로 비강이 좁아지거나 폐쇄된 경우 폐쇄성 비음이 나타난다.

(2) 후방부 폐쇄성 비음
아데노이드 증식증, 후비공 폐쇄증, 후비공 용종이나 비인강 종양 등과 같이 폐쇄가 비인강에 있는 경우에 생기며 코골이 수술 후 비인강 협착nasopharyngeal stenosis으로 인해 발생할 수도 있다(Prichard et al., 1994; Walker and Gopalsami, 1996).

10. 연관통

연관통referred pain의 개념은 삼차신경의 비점막 구심성 감각신경핵과 피부 수용체와 관련된 구심성 감각신경핵에 기인한다(Stankiewicz, 1991).

비갑개와 부비동에서 발생한 동통은 주로 삼차신경의 제1, 2 분지에 의해 연관통을 유발한다. 삼차신경의 제1분지는 전두부, 내안각 및 외안각 부위, 코의 외측부에 연관통을 일으킨다. 삼차신경의 제2 분지는 협부 및 측두의 피부에 분포하여 중비갑개의 뒤쪽이 자극되면 협부 및 측두부에 동통을 유발하게 된다.

급성 상악동염 및 상악동 종양에서는 협부 및 치아에, 급성 사골동염에서는 내안각 쪽에, 급성 전두동염에서는 전두부에 연관통이 있으며, 접형동에서 발생한 동통은 두정부 쪽에 연관된다.

Ⅱ | 시진과 촉진

1. 시진

코증상을 호소하는 환자의 일반적인 진찰은 전체적인 안면부와 외비에 대한 시진으로부터 시작되며, 들숨과 날숨, 안정 시의 모양을 모두 관찰해야 한다. 시진에서는 전체적인 외비의 모양, 골격의 대칭성 및 굴곡, 돌출 여부와 피부의 상태를 확인한다. 비배부nasal dorsum의 이상으로 안장코saddle nose, 매부리코hump nose, 휘어진코deviated nose 등의 외형상 이상이 있는지 관찰하고, 비배부의 골부나 연골부, 또는 피부에 이상소견이 있는지 확인한다. 들숨과 날숨 시 비전정이나 비익의 협착여부를 잘 관찰하고, 피부의 색변화, 부종, 피부병변이나 반흔 등이 있는지도 확인한다.

피검자의 턱을 들어보게 하여 비익 기저부 주위를 잘 관찰하면 비주와 비기저부nasal base의 진찰이 가능하다. 이때는 피부의 상태, 비공의 모양, 비중격 미측의 위치 등을 관찰하는데 환자로 하여금 부드럽게 숨을 들이마시게 하면 흡기 시의 비익의 움직임을 통하여 비강 개존도nasal patency에 대한 정보를 얻을 수 있다(East, 1997). 코의 첨부를 손가락으로 부드럽게 들어 올리면 막성 비중격, 비밸브, 비강 바닥 부위를 비경을 넣지 않은 상태에서도 진찰할 수 있다.

마지막으로 코 주변부의 이마나 눈 주위, 볼이나 윗입술 부위도 이상소견이 있는지 자세히 관찰한다.

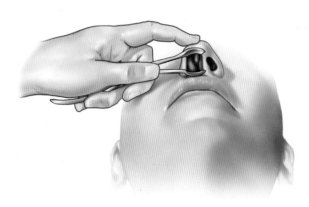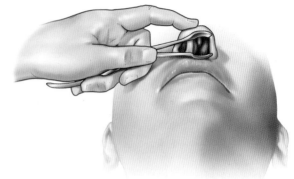

| 그림 4-3   전비경검사법

2. 촉진

촉진 시에는 압통이 있는 곳을 먼저 확인하고 이상감각을 호소하는 부위가 있는지 확인한다. 비골, 연골의 연결부에 대한 촉진을 시행하여 피부나 연조직에 의하여 모양이 위장되어 있지는 않은지 확인한다. 비골 골절 환자에서는 촉진 시 연발음crepitation이 들릴 수 있다. 비첨 부위를 촉진하여 지지 구조물들의 이상 여부를 확인하고, 코막힘을 호소하는 환자에서는 비첨 부위를 들어올린 후 코막힘 증상 호전여부를 물어본다. 코막힘이 있는 쪽의 뺨을 외측으로 당겨주는 Cottle test를 시행하여 코막힘 증상 호전 여부를 물어볼 수도 있다.

일부 비부비동염 환자에서는 전두동 부위나 상악동 부위를 타진, 촉진할 때 통증이 유발될 수 있다.

III | 비부비동검사

1. 비경검사

1) 전비경검사법

전비경검사는 간편하고 저렴하며 환자의 불편감이나 위험도가 적다는 장점이 있지만, 내시경검사에 비해 제한적인 정보만을 얻을 수 있다는 단점이 있다. 또한, 비강 내 비중격 만곡이나 큰 비용종이 있는 경우 또는 분비물이 많아서 시야를 가리는 경우 등에서는 정확한 관찰이 어렵다.

검사는 광원이 되는 100~150 watt의 백열등과 머리반사경head mirror이나 의료용 헤드램프를 착용한 상태에서 실시한다. 피검자는 검사자와 비슷한 높이가 되게 한 상태에서 편한 자세로 앉아 있도록 한다. 비경은 왼손으로 잡고 비전정에 부드럽게 삽입하며 상하로 벌리면서 조작해야 하고(그림 4-3), 비중격 쪽으로 압력을 주면 비출혈이 생기거나 통증을 느끼게 되므로 조심하여야 한다. 검사 시 오른손으로 환자의 머리를 부드럽게 잡아 머리 위치를 조절할 수도 있으며, 비익을 검지와 비경 사이에 잡아서 검사자 쪽으로 약간 당겨주면 환자의 불편함을 줄이고 좋은 시야를 얻을 수 있다. 일반적으로 비점막 수축제를 사용하지 않은 상태에서 검사가 가능하지만 점막 종창이 심하거나 비중격 결절septal tuberculum이 있는 경우에는 0.5% phenylephrine과 같은 비점막 수축제를 분무한 후 관찰해야 한다.

관찰해야 하는 구조물들은 비전정, 하비갑개, 중비갑개 앞쪽과 중비도, 하비도의 앞쪽 일부, 비강 중반부까지의 비중격이다. 특히 각도가 크지 않은 비중격 만곡에 대한 평가는 비내시경을 사용하는 경우보다 우수하다. 비밸브 부분은 비경 조작 시 변형의 우려가 있으므로 전비경보다는 내시경을 이용하여 관찰하는 것이 바람직하다. 그러나 전비경의 삽입에 의하여 환자의 코막힘이 호전되면 이는 비밸브 부전증에 대한 진단적 검사가 될 수 있다. 검사 시 비강의 바닥을 잘 관찰하면서 환자에게 /k/와 같은 구개음을 발음시키면 연구개의 움직임을 발성 시마다 확인할 수 있다.

2) 후비경검사법

검사를 위해서는 광원과 머리반사경이나 의료용 헤드램프, 후두경laryngeal mirror, 설압자 등이 필요하다. 검사 시 환자의 입을 벌리게 하고 구강호흡과 비호흡을 동시에 지시한다. 후두경은 0~2번 사이의 작은 크기의 기구를 선택하며 김서림을 방지하기 위해 가열하거나 알코올에 적신다. 검사 시 환자가 긴장하지 않도록 하고 구토를 일으키지 않기 위해 설압자를 유곽유두circumvallate papillae 앞쪽으로 눌러야 한다. 후두경은 연구개 뒤쪽으로 점막에 닿지 않도록 위치시켜야 하며 가능하면 설압자 위에 놓여지는 것이 좋다(그림 4-4). 환자가 검사에 어려움을 느낄 때는 국소마취제를 분무한다.

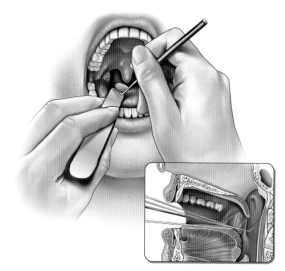

| 그림 4-4   후비경검사법

관찰 가능한 구조물들은 비중격, 후비공, 중비갑개, 하비갑개, 이관 입구, Rosenmuller fossa, 비인강 후벽, 비인강 천정 등이다(백, 2009). 이 검사는 주로 비인강의 병변을 확인하거나 비인강 병변에 대한 조직검사의 목적으로 사용된다.

하지만 최근에는 후두경을 이용한 후비경검사법보다는 비인강내시경검사법이 용이하고 좋은 시야를 제공하므로 더 선호되는 추세이다.

2. 비내시경검사

1) 비내시경검사

(1) 의의와 적응증

비내시경이 비강 질환의 진단과 치료에 적용된 이후 비과학 분야의 임상은 진일보하게 되었다. 비내시경검사nasal endoscopy는 비강 및 부비동의 여러 해부학적 구조의 정확한 관찰을 가능하게 하므로 수술 적응증 환자의 선택, 약물치료에 대한 경과 파악, 정확한 조직검사, 세밀한 수술 후 치료, 병변에 대한 사진 촬영 등에 유용하게 사용되고 있다.

관찰가능한 사항들은 비점막 상태, 비용종이나 종괴 혹은 이물질 등의 유무, 해부학적 이상, 분비물의 유무와 성질, 비중격, 비갑개, 비도meatus, 자연공natural ostium, 비인강 등이다(Shargorodsky and Bhattacharyya, 2013).

사용되는 내시경에는 강직형 내시경rigid endoscopy과 굴곡형 내시경flexible endoscopy이 있다. 강직형 내시경은 2.7 mm, 4.0 mm의 지름과 0°, 30°, 45°, 70°, 90°, 120°의 각도를 가진 것이 사용되며, 굴곡형 내시경은 2.9 mm의 지름을 갖고 90°까지의 각도 조절이 가능한 것이 사용된다. 강직형 내시경은 해상도가 좋고 다른 기구를 동시에 삽입하여 원하는 조작이 가능하다는 장점이 있고, 굴곡형 내시경은 비인강과 인후부를 동시에 관찰할 수 있다는 장점이 있다. 비중격 만곡이 심한 경우에는 강직형 내시경을 이용한 검사가 어려울 수 있으며 이 경우에는 굴곡형 내시경이 도움이 된다.

(2) 검사 방법

검사자는 가능하면 장갑, 마스크, 분비물로부터 눈을 보호할 수 있는 장비를 사용해야 한다. 피검자는 앉은 자세나 누운 자세(머리를 15° 정도 올린 자세)를 취하게 한다(Kennedy and Josephson, 1990). 내시경 렌즈면에 김서림을 방지하기 위해 내시경에 김서림 방지제antifog agent를 적신다. 좀 더 정확한 검사를 위해서는 국소마취와 비점막을 수축시킨 후에 검사한다. 비내시경검사는 주로 4.0 mm, 30° 강직형 내시경을 이용하며, 다음과 같은 순서에 따라 체계적으로 실시한다.

먼저 내시경을 비강 바닥을 따라 후방으로 진행하면서 비강의 전반적인 구조, 분비물의 성질, 비점막의 상태 등을 관찰하고 하비도에서는 비루관 입구를, 비인강 근처에서는 비인강의 전반적인 구조 및 이관 입구부의 상태를 확인한다.

다음에는 내시경을 중비갑개 아래쪽을 통해 후방으로 삽입하면서 앞쪽 부분에서는 구상돌기와 중비도의 앞부분 및 상악동의 부공accessory ostium을, 뒤쪽에서는 천문fontanelle, 반월열공hiatus semilunaris의 아래 부분을 관찰한다. 이후 중비갑개의 내측을 통해 상비갑개, 접형사골함요sphenoethmoidal recess, 접형동 자연공과 후사골동 봉소를 관찰한다.

마지막으로는 내시경을 전방으로 빼면서 중비도의 뒤쪽부터 관찰하는 것으로서 이때는 관찰을 용이하게 하기 위해 30° 또는 70°의 2.7 mm 내시경이 권장된다. 주의 깊게 관찰해야 하는 부분들은 사골동 봉소, 반월열공, 누두부 입구, 상악동 개구부 등이다.

2) 비인두경검사

강직형 내시경이나 굴곡형 내시경을 이용할 수 있다. 강직형 내시경은 후비경검사와 동일한 방법으로 후두경 대신에 내시경을 이용하여 비인강을 관찰하는 방법이고, 굴곡형 내시경은 하비갑개와 비중격 사이로 후비공까지 내시경을 넣어서 비인강을 관찰하는 방법이다.

3. 코막힘검사

코막힘을 평가하는 방법에는 주관적 방법과 객관적인 방법이 있다. 주관적으로 코막힘을 평가하는 방법에는 VAS visual analog scale과 NOSE nasal obstruction symptom evaluation 계수 등이 주로 사용된다. 객관적인 코막힘 검사 방법은 해부학적 관점(구조적 크기 측정)에서 평가하는 방법과 생리학적 관점(기능적 또는 생리적 계수 측정)에서의 평가가 있다. 해부학적 관점에서의 평가 방법에는 컴퓨터단층촬영, 자기공명영상, 음향 비강통기도 검사acoustic rhinometry 등이 있고, 생리적 관점의 평가 방법에는 최대호기유량peak expiratory flow 측정법, 음향 비강통기도 검사acoustic rhinometry, 비강통기도 검사rhinomanometry, 비습도측정법rhinohygrometry 등이 있다.

1) 주관적인 방법

환자의 주관적인 증상을 객관화하기 위한 노력 중 대표적인 방법에는 VAS과 NOSE 계수가 있다. VAS는 환자에게 눈금이 없는 10 cm 길이의 선에서 증상이 없는 경우를 왼쪽 끝, 증상이 매우 심한 경우를 오른쪽 끝이라고 알려주고 환자가 생각하는 정도가 어디에 해당하는지를 표시하게 한 후 그 지점까지 거리를 측정하여 주관적 정도를 측정하는 방법이다. NOSE 계수는 비충만감, 코막힘, 코를 통해 숨쉬기 어려움, 수면의 어려움, 운동 시 코를 통한 숨쉬기 어려움 등 5가지 항목을 0에서 4점까지 선택하게 하여 코막힘 정도를 측정하는 방법이다. 이러한 주관적인 평가 방법은 객관적인 검사의 결과와 정확히 일치하지 않은 경우가 많기 때문에 객관적인 방법들과의 검증validation작업이 시도되고 있다.

2) 객관적인 방법

(1) 음향 비강통기도 검사
비강기도의 단면적 측정은 컴퓨터단층촬영, 자기공명영상과 음향 비강통기도 검사에 의해 측정이 가능하다. 음향 비강통기도 검사는 반사된 음파를 분석하여 비강의 구조를 파악하는 장비로, 비강의 단면적과 부피가 장치 내의 공식에 의하여 산출되어 그래프로 나타난다.

① 원리와 검사기기의 구성
비강을 통과하는 150~10,000 Hz의 가청 음향은 비강 각 구획에서 단면적의 차이가 있을 때마다 발생되는 국소적인 acoustic impedance의 차이에 의하여 지속적으로 뒤로 반사되면서 앞으로 진행하게 된다. 이렇게 반향된 음향은 microphone에 의하여 감지되고 computer에서 증폭되어 면적-거리의 곡선으로 표현된다. 음향 비강통기도 검사는 spark 발생장치, nosepiece, wave tube, microphone, amplifier와 filter, computer 등으로 구성된다(Hilberg and Jackson, 1989)(그림 4-5). 환자는 편한 자세에서 호흡을 잠시 멈추고 검사에 임해야 한다.

② 검사 방법
검사에 사용되는 wave tube를 환자의 시상면에 일치시키고 경구개와 약 45°의 각도를 이루게 한 후 측정한다. 검사 장비와 피검자가 이루는 각도를 일정하게 유지해야 하며, 재현성을 높이기 위하여 머리를 고정하는 장치가 권장되기도 한다. 비공과 비밸브의 변형이 발생할 수 있기 때문에 외비공 안쪽으로 nosepiece를 너무 깊게 삽입하지 않도록 하고, 음향의 유출을 방지하기 위하여 외비공에 맞는 적절한 크기의 nosepiece를 사용해야 한다(그림 4-6). 검사 진행 시 피검자는 편하게 앉은 자세에서 호흡을 잠시 멈추어야 한다. 양측을 3회 정도씩 측정하며, 비점막 수축제 투여 10분 후 값을 다시 측정한다. 이렇게 하여 구한 면적-거리곡선에서 적절한 파형을 선택해야 하는데 그 기준은 다음과 같다.

i)   면적-거리곡선에서 nosepiece를 나타내는 부분의 직선이 기울어지지 않아야 한다.

ii) 몇 번 측정한 곡선 중 모양이 특이하게 나타나는 것은 제외시킨다.

iii) 면적-거리곡선의 9.2 cm에서 13 cm 사이의 체적이 45 cm^{3}가 넘는 경우는 제외시킨다.

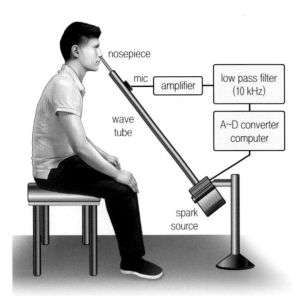

| 그림 4-5 음향 비강통기도 검사의 실시 방법 및 기계구성

| 그림 4-6 음향 비강통기도 검사를 하는 모습
기계에 따라 다소 다르나 검사용 관과 피검자가 이루는 각도를 일정하게 해야 한다.

더욱 신뢰성 있는 측정결과를 얻기 위해서는 검사의 재현성을 높이도록 노력해야 한다. 그러기 위해서 nose-piece와 비공의 연결 부위에 봉합제sealant를 도포하면 음향의 유출을 방지할 수 있어 일정한 결과를 얻는 데 도움이 된다. wave tube의 각도와 높이를 일정하게 조절할 수 있는 받침대를 사용하는 것도 좋은 방법이 된다 (Fisher and Boreham, 1995).

③ 검사 결과의 기록

측정하는 기계에 따라 방식이 조금씩 다르지만 결과는 거리에 따른 면적의 그래프로 표시된다. 일반적으로 x축은 거리를, y축은 단면적을 표시하지만 양측을 대칭으로 보기 위하여 x축과 y축을 바꾸어 표시하기도 한다. 거리에 따른 단면적이 표시되므로 그래프 아래쪽 부분의 면적은 부피를 나타낸다. 대표적으로 3개의 단면적 부위 cross-sectional area, CSA가 나타나는데, CSA 1은 비밸브 부위, CSA 2는 하비갑개 또는 중비갑개의 앞부분, 그리고 CSA 3는 중비갑개의 중, 후반부에 해당된다. CSA

1은 제1 절흔notch으로 비강 협부isthmus nasi에 의해 생성되므로 I notch, CSA 2는 제2 절흔으로 하비갑개의 전단부를 나타내므로 C notch라고 부른다. 일반적으로 W모양의 2개의 절흔이 보이게 된다(그림 4-7). 최소단면적 부위minimal cross-sectional area, MCA는 피검자에 따라 비강 협부에서 형성되거나 비밸브 또는 하비갑개 전단면에서 형성될 수 있다. 특히 하비갑개의 점막비대가 있는 경우에서는 CSA 2에서 MCA가 나타나다가 점막을 수축시키면 CSA 1로 이동하게 된다. 즉 비점막 수축제를 사용하기 전에는 CSA 1보다 CSA 2가 좁은 하강하는 Wdescening W를 보이다가 비점막 수축제 사용으로 하비갑개가 수축이 되면 CSA 2가 CSA 1보다 넓어지는 상승하는 Wascending W를 보인다(그림 4-8).

④ 음향 비강통기도 검사의 특징, 장점 및 임상적 적용

비강통기도 검사와 비교했을 때의 음향 비강통기도 검사의 장점으로는 검사 결과의 재현성이 높다는 점, 검사가 빠르고 용이하므로 다른 검사에 어려움을 느끼는 소

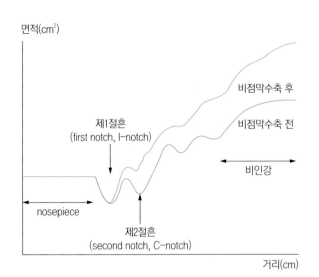

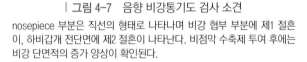

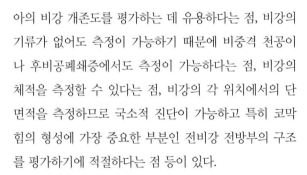

┃ 그림 4-7   음향 비강통기도 검사 소견
nosepiece 부분은 직선의 형태로 나타나며 비강 협부 부분에 제1 절흔이, 하비갑개 전단면에 제2 절흔이 나타난다. 비점막 수축제 투여 후에는 비강 단면적의 증가 양상이 확인된다.

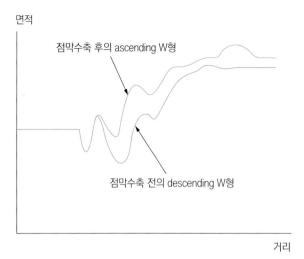

┃ 그림 4-8   점막비대의 양상으로 주로 나타나는 하비갑개 비후 환자에서 비점막 수축제 투여 전·후의 음향 비강통기도 검사 소견

아의 비강 개존도를 평가하는 데 유용하다는 점, 비강의 기류가 없어도 측정이 가능하기 때문에 비중격 천공이나 후비공폐쇄증에서도 측정이 가능하다는 점, 비강의 체적을 측정할 수 있다는 점, 비강의 각 위치에서의 단면적을 측정하므로 국소적 진단이 가능하고 특히 코막힘의 형성에 가장 중요한 부분인 전비강 전방부의 구조를 평가하기에 적절하다는 점 등이 있다.

i) 하비갑개 비후의 진단: 최소단면적이 비갑개 전단면인 경우가 많으며(면적-거리곡선이 하강하는 W 형태), 비점막 수축제 투여 후에는 제2 절흔의 각도가 넓어진다는 특징이 있다(Hilberg and Luisa, 1990)(그림 4-8).

ii) 좌우 비교를 통해 비중격 만곡을 진단할 수 있다(그림 4-9).

iii) 비중격이나 비갑개 수술 후의 비강 개존도의 변동 평가

iv) 비염의 감별진단을 위한 비점막 유발검사(그림

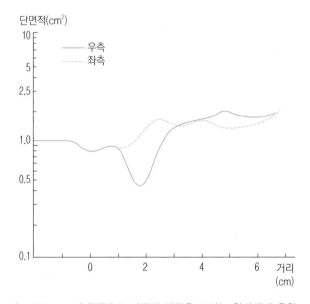

┃ 그림 4-9   오른쪽으로 비중격 만곡을 보이는 환자에서 음향 비강통기도 검사 소견
우측과 좌측의 단면적 차이가 확인된다.

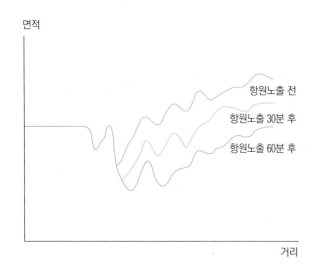

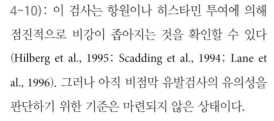

| 그림 4-10   알레르기 비염 환자에서 투여된 특이항원에 대한 비점막 반응의 검사 소견
항원 투여 후 시간 경과에 따라 더욱 심해지는 비점막 종창이 확인된다.

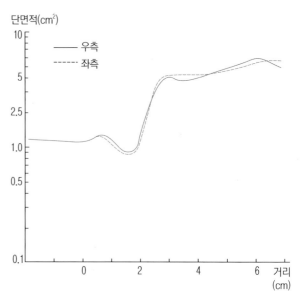

| 그림 4-11   비중격 천공 환자에서 음향 비강통기도 검사 소견
후방부부터 양측 비강의 단면적이 측정되므로 좌우 차이가 없어지면서 2배의 단면적을 보인다.

4-10) : 이 검사는 항원이나 히스타민 투여에 의해 점진적으로 비강이 좁아지는 것을 확인할 수 있다 (Hilberg et al., 1995; Scadding et al., 1994; Lane et al., 1996). 그러나 아직 비점막 유발검사의 유의성을 판단하기 위한 기준은 마련되지 않은 상태이다.

v)   약물치료의 경과 파악

vi) 객관적 진단 기구로 비강생리에 영향을 주는 요소들에 대한 연구 목적에 사용

vii) 비인강의 체적 평가: 연구개의 위치(Seaver, 1995), 하악후퇴증retrognathia 수술 후의 비인강의 변화 관찰

viii) 기타: 비중격 천공이 있는 경우 천공 후방부위에서 좌우 비강면적이 합쳐져 총 2배로 되면서 단면적의 크기가 같아지게 되므로 진단이 가능하다(그림 4-11). 그 외에도 후비공폐쇄나 비인강 종양의 유무를 가늠해 볼 수도 있다.

⑤ 검사결과에 영향을 주는 요소
음향 비강통기도 검사가 비교적 재현성이 높은 객관적인 검사이지만, 신뢰도 있는 검사 결과를 얻기 위해 그리고 얻어진 검사 결과를 적절하게 해석하기 위해서는 검사 결과에 영향을 주는 요소들에 대한 고려가 필요하다.

i)   nosepiece의 방향, 각도
일반적으로 비공과 nosepiece 사이의 각도가 작아질수록 단면적이 증가되는 경향을 보이는데 40°에서 70° 사이라면 비교적 일정한 값을 얻을 수 있으므로 이 각도를 벗어나지 않도록 주의해야 한다(Kase et al., 1994). 그러나 각도가 40° 이하로 기울면 비강 앞부분의 면적이 과소평가되는 경향이 있고, 70° 이상으로 기울면 뒷부분이 과소평가되는 경향이 있다.

ii) 비공과 nosepiece의 연결상태
검사 시 비공에서 음향의 유출이 없어야 하며, 비전

정의 변형이 나타나서는 안 된다.

iii) 연구개 움직임

연구개의 움직임이 없는 상태에서 검사가 실시되어야 한다.

iv) 비강 내의 해부학적 특성

검사 결과의 적절한 해석을 위해서는 검사가 제시하는 면적-거리곡선의 의미와 한계를 알아야 한다. 음향 비강통기도 검사에서 비강 내에 아주 좁은 부분이 있을 때 그 뒷부분 측정값의 정확성이 떨어지게 된다(Unno, 1989). 특히 특정 위치의 단면적이 0.4 cm^2 이하로 좁아진 부위가 있을 때 그러한 현상이 뚜렷하게 나타난다. 음향 비강통기도 검사로 측정되는 비강의 실제 면적은 외비공으로부터 제2 절흔 부위를 기준으로 그 전, 후부에 차이가 있다. 제2 절흔 앞쪽으로는 매우 정확한 반면 그 이후 부위의 정확성은 앞쪽에 비하여 떨어진다. 또한 음향 비강통기도 검사에서 얻어진 단면적을 컴퓨터단층촬영을 이용한 계측과 비교하였을 때 3.3 cm까지의 비강 전방부에서는 비강 단면적을 실제보다 과소평가하는 경향이 있고 그 이후 부위는 과대평가되는 경향이 있다(그림 4-12).

v) 호흡

검사 시 흡기를 시키면 최소단면적이 12.5% 감소하고, 호기를 시키면 최소단면적이 14% 증가한다. 그러므로 측정 시에는 환자의 호흡을 잠시 멈추게 하는 것이 중요하다.

vi) 연령에 따른 변화

비강의 각 부위에서의 단면적은 소아에서 연령이 증가함에 따라 증가한다. 그러나 비강 내의 최소단

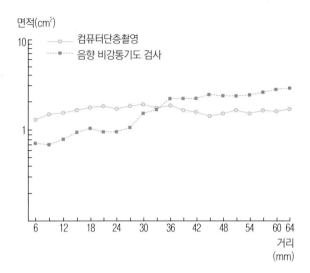

| 그림 4-12 컴퓨터단층촬영과 음향 비강통기도 검사로 평가한 비강 단면적의 비교

음향 비강통기도 검사에 의하여 측정된 단면적은 컴퓨터단층촬영에 의한 평가와 비교했을 때 비강 전방부에서는 과소평가, 후방부에서는 과대평가의 경향을 보인다.

면적은 1년에 0.024 cm^{2}씩 증가하는 반면 비인강의 단면적은 1년에 0.20 cm^{2}씩 증가하여 비강과 비인강의 증가율에 차이가 있다.

(2) 비강통기도 검사

① 원리

비강통기도 검사는 비강 기도의 기계적 폐쇄 정도를 객관적으로 파악하기 위한 검사 중 가장 대표적인 것이다. 이 검사에서는 비강을 통한 기류의 양과 그 기류를 발생시키는 비인강과 대기 사이의 압력 차를 정량적으로 분석함으로써 비강기도의 저항nasal airway resistance을 측정한다. 비강 저항을 구하는 공식은 다음과 같다.

비강 저항 = 대기와 비인강의 압력의 차이Pascal / 기류량(cm^3)

$$[R \ (Pa/cm^3/sec) = \Delta P/V]$$

(R = resistance, P = transnasal pressure in Pascal,
V = nasal air flow in cm^3)

공기는 항상 압력 차이가 있는 상황에서 높은 압력 쪽에서 낮은 압력 쪽으로 흐른다. 대기압은 일정하게 유지되는 반면 비인강 압력은 호흡운동, 연구개 움직임 등에 의하여 수시로 변하기 때문에 흡기와 호기가 일어날 수 있다. 공기의 흐름에 영향을 주는 요소들은 압력 차이뿐만 아니라 비강의 지름과 길이, 비강 기류의 특징 등이 있다. 특정 개인에 있어서 비강의 길이는 일정하므로 비강 기도의 지름과 기류의 특징이 비강 개존도의 변동에 가장 큰 영향을 준다. 비강을 통한 호흡 중 흡기 시에는 유속이 적기 때문에 층류laminar flow가 가능하다. 그러나 비갑개 등으로 인해 불규칙한 단면을 갖게 되는 비강에서는 실제적으로 와류turbulent flow가 주로 발생되거나 또는 혼합류mixed flow의 양상을 보인다(Jones et al., 1989). 이러한 현상은 호기 시에 더 심하다. 실제적으로 비강 기도저항을 결정하는 가장 중요한 요소는 비강 기도의 단면적으로, 비강통기도 검사의 저항값은 기본적으로 최소단면적의 상태를 반영한다고 이해될 수 있다. 특히 비강 전방부의 단면적이 비저항에 가장 큰 영향을 주는 부분으로 이 부분에서 일어나는 1 mm의 지름의 변화도 검사 결과에 상당한 영향을 준다(Cole et al., 1988).

② 기구의 구성과 검사 실시 방법
비강을 통한 공기의 흐름은 비전정에 삽입하는 노즐, 안면마스크 또는 체적기록계에 부착된 호흡유량계pneumo-tachometer를 이용하여 측정한다. 노즐은 비전정을 변형시킬 수 있다는 단점이 있어 안면마스크가 더 빈번히 사용된다. 검사는 장비를 충분하게 예열시키고 보정calibra-tion을 한 후 실시하게 된다. 장비의 보정은 정확한 검사 결과를 얻기 위해서 매우 중요한 과정이므로 반드시 실

시되어야 한다. 피검자는 검사 직전 30분 이상 휴식을 취해야 한다. 검사 시 외비공의 변형이 없도록 해야 하고, 앉은 자세에서 편안한 비호흡을 하도록 한다. 안면마스크는 투명하게 비쳐지는 것을 사용해야 하며, 소아에게는 약간 작은 안면마스크를 사용할 수 있다. 안면마스크를 얼굴에 너무 심하게 고정하는 경우 목을 눌러 정맥의 흐름을 막아 비저항의 변화를 일으킬 수 있으므로 조심하여야 한다. 비점막 수축 방법을 일정하게 실시하고 비점막 수축제 투여 이전과 이후 5분 정도에서 측정을 실시한다. 검사 결과는 각 비공에서 3~5번 실시된 값의 평균치로 보고한다. 자세 변동에 따라 코막힘이 나타나는 환자들은 특정 자세에서의 측정값을 구하여 앉은 자세에서의 측정값과 비교한다.

압력을 측정하는 방법에 따라 검사를 하지 않는 쪽의 비강을 통한 전방법anterior method, 구강을 통해 비인강에 위치시킨 관을 통하여 압력을 측정하는 경구 후방법peroral posterior method, 비강에 소아용 영양관infant feed-ing nasal catheter을 넣어 비인강의 압력을 구하는 경비 후방법pernasal posterior method이 있다. 호흡의 주체에 따라 피검자가 능동적으로 호흡을 하면서 측정하는 능동법active method, 자기의 호흡 없이 강제로 공기를 주입하여 측정하는 수동법passive method이 있다. 검사는 능동적 전방 비강통기도 검사anterior active rhinomanometry, 능동적 후방 비강통기도 검사posterior active rhinomanometry, 수동적 비강통기도 검사passive rhinomanometry, 경비강 비강통기도 검사pernasal rhinomanometry 등으로 분류된다.

i) 능동적 전방 비강통기도 검사
Anterior active rhinomanometry
가장 빈번히 사용되는 방법으로 피검자가 비호흡을 하는 동안 한쪽 비공에서는 압력을 측정하고 반대쪽 비공에서는 기류량을 측정한다. 이 방법은 환자의 자발적인 호흡 상태에서 측정한다. 그러므로

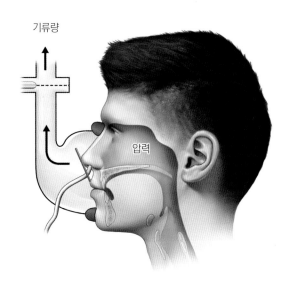

┃ 그림 4-13 능동적 전방 비강통기도 검사의 모식도
비공을 통하여 압력을 측정하고 안면마스크로 기류량을 측정한다.

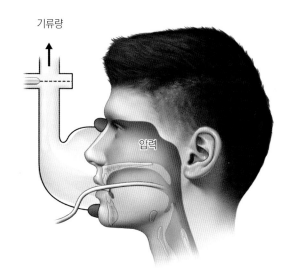

┃ 그림 4-14 능동적 후방 비강통기도 검사의 모식도
구강을 통하여 압력을 측정하고 안면마스크로 기류량을 측정한다.

생리적인 현상을 더욱 정확히 반영할 수 있고, 후방 측정법에서와 같이 입 안으로 관을 넣을 필요가 없어 환자가 편하게 검사를 받을 수 있다는 장점이 있다. 검사 시 중요한 사항은 외비공의 변형이 없도록 해야 한다는 것으로 이러한 목적을 수행하기 위해 수술용 접착 테이프가 유용하게 사용된다(**그림 4-13**).

ii) 능동적 후방 비강통기도 검사

Posterior active rhinomanometry

이 방법에서는 입으로 삽입된 도관에 의해 구인두의 압력을 측정한다. 측정은 연구개가 이완된 상태에서 행해져야 하며 압력 측정을 위하여 외비공을 막을 필요가 없으므로 양측 비강 기류량을 동시에 측정할 수 있고, 때로는 편측의 값을 측정하기 위해 한쪽을 막을 수도 있다. 이 방법의 장점으로는 비강의 구조를 변형시키지 않을 수 있다는 점, 그리고

총 비저항total nasal resistance을 직접적으로 측정할 수 있다는 점 등이 있다. 그러나 20% 정도의 피검자는 연구개 이완에 어려움을 느껴 검사를 성공적으로 수행하지 못한다는 점, 검사의 재현성이 좋지 않다는 점 등의 문제점이 있어 전방 검사법보다는 사용 빈도가 적다. 전방 검사법과 비교해 볼 때 후방 검사에서는 15% 정도 높은 비저항값을 보여준다(Jones et al., 1987). 이러한 차이는 후방 검사법에서는 비저항뿐만 아니라 비인강의 저항도 측정되고(James et al., 1993), 또한 전방 검사법에서는 외비공의 변형, 공기의 유출 등이 일어날 수 있기 때문이다(Unno et al., 1986)(**그림 4-14**).

③ 검사 결과의 기록

검사 결과를 나타내는 그래프에서 압력은 x축, 비강기류는 y축에 표현된다. **그림 4-15**와 같이 좌우 및 상하를 대칭되게 사용하고, 우측은 I, III 부분에 좌측은 II, IV

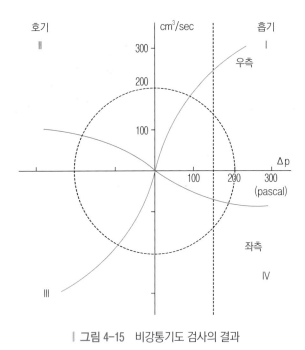

호기 Ⅱ

흡기 Ⅰ

cm³/sec

우측

좌측

Ⅲ

Ⅳ

Δp
(pascal)

| 그림 4-15　비강통기도 검사의 결과

비강통기도 측정치로부터 구해진 비강단면적, 압력기류 곡선계수, 시간경과에 따른 저항변동, 비점막 수축 후의 변동량, 양측 비강의 차이 등이 결과의 분석에 이용된다. 총 비저항은 환자의 주관적 코막힘 증상과 상관 관계가 비교적 높다고 알려진 계수로 간주된다. 총 비저항은 편측 저항을 각각 측정하여 계산할 수 있고, 후방 측정법에 의해 직접적으로 구할 수도 있다. 두 방법에 의하여 구한 총 비저항의 일치도에 대해서는 보고마다 차이가 있다. 능동적 전방 비강통기도 검사를 이용하여 총 비저항을 구할 때는 다음과 같은 공식을 통하여 구한다.

$Rt = \Delta P(150\ Pa)/Vr + Vl$

(Rt = total nasal resistance, P = transnasal pressure at sample point, Vr = right nasal airflow, Vl = left nasal airflow)

그러므로 총 비저항을 구했을 때는 그 방법을 명시해 주어야 한다. 비강통기도 검사의 표준화를 위한 국제위원회에서는 능동적 전방 비강통기도 검사법에서 얻어진 75, 150, 300 Pa 또는 radius 2에서의 비저항을 기준으로 비교하기를 권고하고 있으나, 30% 정도의 피검자에서는 호흡 시 150 Pa에 도달하지 못한다.

부분에 표시하며 흡기는 오른쪽에, 호기는 왼쪽에 표시할 것을 권하고 있다. 흡기와 호기 시의 저항을 좌우에서 따로 구할 수 있다. 폐색이 심한 비강일수록 동일한 기류를 형성하기 위한 압력이 크기 때문에 곡선은 더욱 시계 방향으로 기울게 된다. 저항곡선은 S형으로 변동되는데 그 이유는 압력이 올라갈수록 기류가 증가하나, 매우 높은 압력에서는 와류의 증가로 인한 마찰효과의 증가로 기류의 제한이 나타나기 때문이며, 또한 강한 흡기를 하면 비익의 함몰이 일어나고 이것이 기류를 제한하는 요소로 작용하기 때문이다. 검사 시행 방법들 중 능동적 전방 비강통기도 검사가 가장 보편적으로 이용되며, 검사 결과는 어떤 특정한 기류량이나 압력에서의 저항값, 특정 압력에서의 기류량, 일정 반지름에서의 저항 등의 계수parameter로 보고된다. 그러나 코막힘이 심할 경우 일정한 기류량에 도달하지 못하는 경우가 흔하므로 150 Pa에서와 같은 특정 압력에서의 저항이 가장 흔히 사용된다. 이러한 계수들 이외에도 최대 또는 최소 저항,

④ 비강통기도 검사의 임상적 응용

i) 해부학적 이상을 확인

ii) 코막힘의 수술 전·후 평가(Nofal and Thomas, 1990 ; Mckee et al., 1994 ; Min and Chung, 1996)

iii) 비염의 감별진단을 위한 비점막 유발검사

iv) 비강점막에 대한 환경적, 직업적 영향을 평가: 대기오염물질이나 직업적으로 폭로되는 물질들의 영향에 대한 연구를 할 수 있다.

v) 법의학적인 목적에 이용: 비갑개나 비중격 수술 후에도 증상의 호전이 없어 환자가 보상을 요구할 때

수술 전·수술 후 비강통기도의 차이를 객관적으로 증명할 수 있는 자료로 사용될 수 있다.

vi) 약물요법과 면역요법의 효과판정

vii) 구개폐쇄부전에 대한 치료결과에 따른 연구개 폐쇄 능의 추적(Maurizi et al., 1985)

⑤ 비강통기도 검사의 제한점과 검사결과에 영향을 주는 요소

비강통기도 검사의 제한점들로는 다음과 같은 사항들이 제시될 수 있다.

i) 비강통기도 검사는 정상군과 환자군에서 그 측정값의 겹침이 심하게 일어나 어떤 검사값 하나만을 놓고 정상, 비정상 여부를 판단하기는 어렵다(James et al., 1993; Huygen et al., 1992; Szucs et al., 1995). 또한 정상군에서의 저항값도 정규분포를 보이지 않는다(Shelton and Eiser, 1992).

ii) 재현성이 낮다.

iii) 어느 부위가 가장 좁아졌는지 알 수 없다.

iv) 방법적으로 환자가 수행하기가 어렵다posterior rhinomanometry.

v) 비중격 천공이나 양측 비강의 완전폐쇄 시 측정이 불가능하다.

이러한 제한점들이 있으므로 정확한 비강통기도에 대한 평가는 문진과 이학적 진찰과 검사 결과를 종합한 해석을 요한다. 이상의 제한점들은 검사 결과가 여러 가지 요소들에 의하여 쉽게 영향을 받기 때문에 나타나는 현상이라 이해될 수 있고, 이러한 검사 결과의 변동에 영향을 주는 요소들로는 많은 것들이 고려된다. 비강통기도 검사 결과에 영향을 주는 요소들이 **표 4-7**에 제시되어 있다.

표 4-7　비강통기도 검사 결과에 영향을 주는 요소들
비주기(nasal cycle)
비익의 확장, 비전정의 변형
검사 장비의 종류에 따른 차이
기류측정방법
비강의 분비물
검사실의 온도, 습도
검사 직전에 행한 운동
호흡의 횟수와 깊이
하루 중의 검사 실시 시각
화학적 비점막 자극제
검사 실시 전에 섭취한 약물
피검자의 인종, 성별, 신장. 연령, 체형

하루 중 검사 실시 시각의 차이에 따른 검사 결과의 변동이 나타날 수 있다. 비저항은 연령에 따른 차이가 있는데 신생아의 비저항은 성인에 비하여 10배 정도 크며(Solow and Peitersen, 1991) 소아는 나이가 많아질수록 비저항이 감소한다. 특히 소아에서는 아데노이드 비대가 비저항에 큰 영향을 준다(Parker et al., 1989). 비저항 측정치의 성별 차이에 대하여서는 일관된 연구결과가 제시되지 못하고 있다(Jones and Bhatia, 1994). 비강통기도 검사 측정치는 인종 간의 차이도 있다. 아시아인들은 정상적인 조용한 비호흡에서 편측 150 Pa, 양측 75 Pa의 압력을 유지하지 못하는 경우가 많으므로 일본에서는 100 Pa와 50 Pa에서의 기류량을 비교한다(Pallanch et al., 1993).

(3) 비강 습도나 온도 특성을 이용한 간접적 방법

코막힘을 측정하는 간접적인 방법 중 하나는 비강 내 습도를 이용하여 호기 시 비강에서 나온 더운 공기가 찬 금속판에 닿으면 증기가 맺히는 현상을 이용한 것이다. Glatzel 거울은 비강 호기의 방향과 양의 정량화를 측정하기 위해 사용하는 기구로서 좌우를 동시에 측정하며 Glatzel 거울 위에는 응결 정도를 보기 위한 눈금이 그려져 있다. 비강통기도를 직접적으로 반영한 결과는 아니지만 비침습적으로 좌우 비강의 상태를 동시에 측정할 수 있고, 환자에게 편안한 방법으로 연속적으로 실시할 수 있다는 장점이 있다. 온도 변화를 이용한 장치는 중환자실에서 환자의 호흡상태를 비침습적으로 측정하기 위한 방법으로 고안되었다.

4. 점액섬모기능의 측정

점액섬모층은 인체 호흡기의 대부분을 차지하고, 이상 여부에 따라 여러 질환을 초래할 수 있다. 이런 이유에서 점액섬모층의 기능 및 생리에 대해 알고자 많은 노력을 하여왔다. 점액섬모기능의 측정은 크게 점액섬모제거율mucociliary clearance에 대한 검사와 섬모운동횟수ciliary beat frequency에 대한 검사로 나눌 수 있으나 여기에서는 점액섬모제거율에 대한 대표적 검사만을 기술하도록 하겠다.

1) 점액섬모제거율Mucociliary clearance에 대한 검사

(1) 사카린 검사

단맛이 나는 사카린을 비강 내 일정 위치에 투여하여 점액섬모운동에 의해 인두 쪽으로 이동하게 하고 단맛을 느낄 때까지의 시간을 측정하는 검사법이다. 이 검사법은 값이 싸고 간단하여 임상에서 시행하기 편리해 흔히 사용하는 방법이다(Wier and Golding-Wood, 1994).

적합한 표준 환경에서 시행하며, 음식이나 음료수를 먹지 않아야 하고, 또 기침이나 재채기 등을 하지 않는 상태이어야 한다. 검사 실시 전에 피검자가 사카린의 맛을 느낄 수 있는지 미리 확인해야 한다. 피검자는 앉은 자세에서 머리를 앞으로 10° 정도 굽히고 1 mm 지름의 사카린 과립을 하비갑개의 앞에서 약 1 cm 정도 뒤쪽에 놓는다. 사카린 투여 후 단맛을 느낄 때까지의 시간을 분단위로 기록한다(Wier and Golding-Wood, 1994; Ingels et al., 1995; Moriarty et al., 1991).

비강 질환이 없는 정상인에서 사카린 이동시간은 평균 7~15분이다. 검사 결과 이동시간이 20분 이상, 40분 이하인 피검자는 일단 비강점액 수송기능에 이상이 있다고 판단할 수 있다.

(2) 색소 검사

사카린 검사에서와 같은 방법으로 시행하며 이때는 사카린 대신 색소를 투여하여 비인강에서 색소가 보일 때까지의 시간을 분단위로 기록하는 방법이다. 사용되는 색소로는 methylene blue, inidgo blue, charcol 등이 주로 사용된다. 비인강경으로 색소를 확인하는 번거로움 때문에 사카린 검사보다는 드물게 사용된다(Moriarty et al., 1991).

사카린 검사와 색소 검사는 가용성 물질로서 점액층뿐 아니라 점액하층periciliary fluid까지 녹아 양 층의 운반 능력을 알 수 있다.

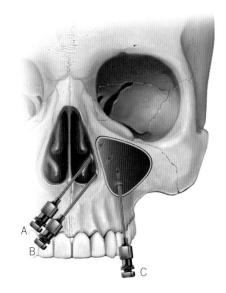

┃ 그림 4-16   상악동의 천자 방법
A. 자연공의 천자. **B.** 하비도 측벽의 천자. **C.** 견치와 천자

5. 상악동 천자법

상악동 천자법antral puncture은 1887년 Mikulicz에 의해 처음 소개되어 상악동염의 진단과 치료 목적으로 시행되는 시술로 중비도의 막성부pars membrane를 통하는 방법, 하비도 측벽의 천자inferior meatal puncture, 치은순 이행부gingivolabial fold를 통한 견치와canine fossa의 천자방법이 있다(그림 4-16).

하비도 측벽을 통한 상악동 천자는 다음과 같이 시행한다. 환자를 앉힌 상태에서 하비도 측벽, 특히 하비갑개 부착부 근처를 충분히 국소 마취시킨 후 천자침trocar 혹은 굵은 주사침(17~18 G, 80 mm)을 이용해 골벽이 가장 얇은 하비도 측벽의 상부, 즉 이상구piriform aperture에서 약 1 cm 거리에 있는 비루관 개구부nasolacrimal duct orifice의 후방에 해당하는 부위를 천자한다. 끝이 동측ipsilateral의 이주tragus를 향하게 하여 무리한 힘을 가하지 않고 골벽을 뚫으면 상악동 내로 들어간다. 상악동 내로

삽입되면 주사기로 흡인하여 공기방울이나 저류액을 관찰함으로써 천자침이 상악동 내에 있는지를 확인한다.

그 후 농성 분비물의 유무를 확인하고, 흡인물은 세균배양검사 및 감수성 검사와 Gram 염색을 시행한다(Caplan ES and Hoyt, 1982; Gershwin and Incaudo, 1996). 분비물이 흡인되지 않으면 분비물이 없거나 혹은 분비물이 상악동 하방에 저류되어 있어서 천자침이 도달하지 못한 경우이기 때문에 일단 생리식염수를 주입한 후 다시 흡인하여 확인하고 세척한다. 혈액이 흡인되면 천자침이 골벽 점막에 놓여 있는 경우이므로 안와에 손상을 주지 않도록 주의하면서 천자침을 더 밀어 넣거나 제거한 후 다른 부위에 천자한다. 이후 37℃의 생리식염수를 사용하여 충분히 세척한다. 공기가 들어가면 공기색전증air embolism을 일으키기 때문에 공기 주입은 피하고, 조작 중에 환자가 갑자기 통증을 호소하거나 환자의 상태가 나빠지면 즉시 중지한다.

전신마취의 경우는 편도수술 자세를 취하고 환자의 머리를 15° 정도 굴곡시키고, Trendelenberg 체위를 취하여 시행한다.

천자를 하기 전에 방사선촬영을 시행하여 상악동의 발육을 확인하는 것이 중요하다(Kirikiae and Nomura, 1989). 천자 시 무리한 힘을 피하고, 너무 비강 입구부 가까운 곳을 천자하여 치근손상을 일으키지 않도록 주의한다.

이 시술의 진단적 목적은 여러 항생제의 사용에도 반응하지 않는 비부비동염의 경우나 병원 감염에 의한 비부비동염, 또는 면역기능이 저하된 환자에서 세균배양검사를 통한 원인균의 규명에 있다(Druce, 1991; Grymer et al., 1991). 이 천자법은 상악동이 작은 경우, 3세 이하의 어린이, 미성숙된 상악골, 급성 열성 상악동염acute febrile maxillary sinusitis 및 안와 하벽의 결손이 있는 경우 일반적으로 시행하지 않는 것이 좋다. 합병증으로는 천자 부위의 경미한 출혈, 협부의 부종 및 동통, 기종

emphysema, 안와 하벽의 천공과 상악동 후·외벽의 천공, 비루관의 손상 및 공기색전증, 하안와신경infraorbital nerve 분지 손상에 의한 감각 이상, 그리고 패혈증 등이 발생할 수 있다.

6. 철조법

철조법transillumination은 주로 급성 상악동염과 전두동염의 보조적 진단법으로서 광원을 사용하여 상악동, 사골동, 전두동의 상태를 관찰하는 방법이다. 상악동의 검사는 암실에서 광원을 안와 하연의 중간 부위에 비추고 환자가 입을 벌리게 한 후 경구개를 통한 빛의 투명도를 평가한다. 전두동은 광원을 안와 상연의 내측에 위치시켜 좌우 양측의 투명도를 비교하여 평가한다. 전두동이 발육부전이거나 상악골이 두꺼운 경우 위양성으로 나타날 수 있으므로 판정에 주의를 요한다(Herr, 1991). 방사선촬영의 소견을 보조할 수 있으므로 선별 검사로 이용되고 있다. 외래에서 간편하게 시행할 수 있다는 장점이 있으나, 비강 내 심한 병변이 있거나 비중격 만곡이 있는 경우 시행이 어렵고 후사골동이나 접형동 상태 평가는 어렵다는 단점이 있다.

7. 후각검사, 알레르기검사, 영상학적 검사

후각검사에서는 특정한 냄새를 인지identification하는 능력, 냄새의 차이를 식별discrimination하는 능력, 냄새를 맡을 수 있는 최소 농도인 역치threshold 등을 측정한다. 부탄올을 이용한 CCCRCConneticut Chemosensory Clinical Research Center Test나 T & T 후각계olfactometer, UPSITUniversity of Pennsylvania Smell Identification Test, CCSITCross Cultural Smell Identification Test, 그리고 한국인에게 익숙한 냄새로 고안된 KVSSKorean Version of Sniffin' Sticks II 검사 등이 사용되고 있다.

알레르기검사는 생체외in vitro 검사와 생체 내in vivo 검사로 나눌 수 있다. 생체외 검사에는 혈청 총 IgE 검사PRIST, 특이 IgE 항체 검사RAST, 비세포 검사nasal cytology 등이 있으며, 생체 내 검사에는 피부단자검사skin prick test, 피내검사intradermal test, 비유발검사nasal provocation test 등이 있다.

비강과 부비동의 진단을 위한 영상학적 검사에는 단순방사선검사, 초음파검사, 컴퓨터단층촬영, 자기공명영상 등이 사용된다.

위에서 언급한 검사는 각각의 해당 장에서 자세히 다루기로 하겠다.

참고문헌

1. 대한이비인후과학회. 비강과 부비동 질환의 진찰 및 검사법. 이비인후과학 두경부외과. 개정판. 서울. 일조각 2009;1005-15.
2. 임현준. 서울심포지움 3. 서울; 보진재:1989. p.109-22.
3. 정승규, 김승곤, 문인희, 박지홍. 외래용 후각 검지 및 인지 검사. 대한이비인후과학회지 1991;34:698-705.
4. Ballenger JJ, ed. Diseases of the nose, throat, ear, head and neck. 15th ed. Baltimore: Williams & Wilkins 1995;158-61.
5. Caplan ES, Hoyt NJ. Nosocomial sinusitis. JAMA 1982;247:639-41.
6. Cole P, Chaban R, Naito K. The obstructive nasal septum: effect of simulated deviations on nasal airflow resistance. Arch Otolaryngol Head Neck Surg 1988;114:410-2.
7. Cole P. Physiology of the nose and paranasal sinuses. Clin Rev Allergy Immunol 1998;16:25-54.
8. Druce HM. Emerging techniques in the diagnosis of sinusitis. Ann Allergy 1991;66:132-6.
9. East C. Examination of the nose. In: Kerr AC, ed. Scott-Brown's Otolaryngology. 6th ed. Oxford: Butterworth-Heinemann 1997;1-4.
10. Fisher EW, Boreham AB. Improving the reproducibility of acoustic rhinometry: A customized stand giving control of height and angle. J Laryngol Otol 1995;109:536-7.
11. Gershwin ME, Incaudo GA, eds. Disease of the sinuses: A comprehensive text book of diagnosis and treatment. 1st ed. Totowa: Humana Press 1996;204-5.
12. Grymer LF, Hilberg O, Pedersen OF, Rasmussen TR. Acoustic Rhinometry: values from adults with subjective normal nasal patency. Rhinology 1991;29:35-47.

13. Herr RD. Acute sinusitis. Diagnosis and treatment update. Ann Fam Physician 1991;44:2055-62.

14. Hilberg O, Grymer LF, Pedersen OF. Nasal histamine challenge in nonallergic and allergic subjects evaluated by acoustic rhinometry. Allergy 1995;50:166-73.

15. Hilberg O, Jackson AC. Acoustic rhinometry, evaluation of nasal geometry by acoustic reflection. J Appl Physiol 1989;66:295-303.

16. Hilberg O, Luisa F. Turbinate hypertrophy, evaluation of the nasal cavity by acoustic rhinometry. Arch Otolaryngol Head Neck Surg 1990;116:283-9.

17. Huygen PL, Klaassen AB, Wentges RT. Rhinomanometric detection rate of rhinoscopically- assessed septal deviations. Rhinology 1992;30:177-81.

18. Ingels K, van Hoorn V, Obrie E, Osmanagaoglu K. A modified technetium- 99m isotope test to measure nasal mucociliary transport: Comparison with the saccharine- dye test. Eur Arch Otorhinolaryngol 1995;252:340-3.

19. James DS, Stidley CA, Mermier CM, Lambert WE, Chick TW, Samet JM. Sources of variability in posterior rhinomanometry. Ann Otol Rhinol Laryngol 1993;102:631-8.

20. Jones AG, Bhatia S. A study of nasal respiratory resistance and craniofacial dimensions in white and west Indian black children. Am J Orthod Dentofacial Orthop 1994;106:34-9.

21. Jones AS, Lancer JM, Stevens JC, Beckingham E. Rhinomanometry: do the anterior and posterior methods give equivalent results? Clin Otolaryngol 1987;12:109-14.

22. Jones AS, Willatt DJ, Durham LM. Nasal airflow: resistance and sensation. J Laryngol Otol 1989;103:909-11.

23. Kase Y, Tanaka T, Mizuno M, Ichimura K, Iinuma T. Influence of the angle between the nasal cavity axis and nosepiece in acoustic rhinometry. Nippon J ibiinkoka Gakkai Kaiho 1994;97:1464-71.

24. Kennedy DW, Bolger WE, Zinreich SJ. Disease of the sinuses: Diagnosis and management, 1st ed. Hamilton:BC Decker 2001;169-70.

25. Kennedy DW, Josephson JS. Diagnostic nasal endoscopy. In: Johns ME, Price JC, eds. Atlas of head and neck surgery. Philadelphia: B.C Decker 1990; 80-7.

26. Kirikiae I, Nomura Y, eds. Modern otorhino-laryngology. 8th ed. Tokyo: Nanzando Company 1989;313-7.

27. Lane AP, Zweiman B, Lanza DC, Swift D, Doty R, Dhong HJ et al. Acoustic rhinometry in the study of the acute nasal allergic response. Ann Otol Rhinol Laryngol 1996;105:811-8.

28. Leung AK, Robson WL. Sneezing. J Otolaryngol 1994;23:125-9.

29. Mabry RL. Rhinitis medicamentosa: the forgotten factor in nasal obstruction. South Med J 1982;75:817-9.

30. Marshall S et al. Manual of otolaryngology. 1st ed. A Little, Brown 1985; 104-8.

31. Maurizi M, Pagliari J, Paludetti G, Alfonsi P, Ottaviani F. Functional evaluation of velar insufficiency by means of the rhinomanometric method. Rhinology 1985;23:315-20.

32. McCaffrey TV. Functional endoscopic sinus surgery: an overview. Mayo Clin Proc 1993;68:571-7.

33. McGarry GW. Moulton C. The first aid management of epistaxis by accident and emergency department staff. Arch Emerg Med 1993;10:298-300.

34. Mckee GJ, O'Neill G, Roberts C, Lesser TH. Nasal airflow after septorhinoplasty. Clin Otolaryngol 1994;19:254-7.

35. Min YG, Chung JW. Cartilaginous incisions in septoplasty. ORL 1996;58:51-4.

36. Moriarty BG, Robson AM, Smallman LA, Drake-Lee AB. Nasal mucociliary function: Comparison of saccharin clearance with ciliary beat frequency. Rhinology 1991;29:173-9.

37. Nofal F, Thomas M. Rhinomanometry evaluation of the effects of pre- and postoperative SMR on exercise. J Laryngol Otol 1990;104:126-8.

38. Pallanch JF, McCaffrey TV. Kern EB. Evaluation of nasal breathing function. In: Cummings CW, Krause CJ, eds. Otolaryngology-head and neck surgery, 2nd ed. St. Louis: Mosby-Year Book 1993;665-86.

39. Parker LP, Crysdale WS, Cole P, Woodside D. Rhinomanometry in children. Int J Pediatr Otorhinolaryngol 1989;17:127-37.

40. Prichard AJ, Marshall J, Ahmed A, Thomas RS, Hanning CD. Uvulopalatopharyngoplasty. J Laryngol Otol 1994;108:649-52.

41. Scadding GK, Darby YC, Austin CE. Acoustic rhinometry compared with anterior rhinomanometry in the assessment of the response to nasal allergen challenge. Clin Otolaryngol 1994;19:451-4.

42. Scott B, Walter G, eds. Scott Brown's Otolaryngology. 5th ed. Butterworth 1987;74-88.

43. Seaver EJ, Karnell MP, Gasparaitis A, Corey J. Acoustic rhinometric measurements of changes in velar positioning. Cleft Palate Craniofac J 1995;32:49-54.

44. Shargorodsky J1, Bhattacharyya N. What is the role of nasal endoscopy in the diagnosis of chronic rhinosinusitis? Laryngoscope 2013;123:4-6.

45. Shelton DM, Eiser NM. Evaluation of active anterior and posterior rhinornanometry in normal subjects. Clin Otolaryngol 1992;17:178-82.

46. Solow B, Peitersen B. Nasal airway resistance in the newborn. Rhinology 1991;29:27-33.

47. Stankiewicz JA. Advanced endoscopic sinus surgery. St. Louis: Mosby 1991;121-6.

48. Szucs E, Kaufman L, Clement PA. Nasal resistance - a reliable assessment of nasal patency? Clin Otolaryngol 1995;20:390-5.

49. Unno T, Naitoh Y, Sakamoto N, Horikawa H. Nasal resistance measured by anterior rhinomanometry. Rhinology 1986;24:49-55.

50. Unno T. Acoustic rhinometry. In: Unno T, ed. Interpretation and functional recovery of nasal breathing disorders. Tokyo: Bunkoutou Publishers 1989;57-70.

51. Walker RP, Gopalsami C. Laser-assisted uvulopalatoplasty: Postoperative complication. Laryngoscope 1996;106:834-8.

52. Weir N, Golding-Wood DG. Infective rhinitis and sinusitis. Scott Brown's Otolaryngology. 6th ed. Vol 4. Great Britain: Butterworth Heinemann 1997;8-10.

코의 영상의학 검사

동아의대 이비인후과 **배우용**, 성균관의대 이비인후과 **정승규**

> **CONTENTS**

Ⅰ. 개념
Ⅱ. 영상의 해석
Ⅲ. 비강의 성장 과정, 적응 그리고 과거력에 따른 변화소견
Ⅳ. 질환별
Ⅴ. 방사선검사의 위험성에 대한 이해

HIGHLIGHTS 〉〉〉

- 영상을 해석할 때 비강의 비주기, 촬영자세, 수술 등의 과거력에 따른 변화소견도 함께 고려하는 것이 필요함
- 급성부비동염으로 인한 합병증이 나타나거나 의심되는 경우에는 조영제를 이용한 CT 촬영을 하거나 MRI를 시행하는 것이 좋음
- 치성 부비동염이 의심될 때 CT 촬영을 하면 치근염, 치근 낭종, 치근 농양, 임플란트 시행 중 이물질이 들어간 경우 등을 볼 수 있음
- 악성종양의 경우 괴사로 인해 조영제가 비균질적으로 조영되고 출혈로 인한 국소적인 조영증강 소견이 보임
- 두경부에 조사하는 방사선 조사량은 여러 차례 촬영을 하더라도 권고량을 넘어가지 않지만 무분별한 방사선 피폭선량은 줄이는 것이 좋음

I | 개념

환자의 건강 상태를 파악하기 위해 시진으로는 알 수 없는 환자의 내부 구조를 확인할 수 있는 x-ray 영상은 방사선을 이용하는 장치로, 매질에 따른 방사선 투과도 차이를 이용한다. 이는 조직의 특성에 따른 경계 중에 공기와 접한 점막 표면의 소견과 내부 구조 상호 간의 경계 및 특성을 종합하여 정상적 조직의 여부, 염증 또는 종괴에 의한 변화 패턴 및 정도 등을 종합하여 변화의 기간, 활동성, 방향성, 공격성 등 병변의 특성 및 진행 상황을 파악할 수 있다.

체내 공간을 관찰하는 방법이 확대경, 내시경, 내시경 캡슐까지 발전하고 있는 것과 마찬가지로 영상진단도 방사선을 이용한 단순방사선 영상, 전산화 단층촬영 computerized tomogram, CT, 비디오 스크린으로 실시간 영상을 보는 투시검사fluoroscopy, 핵자기 공명을 이용한 자기공명영상magnetic resonance imaging, MRI, 양전자방출단층촬영positron emission tomography, PET, 단광자 방출 단층촬영single photon emission CT, SPECT이나 초음파 등 여러 방법으로 발전해왔다. 단순 방사선 촬영의 경우 상기도에서는 후두비부방향영상Waters' view; occipitonasal view, 후두전두방향영상Caldwell's view; posteroanterior view, 두부측면영상lateral view; bitemporal view, 코뼈 측면영상nasal bone view 등 방사선을 내보내는 축에 따라 방사선의 통과 차이를 관찰하는 방법으로 방사선이 지나가는 방향에 따라 골부, 연조직 그리고 공기와의 경계를 잘 보여준다. 내부의 특성을 보여주는 단층촬영은 신체를 일정 두께의 단면으로 촬영하는 방법으로 최근에는 컴퓨터를 이용하여 내부의 상태를 재구성해주는 CT가 일반화되어 있다. 이외 내부의 상태에 대한 정보를 얻는 방법으로 자기장에 대한 반응을 보는 MRI, 초음파 검사 등이 있으며, 조영제를 사용하면 조직의 관통 혈류를 확인할 수 있으며, MRI의 경우는 T1강조영상T1 weighted image, T1WI, T2강조영상T2 weighted image, T2WI, 액체 감약 반전 회복Fluid attenuation inversion recovery, FLAIR 등의 방법으로 수소원자핵을 공명시켜 각 조직에서 나오는 신호의 차이를 측정하여 컴퓨터를 통해 재구성하여 내부 상태를 확인할 수 있으며, 기능을 보여주는 확산강조영상diffusion image도 얻을 수 있다. PET의 경우는 사용하는 물질에 따라 다른 영상을 얻을 수 있는데 F-18-불화디옥시포도당F-18-FDG을 사용하면 포도당 대사가 증가한 암이나 염증 부위에서 증가하여 그 부분을 확인할 수 있다. CT의 경우는 데이터를 얻는 방식에 따라 pencil-beam, fan-beam, cone-beam 등이 있으며(그림 5-1), multi-detector를 회전시키면서 촬영하는 방법 등을 이용하여 인체에 주는 방사선의 양과 촬영시간을 줄이는 등 많이 발전해 나가고 있으며, 실시간의 움직임을 보여주는 real time dynamic image, 컴퓨터를 이용하여 3D까지 발전해가고 있다(Huang et al., 2015).

수술을 해야 하는 의사의 경우는 보이는 영상을 3차원적 구조로 재구성하여 파악하는 것이 병변의 상태를 파악하여 수술의 계획을 수립하는 데 유용하다. 위에서 언급한 여러 영상장비의 발전에도 불구하고 어느 한 시점의 상태만을 보여주므로 실제 수술에 필요한 정보를 제공하지 못하는 경우가 많다. 그래서 우리가 많이 접하는 질병들의 단순촬영, CT, MRI 등의 소견들을 다양하게 기술하여 질병에 대한 정확한 접근과 치료계획에 도움을 주고자 한다.

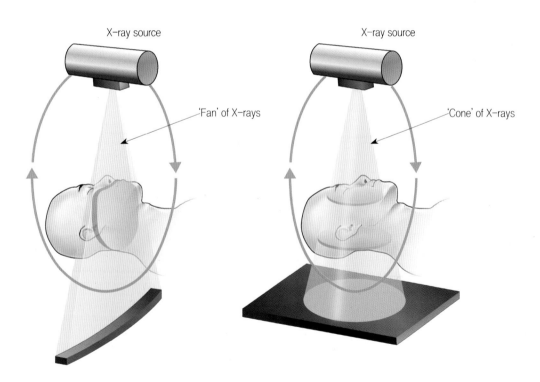

| 그림 5-1 영상을 얻는 방법
Fan beam, cone beam이 있다. 일반 촬영은 cone beam을 한 번 촬영하는 것으로 생각하면 된다.

Ⅱ | 영상의 해석

예전부터 많이 사용되던 방법인 단순 방사선 촬영은 투과도의 차이로 공기, 연조직, 그리고 골부의 경계를 잘 보여준다. 비록 확인하고자 하는 구조 전체가 하나의 영상으로 나오지만 방사선이 통과하는 각도를 조절하여 특정 부분을 잘 볼 수 있다. 코 분야에서 많이 촬영되던 단순촬영 중에 대표적인 것이 후두비부방향영상와 후두전두방향영상으로 상악동, 전두동의 공기와 접한 부위의 변화를 잘 보여준다(그림 5-2). 그 외에 많이 사용되는 방법으로 두부측면영상으로서 비인강의 아데노이드 조직, 연구개, 혀의 후면 등을 확인 가능하며, 코골이나 수면 무호흡 환자의 상기도 상태를 판단하는 데 도움이 되며(그림 5-3), 경우에 따라서는 하비도에 생긴 비용이 보이기도 한다(그림 5-4). 그 외에 비골골절을 확인할 수 있는 코뼈 측면 영상(그림 5-5) 및 접형동 등을 잘 관찰할 수 있는 기저영상basal view 등이 있다. 방사선을 이

용하여 실시간 움직임을 보는 방법으로 투시검사를 시행할 수 있는데 이는 경계 부위를 잘 관찰하기 위하여 조영제를 사용하여 구조를 명확하게 관찰하는 방법으로

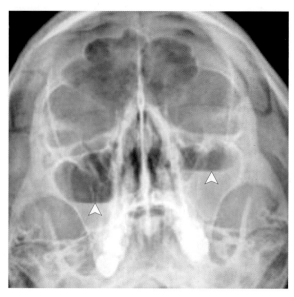

┃ 그림 5-2 Waters 영상으로서 양측 상악동에 분비물에 의한 fluid level(삼각형)이 관찰된다.

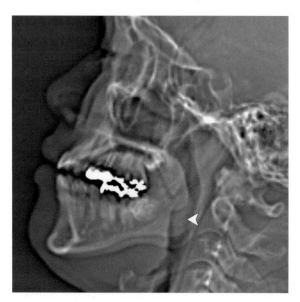

┃ 그림 5-3 상기도의 측면 영상으로서 연조직, 골부의 경계가 잘 보인다. 이 사진에서는 편도(삼각형)가 잘 보인다.

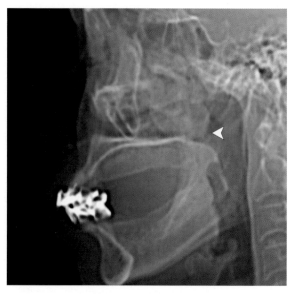

┃ 그림 5-4 상기도의 측면 영상으로서 비강에서 비인강 쪽으로 자라있는 종괴(삼각형)로 상악동후비공용종 폴립이다.

비루관조영술 등이 있다(그림 5-6).

　일반적으로 많이 사용되는 CT도 비강 및 부비동 내 공기와 만나는 경계의 점막을 잘 확인할 수 있다. 비강은 항상 역동적으로 공기에 접하고 있는 곳으로 비강의

점막은 평균 4~12시간 주기로 수축과 팽창을 반복하는데 이런 과정이 좌우 교대로 일어나는 경우를 비주기 nasal cycle라 하며 전체 성인의 80%에서 관찰된다(그림 5-7). 그리고 코점막에 고여있는 혈액 감소에 의한 점막

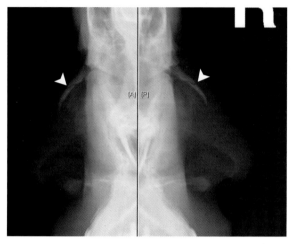

❙ 그림 5-5　비골의 골절 여부를 보는 데 사용되고 있다. 삼각형으로 표시된 부분이 골절된 부분이다.

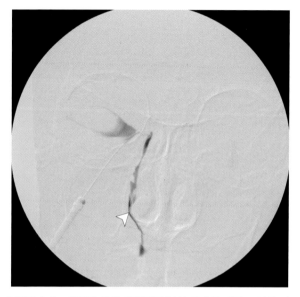

❙ 그림 5-6　비루관 안에 조영제를 넣어 경계인 점막 표면을 잘 보여준다. 하비도로 나온 모습(삼각형)도 보인다.

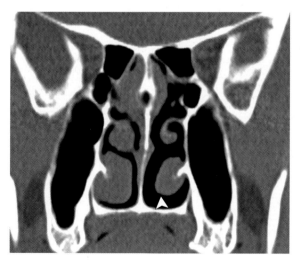

❙ 그림 5-7　환자의 우측 비강의 점막은 충혈되어 있고 좌측은 수축된(삼각형) 상태를 보여준다.

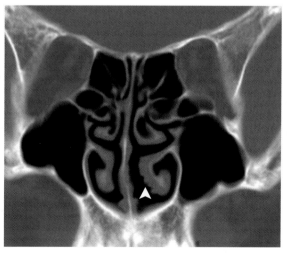

❙ 그림 5-8　좌측 하비갑개의 점막이 수축되어 주름(삼각형)처럼 보이고 있다.

수축으로 점막에 주름이 생기기도 한다(그림 5-8). 많은 사람들에서 비중격 만곡으로 인한 좌우 비강의 비대칭이 관찰되나 양측 비강의 공기의 흐름을 물리적 방해 없이 지나가게 하도록 공간을 일정하게 유지하려고 한다. 이 비강의 적응과정에서 비강 내 공기와 접하는 점막의

변화가 생기며 이로 인해 넓은 편 비강의 구조물은 커지고, 좁은 편은 구조물이 작아지는 현상을 보인다(그림 5-9). 이 과정에서 넓은 비강의 과도한 적응으로 점막이 비대해질 수 있으며 비염이 있어 비강 점막의 반응이 과도한 경우 병적인 비용이 생기기도 한다(그림 5-10). 코 점막이 수축하면서 점막 내부에 있는 분비물이 하비도에 고일 가능성도 있고(그림 5-11), 위치가 부비동에서 나온 분비물이 지나가는 장소가 아닌 하비갑개의 후하방에 분비물이 관찰되는 경우 비강 내 점막에서 생긴 분비물에 의한 것으로 생각된다(그림 5-12, 5-13).

정상적인 비강, 부비동 등은 비교적 일정한 두께를 가지는 점막으로 덮여 있으나 만성적인 자극에 반응하여 외부에 접한 점막 전체가 붓는 경우도 있다(그림 5-14). 일부의 경우 특정한 위치만 점막의 비대를 보일 수 있는데, 초기 부비동염의 경우처럼 외부의 공기와 접하는 부분만 붓는 경우가 있으며(그림 5-9) 그리고 상악동 하부에 존재하는 치아에 염증이 있는 경우 그 특정부위 점막만 붓기도 한다(그림 5-15). 저류낭종retention cyst은 점막을 유지하면서 체액의 저류에 의해 팽창하는데 연

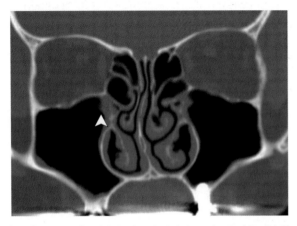

| 그림 5-9 좌측 비강이 넓으며 공기가 흐르는 공간을 비슷하게 하기 위하여 비갑개의 골부와 점막부가 비대하게 된다. 상악동이 비강과 연결되는 개구부에 점막이 부어 있는 소견(삼각형)을 보인다.

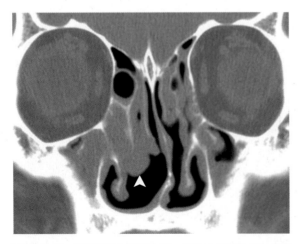

| 그림 5-10 전반적으로 점막이 붓는 체질 즉 비염이 있는 환자에서 대상작용이 과하게 되어 우측 비강의 중비도에 구상돌기가 튀어 나와 폴립(삼각형)이 형성되어 있다.

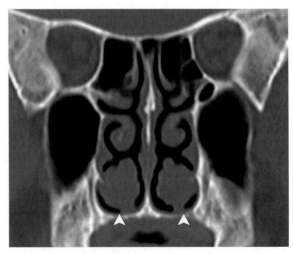

| 그림 5-11 비강 점막과 비갑개 점막 사이에 분비물(삼각형)이 있어 점액섬모운동에 방해가 될 가능성이 있어 보인다.

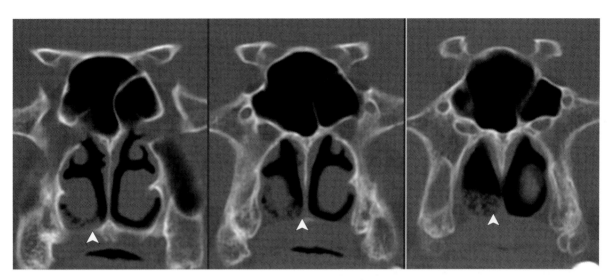

┃ 그림 5-12 　우측 하비갑개 후방에서 비인강에 존재하는 분비물(삼각형)이 관찰되며 내부에 공기방울이 존재하고 있다.

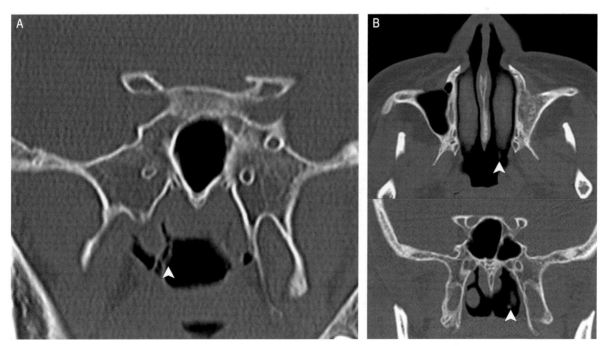

┃ 그림 5-13 　**A.** 분비물(삼각형)이 관찰된다. **B.** 공중에 떠있는 것처럼(삼각형) 보이는 경우도 있다.

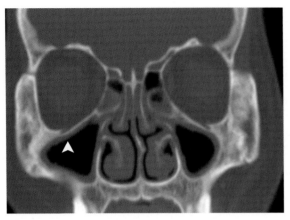

▌그림 5-14   부비동 내 점막이 일정하게(삼각형) 다 부어 있다. 마치 같은 크기의 음압에 의한 것은 아닌가 추정된다.

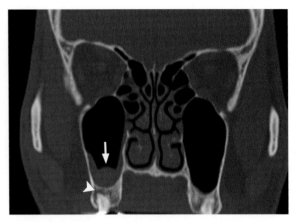

▌그림 5-15   우측 상악동에 있는 치아 뿌리 부위에 염증(삼각형)이 있어 상악동 점막이 부어 있다(화살표).

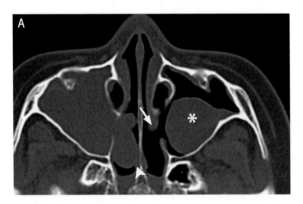
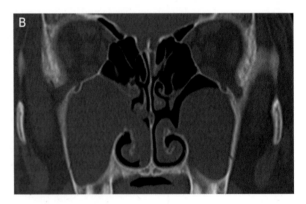

▌그림 5-16   우측 상악동에는 상악동후비공용종(삼각형)이 관찰된다. 좌측 상악동에 저류낭종(*)과 상악동 부공(화살표)이 관찰되는데 이 저류낭종이 상악동 부공으로 자라나면 상악동후비공용종이 되는 것으로 추정할 수 있다.

결부가 본체보다 작은 경우는 비용처럼 관찰된다(그림 5-16). 비용에는 부종형edematous비용과 섬유형fibrous 비용이 있는데 육안으로 관찰하였을 때 점막의 비대가 지속되고 상피 아래 조직에 부종의 소견이 보이는 경우에 비용 모양의 변화polypoid change라는 표현을 쓴다.

촬영 자세에 따라 중력에 의해 점막 위의 분비물이 아래로 고인 수위fluid level를 확인할 수 있으며(그림 5-17), 점액 내에 거품이 있는 경우, 이동하는 모습 등

도 관찰할 수 있다(그림 5-18). 여러 질병에 따라 점막의 표면의 상태는 달라진다. 점막의 표면이 부드럽지 않은 경우로는 곰팡이덩어리fungal ball(그림 5-19), 반전성 유두종inverted papilloma(그림 5-20), 소엽모세관성혈관종lobular capillary hemangioma(그림 5-21), 악성종양(그림 5-22) 등이 있고, 종양의 경우 발육 속도에 따라 표면이 달라 보일 수 있다. 이물질이 있는 경우 바늘, 뼈, 치아, 치과 치료 시 합성물질synthetic material(그림 5-23) 등을

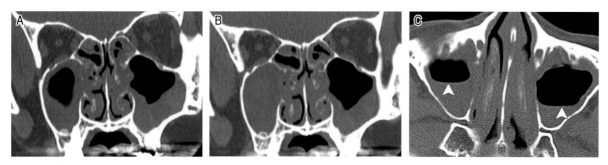

┃ **그림 5-17** 관상면 영상에서 상악동 내 fluid level(삼각형)을 지나는 경우(**A→B**) 갑자기 동내를 채우는 특징이 보인다. **C.** fluid level(삼각형)이 보이는 축상 영상

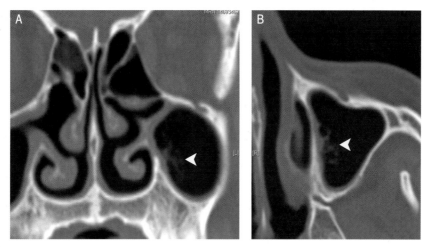

┃ **그림 5-18** 좌측 상악동 내측 벽에 분비물(삼각형)이 관찰되는데 누워 찍은 상태이므로 점액섬모운동에 의하여 이동하는 상태로 판단할 수 있다.

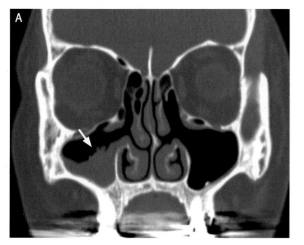
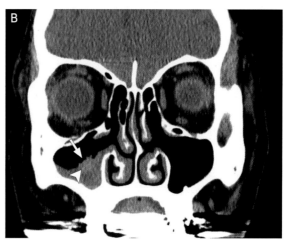

┃ **그림 5-19** 예전에 수술을 받아 정상 구조의 일부가 제거되어 있으며 우측 상악동 내에 표면이 매우 불규칙한 부분이(화살표) 보이며 화면 조정 시 점막과는 떨어져 있는 소견(삼각형)으로 진균구에 합당한 소견이다.

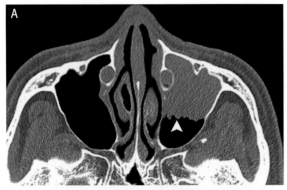

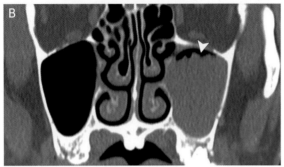

그림 5-20   표면이 매우 불규칙하여(삼각형) 단순 점막의 부종과는 다르며 검사상 반전성 유두종으로 판명되었다.

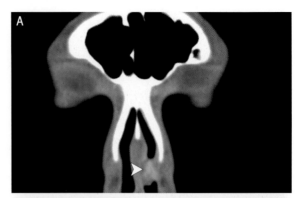

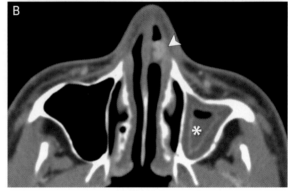

그림 5-21   좌측 하비갑개와 비중격 사이에 생긴 종괴(삼각형)로 조영제 사용 시 증강되는 소견을 보이고 있다. 소엽성모세혈관종이다. 좌측 상악동 내에는 전반적으로 점막이 부어 있으며 내부에 fluid level을 보이는 분비물(*)이 관찰된다.

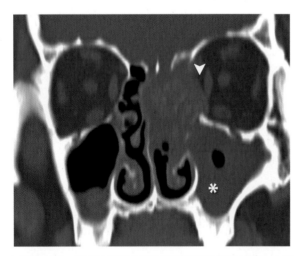

그림 5-22   표면이 고르지 않고 마치 가피가 있어 보이는 소견으로 골부가 녹아 있으며(삼각형) 내부가 고르지 않고 동측 상악동에 점막이 부어 있는 부비동염(*)이 관찰된다. 상피암의 소견이다.

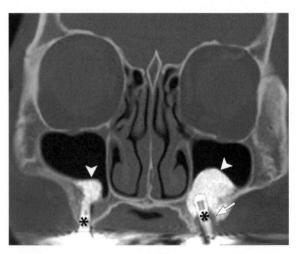

그림 5-23   양측 상악동의 기저부에 치아 임플란트를 고정하기 위하여 삽입한 재료(삼각형)가 보인다. 양측에 치아 임플란트(*)가 관찰되며 좌측 임플란트 주변으로는 염증에 의하여 괴사된 소견(화살표)을 보이고 있다.

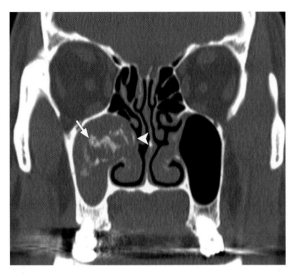

| 그림 5-24   상악동 벽에서 떨어져 있는 석회화(화살표)가 관찰되며 전형적인 진균구의 소견으로 안에 진균구가 커지면서 압력을 가해 우측 상악동의 내측 상부 벽이 밀려 있는 소견(삼각형)을 보인다.

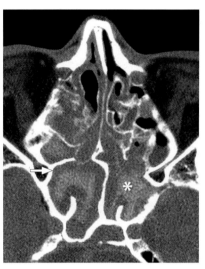

| 그림 5-25   부비동 벽의 점막이 일정하게 부어 있으며(화살표) 동내에는 균질한 물질(*)이 들어 있는 소견을 보인다.

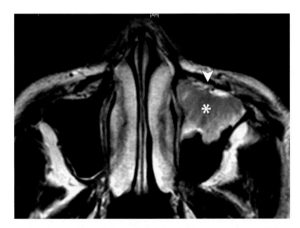

| 그림 5-26   반전성 유두종에서 관찰되는 소견으로 전벽에 있는 기시부(삼각형)에서 주변으로 자라나가는 모습(*)을 보여준다.

표면의 모습으로 판단 가능하다.

점막 내부의 변화는 정상적인 구조의 변화와 경계부의 특성으로 확인 가능한데, 내부의 석회화로 대표되는 진균구(그림 5-24), 내부에 호산구성 물질allergic mucin

이 차는 경우 등이 있다(그림 5-25). 골부의 변화가 있다면 압력에 의한 것인지(그림 5-24), 아니면 내부에 침윤하는 것인지 판단해야 하며, 종양이 의심되는 경우는 주변으로 침윤 정도 및 주변 조직의 파괴 정도로 특성을 파악해야 한다(그림 5-22). 점막 내부 변화 확인을 위해 CT 이외에도 조영제를 사용하여 도포된 조영제에 의한 점막 표면을 보는 조영술을 사용할 수 있다(그림 5-6). 이외에도 조영제를 주사하여 혈관의 분포 및 시간에 따른 관류 정도의 차이를 보는 조영증강 영상(그림 5-21)을 사용할 수 있다. 종양의 특성을 알기 위해 MRI 촬영을 할 수 있다. MRI는 수소원자를 함유하는 조직의 물리적, 화학적 성질에 따라 여러 가지 촬영조건으로 영상을 얻을 수 있고(그림 5-26) 농양, 양성 또는 악성종양 등을 구분하기 위해 혈관 조영제를 사용하여 종양의 경계의 모습과 혈류의 정도를 판단하여 활동성 등 특성을 판단할 수 있다.

III | 비강의 성장 과정, 적응 그리고 과거력에 따른 변화소견

비강과 부비동의 성장 과정에 따른 변화가 생기는 시점이 명확하지는 않지만 부비동의 함기화 정도, 좌우 비강의 비대칭 및 그에 따른 적응들을 관찰할 수 있다(Vaid and Vaid, 2015). 신생아 때 관찰되는 선천성 후비공 폐쇄는 영상 촬영 시 폐쇄부위의 상부에 있는 비강 내에 수위를 보이는 분비물을 특징으로 한다(그림 5-27). 성장하면서 생기는 비강의 변화로 인한 양측 비강의 비대칭성은 한국 사람의 40%에서 관찰되는데 이런 비대칭인 비강에서도 공기가 지나가는 공간의 좌우 균형을 위한 비중격, 하비갑개, 중비갑개의 점막 골부 및 코점막의 변화를 일으켜 정상적인 비강 기능을 유지한다(그림 5-9). 비대칭 현상의 원인은 비중격만곡으로 생각하는데 비중격을 이루는 연골부 중에 비밸브 부위, 전사골극과 만나는 부분, 연골과 골부가 만나는 부분 그리고 골부가 만나는 부분에서 변형이 심하다(그림 5-28). 이는 외부 충

격이나 과도한 성장으로 인하여 편위가 발생한다고 생각된다. 비중격만곡의 종류를 나눈 여러 가지 체계가 있으나 만곡은 복합적으로 나타나므로 비중격만곡을 일으킨 힘의 3차원적 방향을 생각하는 것이 진단 및 치료에 도움이 된다. 비중격만곡의 정도를 나누는 방법 중에 비강을 나누는 가상면과 이루는 각도로 나눈 것이 많이 사용되고 있으나 실제 환자의 상태를 반영하기 어려운 점이 있다(Aziz et al., 2014). 코막힘을 호소하는 환자에서 비중격만곡은 만곡각도가 가장 심한 부위가 아닌 전체적인 모습이 중요하며, 특히 비밸브 바로 뒤, 뼈 또는 연골의 변화, 연결부위 및 공간에 따른 비갑개의 적응 정도로 판단하는 것이 권장된다. 그래서 3차원의 모습으로 재구성한 영상학적 진단도 충분히 도움이 될 수 있다(그림 5-29).

부비동은 성장하면서 비강으로부터 함기화되어 공간이 넓어지는데(그림 5-30), 상악동과 접형동은 비강과 연결되는 통로에서 함기화가 진행되며, 전두동의 경우는 중비도에 생기는 여러 가지 함기화 통로 중 가장 넓은 공간을 차지하며 함기화되는 통로를 전두동의 유출통로

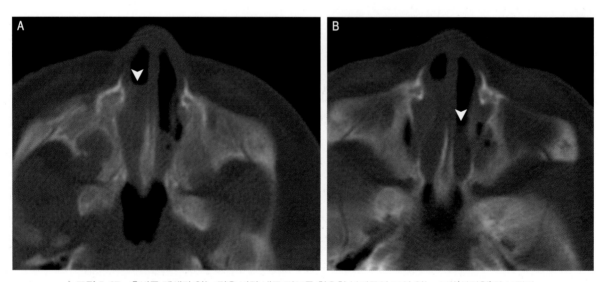

| 그림 5-27   후비공 폐쇄가 있는 경우 비강 내로 기포를 함유한 분비물이 고여 있는 소견(삼각형)이 보인다.

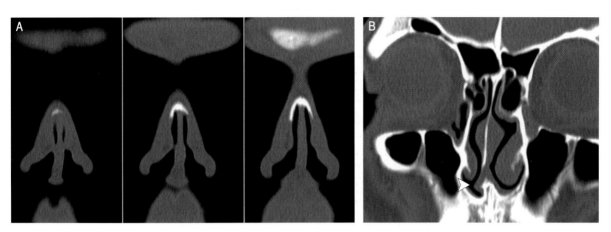

| 그림 5-28   비중격 만곡이 잘 생기는 부위의 영상 소견

소위 비밸브 부위를 보여주는 영상이며(**A**), 중격 연골이 하방에서 nasal crest와 만나는 부위에서 우측으로 편위된 소견(삼각형)을 보인다(**B**).

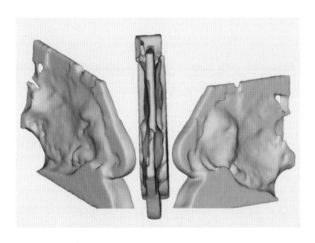

| 그림 5-29   비중격의 3차원 영상

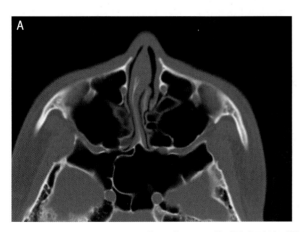

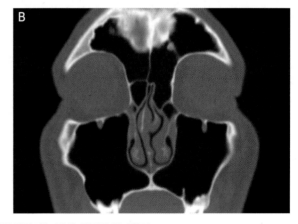

| 그림 5-30   함기화가 많이 진행되어 해당되는 골에 외벽만 존재한다.

outflow tract라는 표현을 사용한다. 사골동의 경우는 발생학적으로 존재하는 몇 개의 기판을 따라 함기화가 진행되는데 함기화 정도에 따라 경계부가 바뀌게 되며 그 모양이 일정하지 않아서 미로라고 표현하기도 하나 발생학적 함기화의 방향에 따른 일정한 패턴이 있을 수 있다고 판단된다(Vaid and Vaid, 2015).

부비동의 발육에 따른 변화 및 이름에 대한 여러 가지 보고가 있으나 명확하지 않아 이해하기 어려운 점이 있다(Marquez et al., 2008; Dalgorf and Harvey 2013; Lund et al., 2014). 사골동 내에서는 최초에 6개의 사골갑개ethmoturbinals가 존재하는데 자라면서 4~5개로 된다고 기술되어 있으나 임상적으로 보면 구별되는 구조가 6개는 되는 것 같다. 함기화는 이 사골갑개 사이로 진행되게 된다. 구별되는 몇 개를 보면 구상돌기(1번), 사골포(2번), 중비갑개기저판(3번)이 존재하고 최상비갑개의 기판으로 사골동과 접형동의 경계가 되는 판(6번), 상비

도 후방에 흔적처럼 남아 있는 상비갑개의 기판(5번) 그리고 중비갑개에 연결되어 있는 2개의 기판이 3, 4번이 될 가능성이 있다(그림 5-31). 각 기판 사이에 존재하는 통로로는 1번과 2번 사이의 사골누두, 2번과 3번 사이의 사골포 후공간retrobular space 또는 측동lateral sinus을 중비도로 배액이 되는 전사골동으로 간주한다. 후사골동에는 후상비도를 지나서 소위 접형사골봉소sphenoethmoid cell가 될 수 있는 최후 후사골동이 5번과 6번 기판 사이에 존재하는 공간이 있으며, 나머지 2개의 통로는 중비갑개와 상비갑개 기저판 사이에 존재하는데, 중비갑개의 기저판을 보면 내측에서 외측으로 진행하면서 2개의 기판으로 나눠지며 이 공간을 나눈다(그림 5-31). 따라서 이름에 관계없이 5개의 큰 통로가 생긴다. 부비동수술 시에는 이 기판을 안전하게 확장하는 것이 관건으로 생각된다. 이 중에 수술을 시작할 때 중요한 것은 1기판인 구상 돌기가 전방 그리고 하방에 붙는 자리(그림 5-32),

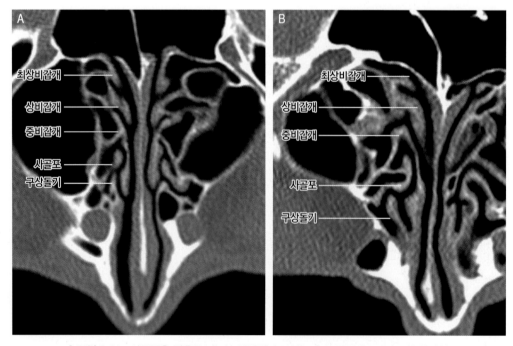

┃그림 5-31 사골동을 전후로 나누는 칸막이가 보이는 축상 단면으로 A가 B의 하방임

사골포의 함기화 정도, 최상비도의 존재 여부를 판단하는 것이다(그림 5-33).

이 중에 전두동으로 가는 함기화 통로는 많은 경우 1기판과 2기판의 상부가 붙어서 만들어지는 소위 상누골판suprainfundibular plate과 중비갑개 사이일 경우가 제일 많다(그림 5-31). 각 부비동은 함기화 정도가 다르며 상악동, 사골동, 전두동 그리고 접형동 나름대로 함기화가 진행되는 패턴이 있고 주로 존재하는 골의 영역 이상으로 함기화가 되는 구외extramural 확장 패턴도 있을 수 있다. 결국 각 부비동의 함기화는 진행되는 시점에 따라 달라진다고 생각된다. 비강에서 상악동으로 함기화가 안구 아래로 진행되는 경우 그 위치에 있는 봉소를 하안와봉소infraorbital cell 또는 Haller's cell이라 하며, 전사골동에서 전두골 부로 함기화가 되는 경우는 안구 상방으로 진행하므로 상안와봉소supraorbital cell라고 하고 후사골동에서 접형동으로 진행되는 경우를 접형사골봉소sphenoethmoid cell 또는 Onodi cell이라고 한다(그림 5-34). 비갑개에서 진행된 함기화된 봉소를 갑개봉소conchal cell라고 부르기도 하나 함기화가 진행되는 입구는 일정하지 않다. 부비동의 함기화가 진행되는 시기에 해당 부비동에 염증이 있으면 발육이 덜 되거나 정지할 수도 있고, 벽면의 골부는 골염으로 인하여 두꺼워지는 현상이 나타날 수 있다.

부비동은 성장 과정 중에 충격을 받거나 수술을 받게 되어도 성장이 멈추거나 변형이 올 수 있다. 이전에 시행한 상악동 하비도 개창술, Caldwell-Luc 수술에서 만들어진 통로는 영상의학적 검사에서 관찰될 수 있으며(그림 5-35) 이후 수십 년이 지나 수술의 합병증으로 생기는 술 후 낭종은 상악동에서 관찰되는데(그림 5-36) 이런 현상은 Caldwell-Luc 수술을 많이 시행되던 1990년 이전에 수술을 받은 환자에서 관찰된다. 수술 시 파악해야 하는 사골동의 형태는 CT영상에서 잘 보이게 되는데 실제 3차원의 모습으로 파악하기 위하여는 머리에서 3차원 모습으로 재구성하는 능력이 필요하다.

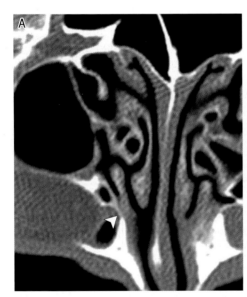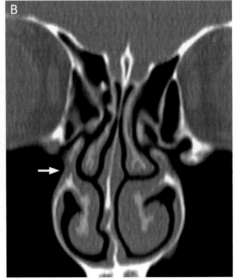

| 그림 5-32   구상돌기가 붙는 모습으로 축단면에서는 비루관에서 후방으로(삼각형)(**A**), 관상면에서는 하비갑개의 상방으로 붙어있어 (화살표) 수술 시 절개할 위치를 보여준다(**B**).

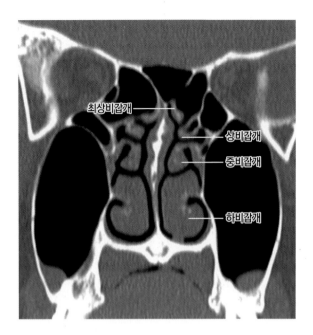

| 그림 5-33   상비갑개, 최상비갑개가 구별된다.

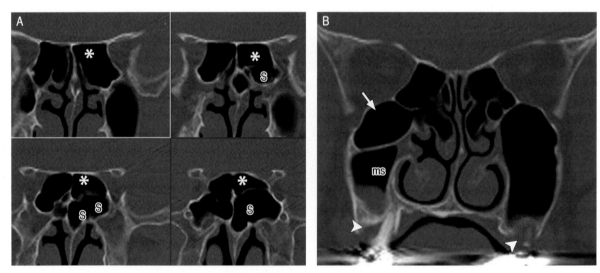

| 그림 5-34   Extramural extension

좌측 접형동(s) 위로 후사골동의 함기화(*)가 진행된 경우로 소위 Onodi 봉소라 부른다(A). 우측 상악동의 상방으로 함기화(화살표)가 진행되어 있으며 하안와 봉소 또는 Haller 봉소라 한다(B). 양측 상악동의 기저부에는 치성 병변이 관찰된다.

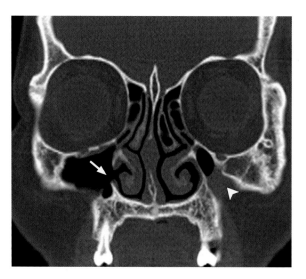

▍**그림 5-35**　우측 상악동에는 예전에 하비도를 통한 상악동 개방술의 흔적(화살표)이 관찰되며 좌측 상악동은 C-L 수술에 의한 변형(삼각형)이 관찰된다.

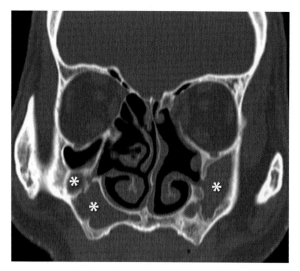

▍**그림 5-36**　양측 상악동에 예전에 실시한 C-L 수술 후에 생긴 몇 개의 술후성 낭종(별표)이 관찰된다. 낭종의 벽을 이루는 골부에 모양으로 봐서 내부에 염증에 의한 압력은 없어 보인다.

Ⅳ ┃ 질환별

1. 비염

비염은 자극에 의해 코점막이 반응하는 질환으로 영상으로 진단을 내리기는 어렵다. 비염의 증상 중에 비루가 있는데 분비물이 증가되면 비강 내 분비물이 관찰되는 경우가 있다(**그림 5-11, 5-12, 5-13**). 비염 환자와 정상인과 다른 소견에 대한 보고는 많지 않으나 부비동에 염증 소견이 없으면서 비강 내 분비물이 증가되어 있으면 비염으로 진단할 수 있다. 코점막에 지속적인 자극이 있으면 양측 비강 내 폭이 좁아지고 비갑개골부에 비후가 가능하다고 생각된다(**그림 5-8, 5-9**). 비후성 비염이란 비갑개가 심하게 부어 있는 상태로 CT영상에서 양측 비강의 공기가 있는 부분이 매우 좁아진 경우다.

비염이 심해지면 부비동과 비강이 연결되는 부위의 점막이 부어서 부비동염이 생길 가능성이 있으므로 안면부 통증이나 압박감 또는 후각감소 또는 소실 등의 부비동염 증상이 존재하면, 단순 부비동 사진 또는 CT 등을 검사해 본다. 비염의 증상이 동반되는 다른 질환들이 있는데, 성인에서 편측 코막힘, 비출혈, 통증 등이 있을 때는 비종양까지 의심해 부비동 CT로 검사할 수 있다.

위축성 비염의 경우는 하비갑개와 중비갑개 골부 및 점막에 위축이 관찰되고 비강은 넓어진다. 경우에 따라서는 코점막에 형성된 딱지가 관찰되기도 한다(**그림 5-37**).

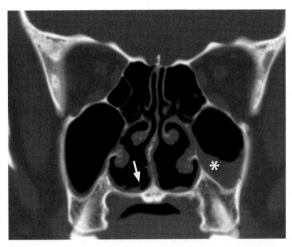

그림 5-37 비강 내 점막에 붙어 있는 가피(삼각형)가 관찰되어 위축성 비염의 소견이며 좌측 상악동에는 분비물(*)이 고여 있는 소견을 보인다.

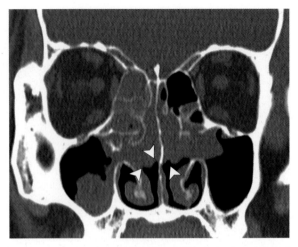

그림 5-38 양측 중비도에 존재하는 폴립으로 정상 비강 점막과 만나는 곳에서 날카로운 예각(삼각형)을 보여준다.

2. 용종

비용종nasal polyp은 비강과 부비동에 가장 흔히 관찰되는 종괴로 염증반응에 의한 것이며 종양은 아니다. 비용은 다양한 염증성 질환에서 발견되며 아스피린과민증 환자에서 특징적으로 호발하고 중비도, 상비도 및 자연공의 폐쇄에 의해 이차적인 부비동염을 유발할 수 있다. 비용은 국소 코점막의 반복적인 부종의 결과로 형성되며, 형성된 비용은 점막하 부종의 계속적인 증가로 점차 자라게 된다. 비강이나 부비동 점막이 자극을 받으면 염증반응으로 붓게 되는데 점막 전체에 생기면 점막 부종 또는 목 없는 용종sessile polyp이라 하고 자라되 연결부위가 없이 자라면 저류낭종retention cyst이라 하고 연결부위가 본체보다 얇은 줄기에 붙어있으면 목 있는 용종pedunculated polyp으로 부른다. 비염에 동반되는 대부분의 비용은 다발성으로 발생하며(그림 5-38), 점차 커지게 되면 결국 비강과 부비동은 완전한 혼탁을 보이게 된다. 대다수의 비용은 중비도, 상비도에서 발생하는

데 기류에 의한 자극이 원인이 될 수 있어 보인다. 부비동 내에서는 저류낭의 모습을 보이며 비인강 같이 넓은 공간까지 자라면 후비공 비용종이라 부른다. 특히 상악동에서 발생하여 상악동 부공을 통해 후비공까지 자라면 상악동후비공용종antrochoanal polyp이라 한다(Chung et al., 2002)(그림 5-39). 비용의 방사선학적 소견은 단순방사선과 CT 소견에서 주변 점막과 구별되는 표면을 보일 수 있으며 부비동 내에 분비물과 같이 존재하면 조영증강제를 하지 않는 경우 구별이 어려울 수 있다. 조영 증강 CT에서는 중심부의 조영증강은 보이지 않으면서 용종 점막의 경계부 조영증강을 보인다. MRI에서는 T1WI에서 저신호를 보이기는 하나 만성의 경우 다양한 신호강도를 보이며 T2WI에서 고신호강도를 보인다. 주변의 염증을 가라 앉히면 용종의 연결부의 모습이 관찰되기도 한다. 비용종이 자라면서 주변 골구조에 압력을 주면 팽창 및 골벽이 얇아지게 하는 변형을 초래할 수 있다.

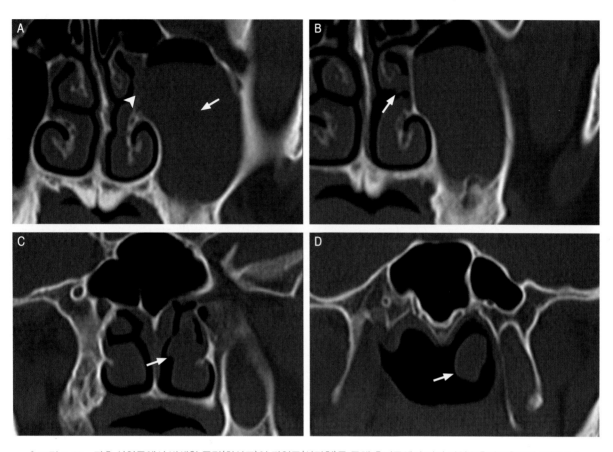

| 그림 5-39　좌측 상악동에서 발생한 폴립(화살표)이 자연구(삼각형)를 통해 후비공에서 커진 상악동후비공용종이 관찰된다.

3. 부비동염

부비동에 염증이 생기는 경우로 패턴에 따라 급성, 만성, 재발성으로 나뉘며 용종의 존재에 따라 동반된 경우와 동반되지 않은 경우로 나뉜다. 급성 부비동염의 증상이 있으면, 예전에는 후두비부방향영상, 후두전두방향영상, 이하수직방향촬영법, 좌우방향촬영법등 4가지의 기본 단순촬영을 앉은 자세에서 찍었으나 최근에는 후두비부방향영상만을 촬영하며 통상 부비동염의 단순한 경과 관찰을 위해서도 이 영상만을 촬영한다(그림 5-2).

급성 부비동염으로 인한 합병증이 나타나거나 의심되는 경우, 만성 부비동염에서 병변의 정도를 관찰하려는 경우 그리고 재발성의 경우 급성 부비동이 오래가게 하는 구조가 존재하는지 여부를 관찰하기 위하여 CT 촬영을 한다. 영상에서는 형태학적 변화를 관찰하는 것이므로 주로 수술로 교정해야 할 구조를 확인하기 위하여 촬영하므로, 조영증강 없이 촬영하며 합병증이 의심되는 경우는 조영제를 사용하거나 MRI를 촬영하기도 한다(Joshi and Sansi, 2015).

부비동염이란 원인, 진행 속도, 정도에 따라 매우 다양한 소견을 보이므로 시작부터 아주 심한 상태의 중간의 어느 한 순간의 상태를 보여주는 영상은 환자의 다른 소견과 같이 해석해야 한다. 원인으로는 점막이 자극에 예민한 경우에 자극하는 공기가 부비동 내로 들어가 자극하는 경우로 연결부가 막히지는 않았으나 부비동 점막이 고르게 부은 경우이며, 비강과 연결부 점막이 부어서 막힌 경우는 부비동의 비강과 연결부가 막히고 내부 점막에 음압이 걸려 붓고, 분비물이 생기고 그 곳에 세균이 자라는 과정이 있을 수 있다(그림 5-40). 세균이 급하게 자라서 부비동의 벽을 통과하여 주변까지 감염되는 경우도 있다. 점막에서 호산구가 많이 관찰되는 경우는 분비물 내에 호산구에서 나오는 호산구성 점액으로 채워질 수 있다(그림 5-25). 만성적인 자극이 있으면 점막은 물론 점막 밑에 있는 골부도 두꺼워지는 현상을 보인다(그림 5-14). 부비동 내 병변이 확장되면 그에 반응하여 골부의 부드러운 변형이 오며 튀어 나온 부분은 없어질 수도 있다(그림 5-24). 골부의 변형이 부드럽지 못하면 정상 조직이 반응하기 전에 급하게 파괴되는 현상으로 판단한다.

2차적인 원인으로는 부비동 내에 곰팡이가 자라는 경우(그림 5-19, 5-24), 상악동의 하부에 존재하는 상악치의 뿌리 부근에 염증이 생긴 경우(그림 5-15), 비강과 연결부에 종양이 생겨 연결부가 막히는 경우 그리고 수술 등의 변형으로 부비동 벽에 염증이 생긴 경우 가 있다. 최근에 치성 부비동염에 대한 보고 및 관심이 증가되고 있으며 부비동염을 유발할 가능성이 있는 병변으로는 치근염, 치근 낭종(그림 5-41), 치근농양, 임프란트 시행 중 이물질이 들어간 경우가 있다(그림 5-23). 그 외 가능한 원인으로는 부비동 내 출혈이 흡수되는 과정에서 생기는 기질화 혈종(그림 5-42), 타과 수술의 합병증으로 성형외과 상악 수술 뒤, 안과에서 안구 내에 보형물을 넣은 경우, 한방에서 침을 놓은 경우(그림 5-43)가 있다.

엄밀한 의미의 부비동염은 아니지만 국소적으로 분비물이 한자리에서 회전하면서 염증성 변화를 초래하는 경우가 있다(그림 5-44). 상악동 부공이 있는 경우 상악동 자연구와 부공 사이에서 그리고 수술 후에 수술

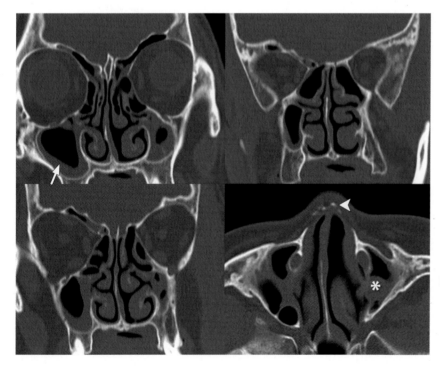

┃ 그림 5-40 만성 부비동염으로 부비동 내 점막이 부어 있으며(화살표) 좌측 상악동에는 분비물(*)이 관찰된다. 콧등에는 성형을 위하여 주입된 이물질(삼각형)이 관찰된다.

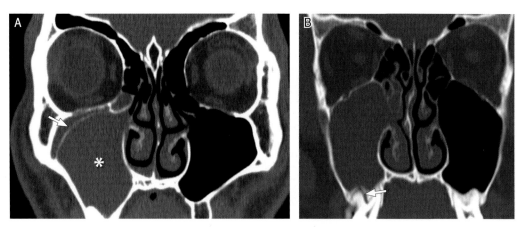

▌ 그림 5-41   다양한 치아 병변

치근낭종(*)으로 상악동 벽과는 구별되는 낭종의 벽(화살표)이 보이는 것이 전형적인 소견이며(**A**), 우측 상악동 기저부에 있는 치아의 치근부에 염증에 의한 골부 괴사(화살표)가 관찰된다(**B**).

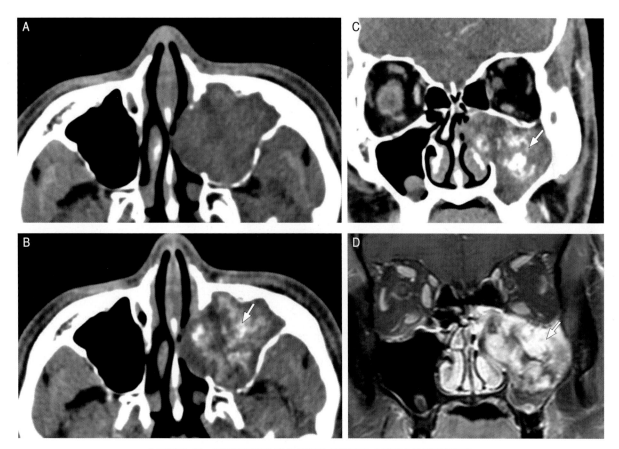

▌ 그림 5-42   기질화혈종으로 비균질한 조영증가 소견을 보인다(화살표).
A. 조영제 사용 전 CT영상. **B, C.** 조영제 투여 후 CT영상. **D.** 조영제 사용 후 MRI 영상

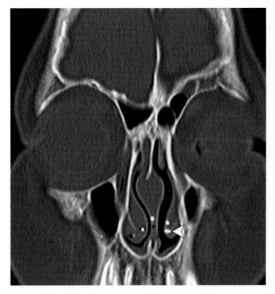

| 그림 5-43 하비갑개와 비중격에 침으로 생각되는 이물질(삼각형)이 여러 개 관찰된다.

로 만든 상악동 개구부와 자연구 사이 연결이 안되는 소위 missed ostial sequence가 생기는 경우에 두 구멍 사이에 점액이 순환하는 경우가 있다(Parsons et al., 1996; Matthews and Burke, 1997; Chung et al., 2002).

부비동염의 정도를 평가하는 방법으로 예전부터 많이 사용되던 Lund-Mackay 점수가 있는데 이론적으로는 맞지만 실제에서는 사골동을 부비동 개구 복합체os-tiomeatal complex, OMU와 전후 2개의 부비동으로 간주하고 있으며, 전두골 부위로 함기화가 복잡하여 명확하게 전두동과 사골동을 구별하는 것이 현실적으로 어렵다. 그래서 부비동의 공간 중에 공기로 채워지지 않은 부분을 정량적으로 분석해 본 보고도 있다(Garneau et al., 2015).

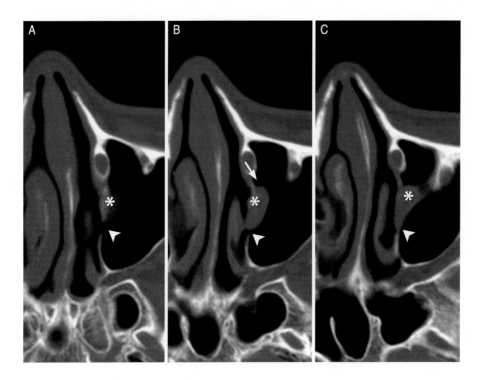

| 그림 5-44 좌측 상악동의 자연구(화살표)와 부구(삼각형) 사이에 회전 운동을 하는 점액(*)이 관찰된다.

1) 급성 부비동염

단순 방사선 촬영상 점막이 부어서 부비동 벽에 전반적인 음영 증가가 관찰되며 부은 점막의 표면은 명확히 구분되기도 하고 분비물 등으로 불분명하게 보일 수도 있다. 분비물이 증가되면 가장 특징적인 소견으로 분비물에 의하여 촬영 시 수평면과 일치하는 공기액체층fluid level이 관찰되는 경우이다(그림 5-2, 5-14).

자연공을 포함한 점막의 비후가 진행되면서 농성삼출액의 상태를 거쳐서 부비동의 완전혼탁의 소견을 보이게 된다. 한 차례의 부비동 단순방사선 촬영으로 감염의 활동성 여부나 혼탁의 원인규명 등을 확인할 수는 없다. 혼탁의 원인은 다양하며 급성 감염에 의한 축농의 결과로 올 수도 있고, 섬유화를 동반한 아급성 또는 만성 염증의 결과로도 초래될 수 있다. 따라서 환자의 증상과 같이 평가하여야 하며 단순방사선 촬영으로 시간 경과에 따른 부비동의 상태를 파악하기도 한다.

급성 부비동염에 의한 합병증이 의심되는 경우로, 예를 들면 안구 부위로 염증이 파급된 경우나 항공부비동염aerosinusitis으로 인한 심한 통증이 동반되는 경우는 CT를 촬영하게 된다. 이때 농양이 있으면 부은 점막과 중심부의 저밀도 음영의 농양이 구별되기도 하는데 조영증강 CT에서는 농양의 주변에 증가된 조영증강의 소견을 더 잘 보여준다(그림 5-45).

2) 만성 부비동염

부비동의 중요한 원인 부위가 되는 부비동 개구 복합체를 조영증강 없이 잘 보여주는 부비동 개구 복합체 CT 촬영술과 내시경 부비동수술의 보편화와 더불어 만성 부비동염에서의 CT영상은 많이 발전하게 되었다(Kennedy et al., 1985, Kennedy et al., 1987). 초기에는 수술의 적응

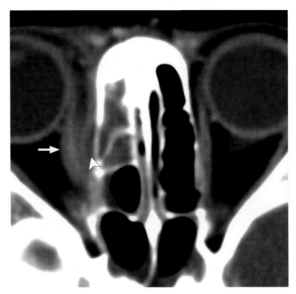

┃ 그림 5-45 우측 안구 내직근(화살표)이 외측으로 밀려 있으며 지양판의 외측으로 조영증강이 안되는 부분(삼각형), 즉 농양이 형성된 부분이 관찰된다. 우측 사골동에는 염증이 관찰된다.

이 되는 부비동염의 상태를 관상면 CT영상 소견으로 만성 부비동염을 크게 세 가지로 구분하여 첫째는 상악동의 자연개구부인 사골누두ethmoidal infundibulum의 점막비후로 사골누두 또는 상악동까지의 혼탁을 보이는 경우이며, 사골누두형infundibular type이라 한다. 둘째는 부비동 개구 복합체형으로서 사골누두형에서 부비동 개구 복합체에 포함되는 전사골동까지 병변이 있는 경우이며 셋째는 후사골동과 접형동까지 염증이 침습한 경우로 범부비동염pansinus type이라 했다. 이런 개념은 상악동의 부비동 개구 복합체 부위가 부비동염의 주원인이라는 개념에서 나왔으나 천식을 동반한 경우는 중비도, 상비도까지 병변이 생기는 소견(그림 5-46)도 있고 한두 개의 부비동 공간에 국한된 증례들도 보고되고 있다.

반복적인 부비동염은 부비동의 골벽을 따라 골염osteitis이나 신생골 형성을 초래하기도 하는데, 특히 상악동에서 흔하다. 신생골 형성을 농양으로 생각할 필요는 없어 보인다.

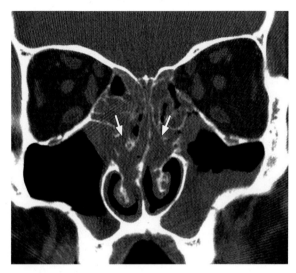

▎그림 5-46　공기가 지나가는 내측으로 점막 병변이 심한 경우 천식이 동반된 경우에 관찰된다.

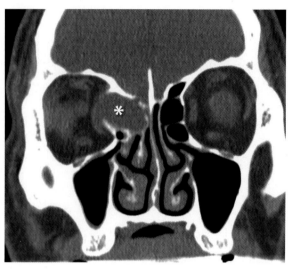

▎그림 5-47　우측 사골동에 방생한 점액낭종(별표)으로 내부 점액의 압력 증가로 인한 골부의 부드러운 변형이 관찰된다.

진단을 위하여 촬영하지는 않지만 MRI의 T1WI와 T2WI을 비교하면 병변의 상태를 더 잘 알 수 있다.

만성 부비동염으로 진단하려면 만성 증상에 동반되어 관찰되는 양성 소견이 있어야 하므로 이때 양성으로 판단되는 영상 소견에는 증상이 동반되지 않는 경우도 있을 수 있다. 그런 경우 중에는 양측 비강에 용종이 동반된 경우도 있다. 동반 증상의 유무에 관계 없이 영상은 촬영 당시 부비동의 상태를 보여주는 것이므로 치료 방침을 결정할 때는 병변의 변화추이를 고려해야 한다.

만성 부비동염이 약물치료에도 불구하고 지속되거나 반복되는 경우는 수술을 권한다. 수술이란 구조의 일부를 제거하거나 변경하여 원인부위를 없애거나 치료약제 등의 효과를 높이기 위한 것이므로 상악동, 전두동의 배출 부위를 잘 살펴야 한다. 사골동의 경우 비록 전후 사골동으로 나누어 놓았지만 위치에 따른 배출 부위를 잘 판단해야 한다.

상악동에 일측성으로 염증을 일으키는 경우 치아의 감염이나 치근주위농양periapical abscess이(그림 5-41)

감염원으로 작용하는지 확인해야 하며 접형동, 전두동 등에 국한된 경우는 진균구, 또는 동내 종양이 있는지도 감별해야 한다. 근래에는 상악동 내 출혈이 기질화되면서 부비동 내를 채우고 골파괴를 동반한 종괴처럼 보이거나 감염의 원인이 되는 기질화 혈종도 보고되고 있으며(그림 5-42), 조영증강을 하면 불규칙하게 조영증강의 소견을 보인다(Choi et al., 2015). 전두동이나 사골동에는 원발성 낭종이 생길 수 있으며 전두동의 전벽에는 괴사성 골수염이 동반될 수 있다(그림 5-47).

3) 진균성 부비동염

진균성 부비동염에는 단순히 동내 진균구가 존재하는 경우, 진균이 주변 조직으로 침습하는 경우, 그리고 알레르기성 진균성 부비동염이 있다(Raz et al., 2015).

진균구는 보통 부비동 내 벽면에서 떨어진 얼룩덜룩한 석회화를 동반한 한 개의 부비동의 혼탁을 보인다(그림 5-19, 5-24). 석회화가 동반되지 않는 경우라면 일반적인 만성 부비동염과 감별하기 힘들 수 있지만 편측이며, 내부에 벽면에서 떨어진 음영이 증가된 소견을 보이며, 농성 분비물이 줄어들면 표면이 불규칙한 소견을 보인다. 대부분 누룩 곰팡이Aspergillus의 감염이다. 석회화가 진행되기 전의 병변이 부비동 내 어디까지 있는지를 알기 위하여는 CT에서 모니터의 window 조절을 잘 하는 것이 필요하다.

침습형 진균성 부비동염는 주로 급성 병변이나 만성 병변도 있다. 초기에 부비동염을 의심하여 조영증강 없이 촬영한 CT영상에서 부비동 골부에 괴사가 동반되거나 부비동과 떨어진 부분 조직에 조직 괴사 소견을 보인다. 환자가 면역력이 떨어진 경우는 침습성 병변을 배제하기 위하여 MRI를 촬영하는 것이 좋으며 조직 괴사의 소견을 보일 수도 있으나 없어도 가능성을 생각하여야 한다. 주로 누룩 곰팡이류에 의하여 생기나 털곰팡이에 의한 병변은 중비갑개나 하비갑개에 괴사 소견을 보이는 병변으로 시작된다. 만성적으로 조직 내 곰팡이가 육아종을 형성하는 경우가 있는데 진균구 병변에 동반되는 경우가 대부분으로 영상적으로 진균구의 소견과 같다.

알레르기성 진균성 부비동염은 부비동 내 저류액에 죽은 호산구가 만들어내는 샤르코-레이덴 결정Charcot-Leiden crystal이 들어있어 황색의 끈끈한 분비물이 포함되어 있는 것이 특징인데 처음 보고될 때 주로 진균에 대한 알레르기가 관찰되는 경우여서 알레르기성 진균성 부비동염이라고 하였으나 호산구성 점액성mucinous 부비동염이라고 하기도 한다. 주로 편측병변으로 시작하며 고밀도 분비액의 병변이 골벽을 외부로 밀어내는 소견을 보이며 CT에서는 부비동 내 벽면에서 일정한 간격으로 점막보다 고밀도 병변이 관찰된다(그림 5-25). MRI에서는 T1WI에서 저강도 신호, T2WI에서 음성 신호signal void를 보이며 이는 상자기성 금속 paramagnetic metals (e.g iron, manganese) 때문일 수 있다.

4) 부비동염의 합병증

(1) 안와 내 염증

안와쪽으로 부비동염의 염증이 파급되는 경우는 안와주위 부종, 안와(주변)봉와직염cellulitis, 골막하 농양subperiosteal abscess이 있다. 그리고 만성적으로 안와 내로 점액낭종이 자라 들어가는 경우가 있다.

가장 흔한 염증 원발병소는 사골동이며, 때로는 사골동 외에도 전두동이나 상악동의 염증과 병발하기도 한다. 지판lamina papyracea과 안와내측골막 사이의 골막하 공간은 염증성 삼출액이나 농이 가장 흔히 자리잡는 공간이다(그림 5-45). 이보다 드물지만 안와내측골막을 지나쳐 안와내 농양orbital abscess을 형성하기도 한다. 염증성 삼출액은 Tenon낭Tenon's capsule에 축적되기도 한다. CT 소견으로 안구 전방부 피하조직의 부종이 관찰되면 안와주위 부종, 안구 내 조직과 지방 조직의 경계가 불분명해지는 소견을 보이면 봉와직염, 안와 내측 골막과 지판 사이에 국소적으로 부종이 관찰되면 농양으로 진행하기 전 상태로 판단하게 된다. 농양이 형성되면 부종 내부에 음영이 떨어진 부분이 관찰된다.

(2) 해면정맥동혈전증

해면 정맥동에 혈전이 생기면 대부분 염증이 심한 편측으로 발생하므로 CT상 좌우 모양이 다르게 보인다(Larson 1993). 조영증강 촬영을 하면 더 잘 관찰되는데 정상적인 해면정맥동은 터키안의 양측에 음영 강조되는 구조물로 측면경계가 중두개와를 향하여 직선형 또는 오목형으로 뚜렷하게 나타난다. 해면정맥동 내의 내경동맥은 불투명한 정맥동과 서로 구분이 불가능하다. 혈전증이 생기면 낮은 감쇠attenuation를 보이는 해면정맥동과 대비되어 음영대조를 나타내며 내경동맥은 관상구조로 두드러져 나타난다. 정맥조영술로 해면정맥동혈전증을 확진할 수 있으며 이때 해면동은 조영제로 충만되지 않게 된다.

(3) 골조직의 염증

골수염은 급·만성부비동염이 주변 골조직을 침범하는 합병증으로 전두골이 호발부위이다. 파급경로는 판간정맥diploic vein의 혈행을 통한 경우와 직접 침범하는 경우가 있다. 방사선검사상으로는 경계가 불명확하고, 주변의 전두골의 파괴에 따라 전두동 경계를 따른 골막의 연속성이 소실되게 된다.

(4) 부비동염의 두개내 합병증

두개 내 합병증은 뇌막염, 경막외 또는 경막하 농양, 정맥동혈전증과 뇌농양 등으로 구분할 수 있으며, 이들은 단독으로 또는 몇 가지가 동반되어 일어날 수도 있다. 정확한 상관관계는 알 수 없으나 편측 후사골동이나 접형동에 급성 염증에 동반되어 그 주변으로 주행하는 시신경이나 외전 신경의 지배를 받는 내전근 또는 외전근의 마비가 동반되는 경우가 있다. 골부에 괴사가 있을 수도 있고 없을 수도 있으나 신경의 주행에 따라 일부 조영 증강이 관찰되는 경우가 있다.

4. 점액낭종

점액낭종mucocele은 폐쇄된 공간에 점액이 고인 병변으로 전두동이나 사골동에 생기는 원발성 점액낭종이 있으며(그림 5-47) 수술 후에 입구부가 막혀서 생기는 2차성 점액낭종이 있다. 2차성 점액낭종 중에 가장 흔한 것이 예전에 견치와를 통해 상악동에 접근하여 동내 점막을 제거한 경우 생기는 상악동 술 후 낭종(그림 5-36)이

대표적이다. 최근에는 견치와로 접근해도 점막을 보존하는 술식을 사용하므로 발생이 줄어들 것으로 예상된다.

5. 종양

종양은 신체 조직이 비정상적으로 자라는 경우를 말하며 병변이 용종 또는 낭종의 형태를 포함한 종괴의 형태로 나타나는 경우와 조직을 따라 자라나는 경우가 있으며 조직의 특성에 따라 양성과 악성이 존재한다. 비강에서 가장 많이 관찰되는 용종은 만성적인 외부자극에 의한 염증성 반응이며 종양은 아니고 양성 종양으로는 반전성 유두종inverted papilloma(그림 5-19, 5-20, 5-26), 혈관섬유종angiofibroma(그림 5-48), 골화성 섬유종ossifying fibroma(그림 5-49), 섬유이형성증fibrous dysplasia(그림 5-50), 육아조직이 자라난 소엽성 모세혈관종종lobular capillary hemangioma(그림 5-21), 비순낭종nasolabial cyst(그림 5-51) 등이 있으며 악성으로는 상피세포암(그림 5-22, 5-52), 임파종, 선낭암종adenocystic carcinoma, 비인강 종양, 후신경아세포종olfactory neuroblastoma, 흑색종melanoma, 육종sarcoma 등이 있다(Sen et al., 2015).

영상에서는 정상 구조와 다른 부분이 있다면 경계부의 상태로 서서히 압력을 가하면 자라는 소견인지 아니면 주변 조직을 침윤하는지를 판단하고 조직의 특성을 파악하기 위하여 조영증강 CT를 찍어서 경계와 혈류의 정도를 파악하고 MRI를 촬영하여 종양의 특성을 구별한다. 예를 들어 반전성유두종의 일부에서 악성종양이 존재한다면 영상에서 종괴 내부의 전혀 다른 모습을 보인다. 정확한 진단을 위하여 조직검사를 시행해야 할 부분을 판단하게 된다(Sen et al., 2015). 치료 후에는 잔존병변이 있는지 재발한 부위가 있는지 등을 파악하기 위해 영상학적 검사가 필수적이다.

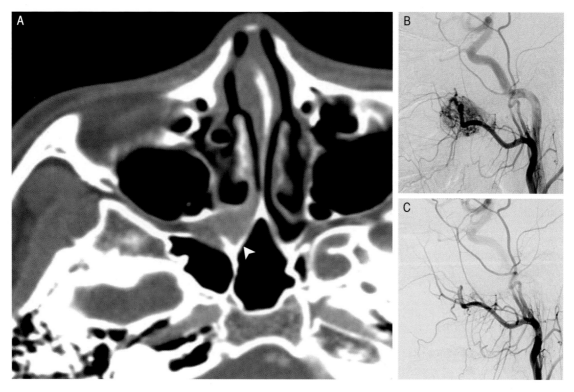

▎ **그림 5-48** 우측 익구개와에서 발생한 비인두혈관섬유종(삼각형)으로 혈관 조영술 시행 시 혈류가 증가한 소견(화살표)이(**B**) 색전술 후 없어진 것이 보인다(**C**).

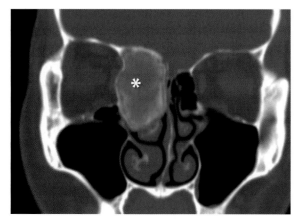

▎ **그림 5-49** 골화섬유종(*)으로서 경계가 잘 지어지며 내부에 골화가 진행된 종괴의 소견이다.

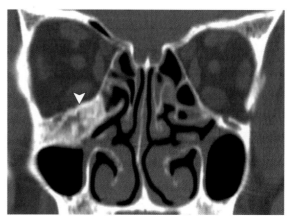

▎ **그림 5-50** 섬유이형성증으로서 정상적인 골부에 섬유화가 진행된 소견(화살표)이다.

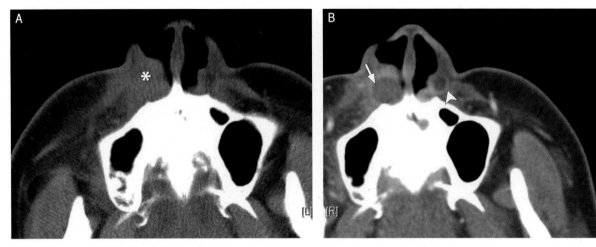

┃ 그림 5-51 우측 비전정부가 부어 있으며(*) 조영증강이 안되는(화살표), 즉 내부에 분비물이 들어있는 소견을 보인다. 좌측에도 같은 특성의 작은 병변(삼각형)이 하나 보인다.

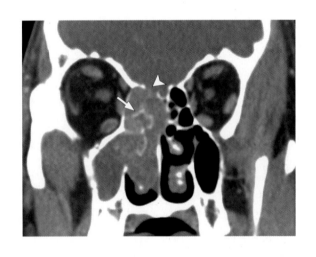

┃ 그림 5-52 상피세포암으로서 비강 내 정상 골부를 파괴하는 (삼각형) 다소 비균질한 병변(화살표)을 보인다.

1) 양성 종양

(1) 반전성 유두종

단순 방사선 촬영으로는 의심이나 진단이 어려우며, CT 소견에서는 정상 점막과는 달리 울퉁불퉁하게 튀어나온 모습을 보이는데 발생한 부비동 내 염증성 반응으로 인한 농성 비루가 있으면 구별이 안되기도 한다. 종양이므

로 조영증강을 하면 증가되는 소견을 보이며 종양 내에 자라는 모습에 따라 조영증강 되는 부위가 구별되기도 한다. 골부 변화를 잘 보여주는 CT에서는 국소적인 골 비대와 골염성 변화가 종양의 기원을 진단하는 데 유용한 소견일 수 있다는 보고가 있다(Lee et al., 2007).

MRI 영상 중에 자라는 방향을 보여주는 양상에서는 자라는 모습을 보여주기도 한다(Kim et al., 2012). 이 종

양은 빈 공간을 채우며 자라는 성질을 보여 커짐에 따라 비강에서 비인강 쪽으로 자라서 후비공 비용 같이 보일 수도 있다. 주변의 뼈를 압력으로 변형시키는 모습을 보이나 골파괴가 있는 경우는 악성종양과 같이 있는지 구별하기 위하여 MRI를 촬영하여 종양의 내부에 성격이 다른 부분이 같이 있는지 판단해야 한다(Jeon et al., 2008).

(2) 청소년코인두혈관섬유종
Juvenile nasopharyngeal angiofibroma

일반적으로 청소년에서 편측성 비출혈을 유발하는 편측 비강 내 종괴가 관찰되며 CT상 발생부위가 익돌구개와에서 생기는 특징적인 소견을 보인다. 이 부위를 확장시키며 주변의 구조를 밀어내며 자라나가는 모양을 보인다. CT나 MRI 영상에서 익구개와에서 기시하고 조영증강을 보인다(그림 5-48). 특징적인 소견을 보이며 조직 검사 시 출혈의 가능성이 높아 수술적 확인 및 제거를 계획하며 수술 전날 혈관조영술로 종양의 주된 공급혈관을 확인하고 선택적 동맥 색전술을 시행한다 수술 시 출혈량을 최대로 줄이는 것이 중요하다. 주로 동측의 내상악동맥과 또는 상행인두동맥이 주된 공급혈관이며 반대측의 외경동맥 또는 드물게 내경동맥의 분지로부터 일부 혈액공급을 확인할 수 있다.

(3) 부비동 골종

골종osteoma은 부비동에 흔히 관찰되는 병변으로 우연히 발견되는 경우가 많다. 흔히 아무 증상도 초래하지 않으며, 주로 전두동과 사골동에서 발견된다. 골종은 서서히 자라며, 경과관찰을 위한 추적검사가 필요하다. 단순 방사선검사에서 뚜렷한 경계를 보이는 골음영이 부비동골벽에 넓은 기시부를 갖거나 경을 갖는 형태를 보이기도 한다. 최근 많이 사용되는 CT에서 발견되는 경우가 많이 있다. 골종도 그 크기가 커지면서 부비동 내배액 부위를 막게 되면 분비물 저류에 의한 2차 염증이나 점액낭종을 초래할 수도 있다.

(4) 섬유이형성증과 골화성 섬유종

이 두 가지 병변은 CT영상에서 비정상적인 골조직이 관찰되며 방사선학적 소견은 새로이 형성되는 유골osteoid 조직과 섬유조직의 함량에 따라 결정된다. 섬유이형성증은 엄밀히 말해서 종양은 아니며 정상 골부 안으로 섬유조직의 비정상적 증식에 의해 붕괴된 골disorganized bone의 범위가 넓어져 부위별 간유리모양ground-glass appearance 등 골밀도의 차이에 따라 다양한 소견을 보이고 부분적으로 낭종의 변화도 보이며 국소적인 골확장도 보인다. 정상 골부와의 경계가 명확하기보다는 서서히 바뀌는 소견을 보인다.

골화성 섬유종은 섬유이형성증에 비하여 경계가 명확하고 단골성monostotic이며 더 심하게 커지는 경향을 나타낸다. CT 소견으로는 석회화된 덩어리에 의하여 부비동 공간 전체가 균질의 골음영으로 대체된 경우도 있고, 침습된 부비동이 내부로부터 증식되는 골종에 의하여 골벽이 얇아지고 섬유성 이형증과는 달리 정상 골조직과 경계가 분명하고 바깥은 난각같은 테두리로 둘러싸인 다방성 낭종성병변을 확인할 수 있다. MRI에서는 균질하지 않은 소견heterogeneous appearance을 보이며 가돌리늄 조영제에서 조영증강될 수 있다.

(5) 소엽모세혈관종

예전에 농성 육아종pyogenic granuloma으로 불리던 질환이며 주로 편측 비강에 생기며 외부 자극에 의한 출혈이 잘 생기는 부위인 비중격의 튀어 나온 부위나 그에 접하는 하비갑개 부위에 호발한다. 원인이 되는 혈관 부위에 매달려 자라는데 CT나 MRI에서 조영증상의 소견을 보인다(그림 5-21).

(6) 비순낭종

위치상 비전정과 입술 사이에 생기는 낭종으로 반복적으로 염증에 의하여 커졌다 작아졌다 하는 증상을 보인다. CT상 전비공의 외측 하연에 미란erosion을 보이는 종괴의 소견으로 보인다(그림 5-51).

(7) 부비동의 신경종양

신경섬유종과 신경초종으로 나눌 수 있으며 부비동에서는 주변 골벽을 잠식을 특징으로 하는 드문 질환이다. 신경섬유종의 CT소견은 연조직의 병변을 보여주며, 음영은 근육조직과 같은 음영을 나타낸다. 신경초종은 낭포성 변성 낭포변성cystic degeneration을 보이기도 하지만 악성 변화는 드물다. MRI 소견은 병변의 병리학적 소견을 잘 반영한다. 특히 신경초종에서 일반적인 Antoni A 요소를 가진 병변은 T1WI, T2WI 영상에서 중간 신호를 보인다. 반면에 점액성 기질, 고강도 신호와 연관된 Antoni B 요소 우세 병변은 T2WI에서 관찰된다.

(8) 부비동의 거대세포 육아종

거대세포 육아종은 드물게 부비동에서 관찰되며, 대개는 하악골과 상악골을 포함한 중심 안면골에서 발병한다. 젊은 여성에서 흔히 관찰되며, 방사선소견은 부비동의 혼탁소견과 골벽의 팽창과 얇아짐이 있다. CT소견에서 석회화와 골화를 조양조직에서 관찰할 수 있으며, 화골성섬유종과의 감별이 어렵다.

2) 악성종양

비강, 부비동의 악성종양은 전체 악성종양의 1%를 차지하는 드문 종양이며 흔히 진단은 지연되기 쉽다. 상피종양 편평상피암이 가장 많고 발견 시에는 많이 진행되어 원발병소인 부비동의 경계를 넘어 퍼져 있는 경우가 많다.

비부비동 영상은 종양의 조기 발견에 중요한 역할을 하며, 종양의 병기를 파악하여 수술이나 방사선치료 등 합당한 치료법을 결정하는 데 중요한 역할을 한다. 증상이 없이 우연히 발견되기도 하며 많은 환자에서 초기증상은 만성 비염, 부비동염의 증상과 유사하다. 증상의 유형은 발병부위와 범위에 따라 다르나 코막힘과 콧물, 비강 내 종물, 안면통, 감각이상, 안구돌출, 뺨의 부종, 치아가 흔들리거나 구강 내 종물로 나타난다.

비강, 부비동 악성종양의 영상의학적 특징으로는 단일 부비동에서 발생하며 비균질한 조영증강과 괴사 소견을 보이는 부드러운 조직 덩어리로 일반적으로 MRI T2WI에서 중간 신호를 보이며 주변의 뼈와 연골을 파괴하여 인접한 주위 연속적인 구획을 침범하는 양상을 보인다(Sen et al., 2015). 악성종양은 보통 하나의 부비동에서 발생하고 종양이 성장하여 연속적인 뼈 또는 경계의 파괴 등으로 다른 부비동으로 침범한다. 다른 조직을 침범하지 않은 단일 구획의 질병은 양성 종양으로 생각할 수 있다. 즉, 큰 연부 조직 병변이 주위 조직으로의 침범 및 파괴를 보이면 악성종양으로 의심할 수 있다.

대부분의 종양의 경우 하나의 큰 종물의 형태를 띠며, 병리학적인 비균질적인 형태이며 영상에서 이와 같은 특징을 관찰할 수 있다. 조영제를 주입하면 조영되는 부분이 차이가 명확히 드러나면서 비균질한 종양의 특성을 명확히 보여준다. 괴사는 종양의 특징적인 소견으로 종물의 급속한 성장에 따른 충분한 혈액 공급이 이루어지지 못했기 때문이다. 이는 악성종양과 양성, 염증성 상태를 구분할 수 있는 중요한 포인트라고 할 수 있겠다. 출혈 역시 악성종양을 의심케 하는 중요한 증거로 비균질한 기질에서 T1WI에서 국소적인 조영증강 부분으로 나타날 수 있다(Mosesson and Som, 1995).

진단 당시 악성종양의 연부 조직이 크게 성장해 있으며 CT 및 MRI에서 비균일한 조영증강 및 괴사 소견이 보이는 부분을 관찰할 수 있다. 염증성 용종과의 차이점은 T2WI에서 중간 강도의 신호를 가진다는 것이다. 전형적인 악성종양의 중간 강도의 T2WI는 낮은 수분 함량과 높은 세포질 때문이다. 용종은 고강도의 T2WI를 보이며 이는 높은 수분 함량을 반영하는 것이며 경계의 균일한 선형 향상을 보여 준다.

CT는 악성종양의 진단에 많은 도움을 준다. 부비동 악성종양에서 CT 촬영은 골파괴나 침습 여부를 파악하는 데 우수하다. 골파괴가 있으나 부비동을 이루는 골모양에 변화가 없으면 일단 악성종양을 의심할 수 있으며 두개저 골미란 여부를 판단하는 데 유용하다. 악성종양에서 골성 변화가 나타날 수 있으며 이는 CT에서 잘 확인이 된다. 골미란 및 파괴는 공격적인 부비동의 상피성 암에서 나타난다(Madani and Beale, 2009).

골경계가 파괴되면 인두주위강paraparyngeal space, 측두와하infratemporal fossa, 안와orbits, 구개palate, 전두개와anterior cranial fossa 등으로 종양이 퍼져 나갈 수 있다. 그러나 이러한 변화는 베게너 육아종증Wegener's granulomatosis, 비대뇌 모균증rhinocerebral mucormycosis, 거대세포 육아종giant cell reparative granuloma과 같은 양성 병변에서도 관찰될 수 있다(Madani et al., 2009).

부비동 악성종양에서 MRI 촬영은 CT 촬영의 진단적 한계를 극복할 수 있다. 연조직 영상이 우수하여 종괴 자체의 연조직 음영과 부비동 내에 축적된 분비물과 염증성 점막 부종을 구분하는 데 매우 유용하고 신경 주위 침범perineural invasion 확인하는 데 도움이 된다. T2WI은 종양의 경계를 명확히 할 수 있는 가장 좋은 방법이다. 그러나 조영제를 사용하더라도 종양에 의한 주변 조직의 염증성 변화 및 결합조직의 변형에 의한 연조직 및 근육이 조영증강되어 보일 수 있다. 종양의 MRI 확산영상Diffusion-weighted MRI에서 낮은 확산 계수를 보인다. 이는 종양 세포들이 단단히 결합되어 있어 세포 내의 수분의 확산이 제한되기 때문이다(Sasaki et al., 2011;

Sasaki et al., 2011).

악성종양의 농축된 분비물은 종양의 진단과 종양의 정확한 경계를 확정하는 데 모호함을 줄 수 있다. MRI는 이 문제를 해결하기 위해 가장 좋은 방법으로 T2WI에서 수분 함량이 높아질수록 높은 강도의 신호를 보여 주기 때문에 분비물과 종물을 명확히 구분할 수 있으면 진단을 하는 데 유용하다. 그러나 염증상태에서의 만성적으로 농축된 분비물은 T1WI, T2WI에서 다양한 신호 강도를 보일 수 있다(Loevner and Sonners, 2002).

방사선 소견상의 특징에 따라 정확한 위치에서 조직검사를 시행하여 진단이 내려진다. 병변의 성격 등 및 범위를 평가하는 데는 MRI가 좋으며 전이 여부는 PET-CT로 판정한다. 전신 전이는 드물지만 PET-CT시행하여 혈행성으로 전이가 가능한 간, 폐, 뇌, 골등에 전신전이 여부를 확인하는 것이 중요하다.

V | 방사선검사의 위험성에 대한 이해

방사선 흡수 선량radiation absorbed dose은 체내에 흡수되는 방사선의 양을 말하며 GyGray unit로 표시한다. 한편 등가 선량equivalent dose은 같은 흡수 선량이라 하더라도 방사선의 종류에 따라서 인체가 받는 영향의 정도가 다르지만 의료에 사용하는 방사선은 등가 선량과 흡수 선량의 비율이 같다. 실제 중요한 것은 유효 선량effective dose이라 하며 방사선에 노출된 조직 및 기관의 조직 가중치를 곱한 값으로 단위는 Svsivert이다.

개인에서 받아도 되는 선량으로 1년간 최대 50 mSv, 5년 합계가 100 mSv를 넘지 않아야 한다. 병원에서 가장 흔히 촬영하는 단순 흉부 방사선 촬영의 경우, 촬영

시에 노출되는 방사선 조사량은 약 0.1 mSv이며 CT촬영에서 평균 유효 선량은 두부는 2 mSv, 경부는 3 mSv로 여러 차례 촬영을 하더라도 권고량을 넘어가지는 않는다.

CT를 포함하여 진단목적으로 사용되는 방사선검사는 대부분 권고량에 미치지 않기 때문에 결정적 영향은 진단방사선 영역에서는 거의 발생하지 않는다. 반면에 확률적 영향은 방사선검사에 의한 주된 생물학적 영향으로 암 발생 및 유전적 영향과 관련되어 있으며 발생확률은 방사선 피폭으로 인해 흡수된 방사선량에 의존하기 때문에 방사선 피폭선량을 최대한 줄이는 것이 좋다. 두경부에서는 그나마 다른 부분의 영상촬영보다 방사선량의 노출은 적지만 이런 위험성을 간과하여 계획 없이 방사선촬영을 한다면 많은 문제가 생길 수 있으므로 진단 및 치료 경과에 따른 적절한 방사선 촬영이 필요하다.

참고문헌

1. Aziz T, Biron VL, Ansari K, Flores-Mir C. Measurement tools for the diagnosis of nasal septal deviation: a systematic review. J Otolaryngol Head Neck Surg 2014;43:11.

2. Choi SJ, Seo ST, Rha KS, Kim YM. Sinonasal organized hematoma: Clinical features of seventeen cases and a systematic review. Laryngoscope 2015;125:2027-33.

3. Chung SK, Chang BC, Dhong HJ. Surgical, radiologic, and histologic findings of the antrochoanal polyp. Am J Rhinol 2002;16:71-6.

4. Chung SK, Cho DY, Dhong HJ. Computed tomogram findings of mucous recirculation between the natural and accessory ostia of the maxillary sinus. Am J Rhinol 2002;16:265-268.

5. Dalgorf DM, Harvey RJ. Chapter 1: Sinonasal anatomy and function. Am J Rhinol Allergy 2013;27 Suppl 1:S3-6.

6. Garneau J, Ramirez M, Armato SG. Computer-assisted staging of chronic rhinosinusitis correlates with symptoms. Int Forum Allergy Rhinol 2015;5:637-42.

7. Huang BY, Senior BA, Castillo M. Current Trends in Sinonasal Imaging. Neuroimaging Clin N Am 2015;25:507-25.

8. Jeon TY, Kim HJ, Chung SK, Dhong HJ, Kim HY, Yim YJ, et al. Sinonasal inverted papilloma: value of convoluted cerebriform pattern on MR imaging. Am J Neuroradiol 2008;29:1556-60.

9. Joshi VM, Sansi R. Imaging in Sinonasal Inflammatory Disease. Neuroimaging Clin N Am 2015;25:549-68.

10. Kennedy DW, Zinreich SJ, Rosenbaum AE, Johns ME. Functional endoscopic sinus surgery. Theory and diagnostic evaluation. Arch Otolaryngol 1985;111:576-82.

11. Kennedy DW, Zinreich SJ, Shaalan H, Kuhn F, Naclerio R, Loch E. Endoscopic middle meatal antrostomy: theory, technique, and patency. Laryngoscope 1987;97(8 Pt 3 Suppl 43):1-9.

12. Kim DY, Hong SL, Lee CH, Jin HR, Kang JM, Lee BJ, et al. Inverted papilloma of the nasal cavity and paranasal sinuses: a Korean multicenter study. Laryngoscope 2012;122:487-94.

13. Larson TL. Petrous apex and cavernous sinus: anatomy and pathology. Semin Ultrasound CT MR 1993;14:232-46.

14. Lee DK, Chung SK, Dhong HJ, Kim HY, Kim HJ, Bok KH. Focal hyperostosis on CT of sinonasal inverted papilloma as a predictor of tumor origin. Am J Neuroradiol 2007;28:618-21.

15. Loevner LA, Sonners AI. Imaging of neoplasms of the paranasal sinuses. Magn Reson Imaging Clin N Am 2002;10:467-93.

16. Lund VJ, Stammberger H, Fokkens W, Beale T, Bernal-Sprekelsen M, Eloy P, et al. European position paper on the anatomical terminology of the internal nose and paranasal sinuses. Rhinol Suppl 2014;(24):1-34.

17. Madani G, Beale TJ. Differential diagnosis in sinonasal disease. Semin Ultrasound CT MR 2009;30:39-45.

18. Madani G, Beale TJ, Lund VJ. Imaging of sinonasal tumors. Semin Ultrasound CT MR 2009;30:25-38.

19. Marquez S, Tessema B, Clement PA, Schaefer SD. Development of the ethmoid sinus and extramural migration: the anatomical basis of this paranasal sinus. Anat Rec (Hoboken) 2008;291:1535-53.

20. Matthews BL, Burke AJ. Recirculation of mucus via accessory ostia causing chronic maxillary sinus disease. Otolaryngol Head Neck Surg 1997;117:422-3.

21. Mosesson RE, Som PM. The radiographic evaluation of sinonasal tumors: an overview. Otolaryngol Clin North Am 1995;28:1097-115.

22. Parsons DS, Stivers FE, Talbot AR. The missed ostium sequence and the surgical approach to revision functional endoscopic sinus surgery. Otolaryngol Clin North Am 1996;29:169-83.

23. Raz E, Win W, Hagiwara M, Lui YW, Cohen B, Fatterpekar GM. Fungal Sinusitis. Neuroimaging Clin N Am 2015;25:569-76.

24. Sasaki M, Eida S, Sumi M, Nakamura T. Apparent diffusion coefficient mapping for sinonasal diseases: differentiation of benign and malignant lesions. Am J Neuroradiol 2011;32:1100-6.

25. Sasaki M, Sumi M, Eida S, Ichikawa Y, Sumi T, Yamada T, et al. Multiparametric MR imaging of sinonasal diseases: time-signal intensity curve- and apparent diffusion coefficient-based differentiation between benign and malignant lesions. Am J Neuroradiol 2011;32:2154-9.

26. Sen S, Chandra A, Mukhopadhay S, Ghosh P. Imaging Approach to Sinonasal Neoplasms. Neuroimaging Clin N Am 2015;25:577-93.

27. Sen S, Chandra A, Mukhopadhay S, Ghosh P. Sinonasal Tumors: Computed Tomography and MR Imaging Features. Neuroimaging Clin N Am 2015;25:595-618.

28. Vaid S, Vaid N. Normal anatomy and anatomic variants of the paranasal sinuses on computed tomography. Neuroimaging Clin N Am 2015;25:527-48.

CHAPTER 06

외비 및 비강질환

한림의대 이비인후과 **김용복**, 경희의대 이비인후과 **이건희**

> **CONTENTS**

Ⅰ. 외비의 질환
Ⅱ. 비전정의 질환
Ⅲ. 비강의 질환

HIGHLIGHTS ⟫⟫⟫

- 비절이 잘 생기는 외비, 비전정, 인중은 안면위험삼각에 포함되어 심하면 안와나 해면정맥동으로 파급될 수 있으므로 주의 하여야 하며 심한 화농의 경우 적절한 항생제와 농포의 절개, 배농이 필요함
- 비강에서 이물이 가장 많이 위치하는 곳은 비밸브 뒤부터 중비갑개 전단 사이의 공간과 하비도이며, 단추형 건전지인 경우 최대한 빨리 제거하여 접촉면의 액화성 괴사를 막아야 함
- 비갑개 비후에 대한 수술이 필요한 경우 주로 문제되는 부분이 골부인지 연조직인지를 평가하여 어떤 방법을 적용할지를 결정해야 함

Ⅰ | 외비의 질환

1. 주사, 주사비(酒糟鼻) Rosasea

코, 뺨, 전두부 등에 일시적 혹은 영구적인 안면홍조, 모세혈관확장, 구진, 농포 등이 생겨 발생하는 만성 피부 질환이다. 홍반모세혈관확장형erythematotelangiectatic, 구진농포형papulopustular, 류형phymatous, 안형ocular의 4가지 아형subtype으로 나뉜다(Wilkins et al., 2002). 30세 이상의 성인에서 주로 발생하고 여성에게서 더 잘 생긴다. 병인은 명확하지 않으나 유전적 소인, 내분비 이상, 혈관운동 부조, 자외선 노출 등에 의해 야기되는 피부혈관 항상성의 이상에 기인한다는 설이 유력하다(Crawford et al., 2004). 치료로는 일광차단, 화장금지, 금주가 권장된다. 국소도포약제로는 마크로라이드계 항생제 연고, 메트로니다졸 크림, sodium sulfacetamide, azelaic acid 등을 병변에 바른다. 심한 경우에는 테트라싸이클린, 마크로라이드계 항생제, 메트로니다졸 등을 경구 투여할 수 있으며, 레이저로도 치료할 수 있다.

2. 비류(鼻瘤) Rhinophyma

류phyma는 류형의 주사rosacea나 선형주사glandular rosacea에서 진행한 형태의 병변으로서 충혈이나 부종이 반복되면서 피지선과 피하결체조직, 혈관 등의 과형성으로 피부가 두꺼워지고 표면에 우툴두툴한 결절들이 종괴처럼 생기는 것이다(Wiemer DR, 1987). 그 중 외비에 발생하는 것이 비류로 외비 하부 1/3에 주로 발생한다. 주사와는 달리 40대 이상의 남성에게서 주로 발생한다. 약물로 호전되지 않으므로 외과적 치료가 필수적이며 최근에는 레이저나 고주파 전기수술 등이 이용된다(이&김, 1997).

3. 비절(鼻癤), 비전정(鼻前庭) 피부염 Nasal vestibulitis

외비, 비전정, 인중 등에서 모낭 및 주위 진피조직에 발생하는 급성 화농성 염증성 결절이다. 황색포도상구균 *Staphylococcus aureus*이 주 원인균이고 코를 후비거나 풀

거나 코털을 뽑는 등 손으로 코를 자꾸 만지는 행동이 원인이 될 수 있다. 면도 후 표재성 화농성 모낭염이 진피까지 진행 시 발생할 수 있다(김, 2001). 발적, 통증, 압통이 있으며 화농성 분비물과 가피, 심하면 병변 주위 부종 및 봉소염, 발열, 오한 등의 전신증상이 나타난다. 화농이 심하지 않은 경우에는 소독과 mupirocin, fusidate류의 국소항생제 연고 도포만으로 치료될 수 있고 면역기능에 문제가 없다면 경구항생제 투여는 대개 필요없다. 화농이 심하면 황색포도상구균 감염을 치료하는 항생제를 투여하고 적절한 시기에 농포를 절개, 배농해야 한다. 발열 시 혈액과 농에 대한 균 배양 검사를 시행해 볼 수 있다. 농포가 터진 후에는 증상이 급격히 감소한다(조, 1997). 양측 구각과 미간을 꼭지점으로 하는 얼굴 중앙의 삼각형을 안면위험삼각danger triangle of the face이라 하는데 비절이 생기는 외비, 비전정, 인중 부위가 모두 이에 포함된다. 이 부분의 정맥계는 하안정맥이나 안각정맥-상안정맥을 통해 해면정맥동과 교통한다. 따라서 비절이 심하게 화농하면 정맥교통로를 역행하여 염증이 안와나 해면정맥동으로 파급될 수 있으므로 매우 주의해야 하며, 항생제 투여가 필수적이고 배농을 위해 무리하게 짜내면 안 된다.

4. 단독(丹毒) Erysipelas

단독erysipelas은 A군 β-용혈성 연쇄상구균Group A β-hemolytic streptococcus의 외독소가 피부의 표재 림프선을 침해하여 발생하는 표층형 봉소염으로 흔히 외비를 포함하여 얼굴을 광범위하게 침범한다(조, 1997). 연쇄상구균의 침입경로는 비익의 균열, 안면의 경한 표피박리, 긁힌 상처, 만성궤양 등이다. 노인이나 소아에게서 주로 발생한다.

　홍반은 3~6일째 가장 심해지고 수포를 형성하여 터

지면서 가피를 형성한다. 병변은 선홍색이나 짙은 적색이며 압통과 국소열이 있고 주변의 정상 피부에 비해 융기된 양상을 보인다. 치료로는 페니실린, 마크로라이드, 1세대 세팔로스포린 등의 항생제를 사용하고, 국소적으로 냉습포나 항생제 연고를 도포한다. 증상이 없어졌다가 갑자기 몇 시간 내에 재발할 수도 있다. 재발이 잦다면 림프관의 만성적 폐쇄가 있는 것이며, 장기적으로는 피부의 비후성 섬유화가 올 수 있다(김, 2001).

5. 심상성 낭창(尋常性狼瘡) Lupus vulgaris

결핵균에 의한 피부결핵 질환으로 주로 외비를 포함한 안면을 침범한다. 중앙부위가 위축되어 비첨이 앵무새 부리 모양을 띤다. 안면 전체적으로는 안검외반, 켈로이드, 림프부종 등을 동반하여 외모가 마치 낭처럼 변한다고 해서 낭창이라 칭한다(김, 2001). 단발성의 적갈색 반plaque을 유리판을 이용한 압시법diascopy으로 보면 황갈색의 사과젤리처럼 보이는 특징을 지닌다. 다른 질환과 감별하려면 조직검사상의 건락괴사caseous necrosis의 확인과 중합효소연쇄반응PCR 등이 필요하다. 조직검사에서 결핵균은 거의 발견되지 않으며, 결핵균 배양에서 6% 정도만 양성을 보이므로 큰 의미가 없다. 치료로 작은 초기 병변에는 외과적 절제를 시행하며, 진행된 병변에는 항결핵제 복합투여를 9개월간 시행한다.

II | 비전정의 질환

일반인의 비전정에는 황색포도상구균이 있을 확률이 20~25%라는 보고가 있다. 보균자는 비전정질환의 재발률이 높으며, 병원성감염의 근원이 될 수 있다.

III | 비강의 질환

1. 비전정염(鼻前庭炎) Nasal vestibulitis

비전정염nasal vestibulitis은 비전정의 피부부위에 발생한 피부염이다. 원발성 접촉피부염에 해당하는 비전정염은 비염이나 부비동염으로 인해 비루가 주증상인 경우 비루의 지속적인 접촉에 의한 만성자극이 원인이 되어 발생한다. 코를 푸는 행위나 비염에 따른 소양감으로 코를 비비는 행위 등은 피부염을 악화시킨다. 발적, 종창, 동통 및 소양감이 있고, 상피의 결손부위에 가피가 덮혀서 비폐색이 유발되기도 한다. 감염성 습진양 피부염은 감염성 삼출액이 인접 피부와 접촉해 발생한다. 비전정에서는 원발성 접촉피부염에 이차감염이 발생하거나 비전정절 등의 세균감염성 질환에 속발되는 경우에 볼 수 있다. 화농성 가피를 형성하며 병변이 비전정에서 주변 피부로 퍼져나간다. 장기화되면 피부 비후, 균열, 가피의 반복이 일어난다(Perl and Golub, 1998).

가장 중요한 것은 원인이 된 비염이나 부비동염을 치료하는 것이다. 국소적으로는 소독, 세척, 살균 항생제 연고도포 등이 효과적이다. 삼출성 병변을 완화하기 위하여 과망간산칼륨이나 아세트산 알루미늄용액을 도포하는 것이 좋다. 세균감염 상태가 아니면 스테로이드 연고도포가 유용할 수 있다. 환자에게는 절대로 가피를 무리하게 제거하지 않도록 주의를 준다.

1. 비강 이물(鼻腔異物) Nasal Foreign body

1) 생동성 이물(生動性異物)

생동성 비강 이물animate nasal foreign body로는 파리 유충에 의한 구더기증myiasis이 대표적이며, 열대기후 지역에서 위생상태가 불량한 사람들에게 발생하나 국내에서 보고된 사례는 없다. 회충ascaris lumbricoides도 생동성 비강 이물이 될 수 있다. 회충이 폐에서 위장관으로 이동하는 단계에서 기침을 통하여 코로 이동한 후 비루관으로 진입을 시도하여 비루관 폐쇄를 일으킨다.

2) 비생동성 이물(非生動性異物)

대부분의 비강 이물은 비생동성inanimate이며, 일측 비폐색 및 화농성 비루를 보인다. 유소아 및 정신지체자에서 이런 증상이 지속되는 경우, 이물일 가능성이 높다. 비강에서 이물이 가장 많이 위치하는 곳은 비밸브 뒤부터 중비갑개 전단 사이의 공간과 하비도이다(Kalan and Tariq, 2000). 비강이물을 제거할 때는 간단히 보이는 증례라도 신중해야 하며 협조가 되지 않는 환자에게는 전신마취 필요성을 사전에 충분히 설명하고 제거에 임하여야 한다. 별다른 증상이 없는 이물이라 하더라도 차후 비석rhinolith이나 주변의 육아조직을 형성하여 문제를 일으킬 수 있으므로 반드시 제거해야 한다. 공모양의 이물은 일반적인 겸자보다는 후방에서 전방으로 당길 수 있도록 끝이 굽은 갈고리류를 사용하는 것이 좋다. 단추형 건전지가 이물인 경우에는 응급상황으로 간주하여 최대한 빨리 제거해야 한다. 건전지에서 발생하는 전류나 유출되는 알칼리액에 의해 접촉면의 액화성 괴사가 발생한다. 점막괴사나 이어지는 연골괴사 등이 삽입 후 수시간 내에 발생하므로 조금만 늦어도 비중격천공, 비내유착, 비전정 협착 등의 심각한 후유증을 남기게 된다(Loh et al., 2003). 제거 후에는 접촉했던 비점막이나 비전정피부가 손상되었는지를 확인하고 무리하게 가피를 제거하지 않으며 필요하면 괴사조직을 제거해주는 작업과 세척을 병행한다.

2. 비갑개 비후(鼻甲介肥厚) Turbinate hypertrophy

흡기 및 호기 시 비강 내에서의 기류는 층류이며 비강이 필요 이상으로 넓어지는 경우 기류의 저항은 줄지 않으며, 오히려 와류가 형성되어 점막의 건조나 가피형성을 초래하게 된다(Grlutzenmacher et al., 2006). 와류는 기류통과에 기여하지 못하는 사강dead space의 존재로 인한 것이며 장기적으로는 사강을 채워 와류를 줄이기 위해 비점막의 보상성 비대가 발생한다. 이는 임상적으로 주로 하비갑개나 중비갑개에서 발생하며, 비갑개 골부의 결손이 있는 경우 마주보는 비중격의 점막이 비대해지는 경우도 흔하다. 비갑개 비후의 원인이 정맥동의 증가와 확장이라고 알려져 왔으나 최근에는 정맥동이 비후에 기여하는 부분은 적고 오히려 골부의 비후가 주로 기여한다거나, 비후에 염증세포 침윤이 동반된다는 연구보고가 있다. 비갑개 비후를 비염과 관련이 있는 국소적 인자 중 하나로 분류하고 있다(Fairbanks and Kaliner, 1998).

수술이 필요한 경우 비후에 주로 기여하는 부분이 골부인지 연조직인지를 평가하여 어떤 방법을 적용할지를 결정해야 한다. 골부에 대해서는 외측방으로의 인위적

골절이나 점막하 골부절제를 시행할 수 있다. 연조직에 대해서는 조직을 제거하여 통기도를 늘리는 방법 또는 조직을 수축시켜 통기도를 늘리는 방법을 적용한다. 골부 수술에 대해서는 골부 절제를 일부 포함하거나 독립적인 단순 점막 절제, 미세흡입절삭기를 이용한 점막하 절제 등이 있다(Klippel, 2001). 연조직 제거는 전기소작기나 화학약품을 이용한 비갑개소작, 점막하 가열, 레이저, 라디오 주파 등을 이용하는 조직수축방법이 있다. 점막을 건드리지 않고 점막하에서 직접 작용하는 치료 방법이 점액 섬모 수송능력 보존 및 치료기간 단축차원 면에서 우수하다(Rhee et al., 2001).

참고문헌

1. 김상원, 김한욱, 이종주. 피부결핵 및 비정형 미코박테리움증. 피부과학 4판. 여문각 2001;289-309.
2. 김태홍, 박석돈, 이중훈. 세균 감염성 및 리켓치아성 질환. 피부과학 4판. 여문각 2001;264-88.
3. 이정권, 김경수. 비강질환. 임상비과학. 일조각 1997;149-68.
4. 조중생, 홍석찬. 외비 및 비전정 질환. 임상비과학. 일조각 1997;131-48.
5. Crawford GH, Pelle MT, James WD. Rosacea: I. Etiology, pathogenesis, and subtype classification. J Am Acad Dermatol 2004;51:327-41.
6. Fairbanks DNF, Kaliner M. Nonallergic rhinitis and infection. In: Cummings CW, Fredrickson JM, Harker LA, et al, editors. Otolaryngology-Head and Neck Surgery, vol 2, 3rd ed. St. Louis: Mosby 1998;910-20.
7. Grlutzenmacher S. Robinson DM. Grafe K, Lang C, Mlynski G. First findings concerning airflow in noses with septal deviation and compensatory turbinate hypertrophy-a model study. ORL J Otorhinolaryngol Relat Spec 2006;68:199-205.
8. Kalan A, Tariq M. Foreign bodies in the nasal cavities: a comprehensive review of the aetiology, diagnostic pointers, and therapeutic measures. Postgrad Med J 2000;76:484-7.
9. Klippel JH. Primer on the rheumatic diseases, 12th ed Atlanta: Arthritis Foundation 2001;643:392-4.
10. Loh WS, Leong JL, Tan HK. Hazardous foreign bodies: complications and management of button button batteries in nose. Ann Otol Rhinol Laryngol 2003;112:379-83.
11. Perl TM, Golub JE. New approaches to reduce Staphylococcus aureus nosocomial infection rates: treating S. aureus nasal carriage. Ann Pharmacothera 1998;32:S7-16.
12. Rhee CS, Kim DY, Won TB, Lee HJ, Park SW, Kwon TY, et al. Changes of nasal function after temperature-controlled radio-

frequency tissue volume reduction for the turbinate. Laryngoscope 2001;111:153-8.

13. Wiemer DR. Rhinophyma. Clin Plast Surg 1987;14:357-65.

14. Wilkin J, Dahl M, Detmar M, Drake L, Feinstein A, Odom R et al. Standard classification of rosacea: report of the National Rosacea Society Expert Committee on the classification and staging of rosacea. J Am Acad Dermatol 2002;46:584-7.

비출혈

한양의대 이비인후과 **김경래**, 고려의대 이비인후과 **김태훈**

> **CONTENTS**

Ⅰ. 비강의 혈관 구조
Ⅱ. 원인
Ⅲ. 진단
Ⅳ. 치료
Ⅴ. 유전성 출혈성 모세혈관확장증

HIGHLIGHTS ›››

- 비강의 전반적인 혈관구조를 이해하고 특히 비중격전반부의 비출혈 호발부위인 Kisselbach 혈관총을 구성하는 문합이 중요함
- 비출혈의 국소적, 전신적 원인들을 이해하고 지속적인 일측성 비출혈이 있을 때는 출혈과 동반한 여러 종양의 가능성을 확인해야 함
- 비출혈에 대한 평가에 앞서 출혈 정도를 확인하고 저혈량증이 의심되면 환자의 혈관이 확보된 후 평가를 시작함
- 후비공 패킹은 환자에게 상당한 불편감을 초래하므로 신중히 결정하여야 하며 시술 후 저호흡, 저산소증, 서맥, 저혈압 등이 생기지 않는지 잘 관찰하여야 함
- 비수술적 방법으로 지혈되지 않는 경우 특히 지속되는 후방비출혈의 경우 내시경을 이용한 접형구개동맥 결찰술이 최우선의 치료 방법임
- 동맥색전술은 내경동맥과의 문합이 있는 경우, 극심한 동맥경화 환자, 조영제에 대한 민감반응이 있는 경우에는 금기시 됨

비출혈은 전체 인구의 60%까지 발병하는 가장 흔한 이비인후과적 응급 질환이다. 대부분은 그 정도가 경미하여 전문적인 치료를 요하는 경우는 드물다. 그러나 경미한 외상에 의한 반복적인 비출혈에서 치명적인 대량출혈까지 그 양상은 다양하여 약 5~10%의 환자는 심각할 정도의 비출혈을 경험하는 것으로 알려져 있다. 10세 미만, 45~65세에 발병률이 가장 높으며 남자에서 더 많이 발생하나 50세 이상에서는 남녀 성비의 차이는 없는 것으로 알려져 있다. 0~5세 소아 중 30%, 6~10세의 소아 중 56%, 11~15세 소아 중 64% 정도가 한 번 이상의 비출혈을 경험한다고 알려져 있다(Ahmed and Woolford, 2003).

비출혈은 모든 연령, 성별에 구분 없이 발생한다. 전방비출혈anterior epistaxis은 소아나 젊은 성인층에 호발하고 후방비출혈posterior epistaxis은 장년, 노인층에 흔하며 고혈압이나 동맥경화가 동반된 경우가 많다. 계절로는 상기도 감염이 흔하고 온도, 습도변화가 심한 겨울철에 다소 많은데 저습하며 고온건조한 기후에도 흔하다. 또한 기존에 부비동염, 비염, 알레르기를 가진 환자는 점막 자체의 염증으로 인하여 비점막이 충혈되어 있고 연약하여 비출혈을 일으키기 쉽다.

대부분의 경우 가정에서 처치할 수 있을 정도의 경미한 출혈이지만, 환자와 치료를 하는 의사 모두가 두려움을 느낄 정도의 출혈이 발생하기도 한다. 심한 비출혈 환자를 접했을 때는 빠르고 정확하게 원인을 분석하여 저혈압, 저산소증, 빈혈, 기도흡인, 사망 등 비출혈로 인한 합병증이 생기지 않도록 신속하게 치료를 시작한다.

I │ 비강의 혈관 구조

비강의 점막은 내경동맥internal carotid artery과 외경동맥external carotid artery 모두에서 혈액공급을 받는 혈액량이 풍부한 조직으로 3개의 주요분지가 다중문합multiple anastomosis한다. 외경동맥의 종말분지인 내악동맥internal maxillary artery에서 분지된 접형구개동맥sphenopalatine artery이 비갑개, 비도와 하비중격에 분포하며, 안면동맥facial artery의 상순superior labial분지가 비중격 전방과 전 외측의 비강에 분포한다. 한편 내경동맥의 분지인 안동맥ophthalmic artery은 전, 후 사골동맥을 통해 사골동, 전두동 및 비강 상부에 분포하는데 이들 혈관들이 다중문합하여 비중격 전반부의 비출혈 호발부위인 Kisselbach's plexus 혹은 Little's area를 형성한다. 비점막의 세동맥은 고유층의 심부에 위치하며 이 세동맥이 점막하부로 나오면서 선 주위 및 점막하 모세혈관망을 형성하고 정맥동sinusoid을 형성한 후 정맥총과 세정맥으로 연결되며 이러한 해부학적 구조 및 생리적인 요인에 의해 쉽게 출혈하는 경향이 있다(그림 7-1, 7-2).

1. 내악동맥

내악동맥은 외경동맥 분지의 하나로 익돌근pterygoid muscle 사이를 통과해서 익상악와pterygomaxillary fossa로 들어와 여러 분지로 나뉜다. 이 중 하행구개동맥descending palatine artery은 대구개관greater palatine canal으로 들어가서 비강 외측벽과 연구개까지 혈액을 공급한다. 이들은 또한 절치공incisive foramen을 통해서 비중격에도 혈액을 공급한다. 접구개공sphenopalatine foramen을 통과하기 전에 89%에서 분지는 내고 있다고 보고되고 있

으며(Stangerup et al., 1999) 최대 10개의 분지까지 생긴다는 보고도 있다(Simmen et al., 2006).

1) 접형구개동맥

접형구개동맥sphenopalatine artery은 내악동맥의 종말분지로 중비갑개 후연의 후방에 위치한 접구개공을 통해 비강 내로 들어와 내측과 외측분지로 다시 나뉜다. 내측분지는 외측분지에 비해 다소 상방에 위치하며 접형골의 전·하면을 따라 주행하여 비중격의 후연에서 후비중격동맥posterior septal artery이 되고 비중격의 후방에 분포한다. 또한 이 동맥은 내경동맥의 전,후 사골동맥, 외경동맥의 분지인 상순동맥, 대구개동맥과 문합한다. 외측분지는 후상비동맥posterior superior nasal artery이라고 불리우며 내측분지에 비해 직경이 크고 중,하비갑개에 주로 분포하고 간혹 상비갑개에 분포하는 경우도 있다(Morgenstein, 1870). 특이한 점은 중비갑개에 분포하는 외측분지는 중비갑개 중간 부위의 점막에 위치하는 반면, 하비갑개에 분포하는 분지는 비갑개 내의 관canal을 통해 분포하여 정맥총에 의해 둘러싸이는 형태를 지녀 이 동맥이 확장되는 경우 점막의 충혈을 야기할 수 있다.

2) 대구개동맥

내악동맥의 분지인 하행구개동맥은 하비갑개의 외측에서 대구개신경과 함께 익구개관pterygopalatine canal을 통과하여 대구개동맥이 된다. 대구개공greater palatine foramen에서 대구개동맥greater palatine artery은 경구개와 상악치의 내측 치은gum에 혈액을 공급하며, 전방으로 주행하여 절치공을 통과하여 비중격에 분포하게 된다.

A

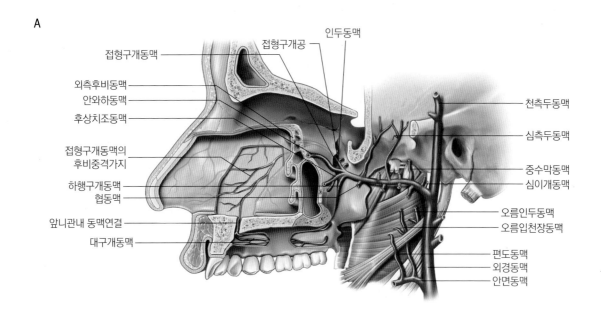

B

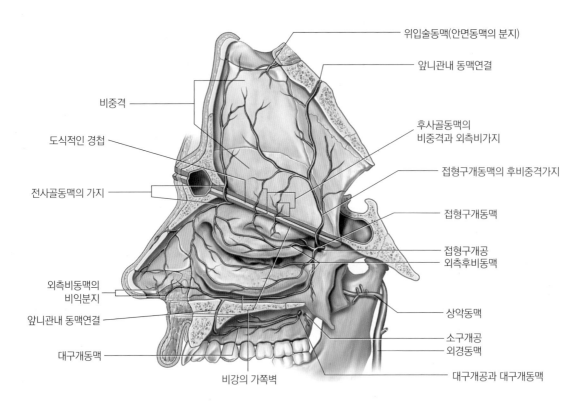

| 그림 7-1   비강의 동맥 분포

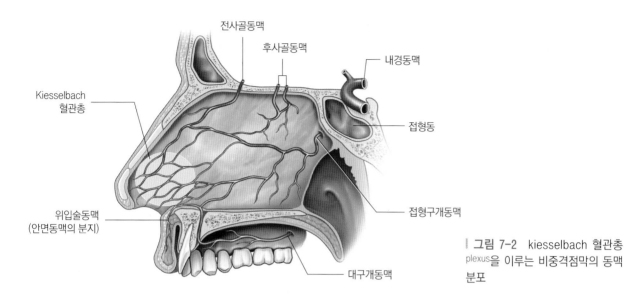

전사골동맥
후사골동맥
내경동맥
Kiesselbach
혈관총
접형동
위입술동맥
(안면동맥의 분지)
접형구개동맥
대구개동맥

그림 7-2 kiesselbach 혈관총
plexus을 이루는 비중격점막의 동맥
분포

2. 안면동맥

안면동맥facial artery의 분지인 상순동맥은 비전정vesti-
bule 내로 상행하여 대부분 전방의 비중격에 분포하며
이곳에서 외경동맥계인 내상악동맥의 분지인 접형구개
동맥, 대구개동맥과 내경동맥계인 안동맥의 분지인 전사
골동맥과 문합하여 Kiesselbach's plexus를 형성한다.

3. 사골동맥

내경동맥은 전상돌기anterior clinoid process 부위에서 경
막을 뚫고 첫 번째 분지인 안동맥을 낸다. 안동맥은 전
방으로 주행하여 상안와열superior orbital fissure을 통해
안와에 들어가며 안와 내에서 사판cribriform plate과 사
골와fovea ethmoidalis 부위에서 전·후 사골동맥으로 나
뉜다. 전·후 사골동맥ethmoidal artery은 하방, 전·내측
으로 주행하며 다시 외비분지와 내측분지로 나뉜다. 전
사골동맥은 후사골동맥에 비해 직경이 크고 비강 측벽
의 전방 1/3과 비중격 전방의 1/3에 혈액을 공급하며,

외비분지는 비골과 외측비연골 사이를 지나 외비의 배
부를 따라 비첨에 달하게 된다. 후사골동맥은 상비갑개
에 소량 분포하며 비중격 후상부에도 혈액을 공급하나
비출혈에 있어 그 역할은 미미한 정도이다(Hollinshead,
1982). 알려진 것보다 내경동맥 분지에 의한 비강으로의
혈액공급은 적은 편이다. 해부한 시체의 약 14%에서 편
측의 사골동맥을 발견할 수 없었으며 1.5%에서는 양측
모두 사골동맥이 발견되지 않았다(Shaheen, 1975).

II | 원인

비출혈의 원인은 크게 국소적 원인과 전신적 원인으로
나눌 수 있으나 비출혈의 80~90% 정도는 특별한 원인
을 찾을 수 없다. 비점막은 혈관이 풍부하며 점막 표면
으로 주행하는 특성 때문에 쉽게 혈관이 손상받을 수 있
어 비출혈이 발생하게 된다(McGarry and Moulton, 1993)
(표7-1).

1. 국소적 원인

1) 외상

비강 및 부비동의 골절, 안면골, 두개골골절과 같이 외상의 종류가 분명한 경우도 있지만 뚜렷한 원인 없이도 비점막이 손상되어 비출혈이 날 수 있다. 직접적인 외상은 비골골절에 관계없이 비출혈을 야기하는 경우가 대부분이며 골, 연골구조를 변형시키고 비점막의 손상으로 인해 혈관이 분포된 점막이 찢기거나 골부위가 드러난 가장자리에서 흔히 출혈한다. 이때의 빈번한 출혈부위는 비중격, 외비공의 외측돌기, 비골과 외측비연골의 문합부위, 하비갑개의 외측연, 비중격 골부와 비중격연골의 문합부위이며 이러한 외상으로 인한 비강구조물의 변형으로 출혈이 있는 경우는 비출혈의 처치 전에 골절 정복이 먼저 요구된다. 습관적으로 코를 후비는 경우에는 비중격 전반부에 가피와 긁힌 상처가 주로 관찰되며 이 부위가 소아에서 출혈부위로 자주 관찰된다. 이러한 행동은 정신질환 환자에서도 나타나며 비점막의 계속적인 손상은 연골막을 약화시켜 연골을 노출시키고 천공을 일으키기도 한다. 천공이 발생하면 정상적인 비강 내 기류가 변화되고, 와류 혹은 건조함이 더해지면서 가피가 형성되고 출혈이 발생할 수 있다.

(1) 구조적 원인

비중격 돌기spur나 심한 비중격만곡은 비강을 통한 정상 공기의 흐름을 방해하며 점막의 변화를 초래한다. 대부분의 출혈부위는 만곡된 부위의 주변으로 특히 비중격 기형의 직후방부의 출혈은 시야가 확보되지 않아 지혈이 힘들다. 비중격천공의 변연은 잦은 가피와 육아조직으로 쉽게 출혈하므로 출혈을 유발한다면 적합한 치료가 필요하다.

표 7-1 비출혈의 원인

1. 국소적 원인
 1) 특발성
 2) 외상
  (1) 코 후비기
  (2) 안면골/비골 골절
  (3) 비강 내 산소 투여, 지속적인 비강내 양압 치료
 3) 염증성/감염성
  (1) 감기, 바이러스성 비부비동염
  (2) 알레르기성 비부비동염
  (3) 박테리아성 비부비동염
  (4) 육아종성 질환(Wegener씨 육아종증, 유육종, 결핵)
  (5) 환경오염물질(담배연기,매연, 각종 화학물질)
 4) 의인성 – 비강 내 수술
 5) 종양
  (1) 혈관종
  (2) 혈관주위세포종
  (3) 출혈성 비용
  (4) 혈관섬유종
  (5) 화농성 육아종
  (6) 암
 6) 이물
 7) 비강 내 구조적 변형
  (1) 비중격만곡증
  (2) 비중격천공
  (3) 선천성/후천성 비 결손
 8) 약물
  (1) 국소용 분무 스테로이드제
  (2) 코카인
  (3) 기타 직업환경적 물질

2. 전신적 원인
 1) 고혈압
 2) 동맥경화증
 3) 혈액 응고장애
  (1) 의인성 약물: 항응고제
  (2) 이차질환: 혈우병, 백혈병, 자반
  (3) 알코올 중독, 간 및 신장질환
 4) 유전성 출혈성 모세혈관확장증
 5) 전신질환의 부수증상
  (1) 비타민 C, K결핍
  (2) 급열성 질환, 장티푸스, 홍역, 성홍열
  (3) 기생충: 십이지장충, 회충
  (4) 약물중독: 인, 납, 수은
 6) 기타
  (1) 기압의 급격한 변동
  (2) 대상성 출혈: 월경 또는 뇌일혈의 대상

(2) 염증

급성 상기도 감염, 알레르기, 부비동염, 비강 이물 등은 종종 비출혈을 동반한다. 기존의 비염, 부비동염, 알레르

기를 가진 환자의 점막은 염증으로 인해 충혈되어 있고 연약하여 비출혈을 일으키기 쉬워 특히 겨울철에 건조하고 고온한 실내에서 그 빈도가 높고 먼지나 유해한 화학물질이 존재하는 작업환경에서는 더욱 악화된다. 비내 코카인 사용도 비출혈과 관련이 있으며, 비충혈제거제나 스테로이드 스프레이제제 등도 건조감과 출혈을 일으키며, 흡연 역시 비강점막을 자극한다. 비강 내 염증이 있으면 환자는 강하게 코를 풀게 되므로 이미 약화된 혈관이 쉽게 손상된다. 특히 아이들에게 주로 발생하는 비강 이물은 때때로 콧물, 악취, 농성 비루 등의 증상을 동반하며, 이때 약화된 비점막으로 인하여 출혈이 발생한다 (Santos and Lepore, 2001).

(3) 종양과 동맥류

흔한 원인은 아니지만 종양과 동맥류가 있는 경우에도 출혈이 잘 일어난다. 직·간접적으로는 비인강 혈관섬유종, 혈관종과 같이 다량의 혈관분포에 의해 출혈을 일으킨다. 혈관 섬유종은 젊은 남자에서 심한 반복적 비출혈의 원인이 되며(Keen and Moran, 1985) 성인에서는 악성종양인 흑색종, 편평세포암종 등이 한쪽에 국한된 코막힘, 비루와 함께 비출혈을 동반한다. 특히 반복적이고 심각한 비출혈이 있을 때는 반드시 종양을 염두에 두어야 하며 조직생검이 요구될 때는 패킹, 소작, 수혈 등이 준비된 상태에서 시행되어야 한다. 두부 외상을 입은 후 내경동맥의 해면정맥동 내 동맥류intracavernous aneurysm 가 발생하면 심한 비출혈의 원인이 된다. 이와 같은 후외상성 동맥류posttraumatic aneurysm는 대개 손상을 입은지 수주에서 수개월 후에 생기며, 수상 후 지연성(대개 3주)의 반복적인 심한 비출혈 시 의심을 해야 하며 일측 실명, 복시, 이마의 박동성 통증이 생길 수 있다. 사망률은 50%로 높게 알려져 있다(Romaniuk et al., 1993).

2. 전신적 원인

1) 나이

노화에 따른 혈관벽의 변화 중 특히 동맥벽의 섬유화가 비출혈과 관련이 있으나 어린이들은 보통 위에서 언급한 원인 중 기계적 외상이나 비강 이물 그리고 비점막 염증으로 인해 비출혈이 일어난다.

(1) 고혈압 및 동맥경화증

혈관의 경화성 변화는 노년층에 있어 비출혈을 일으키는 주된 원인이며 고혈압도 한 원인이다. 고혈압 환자에서 비출혈이 발생하는 기전은 두 가지 가설로 설명된다. 첫째, 고혈압은 만성적인 혈관손상을 일으킨다. 지속적으로 혈압이 상승한 환자는 그렇지 않은 환자보다 더 자주 비출혈을 경험하는 것이 그 증거이다. 비출혈을 경험한 환자들의 사후에 비강 혈관을 조사한 결과, 비강 동맥의 퇴행성 섬유화 정도가 비출혈을 경험하지 않은 환자보다 훨씬 심했다. 둘째, 비출혈 환자의 20% 정도에서 불안감과 관련된 고혈압이 나타난다. 실제로 응급실에서 활동성 출혈을 보인 환자들만이 고혈압과 관련이 있었으며, 활동성 출혈이 없는 환자들은 고혈압인 경우가 적었다(Herkner et al., 2000). 비출혈과 고혈압은 일반 인구 집단에서 흔히 발생하나, 둘 사이의 관련성에 대해서는 아직까지 논란이 있다.

(2) 혈액 응고 장애

비출혈은 혈우병, von Willebrand병 또는 항응고제를 지속적으로 복용하는 환자에서 심각하게 나타난다. 이는 혈소판 감소증 또는 혈소판 기능 부전에서도 나타나며, 혈액응고 인자의 생산에 관여되는 간질환에서도 전신적 출혈의 형태로 비출혈이 야기된다. 이러한 응고질환은 그 치료가 힘들어 정규적인 비강패킹은 패킹되어 있는 동안의 출혈을 제어할 뿐 패킹제거 시는 이차적 점막의 손상으로 출혈이 더욱 심해지는 경우도 있다.

(3) 약물

많은 약물들이 정상적인 혈액응고 과정을 방해한다. 50명의 비출혈 환자들을 같은 연령대의 대조군과 비교한 연구에 따르면 비출혈 환자군의 42%가 와파린war-farin, 헤파린heparin, 비스테로이드성 소염제 등을 복용하고 있었으며 대조군에서는 3%만이 복용하고 있었다(Watson and Shenoi, 1990). 혈액 응고를 방해하는 가장 흔한 약물은 아스피린을 포함한 비스테로이드성 소염제였으며, 또 다른 연구에서는 약 복용력이 있는 환자의 비율을 44%까지 보고하였다(McGarry, 1990).

III | 진단

1. 병력 청취

비출혈 환자가 오면 치료에 앞서 비출혈의 정도나 위치, 환자의 나이, 혈액검사 결과, 비출혈의 유발인자(외상, 수술, 종양 등), 비출혈의 과거력(von Willebrand병, 유전성 출혈성 모세관확장증 등), 내과적 질환 여부(고혈압, 동맥경화증 등의 심혈관, 폐, 간질환), 응고인자에 영향을 주는 약물의 사용 여부(아스피린, 항응고제, 소염제 등), 환자의 일반 건강상태 등을 파악하는 것이 중요하다. 특히 노약자에서는 치료과정 자체가 심폐 기능에 심한 합병증을 유발할 수 있으므로 주의한다. 응급상황이 아니라면 어느 쪽 비강에서 출혈이 있는지, 양측에서 모두 출혈이 난다면 더 심한 쪽은 어디인지, 어느 쪽에서 먼저 출혈이 시작되었는지, 코로 먼저 나왔는지 입으로 먼저 뱉어내었

는지를 알아볼 필요가 있다. 또한 출혈의 양이 어느 정도였는지(손수건을 적실 정도였는지, 수건을 적실 정도였는지, 타월을 적실 정도였는지)를 물어봐야 하며 환자가 창백하거나 식은땀을 흘리고 있거나 피부가 차갑거나 맥박이 빠르게 뛴다면 혈액감량증hypovolemia을 의심해야 하며 환자의 혈관을 확보한 후 평가를 시작한다.

환자와 의사 모두 혈액으로부터 오염되지 않도록 보호복을 착용하도록 하며 환자가 피를 입에서 뿜어내는 경우 혈액이 분무 형태로 공기 중으로 뿌려지기 때문에 안구 보호장비를 착용한다. 비강 내 고여있는 혈병 제거 후 헤드미러를 사용하여 비강을 관찰한다. 출혈부위가 확인되지 않을 경우 내시경을 사용한다. 소아의 경우 비출혈은 대부분 비중격 전반부의 점막피부 교차점에서 발생하며 대부분 자연적으로 멈춘다. 비출혈이 있으나 뚜렷한 원인 혈관이 관찰되지 않는 소아에서는 비공 전반부에 연고도포가 효과적이라고 알려져 있다(Kubba et al., 2001). 재발성 비출혈의 환아 중 5~10%에서 von Willebrand병이 진단되며 백혈병이나 항암치료를 받고 있는 환아에서 혈소판감소증으로 인해 비출혈을 일으킬 수 있다(Katsanis et al., 1988).

2. 신체검사

신체검사에 앞서 기도가 확보되어 있는지, 호흡곤란은 없는지, 혈액 순환은 잘 되고 있는지를 확인하는 것이 가장 중요하다. 비출혈을 치료하는 중간에도 지속적으로 확인을 하는 것이 중요하다. 환자와 보호자를 안정시키고 혈액은 삼키지 말도록 하고 비강 전체를 비출 수 있는 광원 또는 내시경하에서 흡인기로 비강점막에 더 이상의 손상을 주지 않도록 유의하면서 비강 내의 혈괴를 제거한다. 그 후 bosmin이나 0.25% phenylephrine 등의 혈관수축제를 사용해서 점막부종과 출혈을 줄인 후

비출혈 부위를 정확히 파악하는 것이 중요하다.

모든 혈괴를 제거한 후 출혈이 지속되지 않는다면 당장 추가적인 치료는 필요 없다. 오히려 비출혈이 없을 때 비패킹을 하면 비점막을 손상하여 출혈을 야기할 수 있다. 비중격이나 비강 내에 구조적 이상이 있는지 관찰하고 계속되는 출혈이 있는 경우 흡인기로 흡인하면서 출혈 부위를 확인한다. 비강뿐만 아니라 구강, 귀, 경부 등도 같이 검진한다. 유전성 출혈성 모세혈관확장증에서는 비점막, 혀, 손가락 등에 병변이 관찰될 수 있으며 중이염이 동반된 경우 비인강 혈관섬유종을, 경구개에 병변이 있으면서 경부 림프절 비대가 있으면 악성신생물의 가능성도 생각해 보아야 한다.

성인에서의 비출혈은 비중격 전단에 있는 Kiesselbach's plexus 혹은 Little's area에서 가장 흔하게 발생한다. 비주columella에서 4~5 mm 후방에서 상행하는 확장된 혈관을 관찰할 수 있다. 드물게는 비중격 중반부의 돌기 직후방의 출혈을 관찰할 수 있고 비중격천공 변연의 출혈도 그 원인이 될 수 있다. 비중격 후방부에서 출혈이 나는 경우 비중격 만곡증으로 인하여 출혈부위 시야 확보가 어려울 수 있다. 비강의 후방부에서의 출혈은 동맥경화증 혹은 고혈압을 가진 고연령층에서 많이 발생되며 하비갑개 외측연의 후반부에서 연구개 후반부에 걸쳐 발달된 정맥총인 Woodruff's plexus에서 많이 발생한다. 이 혈관총은 비강의 하단 후반부 1 cm, 하비도, 하비갑개와 중비도 이관개구부 전방의 점막과 후비공의 외측과 상연에 분포하며 내악동맥의 분지로 지혈이 어렵고 재발이 잦아 치사율이 4~5%나 된다. 그 밖에 중비갑개 상부에서의 출혈은 고혈압 환자에서 가끔 볼 수 있으며 여기에는 전사골동맥이 주로 분포하고 있다.

IV | 치료

1. 비수술적 치료

일반적인 치료는 환자, 보호자 및 치료자가 모두 심리적으로 안정된 상태에서 시행되어야 한다. 앉은 자세에서는 출혈이 줄어드는 경향이 있고 혈괴가 목 뒤로 넘어가 구역질을 일으키는 경우가 적으므로 환자의 전신상태가 허용된다면 검사의자에서 진행하도록 한다. 비출혈을 보상해주는 수액용법은 3-and-1 법칙에 따라 출혈량 매 100 ml에 결정질용액crystalloid fluid 300 ml를 반드시 투여해야 한다. 출혈이 심하면 수혈이 필요하고 기타 지혈제를 투여하기도 한다. 주변 환경의 습도를 높이고 비강 내 생리식염수 분무, 몸을 앞으로 많이 굽히거나 과로 및 긴장을 피하고 입을 벌리고 재채기하거나 비강 내 조작을 피한다.

1) 전방비출혈의 치료

전방비출혈은 대부분 보존적 치료가 가능하다. 출혈 부위가 확인이 되면 bosmin이나 phenylephrine 용액이 포함된 혈관수축제가 도포된 거즈로 출혈부위를 지혈한다. 비강 내 조작이 많이 필요할 경우 치료를 시작하기 전에 리도카인 등으로 비강 내를 적절하게 마취하는 것이 좋다. Kiesselbach's plexus에 출혈이 있을 경우에는 우선 출혈부위의 비익을 손가락으로 강하게 압박하며 이것으로 잘 안되는 경우 혈관수축제와 마취제를 적신 거즈로 전방비강을 막고 비익을 손끝으로 5~10분가량 압박한다.

(1) 소작술

질산은 소작술은 10~20% 질산은을 사용한다. 질산은을 이용한 화학적 소작술은 전기소작술에 비해 비용이 덜 들고 시행하기 쉬워 더 대중적으로 사용되고 있다. 질산은이 점막에서 질산nitric acid으로 변하여 소작효과를 나타내는데 다량의 출혈은 제어하기 힘들다. 출혈이 없거나 멈추었을 때는 막대기 끝을 물에 적셔 사용하고 출혈 부위에 가볍게 4~5초 정도 눌러준다. 출혈이 멈추지 않는다면 약 30초간 눌러준다(Tan and Calhoun, 1999). 외비공 주위의 피부에 묻었을 때 갈색으로 변색되는 것은 대개 수주 후에 없어진다. 소아 환자의 경우 전기소작에 비해 유효하며 비중격천공의 빈도는 낮으나 중증 또는 다량출혈에의 사용에는 한계가 있다. 또한 유의할 점은 비중격 양측의 소작은 비중격천공의 위험성이 있으므로 피해야 하며 일정 부위에 대한 반복 또는 과도한 소작도 피해야 한다. 최근 연구에서 초회 치료 시 성공률은 약 79%로 보고되고 있다(Pond and Sizeland, 2000).

전기소작술은 출혈부위의 건강한 조직도 손상 시키므로 조심스럽게 시행해야 한다. 질산은 소작과 마찬가지로 양측 비중격을 소작할 경우 비중격 천공의 위험성이 높아짐을 명심해야 한다.

(2) 전비공패킹

소작술 등으로 비출혈이 멈추지 않는 경우, 비강 내 패킹을 시행한다. 패킹 소재는 흡수성, 비흡수성 소재로 나뉜다. 대표적인 비흡수성 소재로는 항생제 연고가 도포된 petrolatum gauge, Merocel 등이 있다. 비흡수성 소재들은 비강 내 삽입 시 불편감을 주고 점막손상을 일으키기 때문에 출혈 부위를 넓힐 수 있다. 거즈에 항생제 연고를 함께 바르는 이유는 포도상구균에 의한 독성쇼크를 예방하기 위함이다. 독성쇼크 예방을 위한 항생제의 전신투여에 대해서는 아직 정립된 바가 없다(Biswas

et al., 2006). Merocel은 압축 스폰지이며 환자의 경증 비출혈의 치료에 효과적이나 점막에 유착되는 경향이 있어 48시간 이내에 제거해야 하며 독성쇼크 예방을 위해 항생제 연고 혹은 점이액을 같이 사용해야 한다. 흡수성 소재로는 산화 셀룰로스oxidized cellulose인 surgicel과 gelfoam이 대표적이다. 흡수성 소재는 혈액응고장애가 있는 환자에게 사용 시 효과적이다. 하지만 패킹의 실패율은 52%로 보고되고 있으며 출혈성 질환을 가진 자에서 재출혈은 72%까지 보고되고 있다(Schaitkin et al., 1987; Gallo et al., 2000). 또한 패킹으로 인해 새로운 출혈이 발생하는 위험성도 있기 때문에 환자가 많이 불편해 하며 비출혈을 막는 데 위험한 치료 방법이다.

2) 후방비출혈의 치료

후방비출혈은 최초의 환자 병력이 중요하다. 전방비출혈로 인한 혈괴가 전방으로의 출혈을 막아 뒤로 흐르는 경우를 제외하고, 초기 출혈을 인지한 것이 코 뒤, 즉 목에서 발견되었다면 대개의 경우 후방비출혈이며 그 정도가 가벼운 경우는 드물다. 또한 출혈은 수분에서 길게는 수시간 지속되어 혈색소치가 떨어지고 쇼크의 위험도 있으므로 수액처치를 먼저 시행한다. 환자의 병력에서 항응고제 사용이나 고혈압 동반 유무를 확인하고 혈색소치, 응고인자 검사CBC, PT, aPTT와 화학검사를 병행한다. 65~75%의 후방비출혈 환자를 국소 oxymetazoline으로 치료가 가능하였다는 보고가 있으나 고혈압 환자에게는 oxymetazoline 사용을 조심해야 한다(Krempl an Noorily, 1995). 후방비출혈 환자의 20%는 비중격 후반부에서, 80%는 중비갑개, 중비도, 하비갑개, 하비도의 외측면에서 발생한다(Thornton et al., 2005). 이들 부위 모두 접형구개동맥의 영역이다.

(1) 후비공 패킹

전비공 패킹으로 비강 후방에서 나는 출혈을 통제하기에 충분하지 않을 때는 후비공 패킹을 시행한다. 후방 패킹은 패킹의 크기가 후비공을 막을 수 있을 만한 크기여야 한다. 4×4인치의 거즈조각을 정사각형 모양으로 접은 후 실로 묶는다. 패킹에 항생제 연고를 발라 독성 쇼크를 예방한다. 패킹 시작 전에 코와 인두를 마취하고 2-0 실크 봉합사로 패킹에 2개의 끈을 만든다. 세 번째로 3-0 실크 봉합사를 반대편으로 늘어지게 만들어둔다. 이것은 패킹 제거 시 후비공 패킹을 입으로 뽑을 때 사용한다. 먼저 코 안으로 nelaton관을 넣어서 입으로 뽑은 후 이것을 2-0 실크 봉합사 2개로 묶은 다음 손가락을 이용하여 패킹을 입을 통해 후비공으로 넣고 실크 봉합사를 비공 밖으로 뽑는다. 후비공 패킹을 단단히 당겨 비인강에 고정시킨 후 전비공 패킹을 한다. 거즈를 코앞에 놓은 후 두줄의 2-0 실크 봉합사를 묶어서 고정시킨다. 이때 비익 및 비주, 비중격이 너무 강하게 압박되어

괴사되지 않도록 주의한다. 따라서 후비공 패킹은 가능하면 양측으로 시행하지 않도록 한다.

후비공 패킹의 지혈효과는 출혈부위로의 직접적 압박이 아니라 비강거즈 패킹에 의한 비강내 혈괴와 점막부종에 의한 이차적인 압박으로 인한 것이다. 후비공 패킹의 단점은 첫째, 시술하는 과정이나 시술 이후에도 환자가 상당한 불편을 느껴 진정제나 진통제가 요구되며, 둘째, 저호흡, 저산소증을 일으켜 심근경색이나 뇌졸중의 빈도를 높이고, 셋째, 비-미주반사에 의해 서맥, 심박출량 감소, 저혈압, 호흡억제를 유발하고, 마지막으로 수면호흡증이나 이차적 부비동염을 일으키기도 한다(그림 7-3).

(2) Balloon tamponade

원리는 일반적인 후비공 패킹과 같으나 상품화된 foley 카테터를 이용할 경우 카테터를 코를 통해 집어넣어 그 끝이 인두 중앙부에서 보일 때까지 삽입한다. 풍선 부위

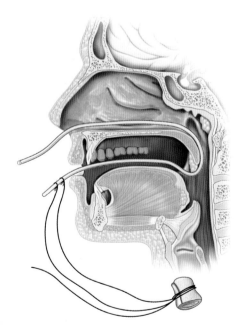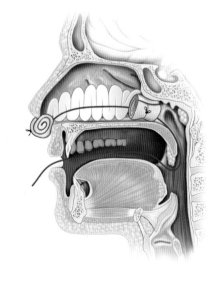

| 그림 7-3 후비공패킹

를 물 또는 공기로 3~4 ml 팽창시킨 후 후비공에 단단히 밀착될 때까지 당긴다. 풍선을 물로 부풀리는 경우 풍선이 터지면서 물이 흡인되는 것을 조심해야 한다(그림 7-4). 그 후 전비공 패킹을 시행한 후 외비공 앞쪽에서 제대 클램프umbilical clamp로 단단히 고정한다. 이때도 후비공패킹 때와 마찬가지로 비익, 비주, 비중격에 지나친 압박으로 인한 괴사가 발생하지 않도록 양측으로 삽입하지 않으며 풍선의 공기를 주기적으로 빼준다. 시간의 경과에 따라 풍선이 줄어드므로 필요하면 1 cm씩 재주입한다. 장점은 환자에게 편하고 재출혈 시에 쉽게 풍선을 부풀려 재압박할 수 있다. 이 외에 비출혈 치료를 위해 상업적으로 생산된 제품으로 Brighton 카테터, Simpson 카테터, Epistat 카테터 등이 있다.

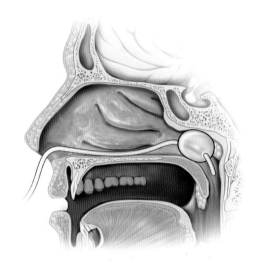

| 그림 7-4　Balloon tamponade

2. 수술적 치료

1) 내시경하 접형구개동맥 결찰술

내시경하 접형구개동맥 결찰술Endoscopic sphenopalatine artery ligation, ESPAL이 소개되기 전까지는 잘 치료되지 않는 비출혈에 대해 경상악동접근법을 통한 내악동맥 결찰술 및 외경동맥결찰술이 많이 시행되었다. 하지만 이 두 수술방법 모두 실패율이 높고 다양한 합병증이 발생하였다. 최근 비수술적 치료로 비출혈이 치료되지 않는 경우 또한 ESPAL이 최우선의 치료 방법으로 선택되고 있다(Pope and Hobbs, 2005). 또한 지속되는 후방비출혈의 치료법으로 인정되고 있다(O'Flynn and Shadaba, 2000). ESPAL을 시행하는 의사는 접형구개동맥의 해부학과 가능한 변이를 정확하게 숙지하여야 한다. ESPAL은 전신마취 또는 국소마취하에 가능하며 0° 비내시경을 이용하여 비강 안으로 들어가 중비갑개의 맨 끝보다

1 cm 정도 전방, 즉 posterior fontanelle 주위에서 하방으로 종적 절개를 가한다(그림 7-5). 점막과 골막 피판을 후상방으로 들어올리면 crista ethmoidalis 직후방에서 기시하는 혈관신경 다발을 확인한다. 보통 접형구개동맥은 crista ethmoidalis의 외측에서 기시하며 다양한 모습으로 분지한다. 술자는 접형구개동맥이 crista ethmoidalis의 내측에서 2개 이상으로 분지하는 환자가 97% 이상, 3개 이상 분지하는 환자가 67% 이상, 4개 이상이 분지하는 환자라 약 35%라는 것을 숙지하고 있어야 한다(Simmen et al., 2006). 접형구개동맥을 잘 박리한 후 분지들과 함께 클립을 이용하여 결찰한다(그림 7-6). 결찰이 완료되면 피판을 원위치로 돌려 놓는다. 여러 보고들에서 ESPAL의 성공률은 92~100%로 보고되고 있다(Wormald et al., 2000; Kumar et al., 2003). 대표적인 합병증은 비출혈의 조절 실패로 접형구개동맥의 모든 분지를 결찰하지 못했을 경우 발생하며 발생률은 0~8%로 보고되고 있다(Kumar et al., 2003). 그 이외에 심각한 합병증은 발생하지 않는다.

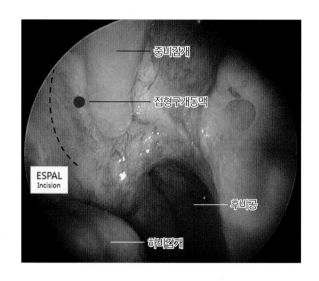

중비갑개

접형구개동맥

ESPAL
Incision

후비공

하비갑개

| 그림 7-5 내시경하 접형구개동맥 결찰술의 절개선 및 접형구개동맥의 위치

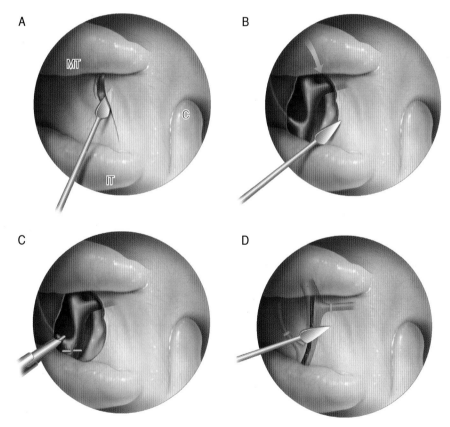

| 그림 7-6 내시경하 접구개동맥 결찰술

A. 중비갑개 후단에서 하방으로 수직 절개를 가한다. **B.** 접형구개공을 통해 나오는 접형구개동맥을 확인한다. **C.** 직접 보면서 vascular clip으로 결찰한다. **D.** 점막골막(mucoperiosteal) 피판을 원위치시킨다.

(1) 내악동맥 결찰술

내악동맥 결찰술은 1965년에 국소마취하에 통상적인 Caldwell-Luc접근법을 사용하여 처음 소개되었다(Chandler and Serrins, 1965). 상악동 내로 접근 후, 안와하벽 1~2 cm 아래에서 후벽을 드릴, 망치, 정을 이용하여 제거한 다음 골막을 절개한다. 익구개와의 혈관들을 분리하여 근위부 혈관과 접형구개동맥, 하행구개동맥과 같은 원위부 동맥을 각각 2개의 혈관클립으로 결찰한다. 성공률은 약 90%로 보고되고 있다(Strong et al., 1995). 출혈, 익구개와 내의 변형된 동맥분지 등으로 인해 혈관을 모두 결찰하지 못하는 경우에 수술이 실패하게 된다. 또한 약 28%에서 합병증이 보고되고 있으며 대표적인 합병증은 Caldwell-Luc합병증과 유사하여 부비동염, 안면통, 상악치의 지속적인 통증이나 감각저하, 구강상악동루oroantral fistula 등이 있다. 또한 익구개와의 해부로 인해 시력소실, 안근마비도 발생할 수 있다(Schwartz-bauer et al., 2003).

(2) 외경동맥 결찰술

외경동맥 결찰술은 비교적 간단한 시술법으로 부분마취하에 시행될 수 있으나 측부혈행에 의해 약 45%에서 재출혈이 발생하는 것으로 알려져 있다(Spafford and Dur-ham, 1992). 설골과 갑상연골의 상연 사이에서 수평절개를 하고 아래위로 하광경근피판subplatysmal flap을 든 후에 흉쇄유돌근sternocleidomastoid muscle을 후방으로 견인한다. 경동맥 분지를 확인한 후 외경동맥의 분지를 확인한다. 결찰은 상갑상동맥superior thyroid artery의 원위부, 상행인두동맥ascending pharyngeal artery 기시부의 하단에 시행하는데 시술 도중에 서맥이 나타나면 1% 리도카인을 경동맥동carotid sinus에 점적한다. 또한 설하신경, 미주신경, 상후두신경 등이 손상되지 않도록 주의한다. 현재는 내악동맥 색전술이 효과적이어서 외경동맥 결찰술은 많이 시행하지 않는다. 또한 뇌의 혈행이 외경동맥

과 내경동맥의 문합에 의존하는, 동맥경화증이 있는 고령의 환자에서 외경동맥 결찰술 후 뇌경색이 발생했다는 보고도 있다.

(3) 사골동맥 결찰술

전사골동맥에 의한 비출혈은 비교적 드물지만 비사골골절이 동반된 경우 심한 비출혈이 발생할 수 있다. 전사골동맥 출혈은 보존적 치료로 치료되는 경우가 드물기 때문에 전통적인 외부접근법 또는 비내시경을 이용한 수술적 치료가 필요하다.

전사골동맥은 전두개와로부터 나와 사골동의 천장으로 통과하여 안와로 주행하며 사골동 부위에서는 장간막 형태로 존재하거나 골관의 결손(11~40%)이 있는 경우가 있어 내시경 부비동수술 시에 손상될 수 있다(Polavaran et al., 2004). 전사골동맥 손상은 심한 비출혈과 동반되어 안와내출혈, 두개내출혈까지 유발시킬 수 있다(Lee et al., 2000). 전사골동맥은 해부학적으로 전두와frontal recess의 후면과 전사골동과의 경계부에서 1~2 mm 후방에 놓여있다고 보고되었으며 전두와의 후면으로부터 평균 11 mm (6~15 mm) 뒤쪽에 존재한다는 연구 발표도 있다(Stammgerger, 1991; Simmen et al., 2006). 전사골동맥은 항상 제2 기판과 제3 기판 사이에 존재하며 약 85%에서 suprabullar recess에 존재하기 때문에 부비동하 내시경수술은 항상 전산화단층촬영을 통해 정확하게 해부학적 구조물을 파악한 후 시행되어야 한다.

전통적인 외부 접근에 의한 사골동맥 결찰술은 안면부 수상에 의한 출혈일 때 시행된다. Lynch incision을 넣고 피하조직과 골막을 박리한 후에 누낭와lacrimal fossa와 전두사골봉합선frontoethmoidal suture line을 확인한다. 이 봉합선을 따라서 진행하면 전누릉anterior lacrimal crest의 15~20 mm 뒤에서 전사골동맥을 확인 후, 이중 클립 또는 소작술을 시행한다(McQueen et al., 1995). 후사골동맥은 전사골동맥의 약 10~12 mm 후방에 있으며

자르지 않고 클립만 시행한다. 후사골동맥의 5~6 mm 후방에는 시신경이 지나가기 때문에 신중하게 결찰하여야 한다.

(4) 동맥색전술

Sokoloff(1974)에 의해 최초로 내악동맥 색전술이 후비출혈에 이용된 이후로 색전술은 유전성 출혈성 모세관 확장증, 비출혈, 혈관종, 비인강 혈관섬유종이나 악성종양에 이용되어 왔다. 특히 패킹이나 동맥결찰술로 잘 치료되지 않는 비출혈 환자의 치료에 효과적이다. 성공률은 약 71~95%로 보고되고 있으며 합병증은 12~20%에서 발생하는 것으로 알려져 있다(Bent and Wood, 1999; Shah et al., 2005). 합병증으로는 서혜부 혈전이 가장 많고 피부괴사, 부종, 뇌혈관사고, 반신마비, 안근마비, 안면마비, 실명, 발작 등이 발생할 수 있다(Elahi et al., 1995; Christensen et al., 2005). 하지만 동맥색전술은 입원 기간이 짧고 부분마취로 시술이 가능하며 수술적 치료로는 접근하기 어려운 혈관도 치료할 수 있고 수술적 치료를 실패한 경우에 시행하여도 비교적 성공률이 높으며 출혈이 재발 시 재시술할 수 있다는 장점들이 있다. 단, 동맥색전술은 외경동맥의 분지를 막는 데 효과적이며 내경동맥 분지를 시술하는 것은 매우 위험하다. 내경동맥의 말단 분지인 전사골동맥을 시술하는 경우 실명할 수 있다. 또한 내경동맥과의 문합이 있는 경우, 극심한 동맥경화 환자, 조영제에 대한 민감반응이 있을 때는 금기시 된다. 내악동맥의 선택적 혈관 조영 후 내경동맥 또는 척추동맥과의 문합 이상이나 역류의 증거가 없다면 polyvinyl alcohol, gelfoam, butyl-cyanoacrylate, coil, concentrated alcohol 등 다양한 약제를 사용하여 색전술을 시행한다. 목표 지점에서 혈류가 감소하거나 멈출 때까지 색전제 주입을 반복한다. 유전성 출혈성 모세혈관확장증 환자의 지속되는 재발성 비출혈 시에도 색전술을 반복해서 할 수 있다. 초기 치료 후 안면동맥을 통한 측부혈행으로 출혈이 재발하면 색전술을 다시 실시한다. 오랜 기간이 지난 후 재발한 경우는 반수 이상이 유전성 출혈성 모세혈관 확장증 환자일 가능성이 높다.

(5) 비중격 수술

비출혈이 비중격 만곡 부위 또는 비중격 돌기에서 습관적으로 발생하거나, 만곡 부위나 비중격 돌기 후방부위에서 출혈이 발생하여 시야 확보가 어려울 때 비중격 수술을 시행한다. Kiesselbach's plexus에 혈액공급을 차단하기 위함이나 출혈성 결절, 또는 비중격갑개를 제거하기 위해 시행되기도 한다.

3. 기타

1) 뜨거운 물 세척

뜨거운 물을 사용하여 세척하는 방법은 최근 후방비출혈의 치료에 효과적이라고 보고되고 있다. 물의 온도가 40°~46°C에서는 점막의 조직학적 변화가 생기지 않으며 46°C 이상부터는 혈관이 확장되며 점막의 부종이 발생하고 52°C 이상부터는 괴사되기 시작한다(O'Flynn and Shadaba, 2000). 비내시경으로 출혈부위를 확인한 후 국소 마취제로 비점막을 마취한다. 후비공을 풍선 카테터로 막은 후 50°C의 물로 비강을 세척한다. 이때 비점막에 부종이 발생하여 출혈부위의 국소 압박이 발생하고 동시에 응혈이 세척되며 지혈기전이 시작된다(Strangerup et al., 1999). 세척은 약 3분간 앉은 자세에서 시행되며 500 ml의 뜨거운 물로 세척 후 종료한다. 성공률은 합병증 없이 약 84%로 보고되고 있으며 입원, 수술, 통증이 없다는 장점이 있어 잘 치료되지 않는 후방 비출혈의 치료에 효과적으로 추천되고 있다(Schlegel et al., 2006).

V | 유전성 출혈성 모세혈관확장증

유전성 출혈성 모세혈관확장증은 상염색체 우성으로 유전되는 질환으로 5,000~8,000명당 1명에 발생하는 드문 질환이다. Rendu-Osler-Weber disease라고도 불리우며 점막피부와 내부장기의 모세혈관확장증을 특징으로 하며 혈관 이형성과 함께 여러 기관을 침범한다. 이비인후과적으로는 비점막을 따라 모세혈관확장 소견을 관찰할 수 있다(그림 7-7).

진단은 ① 재발하는 비출혈 ② 다발성 점막피부 모세혈관 확장증 ③ 소화기관, 폐, 간, 뇌와 같은 내장 침범 ④ 1촌의 가족력 중 3가지 이상 해당되면 확진, 2가지 이상 해당되면 의증으로 진단된다. 90% 이상의 환자에서 비출혈이 첫 번째 증상으로 발현된다. 유전성 출혈성 모세혈관확장증으로 유발되는 비출혈의 치료법으로 다양한 방법들이 시도되었다. 여러 문헌들에는 mupirocin,

tranexamic acid의 국소 연고 도포 및 가습기 사용, 조심스러운 세척이 비출혈을 예방하는 데 도움이 된다고 보고 하였다(Messick and Hurtuk, 2011; Tibbelin et al., 1995, Kubba et al., 2001). 국소 도포 estrogen도 비출혈을 감소시킨다고 보고되었다(Vase, 2981). 또한 폐경기 여성에게 Tamoxifen, raloxifen 투여 후 비출혈이 유의하게 감소하였고 혈중 헤모글로빈도 증가하였다는 보고도 있다(Albinana et al., 2010, Jameson and Cave, 2004). 최근 VEGF-A의 길항제인 bevacizumab가 치료제로 각광 받고 있다. Bevacizumab은 전신적, 국소적 모두 투여 가능하며 현재 이중 맹검 위약 효과 통제 다기관 실험double blinded, placebo controlled multi-institutional trial이 진행 중이다. 그 외에 항섬유소용해제를 포함한 비수술적 치료가 있으며 레이저, 비중격피부성형술septodermoplasty, Young 수술 등과 같은 수술적 치료가 시도되었으나 어떠한 방법도 부작용 없이 완벽하게 성공적인 결과를 보이지 못한다.

1. 레이저술

유전성 출혈성 모세혈관 확장증에 사용되는 레이저로는 Argon, Nd:YAG, potassium-titanyl-phosphate KTP와 pulse dye, CO_2가 있다. 어떠한 레이저가 더 우월한지에 대한 정설은 없다. Argon이 효과적인 것으로 알려져 있으나 장기 추적관찰에 대한 효과는 알 수 없다(Bergler et al., 1998). Nd:YAG 레이저의 파장(1064 nm)이 KTP (532~585 nm) 또는 Argon (488~514 nm)보다 길어 주위 조직에 흡수가 덜하고 더 깊이 침투하기 때문에 다른 레이저에 비해 재발까지의 기간이 가장 길었다는 보고도 있다(Byahatti et al., 1997). 이 수술은 전신마취하에 시행되며 비내시경으로 병변의 시야를 확보한 후 병변의 변연에서 시작하여 중심으로 향하면서 병변을 광응

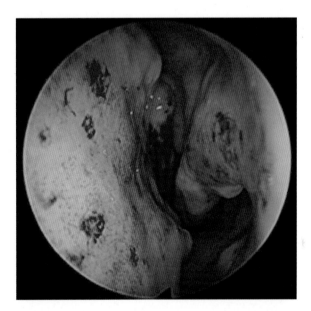

| 그림 7-7   좌측 비중격, 하비갑개 점막, 중비갑개 점막의 모세혈관확장 비 내시경 소견

고photocoagulation시킨다. 재치료는 필수적으로 4~6개월 간격으로 시술할 때 효과적으로 출혈의 빈도와 정도가 호전된다.

2. 비중격피부성형술

병변의 지름이 2 mm 이상이 되는 경우에는 레이저술 후 더 심한 출혈이 발생할 가능성이 높다. 따라서 다음 단계의 치료로 비중격피부성형술septodermoplasty을 시도할 수 있다. 비중격피부성형술은 1964년 Saunders에 의해 최초 기술되었으며 전방 대퇴부에서 중간두께 피부이식편split-thickness skin graft을 5×3 cm 크기로 채취한다. 비중격 점막을 연골막을 보존하면서 뒤에서부터 앞으로 아래로는 비강저까지 제거한다. 이식편을 노출된 비중격 연골 위에 놓고 전방부를 fibrin glue를 이용하여 고정시킨 후 후방은 항생제를 묻힌 흡수성, 또는 비흡수성 소재를 이용하여 밀착시킨다. 피부 이식의 실패 요인은 이식편의 부적절한 위치, 이식편의 수축으로 인한 병변의 노출, 피부이식편 자체에 모세혈관 확장증이 성장해 들어가는 경우가 있다(Sauders, 1964). 또한 정상 점액세포 기능이 소실되기 때문에 crust가 많이 차게 되고 지속적인 비강세척을 통한 관리가 필요하다.

3. Young 수술

유전성 출혈성 모세혈관확장증에서 비강 내 손상의 원인은 비강 내 유입되는 공기에 의한 비점막의 건조, 재채기와 같은 비강 내 작은 압력변화이다. 여러 비수술적 치료와 수술적 치료들이 개발되었지만 재발을 막지는 못하였다. Young 수술은 비공을 폐쇄함으로써 원인 자극으로부터의 근본적인 차단을 한다. 비공에 원형의 절개선을 넣고 2개의 피판(피부피판과 점막피판)을 만든 후 점막피판으로 심측을 봉합한 다음 전방으로 피부피판을 봉합하여 비공을 폐쇄한다(Alonso-Treceño et al., 2008). 본 수술은 유전성 출혈성 모세혈관확장증 환자 중 비출혈로 인해 생명에 지장이 있고 반복적인 수혈을 받는 중고등도 이상의 재발성 비출혈 환자에게 시행됨으로써 재발과 환자의 삶의 질을 높일 수 있다(Hitchings et al., 2005).

참고문헌

1. Hollinshead WH. Anatomy for Surgeons, 3rd ed. Philadelphia : Harper & Row 1982;223-65.
2. Santos PM, Lepore ML, Balley BJ, Healy GB, Johnson JT. Epistaxis. Head and Neck Surgery: Otolaryngology, 3rd ed. Philadelphia: Lippincott. Williams & Wilkins 2001;415-28.
3. Stammberger H. Functional Endoscopic Sinus Surgery: The Messerklinger Technique. Cummings CW, Fredrickson JM, Harker LA, Krause CJ, Schuller DE, editors. Oto-laryngology-Head and Neck Surgery. 2nd ed. St. Louis: Mosby Year Book 1991.
4. Ahmed A, Woolford TJ. Endoscopic bipolar diathermy in the management of epistaxis: an effective and cost-efficient treatment. Clin Otolalyngol 2003;28:273-5.
5. Alonso-Treceño JL, Alonso-Castañeira I, Escapa-Garrachón JM. Nasal closure as definitive treatment for epistaxis in Rendu-Osler-Weber disease. Acta Otorrinolaringol Esp 2008;59:420-3.
6. Albinana V, Bernabeu-Herrero ME, Zarrabeitia R, Bernabéu C, Botella LM. Estrogen therapy for hereditary haemorrhagic telangiectasia (HHT): effects of raloxifene on endoglin and ALK1 expression in endothelial cells. Thromb Haemost 2010;103:525-34.
7. Bergler W, Gotte K, Riedel F, Back W, Hormann K. Argon plasma coagulation in treatment of hereditary hemorrhagic telangiectasia of the nasal mucosa. HNO 1998;46:228-32.
8. Bent JP, Wood BP. Complications resulting from treatment of severe posterior epistaxis. J Laryngol Otol 1999;113:252-4.
9. Biswas D, Wilson H, Mal R. Use of systemic prophylactic antibiotics with anterior nasal packing in England, UK. Clin Otolaryngol 2006;31:566-7.
10. Byahatti SV, Rebeiz EE, Shapshay SM. Herediatry hemorrhagic telangiectasia: what the otolaryngologist should know. Am J Rhinol 1997;11:55-62.
11. Chandler JR, Serrins AJ. Transantral ligation of the internal maxillary artery for epistaxis. Laryngoscope 1965;75:1151-9.
12. Christensen NP, Smith DS, Barnwell SL, Wax MK. Arterial embolization in the management of posterior epistaxis. Otol Head Neck Surg 2005;133:748-53.

155

13. Chiu T. A study of the maxillary and sphenopalatine arteries in the pterygopalatine fossa and at the sphenopalatine foramen. Rhinology 2009;47:264-70.

14. Elahi MM, Parnes LS, Fox AJ Pelz DM, Lee DH. Therapeutic embolisation in the treatment of intractable epistaxis. Arch Otolaryngol Head Neck Surg 1995;121:65-9.

15. Gallo A, Moi R, Minni A, Simonelli M, de Vincentiis M. Otorhinolaryngology emergency unit care: the experience of a large university hospital in Italy. Ear Nose Throat J 2000;79:155-60.

16. Herkner H, Laggner AN, Mullner M, Formanek M, Bur A, Gamper G et al. Hypertension in patients presenting with epistaxis. Ann Emerg Med 2000;35:126-30.

17. Hitchings AE, Lennox PA, Lund VJ, Howard DJ. The effect of treatment for epistaxis secondary to hereditary hemorrhagic telangiectasia. Am J Rhinol 2005;19:75-8.

18. Jameson JJ, Cave DR. Hormonal and antihormonal therapy for epistaxis in hereditary hemorrhagic telangiectasia. Laryngoscope 2004;114:705-9.

19. Katsanis E, Koon-Hung L, Hsu M. Prevalence and significance of mild bleeding disorders in children with recurrent epistaxis. J Pediatr 1988;113:73-6.

20. Keen MS, Moran WJ. Control of epistaxis in the multiple trauma patient. Laryngoscope 1985;95:874-5.

21. Krempl GA, Noorily AD. Use of oxymetazoline in the management of epistaxis. Ann Otol Rhinol Laryngol 1995;104:704-6.

22. Kubba H, MacAandie C, Botma M. A prospective single-blind randomized controlled trial of antiseptic cream for recurrent epistaxis in childhood. Clin Otolaryngol Allied Sci 2001;26:465-8.

23. Kumar S, Shetty A, Rockey J, Nilssen E. Contemporary surgical treatment of epistaxis: what is the evidence for sphenopalatine artery ligation? Clin Otolaryngol Allied Sci 2003;28:360-3.

24. Lee WC, Ku PK, van Hasselt CA. New guidelines for endoscopic localization of the anterior ethmoidal artery: a cadaveric study. Laryngoscope 2000;110:1173-8.

25. McGarry GW. Drug induced epistaxis? J R Soc Med 1990;83:165.

26. McGarry GW, Moulton C. The first aid management of epistaxis by accident and emergency department staff. Arch Emerg Med 1993;10:298-300.

27. McQueen CT, DiRuggiero DC, Campbell JP, Shockley WW. Orbital osteology: a study of the surgical landmarks. Laryngoscope 1995;105:783.

28. Messick D, Hurtuk A. Effectiveness of a nasal saline gel in the treatment of recurrent anterior epistaxis in anticoagulated patients. Ear Nose Throat J 2011;90:E4-E6.

29. Morgenstein KM. Surgical anatomy of the pterygopalatine fossa: a study of serial sections. Trans Am Laryngol Rhinol Otol Soc 1970;687.

30. O'Flynn PE, Shadaba A. Management of posterior epistaxis by endoscopic clipping of the sphenopalatine artery. Clin Otolaryngol 2000;25:374-7.

31. Polavaran R, Devaiah AK, Sakai O, Shapshay SM. Anatomical variation and pearls? functional endoscopic sinus surgery. Otolaryngol Clin North Am 2004;37:221-42.

32. Pond F and Sizeland A. Epistaxis. Strategies for Management. Australian Family Physician 2000;29:933-8.

33. Pope LE, Hobbs CG. Epistaxis: an update on current management. Postgrad Med J 2005;81:309-14.

34. Romaniuk CS, Balt1ett RJ, Kavanagh G, et al. Case report: an unusual cause of epistaxis: non-traumatic intracavernous aneurysm. Br J Radiol 1993;66:942.

35. Saunders W. Hereditary hemorrhagic telangiectasia: effective treatment of epistaxis by septal dermoplasty. Acta Otolaryngol 1964;58:497-502.

36. Schaitkin B. Strauss M, Houck JR. Epistaxis: medical versus surgical therapy: a comparison of efficacy, complications, and economic considerations. The Laryngoscope 1987;97:1392-6.

37. Schlegel C, Siekmann U, Linder T. Non-invasive treatment of intractable posterior epistaxis with hot-water irrigation. Rhinology 2006;44:90-3.

38. Schwartzbauer HR, Shete M, Tami TA. Endoscopic anatomy of the sphenopalatine and posterior nasal arteries: implications for the endoscopic management of epistaxis. Am J Rhinol 2003;17:63-6.

39. Shah AG, Stachler RJ, Krouse JH. Endoscopic ligation of the sphenopalatine artery as a primary management of severe posterior epistaxis in patients with coagulopathy. Ear Nose Throat J 2005;84:296-7.

40. Shaheen OH. Arterial epistaxis. J Laryngol Otol 1975;89:17-34.

41. Simmen DB, Raghavan U, Briner HR, Manestar M, Groscurth P, Jones NS. The anatomy of the sphenopalatine artery for the endoscopic sinus surgeon. Am J Rhinol 2006;20:502-5.

42. Simmen D, Raghavan U, Briner HR, Manestar M, Schuknecht B, Groscurth P et al. The surgeon's view of the anterior ethmoid artery. Clin Otolaryngol 2006;31:187-91.

43. Spafford P, Durham JS. Epistaxis: efficacy of arterial ligation and long-termoutcome. J Otolaryngol 1992;21:252-6.

44. Stangerup SE, Dommerby H, Siim C, Kemp L, Stage J. New modification of hot water irrigation in the treatment of posterior epistaxis. Arch Otolaryngol Head Neck Surg 1999;125:686-90.

45. Strong EB, Bell DA, Johnson LP, Jacobs JM. Intractable epistaxis: transantral ligation vs embolisation: efficacy review and cost analysis. Otolaryngol Head Neck Surg 1995;113:674-8.

46. Tan LKS, Calhoun KH, Epistaxis. Med Clin North Am 1999;83:43-56.

47. Tibbelin A, Aust R, HolgerssonM, Holgersson M, Petruson B, Rundcrantz H, et al. Effect of local tranexamic acid gel in the treatment of epistaxis. ORL J Otorhinolaryngol Relat Spec 1995;57:207-9.

48. Thornton MA, Mahesh BN, Lang J. Posterior epistaxis: identification of common bleeding sites. Laryngoscope 2005;115:588-90.

49. Vase P. Estrogen treatment of hereditary hemorrhagic telangiectasia. A double-blind controlled clinical trial. Acta Med Scand 1981;209:393-6.

50. Watson MG, Shenoi PM. Drug-induced epistaxis? J R Soc Med 1990;83:162-4.

51. Wormald PJ, Wee DTH, van Hasselt CA. Endoscopic ligation of the sphenopalatine artery for refractory posterior epistaxis. Am J Rhinol 2000;14:261-4.

52. Yaniv E, Preis M, Shevro J, Nageris B, Hadar T. Anti-estrogen therapy for hereditary haemorrhagic telangiectasia: a long-term clinical trial. Rhinology 2011;49:214-6.

비성 두통

중앙의대 이비인후과 **김경수**

> **CONTENTS**

Ⅰ. 비성 두통의 정의
Ⅱ. 비성 두통의 분류
Ⅲ. 점막 접촉점 두통

HIGHLIGHTS   >>>

- 비성 두통(rhinogenic headache)은 비과분야와 관련이 있는 원인에 의해 발생하는 두통과 안면통으로 정의되고 있지만, 비성 두통은 의학 논문에서 다양한 형태로 혼용되는 용어이기 때문에 아직 비성 두통의 정의는 논란의 여지가 있음

두통은 대부부의 사람들이 한 번쯤은 경험할 만큼 높은 유병률을 보인다. 두통을 호소하는 많은 수의 환자들이 이비인후과, 신경과, 내과 등을 비롯한 여러 전문의들에 의해 치료가 이루어지고 의료비의 상당 부분을 차지한다. 종종 이비인후과, 특히 비과 전문의에게 환자의 두통의 원인으로 비부비동의 원인을 확인하기 위해 환자가 방문하거나 의뢰가 된다. 따라서 이비인후과 전문의는 정확한 진단 및 적절한 치료를 위해서는 비성 두통뿐 만 아니라, 흔한 종류의 원발 두통에 대해 진단 기준의 이해, 폭넓은 지식, 그리고 경험이 필요하다. 이들을 바탕으로 처음 의심되는 진단명과 관계 없이 정확한 진단 및 치료를 위해서는 세밀한 단계적 접근이 매우 중요하다(Mehle and Schreiber, 2014).

첫 번째 단계로 철저한 문진이 필요한데 이는 두통의 진단에서 가장 중요한 부분이다. 두통의 성격, 강도, 기간, 동반되는 증상이 원발 두통의 진단에는 중요한 key가 된다. 따라서 이비인후과 전문의는 편두통 등의 원발 두통의 국제 두통학회의 진단 기준을 잘 알고 있어야 하고, 두통에 대해 의견을 나눌 수 있는 신경과 전문의와 유기적인 관계를 맺는 것도 중요하다.

두 번째 단계는 또 하나의 중요한 요소인 약물 복용 과거력이다. 많은 환자들이 오랜 기간 동안 비염 치료약 또는 항생제를 통해 두통을 비효율적으로 치료하려 했던 과거력을 가지고 있거나, 과도한 약물을 처방전 없이 사용한 과거력을 가지고 있다. 만성 두통chronic daily headache을 가진 환자들은 진통제 남용과 연관되어 있다.

세 번째 단계는 이학적 검사로 세심한 검사를 통해 비강 내 원인뿐만 아니라, 두통을 일으키는 비외 원인을 찾는 것이 중요하다. 또한, 비강 내의 원인을 찾았다고 두통과의 인과관계가 성립하는 것이 아니므로 다른 원인에 대한 적극적인 다학제 접근이 필요함을 명심해야 한다.

네 번째 단계는 영상의학적 검사로 진단이 명확하지 않거나 이학적 검사 소견이 추가적인 정밀검사가 필요하다고 판단이 될 때 사용될 수 있다. 또한, 두통에 대한 수술적 치료를 필요로 하는 환자에서도 사용될 수 있다. 다만, 이학적 검사와 마찬가지로 영상의학적 검사에서 두통의 원인을 찾았다고 하더라도 두통과의 인과관계가 성립하는 것이 아니므로 해석에 주의를 요한다.

다섯 번째 단계로 치료에 대한 방법 선택인데 우선 내과적 약물치료는 두통의 치료에 있어서 주로 사용되는 방법이며, 어느 정도 효율적인 치료 방법임을 명심해야 한다. 수술적 치료는 두통의 종류에 관계 없이 최후의 치료 수단이므로, 수술적 치료를 고려할 때 수술 전

에 먼저 충분한 약물치료를 시행한 후 반응을 보고 결정하는 것이 좋다.

현재 두통질환분류 및 진단기준으로 가장 많이 사용되는 것은 국제두통학회International Headache Society, IHS에서 제정한 두통질환의 분류International Classification of Headache Disorders, ICHD이며(Headache Classification Committee of the International Headache Society, 1988 & 2013; Headache Classification Subcommittee of the International Headache Society, 2004), 1988년에 만들어져서 두 번(2004년, 2013년)의 개정이 이루어졌다. 분류법을 간략하게 소개한다면, 총 3부(1부 원발 두통; 2부 이차성 두통; 3부 뇌신경, 중추성 및 원발 안면통과 기타두통)로 구성되어 있는데, 이 분류의 원칙은 단일 분류, 포괄적 분류, 가능한 한 근거에 의한 분류이며, 원발 두통primary headache은 증상을, 이차성 두통secondary headache은 원인을 기준으로 분류하였다. 또한 3부로 된 분류 외에 부록appendix을 추가함으로써 충분히 검증되지 않은 새로운 두통질환에 대한 연구 목적의 진단기준이나, 근거가 불충분하나 선택할 수 있는 다른 개선된 진단기준을 제시하고 있다. 원발 두통은 특별한 원인 없이 발생하는 두통을 말하며, 편두통, 긴장성 두통, 군발성 두통 및 기타 삼차자율신경 두통 등이 이에 속하고 두통 환자의 많은 부분을 차지한다. 이차성 두통은 특별한 유발 원인을 확인할 수 있는 두통으로 감염성, 염증성, 외상성, 종양성, 혈관성, 대사성 질환 등이 있다. 이런 이차성 두통 가운데 이비인후과와 연관된 두통은 ICHD-3 Code 11. Headache or facial pain attributed to disorder of the cranium, neck, eyes, ears, nose, sinuses, teeth, mouth or other facial or cervical structure에 기술되어 있다. 본 장에서는 이 두통질환의 분류ICHD에 기술되어 있는 비과적 원인에 의한 두통을 중심으로 기술하였다.

I │ 비성 두통의 정의

통상적으로 비성 두통rhinogenic headache은 비과분야와 관련이 있는 원인에 의해 발생하는 두통과 안면통으로 정의되고 있지만(Mehle and Schreiber, 2014), 비성 두통은 의학 논문에서 다양한 형태(Rhinogenic headache, sinus-related headache, sinus headache, mucosal contact headache)로 혼용되는 용어여서 아직 비성 두통의 정의는 논란의 여지가 있다(본 장에서는 통상적인 비성 두통의 정의로 기술하였다). 비성 두통은 전체 두통의 15% 정도를 차지한다는 보고가 있는데(Rasmussen and Olesen, 1992), 이를 유발하는 원인으로 생각되는 질환으로는 급성 비부비동염acute rhinosinusitis, 만성 비부비동염chronic rhinosinusitis, 진균성부비동염fungal sinusitis, 부비동점액종sinus mucocele, 비부비동 종양sinonasal tumor, 점막점촉점 두통contact point headache 등 너무나 다양하다(Stammberger and Wolf, 1988).

결과적으로 비과 영역에서 발생하는 질환으로 환자가 두통을 호소한다면 비성 두통의 원인으로 생각할 수 있지만, 역으로 비과영역에 발생하는 질환이 모두 두통 또는 안면통을 일으키는 것이 아니므로 비성 두통의 원인을 찾을 때 주의를 기울여야 한다. 또한, 비성 두통의 진단은 두통 이외의 비강증상이 나타난다면 어렵지 않게 내려질 수 있으나, 비성 두통이 의심되면서 뚜렷한 비강증상이 없는 경우에는 다학제 협진에 바탕을 둔 적극적인 진단과정이 필요하게 된다(Jang, 2003).

II | 비성 두통의 분류

앞서 기술했듯이 비성 두통의 원인으로 너무나 다양한 비과 영역의 질환들이 있지만 이들 질환이 모두 두통이나 안면통을 유발하는 것은 아니기 때문에 각각의 질환을 나열식으로 설명하기보다는 국제 두통학회에서 제시하고 있는 두통질환의 분류ICHD, 특히 2013년 개정판 ICHD-3 beta version을 중심으로 비성 두통을 분류하면 크게 세 그룹(11.5, 11.9, A11.5.3)으로 분류할 수 있다(표 8-1). 개정된 ICHD-3에서 비과영역에서 주목할 만한 내용은 이차성 두통의 원인으로 급성 및 만성 비부비동염과 비점막, 비중격 및 비갑개의 질환을 포함하여 대부분의 질환에 대해 진단 기준을 제시한 점이다.

| 표 8-1 비성 두통의 분류

ICHD code	Diagnosis
11.5	비부비동 질환에 기인한 두통(Headache attributed to disorder of the nose or paranasal sinuses): 염증성 질환
11.5.1	급성 비부비동염에 기인한 두통(Headache attributed to acute rhinosinusitis)
11.5.2	만성 또는 재발성 비부비동염에 기인한 두통 (Headache attributed to chronic or recurring rhinosinusitis)
11.9	비부비동염 이외의 다른 질환에 기인한 두통 그리고/또는 안면통(Headache or facial pain attributed to other disorder of nose or sinuses)
*A 11.5.3	코점막, 비갑개, 비중격 질환에 기인한 두통 (Headache Attributed to Disorder of the Nasal Mucosa, Turbinates or Septum)

*A: Appendix

1. 11.5 비부비동 질환에 기인한 두통 : 염증성 질환

과거에 많이 사용되던 '부비동 두통Sinus headache'이라는 용어는 최근 많은 문헌에서 원발 두통primary headache과 비성 두통rhinogenic headache 양측 모두에 적용될 수 있기 때문에 시대에 뒤떨어진outmoded 단어라고 명시하고 있다. 즉, 부비동 두통을 가진 환자의 대부분은 무전조성 편두통의 모든 특징을 가지고 있다는 보고가 많다(Schreiber et al., 2004; Mehle and Schreiber, 2005; Eross et al., 2007; Mehle and Kremer, 2008). ICHD-3에서는 분류에 있어서 11.5항을 11.5.1항과 11.5.2항으로 나누어 진단 기준을 만들었다. 주로 염증성 질환을 대상으로 11.5.1은 급성 비부비동염에 기인한 두통Headache attributed to acute rhinosinusitis으로, 11.5.2는 만성 또는 재발성 비부비동염에 의한 두통Headache attributed to chronic or recurring rhinosinusitis으로 분류하였다.

11.5.2항의 경우 만성 부비동 질환이 지속적인 두통을 일으킬 수 있는지에 대해 논란이 있어 왔지만, 최근 연구들이 그 인과관계를 뒷받침하고 있다고 설명하면서 ICHD-2에서 인정하지 않았던 만성 비부비동염에 기인한 두통을 ICHD-3에서는 이차성 두통 진단의 범주로 포함되었다.

1) 11.5.1 급성 비부비동염에 기인한 두통

급성 비부비동염에 의한 두통은 비성 두통 중에서 가장 명확한 인과관계를 가지는 질환이라 할 수 있을 만큼 두통 또는 안면통과의 연관성이 잘 알려져 있다. 진단 기준 또한 두 번의 개정이 이루어지면서 좀 더 구체화가 되었다고 할 수 있다. 진단 기준을 구체적으로 살펴보면 ICHD-2에서는 주로 질환과 두통의 시간적 연관성과 인

| 표 8-2 11.5.1항 급성 비부비동염에 기인한 두통

A. 진단 기준 C를 충족하는 두통

B. 급성 비부비동염의 임상, 비내시경 그리고/또는 영상의학적 증거

C. 다음 중 최소한 두 가지로 인과관계가 입증됨:
    1. 두통이 비부비동염의 발병과 시간 연관성을 가지고 발생
    2. 다음 중 한 가지 또는 두 가지 모두:
       a) 비부비동염의 악화와 동시에 두통이 현저히 악화됨
       b) 비부비동염의 완화나 사라짐과 동시에 두통이 현저히 완화 또는 사라짐
    3. 두통이 비부비동에 가해진 압력에 의해 악화됨
    4. 편측의 비부비동염일 경우 두통이 그와 동측에 국한

D. 다른 ICHD*-3 진단으로 더 잘 설명되지 않음

Adapted from Headache Classification Subcommittee of the International Headache Society. Cephalalgia 2013;33:629–808.
* ICHD: International Classification of Headache Disorders

| 표 8-3 11.5.2항 만성 또는 재발성 비부비동염에 기인한 두통

A. 진단 기준 C를 충족하는 두통

B. 현재 혹은 이전의 비부비동 감염이나 다른 염증 과정의 임상, 비내시경, 그리고/또는 영상의학적 증거

C. 다음 중 최소한 두 가지로 인과관계가 입증됨:
    1. 두통이 만성 비부비동염의 발병과 시간 연관성을 가지고 발생
    2. 두통이 부비동 울혈, 배농, 그리고 만성 비부비동염의 다른 증상의 정도에 따라 악화와 완화를 반복함
    3. 두통이 비부비동에 가해진 압력에 의해 악화됨
    4. 편측의 비부비동염일 경우 두통이 그와 동측에 국한

D. 다른 ICHD*-3 진단으로 더 잘 설명되지 않음

Adapted from Headache Classification Subcommittee of the International Headache Society. Cephalalgia 2013;33:629–808.
* ICHD: International Classification of Headache Disorders

과관계에 중심을 두고 기술한 반면, ICHD-3에서는 두통과 원인질환과의 인과관계에서 ① 원인질환과 시간적 연관성을 가진 두통의 발생, ② 원인질환의 악화에 따라 두통이 악화됨, ③ 원인질환이 좋아짐에 따라 두통이 개선됨, ④ 원인질환에 따른 특징적인 두통이 존재함, ⑤ 원인질환과 두통의 인과적 관계를 보여주는 다른 증거가 있는 경우 등 5가지 항목 중 2개를 만족해야 진단이 되는 것으로 보다 구체적이며 포괄적으로 규정하였다. ICHD-2에서 제시했던 원인질환이 치료되거나 관해된 후 7일(급성 비부비동염 이환기) 이내에 두통이 완화되어야 하는 규정은 삭제되었다(표 8-2).

주해comments에서는 비부비동염에 기인한 두통에서는 편두통과 긴장성 두통이 발생 위치가 비슷한 점이 있어서 급성 비부비동염에 기인한 두통으로 잘못 진단될 수 있으며, 특히 무전조증 편두통의 경우에는 비강 내 자율신경계 증상이 흔히 수반되기 때문에 급성 비부비동염에 기인한 두통으로 간주될 수 있다고 기술하였다. 농성 비루의 비강 내 존재 여부와 급성 비부비동염의 다른 진단적 특징이 감별 진단에 도움이 될 수 있다. 하지

만, 비부비동 질환이 편두통 발생을 유발하거나 악화시킬 수 있다고 기술하였다.

2) 11.5.2 만성 또는 재발성 비부비동염에 기인한 두통

만성 또는 재발성 비부비동염에 의한 두통에 대한 분류 및 진단 기준은 ICHD-3에서 처음으로 제시되었다(표 8-3). ICHD-2에서는 급성 비부비동염 이외에 두통을 유발할 수 있다는 여러 가지 상태에 대해 두통의 원인이 충분히 입증되지 않았다고 명시하고 있다. 그래서 만성 부비동염 역시 급성악화 이외의 상태는 두통 또는 안면통에 대한 원인으로 입증되지 않은 것으로 간주하였다. 하지만 ICHD-3에서는 최근 연구들이 만성 부비동염과 두통 또는 안면통과의 인과관계를 뒷받침하고 있다고 설명하면서 만성 비부비동염에 기인한 두통을 이차성 두통 진단의 범주로 포함시키고 진단 기준을 만들었다. 하지만 주해에서 만성 부비동 질환이 지속적인 두

통을 유발하는지에 대해서는 아직 논란의 여지가 있으며, 앞으로 인관관계를 밝히는 연구가 추가되어야 한다고 설명하고 있다.

또한, 만성 비부비동염과 편두통과의 연관성이 확실하게 규명되지는 않았지만, 만성 비부비동염이 잠재적으로 편두통의 경과(특히 만성화chronic 또는 불응성refractory)를 악화시키는 요인이 된다는 보고가 있었다(Cady and Schreiber, 2009). 아직 논란의 여지는 있지만 만성 비부비동염을 비성 두통의 원인으로 인정하고 진단 기준을 제시한 것은 중요한 변화이다.

2. 11.9 비부비동염 이외의 다른 질환에 기인한 두통 그리고/또는 안면통

급만성 비부비동염과 점막 접촉점 두통을 제외하고 임상에서 접하는 비과영역의 질환들 중 환자가 두통을 호소하는 경우에 적용할 수 있는 분류 및 진단 기준이다. 각종 비부비동 종양, 점액 낭종, 치성 종양 등 너무나 다양한 질환이 두통 또는 안면통을 유발할 수 있기 때문에 이들 질환 각각에 대한 분류 및 진단 기준보다는 일반적인 비과영역의 질환으로 인한 이차성 두통에 대한 진단 기준을 제시하였다(표8-4).

3. A11.5.3 코점막, 비갑개, 비중격 질환에 기인한 두통

점막 접촉점 두통Mucosal contact point headache은 최근 많은 연구가 진행되고 있는 비성 두통의 원인으로 2004년 ICHD-2 진단기준에서 처음으로 부록Appendix에서 점막 접촉점 두통을 제한적 근거를 가진 두통의 한 종류

| 표 8-4 | 11.9항 비부비동염 이외의 다른 질환에 기인한 두통 그리고/또는 안면통 |

A. 진단기준 C를 충족하는 두통 그리고/또는 안면통

B. 두통을 유발할 수 있다고 알려진 비부비동염 외의 다른 질환의 진단

C. 다음 중 최소한 두 가지로 인과관계가 입증됨:
1. 원인질환의 발병 또는 병변의 출현과 시간 연관성을 가지고 두통 그리고/또는 안면통이 발생함
2. 다음 중 한가지 또는 두 가지 모두:
   a) 두통 그리고/또는 안면통이 원인질환의 진행과 더불어 현저히 악화됨
   b) 두통 그리고/또는 안면통이 원인질환의 호전 또는 소실과 더불어 현저히 호전되거나 소실됨
3. 두통 그리고/또는 안면통이 병변부위에 가해진 압력으로 악화됨
4. 두통 그리고/또는 안면통이 병변부위와 일치해서 국한됨

D. 다른 ICHD*-3 진단으로 더 잘 설명되지 않음

Adapted from Headache Classification Subcommittee of the International Headache Society. Cephalalgia 2013;33:629-808.
* ICHD: International Classification of Headache Disorders

로 기술하면서 비중격 만곡, 비갑개 비후, 부비동 점막의 위축 혹은 점막 접촉점 등은 충분히 검증되지는 않았지만 두통을 유발할 수 있다고 소개하였다. 하지만, ICHD-3에서는 비강 내 접촉점에 초점을 맞추지 않고, 점막 접촉점 두통이라는 진단명 대신, 좀 더 폭 넓은 질환명인 비점막, 비갑개 또는 비중격 질환에 기인한 두통A11.5.3 Headache attributed to disorder of the nasal mucosa, turbinates or septum으로 제시하였다. 또한, 진단 기준에 있어서도 ICHD-2와는 달리 비부비동염에 기인한 두통과 마찬가지로 원인 질환이 치료되거나 관해되는 경우 7일 이내에 두통이 해결되어야 하는 기준은 삭제하였고, 국소 마취에 의한 통증 소실(abolition, visual analogue scale상 0점)이 아니고 의미 있는 증상 호전으로 바뀌었다. 또한 주석note에 진단 기준을 적용할 수 있는 비강 내 질환으로 수포성갑개(그림8-1) 및 비중격 박차(비중

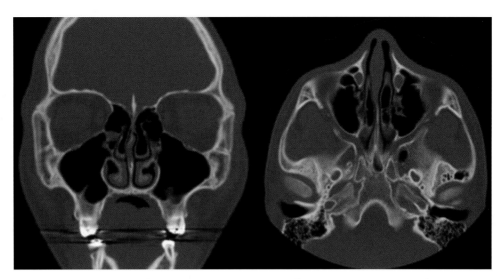

▌그림 8-1 수포성 중비갑개에 의한 점막 접촉점(우측 중비갑개와 비중격 사이)

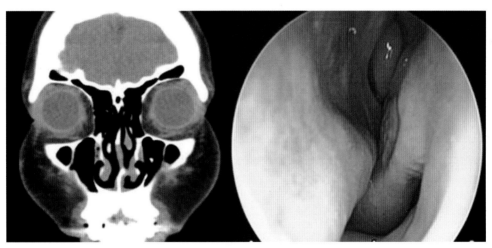

▌그림 8-2 비중격 박차에 의한 점막 접촉점(좌측 비중격 박차와 하비갑개 사이)

격 극돌기septal spur)(그림 8-2)를 예로 명시하고 있다(표 8-5). 이렇듯 국제 두통학회에서 점막 접촉점 두통을 제한적 근거를 가진 두통으로 인정하며 ICHD-3에서는 좀 더 폭넓은 진단명과 진단 기준을 제시하였고, 많은

문헌에서 점막 접촉점 두통이 폭넓게 토론되어 왔지만 아직 점막 접촉점과 두통과의 인과관계를 단정지을 수는 없다.

표 8-5 A11.5.3항 코점막, 비갑개, 비중격 질환에 기인한 두통
A. 진단기준 C를 충족하는 두통
B. 비강 내의 비대 또는 염증기에 대한 임상적, 비내시경적 그리고/또는 영상의학적 소견
C. 다음 중 최소한 두 가지로 인과관계가 입증됨 　1. 두통이 코질환의 발생과 시간 연관성을 가지고 발생함 　2. 두통이 코질환의 호전(치료 여부와 관계없이) 또는 악화와 동시에 현저히 호전 또는 악화 　3. 두통이 병변 부위 점막에 대한 국소마취에 의해 현저히 호전됨 　4. 두통이 병변의 동측에 나타남
D. 다른 ICHD*-3 진단으로 더 잘 설명되지 않음
Note: 　1. 예로 수포성 비갑개(concha bullosa)와 비중격 박차 (septal spur)

Adapted from Headache Classification Subcommittee of the International Headache Society. Cephalalgia 2013;33:629-808.
* ICHD: International Classification of Headache Disorders

Ⅲ | 점막 접촉점 두통

1. 점막 접촉점

비부비동 점막에 대한 기계적, 화학적 자극은 국소통증 혹은 연관통을 일으킬 수 있는데, 대부분의 비성 두통은 연관통으로 비박동성으로 쑤시면서 흩어져 나타나는 특징을 가지고 있다. 그 외에도 눈물, 광선공포증, 통각과민 등과도 연관되어 나타나므로 편두통과 유사한 통증이 일어난다(박용진, 2002). 비부비동 구조물 중 가장 통증에 민감한 부위는 비갑개, 자연공, 비전두관 등이며, 통증에 민감도가 낮은 부위는 부비동 점막이다(Schor, 1993). 따라서 통증에 민감한 부위의 점막에 해부학적 기형이나 비부비동 질환에 의해 접촉 부위가 생기면 이들이 통증의 유발 부위가 될 수 있다(박용진, 2002).

점막 접촉점Mucosal contact point은 마주보는 비강 내 점막 사이의 접촉을 말한다. 비내 접촉점에 대한 정확한 유병률은 알려진 바 없지만, 4% 정도의 점막 접촉점을 보고한 코호트 연구가 있었다(Abu-Bakra and Jones, 2001; Behin et al., 2005). 비내시경검사와 컴퓨터단층촬영은 비내 접촉점 확인을 위해 반드시 필요한 검사법이고, 수술적 치료의 결정에도 중요한 역할을 한다(Mohebbi et al., 2010). 비내 접촉점과 연관된 비내 해부학적 변이로는 비중격 만곡증, 중비갑개 이상(특히 수포성 갑개), 비후된 또는 역곡중비갑개paradoxical middle turbinate, 거대 사골포, 비제봉소agger nasi cell, 또는 비정상적으로 굽은 구상돌기uncinate process 등이 보고되었으나(Rodman and Dutton, 2012), ICHD-3에서 A11.5.3 비점막, 비갑개 또는 비중격 질환에 기인한 두통의 진단기준을 적용할 수 있는 비강 내 질환의 예로 수포성 비갑개 및 비중격 박차를 주석란에 명시하고 있다. 아마도 점막 접촉점 두통의 원인으로 보고된 많은 수의 논문들이 수포성 비갑개(중비갑개, 상비갑개의 함기화)와 비중격 박차이기 때문일 것이다. Wolff(1963)는 비중격 박차가 동반된 비중격 만곡증은 염증소견 없이도 연관referred 두통을 유발할 수 있음을 보고하였고, Tosun 등(Tosun, 2000)은 비중격 만곡증은 중비갑개의 여러 가지 변이와 더불어 비내 점막 접촉점 두통의 주요한 원인이 된다고 보고하였다. 수포성 비갑개에 의한 두통은 수포성 비갑개가 큰 경우 비중격과 비외측벽을 가득 채우면서 중비도를 폐쇄시키고 광범위한 점막 접촉을 유발하고 이는 삼차신경의 자극을 통해 비성 두통을 유발한다는 것은 잘 알려진 내용이다(Goldsmith et al., 1993; Clerico, 1996; Sluder, 1927). 수포성 중비갑개는 정상인의 약 25%에서 보일 정도로 비부비동 영역에서 가장 흔한 해부학적 변이이며(Yarmohammadi et al., 2012), 수포성 상비갑개는 보고자마다 다양하나 Von Alyea의 보고에 의하면 57% 정도이다(Von Alyea, 1939).

2. 발생기전

점막 접촉점 두통의 발생기전은 비부비동의 두 점막 간의 기계적 접촉이 축삭반사로 알려진 감각 자극을 만들고, 이러한 축삭 반사로 인해 삼차신경-혈관 복합체가 활성되어 substance P를 비롯하여 칼시토닌 유전자관련 펩티드calcitonin gene related peptide, 혈관작용 장펩티드vasoactive intestinal polypeptide, neurokinin A와 같은 신경펩티드의 방출이 삼차신경 말단에서 증가하여 혈관확장, 비만세포의 탈과립화로 히스타민유리, 혈장 단백의 삼출과 같은 염증반응이 동시에 일어나면서 통증이 유발되고, 특히 삼차 신경의 제1, 2 분지로부터 유래된 유수신경섬유myelinated fiber인 구심성 침해수용성afferent nociceptive C 신경섬유가 탈수초화demyelination되는 과정에 활동전위가 발생하여 통증유발점으로부터 떨어진 곳에서도 연관통으로 중추신경계로 통증을 전달하는 것으로 요약할 수 있다(Stammberger and Wolf, 1988; Clerico and Fieldman, 1994). 반면에 비후성 점막과 비내 용종에는 신경분포가 거의 없어 결과적으로 tachykinin, neurokinin A와 Substance P 등의 혈관 운동성 매개 물질이 이러한 조직에는 적게 분포한다고 보고되었다. 이런 특징은 만성적인 염증을 가진 환자들이 왜 통증이 없이 지내는지 또는 급성 질환을 가진 환자에 비해 통증에 대한 높은 역치를 가지고 있는지에 대한 설명을 하는 데 도움을 준다(Faleck et al., 1988; Jay and Tomasi, 1981).

3. 점막 접촉점 두통 진단 시 주의할 점

ICHD-3에서 제시한 점막 접촉점 두통의 진단 기준을 보면, 전산화 단층촬영이나 비내시경을 통해 접촉점의 유무를 확인해야 하며, 국소적 마취를 통해 통증이 경감되어야 한다. 정상적으로 비내 점막들은 수 mm 정도

떨어져 있으며, 점막 부종이나 비중격 돌출 및 만곡 등에 의해 점막 접촉을 유발할 수 있다. 또한 점막부종이 없는 경우에도 점막 접촉이 지속적으로 있는 경우도 있으며, 연관referred 두통을 유발하기도 한다. 그러나 점막 접촉이 있는 모든 환자들이 두통을 호소하는 것은 아니며, 점막 접촉이 있으나 다른 원인에 의해 두통을 호소할 수도 있으므로 점막 접촉과 두통의 인과관계를 밝혀내는 것이 가장 중요하다(Abu-Bakra and Jones, 2001; Lee et al., 2010). 코카인, 리도카인 또는 국소 마취제를 이용한 접촉점 부위의 마취를 통한 두통의 소실이 내과적 치료에 반응하지 않는 두통환자의 수술적 치료를 지지하는 방법으로 사용할 수 있다(Goldsmith et al., 1993). 하지만, 점막 접촉점이 국소 마취제 또는 국소 비충혈 완화제가 접근할 수 없는 부위, 사골포과 비중격사이 또는 비중격과 상비갑개 사이에 접촉점이 있다면 진단에 어려움이 발생할 수 있는데(Behin et al., 2005), 이런 경우에는 점막 접촉점 두통의 진단에 대한 근거가 부족해서 수술적 치료를 시행하려 하지 않을 수 있다(Bektas et al., 2011). 아울러, 국소마취를 통한 두통의 소실과 관련한 검사법이 일부 편두통 환자에서 위양성을 보인다는 보고가 있고(Mehle and Schreiber, 2014; Herzallah et al., 2015), 국소마취 검사에 양성을 보이는 것과 접촉점에 대한 수술적 치료 후 환자의 만족도는 상관관계가 없다고 보고가 있다(Abu-Samra et al., 2011). 또한, 영상의학적 검사로 점막 접촉점, 수포성 비갑개를 확인하는 것이 두통의 예측인자로 볼 수 없다는 보고도 있다(Herzallah et al., 2015).

4. 점막 접촉점 두통 치료 시 주의할 점

두통의 진단은 다학제적 접근multidisciplinary approach이 필요한 만큼 두통을 호소하는 환자를 진단하고 치료

하기 위해서는 신경과, 신경외과, 안과, 내과, 이비인후과 및 치과 전문의의 진료가 필요하다. 이때 이비인후과 전문의의 역할은 비성 두통의 원인이 될 수 있는 비부비동의 질환 및 해부학적 변이 등을 찾는 것이 중요하다(Kim, 2015). 하지만 비성 두통의 원인을 찾았다고 해서 환자의 두통을 비성 두통으로 간주하고 수술적 치료만을 고집해서도 안 된다.

점막 접촉점 두통에 대한 치료 방법은 다양하게 제시되고 있는데 국소 비강스테로이드제와 비충혈 완화제가 약물치료로 사용되고 있고, 수술적 치료 방법으로는 수포성 비갑개의 외측벽 절제 또는 전하방부위의 절제와 하비갑개성형술이 주로 사용되고 있다(Yarmohammadi et al., 2012).

점막 접촉점 두통을 가진 환자에서 수술적 치료를 통한 만족스러운 결과를 보고한 문헌들이 있다(Lee et al., 2010; Behin et al., 2005; Bektas et al., 2011; El-Silimy, 1995; Parsons and Batra, 1998; Welge-Luessen et al., 2003). 한 연구에서는 비내 점막 접촉점으로 인한 두통을 가진 30명의 환자를 대상으로 수술적 치료를 시행하였는데 43%는 완전소실을, 47%는 상당한 호전을 보였고 10%에서 호전이 없었다는 보고가 있었으며(Tosun et al., 2000), 다른 연구에서는 수술적 치료를 받은 환자들에서 통증의 정도 및 빈도는 모든 증례에서 감소하였으나, 수술 후 비내시경을 통해 의심되었던 접촉점이 완전 제거가 되었어도 완벽한 통증의 해소는 52.7%만 이루어졌다는 보고가 있었다(Bektas et al., 2011). 수포성비갑개로 인한 점막 접촉점 두통을 가진 환자에서 비갑개성형술turbinoplasty은 두통을 완화시키는 유용하고 간단한 수술 방법이라고 소개한 연구도 있었고(Yarmohammadi et al., 2012), 수술적 치료 이외에도 전사골동 및 접형구개 신경차단술도 두통 완화에 도움이 된다는 보고도 있었다(Rodman and Dutton, 2012).

반면에 점막 접촉점 두통은 중추 신경과 연관된 것이기 때문에 수술적 치료가 필요 없음을 보고한 연구가 있었고(Abu-Bakra and Jones, 2011), 최근 Harrison과 Jones는 비내 점막 접촉점이 두통 및 안면통의 원인이 되는지에 대한 계통적 고찰연구에서 점막 접촉점을 가진 많은 사람들이 두통 또는 안면통을 경험하지 못했다고 하며, 점막 접촉점의 존재가 두통 및 안면통에 대한 좋은 예측 인자는 아니라고 하였으며, 두통 및 안면통의 치료로서 점막 접촉점의 제거를 뒷받침할만한 충분한 근거가 없다고 보고하였다(Harrison and Jones, 2013). 이들에 의하면 두통이 호전되는 이유는 neuroplasticity와 cognitive dissonance라고 설명하였다. Neuroplasticity는 아직 명확한 원인은 알 수 없지만 수술에 의한 통증 유발로 trigeminal brain stem sensory nuclear complex에 의해 조절되는 두통의 일시적인 감소와 함께 급성 통증이 일시적으로 감소되는 것을 말한다. 또한 cognitive dissonance는 두통에 대한 수술적 치료의 placebo 효과에서 중요한 요소로 작용한다고 하였다.

또, 점막 접촉점의 수술적 제거가 두통 및 안면통을 치료할 수 있다는 이론은 제한된 근거에 기초하는데 이는 수술적 치료 결과를 보고한 문헌들이 모두 적은 증례 보고에 의한 것이고, 무작위가 아니어서 선택 편향selection bias이 있고, 대조군이 없다는 점과 제한된 추적관찰 기간도 문제가 되며, 관찰자 편향observer bias이 있을 수 있어서 level IV 근거이상이 되지 못한다고 하였다(Harrison and Jones, 2013). 따라서, 두통 및 안면통의 치료에 있어서 점막 접촉점의 수술적 제거를 뒷받침할 충분한 근거를 위해서는 세심한 환자 선택 및 배제 기준을 가진 전향적인 이중 맹검 대조연구가 필요하며 12개월 이상의 추적관찰 기간이 필요하다고 제안하였다.

5. 점막 접촉점 두통과 원발 두통과의 연관성

점막 접촉점은 비성 두통의 원인이기도 하지만, 원발 두통, 특히 편두통 환자에서 추가적인 자극으로 작용하여 편두통 발작의 역치를 감소시키는 유발 및 악화인자로도 작용하며, 치료 불응화treatment refractoriness와 연관이 있다(Behin et al., 2005). 또한, 점막 접촉점 두통의 발생에 관여하는 신경전달 물질로 잘 알려진 Substance P와 CGRP, Calcitonin gene-related peptide는 편두통 발작기간 동안 유리되는 신경 전달 물질이기도 하다(Olesen, 1991; Goadsby et al., 2002). 점막 접촉점 두통과 무전조증 편두통은 증상에 있어서 광선 공포증, 오심 및 구토, 박동성 두통 등의 공통점을 보이고, 치료에 반응하지 않는 원발 두통을 가진 일부 환자에서 점막 접촉점이 존재하고, 국소 마취 검사에 일부 호전 반응을 보인다면 유발 요소 제거를 위한 점막 접촉점 제거 수술이 유용할 수 있다는 보고가 있었다(Behin et al., 2005).

6. 점막 접촉점 두통에 대한 논란

점막 접촉점 두통의 발생기전, 진단 및 치료에 있어서 최근 문제점을 제기하는 문헌들이 보고되면서 점막 접촉점 두통에 대한 논란이 가중되고 있다.

첫째, Abu-Bakra와 Jones에 의하면 비강과 비부비동 점막부위에 metal probe를 이용하여 1:1000 에피네프린, substance P와 위약으로 각각 자극하는 실험을 시행하였는데 피험자들 중 연관 두통이나 안면통을 호소한 사람은 없었기 때문에 점막 접촉점 두통은 우연히 발생한 것이라고 결론을 지었다(Abu-Bakra and Jones, 2001).

둘째로, 점막 접촉점 두통에 의한 Substance P의 생성 및 유리에 대한 명백한 증거가 없다는 점이다. Stammberger와 Wolf (Stammberger and Wolf, 1988)는 Substance P가 인간 비점막의 국한된 감각성 C-fiber에 존재한다고 밝혔으나, 점막 접촉점에 의한 유리 기전은 설명하지 못했다. Baraniuk 등(Baraniuk et al., 1991)은 Substance P가 비점막에 존재하기는 하지만 점막 접촉점에 의해 생성된다는 증거가 없다고 하였다. 또한, 신체의 다른 부위에서는 점막 접촉점이 통증을 유발한다는 증거는 없다(Harrison and Jones, 2013).

셋째, 점막 접촉점과 두통의 인과관계에 대한 명백한 증거가 없다는 점이다. Abu-Bakra와 Jones에 의하면 CT를 이용하여 두통을 호소하는 그룹과 두통을 호소하지 않는 그룹 간의 점막 접촉점의 발생비율을 관찰하였으나, 그 정도가 비슷했다(Abu-Bakra and Jones, 2001). 또한, 많은 형태의 비염과 비부비동염에서 보이는 비대된 점막이 두통 또는 안면통의 유발 없이 점막 접촉을 만들며(Fahy and Jones, 2001), 수포성 비갑개, 역곡중비갑개paradoxical middle turbinate, 상비갑개 또는 거대사골포가 비중격과 접해 있는데 이는 "이상"이 아니고 무증상의 일반인에서도 보이는 해부학적 변이로 보고되고 있다는 점도 중요하다(Harrison and Jones, 2013). 또 다른 연구에서는 일측의 안면통을 호소하는 환자의 50%에서 반대편 비강에 점막 접촉점이 있었다는 결과도 있었다(Abu-Bakra and Jones, 2001).

넷째, 앞서 기술한 것처럼 비성 두통에 대한 근거evidence가 제한된 정도라는 점이다. 점막 접촉점 두통과 수술적 교정의 상관관계를 뒷받침할만한 근거들에 대한 논문들이 추적기간이 짧은 uncontrolled cases series였다는 것이다(Harrison and Jones, 2013).

마지막으로 Mariotti 등의 연구에서 점막 접촉의 면적이 넓을수록 수술적 치료의 도움이 커질 것이라는 가정하에 컴퓨터단층촬영을 이용한 연구를 진행하였으나, 점막접촉 면적과 수술 후 환자 증상개선 사이의 연관관계를 찾지 못했다(Mariotti et al., 2009).

7. 점막 접촉점 두통에 대한 결론

점막 접촉점 두통에 대한 수술적 치료는 아직 논란의 여지가 있고, 점막 접촉점 두통은 두통의 다른 원인을 배제해야 하는 진단이다. 점막 접촉점 두통의 궁극적인 확진은 결국 영상의학적 검사 또는 내시경으로 확인되는 점막 접촉점을 정상화시키는 것을 목표로 하는 수술을 실시한 후, 두통이 소실되었을 때 비로소 내려질 수 있다. 두통 환자에서 점막 접촉점이 관찰될 경우 이차성 두통의 원인으로서의 점막 접촉점과 편두통에서 악화인자로서의 점막 접촉점을 감별하기 위한 노력이 필요하고, 수술을 결정하기 전에 환자는 다학제간 접근을 통해 평가가 철저하게 이루어져야 하며 충분한 기간 동안 약물치료를 시행해야 한다. 환자가 수술적 치료를 원할 경우에는 수술의 역할이 아직은 논란의 여지가 있다는 점과 비성 두통이 수술 후 장기간 추적관찰 기간 동안 개선이 된다는 근거가 아직은 부족함을 설명하고 나서 시행해야 한다.

참고문헌

1. 박용진. 비성 두통과 안면통. 대한이비인후과학회편. 이비인후과학-두경부외과학. 일조각 2002;1038-47.
2. Abu-Bakra M, Jones NS. Does stimulation of nasal mucosa cause referred pain to the face? Clin Otolaryngol Allied Sci 2001;26:430-2.
3. Abu-Bakra M, Jones NS. Prevalence of nasal mucosal contact points in patients with facial pain compared with patients without facial pain. J Laryngol Otol 2001;115:629-32.
4. Abu-Samra M, gawad OA, Agha M. The outcomes for nasal contact point surgeries in patients with unsatisfactory response to chronic daily headache medications. Eur Arch Oto-rhinolaryngol 2011;268:1299-304.
5. Baraniuk JN, Lundgren JD, Okayama M, Goff J, Mullol J, Merida M, et al. Substance P and neurokinin A in human nasal mucosa. Am J Respir Cell Mol Biol 1991;4:228-36.
6. Behin F, Behin B, Behin D, Baredes S. Surgical management of contact point headaches. Headache 2005;45:204-10.
7. Behin F, Behin B, Bigal ME, Lipton RB. Surgical treatment of patients with refractory migraine headaches and intranasal contact points. Cephalalgia 2005;25:439-43.
8. Bektas D, Alioglu Z, Akyol N, Ural A, Bahadir O, Caylan R. Surgical outcomes for rhinogenic contact point headaches. Med Princ Pract 2011;20:29-33.
9. Cady RK, Schreiber CP. Sinus problems as a cause of headache refratoriness and migraine chronification. Curr Pain Headache Rep 2009;13;319-25.
10. Classification and diagnostic criteria for headache disorders, cranial neuralgias and facial pain. Headache Classification Committee of the International Headache Society. Cephalalgia 1988;8 Suppl 7:1-96.
11. Clerico DM, Fieldman R. Referred headache of rhinogenic origin in the absence of sinusitis. Headache. 1994;34:226-9.
12. Clerico DM. Pneumatized superior turbinate as a cause of referred migraine headache. Laryngoscope 1996;106:874-9.
13. El-Silimy O. The place of endonasal endoscopy in the relief of middle turbinate sinonasal headache syndrome. Rhinology 1995;33:244-5.
14. Eross E, Dodick D, Eross M. The sinus, allergy and migraine study. Headache 2007;47:213-24.
15. Fahy C, Jones NS. Nasal polyposis and facial pain. Clin Otolaryngol Allied Sci 2001;26:510-3.
16. Faleck H, Rothner AD, Erenberg G, Cruse RP. Headache and subacute sinusitis in children and adolescents. Headache 1988;28:96-8.
17. Goadsby PJ, Hoskin KL, Storer RJ, Edvinsson L, Connor HE. Adenosine A1 receptor agonists inhibit trigeminovascular nociceptive transmission. Brain 2002;125:1392-401.
18. Goldsmith AJ, Zahtz GD, Stegnjajic A, et al. Middle turbinate headache syndrome. Am J Rhinol 1993;7:17-23.
19. Goldsmith AJ, Zahtz GD, Stegnjajic A, Shikowitz M. Middle turbinate headache syndrome. Am J Rhinol 1993;7:17-23.
20. Harrison L, Jones NS. Intranasal contact points as a cause of facial pain or headache: a systematic review. Clin Otolaryngol 2013;38:8-22.
21. Headache Classificaiton Committee of the Intenational Headache Society (IHS). The International Classification of Headache Disorders, 3rd edition (beta version). Cephalalgia 2013;33:629-808.
22. Headache Classification Subcommittee of the International Headache Society. The International Classification of Headache Disorders: 2nd edition. Cephalalgia 2004;24 Suppl 1:9-160.
23. Herzallah IR, Hamed MA, Salem SM, Suurna MV. Mucosal contact points and paranasal sinus pneumatization: Does radiology predict headache causality? Laryngoscope 2015;125:2021-6.
24. Jang YJ. Headache associated with nose and sinus disease. Korean J Headache 2003;4:89-95.
25. Jay GW, Tomasi LG. Pediatric headaches: a one year retrospective analysis. Headache 1981;21:5-9.
26. KS Kim. Rhinogenic Headache: The International Classification of Headache Disorders, 3rd Edition. Korean J Otorhinolaryngol-Head Neck Surg 2015;58:166-72.
27. Lee JH, Ahn TJ, Ahn SY, Bae WY. Surgical treatment of contact point headache. J Rhinol 2010;17:29-32.
28. Mariotti LJ, Setliff RC 3rd, Ghaderi M, Voth S. Patient history and CT findings in predicting surgical outcomes for patients with rhinogenic headache. Ear Nose Throat J 2009;88:926-9.
29. Mehle ME, Kremer PS. Sinus CT scan findings in "sinus head-

ache" migraineurs. Headache 2008;48:67-71.

30. Mehle ME, Schreiber C. Sinus headache, migraine, and the otolaryngologist. Otolaryngol Head Neck Surg 2005;133:489-96.

31. Mehle ME, Schreiber CP. What do we know about rhinogenic headache? The otolaryngologist's challenge. Otolaryngol Clin North Am 2014;47:255-64.

32. Mohebbi A, Memari F, Mohebbi S. Endonasal endoscopic management of contact point headache and diagnostic criteria. Headache 2010;50:242-8.

33. Olesen J. Clinical and pathophysiological observations in migraine and tension-type headache explained by integration of vascular, supraspinal and myofascial inputs. Pain 1991;46:125-32.

34. Parsons DS, Batra PS. Functional endoscopic sinus surgical outcomes for contact point headaches. Laryngoscope 1998;108:696-702.

35. Rasmussen BK, Olesen J. Symptomatic and nonsymptomatic headaches in a general population. Neurology 1992;42:1225-31.

36. Rodman R, Dutton J. Endoscopic neural blockade for rhinogenic headache and facial pain: 2011 update. Int Forum Allergy Rhinol 2012;2:325-30.

37. Schor DI. Headache and facial pain-the role of the parana-

sal sinuses: a literature review. J Craniomandibular Practice 1993;11:36-47.

38. Schreiber CP, Hutchinson S, Webster CJ, et al. Prevalence of migraine in patients with a history of self-reported or physician-diagnosed "sinus" headache. Arch Intern Med 2004;164:1769-72.

39. Sluder G. Nasal neurology, headaches and eye disorders. St. Louis: The C.V. Mosby Company 1927;31-67.

40. Stammberger H, Wolf G. Headaches and sinus disease: the endoscopic approach. Ann Otol Rhinol Laryngol Suppl 1988;134:3-23.

41. Tosun F, Gerek M, Ozkaptan Y. Nasal surgery for contact point headaches. Headache 2000;40:237-40.

42. Von Alyea OE. Ethmoid labyrinth. Arch Otolaryngol 1939;29:881-902.

43. Welge-Luessen A, Hauser R, Schmid N, Kappos L, Probst R. Endonasal surgery for contact point headaches: a 10-year longitudinal study. Laryngoscope 2003;113:2151-6.

44. Wolff HG. Headache and other head pain. 2nd ed. New York: Oxford University Press 1963;532-60.

45. Yarmohammadi ME, Ghasemi H, Pourfarzam S, Nadoushan MR, Majd SA. Effect of turbinoplasty in concha bullosa induced rhinogenic headache, a randomized clinical trial. J Res Med Sci 2012;17:229-34.

알레르기 비염의 병태생리

인하의대 이비인후과 **김영효**, 삼성드림이비인후과의원 **장태영**

> **CONTENTS**

Ⅰ. 개념

Ⅱ. 분류

Ⅲ. 유병률

Ⅳ. 원인 항원

Ⅴ. 병태생리

Ⅵ. 합병증 및 동반질환

Ⅶ. 국소 알레르기 비염(Local Allergic Rhinitis, LAR)

HIGHLIGHTS　　　　　　　　　　　　　　　　　　　　　　》》》

- 알레르기 비염은 비강 점막 내에서 면역글로불린 E(Immunoglobulin E, IgE)에 의해 매개되는 제1형 과민반응에 의해 발생함
- 알레르기 비염 분류는 연중 발생 시기에 따른 통년성(perennial)/계절성(seasonal) 분류, 그리고 지속기간 및 삶의 질에 미치는 영향에 따른 ARIA(Allergic Rhinitis and its Impacts on Asthma) 분류법을 사용할 수 있음
- 알레르기 비염의 유병률은 꾸준히 증가하는 추세이며, 연령 및 지역적 요인, 생활양식 및 유전적 요인 등 다양한 인자가 복합적으로 작용함
- 국내 원인항원으로는 집먼지진드기가 가장 중요하며, 이외에도 각종 동물, 곰팡이, 바퀴벌레 및 꽃가루 등이 원인항원으로 작용할 수 있음
- IgE 매개 염증반응으로 림프구, 비만세포, 호산구, 호염기구 등 다양한 세포와 염증매개물질의 상호작용에 의해 임상증상이 발현됨
- 알레르기 비염은 만성 비부비동염, 삼출성 중이염, 기관지 천식, 알레르기 결막염, 아토피 피부염, 수면질환, 인지기능 장애 및 정신과 질환 등 다양한 질환을 합병증 및 동반질환으로서 유발할 수 있음
- 소아, 임산부 등 특수한 상황에서의 알레르기 비염 치료는 치료의 득실을 고려하여 보다 신중하게 접근할 필요가 있음

Ⅰ | 개념

'비염'이란 알레르기 및 다양한 비(非) 알레르기성 원인 (감염성, 의인성, 임신성, 직업성, 혈관운동성 등)에 의해 코막힘, 수양성 비루 및 후비루, 재채기 및 코 주변부의 가려움 등의 임상증상 중 적어도 한 가지 이상이 나타날 때 임상적으로 진단할 수 있다. 비염의 증상은 적어도 연속으로 이틀 이상, 그리고 대부분의 경우에는 하루에 한 시간 이상 지속되어야 한다(Bousquet et al., 2008;

de Groot et al., 2007; Members of the Workshops, 2004; Seidman et al., 2015).

이들 비염 중 알레르기 비염은 비강 점막 내에서 면역글로불린 E(Immunoglobulin E, IgE)에 의해 매개되는 제1형 과민반응에 의해 발생한다(Okubo et al., 2014). 따라서 피부단자시험 및 혈청 특이 IgE 검사를 통해 원인으로 의심되는 항원에 대한 전신적 감작이 되어 있는지를 확인하고, 해당 항원에 대한 노출과 임상증상의 악화 간에 상관관계가 있는지를 확인함으로써 알레르기 비염을 확진할 수 있다(Skoner, 2001).

Ⅱ | 분류

1. 원인 항원의 종류에 따른 분류

알레르기 비염을 진단하는 데 있어 가장 오랜 기간 동안 사용되어 온 분류법으로서, 원인 항원의 종류에 따라 연중 증상이 지속적으로 발생하는 통년성perennial 및 특정 계절에 증상이 악화되는 계절성seasonal으로 분류하는 방법이다.

통년성/계절성 분류에 따라, 임상적으로 원인 항원의 종류를 미리 예측하는 데 도움이 된다. 예를 들어 통년성 환자의 경우 집먼지 진드기house dust mite, 곰팡이, 동물 항원 등을 고려할 수 있으며, 반면 계절성 환자의 경우 수목 및 목초 꽃가루 등을 원인 항원으로 생각할 수 있다. 이후 피부단자검사 등을 통하여 예측하였던 항원 종류에 강양성 반응을 보인다면, 해당 항원에 의한 알레르기 비염으로 확진할 수 있다(Wallace et al., 2008).

그러나 이러한 분류는 환자의 임상증상과는 관계없이 오직 항원에 근거하여 분류한 것으로, 실제로는 통년성 환자에서도 일년 내내 증상이 나타나지 않는 경우가 많으며 계절성 환자에서도 증상 발현 기간 및 증상의 심한 정도가 다양하므로, 실제 임상에서 계절성/통년성 분류만을 사용하기에는 한계가 있다. 따라서 환자 중증도에 따른 분류법을 함께 사용한다.

2. 임상증상의 중증도에 따른 분류

증상의 지속기간 및 중증도에 따른 분류로는 ARIA Allergic Rhinitis and its Impact on Asthma 2008 분류법이 가장 널리 이용되고 있다(그림 9-1). 먼저 증상의 지속기간에 따라 '1주일에 4일 미만 또는or 1년간 4주 미만인 경우'를 간헐성intermittent, 그리고 '1주일에 4일 이상이면서and 1년간 4주 이상인 경우'를 지속성persistent으로 분류한다. 다음으로 증상의 중증도 및 삶의 질에 미치는 영

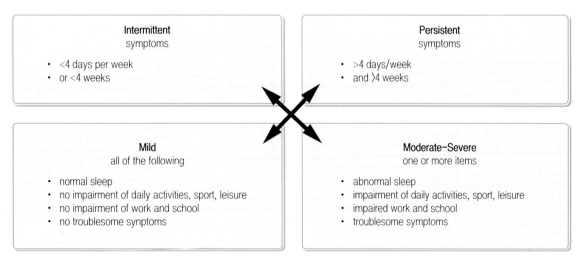

┃ **그림 9-1** 지속기간 및 중증도에 따른 ARIA 분류
Adapted from Allergic Rhinitis and its Impact on Asthma 2008 (Bousquet et al., 2008)

향에 따라, 비염으로 인한 삶의 질 저하(수면 장애, 일상 활동 및 여가 활동 시 불편감, 학업 및 직장생활의 불편함 및 심하게 불편한 증상)가 없는 경우 경증mild, 이러한 삶의 질 저하 또는 심하게 불편한 증상이 있는 경우 중등도-중증moderate-to-severe으로 분류한다.

따라서 지속 기간 및 중증도에 따라 다음 4가지 중 하나로 분류할 수 있다(Bousquet et al., 2008).

① 경증 간헐성mild intermittent

② 경증 지속성mild persistent

③ 중등도-중증 간헐성moderate-to-severe intermittent

④ 중등도-중증 지속성moderate-to-severe persistent

Ⅲ | 유병률

1. 국내 유병률

국민건강영양조사 2013년 조사결과에 따르면 의사로부터 알레르기 비염을 진단받은 19세 이상 성인의 유병률은 15.1%(남자 13.0%, 여자 17.2%)이었으며, 연령별로는 20대에서 가장 높은 유병률(22.5%)을 보였다. 이러한 유병률은 2005년(전체 8.3%, 남자 7.0%, 여자 9.7%)에 비해 현저히 증가한 것이다.

2. 유병률에 영향을 미치는 요인

1) 연령

특히 소아 환자에서 알레르기 비염의 유병률이 증가하고 있는 추세이다. 국민건강영양조사 2014년 결과에 따르면, 의사로부터 알레르기 비염을 진단받은 중학교 1학년에서 고등학교 3학년까지의 학생은 32.7%(남학생 32.1%, 여학생 33.4%)로 성인에 비해 현저히 높은 유병률을 보였다. 이는 2007년 조사결과(전체 24.5%, 남학생 25.2%, 여학생 23.8%)와 비교하였을 때도 현저히 증가된 것이다. 학년별로는 중학교 1학년에서 29.7%로 가장 낮았고, 연령이 증가함에 따라 점차 유병률이 높아져 고등학교 3학년에서 34.2%로 유병률이 가장 높았다.

반면 알레르기 질환은 일반적으로 노년 인구에서 감소하는 것으로 알려져 있다(Enright et al., 1994; Slavin 2010). 2013년 국민건강영양조사 결과에 따르면, 20대(22.5%) 및 30대(19.9%)에 비해 60대(6.0%) 및 70대(4.5%)에서는 현저히 낮은 유병률을 보였다. 그러나, 최근 고령화 사회의 진행에 따라 노인 알레르기 비염 환자 역시 유병률이 증가하는 추세를 보이고 있다. 65세 이상의 알레르기 비염 유병률 추이를 보면, 2001년 0.5%에 비해 2015년에는 4.6%로 급격히 증가하고 있는 추세임을 알 수 있다.

2) 지역적 요인

알레르기 질환은 특징적으로 농촌에서의 유병률이 도시에 비해 낮은 것으로 알려져 있다(Song et al., 2015). 국민건강영양조사 결과에 따르면 2013년 '동'지역 거주자의 알레르기 비염 유병률은 15.5%인데 비하여, '읍면'지역 거주자의 유병률은 13.1%였다. 이러한 차이는 도시와 농촌의 항원 분포의 차이 및 생활 양식의 차이에 의한 것으로 알려져 있다.

3) 생활 양식

정신적인 스트레스는 이미 가지고 있는 알레르기 질환을 악화시킬 수도 있고, 유병률을 증가시킬 수도 있다. 스트레스로 인해 천식뿐 아니라 알레르기 비염 및 결막염이 증가한다는 보고가 있다(Kilpeläinen et al., 2002). 또한 산모의 스트레스 호르몬이 태아의 면역조절 기전에 영향을 주어 알레르기 비염의 발생에 관여할 수도 있다고 한다(Dave et al., 2011).

비만은 알레르기 비염의 유병률 증가 및 중증도 악화와 연관이 있는 것으로 알려져 있다. 최근 연구에 따르면 체질량지수의 증가가 천식이나 비염과 같은 알레르기 호흡 질환과 관련이 있다고 한다(Weinmayr et al., 2014). 최근 비만의 병태생리를 설명하는 데 있어서 만성적인 염증 반응이 중요하게 관여하는 것으로 알려져 있고 다양한 염증반응물질이 연관된다는 공통점에서 알레르기 질환과 비만 사이의 연관성을 추론할 수 있다.

4) 유아기 감염과 위생가설 Hygiene hypothesis

1989년 Strachan은 형제의 수가 많을수록 알레르기 질환이 감소한다는 점을 토대로, 임신 기간 중 또는 유년기 감염이 알레르기 질환에 대해서 방어적인 효과를 가질 것이라는 '위생가설'을 제시하였다. 이에 따르면 형제자매의 수, 영유아기 보육원 생활, 가축 또는 애완 동물에 대한 노출 등이 이후 알레르기 질환의 유병률에 영향을 줄 수 있다고 한다(Strachan, 1989; von Mutius, 2007).

5) 유전적 소인

알레르기 질환은 환경적 요인뿐만 아니라 유전적인 요인에 의하여 영향을 받는다. 따라서 알레르기 질환의 가족력이 있는 경우 유병률이 증가할 수 있다. 부모 중 어느 한쪽이 알레르기 질환이 있는 경우 약 50%, 부모 모두 알레르기 질환이 있는 경우 약 75%에서 자녀에게 알레르기 질환이 나타날 수 있다고 알려져 있다(McKee, 1966).

Ⅳ | 원인 항원

1. 실내 항원

1) 집먼지 진드기 House dust mite

우리 나라에서 가장 중요한 알레르기 비염의 원인 항원은 집먼지 및 집먼지 진드기Dermatophagoides pteronyssinus, Dermatophagoides farinae이다(그림 9-2). 집먼지는 꽃가루, 곰팡이, 곤충의 일부, 사람과 동물의 털, 천연섬

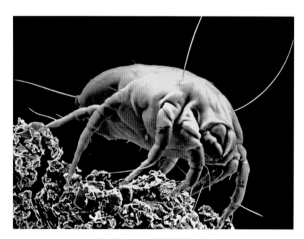

| 그림 9-2   집먼지 진드기
출처: http://www.flickr.com/photos/93945494@N03/ 8547358930

유, 합성섬유 등을 총칭하는 것으로서 강한 항원성을 갖는다. 집먼지 진드기가 번식하기에 최적의 조건은 25℃ 정도의 온도와 80% 정도의 상대습도이다. 70℃ 이상의 고온이나 −17℃ 이하에서는 살 수 없으며, 상대습도가 60% 이하일 때는 번식하지 못하고, 40~50% 이하일 때에는 사멸한다. 집먼지 진드기는 사람에서 탈락된 털이나 피부세포, 그리고 먼지에 있는 유기물질을 먹고 산다. 사체 및 배설물이 강한 항원성을 가지며 공기 중으로 전파된다. 최근에는 긴털가루진드기*Tyrophagus putrescentiae*를 피부단자검사 항목에 포함시키기도 한다.

2) 동물 항원

각종 동물 항원 역시 알레르기 비염의 주요한 원인 항원이다. 개, 고양이, 토끼, 쥐 등 다양한 동물이 알레르기반응을 유발할 수 있다. 동물의 털 이외에도 비듬, 타액, 눈물, 배설물 등이 항원으로 작용할 수 있다.

고양이 항원은 직경 5 μm 정도의 작은 입자로, 부유성이 강해 장시간 대기 중에 존재할 수 있다. 또한 표면에 잘 붙는 성질이 있어 천으로 된 가구, 카펫, 침구뿐 아니라 매끈한 바닥에도 붙어있다. 공기에 의해서 전파될 뿐만 아니라 사람에 의해서도 전파되며 심지어 고양이가 없는 집에서도 발견된다. 고양이를 집에서 없애도 항원은 6주 이상 존재하고 항원이 감소하기까지는 6개월이 걸릴 수 있다.

개 항원은 고양이 항원보다는 항원성이 약하다. 개에 알레르기가 있는 사람은 다른 항원(꽃가루, 곰팡이, 먼지, 고양이 등)에도 알레르기가 있는 경우가 많다.

설치류 항원에 대한 알레르기 반응은 동물실험실 종사자에서 흔하게 발견되었으나, 최근에는 애완용으로 기니피그, 흰쥐, 햄스터 등을 키우는 사람들이 많아 일반인에게서도 알레르기 반응이 발생하는 경우가 종종 있다.

3) 곰팡이

알레르기를 일으키는 흔한 곰팡이 항원은 *Alternaria alternata, Cladosporium herbarum, Aspergillus fumigatus, Penicillium notatum* 등이다. 곰팡이 포자는 창문이나 건물의 틈을 통해 실내로 들어올 수 있다. 주로 습기가 많은 곳(지하실, 주방, 목욕탕, 세탁실 등)에 있으며, 그 외 실내 식물, 헌 책, 신문지, 가구, 가습기, 쓰레기통, 음식 저장소, 침구류 등에도 포자가 있을 수 있다.

4) 바퀴벌레

미국바퀴*Periplaneta americana* 및 독일바퀴*Blatella germanica* 등이 주종을 이루며 소아 천식 및 알레르기 비염의 중요 인자이다. 음식과 물이 있는 곳에 무리지어 서식하며 사체가 분해되어 공기 중으로 퍼지면서 전파된다. 항원의 입자가 크기 때문에(10~40 μm) 공기보다는 먼지에서 주로 발견된다. 특히 빌딩의 환기시스템을 통해 전파될 수 있으므로 바퀴벌레가 보이지 않아도 알레르기가 생길 수 있다. 항원은 주로 마루바닥, 카펫, 방바닥 등 편평한 곳에 있고, 때로는 침구에서도 발견된다.

2. 실외 항원

1) 꽃가루

대기 중에 분포하는 꽃가루는 계절과 지역에 따라 분포가 달라진다. 온대 지방에 속한 우리나라에서는 봄철(3~5월)에는 수목꽃가루tree pollen, 초여름에서 초가을(5~9월)에는 목초꽃가루grass pollen, 늦여름에서 가을까지(8~10월)는 잡초꽃가루weed pollen가 주를 이룬다. 우

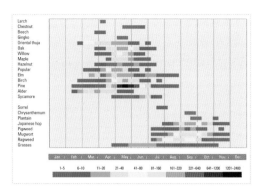

An allergic pollen calendar for Seoul and Guri.

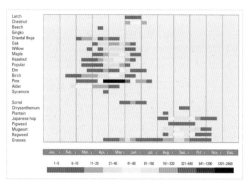

An allergic pollen calendar for Kangneung.

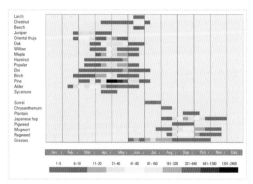

An allergic pollen calendar for Daegu.

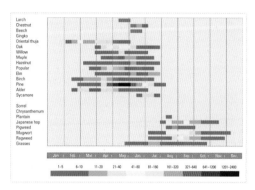

An allergic pollen calendar for Busan.

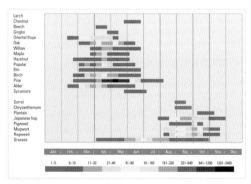

An allergic pollen calendar for Daejeon.

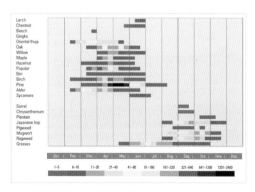

An allergic pollen calendar for Kwangju.

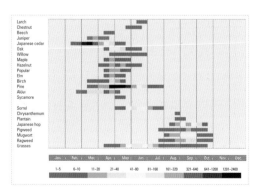

An allergic pollen calendar for Jeju.

┃ **그림 9-3** 　국내 꽃가루 달력(Oh et al., 2012)
출처: Allergy Asthma Immunol Res 2012;4:5-11

| 표 9-1 우리나라의 계절별 주요 꽃가루 항원 |

수목꽃가루 (3~5월)	목초꽃가루 (5~9월)	잡초꽃가루 (8~10월)

• 오리나무(alder)
• 자작나무(birch)
• 개암나무(hazel)
• 너도밤나무
  (beech)
• 물푸레나무(ash)
• 포플러나무
  (poplar)
• 버드나무(willow)
• 참나무(oak)
• 소나무(pine)
	• 큰조아재비
	  (timothy)
	• 호밀풀(rye)
	• 왕포아풀
	  (meadow)
	• 새포아풀
	  (bluegrass)
	• 우산잔디
	  (Bermuda)
	• 오리새
	  (orchard)
		• 쑥(mugwort)
		• 돼지풀
		  (ragweed)
		• 환삼덩굴
		  (hop Japanese)

리나라에서 주요한 꽃가루의 종류를 구분해 보면 다음과 같다(표 9-1). 따라서 피부단자검사 등을 시행할 때 지역적, 계절적 특성을 고려하여 꽃가루 항원을 적절히 포함시킬 수 있다. 최근의 국내 연구에서 제시한 연중 꽃가루 달력을 참고하는 것도 도움이 된다(Oh et al., 2012)(그림 9-3).

V | 병태생리

1. 개관

알레르기 비염은 유전적, 환경적 요인 및 비강 점막 내 국소인자 등이 작용하여 발생하는 제1형 과민반응에 의한 질환이다. IgE 매개 염증반응으로 림프구, 비만세포, 호산구, 호염기구 등에 의해 다양한 염증매개물질이 만들어지고 이로 인해 임상증상이 나타나게 된다(Okubo et al., 2014)(그림 9-4).

비강 내로 흡입되어 점막하 조직으로 침투한 항원은

항원전달세포antigen presenting cell, APC를 통해 림프구와 상호작용하게 된다. B림프구에서는 IgE를, T림프구에서는 IL-4, IL-5, IL-13 등의 Th2 사이토카인을 생성함으로써 알레르기반응을 유발한다. IgE는 비만세포 표면에 존재하는 수용체Fc receptor에 부착하게 되는데 이 과정을 감작sensitization이라고 한다(Frieri, 2005)(그림 9-5).

감작된 비만세포가 항원에 다시 노출되어 비만세포 표면의 IgE와 항원이 결합하게 되면, 탈과립에 의해 히스타민이 유리되고 이후 류코트리엔, 인터루킨 등 염증매개물질에 의해 초기형 알레르기반응이 나타난다. 이후 호산구, 단핵구, 호염기구 등의 염증세포가 혈관 내로부터 비강 점막으로 이동하여 지연형 알레르기반응을 일으킨다(I. Hansen et al., 2004).

재채기는 히스타민이 감각신경인 삼차신경을 자극하여 일어나게 되는데 이는 주로 substance PSP나 calcitonin gene related peptideCGRP 양성인 삼차신경에 의한 호흡반사이다(Undem and Taylor-Clark, 2014). 또 히스타민이 SP, CGRP 양성 삼차신경을 자극하면 코점막 과민성이 증가된다. 구심성afferent 자극이 중추 부교감신경에 전달되어 코점막에서 아세틸콜린이 유리되고, 코점막 분비샘이 자극되어 콧물을 분비한다(Undem and Taylor-Clark, 2014). 히스타민, 류코트리엔, 혈소판 활성인자platelet-activating factor 등은 코점막 혈관을 직접 자극하여 혈관 투과성을 항진시킴으로써, 혈장의 누출을 유도하여 콧물의 양을 증가시키기도 한다(Frieri, 2005). 알레르기 비염 환자의 코막힘은 초기형 반응기에는 히스타민, 류코트리엔 등이 코점막 혈관의 평활근 이완을 유도하여 나타날 뿐 아니라 부교감신경 자극에 의해 코점막 혈관의 확장과 혈장 누출에 의해서 유발된다. 하지만 이 시기에는 코막힘이 비교적 약하게 나타나며 지연형 반응기에는 히스타민, 류코트리엔, 혈소판 활성인자, 트롬복산 등의 염증매개물질이 관여하여 초기형 반응기에 비해 코막힘이 심하게 나타난다(Hansen et al., 2004).

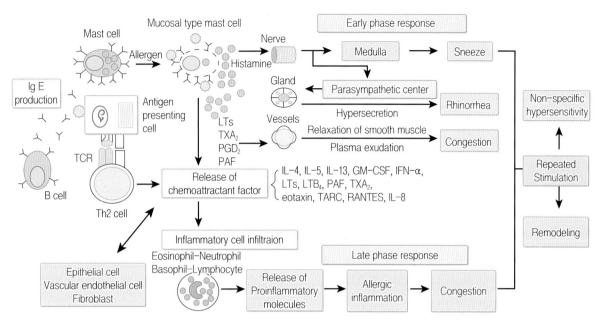

┃ **그림 9-4** 알레르기 비염의 병태생리

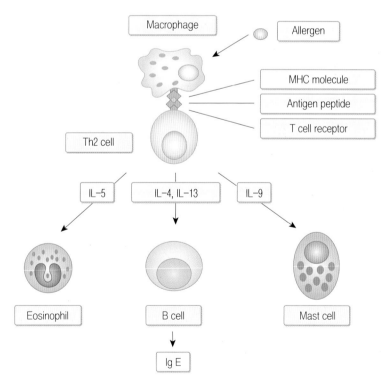

┃ **그림 9-5** 알레르기 감작반응 기전

1) 비강 점막의 알레르기반응

(1) 초기형 반응 Early-phase response

항원 감작에 의해 생성된 특이 IgE는 비만세포나 호염기구의 표면에 있는 IgE 수용체인 class I FcεRI에 결합하게 되며, 같은 항원에 다시 노출되었을 경우 항원과 특이 IgE의 결합으로 비만세포 등을 활성화시킨다. 5분 안에 비만세포 내에 이미 형성되어 있었던 히스타민, 단백효소, tumor necrosis factor[TNF] 등의 매개물질이 탈과립되어 비충혈, 수양성 비루 등의 초기형 반응 증상을 유발한다(Frieri, 2005). 15분 내에 아라키돈산의 대사물질인 프로스타글란딘, 류코트리엔, 혈소판 활성인자 등의 지방매개물질들이 새롭게 형성되어 분비되며 이들은 호산구, 호중구, 단핵구, 림프구 등 다른 세포들을 알레르기 염증 부위로 이동시키고, 혈관, 신경, 점액선 등에 작용하여 비충혈, 수양성 비루, 가려움증, 재채기 등의 비염 증상을 악화시킬 뿐 아니라, 지연형 반응을 유도한다(Hansen et al., 2004).

(2) 지연형 반응 Late-phase response

항원 노출 3~12시간 후 부종과 백혈구 침윤을 동반하는 지연형 반응이 나타난다(Frieri, 2005). 혈관 내에 존재하는 염증세포들이 조직에서 염증반응을 일으키려면 혈관벽을 통과하여 조직 내로 이동하여야 한다. 이러한 염증세포의 이동에는 염증세포 자체의 표면에 있는 접착분자[adhesion molecule]와 혈관내피세포에 표현되어 있는 접착분자가 결합하는 과정이 필요하다. 초기형 반응에서 분비된 히스타민이나 TNF, IL-1, IL-4 등이 혈관내피세포 표면에 vascular cell adhesion molecule-1[VCAM-1]과 같은 접착분자를 증가시킴으로써 혈액 내를 순환하던 호산구, 호중구, 단핵구, 림프구 등의 세포들을 부착시킨 뒤 조직 내로 누출되게 한다. 케모카인[chemokine]은 조직 내로 누출된 염증세포들을 점막 내 상피세포쪽으로 유도하는데, 분자의 아미노산 구조에 따라 CXC, CC, C 케모카인으로 구분한다. CXC 케모카인은 대부분 호중구에 대한 화학주성을 나타내고 CC 케모카인은 단핵구, 림프구, 호산구 등에 대한 화학주성을 나타낸다. 이외에도 granulocyte-macrophage colony stimulating factor[GM-CSF]와 IL-5는 비강 점막에서 호산구의 생존을 연장시킨다(Hansen et al., 2004).

(3) 지속성 반응 Ongoing allergic inflammation

상피세포, 비만세포, 호산구, 호염기구, T림프구 등의 염증세포들이 지속성 알레르기 염증반응을 유지하는 데 있어 중요한 역할을 한다(Frieri, 2005). 비만세포로부터 분비된 IL-4, IL-13 등과 T 세포들은 B 세포로 하여금 특이 IgE를 생산하게 유도하여 국소적 IgE 생산을 증가시킨다. 또한 감작된 비만세포에는 친화력이 높은 IgE 수용체 FcεRI나 IgE 생산을 유도하는 CD40에 대한 리간드[ligand] 등이 증가되어 지속성 알레르기 염증반응을 유도한다.

2) 국소적 IgE 생산

비강 점막 내 국소적 IgE 생산은 최근 새롭게 알려진 알레르기반응의 기전 중 하나로서, 알레르기 비염 환자뿐 아니라 피부단자검사 또는 혈청 특이 IgE 음성반응을 보이는 비(非)알레르기 비염[idiopathic rhinitis] 환자 일부에서도 비강 내 국소 IgE 생산이 관찰된다(Gómez et al., 2015; Campo et al., 2015; Rondón et al., 2015; Gómez et al., 2013). 따라서 이전에 비(非)알레르기 비염 또는 특발성 비염으로 분류되었던 환자들 중 비강 점막 내에서의 국소적 IgE 생산 및 국소 알레르기반응을 보이는 환자들을 국소 알레르기 비염[local allergic rhinitis]으로 진단할 수 있다(Jang and Kim, 2015; Kim and Jang, 2010; Kim et al., 2012).

2. 알레르기 염증세포

1) T 림프구

(1) 조력 T 세포

조력 T 세포helper T cell, Th cell는 CD4 항원을 세포표면에 발현하기 때문에 CD4+ T 세포라고 불린다(Hsieh et al., 2001). 이들 세포는 항원전달세포antigen presenting cells 표면에 제시된 외부항원 및 주조직접합체 2군major histocompatibility complex class-II, MHC-II 분자를 인식함으로써 활성화된다. 조력 T 세포는 항원특이 염증반응을 일으킬 수 있고 면역글로불린의 생성을 조절하므로 주로 체액면역humoral immunity과 관련이 있다. 조력T세포는 국소 면역반응을 조절 또는 증폭하는 데 필요한 다양한 사이토카인을 생성하여 알레르기 염증반응을 지속시키는 데 도움을 주기 때문에 알레르기 염증반응에서 가장 중요하고 주된 세포이다(Skoner, 2001).

(2) 세포독성 T 세포

세포독성 T 세포cytotoxic T cell, Tc cell는 표면에 CD8 항원을 발현한다. 주조직접합체 1군MHC-I 분자와 함께 제시된 내인성 항원과 상호작용을 하며, 주로 세포성 면역반응cell-mediated response에 관여한다. 주조직접합체 1군은 모든 유핵세포의 표면에 존재하며, 세포독성 T 세포는 특히 바이러스 같은 병원체에 의해 활성화된다. 따라서 세포독성 T 세포는 직접적으로 알레르기 항원에 대한 염증반응을 일으키지 않지만 기도염증반응을 악화시킬 수 있다. 즉, 면역반응을 조절하는 역할을 하거나, IL-4, IL-5, IL-13과 같은 사이토카인을 생성하여 알레르기 염증반응을 증가시키거나 유지하는 데 도움을 주는 것으로 알려져 있다(Skoner, 2001).

(3) 감마/델타 T 세포

감마/델타 T 세포γδ T cell는 CD4와 CD8 둘 다 발현하지 않으며 비강 점막뿐 아니라 폐와 위장관에도 존재하는 것으로 알려져 있다. 감마/델타 T 세포는 주조직접합체 분자가 아닌 대식세포의 표면에 있는 CD1을 인식하고 heat shock proteins, 지질, 당지질 같은 물질과 상호작용을 하며 항원들에 노출되었을 때 알레르기 염증반응을 일으킬 수 있다(Skoner, 2001).

(4) NK-T 세포

NK-T 세포natural killer T cell라 불리는 T 세포의 이형variant이 천식환자에서 존재하고, 특히 심한 천식환자에서 이들 세포들이 많이 증가한다고 보고되었다(Pichavant et al., 2009). 따라서 알레르기 비염 환자의 비강 점막에서도 NK-T 세포가 존재할 가능성이 있다. NK-T 세포는 제한된 수의 T 세포 수용체T cell receptor, TCR를 가지고 있기 때문에, 다양한 특이성을 보여주지 못한다. 또한, 감마/델타 T 세포처럼 NK-T 세포도 항원제시세포 표면의 CD1d를 인식하는데, 이것은 이 세포를 활성화시키는 ligand들이 표준화된 항원이 아니며, 단백질이나 지질일 가능성이 있다는 것을 의미한다. 천식, 알레르기 비염 환자에서 이들 NK-T 세포는 IL-4와 IL-13을 주로 생성하고 IFN-γ은 상대적으로 덜 생성하는 것으로 알려져 있다.

2) B 림프구

B 림프구는 주로 체액성 면역반응을 담당한다. 성숙한 B 세포는 항원-특이적인 B 세포 수용체B cell receptor, BCR를 세포 표면에 발현한다. T 세포 수용체와 같이 B 세포 수용체도 항원결합부위 또는 variableV region으로 구성된 분자복합체이다. 이 부위의 단백질은 면역글로불린마

다 매우 다양하다. 골수에서 발생하는 동안에 다양한 면역글로불린을 생성하기 위해 B 세포는 heavy chain과 light chain의 variable[V], diversity[D], joining[J] 부위의 체세포 DNA 재조합을 거치게 되는데 이것을 VDJ 재조합이라고 한다. 5가지 주요 면역글로불린에는 IgM, IgD, IgG, IgE, IgA가 있다. 항체와 마주친 적이 없는 naive B 세포는 표면에 IgM과 IgD를 발현한다. 세포막결합형태의 B 세포 수용체는 항체를 인식하고 결합하여 활성신호를 세포에 전달한다(Skoner, 2001).

3) 비만세포

골수 전구체로부터 유래하는 비만세포는 주로 말초 조직에만 존재한다. 비만세포는 면역학적 또는 비면역학적 자극에 의하여 세포질 과립에 저장된 히스타민 등의 염증매개물질과 사이토카인을 분비하여 면역반응과 염증반응에 관여하고 세포막에 부착되어 있는 IgE 항체에 알레르기반응의 원인이 되는 항원이 결합하게 되면 여러 종류의 화학매개물질을 분비해 알레르기 증상을 유발한다(Pawankar et al., 1997).

사람의 비만세포는 직경이 7~20 μm이며, 형태는 원형 또는 방추형이다. 비만세포의 핵은 원형 혹은 타원형으로 세포의 한쪽에 치우쳐 있으며, 대개의 경우 분절되지 않는다. 성숙한 비만세포의 특징적인 형태는 세포 전체 부피의 절반 이상을 차지할 정도로 많은 양의 세포질 내 분비성 과립이다(그림 9-6).

특이 항원에 의해 비만세포가 활성화되면 염증매개물질이 유리되고, 세포막으로부터 지질매개체[lipid mediator]가 형성되며, 아울러 다양한 사이토카인이 분비된다. 이러한 비만세포의 탈과립화는 수초 내에 이루어지며, 이때 이미 생성되어 저장되어 있던 다량의 염증매개물질이 세포외로 분비된다. 이러한 염증매개물질들은 초기형 알레르기반응을 일으키고 염증세포의 조직 내 침윤을 유도한다. 또한 히스타민과 단백 분해효소인 chymase, tryptase 등과 TNF-α도 활성화된 비만세포에 의해 알레르기반응 초기에 분비된다. 일단 비만세포가 활성화되면 세포막의 인지질[phospholipid]이나 지질체[lipid body]로부터 프로스타글란딘 D2, 류코트리엔 B4, 류코트리엔 C4, 혈소판 활성인자 등의 지방매개물질이 만들어진다. 이들은 알레르기 후기 반응에 관여하는 백혈구들의 유입과 활성화를 촉진시킨 후 분해되어 전구물질인 아라키돈산이 된다. 비만세포로부터 유리된 이러한 화학매개물질들은 비강 내에서 혈관과 감각신경에 작용하여 가려움증, 수양성 콧물, 재채기, 코막힘 등의 증상을 유발한다(Skoner, 2001).

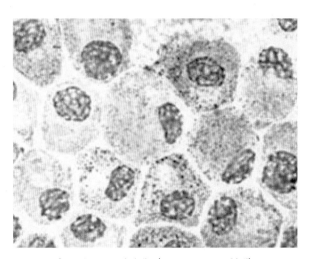

| 그림 9-6 비만세포(Toluidine Blue 염색)
출처: https://healdove.com/disease-illness/Histamine-Mast-Cells-Antihistamines-and-Hay-Fever-Treatment

4) 호산구

골수에서 생성된 과립 백혈구인 호산구는 골수 내에서 분화와 성숙 과정을 거친 후 혈중으로 유리된다. 호산구는 알레르기 질환, 기생충 감염 등에서 방어 역할을 하

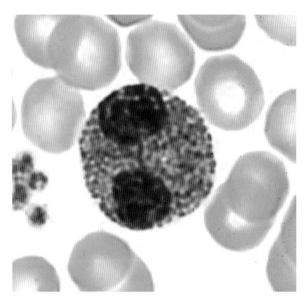

│ 그림 9-7   호산구(Peripheral blood smear)
출처: http://imgarcade.com/1/eosinophils/

는 것으로 알려져 있으며, 이들 질환에서는 호산구 증가 증을 볼 수 있다. 이외에 약물 반응, 악성종양 및 결체조 직 질환 등에서도 호산구가 증가될 수 있다. 혈액 내 호 산구의 정상 범위는 전체 백혈구의 약 1~3%이며, 정상 상태에서는 호산구가 1 ㎕당 400개를 넘지 않는다. 알레 르기 비염의 경우 일반적으로 경증의 호산구 증가를 보 이며, 계절의 변동과 증상의 정도에 따라 호산구 수의 변화를 동반한다(Rothenberg and Hogan, 2006).

호산구는 직경이 약 12~17 ㎛이며 보통 2개의 핵 분엽을 갖고 있다. 세포질에는 약 100~200개의 경계 가 명확한 굵은 과립이 있으며, 과립 한 개의 직경은 약 0.5~1.0 ㎛이다. Wright 염색에 의해 밝고 굵은 주홍색 의 과립이 세포질 내에 관찰되는 것이 호산구의 특징이 다(그림 9-7).

골수에서 생성된 호산구가 국소 염증부위까지 이동 하기 위해서는 호산구의 선택적 혈관벽 접착, 점막하 조

직으로의 이동, 화학주성, 국소조직 내 생존 경로 등이 작용하는데, 이를 위해 혈관벽의 접착분자와 사이토카인 등 여러 매개물질의 작용이 필요하다. 호산구가 혈관 밖 으로 이동하기 위해서는 우선 혈류 속에서 혈관벽으로 의 연변추향margination이 일어나야 하는데, selectin 등 의 작용에 의해 매개된다. 다음 단계로는 혈관 내피세포 표면의 ICAM-1intercellular adhesion molecule-1 등의 접 착분자와 호산구 표면의 integrin과 같은 특이 당단백 분자의 발현으로 호산구와 혈관 내피세포간의 실질적인 결합이 이루어진다. 혈관벽에 접착한 호산구는 경혈관이 주trans-endothelial migration 과정을 통해 혈관 밖으로 나 와 염증 부위로 이동하게 되는데, 이 과정에 IL-3, IL-5, IL-8, GM-CSF, 혈소판 활성인자, RANTES 등의 화학 주성인자가 관여한다(Konya et al., 2014)(그림 9-8).

호산구에서 생성되어 분비되는 매개체는 크게 호산 구 과립 단백eosinophil granule proteins, 지방매개물질lipid mediators, 사이토카인 및 케모카인으로 나눌 수 있다. 호 산구 과립 단백으로는 과립의 중심부에 있으며 아르기 닌arginine이 풍부하여 염기성을 갖는 주염기성 단백ma- jor basic protein, MBP, 미생물 사멸과 비만세포 분비를 촉 진시키는 호산구 과산화효소eosinophil peroxidase, EPO, 기 생충에 독성을 가지는 호산구 양이온 단백eosinophil cat- ionic protein, ECP, 그리고 호산구 유래 신경독eosinophil- derived neurotoxin, EDN 등이 있다. 주염기성 단백은 과립 중심부에 있으며, 나머지 단백은 주변 기질부에 존재한 다. 활성화된 호산구는 5-리폭시나제의 작용으로 지질 매개물질인 류코트리엔 C4 leukotriene, LTC4를 생성하고, 시클로옥시게나제cyclooxygenase를 촉매로 하여 프로스타 글란딘 E1, E2PGE1, PGE2, 트롬복산 B2TXB2를 생산한다 (Rothenberg and Hogan, 2006).

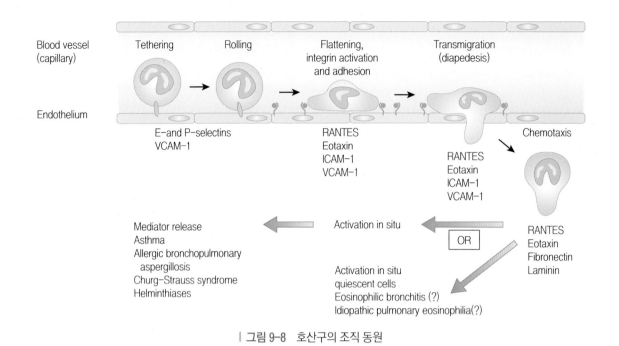

| 그림 9-8 호산구의 조직 동원

VI | 합병증 및 동반질환

1. 만성 비부비동염

알레르기 비염에 대한 ARIAAllergic rhinitis and its impact on asthma guideline 및 만성 비부비동염에 대한 European position paper on rhinosinusitis and nasal polypsEPOS guideline에서 각각 알레르기 비염과 만성 비부비동염을 동반질환으로서 언급하고 있다(Bousquet et al., 2008; Fokkens et al., 2012). 컴퓨터단층촬영을 이용한 연구에서, 알레르기 비염 환자는 대조군(정상 자원자)에 비해 높은 빈도로 만성 비부비동염이 발견된다(환자군: 67.5%, 대조군: 33.4%)고 보고하였다(Berrettini et al., 1999). 계절성보다는 통년성 알레르기 비염 환자에서 만성 비부비동염이 많이 동반된다고 알려져 있는데, 이는 통년성 항원의 경우 환자가 더 오랜 기간 동안

고농도로 노출되기 때문인 것으로 생각된다(Asero and Bottazzi, 2001). 2014년 국민건강영양조사사업 결과에서도 정상인에 비해 알레르기 비염 환자에서 만성 비부비동염을 동반할 위험도가 높았다(Odds Ratio=13.93)(Rhee et al., 2014). 알레르기 비염 환자들은 비강 점막이 비후되어 있고, 섬모 기능이 떨어져 있으며, 과량의 분비물이 비강 점막에서 배출된다. 반면 이를 정화할 수 있는 능력이 저하되어 부비동 배출구가 막히고, 시간이 지속되면 만성 비부비동염이 발생할 수 있다.

한편 약물치료에 실패한 만성 비부비동염 환자의 82%에서 피부단자검사상 양성반응을 보이며, 특히 비용종을 동반한 경우 여러 항원에 동시에 양성을 나타내며 천식을 동반하는 경향이 있다(Tan et al., 2011). 병리조직학적 연구에 따르면 알레르기를 동반한 만성 비부비동염 환자의 사골동 점막조직과 비용에서 국소 T 세포 침윤과 Th2 싸이토카인인 IL-4, IL-5, IL-13의 분비가 확인되었다(al Ghamdi et al., 1997; Hamilos et al., 1995). 이는 Th2 싸이토카인의 분비가 국소 IgE생산과 호산구 침윤을 통해 알레르기 염증을 지속시킨다고 설명할 수 있으나 만성 비부비동염에서 호산구 침윤의 정도와 알레르기의 유무는 별개라는 보고도 있어 추가적인 연구가 필요할 것으로 생각된다(Demoly et al., 1994; Hamilos et al., 1998).

결론적으로 알레르기 비염과 만성 비부비동염은 증상 및 징후가 비슷하며, 알레르기 비염 환자에서 만성 비부비동염을 많이 동반한다고 할 수 있다. 그러나 두 질환의 연관성에 대해서는 전향적 연구를 포함한 더 많은 연구가 필요하다. 부족한 연구결과에도 불구하고 만성 비부비동염을 동반한 알레르기 비염 환자에서 두 가지 질환에 대한 치료를 함께 하는 것이 바람직할 것으로 생각된다.

2. 삼출성 중이염

삼출성 중이염을 일으키는 원인 기전 중의 하나로 알레르기 염증을 생각할 수 있다(Hellings and Fokkens, 2006; Caffarelli et al., 1998). 동물실험을 통해 알레르기 염증이 이관기능장애를 일으킨다는 사실이 입증되었으며, 임상연구에서도 알레르기 비염을 가진 환자에서 항원 추출액을 이용한 비강유발검사nasal provocation test를 시행하였을 때 중이강 내 음압이 발생하는 것이 관찰되었다. 또한 알레르기 비염이 없는 사람에 비해 이관 장애가 더 현저한 경향을 보인다고 보고하였다(O'Connor et al., 1984; Tomonaga, Kurono, and Mogi 1988). 또한 아토피를 가진 환자의 중이 삼출액에서 호산구, T 세포, IL-4 mRNA 세포가 의미있게 증가되어 있었다(Nguyen et al., 2004). 알레르기 비염을 일으키는 염증매개물질이 이관에도 염증을 유발시키며, 이로 인해 이관의 직경이 작아지고 점액섬모수송능이 저하되어 급성 중이염이 발병하고, 재발성 중이염으로 발전하게 된다(Alles et al., 2001). 하지만 항원이 직접 이관에 축적되어 국소면역반응을 일으키는 것인지 전신면역반응의 일환으로 일어나는 것인지에 대해서는 명확하지 않다.

역학조사결과들을 보면, 삼출성 중이염 환자의 24~89%에서 알레르기 비염이 동반되는 것으로 나타났다(Tomonaga et al., 1988; Alles et al., 2001; Nguyen et al., 2004). 259명의 삼출성 중이염 환아를 대상으로 한 연구에서는, 전체 환아 중 50%에서 피부단자검사상 양성반응, 비강 점막 내 호산구증가, 비강유발검사 후 혈청 특이 IgE 증가 중 두 가지 이상의 소견을 보인다고 하였다(Tomonaga et al., 1988).

따라서 알레르기 비염을 치료함으로써 삼출성 중이염 치료에도 도움을 줄 수 있을 것으로 생각되어 왔다. 그러나 최근 메타분석meta-analysis에 따르면 항히스타민제, 비점막수축제 혹은 이들의 병합용법이 삼출성 중이염 치료에 유의한 효과가 없는 것으로 밝혀져, 삼출성 중이염 치료 가이드라인에서 제외되었다(Griffin et al., 2006; American Academy of Family Physicians, American Academy of Otolaryngology-Head and Neck Surgery, and American Academy of Pediatrics Subcommittee on Otitis Media With Effusion, 2004). 다만 수술을 기피하는 환자에서 비강 내 스테로이드제를 항생제와 병용하는 방법으로 단기간(3개월 이내) 사용할 수 있다고 하였다(American Academy of Family Physicians, American Academy of Otolaryngology-Head and Neck Surgery, and American Academy of Pediatrics Subcommittee on Otitis Media With Effusion, 2004).

따라서 재발성 삼출성 중이염을 나타내는 환아에 있어 검사를 통해 알레르기 동반여부를 확인하는 것이 필요할 것으로 생각된다(Tewfik and Mazer, 2006).

3. 기관지 천식

천식은 임상적으로는 반복적인 호흡곤란 및 천명, 기침, 생리적으로는 기도과민성 및 가역적인 기도 폐쇄, 그리고 병리적으로는 기도의 만성적인 알레르기 염증반응으로 정의할 수 있다. 천식과 알레르기 비염은 종종 동시에 발생하며, 삶의 질을 악화시키는 큰 요인이 된다. 알레르기 비염 환자의 20~50%에서 천식을 동반하고 있으며, 보고에 따라 다르지만 약 80%에 이르는 천식 환자에서 비염 증상을 호소하는 것으로 알려져 있다. 알레르기 비염 및 천식은 병태생리 및 조직학적인 측면에서 매우 유사한 양상으로 진행하는 것으로 알려져 있다. Bousquet 등의 연구에 의하면 알레르기 비염과 천식을 같이 가지고 있는 환자들이 천식만 있는 환자에 비해 천식증상이 악화되는 빈도가 더 높으며, 그로 인해 응급실 방문하게 되는 횟수도 많아진다고 하였다(Bousquet et al., 2005). 알레르기 비염과 천식이 동반되는 경우 삶의 질이 더 떨어지며, 수면장애도 더 많이 발생하였다. 게다가 비염 증상 역시 더 심하게 나타나는 것으로 보고되었다(Hansen et al., 2010). 따라서, 알레르기 비염과 천식이 동반된 경우 더욱 적극적인 관심과 치료가 필요하다.

집먼지진드기house dust mite에 조기 노출 시 천식 발생률이 높아진다는 연구 결과도 있으므로, 부모나 형제 중 천식 또는 알레르기 비염이 있는 경우 집먼지 진드기에 대한 노출을 줄이는 것이 향후 천식 발생을 예방하는 데 도움이 될 수 있을 것으로 여겨진다(Brozek et al., 2010). 또한 소아 알레르기 비염 환자에서 면역치료를 통한 천식 발생 예방 효과가 보고된 바 있다.

4. 알레르기 결막염

알레르기 비염 환자에서 눈 주위의 가려움증을 호소하는 경우가 흔하다. 이 경우 알레르기 결막염이 동반되었음을 의심할 수 있다. 알레르기 결막염은 세균성 결막염, 안구 건조증, 마이봄샘질환meibomian gland disease, 안검염blepharitis 등 여러 가지 안질환과 증상이 유사하여 의료진의 혼동을 초래할 수 있다. 따라서 이에 대한 감별진단에 유의하여야 하고, 알레르기 비염에서 발생하는 안질환과의 감별도 중요하다(Ono and Abelson, 2005). 환자의 약물복용력과 증상을 유발하는 환경요인에 대한 분석이 초기 진단에 중요하고 눈주위 가려움증, 충혈, 결막부종chemosis 등의 발병 유무, 증상의 지속 시간, 안구분비물의 성질, 일측성 혹은 양측성 감별, 콘택트 렌즈 착용 여부, 알레르기질환, 천식, 아토피 병력, 국소적 또는 전신적 약물 사용력, 환자의 면역 상태, 전신 질환, 흡연력, 직업 등의 사회성 인자에 대해서 면밀히 분석해야 한다. 이러한 병력 조사를 통해 대부분 임상적인 진단이 가능하나 안과의사에 의한 각막cornea, 안검 주위, 공막sclera 검사 등을 해서 다른 질환을 배제하여야 한다.

가장 유의해서 주시해야 하는 환자의 증상은 가려움증과 안구 충혈이며 그 외에도 안구작열감burning, 찌르는 듯한 통증stinging, 광선공포증photophobia, 과도한 눈물, 안구분비물discharge, 결막부종chemosis, 안구건조감 등을 호소할 수 있다. 환자의 증상이 명확하고 다른 질환과 감별이 확실하다면 알레르기 검사를 반드시 시행할 필요는 없다.

다양한 약제를 이용한 전신적 혹은 국소적인 치료가 가능하다. 증상 경감을 위해 안구 표면 윤활제ocular surface lubricant 특히 등장성 생리식염수, 인공누액과 연고 등이 사용되지만 알레르기반응을 직접적으로 억제하지 못하므로 근본적인 치료라고 할 수는 없다. 국소용 혈관수축제는 α-길항제agonist로 안구충혈과 부종을 줄일 수 있으나 지나치게 자주 사용하면 동공확장pupil dilatation, mydriasis을 유발하고 결막에 반동성 충혈rebound hyperemia을 일으키므로 사용 시 주의해야 한다(O'Brien,

2013; Kari and Saari, 2010; Butrus and Portela, 2005). 일반적으로 혈관수축제는 알레르기 결막염의 치료에는 권장되지 않으며 국소용 항히스타민제가 더 안전하고 효과적이다.

최근에 국소용 항히스타민제가 알레르기 결막염에 주된 치료제로 이용되고 있으며 히스타민의 억제, 비만세포의 안정화, 호산구의 활성화 및 이동을 억제시키는 기전을 통해 알레르기 결막염을 치료한다. 여러 증상에 효과적이고 특히 가려움증의 호전에 탁월하지만 눈주위의 자극감 및 이물감을 유발할 수 있고 노인환자에서는 이와 같은 합병증이 더 자주 발생하므로 주의해야 한다 (Bielory and Friedlaender, 2008).

경구 항히스타민제도 사용 가능하지만 안구 건조감을 일으킬 수 있어 알레르기 비염 등 다른 알레르기 질환이 없는 환자에서는 국소용 항히스타민 제제가 더 선호된다.

비만세포안정제는 계절성 혹은 통년성 알레르기 결막염에 효과적으로 사용되며 초기 알레르기반응 또는 지연형 알레르기반응 모두 억제할 수 있다고 알려져 있다. 항히스타민제제와 혈관수축제가 복합된 안약은 가려움증과 안구충혈 및 부종에 모두 효과가 좋다고 알려져 있어 최근에 더 사용되고 있으나 다른 약제에 비해 작용시간이 짧고 활성화되는 시간이 길다는 단점이 있고 진정작용 및 반동성 충혈rebound hyperemia 등의 부작용을 일으킬 수 있다(O'Brien, 2013; Kari and Saari, 2010; Butrus and Portela, 2005).

가장 각광받는 약제는 항히스타민제와 비만세포안정제의 복합제제이며 증상 경감에도 효과적이고 빠른 시간 내에 효과를 볼 수 있고 작용시간이 길어 하루 1~2회 정도의 처치로 충분히 치료가 가능하다. 비스테로이드성 진통소염제 계열의 약제도 가려움증을 줄이기 위해 사용가능 하지만 계절성 결막염에만 사용하도록 Food and Drug Administration^{FDA} 승인이 제한되어 있다.

국소용 스테로이드제도 알레르기 결막염의 염증 반응을 줄이는 데 유용하며 특히 초기 알레르기반응을 효과적으로 줄일 수 있으나, 장기간 사용 시 안압을 상승시킬 수 있어 조심해야 하며 백내장을 유발할 수 있어 사용 시 철저한 환자 관리가 필요하다(O'Brien, 2013; Kari and Saari, 2010; Butrus and Portela, 2005).

그 외에도 환경 인자 조절이 필수적이며, 항원 회피, 항원 예방 침구류 사용, 온수로 환자의 생활용품 및 침구류 소독, 잠자리에 들기 전에 샤워와 머리감기, 선글라스 착용, 안검 세정제eyelid cleanser, 냉찜질cool compress 사용 등이 이물감과 가려움증을 줄이는 데 도움을 주므로 환자에게 시행토록 교육하는 것이 필요할 수 있다.

5. 아토피 피부염

아토피 피부염이 있는 유소아는 추후에 천식이나 알레르기 비염이 동반될 확률이 피부염이 없었던 유소아에 비해 2~3배 높은 것으로 알려져 있다(Wolter and Price, 2014; Batchelor, Grindlay, and Williams, 2010). 임상적으로 피부를 긁고 싶은 충동을 유발하는 불쾌한 감각으로 정의되는 간지럼증이 아토피 피부염을 진단하는 데 가장 특징적인 증상이다. 간지럼증 및 긁는 동작을 제대로 조절할 수 없는 영유아들은 간지럼증 외에도 신경질적인 성향fussiness과 수면 장애 등이 동반될 수 있고 소아들에서는 피부 발진skin eruption이 자주 동반된다. 대부분의 증상은 1세 미만에서 시작되며 치료가 적절하지 못할 경우 10세까지도 증상이 지속되기도 한다. 부모가 아토피 피부염의 병력이 있거나 쌍둥이의 경우에 증상이 유사하게 나타나는 것으로 보아 유전적 소인도 관여한다고 생각된다(Wolter and Price, 2014; Batchelor, Grindlay, and Williams, 2010).

영유아 및 소아의 얼굴, 목, 팔꿈치, 무릎 등에서 특징

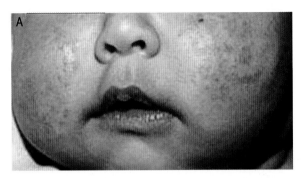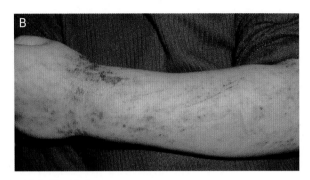

│ 그림 9-9   아토피 피부염의 피부 병변
출처: http://www.atlasdermatologico.com.br/ http://www.wikidoc.org/index.php/File:Atopic_dermatitis_child.jpg

적인 피부 병변이 나타나는데 특히 양측 볼에 위소포성 pseudovesicular 또는 weepy 얼굴 등과 함께 유아기 습진 infantile eczema이 아토피 피부염의 가장 초기 피부 병변이다. 지속적이며 밝은 붉은색의 반점이 뺨과 턱에 나타나는데, 치아가 나면서 고형식을 처음으로 씹기 시작할 때 침과 음식에 대한 자극에 의해 나타난다고 생각된다. 기저귀를 착용하는 유아들에서는 엉덩이와 허벅지 주변으로 피부병변이 발생하며 두피에도 피부염이 나타나고 찰과상을 입은 것처럼 피부가 벗겨지기도 한다(Wolter and Price, 2014; Batchelor et al., 2010). 영유아기에서 소아기로 접어들면서 팔꿈치 내측과 다리의 오금 부위에 전형적인 피부 반점이나 딱지 또는 발적이 나타나며 손과 발바닥에도 피부증상이 흔하게 발생한다. 보다 심한 환자의 경우는 두꺼워진 딱지가 손등이나 발, 무릎 등에 마치 두꺼운 가죽 같이 관찰되기도 하고 과다색소침착이나 구진papule들이 팔 다리의 신전부에 나타난다. 자주 긁고 자극이 되면서 박테리아 감염도 동반될 수 있다.

가려움증은 아토피 피부염의 가장 중요하고 심각한 증상이며 환자들의 생활에 가장 큰 영향을 미친다. 낮에도 증상이 나타날 수 있지만 보통은 밤에 가려움증이 악화되며 심각한 수면 장애를 유발하고 밤에 자주 깨어남으로써 부모도 정상적인 수면을 가질 수 없게 된다. 따라서 주간활동도 감소하게 되고 학습 장애나 집중력 장애, 인지 장애 등도 동반될 수 있어 결국 언어 발달 지연, 지각력 저하, 기억력 저하들이 나타나기도 한다(Wolter and Price, 2014; Kristal and Klein, 2000).

아토피 피부염을 성공적으로 치료하기 위해서는 환자와 부모에게 질병에 대한 교육이 선행되어야 하고 올바른 피부 관리 및 피부질환 감소를 위한 치료 등이 필수적이다. 질병 전반에 관한 치료 방침과 환자 개인마다 적용시켜야 할 치료를 나누어 다각적으로 치료를 시도해야 한다.

부모들에게 교육해야 할 가장 중요한 사항은 아토피 피부염이 만성 질환이라는 점이며 결국 아토피 피부염의 치료는 완치가 아니라 조절이라는 부분을 반드시 교육해야 한다. 그 외에도 질병이 갖는 특성 및 치료 약제에 대하여 설명을 해야 하며 치료 계획을 유지치료maintenance와 악화 조절flare management로 나누어 교육해야 한다.

올바른 피부 관리법 교육도 중요하다. 뜨거운 온수가 아닌 따뜻한 물로 매일 목욕이나 샤워를 시키는 것이 세균의 제거, 피부 박피 제거 및 습윤 유지에 긍정적인 효과를 준다. 보습 크림을 하루에 두 번 정도 발라주는 것이 좋으며 가능한 목욕이나 샤워 직후에 시도하는 것이 도움이 되는데 다소 끈끈하고 기름기가 있는 크림이 더 유용하다. 알코올 성분이 포함된 크림은 피부 자극을 유발할 수 있어 조심해야 한다(Dabade et al., 2012 ; Devillers and Oranje, 2012).

피부 병변의 치료 약제로 국소용 스테로이드 연고가 가장 필수적인 습진 치료제이며 환자의 나이, 병변의 위치, 질병의 심각도에 따라 연고를 선택해야 한다. 국소용 스테로이드 연고는 혈관 수축성 정도에 따라 7등급으로 나누며 class 1이 가장 강력한 효과를 보이며 class 7이 가장 약한 효과를 가지고 있다. 가능한 습윤 크림을 바르기 전에 국소용 스테로이드 연고를 먼저 바르는 것이 좋고 환자의 상태 및 피부 병변의 심각도를 잘 파악한 후에 환자에 맞는 국소용 스테로이드 연고를 처방해야 한다(Callen et al., 2007).

피부 병변의 악화요인의 회피도 중요하다. 피부 습진은 춥거나 건조한 날씨에 악화될 수 있으며 세제 및 향수가 피부에 닿으면 병변이 악화될 수 있다. 아토피 반응을 유발할 수 있는 항원 물질도 피해야 하며 피부 자극을 유발하는 모든 물질은 피부에 닿지 않도록 유의해야 한다.

6. 수면질환

알레르기 비염 환자에서 수면에 관련된 증상 호소는 매우 흔하다. 불면증이나 수면호흡장애sleep-disordered breathing가 발생할 수 있으며, 이로 인해 주간 졸림증 등의 증상이 발생할 수 있다. 알레르기 비염 환자에서 폐쇄성 수면무호흡증 환자의 유병률이 더 높게 보고되고 있고, 실제 이들 사이의 연관성은 여러 보고 및 임상시험에서 증명되고 있다(Baiardini et al., 2006).

한 역학조사에 따르면 코막힘은 수면호흡장애의 위험인자이며, 알레르기 비염은 코막힘의 흔한 원인이므로 알레르기 비염은 수면호흡장애의 조절 가능한 위험인자이다(Young et al., 1997). 이 연구에서 알레르기 비염

에 의한 코막힘이 있는 환자의 경우, 그렇지 않은 환자에 비해 중등도 이상의 수면호흡장애를 가질 위험성이 1.8배 높았다. 대부분의 알레르기 비염 환자에서 야간에 정도의 차이는 있지만 코막힘을 느끼며, 약 절반의 환자에서 잠드는 데 어려움을 겪고, 코막힘으로 수면 중에 깨는 경우까지 있다고 한다(Shedden, 2005). 이러한 점을 고려하여 ARIA guideline에서는 수면장애 유무를 경증mild과 중등도-중증moderate-to-severe으로 나누는 기준 중 하나로 제시하였다(Bousquet et al., 2008).

알레르기 비염과 수면질환의 연관성은 주로 비강 저항의 증가 및 이로 인한 코막힘으로 설명된다(Ng et al., 2006). 알레르기 비염에 의한 비갑개 비대는 전체 기도 저항을 증가시키고, 구강 호흡을 유발하여 하악과 설근부의 후하방 전위를 일으키며, 또한 비 반사nasal reflex에 장애를 일으켜 분당 환기량minute ventilation의 감소를 유발함으로써 수면장애를 촉진하는 것으로 생각된다.

그 외에도 알레르기 비염 치료를 위한 약제가 중추신경계에 영향을 주어 수면장애를 유발할 수 있으며, 염증 매개물질 또는 코티졸cortisol 호르몬의 일주기circadian rhythm 변화에 의한 영향 등도 수면에 영향을 줄 수 있다.

수술적 치료 또는 내과적 치료에 의해 비강 저항 및 코막힘을 감소시키면 주관적인 증상의 호전과 함께 삶의 질을 개선시킬 수 있다. 편도 및 아데노이드 절제술 후 추가로 고주파비갑개위축술radiofrequency volume reduction of inferior turbinate를 받은 군에서 수면다원검사 결과 무호흡-저호흡 지수Apnea-Hypopnea Index, AHI가 유의하게 개선되었다(Sullivan, Li, and Guilleminault 2008). 또한 비강 저항을 감소시켜 코막힘을 개선시키는 것은 비강 양압호흡기의 순응도를 높일 수 있음을 염두에 두어야 한다(Sugiura et al., 2007). 따라서 알레르기 비염 치료는 수면질환의 치료라는 측면에서도 중요한 과정 중의 하나라고 할 수 있다.

7. 인지기능 장애 및 정신과 질환

알레르기 비염과 연관된 정신과적 질환 및 인지기능에 대한 연구가 활발하게 진행되고 있다. 연구결과에 따르면 알레르기 비염 환자에서 정상인에 비해 집중력과 학습능력, 인지능력이 감퇴될 수 있으며, 의사 결정에 더 오랜 시간이 소요될 수 있다(Vuurman et al., 1993; Marshall, O'Hara, and Steinberg, 2000). 또한 불안증, 자폐증 등에 영향을 준다는 보고도 있었다(E. O. Meltzer, 2001). 또한 일반인에 비해 우울증, 불안증, 수면장애의 비율이 높게 나타나고 있으며, 심지어 자살률을 높이는 원인으로까지 언급되고 있다(Qin et al., 2011).

따라서 정신과적 측면에 있어서도 소아, 청소년 시기부터 깊은 주의를 갖고 알레르기 비염을 적극적으로 치료하는 것이 필요하다.

VII | 국소 알레르기 비염 (Local Allergic Rhinitis, LAR)

1. 개념 및 정의(Concept and Definition)

비염의 감별진단에 있어, 임상적으로 비염 증상이 있으나 피부단자검사 혹은 혈청 내 항원특이 IgE 검사상 음성 결과를 보일 경우 대개 비(非) 알레르기 비염으로 진단하여 왔다(Alvares and Khan 2011). 그러나 최근 非 알레르기 비염으로 진단된 환자 중 일부에서 비강 내 국소적 알레르기 반응이 나타난다는 사실이 보고되었다. 따라서 非 알레르기 비염 환자의 비강 점막에서도 국소적 Th2 면역반응이 진행되고 있을 가능성이 제기되었다. 이러한 비강 내 국소 알레르기의 개념이 처음 제시된 것은 1975년이다. Huggins 등의 연구자들은 혈청내 항원특이 IgE 항체가 검출되지 않으나 비즙 내 항원특이 IgE 항체가 증가하여 있는 환자를 보고하였으며, 처음으로 비강 내 국한된 알레르기 반응에 의해 항원특이 항체가 생산될 가능성을 제안하였다(Huggins and Brostoff, 1975). 이후의 연구들을 통하여 非 알레르기 비염 환자 중 일부에서 비강 점막 내 IgE 항체가 생산된다는 사실이 추가적으로 증명되었다(Rondón et al., 2007; Rondón et al. 2009; Rondón et al., 2008). 따라서 이러한 상태를 '전신적 아토피와 무관한 비강 내 국소적 알레르기 반응(localized allergic reaction without systemic atopy)'이라고 정의할 수 있다. 초기에는 이러한 현상을 'entopy' 등의 용어로 부르다가, 최근에 들어서야 Rondon 등의 연구자들에 의해 '국소 알레르기 비염'이라는 용어가 정립되었다(Powe et al., 2003; Rondón, Canto, and Blanca, 2010).

2. 병태생리

국소 알레르기 비염의 기전으로서 최근 가장 주목받고 있는 것은 비강 내 국한된 Th2 면역반응이다. 알레르기 비염 환자와 국소 알레르기 비염 환자의 비강세척액을 비교 분석한 결과, 호산구, 호염기구, 비만세포, CD3+ T 림프구, CD4+ T 림프구 등이 증가하는 소견이 유사하게 나타났다(Rondón et al., 2007; Rondón et al., 2008). 또한 Zürcher 등은 비강 점막 내에서 B 림프구를 분리 배양한 이후 IL-4/anti-CD40 등의 자극을 주었을 때, B 림프구가 IgE 항체를 생산한다는 사실을 규명하였다.(Zürcher et al., 1996). B 림프구가 IgE 항체를 생산하기 위해서는 항체의 'class switch'가 일어나야 하는데, 이러한 연구 결과에 따르면 림프조직뿐만 아니라 비강 점막 내에서도 class switch가 일어날 수 있을 것으로 생각된다(Durham et al., 1992; KleinJan et al., 1999).

3. 임상양상

국소 알레르기 비염 환자의 임상양상은 코막힘, 콧물, 재채기 등으로, 알레르기 비염 환자의 증상과 매우 유사하다. 대다수의 환자가 지속성, 통년성 비염의 양상을 보이며, 결막염 등의 질환을 흔히 동반한다(Rondón et al., 2012). Rondon 등의 연구에 따르면, 국소 알레르기 비염 환자의 남녀 성비는 1:2 정도로 여자 환자가 좀 더 많았으며, 비흡연자가 전체의 82% 정도를 차지하였고, 도시 거주자가 많았다(Rondón et al., 2014). Rondon 등은 또한 국소 알레르기 비염 환자를 5년간 장기 추적 관찰한 결과, 5년 전에 비해 전반적 건강 상태가 악화되었으며, 또한 삶의 질이 유의하게 악화되었다고 보고하였다(Rondón et al., 2014).

이전의 분류에 의해 비(非) 알레르기 비염으로 진단받은 환자 중 25.7%에서 많게는 47%에 이르는 환자들이 사실은 국소 알레르기 비염 환자인 것으로 밝혀졌다(Rondón et al., 2007; Rondón et al., 2008; Powe et al., 2003; Rondón et al., 2012; Carney et al., 2002; Wedbäck et al., 2005). Kim 등에 의한 국내 보고에 따르면 비염 증상을 호소하며 외래를 방문한 환자 중 약 3.5%에서 국소 알레르기 비염이 진단되었다(Kim and Jang, 2010). 따라서 국소 알레르기 비염은 비교적 흔한 질환이라 할 수 있으며, 삶의 질을 현저히 악화시키는 주요 질환으로 간주할 수 있다(Rondón et al., 2014).

4. 진단

국소 알레르기 비염의 정의가 '전신적 아토피 부재 및 비즙 내 항원특이 IgE 항체 존재'이므로, 비염 증상을 호소하는 환자에서 피부단자검사/혈청 내 항원특이 IgE 검사 및 비즙 내 항원특이 IgE 검사를 시행하여 진단할 수 있다. 그러나 비즙 내 항원특이 IgE 검사는 민감도가 22~40% 정도로 매우 낮으며, 임상에서 수행하기에 어렵다는 단점을 가지고 있다(Rondón et al., 2007; Rondón et al., 2008). 따라서 비강 내에 원인으로 의심되는 항원을 투여한 후, 환자의 증상 변화 및 비강 내 저항, 부피 및 단면적의 변화를 평가하는 비강유발검사를 진단에 응용할 수 있다. 비강 내 항원투여 전후 Visual Analogue Scale (VAS) 등을 이용하여 주관적 증상 악화 정도를 평가하며, 비강통기도검사rhinomanometry 및 음향비강통기도검사 acoustic Rhinometry 등을 사용하여 비강 내 저항 증가, 부피 및 단면적 감소 등 비강 내 객관적 변화를 측정한다(Kim et al., 2008; Kim and Jang, 2011; Jang and Kim, 2015).

비강유발검사는 그 유용성에도 불구하고 연구목적 외에 임상에서 진료 목적으로는 많이 쓰이지 못하고 있는 실정이다. 그것은 지금까지 항원의 종류 및 분사량, 분사 방법 및 농도, 실제적인 검사의 방법 및 평가기준 등에 대해 지금까지 통일된 기준이 없었기 때문이다. 최근 유럽알레르기학회(European Academy of Allergy and Clinical ImmunologyEAACI)에서는 이러한 문제점을 보완하고자 비강유발검사에 대한 표준화 권고안을 출판하였다(Augé et al., 2018). 이 권고안에 따르면, 비강 내 항원 분사 전후 주관적 척도(Subjective; VAS 척도 등 증상 변화량)와 객관적 척도(Objective; 비강저항, 단면적 및 부피변화 등 객관적 수치의 변화량)를 각각 측정한다. 이 객관적 척도와 주관적 척도를 변화량에 따라 각각 '명백히 양성 clearly positive' 혹은 '약양성moderately positive'으로 분류한다(예를 들어 VAS 척도가 55 mm 이상 증가하였다면 '명백히 양성', 23 mm 이상 55 mm 미만 증가하였다면 '약양성'으로 분류하는 식이다)(표 9-2). 주관적 척도 혹은 객관적 척도 중 어느 하나라도 '명백히 양성' 기준에 부합하거나, 혹은 두 개의 척도가 모두 '약양성' 기준에 부합할 때 비강유발검사 결과를 최종적으로 '양성positive'이라고 판정한다(그림 9-10).

| 표 9-2   비강유발검사: '명백히 양성(clearly positive)' 및 '약양성' 기준(Aug'e et al. 2018) | | |

Method	Clearly positive (s; o)	Moderately positive (s; o)
Subjective measures		
Visual analog scale (VAS)	Symptoms ≥ 55 mm	Symptoms ≥ 23 mm
Lebel score	Increase of ≥ 5 points	Increase of ≥ 3 points
Linder score	Increase of ≥ 5 points	Increase of ≥ 3 points
Total nasal synptom score (TNSS)	Increase of ≥ 5 points	Increase of ≥ 3 points
Objective measures		
Peak nasal inspiratory flow (PNIF)	Flow decrease of ≥ 40%	Flow decrease of ≥ 20%
Acoustic rhinomety (AcRh)	CSA-2 decrease of ≥ 40%	decrease in sum of 2-6 cm^3 ≥ 27% bilaterally
Active Anterior rhinomanometry (AAR)	Flow decrease of ≥ 40% at 150 Pa	Flow decrease of ≥ 20% at 150 Pa
4-phase-rhinomanometry (4PR)	≥ 40% increase in logarithmic (lg) effective resistance	≥ 20% increase in lg effective resistance

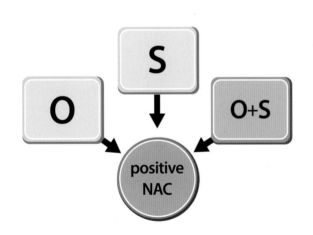

| 그림 9-10   비강유발검사 양성 판정 기준
주관적/객관적 척도 중 어느 하나가 '명백히 양성'이거나, 혹은 두 척도 모두 '약양성' 기준에 부합할 때 비강유발검사 결과를 최종적으로 '양성 (positive)'이라고 판정함(Augé et al. 2018)
O: strongly positive for 'Objective' measurements
S: strongly positive for 'Subjective' symptomss
O+S: moderately positive for 'obsective' measurements and 'subjective' symptoms
NAC: Nasal allergen challenge

5. 치료

국소 알레르기 비염의 병태생리는 비강 내에 국한되어 있으나 Th2 면역반응을 기본으로 하기 때문에, 알레르기 비염에 사용하는 약제에 의해 치료 효과가 좋을 것으로 기대할 수 있다. 실제로 국소 알레르기 비염 환자들은 대개 경구 항히스타민제 및 비강내 국소 스테로이드제 등의 치료에 잘 반응하는 것으로 알려져 있다 (Rondón et al. 2007 ; Rondón et al., 2009 ; Rondón et al., 2008). 그러나 Kim 등에 따르면 국내 연구에서 국소 알레르기 비염 환자는 경구 항히스타민제 투여 후 알레르기 비염 환자에 비해 증상의 호전 정도가 비교적 적은 편이었다(Kim and Jang, 2010). 또한 피하면역주사치료 이후 국소 알레르기 비염 환자의 임상증상이 유의하게 호전되었으며, Rescue Medication Score 역시 현저히 감소하였다(Rondón et al., 2011).

참고문헌

1. Alles R, Parikh A, Hawk L, Darby Y, Romero JN, Scadding G. The prevalence of atopic disorders in children with chronic otitis media with effusion. Pediatr Allergy Immunol 2001;12:102-6.

2. Alvares, Michael L, David A Khan. Allergic rhinitis with negative skin tests. Current allergy and asthma reports 2011;11:107-114.

3. American Academy of Family Physicians, American Academy of Otolaryngology-Head and Neck Surgery, American Academy of Pediatrics Subcommittee on Otitis Media With Effusion. Otitis media with effusion. Pediatrics 2004;113:1412-29.

4. Amlani S, Nadarajah T, McIvor RA. Montelukast for the treatment of asthma in the adult population. Expert Opin Pharmacother 2011;12:2119-28.

5. Aselton P, Jick H, Milunsky A, Hunter JR, Stergachis A. First-trimester drug use and congenital disorders. Obstet Gynecol 1985;65:451-5.

6. Asero R, Bottazzi G. Nasal polyposis: a study of its association with airborne allergen hypersensitivity. Ann Allergy Asthma Immunol 2001;86:283-5.

7. Augé, J., J. Vent, I. Agache, et al. EAACI Position Paper on the Standardization of Nasal Allergen Challenges. Allergy 2018;73(8):1597-1608.

8. Bahçeciler NN, Işik U, Barlan IB, Başaran MM. Efficacy of sublingual immunotherapy in children with asthma and rhinitis: a double-blind, placebo-controlled study. Pediatr Pulmonol 2001;32:49-55.

9. Bahceciler NN, Galip N. Comparing subcutaneous and sublingual immunotherapy: what do we know? Curr Opin Allergy Clin Immunol 2012;12:640-7.

10. Baiardini I, Braido F, Cauglia S, Canonica GW. Sleep disturbances in allergic diseases. Allergy 2006;61:1259-67.

11. Ballardini N, Nilsson C, Nilsson M, Lilja G. Immuno CAP Phadiatop Infant--a new blood test for detecting IgE sensitisation in children at 2 years of age. Allergy 2006;61:337-43.

12. Baraniuk JN, Ali M, Yuta A, Fang SY, Naranch K. Hypertonic saline nasal provocation stimulates nociceptive nerves, substance P release, and glandular mucous exocytosis in normal humans. Am J Respir Crit Care Med 1999;160:655-62.

13. Barnetson RSC, Rogers M. Childhood atopic eczema. BMJ 2002;324:1376-9.

14. Barr JG, Al-Reefy H, Fox AT, Hopkins C. Allergic rhinitis in children. BMJ 2014;349:4153.

15. Batchelor JM, Grindlay DJC, Williams HC. What's new in atopic eczema? An analysis of systematic reviews published in 2008 and 2009. Clin Exp Dermatol 2010;35:823-8.

16. Berger WE. Allergic rhinitis in children: diagnosis and management strategies. Paediatr Drugs 2004;6:233-50.

17. Berrettini S, Carabelli A, Sellari-Franceschini S, Bruschini L, Abruzzese A, Quartieri F, et al. Perennial allergic rhinitis and chronic sinusitis: correlation with rhinologic risk factors. Allergy 1999;54:242-8.

18. Bielory L, Friedlaender MH. Allergic conjunctivitis. Immunol Allergy Clin North Am 2008;28:43-58, vi.

19. Bousquet J, Gaugris S, Kocevar VS, Zhang Q, Yin DD, Polos PG, et al. Increased risk of asthma attacks and emergency visits among asthma patients with allergic rhinitis: a subgroup analysis of the investigation of montelukast as a partner agent for complementary therapy [corrected]. Clin Exp Allergy 2005;35:723-7.

20. Bousquet J, Khaltaev N, Cruz AA, Denburg J, Fokkens WJ, Togias A, et al. Allergic Rhinitis and its Impact on Asthma (ARIA) 2008 update (in collaboration with the World Health Organization, GA(2)LEN and AllerGen). Allergy 2008;63 Suppl86:8-160.

21. Brozek JL, Bousquet J, Baena-Cagnani CE, Bonini S, Canonica GW, Casale TB, et al. Allergic Rhinitis and its Impact on Asthma (ARIA) guidelines: 2010 revision. J Allergy Clin Immunol 2010;126:466-76.

22. Butrus S, Portela R. Ocular allergy: diagnosis and treatment. Ophthalmol Clin N Am 2005;18: 485-92, v.

23. Caffarelli C, Savini E, Giordano S, Gianlupi G, Cavagni G. Atopy in children with otitis media with effusion. Clin Exp Allergy 1998;28:591-6.

24. Callen J, Chamlin S, Eichenfield LF, Ellis C, Girardi M, Goldfarb M, et al. A systematic review of the safety of topical therapies for atopic dermatitis. Br J Dermatol 2007;156:203-21.

25. Campo P, Rondón C, Gould HJ, Barrionuevo E, Gevaert P, Blanca M. Local IgE in non-allergic rhinitis. Clin Exp Allergy 2015;45:872-81.

26. Carney, A. S., D. G. Powe, R. S. Huskisson, and N. S. Jone. Atypical Nasal Challenges in Patients with Idiopathic Rhinitis: More Evidence for the Existence of Allergy in the Absence of Atopy? Clinical and Experimental Allergy: Journal of the British Society for Allergy and Clinical Immunology 2020;32: 1436-1440.

27. Corver K, Kerkhof M, Brussee JE, Brunekreef B, van Strien RT, Vos AP, et al. House dust mite allergen reduction and allergy at 4 yr: follow up of the PIAMA-study. Pediatr Allergy Immunol 2006;17:329-36.

28. Dabade TS, Davis DMR, Wetter DA, Hand JL, McEvoy MT, Pittelkow MR, et al. Wet dressing therapy in conjunction with topical corticosteroids is effective for rapid control of severe pediatric atopic dermatitis: experience with 218 patients over 30 years at Mayo Clinic. J Am Acad Dermatol 2012;67:100-6.

29. Dave ND, Xiang L, Rehm KE, Marshall GD. Stress and Allergic Diseases. Immunol Allergy Clin North Am 2011;31:55-68.

30. Demoly P, Crampette L, Mondain M, Campbell AM, Lequeux N, Enander I, et al. Assessment of inflammation in noninfectious chronic maxillary sinusitis. J Allergy Clin Immunol 1994;94:95-108.

31. Demoly P, Piette V, Daures J-P. Treatment of allergic rhinitis during pregnancy. Drugs 2003;63:1813-20.

32. Devillers ACA, Oranje AP. Wet-wrap treatment in children with atopic dermatitis: a practical guideline. Pediatr Dermatol 2012;29:24-7.

33. Durham, S. R., S. Ying, V. A. Varney, et al. Cytokine Messenger RNA Expression for IL-3, IL-4, IL-5, and Granulocyte/Macrophage-Colony-Stimulating Factor in the Nasal Mucosa after Local Allergen Provocation: Relationship to Tissue Eosinophilia. Journal of Immunology (Baltimore, Md.: 1950) 1992;148: 2390-2394.

34. Ellegård EK. The etiology and management of pregnancy rhinitis. Am J Respir Med Drugs Devices Interv 2003;2:469-75.

35. Enright PL, Kronmal RA, Higgins MW, Schenker MB, Haponik EF. Prevalence and correlates of respiratory symptoms and disease in the elderly. Cardiovascular Health Study. Chest

1994;106:827-34.

36. Feijen M, Gerritsen J, Postma DS. Genetics of allergic disease. Br Med Bull 2000;56:894-907.

37. Fokkens WJ, Lund VJ, Mullol J, Bachert C, Alobid I, Baroody F, et al. European Position Paper on Rhinosinusitis and Nasal Polyps 2012. Rhinol Suppl 2012; 3 p preceding table of contents, 1-298.

38. Frieri M. Inflammatory issues in allergic rhinitis and asthma. Allergy Asthma Proc 2005;26:163-9.

39. Galant SP, Wilkinson R. Clinical prescribing of allergic rhinitis medication in the preschool and young school-age child: what are the options? BioDrugs Clin Immunother Biopharm Gene Ther 2001;15:453-63.

40. Gdalevich M, Mimouni D, Mimouni M. Breast-feeding and the risk of bronchial asthma in childhood: a systematic review with meta-analysis of prospective studies. J Pediatr 2001;139:261-6.

41. Al Ghamdi K, Ghaffar O, Small P, Frenkiel S, Hamid Q. IL-4 and IL-13 expression in chronic sinusitis: relationship with cellular infiltrate and effect of topical corticosteroid treatment. J Otolaryngol 1997;26:160-6.

42. Gilbert C, Mazzotta P, Loebstein R, Koren G. Fetal safety of drugs used in the treatment of allergic rhinitis: a critical review. Drug Saf 2005;28:707-19.

43. Gómez E, Campo P, Rondón C, Barrionuevo E, Blanca-López N, Torres MJ, et al. Role of the basophil activation test in the diagnosis of local allergic rhinitis. J Allergy Clin Immunol 2013;132:975-6.

44. Gómez F, Rondón C, Salas M, Campo P. Local allergic rhinitis: mechanisms, diagnosis and relevance for occupational rhinitis. Curr Opin Allergy Clin Immunol 2015;15:111-6.

45. Griffin GH, Flynn C, Bailey RE, Schultz JK. Antihistamines and/or decongestants for otitis media with effusion (OME) in children. Cochrane Database Syst Rev 2006;CD003423.

46. de Groot H, Brand PLP, Fokkens WF, Berger MY. Allergic rhinoconjunctivitis in children. BMJ 2007;335:985-8.

47. Hamilos DL, Leung DY, Huston DP, Kamil A, Wood R, Hamid Q. GM-CSF, IL-5 and RANTES immunoreactivity and mRNA expression in chronic hyperplastic sinusitis with nasal polyposis (NP). Clin Exp Allergy 1998;28:1145-52.

48. Hamilos DL, Leung DY, Wood R, Cunningham L, Bean DK, Yasruel Z, et al. Evidence for distinct cytokine expression in allergic versus nonallergic chronic sinusitis. J Allergy Clin Immunol 1995;96:537-44.

49. Hansen I, Klimek L, Mösges R, Hörmann K. Mediators of inflammation in the early and the late phase of allergic rhinitis. Curr Opin Allergy Clin Immunol 2004;4:159-63.

50. Hansen JW, Thomsen SF, Nolte H, Backer V. Rhinitis: a complication to asthma. Allergy 2010;65:883-8.

51. Hauptman G, Ryan MW. The effect of saline solutions on nasal patency and mucociliary clearance in rhinosinusitis patients. Otolaryngol--Head Neck Surg 2007;137:815-21.

52. Helin T, Haahtela S, Haahtela T. No effect of oral treatment with an intestinal bacterial strain, Lactobacillus rhamnosus (ATCC 53103), on birch-pollen allergy: a placebo-controlled double-blind study. Allergy 2002;57:243-6.

53. Hellings PW, Fokkens WJ. Allergic rhinitis and its impact on otorhinolaryngology. Allergy 2006;61:656-64.

54. Hermelingmeier KE, Weber RK, Hellmich M, Heubach CP, Mösges R. Nasal irrigation as an adjunctive treatment in aller-gic rhinitis: a systematic review and meta-analysis. Am J Rhinol Allergy 2012;26:e119-25.

55. Hoyte FCL, Katial RK. Antihistamine therapy in allergic rhinitis. Immunol Allergy Clin North Am 2011;31:509-43.

56. Hsieh FH, Lam BK, Penrose JF, Austen KF, Boyce JA. T helper cell type 2 cytokines coordinately regulate immunoglobulin E-dependent cysteinyl leukotriene production by human cord blood-derived mast cells: profound induction of leukotriene C(4) synthase expression by interleukin 4. J Exp Med 2001;193:123-33.

57. Huggins, K. G., and J. Brostoff. Local Production of Specific IgE Antibodies in Allergic-Rhinitis Patients with Negative Skin Tests. Lancet (London, England) 1975;2: 148-150.

58. Incaudo GA, Takach P. The diagnosis and treatment of allergic rhinitis during pregnancy and lactation. Immunol Allergy Clin North Am 2006;26:137-54.

59. Ippoliti F, De Santis W, Volterrani A, Lenti L, Canitano N, Lucarelli S, et al. Immunomodulation during sublingual therapy in allergic children. Pediatr Allergy Immunol 2003;14:216-21.

60. Jang TY, Kim YH. Nasal provocation test is useful for discriminating allergic, nonallergic, and local allergic rhinitis. Am J Rhinol Allergy 2015;29:e100-4.

61. Kaliner MA, Berger WE, Ratner PH, Siegel CJ. The efficacy of intranasal antihistamines in the treatment of allergic rhinitis. Ann Allergy Asthma Immunol 2011;106:S6-S11.

62. Kari O, Saari KM. Updates in the treatment of ocular allergies. J Asthma Allergy 2010;3:149-58.

63. Keleş N. Treatment of allergic rhinitis during pregnancy. Am J Rhinol 2004;18:23-8.

64. Kilpeläinen M, Koskenvuo M, Helenius H, Terho EO. Stressful life events promote the manifestation of asthma and atopic diseases. Clin Exp Allergy 2002;32:256-63.

65. Kim YH, Jang TY. Clinical characteristics and therapeutic outcomes of patients with localized mucosal allergy. Am J Rhinol Allergy 2010;24:e89-92.

66. Kim YH, Park CS, Jang TY. Immunologic properties and clinical features of local allergic rhinitis. J Otolaryngol - Head Neck Surg J Oto-Rhino-Laryngol Chir Cervico-Faciale 2012;41:51-7.

67. Kim YH, Jang TY. Proposed diagnostic standard using visual analogue scale and acoustic rhinometry in nasal provocation test in allergic patients. Auris, Nasus, Larynx 2011;38: 340-346.

68. Kim YH, Yang TY, Lee DY, et al. Evaluation of acoustic rhinometry in a nasal provocation test with allergic rhinitis. Otolaryngol Head Neck Surg 2008;139: 120-123.

69. Alex K, Mariska D.D, Simone S.B, et al. Increase in IL-8, IL-10, IL-13, and RANTES MRNA Levels (In Situ Hybridization) in the Nasal Mucosa afther Nasal Allergen Provocation. Journal of allergy and clinical immunology 1999;103:441-450.

70. Konya V, Peinhaupt M, Heinemann A. Adhesion of eosinophils to endothelial cells or substrates under flow conditions. Methods Mol Biol Clifton NJ 2014;1178:143-56.

71. Kristal L, Klein PA. Atopic dermatitis in infants and children. An update. Pediatr Clin North Am 2000;47:877-95.

72. Lack G. Pediatric allergic rhinitis and comorbid disorders. J Allergy Clin Immunol 2001;108:S9-15.

73. Marcucci F, Sensi L, Di Cara G, Incorvaia C, Frati F. Dose dependence of immunological response to sublingual immunotherapy. Allergy 2005;60:952-6.

74. Marrs T, Anagnostou K, Fitzsimons R, Fox AT. Optimizing

treatment of allergic rhinitis in children. The Practitioner 2013;257:13-8.

75. Marshall PS, O'Hara C, Steinberg P. Effects of seasonal allergic rhinitis on selected cognitive abilities. Ann Allergy Asthma Immunol 2000;84:403-10.

76. McKee WD. The incidence and familial occurrence of allergy. J Allergy 1966;38:226-235.

77. Meltzer EO. Quality of life in adults and children with allergic rhinitis. J Allergy Clin Immunol 2001;108:S45-53.

78. Meltzer EO, Orgel HA, Biondi R, Georgitis J, Milgrom H, Munk Z et al. Ipratropium nasal spray in children with perennial rhinitis. Ann Allergy Asthma Immunol 1997;78:485-91.

79. Meltzer EO. The role of nasal corticosteroids in the treatment of rhinitis. Immunol Allergy Clin North Am 2011;31:545-60.

80. Members of the Workshops. ARIA in the pharmacy: management of allergic rhinitis symptoms in the pharmacy. Allergic rhinitis and its impact on asthma. Allergy 2004;59:373-87.

81. Ménardo JL, Bousquet J, Rodière M, Astruc J, Michel FB. Skin test reactivity in infancy. J Allergy Clin Immunol 1985;75:646-51.

82. Metzger WJ, Turner E, Patterson R. The safety of immunotherapy during pregnancy. J Allergy Clin Immunol 1978;61:268-72.

83. von Mutius E. Allergies, infections and the hygiene hypothesis-the epidemiological evidence. Immunobiology 2007;212:433-9.

84. Naclerio RM, Bachert C, Baraniuk JN. Pathophysiology of nasal congestion. Int J Gen Med 2010;3:47-57.

85. Ng DK, Chan C, Hwang GY, Chow P, Kwok K. A review of the roles of allergic rhinitis in childhood obstructive sleep apnea syndrome. Allergy Asthma Proc 2006;27:240-2.

86. Nguyen LHP, Manoukian JJ, Sobol SE, Tewfik TL, Mazer BD, Schloss MD, et al. Similar allergic inflammation in the middle ear and the upper airway: evidence linking otitis media with effusion to the united airways concept. J Allergy Clin Immunol 2004;114:1110-5.

87. Novembre E, Galli E, Landi F, Caffarelli C, Pifferi M, De Marco E et al. Coseasonal sublingual immunotherapy reduces the development of asthma in children with allergic rhinoconjunctivitis. J Allergy Clin Immunol 2004;114:851-7.

88. O'Brien TP. Allergic conjunctivitis: an update on diagnosis and management. Curr Opin Allergy Clin Immunol 2013;13:543-9.

89. O'Connor RD, Ort H, Leong AB, Cook DA, Street D, Hamburger RN. Tympanometric changes following nasal antigen challenge in children with allergic rhinitis. Ann Allergy 1984;53:468-71.

90. Oh JW, Lee HB, Kang IJ, Kim SW, Park KS, Kook MH, et al. The revised edition of korean calendar for allergenic pollens. Allergy Asthma Immunol Res 2012;4:5.

91. Okubo K, Kurono Y, Fujieda S, Ogino S, Uchio E, Odajima H, et al. Japanese Guideline for Allergic Rhinitis 2014. Allergol Int 2014;63:357-75.

92. Ono SJ, Abelson MB. Allergic conjunctivitis: update on pathophysiology and prospects for future treatment. J Allergy Clin Immunol 2005;115:118-22.

93. Orban N, Maughan E, Bleach N. Pregnancy-induced rhinitis. Rhinology 2013;51:111-9.

94. Pajno GB, Peroni DG, Vita D, Pietrobelli A, Parmiani S, Boner AL. Safety of sublingual immunotherapy in children with asthma. Paediatr Drugs 2003;5:777-81.

95. Pawankar R, Okuda M, Yssel H, Okumura K, Ra C. Nasal mast cells in perennial allergic rhinitics exhibit increased expression of the Fc epsilon RI, CD 40L, IL-4, and IL-13, and can induce IgE synthesis in B cells. J Clin Invest 1997;99:1492-9.

96. Pedersen S. Assessing the effect of intranasal steroids on growth. J Allergy Clin Immunol 2001;108:S40-4.

97. Powe D.G., C. Jagger, A. Kleinjan, et al. "Entopy": Localized mucosal allergic disease in the absence of system responses for atopy. Clinical & Experimental Allergy. Journal of the British Society for Allergy and Clinical Immunology 2003;33:1374-1379.

98. Pichavant M, Matangkasombut P, Dekruyff RH, Umetsu DT. Natural killer T cells regulate the development of asthma. Expert Rev Clin Immunol 2009;5:251-60.

99. Qin P, Mortensen PB, Waltoft BL, Postolache TT. Allergy is associated with suicide completion with a possible mediating role of mood disorder - a population-based study. Allergy 2011;66:658-64.

100. Ratner PH, Ehrlich PM, Fineman SM, Meltzer EO, Skoner DP. Use of intranasal cromolyn sodium for allergic rhinitis. Mayo Clin Proc 2002;77:350-4.

101. Rhee CS, Wee JH, Ahn JC, Lee WH, Tan KL, Ahn S, et al. Prevalence, risk factors and comorbidities of allergic rhinitis in South Korea: The Fifth Korea National Health and Nutrition Examination Survey. Am J Rhinol Allergy 2014; 28: e107-14.

102. Rondón C, Campo P, Blanca-López N, Torres MJ, Blanca M. More research Is needed for local allergic rhinitis. Int Arch Allergy Immunol 2015;167:99-100.

103. Rondón C, Doña I, López S, et al. Seasonal idiopathic rhinitis with local inflammatory response and specific IgE in absence of systemic response. Allergy 2008;63:1352-1358.

104. Rondón C, Campo P, Galindo L, et al. Prevalence and clinical relevance of local allergic rhinitis. Allergy 2012;67:1282-1288.

105. Rondón C, Canto G, Blanca M. Local allergic rhinitis: a new entity, characterization and further studies. Current Opinion in Allergy and Clinical Immunology 2010;10:1-7.

106. Rondón C, Carmen R, Fernández J, López S, et al. Nasal inflammatory mediators and specific IgE production after nasal challenge with grass pollen in local allergic rhinitis. The Journal of Allergy and Clinical Immunology 2009;124:1005-1011.e1.

107. Rondón C, Carmen R, José J. Romero JJ, López S, et al. Local IgE production and positive nasal provocation test in patients with persistent nonallergic rhinitis. The Journal of Allergy and Clinical Immunology 2007;119:899-905.

108. Rondón C, Carmen R, Natalia Blanca-López, Aranda A, et al. Local allergic rhinitis: allergen tolerance and immunologic changes after preseasonal immunotherapy with grass pollen. The Journal of Allergy and Clinical Immunology 2011;127:1069-1071.

109. Rondón C, Carmen R, Campo P, Zambonino MA, et al. Follow-up study in local allergic rhinitis shows a consistent entity not evolving to systemic allergic rhinitis. The Journal of Allergy and Clinical Immunology 2014;133:1026-1031.

110. Rothenberg ME, Hogan SP. The eosinophil. Annu Rev Immunol 2006;24:147-74.

111. Sampson HA, McCaskill CC. Food hypersensitivity and atopic dermatitis: evaluation of 113 patients. J Pediatr 1985;107:669-75.

112. Satdhabudha A, Poachanukoon O. Efficacy of buffered hypertonic saline nasal irrigation in children with symptomatic allergic rhinitis: a randomized double-blind study. Int J Pediatr

Otorhinolaryngol 2012;76:583-8.

113. Scadding GK. Optimal management of allergic rhinitis. Arch Dis Child 2015;100:576-82.

114. Schatz M, Petitti D. Antihistamines and pregnancy. Ann Allergy Asthma Immunol 1997;78:157-9.

115. Schatz M, Zeiger RS. Diagnosis and management of rhinitis during pregnancy. Allergy Proc 1988;9:545-54.

116. Seidman MD, Gurgel RK, Lin SY, Schwartz SR, Baroody FM, Bonner JR et al. Clinical practice guideline: Allergic rhinitis. Otolaryngol--Head Neck Surg Head Neck Surg 2015;152:S1-43.

117. Shaikh WA, Shaikh SW. A prospective study on the safety of sublingual immunotherapy in pregnancy. Allergy 2012;67:741-3.

118. Shedden A. Impact of nasal congestion on quality of life and work productivity in allergic rhinitis: findings from a large on-line survey. Treat Respir Med 2005;4:439-46.

119. Shoseyov D, Bibi H, Shai P, Shoseyov N, Shazberg G, Hurvitz H. Treatment with hypertonic saline versus normal saline nasal wash of pediatric chronic sinusitis. J Allergy Clin Immunol 1998;101:602-5.

120. Skoner DP. Allergic rhinitis: definition, epidemiology, pathophysiology, detection, and diagnosis. J Allergy Clin Immunol 2001;108:S2-8.

121. Slavin RG. Special considerations in treatment of allergic rhinitis: role of intranasal corticosteroids. Allergy Asthma Proc 2010;31:179-84.

122. Song WJ, Sohn KH, Kang MG, Park HK, Kim MY, Kim SH et al. Urban-rural differences in the prevalence of allergen sensitization and self-reported rhinitis in the elderly population. Ann Allergy Asthma Immunol 2015;114:455-61.

123. Strachan DP. Hay fever, hygiene, and household size. BMJ 1989;299:1259-60.

124. Sugiura T, Noda A, Nakata S, Yasuda Y, Soga T, Miyata, S et al. Influence of nasal resistance on initial acceptance of continuous positive airway pressure in treatment for obstructive sleep apnea syndrome. Respir Int Rev Thorac Dis 2007;74:56-60.

125. Sullivan S, Li K, Guilleminault C. Nasal obstruction in children with sleep-disordered breathing. Ann Acad Med Singapore 2008;37:645-8.

126. Tan BK, Zirkle W, Chandra RK, Lin D, Conley DB, Peters, AT et al. Atopic profile of patients failing medical therapy for chronic rhinosinusitis. Int Forum Allergy Rhinol 2011;1:88-94.

127. Tewfik TL, Mazer B. The links between allergy and otitis media with effusion. Curr Opin Otolaryngol Head Neck Surg 2006;14:187-90.

128. Tomonaga K, Kurono Y, Mogi G. The role of nasal allergy in otitis media with effusion. A clinical study. Acta Oto-Laryngol Suppl 1988;458:41-7.

129. Torfs CP, Katz EA, Bateson TF, Lam PK, Curry CJ. Maternal medications and environmental exposures as risk factors for gastroschisis. Teratology 1996;54:84-92.

130. Tran NP, Vickery J, Blaiss MS. Management of rhinitis: allergic and non-allergic. Allergy Asthma Immunol Res 2011;3:148-56.

131. Turnbull GL, Rundell OH, Rayburn WF, Jones RK, Pearman CS. Managing pregnancy-related nocturnal nasal congestion. The external nasal dilator. J Reprod Med 1996;41:897-902.

132. Undem BJ, Taylor-Clark T. Mechanisms underlying the neuronal-based symptoms of allergy. J Allergy Clin Immunol 2014;133:1521-34.

133. Vlastarakos PV, Fetta M, Segas JV, Maragoudakis P, Nikolopoulos TP. Functional endoscopic sinus surgery improves sinus-related symptoms and quality of life in children with chronic rhinosinusitis: a systematic analysis and meta-analysis of published interventional studies. Clin Pediatr (Phila) 2013;52:1091-7.

134. Vuurman EF, van Veggel LM, Uiterwijk MM, Leutner D, O'Hanlon JF. Seasonal allergic rhinitis and antihistamine effects on children's learning. Ann Allergy 1993;71:121-6.

135. Wallace DV, Dykewicz MS, Bernstein DI, Blessing-Moore J, Cox L, Khan DA, et al. The diagnosis and management of rhinitis: an updated practice parameter. J Allergy Clin Immunol 2008;122:S1-84.

136. Wang YH, Yang CP, Ku MS, Sun HL, Lue KH. Efficacy of nasal irrigation in the treatment of acute sinusitis in children. Int J Pediatr Otorhinolaryngol 2009;73:1696-1701.

137. Wedbäck, Anna, Håkan Enbom, Nils E. Eriksson, Movérare R, and Malcus I. Seasonal non-allergic rhinitis (SNAR)--a new disease entity? A clinical and immunological comparison between SNAR, seasonal allergic rhinitis and persistent non-allergic rhinitis. Rhinology 2005;43:86-92.

138. Weinmayr G, Forastiere F, Büchele G, Jaensch A, Strachan DP, Nagel G et al. Overweight/Obesity and Respiratory and Allergic Disease in Children: International Study of Asthma and Allergies in Childhood (ISAAC) Phase Two. PLoS ONE 2014;9:e113996.

139. Werler MM, Mitchell AA, Shapiro S. First trimester maternal medication use in relation to gastroschisis. Teratology 1992;45:361-7.

140. Wheeler JG, Shema SJ, Bogle ML, Shirrell MA, Burks AW, Pittler A et al. Immune and clinical impact of Lactobacillus acidophilus on asthma. Ann Allergy Asthma Immunol 1997;79:229-33.

141. Wolter S, Price HN. Atopic dermatitis. Pediatr Clin North Am 2014;61:241-60.

142. Young T, Finn L, Kim H. Nasal obstruction as a risk factor for sleep-disordered breathing. The University of Wisconsin Sleep and Respiratory Research Group. J Allergy Clin Immunol 1997;99:S757-62.

143. Zuraimi MS, Tham KW, Chew FT, Ooi PL, David K. Home exposures to environmental tobacco smoke and allergic symptoms among young children in Singapore. Int Arch Allergy Immunol 2008;146:57-65.

144. Zurcher A.W., T. Dere, A.B. Lang, B.M. Stadler. Culture and IgE synthesis of Nasal B cells. International archives of allergy and immunology 1996;111:77-82

CHAPTER

10

알레르기 비염의 진단

충북의대 이비인후과 **심우섭**, 중앙의대 **이철희**

> **CONTENTS**

Ⅰ. 병력의 청취

Ⅱ. 이학적 검사

Ⅲ. 실험실 검사

Ⅳ. 생체 검사

HIGHLIGHTS 〉〉〉

- 알레르기 비염을 진단할 때 가장 기본적인 것은 증상, 주변환경, 가족력 등에 대한 병력 청취와 이학적 검사임
- 실험실 검사로 total Ig E, 항원특이 Ig E 검사인 RAST (Radio allergy sorbent test), MAST (Multiple allergen simultaneous test), CAP (Specific IgE) 등이 있으며, 피부반응검사의 결과에 영향을 미치는 약물이나 피부상태에 대한 고려가 필요 없음
- 피부반응검사는 가장 중요한 진단방법으로 피부단자검사가 가장 널리 시행됨
- 피부반응검사는 검사부위, 나이, 피부질환, 사용중인 약물 등의 영향을 고려하여 해석하여야 함
- 피부반응검사상 원인항원으로 보이더라도 환자의 병력과 일치하지 않을 경우 혈청 내 항원 특이 Ig E 검사나 비내유발검사를 시행해야 함

Ⅰ 병력의 청취

알레르기 비염의 진단을 위해서는 증상, 가족력, 주거환경과 과거 치료력에 대한 자세한 문진이 필요하다. 전형적인 증상은 코막힘, 재채기, 수양성 비루, 코와 눈의 가려움이며, 이외에 수명photophobia, 유루lacrimation, 전두통, 목 안의 가려움 등이 있다. 증상은 주로 가려움증, 재채기, 수양성 비루 및 코막힘 순으로 나타난다. 알레르기가 있는 사람은 특정 항원 이외에도 갑작스런 온도변화, 찬 공기, 담배연기, 공해물질 등의 비특이적 자극에도 과민한 비특이적 과반응성nonspecific hyperreactivity을 보인다. 병력 청취 시 이전 치료 경험 및 효과에 대한 질문도 필요하다. 또한 비염의 증상뿐 아니라 구호흡, 청각장애, 반복되는 인후염 등에 대해서도 알아본다. 코막힘을 유발하는 약물복용 여부, 갑상선기능저하증, 임신 여부 등에 관한 사항, 동반된 천식을 의심케 하는 기침, 천명, 숨참 등의 증상이 있는지 혹은 아스피린을 포함한 소염진통제에 대한 부작용을 경험한 적이 있는지 물어본다.

환자의 병력 중에 다음과 같은 병력이 있는 경우 특히 알레르기 비염을 시사하는 소견이라 할 수 있다.

1. 가족력을 가진 경우

알레르기 비염 환자는 가족력을 가진 경우가 많은 바 특히 소아에서 친척 중 알레르기 질환을 앓고 있는 사람이 없는 경우 약 10% 이하의 알레르기 질환의 유병률을 보이나 부모가 모두 알레르기 질환의 병력을 가지고 있는 소아의 경우는 약 75%에서 학동기 전에 알레르기 질환을 보이게 된다(Lans et al., 1989).

2. 여러 가지의 알레르기 증상을 함께 보이는 경우

공기 중의 흡입성 항원은 알레르기 비염뿐 아니라 천식이나 아토피성 피부염, 결막염 등을 함께 일으킬 가능성

이 있으므로 병력상 알레르기질환이 있다면 알레르기 비염일 가능성이 높다.

3. 소아기부터 증상이 나타나는 경우

대부분의 알레르기 질환은 유전적 소인에 따라 소아기부터 증상이 나타나는 바 아토피성 피부염은 유아기에, 천식 등은 대개 학동기를 전후하여 그 증상이 시작되고, 알레르기 비염의 경우는 대개 10세를 전후하여 사춘기때부터 증상이 나타나는 것이 보통이다(Hansel et al., 1934).

4. 계절적인 변화를 보이는 경우

계절성 알레르기 비염의 경우 특정한 계절에 증상의 악화가 나타나나 통년성의 경우 계절적인 변화가 뚜렷하지 않다. 그러나 집먼지진드기의 경우도 번식의 최적 조건을 갖춘 경우 번식이 최대로 일어나므로 여름철이나 초가을에 증상이 심해지는 경우가 많다. 화분증의 경우에도 개화시기와 일치하여 해마다 일정한 계절에 재발하는 것이 특징이다.

5. 간헐적, 발작적으로 증상이 나타나는 경우

알레르기가 있는 사람은 특정한 항원에 과다 노출되거나 찬 공기, 담배연기 등의 비특이적 자극이 있을 경우 증상의 악화를 보이는 경우가 많으므로 병력청취 시 특정한 물질에 대한 노출 시 증상 여부에 대하여 자세히 파악해야 한다. 양탄자를 청소할 때나 이부자리를 청소할 때에 증상이 심하다면 집먼지진드기 알레르기를 의심할 수 있으며 개나 고양이와 접촉 시에 증상이 나타나면 개털이

나 고양이털에 대한 알레르기를 의심할 수 있다.

6. 생활환경의 변화와 연관하여 증상이 나타나는 경우

실내환기가 원활히 되지 않는 폐쇄식 환기 건물로 이사를 한 후 증상이 악화된 경우 알레르기 질환과의 연관성을 의심할 수 있다. 또한 직장을 옮기거나 직업을 바꾸는 등 특정한 환경의 변화 여부에 연관하여 증상이 나타나는 경우 알레르기 비염을 의심할 수 있다.

▌▌ │ 이학적 검사

비강 내 이학적 검사상 창백한 비점막과 부종성 종창 및 수양성, 또는 점액성 비루를 보이는 것이 특징적인 소견이나 개개인에 따라서 차이가 많다. 하지만 같은 환자에서도 항원의 노출 여부, 비특이적 자극 여부 등에 따라 수시로 소견의 차이가 있을 수 있으며, 점막의 색도 분홍색이나 붉은색을 띠는 경우도 많기 때문에 주의를 요한다.

비염을 오래 앓게 되면 비강 내 혈액순환의 장애로 하안검 내측에 울혈이 발생하여 피부색이 검푸르스름하게 보이는데 이것을 알레르기 빛allergic shiner이라 한다. 또한 비소양감에 의해 코를 자주 문지르게 되는데 이를 알레르기 경례allergic salute라고 하며 이에 의해 콧등에 주름이 생기게 되면 이를 알레르기 주름allergic crease이라고 한다. 또한 코가 막혀 비호흡의 장애가 심한 경우 입을 벌리고 구강호흡을 하게 됨으로써 얼굴의 모양이 길어지는 아데노이드 얼굴adenoid face을 보일 수 있다.

III | 실험실 검사

1. 혈청 총 IgE 검사

PRISTpaper radioimmunosorbent test법이 가장 많이 쓰이며 알레르기 질환의 기초적인 검사 방법이나, 알레르기 질환 외에 기생충 감염증, Hodgkin병, Wiskott-Aldrich 증후군, IgE 생산 골수종 등 다수의 비알레르기 질환에서도 증가하므로, 혈청 총 IgE 단독으로는 진단적인 가치가 높지 않다. 또한 연령에 따라 정상치가 다르며 정상인과 알레르기 환자 사이에도 중첩되는 영역이 많아서 진단적 가치보다는 전반적인 경향을 짐작하는 데 도움이 된다. 비특이적이기는 하나 일반적으로 총 IgE치가 높을수록 알레르기 질환에 이환될 가능성도 높은 것으로 알려져 있다. 정상 상한치는 신생아에서 0.5 IU/mL, 2세 이하에서는 20 IU/mL, 2~6세에서 100 IU, 6~16세에서 150~200 IU, 성인에서 100 IU이다. 이러한 수치는 절대적인 기준이 아니며 참고자료로만 이용된다.

2. 특이 IgE 항체 검사

항원 특이 IgE를 측정하는 방법으로는 RASTradioallergosorbent test, MASTmultiple allergen simultaneous test 및 CAPcapsulated hydrophilic carrier polymer시스템이 있다. RAST는 정확한 검사지만 방사성 동위원소를 사용해야 하고 장비가 고가이며 한 번에 한 가지 종류의 항원에 대해서만 검사해야 하는 단점으로 인해 현재 널리 사용되고 있지는 않다. MAST는 방사성 동위원소 대신 항원을 항체와 결합시켜 화학 발광물질을 이용하여 판독하는 것으로 RAST에 비해 방사능 물질을 다루지 않아도

되고 고가의 장비와 기술이 필요 없으며 동시에 많은 양의 항원을 검색할 수 있어 경제적이고 간단하여 최근 널리 이용되고 있다. 항히스타민제와 같은 약물 사용에 영향을 받지 않으며, 피부반응 검사보다 고통이 적고 피부묘기증이 있는 환자에게도 사용할 수 있는 장점이 있다. 피부반응 검사와 비교해 민감도가 떨어지는 것이 문제이나, Finnerty 등에 의하면 피부반응 검사의 양성기준을 3 mm로 하였을 때는 66.4%의 일치율을 보이고 양성기준을 5 mm로 높였을 때는 78.5%를 보여 피부반응 검사 대신에 시행할 수 있는 검사로 추천하였다. CAP 시스템은 MAST보다 정확하며, 원리는 MAST와 비슷한데 가장 큰 차이는 고정체solid phase를 사용하여 항원 결합력이 좋다는 점이다. MAST의 경우 얇은 실 위에 항원이 부착되어 있는 데 반해, CAP는 스폰지처럼 생긴 cellulose 중합체의 무수한 기포방울 내부에 항원이 부착되어 있어 훨씬 더 정량적인 IgE 측정이 가능하다.

3. 혈액 호산구와 호산구 양이온단백

Eosinophil cationic protein, ECP

호산구증다증은 알레르기 질환의 특징적 소견이며 혈액 호산구 수는 알레르기반응의 정도 및 침범된 기관의 크기와 관계가 있다. ECP는 활성호산구에서 분비되는 과립단백으로 혈청 ECP는 순환하는 활성 호산구와 비례하며 항원유발반응검사로 혈청 ECP가 증가하고 알레르기 비염, 기관지천식, 아토피성 피부염 등이 활동성일 때 증가한다. 호산구증다증은 알레르기 질환 이외에도 기생충 감염증, Hodgkin병, 결절성 다동맥염 등의 질환에서도 관찰된다.

4. 비세포 검사 Nasal cytology

비강점막의 상피세포 및 염증세포의 분포를 알아보기 위한 방법으로서, 검체를 채취하는 방법으로는 면봉도말법, Imprint법, Brush법, Scraping법 등이 있다. 면봉도말법은 간단하여 쉽게 할 수 있는 데 비하여 콧물에 들어 있는 탈락된 세포만이 관찰되기 때문에 비점막의 상태를 반영하지 못한다. Imprint법은 1% 알부민을 부착한 플라스틱면을 주로 비중격에 대어 얻는다. Brush법은 브러쉬를 하비갑개와 비중격 사이에 넣고 돌리면서 빼는 방법이며 비루와 상피에서 세포군을 얻을 수 있고 생화학적 분석이나 형태학적 검사에 이용할 수 있다는 장점이 있다. Scraping법은 하비갑개 중간부를 적절한 기구를 사용하여 긁어냄으로써 검체를 얻는다.

검체의 고정액은 주로 95% 에틸알코올이 사용되며 다양한 염색방법이 사용되고 있다. 염색법에 따라 잘 관찰되는 세포가 각기 다른데 Hansel 염색의 경우 호산구, Wright 염색의 경우 호염기구, Wright-Giemsa 염색의 경우 호중구 등 대부분의 염증세포를 관찰할 수 있다. 검체의 판독은 주로 광학현미경을 이용하여 10개 이상의 고배율상에서 세포수의 평균을 보는 반정량적인 방법(Menardo et al., 1985)과 전체 백혈구의 수에 대한 호산구나 호염기구 등 특정 염증세포의 백분율을 계산하는 방법이 있다(Nelson, 1983).

IV | 생체 검사

1. 피부반응 검사

피부반응 검사는 알레르기 질환의 원인 항원을 확인하는 데 가장 기본적이고 주요한 진단도구로 사용되고 있다. 알레르기 질환의 원인으로 짐작되는 항원 추출물을 피부에 주입하면 피부에 존재하는 비만세포 표면의 IgE 항체와 결합하여 비만세포를 활성화 하고 과립에서 유리된 히스타민 등의 화학매개물질이 팽진wheal과 홍반erythema을 생성한다. 침습적이나, 경제적이고 진단적 가치가 높은 검사법으로, 피부단자검사와 피내검사 두 가지 종류가 있다.

1) 피부반응 검사 시 유의점

(1) 신체부위

주로 등이나 팔의 전박 부위에 검사를 시행한다. 등의 상중부가 하부에 비해 반응도가 높고 팔의 전박부는 등에 비해 반응도가 낮다. 전박부 중에는 손목에서 상부로 올라갈수록 반응도가 높고 내측이 외측보다 반응도가 높다(Bousquet, 1993).

(2) 연령

일반적으로 생후 3개월 이후면 피부반응이 양성으로 나타나므로 검사가 가능하다. 유아기에는 팽진의 크기가 홍반의 크기에 비하여 상대적으로 작으나 성인이 되면서 차차 커진다. 따라서 소아의 경우 절대적인 팽진반응의 크기보다는 양성대조액과의 상대적인 크기가 중요하다. 50세 이후에는 피부의 반응도가 감소하므로 팽진 및 홍반의 크기가 감소한다(Settipane et al., 1991; Solley et al., 1976).

(3) 계절 및 시간

하루 중 저녁 때가 반응도가 가장 높고 아침시간이 반응도가 가장 낮다. 그러나 반응도의 차이가 미미하므로 임상적인 의의는 없다(Roane et al., 1968; Voorhorst, 1980).

계절성 알레르기 비염의 경우 화분철 이후에 반응도가 증가한다(Hagy and Settipane, 1976).

(4) 성별 및 인종

성별의 차이는 없는 것으로 보고되고 있으나 여성의 경우 생리주기에 따라 변화가 있으나 미미하므로 임상적인 의미는 없다(Williams and McNicol, 1969). 인종적으로는 피부색이 진할수록 강한 팽진반응을 보인다(Vichyanond and Nelson, 1989).

(5) 병적인 상태

습진이 있는 경우 피부반응도가 감소한다는 보고도 있다(van Nieke and Prinsloo, 1985). 또한 피부병으로 인해 피부병변이 있는 곳에는 피부검사를 시행해서는 안 된다. 전신성 질환으로는 혈액투석을 정기적으로 시행해야 하는 만성 신부전증 환자(Bousquet et al., 1988)나 악성종양 환자(Bousquet et al., 1991; Cohen et al., 1985), 당뇨병성 신경증 환자(Meltzer, 1988)에서 피부반응도가 감소한다.

(6) 약물

항히스타민제는 모두 약제의 반감기에 따라 종류마다 차이가 있으나 즉시형 과민반응을 억제시킨다. Terfenadin, loratadine, cetirizine 등은 검사 4일 전까지는 투약을 중단해야 하며 특히 astemizole은 4주 전에 끊어야 한다(Almind et al., 1988; Felderman and Rosen, 1987). H-2 수용체 차단제 중에 cimetidine은 별 영향이 없으나 ranitidine은 반응억제효과가 강한 것으로 알려져 있으며(Kaufman et al., 1982), 항우울제인 imipramine, phenothiazine 등도 피부반응도를 감소시킨다(Rehn et al., 1990). 전신적 스테로이드제는 거의 영향을 미치지 않지만 피부연고제는 상당한 영향을 미친다. 천식 치료제인 theophylline, cromolyn, B-adrenergic agonist 등

의 임상적으로 의미있는 억제효과는 보고되어 있지 않다(Haashtela and Jokela, 1982; Swain and Becker, 1952; Tyolahti and Lahti, 1989).

2) 검사방법

피부반응 검사의 방법에는 피부단자검사skin prick test와 피내검사intradermal test가 있다. 두 가지 방법의 장단점의 비교는 표 10-1에 제시한다.

(1) 단자검사 Prick test

환자의 등이나 전박부에 주로 시행하는데 ① 한번에 여러 가지의 항원에 대한 검사가 가능하고, ② 간단하며, ③ 소아에서도 시행이 가능하고, ④ 경제적이며, ⑤ 특이성이 높고 재현성이 높으며, ⑥ 주입되는 양이 매우 적어서 아나필락시스의 위험성도 적고 안전한 검사법이므로 항원에 대한 선별검사법으로 가장 널리 시행되는 방법이다.

검사 시 먼저 검사부위를 70% 알코올 솜으로 닦고 건조시킨다. 검사시약을 한 방울씩 피부에 떨어뜨린 후

| 표 10-1 피부 단자검사와 피내검사의 비교 |

	단자검사	피내검사
간편성	+++	++
환자의 불편감	+	+++
재현성	+++	++++
진단적 예민도	+++	++++
진단적 특이도	++++	+++
안전성	++++	++
소아에서의 검사	가능하다	어렵다

26G의 주사침이나 란셋을 이용하여 바늘을 가능한 한 피부에 평행이 되도록 한 위치에서 피부에 얇게 찌른 후 가볍게 들어올리는 느낌으로 시행한다. 반드시 양성대조액(히스타민용액) 및 음성대조액(생리식염수)을 함께 시행하여야 한다. 양성대조액에 의해 생기는 팽진의 크기가 3 mm 미만인 경우나 발적이 생기지 않는 경우는 검사를 연기하여야 한다. 15~20분 후에 검사시약을 솜으로 가볍게 닦아내고 팽진 및 홍반의 크기를 측정한다. 보통 가장 긴 장경의 크기를 측정하고 수직방향의 단경의 크기를 측정하여 기록한다.

(2) 피내검사 Intradermal test

1 ml 주사기를 이용하여 소량의 항원액을 피내에 주사하여 반응을 살피는 방법으로서 일정한 농도의 항원액을 사용하는 방법과 낮은 농도에서 시작하여 점차 높은 농도의 용액으로 증가시키는 두 가지 방법이 있다. 피내검사는 단자시험보다 시간이 걸리고 국소 부작용이 흔하나 민감도는 더 좋다. 약 0.02 ml의 용액을 주사부위가 약 3 mm가 되도록 피내에 주사하는데 전자에서는 주로 1:500 또는 1:1,000(volume/weight) 용액이 사용되며 후자의 경우는 1:100,000 희석액에서 약 10배씩 농도를 높여서 사용한다. 양성반응이 나타날 때까지 증량을 하게 되는데 양성반응이 나타날 때의 농도를 반응 역치end point라고 한다. 전자의 경우 간단하기는 하나 위양성의 가능성이 높고 부작용의 우려가 있다. 후자의 경우 여러 번 시행해야 하는 번거로움이 있으나 면역요법의 초회 투여량을 결정하거나 비내유발검사에 사용하는 항원 용액의 농도를 결정하는 데 도움이 된다.

피부반응 검사 시행 시 특히 다음에 열거하는 사항은 주의하여 반드시 지켜야 한다.

① 검사 시 각 항원은 단자시험의 경우 최소한 2 cm 이상, 피내검사의 경우 최소한 5 cm 간격을 두고 검사를 시행해야 하며 흔히 양성반응을 보이는 집먼지진

드기 등은 간격을 더 띄고 검사하는 것이 좋다.

② 한 쪽 팔에 소아의 경우 8개, 성인의 경우도 10개 이상의 항원을 검사해서는 안 된다(이, 1992).

③ 피내검사의 경우 주사바늘 내의 공기를 완전히 빼지 않으면 피내에 공기가 주입되어 splash반응에 의해 검사결과가 부정확하게 나올 수 있다(Schwarzenbach et al., 1982).

④ 피부검사를 실시할 피부는 반드시 청결히 소독해야 하며 검사 후 최소한 24시간 이내에는 목욕을 하거나 상처에 물이 닿지 않도록 해야 한다(이, 1992).

⑤ 지연형 과민반응을 보일 수 있으므로 검사 후 몇 시간 후에 다시 살펴보는 일도 중요하다. 특히 피내검사를 시행한 경우 지연반응을 보이는 경우가 많다(Dreborg et al., 1989).

(3) 결과의 판독

단자검사 시 결과는 개인의 피부 반응도에 따라 피부반응의 크기에 차이가 많으므로 반응자체의 크기보다는 양성대조액과의 상대적인 크기로써 판정하는 것이 보통이다. 즉 팽진 및 홍반 반응의 최장경 및 이에 수직방향인 단경을 측정하여 평균한 값을 반응의 크기로 하고 양성대조의 반응 크기에 대한 비로써 양성도를 판정한다. 현재 널리 쓰이는 기준은 양성대조와 동일한 크기의 반응을 3+로 기준하여 그 두 배 이상 혹은 허족pseudopod이 발생한 경우를 4+, 50% 정도인 경우를 2+, 25% 정도인 경우를 1+, 반응이 없거나 음성대조와 같으면 음성으로 한다(표 10-2). 일반적으로 음성대조액에 대하여 아무런 반응을 보이지 않으면서 항원에 의한 팽진의 직경이 3 mm 이상이거나 3+ 이상의 반응을 보였을 때 원인 항원으로 간주한다.

피내검사의 경우 Norman(Olson et al., 1990)의 판독기준(표 10-3)이 가장 널리 쓰이고 있는데 팽진의 크기가 최소 3 mm 이상인 경우나 1~2+ 이상의 양성소견을

| 표 10-2 　피부단자검사의 판독기준
　　　　　　(히스타민을 양성대조액으로 하였을 경우)

양성도	장경과 단경의 평균치를 양성대조액과 비교한 값
–	25% 이하
+	50% 이하
++	100% 이하
+++	100~200%
++++	200% 이상

| 표 10-3 　피내검사의 판독기준

등급	홍반	팽진
0	< 5 mm	< 5 mm
±	5~10 mm	5~10 mm
1+	11~20 mm	5~10 mm
2+	21~30 mm	5~10 mm
3+	31~40 mm	5~10 mm 혹은 pseudopod의 존재
4+	> 40 mm	> 15 mm 혹은 pseudopod의 존재

일으키는 최소의 농도를 역치end point로 한정한다. 또한 Norman 등은 midpoint법을 소개하였는데, 피내검사상 팽진의 크기가 7 mm를 보이는 농도를 midpoint로 하여 양성으로 판정할 경우 혈액 내의 IgE 값 및 유발반응 검사결과와 연관성이 있음을 보고하였다(Norman et al., 1973).

(4) 피부반응 검사 결과 판독 시 유의사항

잘못된 검사방법으로 인하여 위양성이나 위음성의 결과를 보일 수 있으므로 주의하여야 한다. 피부묘기증 dermographism 환자, 검사시약의 순도가 떨어지는 경우, 강한 양성을 보이는 항원의 주위에서 검사하는 항원인 경우 비특이적 증폭 반응 등으로 위양성의 결과를 보일 수 있다(Ting et al., 1983). 따라서 반드시 음성대조군을 사용하여 검사해야 하며 충분한 간격을 지켜야 한다. 위음성의 결과를 보이는 원인으로 부적절한 시약을 사용한 경우(보관방법의 잘못으로 인해 항원의 역가가 떨어진 경우), 약제에 의한 영향, 피부의 반응도를 떨어뜨리는 아토피성 피부염, 너무 어리거나 고령의 환자로서 반응도가 떨어지는 경우, 부적절한 술기 등이 있다.

위양성이나 위음성의 결과를 보이지 않더라도 피부

반응 검사결과의 판독은 반드시 환자의 병력에 비추어 판단을 해야 한다. 즉, 양성의 결과를 보이는 항원이 환자의 병력상 원인항원으로 의심이 되는 경우는 별도의 추가검사 없이 원인항원으로 간주하여야 한다. 음성의 결과를 보이고 병력상 원인항원으로 의심되지 않는 경우는 원인항원이 아닌 것으로 간주하여야 하고, 양성의 결과를 보이더라도 환자의 병력상 원인항원 여부가 확실하지 않거나 노출의 가능성이 적은 항원은 혈청 내 특이항체검사나 비내유발검사를 통하여 진단하여야 한다 (Bousquet, 1993).

임상적으로 무증상임에도 불구하고 피부반응에서 양성을 보이는 경우는 무증상 알레르기subclinical allergy로 볼 수도 있다. Sattipane 등(Simons et al., 1990)은 무증상인 사람에서 피부반응에 양성을 보일 경우 후에 알레르기성 질환에 이환될 가능성이 음성인 사람보다 높다고 하였고 Bousquet 등(1993)은 무증상임에도 양성을 보이는 사람은 부모형제 가운데 알레르기 질환에 이환된 사람이 있는 경우가 많았다고 보고하였다.

2. 비내유발 검사

유발검사에는 원인항원을 투여하는 항원유발검사와 비특이적 과반응성을 관찰하기 위한 히스타민유발검사가 있다. 항원유발검사는 피부반응 검사에서 양성반응을 보인 항원을 선정하여 항원액을 묻힌 여과지 원판filter paper disc을 비점막에 붙이거나(paper disc법) 일정량을 분무하는(분무법) 검사이다(Wolthers and Pedersen, 1993). 항원 투여 후 발생하는 재채기 횟수, 분비물의 양, 비강통기도검사 혹은 음향비강통기도검사로 비저항 혹은 비강의 부피를 측정하여 항원 투여 전의 상태와 비교한다(Youlten et al., 1986). 분비물을 채취하여 화학적 매개물질을 정량할 수 있으며 콧물 속 염증세포의 분포를 연구할 수 있다. 항원유발검사는 비염의 병태생리, 새로운 항원의 확인, 약물 혹은 면역요법의 효과 등을 판정하는 데 유효한 반면 임상에서 일상적으로 시행하기에는 시간적, 경제적 제약이 따른다(Bascom et al., 1989).

참고문헌

1. 이기영. 알레르기의 진료. 초판. 한국의학사 1992;569:41-54.
2. Almind M, Dirksen A, Nielson NJ, Svendsen UG. Duration of the inhibitory activity on histamine induced skin wheals of sedative and non-sedative antihistamines. Allergy 1988;43:493-6.
3. Bascom R, Wachs M, Naclerio RM, Pipkorn U, Galli S, Lichtenstein LM. Basophil influx occurs after nasal antigen challenge : effects of topical corticosteroid pretreatment. J Allergy Clin Immunol 1988;81:580-9.
4. Bousquet J, Maurice F, Rivory JP, Skassa-Brociek W, Florence P, Chouzenoux R, et al. Allergy in long-term hemodialysis. II. Allergic and atopic patterns of a population of patients undergoing long-time hemodialysis. J Allergy Clin Immunol 1988;81:605-10.
5. Bousquet J, Pujol JL, Barneon G, Hejjaoui A, Nardoux J, Ausseil M, et al. Skin test reactivity in patients suffering from lung and breast cancer. J Allergy Clin Immunol 1991;87:1066-72.
6. Bousquet J. In vivo methods for study of allergy : skin test. In : Middleton E. Jr, Reed CE, Ellis EF, et al. eds. Allergy, Principles and Practice. 4th ed. St. Louis:Mosby-Year Book 1993.
7. Cohen GA, MacPherson GA, Golembesky HE, Jalowayski AA, O'Connor RD. Normal nasal cytology in infancy. Ann Allergy 1985;54:112-4.
8. Dreborg S, Backman A, Basomba A, et al. Skin tests used in type I allergy testing. Position Paper of the European Academy of Allergy and Clinical Immunology, Allergy 1989;44(suppl 10):1.
9. Felderman RB, Rosen LJ. Comparison of onset and offset of inhibition of antigen-induced skin whealing of Teldane (terfenadine), Hismanal (astemizole), and placebo. J allergy Clin Immunol 1987;79:190-4.
10. Haashtela T, Jokela H. Influence of the pollen sseason on immediate skin test reactivity to common allergens. Allergy 3(suppl) 1982;15-8.
11. Hagy GW, Settipane GA. Bronchial asthma, allergic rhinitis, and allergy skin tests among college students. J Allergy 1969;44:323-32.
12. Hansel FK. Observation on the cytology of the secretions in allergy of the nose and paranasal sinuses. J Allergy 1934;5:357-66.
13. Kaufman HS, Rosen I, Shaposhnikov N, Wal M. Nasal eosinophilia. Ann Allergy 1982;49:270-1.
14. Lans DM, Alfano N, Rocklin R. Nasal eosinophilia in allergic and non-allergic rhinitis : usefulness of the nasal smear in the diagnosis of allergic rhinitis. Allergy Proc 1989;10:275-80.
15. Meltzer EO. Evaluating rhinitis : clinical, rhinomanometric, and cytologic assessments. J Allergy Clin Immunol 1988;82:900-8.
16. Menardo JL, Bousquet J, Rodiere M, Astruc J, Michel FB. Skin test reactivity in infancy. Allergy Clin Immunol 1985;75:646-51.
17. Nelson GS. Diagnositic procedures in allergy. I. Allergy skin testing. Ann Allergy 1983;51:411-8.
18. Norman PS, Lichtenstein LM, Ishizaka K. Diagnostic tests in ragweed hay fever. A comparison of direct skin tests, IgE antibody measurements, and basophil histamine release. J allergy Clin Immunol 1973;52:210-24.
19. Olson R, Karpink MH, Shelanski S, Atkins PC, Zweiman B. Skin reactivity to codeine and histamine during prolonged corticosteroid therapy. J Allergy Clin Immunol 1990;86:153-9.
20. Rehn D, Greissler H, Schonbrunn U, LLukas H, Rahlfs VW, Hennings G. Variations of skin sensitivity to intracutaneous histamine provocations with regard to provocation time. Arzneimitteltelforschung 1990;40:777-81.
21. Roane J, Crawford LV, Triplett F et al. Intradermal tests in nonatopic children. Ann Allergy 1968;26:443-6.
22. Schwarzenbach HR, Nakagawa T, Conroy MC, de Weck AL. Skin reactivity, basophil degranulation and IgE levels in aging. Clin Allergy 1982;12:465-73.
23. Settipane RJ, Hagy GW, Settipane GA. Development of new asthma and allergic rhinitis in a 23-year follow-up of college students. J Allergy Clin Immunol 1991;87:232-5.
24. Simons FER, McMillan JL, Simons KJ. A double-blind, single-does, crossover comparison of cetirizine, terfenadine, loratadine, astemizole and chlorpheniramine versus placebo : suppressive effects on histamine-induced wheals and flares during 24 hours in normal subjects. J Allergy Clin Immunol 1990;86:540-7.
25. Solley GO, Gleich GJ, Jordon RT, Schroeter AL. The late phase of the immediate wheal and flare skin reaction : its dependence upon IgE antibodies. J Clin Invest 1976;58:408-20.
26. Swain HH, Becker EL. Quantitative studies in skin testing. V. The whealing reactions of histamine and ragweed pollen ex-

tract. J Allergy 1952;23:441-4.

27. Ting S, Zweiman B, Lavker RM. Cromolyn does not modulate human allergic skin reactions in vivo. J Allergy Clin Immunol 1983;71:12-7.

28. Tyolahti H, Lahti A. Start and end of the effects of terfenadine and astemizole on histamine-induced wheals in human skin. Acta Derm Venereol 1989;69:269-71.

29. van Niekerk CH, Prinsloo AEM. Effect of skin pigmentation on the response to intradermal histamine. Int Arch Allergy Appl Immunol 1985;76:73-5.

30. Vichyanond P, Nelson HS. Circadian variation of skin reactivity and allergy skin tests. J Allergy Clin Immunol 1989;83:1101-6.

31. Voorhorst R. Perfection of skin testing technique. Allergy 1980;35:247-50.

32. Williams H, McNicol KN. Prevalence, natural history, and relationship of wheezy bronchitis and asthma in children : an epidemiological study. Br Med J 1969;4:321-5.

33. Wolthers OD, Pedersen S. Short-term growth in children with allergic rhinitis treated with oral antihistamine, depot and intranasal glucocorticosteroids. Acta Paediatr 1993;82:635-40.

34. Youlten LJF, Glesson MJ. Assessment of nasal airway patency ; a comparison of 4 methods. Clin Otolaryngol 1986;11:99-107.

알레르기 비염의 치료

서울의대 이비인후과 **김대우**, 인하의대 이비인후과 **김영효**
서울의대 이비인후과 **이재서**

> **CONTENTS**

Ⅰ. 회피요법
Ⅱ. 약물치료
Ⅲ. 면역치료
Ⅳ. 특수상황에서의 알레르기 비염

HIGHLIGHTS　　　　　　　　　　　　　　　　　　　　　　　　　　>>>

- 알레르기 비염의 회피요법은 항원 노출을 차단하는 근본적인 예방책으로 단일회피요법보다는 복합회피요법이 효과가 있음
- 알레르기 비염의 약물치료는 증상의 빈도와 경중에 따라 단계적인 치료를 하여야 하며 국소 스테로이드제가 가장 효과적인 약이고 경구 항히스타민제는 부작용이 없는 2세대 항히스타민제를 추천함
- 알레르기 비염의 면역치료는 면역 관용을 유도하는 발생기전에 따른 치료로 피하주사면역치료법의 임상적인 효과가 잘 정립이 되어 있고 부작용이 적은 설하면역치료법의 임상적 적용이 최근 증가하고 있음
- 알레르기 비염의 수술적 치료는 하비갑개수술이며 약물에 반응이 없고 하비갑개 비대증이 관찰되는 환자에서 시행될 수 있음

알레르기 비염은 비점막 내 IgE 매개 과민반응에 의해 코막힘, 콧물, 재채기, 코가려움증 등의 코증상과 눈충혈, 눈가려움증, 눈물과 같은 눈증상이 나타나는 질환이다. 알레르기 비염은 전세계적으로 유병률이 증가하는 추세로, 미국에서는 대략 6천만 인구가 알레르기 비염을 앓고 있으며, 성인에서는 10~30%, 소아에서는 40% 정도의 유병률을 보고하고 있다(Berger, 2004; Nathan, 2007; Blomme et al., 2013). 우리나라의 경우 1997년에 발표된 문헌에서는 알레르기 비염의 유병률이 1.14%였지만 2014년에 발표된 전국단위의 연구에서는 항원 감작이 30%, 알레르기 비염 진단이 16.2%로 큰 변화를 보여 우리나라에서도 알레르기 비염의 유병률이 점점 증가하고 있음을 보였다(Min et al., 1997; Rhee et al., 2014). 알레르기 비염은 직장생활, 학교생활, 그리고 수면 등 삶의 질과 연관된 문제를 야기하여 천문학적인 경제적인 손실을 가져오고 있다(Reed et al., 2004; Kim et al., 2010). 뿐만 아니라, 알레르기 비염과 천식과의 연관성이 중요함이 밝혀지면서 알레르기 비염의 치료에 더욱 관심이 집중되고 있다. 이에 ARIA Allergic Rhinitis and its impact on Asthma에서는 2001년 알레르기 비염 치료 지침을 제시하였고(Bousquet et al., 2001), 이후 연구 결과가 축적되면서 2008년 가이드라인을 재개정하기에 이르렀다(Bousquet et al., 2008). ARIA 가이드라인(Brozek et al., 2010)의 핵심은 알레르기 비염의 분류를 비염의 지속성과 증상 경중에 따라 나눈 것이며, 증상의 기간과 경중에 따라 단계적인 치료를 하여야 한다는 것이다. 요약한다면 경증 간헐적 알레르기 비염의 경우 경구용 항히스타민제를 처방하고 중증 간헐적 알레르기 비염의 경우 국소 스테로이드제를 처방한다. 호전이 없을 경우 항히스타민제와 경구용 스테로이드제 등을 추가로 사용할 수 있다. 경증 지속성 알레르기 비염의 경우는 경구용 항히스타민제와 저농도의 국소 스테로이드 분무제가 추천된다. 마지막으로 중증의 지속성 알레르기 비염의 경우 고농도의 국소 스테로이드제를 처방하고 증상 호전이 없다면 항히스타민제와 경구용 스테로이드제와 같은 약제를 추가할 수 있고 지속성 알레르기 비염 환자에게는 천식에 대한 검진을 추천한다. 1차 약물치료 후 2~4주 후에 환자의 증상에 대한 재평가를 시행하여 약

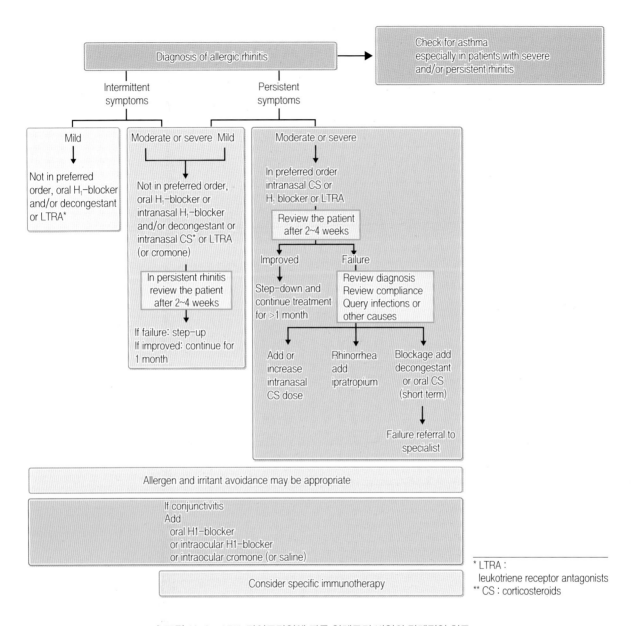

| 그림 11-1 ARIA 가이드라인에 따른 알레르기 비염의 단계적인 치료

물 사용량의 증감 및 다른 약물의 추가 등을 결정한다 (**그림 11-1**). ARIA(2008) 가이드라인에서 알레르기 비염 치료에 있어 주목할 만한 점은 국소 스테로이드제가 2차 치료약의 개념에서 1차 치료약의 개념으로 바뀌고, 1세대 항히스타민제보다는 부작용이 적은 2세대 항히스타민제가 추천되며, 항류코트리엔제의 효능을 인정한 점과 다양한 경로(설하, 경비강)의 면역치료에 대한 재평가 등이라 할 수 있다. 이후 2010년 ARIA 가이드라인의 보완을 통해 현재 가장 널리 사용되고 있는 알레르기 비염 치료의 가이드라인이며 일부 변형된 형태로 사용하기도

한다. 2015년 미국에서 발표된 가이드라인American Academy of Otolaryngology-Head and Neck Foundation은 약물 병합 치료에 대한 다른 의견을 제시하였는데 국소 스테로이드제와 경구 항히스타민제의 병합사용의 효과에 대해 증거가 없기 때문에 추천하지 않는다는 점이다(Anolik, 2008). 따라서 국소 스테로이드제가 효과가 없을 시에는 국소 항히스타민제나 국소 비점막수축제를 처방을 권장하고 경구 항히스타민제가 효과가 없을 때는 국소 스테로이드 단독 치료를 시행하거나 국소 분무제를 선호하지 않는 경우 경구 항히스타민제와 경구 비점막 수축제(혹은 항류코트리엔제) 복합치료를 권장한다.

I 회피요법

알레르기 비염의 병태생리가 외부 항원이 감작된 비점막을 자극하여 생긴다는 점을 생각한다면 회피요법은 효과적인 치료 중의 하나가 될 수 있다. 일상생활에서 항원을 회피하는 것이 어렵기 때문에 주로 회피요법은 실내 항원과 직업성 항원의 치료에 적절하게 적용될 수 있다. 또한 단독 회피요법보다는 여러 방법을 동시에 사용하는 복합회피요법이 더욱 효과가 있는 것으로 알려져 있다(Bousquet et al., 2008; Brozek et al., 2010; Seidman et al., 2015). 베개, 침대 메트리스를 커버로 감싸고 침구류나 인형 같은 천으로 된 완구류를 섭씨 55도 이상의 온도로 자주 세탁을 하는 것, 진드기 구충제acaricide를 사용하는 것, 카펫과 같은 진드기의 서식장소를 없애고 청소 시 HEPAHigh Efficiency Particulate Air 필터를 사용하는 것과 같은 방법은 실내 항원인 집먼지 진드기를 없애기 위한 것이다. 하지만 이런 방법은 비용·효과 측면을 고려하여야 하므로 환자의 경제적인 상태를 고려하여 추천하여야 한다(Seidman et al., 2015). 고양이나 개의 털, 비듬 항원에 의한 알레르기 비염의 경우 동물을 키우지 않는 것이 근본적인 방법이나 집 밖에 존재하는 동물 항원은 조절할 수 없다는 점과 반려동물을 없앴을 때 발생하는 사회·정서적인 문제를 고려하여 결정하여야 한다(Brozek et al., 2010). 반려견의 비듬이나 털의 항원Can f1을 없애는 방법은 반려견을 5분간 샴푸로 샤워를 하고 말려주는 것인데 3~4일 후에 공기 중 항원의 농도가 다시 높아지기 때문에 일주일에 최소 2회 샴푸세척을 해주는 것이 도움이 될 수 있다(Hodson et al., 1999). 하지만 동물 항원은 동물이 없는 장소에서도 흔히 관찰되기 때문에 이런 방법에는 한계는 있다. 고양이 항원Fel d1의 경우는 샴푸 샤워를 하더라도 공기 중 항원 농도를 줄일 수 없는 것으로 알려져 있고 고양이가 없는 공간에도 흔히 관찰되므로 개보다 더욱 조절하기 어렵다(Portnoy et al., 2012). 직업성 물질에 의한 알레르기 비염의 경우에는 회피요법이 유용하다. 작업장에서 노출되는 항원을 피하기 위해서 업무를 바꾸거나 일을 그만두는 방식이 근본적인 예방책이지만 항원의 노출을 최소화하기 위한 노력을 한다면 직장을 유지할 수도 있다. 예를 든다면 병원에 근무하는 사람들에게 흔히 문제가 되는 라텍스 알레르기의 경우 라텍스 장갑 안에 비닐장갑을 끼우는 방법이나 파우더 없는 장갑을 사용하여 항원 노출 정도를 최소화할 수 있다. 꽃가루와 같은 외부항원의 경우 회피요법에 대한 효과가 밝혀지지 않아서 회피요법보다는 약물치료나 면역치료가 추천된다.

II | 약물치료

1. 항히스타민제

항히스타민제는 H1 수용체의 작용을 억제하여 비만세포의 면역작용을 막는다. 또한 류코트리엔의 생산을 억제하거나 비강 내 ICAM-1의 발현을 억제하는 등의 항염증작용을 하는 것으로 알려져 있다. 약물의 효과는 재채기, 가려움증, 콧물, 눈증상 등과 같은 히스타민에 의해서 유발되는 증상을 경감시키고 삶의 질을 향상시킨다. 그러나 코막힘에 대한 증상 호전은 미미하다. Diphenhydramine과 같은 1세대 경구 항히스타민은 흡수가 빨라 1시간 내에 효과가 나타나고 어린이에게도 안전하고 효과적인 것으로 알려져 있으며 많은 약들이 액상형태로 개발되어 있어 복용하기 편한 장점이 있다. 하지만 친지질성으로 뇌혈관장벽 통과가 많아 항콜린성 효과와 진정효과가 나타나는 것으로 알려져 있다. 1세대 항히스타민을 복용한 환자의 20%에서 진정작용이 나타나므로 운전사나 중장비를 다루는 직업을 가진 환자의 경우 주의를 요한다. 반면 2세대 항히스타민은 친지질성이 약하여 진정작용이나 항콜린성 부작용이 심하지 않다. Loratadine, cetirizine, desloratadine, fexofenadine, levocetirizine 등과 같은 약물이 개발되어 있으며 cetirizine과 levocetirizine은 1세대 항히스타민보다 심하진 않지만 진정작용을 유발할 수 있다. Terfenadine과 astemizole이 2세대 항히스타민제로 개발되었지만 심전도상에서 QT 간격을 연장시키고, torsade de pointes 같은 치명적인 심독성을 유발할 수 있어 많은 나라에서 더 이상 유통되지 않고 있다. Ebastine도 CYP3A4 효소에 의해 간에서 대사되므로 CYP3A4 효소를 억제하는 다른 약제와 병용할 때는 주의할 것을 권고한다. 여러 부작용을 고려할 때, 알레르기 비염 환자에서 항히스타민제를 예방적으로 사용하는 것을 추천하지 않는다. 국소 항히스타민제는 30분 내의 빠른 증상 호전 효과가 있고 경구 항히스타민제보다 비폐색에 효과가 있으나 졸음을 유발할 수 있고 사용 시 맛이 좋지 않고 코피가 날 수 있어 경구용 항히스타민에 비해 환자의 적응도가 떨어진다(Seidman et al., 2015). 따라서 장기적으로 사용하여야 하는 통년성 알레르기 비염의 치료보다는 단기적으로 사용하는 계절성 알레르기 비염치료에 사용해 볼 수 있다(Brozek et al., 2010).

2. 비점막 수축제

비점막 수축제는 α-adrenergic을 자극하여 비강 내 혈류 감소 및 비강 점막의 수축을 유발하여 코막힘을 해소한다. 국소 분무제로는 카테콜라민 제재인 phenylephrine과 이미다졸린 유도체인 xylometazoline과 oxymetazoline이 있다. 국소 비점막 수축제는 효과가 빠르고 경구용 비점막 수축제보다 효과가 좋다. 소아에서 발작seizure과 같은 전신적 부작용이 보고되었고 장기간 사용 시 작용 시간이 짧아지고 효과가 감소되는 약물성 비염rhinitis medicamentosa이 발생할 수 있다. 따라서 국소 비점막 수축제는 단기간 사용하는 것이 추천되며 비폐색이 심한 경우 비강 스테로이드 분무제가 들어갈 공간을 넓혀주기 위한 처치로서, 신체검진을 위한 전처치로서, 비염이 심해서 수면장애가 있을 경우 일시적 증상호전을 위해서 사용하는 경우가 많다. 경구 비점막 수축제는 약물성 비염을 유발하지 않으나 국소 분무제보다 효과가 떨어지고 부작용이 많다. Phenylpropanolamine은 뇌혈관 질환hemorrhagic stroke의 위험도를 증가시킨 사례가 있어 사용하지 않는다. 현재 가장 많이 사용되고 있는 경구 비점막 수축제는 pseudoephedrine이며 다른 항히스타민제와 병합된 약물로 많이 나와 있으나 병합 약물이 효과에 대해서는 이견이 있고 투여 시 부작용의 가능성을 고려해야 한다는 점을 명심해야 한다. 경구용 비점막 수축제는 환자의 25%에서 불면증과 과민성irritability을 호소하며 약물이 과용될 경우 고혈압, 심계항진(부정맥), 과민증, 불면증, 두통, 구갈증(입마름증), 배뇨 장애, 녹내장 악화, 갑상선 기능항진증, 신부전, 뇌혈관질환 등을 유발할 수 있다. 따라서 고혈압, 심장병, 간질병, 갑상선 기능항진증, 전립선 비대증 환자에서 신중하게 투여되어야 하고 monoamine oxidase inhibitor를 복용하는 환자에서는 hypertensive crisis 발생 가능성이 있으므로 주의해야 한다.

3. 항콜린성 약제

대표적인 약제로 ipratropium bromide는 비강분무제로 사용되는 경우 부작용이 거의 없고 수양성비루 증상에 효과적이나 재채기나 코막힘에는 효과가 없다. 따라서 다른 약물에 반응이 약할 때 병용하여 사용하는 경우가 많다.

4. 항류코트리엔제

류코트리엔 수용체 억제제로서 montelukast와 zafirlukast가, 류코트리엔 대사과정 중의 주요 효소인 5-lipoxygenase 억제제로서 Zileuton이 사용된다. 이 중 소아와 성인의 알레르기 비염에 가장 널리 처방되고 있는 약제는 Montelukast이다. Montelukast는 알레르기 비염의 비증상(코막힘, 콧물, 재채기)과 안증상을 호전시킨다. 증상 호전 효과는 항히스타민제와 비슷하다는 보고

가 있고(Bousquet et al., 2008) 효과가 떨어진다는 보고도 있다(Grainger et al., 2006). Montelukast와 loratadine의 병합 치료가 단독 사용보다 효과가 좋다는 보고가 있으나 재현성 있는 추가적인 임상데이터가 필요하므로 통상적인 병합치료는 권장하지 않는다. 과거 기관지 천식의 치료에 항류코트리엔제의 효과가 입증되었고, 최근에는 알레르기 비염의 치료효과에 대해서도 효과를 보고하고 있다. 이에 ARIA(2008)에서는 류코트리엔 수용체 억제제에 대한 효과를 재정립하였음을 앞서 언급하였다. "One airway, one disease"라는 주장과 더불어 관심이 집중되는 약제로 이에 관한 많은 연구가 진행 중이다. 2010년 ARIA revision에 따르면 류코트리엔 수용체 억제제는 안전성의 측면에서 우수하므로 취학전 소아의 통년성 알레르기 비염과 전 연령의 계절성 알레르기 비염의 치료에 사용 가능하다. 그러나 통년성 알레르기 비염에서는 항류코트리엔제가 항히스타민제보다 비용이 비싸고 치료효과의 동등성에 대한 증거가 부족하므로 일반적으로 2세대 항히스타민제를 추천한다(Brozek et al., 2010; Seidman et al., 2015).

5. 국소 스테로이드제

국소 스테로이드제는 현재까지 개발된 가장 효과적인 알레르기 비염 치료 약물이다. 국소 스테로이드제는 알레르기 비염의 조기 및 후기 반응을 모두 억제하고 IL-4, IL-5, IL-13을 포함한 알레르기 비염에 중요한 사이토카인 분비를 감소시켜, IgE 생성과 호산구증다증을 억제한다. 국소 스테로이드제는 비강 내 모든 증상에 효과가 있고 눈증상에도 효과가 있다. 특히 다른 약물에 비해 코막힘에 효과가 크다(Bhatia et al., 2005). 스테로이드의 작용기전으로 인해 분무 후 7~12시간 이후에 반응이 나타나며, 수일이 지나야 최고의 효력을 발휘하게 된다

(Selner et al., 1995). 따라서 꽃가루 시즌 전 1주일 정도 앞서 미리 국소 스테로이드제를 투여하는 것이 도움이 된다.

현재 사용되고 있는 대표적인 국소 스테로이드제는 triamcinolone acetonide, fluticasone propionate, mometasone furoate, fluticasone furoate, ciclesonide 등이 있으며, 적절한 선택을 위해서는 이들의 약리학적 특징을 고려해야 한다. 현재 사용 중인 국소 스테로이드제는 대체적으로 알레르기 비염에 안전하게 사용할 수 있는 것으로 간주되며 투여 후 활성이 약한 물질로 곧 대사되므로 부작용을 최소화할 수 있다. 국소 스테로이드제 사용 환자의 10%에서 국소적인 비점막 자극증상이 관찰되고 4~8%에서 비출혈을 호소한다. 아주 드물게 비중격 천공의 사례는 있으나 전신성 스테로이드제 투여에서 관찰되는 성장장애는 없으며(Allen et al., 2002; Schenkel et al., 2000) 시상하부-뇌하수체 호르몬 불균형 현상도 관찰되지 않는다(Hampel et al., 2015). 소아기에 국소 스테로이드제를 비강에 분무한 과거력이 있는 성인의 신장을 비교한 논문은 아직 없지만, 천식으로 소아기에 국소 스테로이드제를 기관지 내 흡입하였던 성인을 후향적으로 분석한 결과 정상인과 신장의 차이가 관찰되지 않았다(Silverstein et al., 1997). 천식환자에서 국소 스테로이드 흡입 시 흔히 발생하는 칸디다증은 비강에서는 거의 관찰되지 않는다.

6. 경구 스테로이드제

경구 스테로이드제는 많은 부작용으로 인하여 신중하게 투여하여야 한다. 비폐색이 다른 약물로 호전이 되지 않거나 비폐색으로 인해 국소 스테로이드제 분무가 어려울 때 단기간 요법으로 사용할 수 있다. 또한 약물성 비염rhinitis medicamentosa 환자에서 국소 비점막 수축제의

사용을 제한하는 시기에 단기적으로 증상 호전을 위하여 사용할 수 있다. 하지만 근주 스테로이드 주사는 감염과 같은 더 많은 부작용을 야기하므로 추천하지 않는다(Brozek et al., 2010).

Ⅲ | 면역치료

알레르기 비염의 면역치료는 면역관용을 유도하여 항원에 대한 과민성을 약화시켜 치료하는 것으로 알레르기 비염 치료제 중에 유일하게 발병기전에 따른 근본적 치료방법이라 할 수 있다. 알레르기 면역치료는 초기에는 꽃가루 항원에 의해 발생하는 계절성 알레르기 비염을 치료하는 데 사용되었으나 현재는 꽃가루 뿐 아니라 곤충독honeybee venom, 집먼지 진드기, 바퀴, 동물 털 비듬, 곰팡이Alternaria, Cladosporium 등에 의한 알레르기 비염 및 천식, 알레르기 결막염 등과 같은 알레르기 질환으로 확대 적용되고 있다(Cohen et al., 2008). 항원의 선정은 피부단자검사 및 특이 IgE 검사 결과와 환자의 증상 유발 병력이 일치하는 주요 원인 항원을 찾는 것이 중요하다. 여러 종류의 항원에 동시에 감작된 경우는 모든 항원을 포함시킬 경우 생기는 기술적 문제 및 임상적 효용성의 문제로 인해 교차항원성을 고려하여 대표 항원을 선별하면 항원의 수를 줄일 수 있다(Esch et al., 2008). 예를 든다면, 미국에서는 잔디꽃가루 항원 그룹인 Pooideae (meadow fescue, timothy, orchard, perennial rye, Kentucky blue, red top grasses), Chloridoideae (Bermuda grass)와 Panicoideae (Johnson grass)는 미국의 모든 잔디꽃가루 항원과 교차반응성을 가지고 있기 때문에 그 지역에서 가장 많이 분포하는 한 가지의 항원으로 대표할 수 있다. 집먼지 진드기 중 D. pteronyssinus

와 D. farinae의 주요 항원 간에는 교차항원성이 강하나 일부 항원은 교차 항원성이 없는 것으로 알려져 있다. 따라서 일반적으로 면역치료 시 D. pteronyssinus와 D. farinae을 같이 포함시킨다. 항원을 혼합할 때 주의해야 될 점은 항원내에 protease가 존재하기 때문에 고농도의 protease를 가지고 있는 곰팡이, 곤충 항원과 다른 항원을 혼합을 할 경우 효과가 떨어질 수 있다. 따라서 stabilizer로서 혼합되는 glycerin의 농도를 높이거나 임상적 효과를 위해서는 혼합투여보다는 개별투여를 고려하여야 한다. 투여기간은 초기에 저농도로 시작하여 유지용량이 될 때까지 점차 용량을 늘이고, 유지용량에 도달한 후 최소 3년 이상 지속한다. 피하주사법이 가장 잘 정립되어 있는 치료법이나 아나필락시스와 같은 부작용 때문에 피하주사가 아닌 경비강, 구강, 설하요법 등의 대체 투여 경로가 연구되어 왔다. 이중 설하면역치료는 비침습적이며 자가 복용이 가능하고 피하주사요법에 비해 심각한 부작용이 적어서 이를 대체할 수 있는 방법으로 지난 20~30년간 유럽에서 널리 연구 및 처방되어 왔다. 우리나라에도 알레르기 비염에 대한 설하면역치료가 도입되어 우리나라 환자에 대한 자료가 많이 발표되었고 현재 널리 사용 중이다. 면역치료의 고려대상은 다른 약물치료로 증상을 충분히 조절하지 못하는 경우, 환자의 약물치료 순응도가 떨어지는 경우, 약물치료 부작용으로 인해 더 이상 약물치료를 할 수 없는 경우였으나, ARIA지침서에 의하면 경증 간헐적 알레르기 비염을 제외한 모든 종류의 알레르기 비염에 1차 치료제로서 사용가능하다. 알레르기 비염의 경우에는 생명을 위협하는 질환이 아니기 때문에 심한 전신적 부작용의 가능성이 있는 피하주사면역치료보다는 좀 더 안전한 설하면역치료를 시도하는 것이 타당해 보인다. 면역치료의 금기증으로는 베타차단제나 앤지오텐신전환효소 억제제를 사용하고 있어 아나필락시스 쇽에 대한 에피네프린 처치가 불가능한 환자, 악성종양이나 심한 면역질환 환자, 약물로 조절이 되지 않는 천식 환자, 순응도가 떨어지는 환자이다. 임산부의 경우 면역치료 유지는 가능하나 시작은 금기로 알려져 있다.

1. 면역치료요법의 작용기전

1911년에 피하주사면역치료법이 소개된 이후로 면역학적 기전에 관해 많은 연구가 이루어졌다. 항원 특이반응 IgG의 증가, 비강 내 분비물에 IgG, IgA의 증가, 치료 후기 IgE 감소, 호산구, 비만세포 호염기구 및 림프구 등 염증세포의 항원 반응성 감소, 항원에 대한 Th2 반응에서 Th1 반응으로의 전환, 그리고 조절 T세포regulatory T cell, CD4+CD25+Foxp3+ T cell의 활성화가 면역치료의 주된 작용기전이다(Potter, 2006). 면역관용에 관여하는 세포는 조절 T세포로 알려져 있으며 면역치료의 기전도 이 세포와 연관이 있다. 면역치료 시 사용하는 고용량의 항원은 조절 T 세포를 유도하고 이는 IL-10과 TGF-β를 생산하여 정상적인 알레르기 염증반응을 억제하는 역할을 한다. 현재까지 알려진 기전과 관련된 지표들은 면역치료의 효과나 기간과 같은 임상적인 지표를 반영할 수 없는 단점이 있다.

2. 치료방법

피하주사면역치료를 위한 다수의 항원치료제가 개발되었으나 회사마다 allergic unit이 다르고 호환이 어려워 회사마다 투여용량과 방법에 차이가 있다. 피하주사면역치료는 초기 증량 단계 후 일정한 농도에 다다르면 유지요법을 시행하게 된다. 증량 단계의 시작은 유지 용량의 1/10,000~1/1,000로 시작을 하며 일주일에 1~2회 외래 접종을 하면 유지 용량에 이르는 데 3~6개월 정도 소요

된다(Cox et al., 2011). 유지용량에 도달하는 시간을 절약하는 방법으로는 급속 면역치료rush immunotherapy와 집중 면역치료cluster immunotherapy가 있으며 급속 면역치료의 경우는 입원하여 단기간에 초기 증량 단계를 끝내는 경우이고 집중 면역치료는 한 번 방문 시 30분 간격으로 2~3회 접종하여 시간을 절약하는 방법이다(Kosh-kareva et al., 2011). 급속 및 집중 면역치료는 부작용의 빈도가 높으므로 접종하기 전 항히스타민제와 같은 전처치를 하는 것을 권장하고 있다. 초기 증량 후 유지용량에 이르면 환자는 월 1회 정도의 유지용량 투여가 권장된다.

설하면역치료의 경우는 공복상태에서 혀 밑에 항원을 최소 2분 가량 물고 있어야 혀 밑 점막에 항원노출이 증가되어 면역관용을 유도할 수가 있다. 제품에 따라서 초기요법과 유지요법이 있는 경우와 초기요법이 생략되는 경우가 있으므로 제품의 프로토콜을 따르면 된다. 설하면역치료의 경우는 외래방문 수가 적고 환자가 자가로 시행하므로 환자의 증상기록지와 약물투여 일지, 부작용 일지 등을 작성하는 것이 의사와 환자의 소통에 매우 중요하다.

1년 이상의 면역치료 후에도 환자의 증상이나 약물 사용량이 감소하지 않는다면 환자를 재평가하여야 한다. 주요 항원에 대한 재평가와 흡연과 같은 주위 환경의 변화를 체크하여야 하고 특별한 원인이 없는 경우 면역치료가 효과가 없는 것으로 간주하고 중단을 고려하여야 한다. 치료 중 발열이 있다면 일시적으로 면역요법을 중단할 수 있고 중단 기간에 따라서 용량을 조절 후 유지용량에 도달하여 치료할 수 있다.

3. 임상적 효과와 부작용

알레르기 비염에서 피하주사면역치료법의 임상적 효과

는 잘 정립이 되어있다. 피하주사면역치료는 환자의 증상을 완화시키고 삶의 질을 개선하지만 작용 효과가 나타나는 데 1년 이상 소요되며 환자가 외래를 정기적으로 방문하여야 하므로 환자의 순응도가 매우 중요하다. 피하주사면역치료법은 3~5년의 약물투여기간이 적절한데 이는 장기효과를 위함이다. 장기효과란 면역관용을 유도하여 면역치료를 종료한 뒤에도 증상의 개선 효과가 있는 것을 이야기한다. 3년 이상 피하주사면역치료를 하면 3~4년 정도의 장기효과를 볼 수가 있다. 또한 피하주사면역치료는 알레르기 비염환자에서 천식 및 새로운 항원 감작의 발생을 막아주는 역할도 한다(Wallace et al., 2008). 피하주사면역치료의 부작용은 국소부작용과 전신부작용이 있으며 국소적인 부작용은 주사부위의 소양감과 부종이며 대개는 보존적 치료로 호전이 되나 국소반응이 광범위하고 빈번하게 발생한다면 전신반응이 일어날 위험성을 고려하여야 한다. 전신적인 부작용으로는 천식의 악화, 복통, 구토, 두통이나 관절통, 아나필락시스 등이 있으며 미국의 경우 아나필락시스에 의한 사망례가 200만 명당 1명꼴로 보고되고 있다. 전신부작용은 피하주사 후 30분 이내에 발생하기 때문에 주사 후 30분 정도 외래에서 관찰기간을 반드시 가져야 하고 외래에서는 CPR kit (1:1,000 epinephrine, iv fluid 포함)를 갖추고 있어야 한다.

설하면역치료의 임상적 효과에 관하여 논란이 많았으나 유럽을 중심으로 이루어진 많은 연구가 뒷받침되어 임상적 효과가 정립이 되고 있다. 22개의 보고와 979명의 환자를 대상으로 한 메타분석에서 설하면역치료는 증상 점수를 낮추고 알레르기 비염 약제 투약 빈도를 줄이는 것으로 나타났다(Bozek et al., 2013; Pajno et al., 2000; Penagos et al., 2006; Wilson et al., 2005). 설하면역치료는 피하주사면역치료와 마찬가지로 천식의 발병률을 낮추는 효과나 새로운 항원 감작을 막아준다는 보고가 있으나(Di Rienzo et al., 2003; Marogna et al.,

2008; Novembre et al., 2004) 질병의 진행을 억제하는 역할에 대한 추가적인 연구가 시행되어야 할 것이다. 설하면역치료의 장점은 투여하기가 간편하고 외래에 자주 방문할 필요가 없고 부작용이 적다는 점이다. 가장 흔한 부작용은 구강 내 소양증 및 부종과 같은 국소 자극증상이며 이는 치료 없이도 사라지는 것이 보통이다. 드물게 복통, 두드러기, 천식 유발 등도 보고되었다. 아직까지 사망 사례는 보고된 바 없다. 아나필락시스 속에 관한 보고는 몇 예가 있는데 표준화되지 않은 항원 혼합액을 사용하여 발생한 경우와 라텍스 추출액을 투여하여 발생한 경우, 과용량을 투여한 경우, 전신부작용으로 피하주사면역치료를 중단한 병력이 있는 환자에서 관찰되었다(Antico et al., 2006; Dunsky et al., 2006; Eifan et al., 2007). 설하면역치료에 관한 이중맹검위약대조군연구를 분석하면 4,378명이 1,181,654회의 투여횟수를 분석한 보고에서 치명적인 부작용은 1례도 보고되지 않았다(Cox et al., 2006). 설하면역치료의 전신성 알레르기반응에 관하여 포괄적인 문헌 검토를 한 연구에 의하면, 2000년도 이후 약 10억회의 설하면역치료에서 11례의 아나필락시스 반응이 보고되었다. 이는 1억회 투여당 1례로 빈도가 매우 낮다. Di Rienzo 등은 3~5세의 알레르기 호흡기 질환을 가진 환아에서 설하면역치료를 받고 적어도 2년 이상 추적 관찰한 환자 126명에 대해서 부작용을 살펴본 결과 총 9례의 부작용이 있었으며 모두 용량을 증량하는 단계에서 관찰되었다. 2례는 구강 소양감, 1례는 경도의 복통이었으며, 6례는 위장관계 장애로 용량을 줄임으로써 해결되었다(Di Rienzo et al., 2003). 우리나라에서도 소아를 대상으로 한 연구에서 소아에서도 효과 및 안전성이 보고되었다(Han et al., 2012; Park et al., 2012). 따라서, 설하면역치료의 안전성은 소아에서도 입증되었다고 할 수 있다.

4. 수술

알레르기 비염 치료에서 수술의 역할에 대해서는 이견이 많다. 비중격 만곡증이나 만성부비동염과 같은 수술 적응증이 없는 한 알레르기 비염의 수술적 방법은 하비갑개 수술이라고 할 수 있다. 여러 관찰연구observational study에 따르면 하비갑개 절제술 및 성형술이 환자의 증상 및 삶의 질을 호전시키며 약물전달의 통로를 확보해주어 약물사용에 이점이 있고 약물의 사용량도 줄여주는 것으로 보고되고 있으나 수술의 비용과 위험성을 고려하여야 하며 하비갑개를 과도하게 제거하였을 경우 위축성 비염이 발생할 수 있다는 점도 고려해야 한다. 하비갑개 수술 방법은 다양한 방법이 있으나 2003년에 시행된 무작위 임상연구에서 turbinectomy, laser cautery, electrocautery, cryotherapy, submucosal resection, submucosal resection with outfracture를 시행한 382명을 비교하였는데 6년 추적관찰 결과 submucosal resection방법이 비강 통기도를 유지하고 점막섬모기능도 보존하는 가장 우수한 방법임을 보고하였고 outfracture를 같이 시행하였을 경우 더욱 효과가 우수한 것으로 보고하였다(Passali et al., 2003). 수술의 적응증은 지속적인 알레르기 비염 증상이 있고 약물치료로 반응이 없는 환자 중 하비갑개 비대증이 관찰되는 환자가 될 수 있으며 환자가 약물치료에 반응은 하지만 만족하지 못하는 경우에도 하비갑개 비대증이 관찰된다면 상대적인 적응증이 될 수 있다. 무엇보다도 환자에게 수술의 장단점을 잘 설명하는 과정을 통해 결정과정에서 환자의 의사를 반영하는 것이 중요하다(Seidman et al., 2015).

VI | 특수상황에서의 알레르기 비염

1. 소아 알레르기 비염

1) 소아 알레르기 비염의 특징

(1) 조기 진단 및 치료의 어려움

소아에서는 주로 학동기와 청소년기에 알레르기 비염이 발생하며 아토피 피부염 및 천식 발생 후에 나타나는 경우가 흔하다. 높은 유병률에도 불구하고 알레르기 비염은 정확히 진단되는 경우가 낮고 부적절하게 치료된다. 어린이가 증상을 말로 표현하지 못하는 경우가 많고, 환아 자신이 질환을 가진 것을 인지하지 못하며, 재발성 상기도 감염으로 흔히 오진하기 때문이다. 알레르기 비염이 적절히 치료되지 않고 방치되는 경우 악화될 수 있으며 천식, 부비동염, 이관기능부전, 삼출성 중이염, 림프선 증식 혹은 폐쇄성 수면무호흡증obstructive sleep apnea 등 동반질환의 원인이 될 수 있다(Lack, 2001).

(2) 알레르기 행진

알레르기 질환을 앓고 있는 소아 환자들은 아토피 피부염에서 천식으로, 천식에서 다시 알레르기 비염 등으로 진행하는 과정을 보이는데 이를 알레르기 행진이라고 한다(Sampson and McCaskill, 1985). 이들 질환 중 아토피 피부염은 알레르기 행진의 시작점으로, 아토피 피부염 환아들이 성장하면서 50~75%에서 천식이나 알레르기 비염으로 진행하게 된다(Barnetson and Rogers, 2002). 하지만 이런 일반적인 경과를 취하지 않고 질병의 시작 시점, 종류나 경과 과정이 다른 경우도 많아 알레르기 행진의 시작과 경과를 예측하는 것이 쉬운 일은 아니다.

표 11-1	알레르기 비염의 예방
모유 수유	영유아에서 아토피 피부염, 천명을 감소시키고 알레르기 질환의 발병률을 낮추는 효과가 있음[1]
집먼지 진드기 회피 요법	임신 중, 출생 직후 집먼지 진드기 항원 노출 차단 현재까지 만족할 만한 결과를 얻지 못하고 있음[2]
간접 흡연	흡연에 노출된 영유아는 생후 1세 때 알레르기 발병이 2배 이상 높게 나타남 소아 알레르기 비염의 증상 유발에 부모의 흡연여부가 많은 영향을 끼침[3]
생균제 (Probiotics)	아직까지 효능을 입증할 만한 근거가 부족한 실정임[4]

[1] Gdalevich et al., 2001
[2] Corver et al., 2006
[3] Zuraimi et al., 2008
[4] Helin et al., 2002; Wheeler et al., 1997

(3) 유전적 소인

알레르기 질환은 유전적 소인을 가진다. 알레르기 질환의 가족력이 있는 경우, 현저히 그 유병률이 높다. 양쪽 부모 중 어느 한쪽이 알레르기 질환을 지닌 경우 약 50%에서, 부모가 모두 알레르기 질환을 지닌 경우 약 75%에서 자녀에게 알레르기 질환이 나타날 확률이 보고되고 있다. 반면 부모 모두 알레르기 질환이 없는 경우 10~15% 정도에서 자녀에게서 알레르기 질환이 나타난다고 알려져 있다(McKee, 1966).

하지만, 알레르기에 대한 유전적 성향이 있는 사람 중 얼마나 많은 사람이 실제로 알레르기 환자가 되는지는 명확하지 않다. 알레르기 질환의 가족 내 발현이 높은 점, 일란성 쌍생아에서 이란성 쌍생아보다 질환의 일치율이 높은 점 등은 유전적 배경을 암시하고 있지만, 일란성 쌍생아의 질환 일치율도 50%를 넘지 않아, 환경적인 요인도 이와 동등한 정도의 연관이 있을 수 있음을 의미하기 때문에 유전자간의 상호작용과 환경인자와의 관련성을 이해해야 한다(Feijen et al., 2000).

(4) 예방

유소아 고위험군에서 조기에 항원에 대한 감작을 감소시키면 알레르기 비염이나 천식 등으로 이행되는 것을 방지할 수 있다. 따라서 이런 관점에서 예방은 매우 중요하다(표 11-1).

2) 진단방법 및 진단의 제한점

학동전기 아동은 증상이 감염성 비염과 혼동되어 진단이 힘든 경우가 많지만 증상이 2주 이상 지속되면 알레르기 비염을 의심해야 한다. 재채기, 콧물, 코막힘 외에 중증의 알레르기 비염 환아에서는 코골이, 후각 및 미각의 소실, 불규칙한 호흡음, 교합 장애 등이 있고 지속적으로 목을 가다듬는 증상throat clearing도 보인다. 또한 가려움증과 관련하여 알레르기 경례allergic salute와 콧등 가로주름allergic transverse nasal crease을 관찰할 수 있다(Berger, 2004). 수면장애로 인한 주간 피로 등을 호소하기도 하며 천식, 아토피 피부염, 알레르기 결막염, 만성 부비동염, 중이염 등이 동반될 수 있다. 병력 및 알레르기 질환의 가족력, 알레르기 행진에 따른 아토피 질환 발생여부를 확인한다.

피부단자검사는 유소아도 가능하며 양성은 아토피나 특정 항원에 감작된 것을 의미한다. 하지만 피부단자검사 결과가 환자의 임상 양상과 항상 일치하는 것은 아니다(Ménardo et al., 1985). 혈청 특이 IgE 검사는 소아에서 아토피 질환이 일어날 수 있음을 예측할 수 있는 근거가 되지만 학동전기 아동들에게는 민감도가 낮아 제한적이다(Ballardini et al., 2006).

학동전기 아동의 알레르기 비염은 감염성 비염, 이물질, 일측성 후비공 폐쇄 등과 같은 선천성 해부학적 변이, 유피낭종dermoid cyst, 수막뇌류meningoencephalocele 등을 포함한 양성종양, 점막섬모 운동장애mucociliary dys-

kinesia, 아데노이드 비대 등과 감별하여야 한다.

3) 치료

(1) 약물치료
소아에서 사용이 가능한 경구 및 비강 내 치료제는 표 11-2와 같다.

(2) 비강세척
비강세척은 비강 점막에 존재하는 항원을 물리적으로 제거할 수 있으며, 점액섬모수송능을 향상시키고 비강의 통기를 개선시키는 효과가 있다(Hermelingmeier et al., 2012). 일반적으로 등장성 생리식염수isotonic saline가 이용되며 소아에서는 비부비동염뿐만 아니라 알레르기 비염에서도 증상 개선에 도움을 줄 수 있다(Wang et al., 2009). 고장성 식염수hypertonic saline도 도움이 될 수 있다는 보고가 있으나(Shoseyov et al., 1998 ; Satdhabudha and Poachanukoon, 2012), 과도한 농도의 고장성 식염수를 사용하는 경우 점막을 자극하게 되어 histamine, substance P 등과 같은 신경전달물질의 분비가 증가되어 증상을 오히려 악화시킬 수 있으므로 주의하여야 한다(Baraniuk et al., 1999 ; Hauptman and Ryan, 2007).

(3) 면역요법
피하면역요법subcutaneous immunotherapy, SCIT과 설하면역요법sublingual immunotherapy, SLIT 모두 소아에서 알레르기 비염 증상 완화에 효과가 있다. SCIT은 빠른 증상 개선이 가능하며, 차단항체specific IgG4-blocking antibody의 생성을 빠르게 유도하는 것으로 알려져 있다(Bahceciler and Galip, 2012). SLIT역시 소아 알레르기 비염 환자에게 유용한 치료방법으로 제시되고 있다. 소아 알레르기 비염 환자에게 house dust mite (HDM) extract를

| 표 11-2 소아 알레르기 비염 치료제의 특성

	1세대 항히스타민제	• 진정작용으로 인한 학업능력 저하 – 학동기에는 사용을 추천하지 않음
항히스타 민제[1]	2세대 항히스타민제	• 항콜린작용, 진정작용 등의 부작용이 적음 • 1세대 항히스타민제와 동등한 효능 • levocetirizine, desloratadine – 1세 이상 사용 가능 • loratadine, cetirizine, ebastine – 2세 이상 사용 가능 • fexofenadine – 6세 이상 사용 가능 • 비강 내 azelastine spray – 6세 이상 사용 가능
비점막 수축제[2]	경구용 (ephedrine, pseudoephedrine, phenylpropanolamine, phenylephrine)	• 2세 이상 사용 가능(1세 미만 금지)
	국소용 (oxymetazoline, xylometazoline, phenyleph- rine)	• 다른 약제 치료에 반응하지 않는 심한 코막힘 증상이 있는 경우로 제한 • 연속해서 4일 이상 사용해서는 안됨
비만세포 안정제[3]		• 부작용이 없는 장점 • 즉각적인 증상 소실이 뚜렷하지 않음, 1일 4회 사용해야 함 • 증상 최대 개선에 1주 정도가 필요함 • 계절 증상 시작 전 혹은 간헐적 항원 노출 전에 예방적 사용 • 2세 이상 사용 가능
비강 내 스테로이드제[4]		• 증상을 효과적으로 호전시킴 • 증상 조기 조절을 위해 항히스타민제와 병용 • 1년까지 사용하여도 성장 장애는 없음 • mometasone furoate, fluticasone furoate, triamcinolone – 2세 이상 사용 가능 • fluticasone propionate, ciclesonide, budesonide – 6세 이상 사용 가능
류코트리엔 수용체 길항제[5]		• 천식과 비염이 같이 있는 경증 환자에서 도움이 될 수 있음 • montelukast, pranlukast, zafirlukast – 소아환자에서 사용 가능
항콜린제[6]		• 7세 이상, 콧물이 심한 경우 사용 가능

[1] Brozek et al., 2010; Hoyte and Katial 2011; Marrs et al., 2013; Kaliner et al., 2011
[2] Tran, Vickery, and Blaiss 2011
[3] Ratner et al., 2002; Galant and Wilkinson 2001
[4] Pedersen 2001; Eli O. Meltzer 2011
[5] Amlani, Nadarajah, and McIvor 2011
[6] Meltzer et al., 1997

설하로 투여한 결과 증상 개선과 함께 비강 내 스테로이드제 사용이 현저히 감소하였으며, 천식 증상 또한 폐기능 검사상 FEV$_1$의 증가 등 개선 소견을 보였다(Ippoliti et al., 2003; Bahçeciler et al., 2001). 잡초꽃가루 항원을 사용한 SLIT에 대한 연구에서도 같은 결과를 보였으며,

높은 농도를 사용하였을 때 더 좋은 효과를 보였다(Marcucci et al., 2005; Novembre et al., 2004). SCIT과 비교하였을 때 SLIT의 최대 장점은 안전성이다. 두드러기, 천식증상, 결막염 및 비염 증상이 10% 미만에서 경미하게 생길 수 있으며, 아나필락시스 등의 심각한 부작용은 거

의 발생하지 않는 것으로 알려져 있다(Pajno et al., 2003).

(4) 수술요법

학령 전기(6세 이하) 및 학동 초기(초등학교 저학년) 소아 알레르기 비염환자에서 수술적 치료에 대한 무작위 대조군 연구 및 메타 분석 등의 연구 결과는 아직까지 없다(Barr et al., 2014; Scadding, 2015). 소아 환자는 수술 후 코세척, 가피 제거를 위한 술 후 처치 등에서 성인 환자에 비해 협조를 얻기 어렵다. 따라서 수술 후 회복까지의 기간이 오래 걸리고 유착 등의 합병증이 생길 수 있으므로, 학동 초기의 아동에게 수술적 치료를 권하는 것은 바람직하지 않다. 다만 약물치료에 반응하지 않는 학동 후기(초등학교 고학년 이상) 소아 중 술 후 처치에 대해 협조가 가능한 환자들은 성인 환자에 준하여 수술적 치료를 고려할 수 있다(Vlastarakos et al., 2013).

2. 임산부의 알레르기 비염

1) 임신이 비염에 미치는 영향

임산부의 약 20%에서 비염 증상을 보이며, 알레르기 비염allergic rhinitis, 혈관운동성 비염vasomotor rhinitis 및 약물성 비염rhinitis medicamentosa을 포함한 모든 종류의 비염이 발생할 수 있다. 또한 특정한 원인이 없더라도 임신 자체에 의해 비염이 발생할 수 있으며, 이를 임신 유발성 비염이라 한다(Incaudo and Takach, 2006). 임신 유발성 비염은 임신 전에는 보이지 않았던 증상이 임신 후 반기(4~10개월)에 나타나며, 출산 후 2주 내에 회복되는 질환이다(Ellegård, 2003; Orban et al., 2013). 코막힘을 주로 호소하며, 유발요인으로는 비강 내 혈류량 증가, 혈관 운동신경의 감소 및 비 기질nasal stroma로의 혈장 누출extravasation에 의한 부종 등이 있다(Naclerio et al.,

2010). Estrogen과 progesterone 등의 호르몬 변화가 원인으로 제기되기도 하나 논란이 있으며, 특히 흡연은 임신 유발성 비염의 유발인자로 알려져 있다(Orban et al., 2013).

임신이 또한 임신 전부터 이환되어 있었던 알레르기 비염의 증상에 영향을 미칠 수 있다. 임신 전 알레르기 비염이 있었던 환자 중 34%는 임신 후 증상이 호전되고, 15%는 증상이 악화되며 나머지는 증상에 별다른 변화가 없다(Schatz and Zeiger, 1988). 임신에 의한 알레르기 비염 증상 변화는 출산 후 수일 내지 수 주 후에는 원래의 상태로 되돌아가며 이는 임신에 의해 알레르기반응을 일으키는 일부 염증매개물질들이 영향을 받기 때문이다(Keleş, 2004).

2) 진단

임산부에서의 알레르기 비염 진단은 비 임산부와 다르지 않다. 다만, 피부단자검사skin prick test는 드물게 전신반응을 나타낼 수 있으므로 임신 중에는 실시하지 않는다.

3) 치료

(1) 치료에 있어 일반적 유의사항

임신 시 약물치료에서 가장 중요한 점은 안전성이다. 대부분의 약물은 태반을 통해 태아에게 전달이 되고 예기치 못한 합병증을 유발할 가능성이 있다. 특히 임신 초기 3개월에는 기형을 일으킬 가능성이 높다. 따라서 환자와 보호자에게 충분한 설명을 통해 위험성을 고지하고 환자 및 보호자의 동의하에 약물치료를 시행하여야 한다.

약물의 기형 발생 가능성에 대한 분류 중 미국 식품의약품 안정청(U.S. Food and Drug Administration, FDA)

| 표 11-3 약물의 기형 발생 가능성에 대한 미국 FDA 분류 | | | |

분류	위험에 대한 기술	해석	예시 약물
A	동물실험과 사람을 대상으로 잘 계획된 연구에서 기형이 없음	위험성 없음	
B	동물실험에서 안전하나 사람을 대상으로 하는 연구가 없다. 혹은 동물 실험에서는 기형을 보였으나 사람을 대상으로 하는 연구에서 기형이 없음	위험에 대한 증거는 없음	Budesonide, cetirizine, cromoglycate, dex-chlorpheniramine, diphenhydramine, ipratropium bromide, loratadine, nedocromil
C	동물실험에서 기형을 보였거나 연구가 되어 있지 않음. 그리고 인간연구도 없음. 하지만 위험성에 비해 이득이 많음	위험을 배제할 수 없음	Other corticosteroids, azelastine, brompheniramine, fexofenadine, hydroxyzine, pseudoephedrine, all other decongestants
D	인간연구에서 기형을 보였으나 어떠한 환경에서는 위험성에 비해 이득이 매우 높음	위험의 증거가 있음	
X	인간연구에서 임상적 이득보다 기형의 유발가능성이 매우 높음	금기	

의 분류가 가장 널리 사용되고 있으며, 임신 중 사용되는 약물에 대해 A, B, C, D 그리고 X로 분류하고 있다(표 11-3).

(2) 보존적 치료

원인 항원에 대한 회피요법은 비임신 시와 같이 시행할 수 있다. 비강세척은 임신 중 알레르기 비염 증상이 있는 산모에서 사용할 수 있는 안전하고 부작용이 없는 치료법이다. 하루 2~3회 등장성 혹은 고장성 생리식염수를 이용하여 비강세척을 시행하면 증상이 호전된다. 증상이 심한 환자에서는 약물치료 또는 면역요법과 병행할 수 있다.

(3) 약물요법

① 비만세포안정제

비만세포로부터의 화학매개체 유리를 억제하는 약제로 cromolyn sodium이 대표적인 약제이다. Cromolyn sodium의 가장 큰 장점은 안전성으로, 아직까지 특별한 부작용이나 동물실험상 기형을 유발했다는 보고가 없어

임산부에서 사용이 가능한 안전한 약물이다. 하지만 국내에서 시판되는 약물은 없다(Pascal Demoly, Piette, and Daures, 2003).

현재 국내에서 시판되는 비만세포 안정제는 경구용으로 사용되는 tranilast와 pemirolast potassium이다. Tranilast는 임부(특히 3개월 이내)에게는 금기인 약물이며 pemirolast potassum은 임부 및 가임부에게도 금기가 되는 약물이다.

② 항히스타민제

1세대 항히스타민제는 시판된 지가 오래되어 안전성이 입증되어 있는 약물이 많다(Gilbert et al., 2005). 대표적인 약물인 chlorpheniramine은 Category B 약물로 여러 연구에서 안전성이 입증되어 있다(Gilbert et al., 2005). Hydroxyzine은 Category C인 약물로써 기형을 일으키지 않는다는 연구결과가 있으나, 사용 시 신중해야 한다(Gilbert et al., 2005). 1세대 약물의 부작용으로 인해 사용이 어려운 경우에는 2세대 항히스타민제를 사용할 수 있다. 여러 동물실험에서 안전성이 보고되어 있

는 cetirizine과 loratadine은 Category B로 분류되어 있는 대표적인 2세대 항히스타민제이다(Schatz and Petitti, 1997). Levocetirizine 또한 Category B로 비교적 안전하게 사용할 수 있지만, 임신 첫 3개월은 피하는 것이 좋다. 그 외의 azelastine, fexofenadine, epinastine hydrochloride, bepotastine besilate, 그리고 desloratadine 등은 Category C로 분류되어 있다.

③ 비점막수축제

경구용 비점막수축제는 단독 혹은 항히스타민제와 병용하여 사용 가능하다. 대표적인 약제로 phenylephrine과 pseudoephedrine이 있고, 이 약물들은 Category C로 분류되어 있다. 태반과 태아의 혈관에 영향을 주어 이론적으로 기형유발이 가능하나, 여러 가지 연구들에서는 기형과의 직접적인 영향은 없는 것으로 보고되고 있다(Aselton et al., 1985). 그러나 pseudoephedrine의 경우 임신 중 사용 시 배벽갈림증gastroschisis, 혈관분열결손vascular disruption defects과의 연관성이 보고되고 있다(Torfs et al., 1996; Werler et al.,1992). 따라서 임신기간 중 특히 첫 3개월 동안에는 사용하지 않는다.

국소용 비점막수축제의 안전성에 대해서는 아직까지 연구결과가 부족한 상태이나, 각각의 연구에서 oxymetazoline이나 xylometazoline은 기형과 관련이 없음이 보고되었다(Aselton et al., 1985; Werler, Mitchell, and Shapiro, 1992).

결론적으로 경구용, 국소용 비점막수축제는 대부분의 약물이 Category C에 해당되고, 기형의 가능성을 배제하기 힘들어 임신 첫 3개월 내에는 사용할 수 없고, 임신 후반기에는 매우 조심스럽게 사용 가능하다.

④ 스테로이드제

비강 내 스테로이드제는 budesonide가 Category B로 분류되며, 그 외의 제재는 Category C이다(Keleş, 2004).

비강 내 분무는 약리적인 면에서 전신 흡수되는 양이 적고 전신 부작용이 적다. 또한 선천성 기형이 증가된다는 보고가 없어 임신 중 비강 내 스테로이드제 사용은 큰 무리가 없다(Keleş, 2004; Pascal Demoly et al., 2003; Gilbert et al., 2005). 따라서 임신 중 알레르기 비염 환자에서 일차약제first-line treatment로 사용이 가능하다. 하지만 실제 처방 시 환자 및 보호자에게 위험성에 대해 알리고, 치료 시 얻게 되는 이득과 약제의 위험성에 대한 논의가 이루어진 후 최소한의 용량을 사용하는 것이 좋다.

경구용 스테로이드제는 태아의 기형을 유발할 수 있기 때문에 금기이다. 임신 첫 3개월 내의 경구용 스테로이드의 사용은 생명을 위협하는 상태이거나 다른 대체 약물이 없는 질환에서만 제한적으로 사용되어야 한다.

⑤ 항콜린제

비강 내 항콜린제제인 ipratropium bromide는 동물실험에서 기형 유발은 보고되지 않았다(Pascal Demoly et al., 2003). 따라서 임산부에서 처방이 가능하나, 인체에 대한 연구는 부족하기 때문에 첫 3개월에는 피하는 것을 권고하고 있다.

⑥ 류코트리엔 수용체 길항제

대표적인 약물로 montelukast, pranlukast, zafirlukast가 있다. Montelukast는 Category B 약물이며, 동물실험에서 기형발생에 대한 보고는 없다. 동물실험에서는 경구 투여 후 태반을 통과하는 것으로 보고되고 있지만, 임부를 대상으로 한 대조시험 결과는 없다. 따라서 임부에게는 필요성이 명백히 인정되는 경우에만 투여해야 한다. Pranlukast는 FDA Category 등급에 대한 정보는 없는 상태이며, 임신 중 투여에 관한 안정성은 확립되어 있지 않다. Zafirlukast는 동물실험에서는 기형 발생을 보이지 않았으나 사람의 임신에 대해 안정성은 확립되지 않았다. 따라서 치료상의 유익성이 위험성을 상회한

표 11-4 알레르기 비염 치료약제들의 약동학적 특성, FDA 분류 및 Hale's lactation risk category

	약제	임신 임신위험성 (FDA 분류)	수유 수유 위험성*	수유 반감기 (시간)	수유 생체 이용성**	참고
항히스타민 제1세대	Chiorpheniramine maleate	Category B	L3	12~43	25~45%	부작용으로 생각되는 진정작용은 보고되었지만, 명백한 부작용은 보고되지 않았음
	Clemastine fumarate	Category B	L4	10~12	100%	발작의 위험성 증가
	Triprolidine	Category C	L1	5	Complete	모유 생산량 감소를 유발하는 Pseudo-ephedrine과 복합제는 피해야 함
	Dimenhydrinate	Category B	L2	8.5		입증되지는 않았지만 모유 생산량을 감소시킨다는 보고가 있음
항히스타민 제2세대	Azelasline hydrochloride	Category C	L3	22	80%	모유에 포함된 양이 문제를 유발할 정도는 아니지만, 모유에 쓴맛을 유발할 수 있어, 아이가 모유수유를 거부할 수 있음
	Cetirizine hydrochloride	Category B	L2	8.3	70%	
	Levocetirizine	Category B	L3	8	Complete	
	Loratadine	Category B	L1	8.4~28	Complete	
	Desloratadine	Category C	L2	27	Good	
	Fexofenadine	Category C	L2	14.4	Complete	
비점막 수축제	Pseudoephedrine hydrochloride	Category C	L3	9~16	90%	수유 받은 아이에서 과민성 증가가 보고됨. 모유생산량을 감소시키기 때문에 모유량이 적은 산모에서 금기
류코트리엔 수용체 길항제	Montelukast sodium	Category B	L3	2.7~5.5	64%	
스테로이드 제제	Prednisolone	Category C	L2	2~3	Complete	흡입 또는 비분무제의 사용은 노출을 감소시키고, 짧은 기간의 사용은 안전함
	Triamcinolone	Category C	L3	88 min	Complete	(임산부) 임신 1분기 사용될 경우 Category D
	Dexamethasone	Category C	L3	3.3	78%	장기간의 고용량 치료는 피해야 함
	Fludrocortisone	Category C	L3	3.5	Complete	

(계속)

표 11-4 (계속) 알레르기 비염 치료약제들의 약동학적 특성, FDA 분류 및 Hale's lactation risk category

약제		임신 임신위험성 (FDA 분류)	수유 수유 위험성*	반감기 (시간)	생체 이용성**	참고
스테로이드 제제 (분무형)	Triamcinolone acetonide	Category C	L3	88 min	Complete	(임산부) 임신 1분기 사용될 경우 Category D 흡입 또는 비강 내 분무로 투약한 경우 모유함유량은 극도로 낮고 임상적으로도 무의미함
	Fluticasone pro-pionate	Category C	L3	7.8	Oral (1%) Inhaled (18%)	생체이용률이 낮고, 간에서 일차통과 효과도 빨라서, 모유에 포함된 정도가 임상적으로 유의미할 것 같지는 않음
	Ciclesonide	Category C	L3	6~7	<1%	위험성이 낮음
	Budesonide	Category B	L1	2.8	Oral (10.7%)	
항콜린제제 (분무형)	Ipratropium bro-mide	Category B	L2	2	0~2%	소아 환자에게 흔히 사용되는 약물
항히스타민 제제 (분무형)	Levocabastine	Category C	L3	33~40	100%	점안액 정보
	Azeptine (az-elastine)	Category C	L3	22	40%	비분무제나 안약의 용량이 낮아 모유에 임상적으로 유의미한 정도가 될 가능성이 매우 낮다.
코점막 수축제 (분무형)	Phenylephrine hydrochloride	Category C	L3	2~3	38%	일반적으로 소아에게는 안전함 모유 생산량의 감소를 유발할 것으로 예상하지만 확인되지 않았음
	Xylometazoline hydrochloride	등급 정보 없음	L3		Good (nasal)	비강으로 투여했을 때 생체이용률이 높아 수유 중 사용에 주의해야 함
	Oxymetazoline	Category C	L3	5~8		수유부에서 전신적 비점막수축제보다 더 흔하게 사용되어 왔다. 3일 이내로 짧게 사용하고, 아이에게 불면증상, 신경과민, 흥분증상의 발생을 관찰해야 함

* Adapted from Medication and Mother's Milk. 2012. Thomas W. Hale. L1: 가장 안전(Safest). L2: 안전(Safer). L3: 비교적 안전(Probable safe). L4: 위험할 수 있음(Possibly Hazardous). L5: 위험함(Hazardous).

**정확한 수치가 없는 경우, 제조업체에서 제품설명서에 표시된 방식 표기

다고 판단되는 경우에만 투여할 수 있다.

(4) 면역요법
임신기간 동안 알레르기 탈감작desensitization의 사용이

선천성 기형의 위험을 증가시키지는 않는다(Metzger et al., 1978). 따라서 임신기간 동안의 피하면역치료는 임신 전에 시작한 치료는 전신 부작용이 없고 효과가 있다면 유지할 수 있으나 새롭게 치료를 시작하지는 않는다. 그

러나 부작용의 가능성을 최소화하기 위하여 항원용량은 증가시키지 않고, 전신반응을 최소화하기 위해 적은 용량으로 시행한다(Pascal Demoly et al., 2003). 설하면역요법에 대한 연구는 많지 않으나 최근 연구에 따르면 임신 중 설하면역치료는 안전하며, 임신 첫 3개월에 시행했을 경우에도 안전하다고 보고되고 있다(Shaikh and Shaikh, 2012).

(5) 기타 치료법

외부 비강확장기nasal dilators가 임신과 관련된 야간 코막힘에 효과가 있음이 밝혀져 있다(Turnbull et al., 1996). 따라서 코막힘을 완화하기 위한 하나의 방법으로 사용할 수 있다. 또한 국소마취를 이용한 수술적 치료도 코막힘이 심한 경우 고려해 볼 수 있다.

참고문헌

1. Allen DB, Meltzer EO, Lemanske RF, Jr., Philpot EE, Faris MA, Kral KM, et al. No growth suppression in children treated with the maximum recommended dose of fluticasone propionate aqueous nasal spray for one year. Allergy Asthma Proc 2002;23:407-13.

2. Amlani S, Nadarajah T, McIvor RA. Montelukast for the treatment of asthma in the adult population. Expert Opin Pharmacother 2011;12:2119-28.

3. Anolik R, Mometasone Furoate Nasal Spray With Loratadine Study G. Clinical benefits of combination treatment with mometasone furoate nasal spray and loratadine vs monotherapy with mometasone furoate in the treatment of seasonal allergic rhinitis. Ann Allergy Asthma Immunol 2008;100:264-71.

4. Antico A, Pagani M, Crema A. Anaphylaxis by latex sublingual immunotherapy. Allergy 2006;61:1236-7.

5. Aselton P, Jick H, Milunsky A, Hunter JR, Stergachis A. First-trimester drug use and congenital disorders. Obstet Gynecol 1985;65:451-5.

6. Bahceciler NN, Galip N. Comparing subcutaneous and sublingual immunotherapy: what do we know? Curr Opin Allergy Clin Immunol 2012;12:640-7.

7. Bahçeciler NN, Işik U, Barlan IB, Başaran MM. Efficacy of sublingual immunotherapy in children with asthma and rhinitis: a double-blind, placebo-controlled study. Pediatr Pulmonol 2001;32:49-55.

8. Ballardini N, Nilsson C, Nilsson M, Lilja G. ImmunoCAP Phadiatop Infant--a new blood test for detecting IgE sensitisation in children at 2 years of age. Allergy 2006;61:337-43.

9. Baraniuk JN, Ali M, Yuta A, Fang SY, Naranch K. Hypertonic saline nasal provocation stimulates nociceptive nerves, substance P release, and glandular mucous exocytosis in normal humans. Am J Respir Crit Care Med 1999;160:655-62.

10. Barnetson RSC, Rogers M. Childhood atopic eczema. BMJ 2002;324:1376-9.

11. Barr JG, Al-Reefy H, Fox AT, Hopkins C. Allergic rhinitis in children. BMJ 2014;349:g4153.

12. Berger WE. Allergic rhinitis in children : diagnosis and management strategies. Paediatr Drugs 2004;6:233-50.

13. Berger WE. Allergic rhinitis in children: diagnosis and management strategies. Paediatr Drugs 2004;6:233-50.

14. Bhatia S, Baroody FM, deTineo M, Naclerio RM. Increased nasal airflow with budesonide compared with desloratadine during the allergy season. Arch Otolaryngol Head Neck Surg 2005;131:223-8.

15. Blomme K, Tomassen P, Lapeere H, Huvenne W, Bonny M, Acke F, et al. Prevalence of allergic sensitization versus allergic rhinitis symptoms in an unselected population. Int Arch Allergy Immunol 2013;160:200-7.

16. Bousquet J, Khaltaev N, Cruz AA, Denburg J, Fokkens WJ, Togias A, et al. Allergic Rhinitis and its Impact on Asthma (ARIA) 2008 update (in collaboration with the World Health Organization, GA(2)LEN and AllerGen). Allergy 2008;63 Suppl 86:8-160.

17. Bousquet J, Van Cauwenberge P, Khaltaev N, Aria Workshop G, World Health O. Allergic rhinitis and its impact on asthma. J Allergy Clin Immunol 2001;108:S147-334.

18. Bozek A, Ignasiak B, Filipowska B, Jarzab J. House dust mite sublingual immunotherapy: a double-blind, placebo-controlled study in elderly patients with allergic rhinitis. Clin Exp Allergy 2013;43:242-8.

19. Brozek JL, Bousquet J, Baena-Cagnani CE, Bonini S, Canonica GW, Casale TB, et al. Allergic Rhinitis and its Impact on Asthma (ARIA) guidelines: 2010 revision. J Allergy Clin Immunol 2010;126:466-76.

20. Calderon MA, Simons FE, Malling HJ, Lockey RF, Moingeon P, Demoly P. Sublingual allergen immunotherapy: mode of action and its relationship with the safety profile. Allergy 2012;67:302-11.

21. Cohen SG, Richard E, 3rd. Allergen immunotherapy in historical perspective. Clin Allergy Immunol 2008;21:1-29.

22. Corver K, Kerkhof M, Brussee JE, Brunekreef B, van Strien RT, Vos AP et al. House dust mite allergen reduction and allergy at 4 yr: follow up of the PIAMA-study. Pediatr Allergy Immunol Off Publ Eur Soc Pediatr Allergy Immunol 2006;17:329-36.

23. Cox L, Nelson H, Lockey R, Calabria C, Chacko T, Finegold I, et al. Allergen immunotherapy: a practice parameter third update. J Allergy Clin Immunol 2011;127:S1-55.

24. Cox LS, Larenas Linnemann D, Nolte H, Weldon D, Finegold I, Nelson HS. Sublingual immunotherapy: a comprehensive review. J Allergy Clin Immunol 2006;117:1021-35.

25. Demoly P, Piette V, Daures J-P. Treatment of allergic rhinitis during pregnancy. Drugs 2003;63:1813-20.

26. Di Rienzo V, Marcucci F, Puccinelli P, Parmiani S, Frati F, Sensi L, et al. Long-lasting effect of sublingual immunotherapy in children with asthma due to house dust mite: a 10-year prospective study. Clin Exp Allergy 2003;33:206-10.

27. Dunsky EH, Goldstein MF, Dvorin DJ, Belecanech GA. Anaphylaxis to sublingual immunotherapy. Allergy 2006;61:1235.

28. Eifan AO, Keles S, Bahceciler NN, Barlan IB. Anaphylaxis to multiple pollen allergen sublingual immunotherapy. Allergy 2007;62:567-8.

29. Ellegård EK. The etiology and management of pregnancy rhinitis. Am J Respir Med Drugs Devices Interv 2003;2:469-75.

30. Esch RE. Allergen immunotherapy: what can and cannot be mixed? J Allergy Clin Immunol 2008;122:659-60.

31. Feijen M, Gerritsen J, Postma DS. Genetics of allergic disease. Br Med Bull 2000;56:894-907.

32. Galant SP, Wilkinson R. Clinical prescribing of allergic rhinitis medication in the preschool and young school-age child: what are the options? BioDrugs Clin Immunother Biopharm Gene Ther 2001;15:453-63.

33. Gdalevich M, Mimouni D, Mimouni M. Breast-feeding and the risk of bronchial asthma in childhood: a systematic review with meta-analysis of prospective studies. J Pediatr 2001;139:261-6.

34. Gilbert C, Mazzotta P, Loebstein R, Koren G. Fetal safety of drugs used in the treatment of allergic rhinitis: a critical review. Drug Saf 2005;28:707-19.

35. Grainger J, Drake-Lee A. Montelukast in allergic rhinitis: a systematic review and meta-analysis. Clin Otolaryngol 2006;31:360-7.

36. Hampel FC, Jr., Nayak NA, Segall N, Small CJ, Li J, Tantry SK. No hypothalamic-pituitary-adrenal function effect with beclomethasone dipropionate nasal aerosol, based on 24-hour serum cortisol in pediatric allergic rhinitis. Ann Allergy Asthma Immunol 2015;115:137-42.

37. Han DH, Choi YS, Lee JE, Kim DY, Kim JW, Lee CH, et al. Clinical efficacy of sublingual immunotherapy in pediatric patients with allergic rhinitis sensitized to house dust mites: comparison to adult patients. Acta Otolaryngol 2012;132 Suppl 1:S88-93.

38. Hauptman G, Ryan MW. The effect of saline solutions on nasal patency and mucociliary clearance in rhinosinusitis patients. Otolaryngol--Head Neck Surg Off J Am Acad Otolaryngol-Head Neck Surg 2007;137:815-21.

39. Helin T, Haahtela S, Haahtela T. No effect of oral treatment with an intestinal bacterial strain, Lactobacillus rhamnosus (ATCC 53103), on birch-pollen allergy: a placebo-controlled double-blind study. Allergy 2002;57:243-6.

40. Hermelingmeier KE, Weber RK, Hellmich M, Heubach CP, Mösges R. Nasal irrigation as an adjunctive treatment in allergic rhinitis: a systematic review and meta-analysis. Am J Rhinol Allergy 2012;26:e119-25.

41. Hodson T, Custovic A, Simpson A, Chapman M, Woodcock A, Green R. Washing the dog reduces dog allergen levels, but the dog needs to be washed twice a week. J Allergy Clin Immunol 1999;103:581-5.

42. Hoyte FCL, Katial RK. Antihistamine therapy in allergic rhinitis. Immunol Allergy Clin North Am 2011;31:509-43.

43. Incaudo GA, Takach P. The diagnosis and treatment of allergic rhinitis during pregnancy and lactation. Immunol Allergy Clin North Am 2006;26:137-54.

44. Ippoliti F, De Santis W, Volterrani A, Lenti L, Canitano N, Lucarelli S et al. Immunomodulation during sublingual therapy in allergic children. Pediatr Allergy Immunol Off Publ Eur Soc Pediatr Allergy Immunol 2003;14:216-21.

45. Kaliner MA, Berger WE, Ratner PH, Siegel CJ. The efficacy of intranasal antihistamines in the treatment of allergic rhinitis. Ann Allergy Asthma Immunol Off Publ Am Coll Allergy Asthma Immunol 2011;106:S6-11.

46. Keleş N. Treatment of allergic rhinitis during pregnancy. Am J Rhinol 2004;18:23-8.

47. Kim SY, Yoon SJ, Jo MW, Kim EJ, Kim HJ, Oh IH. Economic burden of allergic rhinitis in Korea. Am J Rhinol Allergy 2010;24:e110-3.

48. Koshkareva YA, Krouse JH. Immunotherapy--traditional. Otolaryngol Clin North Am 2011;44:741-52, x.

49. Lack G. Pediatric allergic rhinitis and comorbid disorders. J Allergy Clin Immunol 2001;108:S9-15.

50. Marcucci F, Sensi L, Di Cara G, Incorvaia C, Frati F. Dose dependence of immunological response to sublingual immunotherapy. Allergy 2005;60:952-6.

51. Marogna M, Tomassetti D, Bernasconi A, Colombo F, Massolo A, Businco AD, et al. Preventive effects of sublingual immunotherapy in childhood: an open randomized controlled study. Ann Allergy Asthma Immunol 2008;101:206-11.

52. Marrs T, Anagnostou K, Fitzsimons R, Fox AT. Optimising treatment of allergic rhinitis in children. The Practitioner 2013;257:13-8, 2.

53. Meltzer EO, Malmstrom K, Lu S, Prenner BM, Wei LX, Weinstein SF, et al. Concomitant montelukast and loratadine as treatment for seasonal allergic rhinitis: a randomized, placebo-controlled clinical trial. J Allergy Clin Immunol 2000;105:917-22.

54. Meltzer EO, Orgel HA, Biondi R, Georgitis J, Milgrom H, Munk Z et al. Ipratropium nasal spray in children with perennial rhinitis. Ann Allergy Asthma Immunol Off Publ Am Coll Allergy Asthma Immunol 1997;78:485-91.

55. Meltzer EO. The role of nasal corticosteroids in the treatment of rhinitis. Immunol Allergy Clin North Am 2011;31:545-60.

56. Metzger WJ, Turner E, Patterson R. The safety of immunotherapy during pregnancy. J Allergy Clin Immunol 1978;61:268-72.

57. Min YG, Jung HW, Kim HS, Park SK, Yoo KY. Prevalence and risk factors for perennial allergic rhinitis in Korea: results of a nationwide survey. Clin Otolaryngol Allied Sci 1997;22:139-44.

58. Ménardo JL, Bousquet J, Rodière M, Astruc J, Michel FB. Skin test reactivity in infancy. J Allergy Clin Immunol 1985;75:646-51.

59. Naclerio RM, Bachert C, Baraniuk JN. Pathophysiology of nasal congestion. Int J Gen Med 2010;3:47-57.

60. Nathan RA. The burden of allergic rhinitis. Allergy Asthma Proc 2007;28:3-9.

61. Novembre E, Galli E, Landi F, Caffarelli C, Pifferi M, De Marco E et al. Coseasonal sublingual immunotherapy reduces the development of asthma in children with allergic rhinoconjunctivitis. J Allergy Clin Immunol 2004;114:851-7.

62. Novembre E, Galli E, Landi F, Caffarelli C, Pifferi M, De Marco E, et al. Coseasonal sublingual immunotherapy reduces the development of asthma in children with allergic rhinoconjunctivitis. J Allergy Clin Immunol 2004;114:851-7.

63. Orban N, Maughan E, Bleach N. Pregnancy-induced rhinitis. Rhinology 2013;51:111-9.

64. Pajno GB, Morabito L, Barberio G, Parmiani S. Clinical and immunologic effects of long-term sublingual immunotherapy in asthmatic children sensitized to mites: a double-blind, place-

bo-controlled study. Allergy 2000;55:842-9.

65. Pajno GB, Peroni DG, Vita D, Pietrobelli A, Parmiani S, Boner AL. Safety of sublingual immunotherapy in children with asthma. Paediatr Drugs 2003;5:777-81.

66. Park IH, Hong SM, Lee HM. Efficacy and safety of sublingual immunotherapy in Asian children. Int J Pediatr Otorhinolaryngol 2012;76:1761-6.

67. Passali D, Passali FM, Damiani V, Passali GC, Bellussi L. Treatment of inferior turbinate hypertrophy: a randomized clinical trial. Ann Otol Rhinol Laryngol 2003;112:683-8.

68. Pedersen S. Assessing the effect of intranasal steroids on growth. J Allergy Clin Immunol 2001;108:S40-4.

69. Penagos M, Compalati E, Tarantini F, Baena-Cagnani R, Huerta J, Passalacqua G, et al. Efficacy of sublingual immunotherapy in the treatment of allergic rhinitis in pediatric patients 3 to 18 years of age: a meta-analysis of randomized, placebo-controlled, double-blind trials. Ann Allergy Asthma Immunol 2006;97:141-8.

70. Portnoy J, Kennedy K, Sublett J, Phipatanakul W, Matsui E, Barnes C, et al. Environmental assessment and exposure control: a practice parameter--furry animals. Ann Allergy Asthma Immunol 2012;108:223 e1-15.

71. Potter PC. Update on sublingual immunotherapy. Ann Allergy Asthma Immunol 2006;96:S22-5.

72. Ratner PH, Ehrlich PM, Fineman SM, Meltzer EO, Skoner DP. Use of intranasal cromolyn sodium for allergic rhinitis. Mayo Clin Proc 2002;77:350-54.

73. Reed SD, Lee TA, McCrory DC. The economic burden of allergic rhinitis: a critical evaluation of the literature. Pharmacoeconomics 2004;22:345-61.

74. Rhee CS, Wee JH, Ahn JC, Lee WH, Tan KL, Ahn S, et al. Prevalence, risk factors and comorbidities of allergic rhinitis in South Korea: The Fifth Korea National Health and Nutrition Examination Survey. Am J Rhinol Allergy 2014;28:e107-14.

75. Sampson HA, McCaskill CC. Food hypersensitivity and atopic dermatitis: evaluation of 113 patients. J Pediatr 1985;107:669-75.

76. Satdhabudha A, Poachanukoon O. Efficacy of buffered hypertonic saline nasal irrigation in children with symptomatic allergic rhinitis: a randomized double-blind study. Int J Pediatr Otorhinolaryngol 2012;76:583-8.

77. Scadding GK. Optimal management of allergic rhinitis. Arch Dis Child 2015;100:576-82.

78. Schatz M, Petitti D. Antihistamines and pregnancy. Ann Allergy Asthma Immunol Off Publ Am Coll Allergy Asthma Immunol 1997;78:157-9.

79. Schatz M, Zeiger RS. Diagnosis and management of rhinitis during pregnancy. Allergy Proc Off J Reg State Allergy Soc 1988;9:545-54.

80. Schenkel EJ, Skoner DP, Bronsky EA, Miller SD, Pearlman DS, Rooklin A, et al. Absence of growth retardation in children with perennial allergic rhinitis after one year of treatment with mometasone furoate aqueous nasal spray. Pediatrics 2000;105:E22.

81. Seidman MD, Gurgel RK, Lin SY, Schwartz SR, Baroody FM, Bonner JR, et al. Clinical practice guideline: Allergic rhinitis. Otolaryngol Head Neck Surg 2015;152:S1-43.

82. Selner JC, Weber RW, Richmond GW, Stricker WE, Norton JD. Onset of action of aqueous beclomethasone dipropionate nasal spray in seasonal allergic rhinitis. Clin Ther 1995;17:1099-109.

83. Shaikh WA, Shaikh SW. A prospective study on the safety of sublingual immunotherapy in pregnancy. Allergy 2012;67:741-3.

84. Shoseyov D, Bibi H, Shai P, Shoseyov N, Shazberg G, Hurvitz H. Treatment with hypertonic saline versus normal saline nasal wash of pediatric chronic sinusitis. J Allergy Clin Immunol 1998;101:602-5.

85. Silverstein MD, Yunginger JW, Reed CE, Petterson T, Zimmerman D, Li JT, et al. Attained adult height after childhood asthma: effect of glucocorticoid therapy. J Allergy Clin Immunol 1997;99:466-74.

86. Torfs CP, Katz EA, Bateson TF, Lam PK, Curry CJ. Maternal medications and environmental exposures as risk factors for gastroschisis. Teratology 1996;54:84-92.

87. Tran NP, Vickery J, Blaiss MS. Management of rhinitis: allergic and non-allergic. Allergy Asthma Immunol Res 2011;3:148-56.

88. Turnbull GL, Rundell OH, Rayburn WF, Jones RK, Pearman CS. Managing pregnancy-related nocturnal nasal congestion. The external nasal dilator. J Reprod Med 1996;41:897-902.

89. Vlastarakos PV, Fetta M, Segas JV, Maragoudakis P, Nikolopoulos TP. Functional endoscopic sinus surgery improves sinus-related symptoms and quality of life in children with chronic rhinosinusitis: a systematic analysis and meta-analysis of published interventional studies. Clin Pediatr (Phila) 2013;52:1091-7.

90. Wallace DV, Dykewicz MS, Bernstein DI, Blessing-Moore J, Cox L, Khan DA, et al. The diagnosis and management of rhinitis: an updated practice parameter. J Allergy Clin Immunol 2008;122:S1-84.

91. Wang Y-H, Yang C-P, Ku M-S, Sun H-L, Lue K-H. Efficacy of nasal irrigation in the treatment of acute sinusitis in children. Int J Pediatr Otorhinolaryngol 2009;73:1696-701.

92. Werler MM, Mitchell AA, Shapiro S. First trimester maternal medication use in relation to gastroschisis. Teratology 1992;45:361-7.

93. Wheeler JG, Shema SJ, Bogle ML, Shirrell MA, Burks AW, Pittler A et al. Immune and clinical impact of Lactobacillus acidophilus on asthma. Ann Allergy Asthma Immunol Off Publ Am Coll Allergy Asthma Immunol 1997;79:229-33.

94. Wilson DR, Lima MT, Durham SR. Sublingual immunotherapy for allergic rhinitis: systematic review and meta-analysis. Allergy 2005;60:4-12.

95. Zuraimi MS, Tham KW, Chew FT, Ooi PL, David K. Home exposures to environmental tobacco smoke and allergic symptoms among young children in Singapore. Int Arch Allergy Immunol 2008;146:57-65.

비알레르기 비염

서울의대 이비인후과 **김정훈**, 동국의대 이비인후과 **박석원**

> **CONTENTS**

Ⅰ. 정의
Ⅱ. 원인 및 병태생리학
Ⅲ. 분류 및 임상적 특징

HIGHLIGHTS　　　　　　　　　　　　　　　　　　　　　》》》

- 비알레르기 비염은 알레르기 비염 범주에 해당하지 않는, 원인이 밝혀졌거나 밝혀지지 않은 비염 전부를 포괄적으로 일컬음
- 자율신경계의 불균형, 밝혀지지 않은 항원에 대한 알레르기, 정신 신체장애 등이 주요 원인으로 제시되고 있으나 그 중 자율신경계의 불균형이 가장 유력한 학설로 인정받고 있음
- 직업과 연관된 비염의 원인 물질로는 실험실 동물, 목재분진, 진드기, 라텍스, 효소, 낱알 그리고 산 무수물, 백금염, 용매 같은 화학물질 등을 들 수 있음
- 아스피린과 NSAIDs (Nonsteroidal anti-inflammatory drugs)는 비염과 천식을 흔히 유발함. 또한 코 증상을 유발하는 약물에는 reserpine, guanethidine, phentolamine, methyldopa, 앤지오텐신 전환효소 억제제, 교감신경 수용체 차단제, 점안 혹은 구강 베타차단제, chlorpromazine, 경구 피임제 등이 해당됨(약물 의존 비염)
- 코 안의 변화는 생리주기, 사춘기, 임신, 갑상선 저하증이나 말단 비대증 같은 특정 내분비 질환에 따라 일어남(호르몬성 비염)
- 음식유발성 비염은 음식을 섭취한 직후 맑은 콧물이 발생하는 증상이 전형적이며, 재채기, 가려움증, 코막힘 등의 기타 증상은 잘 동반되지 않음. 이는 미각 자극보다는 구강 내의 삼차신경의 자극으로 인한 것임
- NARES (Nonallergic rhinitis with eosinophilia syndrome)는 비즙 도말 검사상 호산구증가가 있으면서 피부 단자검사가 음성이거나 혈청의 알레르기항원 특이 항체가 증명되지 않는 경우에 진단을 내리게 됨

I | 정의

비염은 비 점막의 염증inflammation을 말하며 전 혹은 후 비루anterior or posterior rhinorrhea, 재채기sneezing, 비폐색 nasal blockage, 소양증itching of the nose과 같은 코 증상을 갖는다. 이 중 알레르기 비염은 비감염성 비염non-infectious rhinitis의 가장 흔한 형태로써 항원allergen에 대하여 IgE 매개 면역반응IgE-mediated immune response against allergens을 갖는 경우를 말한다(Bousquet et al., 2008). 이

와 대별되는 개념으로의 비알레르기 비염non-allergic rhinitis은 알레르기 비염 범주에 해당하지 않는, 원인이 밝혀졌거나 밝혀지지 않은 비염 전부를 포괄적으로 일컫는다. 이에는 감염성 비염Infectious rhinitis, 약물유발성 비염 Drug-induced rhinitis, 호르몬성 비염Hormonal rhinitis, 호산구 증가 동반 비알레르기 비염 증후군Non-allergic rhinitis with eosinophilia syndrome, NARES, 위축성 비염Atrophic rhinitis, 특발성 비염Idiopathic rhinitis 등이 포함되며 각각에 대해서는 분류에서 논의하고자 한다.

Ⅱ | 원인 및 병태생리학

자율신경계의 불균형, 밝혀지지 않은 항원에 대한 알레르기, 정신 신체장애 등이 주요 원인으로 제시되고 있으나 그 중 자율신경계의 불균형이 가장 유력한 학설로 인정받고 있다(Malcolmson, 1959). 비 점막의 신경 분포는 매우 분화되어 있고 복잡하다. 점막의 혈관 분포 및 점액 배출은 자율신경계에 의해 조절된다. 자율신경계의 비강 내 분포를 요약하면 아드레날린adrenaline과 neuropeptide Y를 분비하는 교감신경 섬유가 비강 내 혈관과 분비선에 분포하여 혈관 수축과 점막 위축을 초래하고 비강 개존도를 증가시키는 반면, 아세틸콜린acetylcholine과 vaso-active intestinal polypeptideVIP를 분비하는 부교감신경 섬유에 의해서 혈관확장과 콧물의 분비를 증가시킴으로써 비강 개존도를 감소시켜 비폐색을 초래한다. 이 같은 반응은 한쪽의 원심성 섬유만 자극되어도 양쪽으로 나타난다(Spector, 1995).

주된 감각신경은 삼차신경이 담당한다. C-섬유C-fiber는 통증이나 온도에 반응하는 감각신경으로, 비알레르기 비염과 가장 밀접한 감각신경이다. 브래디키닌bradykinin이나 히스타민histamine 같은 염증매개물질에 의해 자극되고, 니코틴, 연기, 포름알데히드, 캡사이신capsaicin을 흡입할 때도 자극된다고 최근 알려졌다. 일단 C-섬유가 자극되면 substance P나 calcitonin gene-related peptideCGRP 등과 같은 신경전달물질이 분비되어 혈관 투과성을 증가시키고 분비선을 자극한다. 그 결과로 비점막 내 분비선, 혈관 내피 세포와 상피 세포가 자극되어 가려움, 비루, 타는 느낌 등이 유발된다(Fokkens, 2002).

비 점막 구성 요소 중 어느 것이라도 기능 이상이 있으면 비알레르기 비염을 일으킬 수 있다. 정상 생리작용의 일환으로, 원심성 부교감신경의 자극은 분비선을 자극하여 점액을 배출하고, 교감신경의 자극은 비 점막의 충혈을 감소시킨다. 그리고 구심성 섬유의 과반응도 원심성 섬유의 신경자극에 대한 과장된 반응을 일으켜서 모세혈관 투과성을 증가시킴으로써 점액의 과도 배출 및 비점막 충혈을 일으킨다. 비알레르기 비염의 비특이적이고 혼동스러운 다양한 증상의 발현기전은 앞서 기술된 점막 조절의 복잡한 상호작용으로 인하여 정확하게 파악하기가 힘들다(Sanico and Togias, 1988).

지금까지 공기 중 자극물질irritants이 비 점막 내의 염증전달물질proinflammatory mediators과 신경 전달물질의 합성을 유발한다고 알려져 왔다(Bachert, 2004). 한 연구에서는 비알레르기 비염의 병태생리의 하나로 프로스타글란딘prostaglandin과 류코트리엔leukotriene을 포함하는 염증 연쇄 반응inflammatory cascade을 제안하였다. 그러나 그 근거에 대해서는 여전히 논란이 있다(Shahab and Phillips, 2004). 또 다른 이론으로 "united airway disease" 가설이 있는데 이는 상기도와 하기도는 연결되어 있고 한 곳의 병태는 다른 곳에도 영향을 미칠 것이라는 가설이다. 그 예로 부비동 질환이 있는 경우에 기관지 질환도 동시에 갖고 있는 경우가 많다는 것을 들고 있다. 또한 알레르기 천식, 비알레르기 천식, 만성 폐쇄성 폐질환을 갖고 있는 환자의 경우 비강 내 염증 반응과 코 증상도 증가해 있는 것을 볼 수 있다(Hens, 2008). 특히 천식과 만성 기관지염 환자의 경우 비알레르기 비염은 하기도 질환과 연관되어 있다(Hakansson et al., 2011).

III | 분류 및 임상적 특징

비알레르기 비염의 분류는 명확하게 확립되어 있지 않고 논문마다 다르게 분류하고 있으나 이 장에서는 2008년 ARIAAllergic rhinitis and its impact on asthma 가이드라인(Bousquet et al., 2008)에 따라 나누어 각각의 임상적 특징에 대해 이후에 논하고자 한다.

1. 감염성 비염

감염성 비염infectious rhinitis은 비부비동염이라는 용어로 주로 일컬어진다. 비부비동염은 비강 점막과 하나 이상의 부비동 점막을 침범하는 염증 과정을 일컫는다. 비강과 부비동의 점막은 이어져있기 때문에 비강 염증으로부터 촉발된 질환이 거의 항상 부비동의 점막을 침범하게 된다. 따라서 감염성 비염은 비부비동염 부분에서 다루겠다.

2. 직업과 연관된 비염

직업과 연관된 비염work-related rhinitis은 작업장의 공기 내 물질에 의해 유발될 수 있으며, 알레르기반응이나 비알레르기 과민반응에 의해서 일어난다(Gautrin et al., 2006). 원인 물질로는 실험실 동물(쥐, 생쥐, 기니피그 등)(Heederik et al., 1999), 목재분진(특히 mahogany, Western Red Cedar 등의 단단한 목재에서 나오는 분진)(Rivas et al., 1997), 진드기(Groenewoud et al., 2002), 라텍스(Bousquet et al., 2006), 효소enzymes(Sarlo and Kirchner, 2002), 낱알(빵 굽는 사람과 농부의 경우)(Gautrin and Ghezzo, 2002; Malo, 2005) 그리고 산 무수물, 백금염, 용매(Schiffman,

1992) 같은 화학물질 등을 들 수 있다.

직업과 연관된 비염은 잘 보고되지 않는 경향과 의사들의 인식 부족 때문에 종종 보고되지 않고 있다(Gautrin et al., 2006; Hytonen et al., 1997). 진단은 증상이 일과 연관되어 일어난다면 의심해볼 수 있다. 그러나 면역학적인 반응과 비 특이적인 과민반응을 구별하기는 어렵다. 일반 대중에서 비염의 높은 발병률을 고려할 때, 원인 물질이 무엇이건 간에 직업적인 원인 물질을 확인하는 객관적인 검사는 필수적이다(Hytonen and Sala, 1996). 비강 세척을 통한 염증물질의 측정과 비 충혈에 대한 객관적인 검사는 비강 내 반응을 모니터링하는 실용적인 방법이다(Gautrin et al., 2006). 음향 비강 통기도 검사 acoustic rhinometry와 최대흡기유량peak nasal inspiratory flow 검사도 진단과 치료 모니터링에 유용한 검사일 수 있다(Pirila et al., 1997). 직장에서 감작된 사람들에 대한 감시는 직업과 연관된 천식을 조기 진단하는 데 도움이 될 것이다.

3. 약물유발성 비염

아스피린Aspirin과 NSAIDsnon-steroidal anti-inflammatory drugs는 비염과 천식을 흔히 유발한다. 그 질환은 최근에 AERDaspirin exacerbated respiratory disease라고 정의되었다(Stevenson and Szczeklik, 2006). 일반 대중을 대상으로 무작위로 조사한 결과에 따르면, 아스피린에 대한 과민성은 알레르기 비염이 있는 사람들에서 그렇지 않은 사람들보다 더 많게 조사되었다(2.6% vs. 0.3%)(Hedman et al., 1999). 아스피린과 cyclooxygenase (COX-1과 -2) 효소를 억제하는 다른 NSAID가 천식이 있는 어른 환자의 약 10%에서 천식 발작과 비안 반응naso-ocular reaction을 촉발한다는 보고가 있다(Szczeklik et al., 2004). 아스피린으로 유발된 천식이라고 불리는 이 특징적인 임상적 증후군은 비강과 기관지에 심한 호산구성 염증과 cys-teinyl-leukotrienes^{CysLT}(Szczeklik and Stevenson, 2003)와 다른 prostanoids(Ying et al., 2006)의 과발현 같은 특징을 갖는다. 아스피린이나 다른 NSAIDs 복용 후에 급성 천식 발작이 3시간 안에 일어난다. 이때 보통 심한 콧물, 결막충혈, 눈 주위 부종, 두경부 홍조a scarlet flushing of the head and neck가 발생한다. 코 폴립이 심한 사람과 천식 환자는 증상이 더 오래가는데, 이는 아스피린이나 교차반응을 일으키는 약을 피하더라도 발생할 수 있다(Kowalski, 2000). 혈중 호산구 수치eosinophil counts가 올라가고 비점막과 기관지에서 호산구eosinophil가 발견된다. 특정 anti-COX-2 효소는 아스피린에 감작된 환자들에서 문제를 일으키지 않지만(Szczeklik and Stevenson, 2003) 대부분 더 이상 시장에서 판매되지 않고 있다.

몇몇 약물은 코 증상을 유발한다고 알려져 있다. 이에는 Reserpine(Girgis et al., 1974), Guanethidine(Bauer et al., 1973), Phentolamine(WIJK, 1991), Methyldopa (Bauer et al., 1973), 앤지오텐신 전환효소 억제제ACE inhibitor(Proud et al., 1990), 교감신경 수용체 차단제 adrenoceptor antagonists, 점안 혹은 구강 베타차단제Intra-ocular or oral ophthalmic preparations of β-blockers(Kaufman, 1986), Chlorpromazine, 경구 피임제 등이 해당된다.

약물유발성 비염rhinitis medicamentosa(Graf, 1997)이라는 용어는 혈관수축제 코 스프레이intranasal vasocon-strictor를 만성적으로 사용한 사람에서 나타나는 반삭용성 비 폐색rebound nasal obstruction을 일컫는다. 이 질환의 병태생리는 아직 완전히 밝혀지지 않았으나 혈관확장vasodilatation과 혈관 내 부종intravascular edema이 관여하는 것으로 알려져 있다. 약물성 비염의 치료로는 비 점막이 회복되기 위해 국소 혈관수축제의 사용을 중단하고 원인이 되는 비 질환을 치료하는 것이다(Graf, 2005).

코카인을 코로 흡입하는 것Cocaine sniffing은 코를 자주 킁킁거리는 증상frequent sniffing, 콧물, 후각 감소, 비중격 천공과 관련이 있다(Schwartz et al., 1989；Dax, 1990).

코, 눈, 귀에 다용도로 쓰이는 물약에는 benzalko-nium chloride가 가장 흔하게 보존제로 쓰인다. 이 보존제를 포함하는 비점액은 안전하며 장기간 사용에도 크게 문제를 일으키지 않는 것으로 알려져 있다(Marple and Benninger, 2004).

4. 호르몬성 비염

코 안의 변화는 생리주기menstrual cycle(Ellegard and Karlsson, 1994), 사춘기, 임신(Mabry, 1986), 갑상선 저하증(Incaudo and Schatz, 1991)이나 말단 비대증acro-megaly(Fatti et al., 200l) 같은 특정 내분비 질환에 따라 일어난다. 또한 호르몬 불균형은 폐경기 여성에서 나타나는 비 점막의 위축성 변화와 관련 있을지도 모른다.

지속적인 호르몬성 비염 또는 부비동염은 건강한 여성일지라도 임신의 마지막 삼분기last trimester에 나타날 수 있다. 그 정도는 혈중 에스트로겐estrogen 수준(El-legård, 2004)과 연관이 있으며 출산 시 증상이 사라진다.

다년성 알레르기 비염을 갖고 있는 여성에서는 임신 중 증상이 좋아지거나 악화될 수 있다(Schatz, 1998).

5. 물리화학적 원인과 연관된 코 증상

물리화학물질은 민감한 비 점막을 갖고 있는 사람에서나 심지어 정상인에서 화학적인 자극이 어느 정도 이상일 경우 비염과 비슷한 증상을 일으킬 수 있다(Leroyer et al., 1999). 온도의 갑작스러운 변화도 알레르기 비염 환자에서 코 증상을 일으킬 수 있다(Graudenz et al., 2006).

차갑고 건조한 공기를 만성적으로 들이마시게 되면 '스키 타는 사람의 코The skier's nose(Silvers, 1991)'라고 불리는 질환에 걸릴 수 있다. 그러나 이 질환과 정상적인 생리적 반응 사이에 명확한 구분이 없고, 모든 비염 환자들은 불특정한 물리 또는 화학적 자극에 코 증상이 악화될 수도 있다. 공기오염물질에 의한 비 점막의 급성 혹은 만성적인 영향에 대해서는 알려진 바가 거의 없다(Garciduenas et al., 1992).

비 호흡의 생리적인 변화는 모든 운동선수에서 중요하다. 비염에 대한 운동의 영향과 운동에 대한 비염의 영향은 1984년 올림픽 전에 상당한 관심을 받았다. 왜냐하면 만성적인 비염은 운동선수에서 매우 흔히 일어나고 운동 선수의 특별한 처치에 영향을 끼칠 수 있다고 밝혀졌기 때문이다(Katz, 1984). 운동선수들이 비염증상으로 고통 받는 것은 그들의 운동 능력에 영향을 끼치는 것으로 알려져 있다(Katelaris et al., 2002). 많은 운동선수들은 꽃가루가 날리는 시기에 알레르기 비염으로 고생하고 있으며(Katelaris et al., 2000), 그런 대부분의 선수들은 그들의 코 증상에 대해 치료를 받고 있다. 반면에 특정 조건은 코 증상을 유발한다. 여기에는 앞에서 언급한 '스키 타는 사람의 코'와 염소가스 혹은 hypochlorite liquid를 다량 흡입하게 되는 수영선수(Shusterman et al., 2003)가 해당된다. 육상 달리기 선수에서는 비 저항이 쉬고 있는 상태에서보다 반으로 떨어진다. 혈관수축이 달리기 시작한 직후에 일어나고 달리기가 끝나기 전까지 30분 동안 지속된다(Bonini et al., 2006). 여러 화학물질에 감작된 사람은 후각인식에 문제가 발생할 수도 있다(Ojima et al., 2002).

6. 흡연자에서 발생하는 비염

흡연은 냄새자극, 온도 및 습도의 변화와 함께 기존의 비염 환자들에게서 증상을 촉발 및 악화시키는 전형적인 비특이적 자극이다(Settipane and Kaliner, 2013). 흡연자들에게서 발생하는 비염 또는 흡연과 비염과의 상관관계에 대해서는 대단히 많은 기초 및 임상 연구가 보고되었으나 극소수를 제외하고 거의 전부가 알레르기 비염과 관련하여 흡연이 알레르기 비염의 악화인자임을 증명하는 연구들이다. 흡연이 비염을 악화시키는 기전은 담뱃잎이 탈 때 발생하는 다양한 화학물질이 비점막의 지각신경을 자극할 때 지각신경 또는 자율신경의 말단으로부터 반사적으로 분비되는 각종 신경펩티드의 영향(Groneberg et al., 2003), 또는 지질다당질lipopolysaccharide과 같은 담배에 포함된 염증유발물질이 점막의 사이토카인의 변화나 항산화 방어체계의 변화를 초래하여 생기는 영향(Tappia et al., 1995) 등으로 추정되며, 흡연이 비점막의 점액섬모청소율mucociliary clearance을 저하시키는 효과도 알려져 있다(Bascom et al., 1995). 기존의 비염 환자에게 흡연이 악화인자로 작용하는 것은 명백하나, 흡연이 폐암이나 만성 폐쇄성 폐질환을 유발하는 원인임이 명확한 것에 비하면 정상인에서 비염을 유발하는 원인인지는 명확하지 않다. 흡연이 비염증상들을 유발한다는 연구도 있기는 하지만(Jinot and Bayard, 1996; Schick et al., 2013) 정상인에게서 흡연이 코 증상과 관련하여 삶의 질을 떨어뜨린다는 증거는 없으며(Bousquet et al., 2004) 2008년부터 2011년까지 국내에서 진행하였던 국민건강영양조사사업 보고에 따르면 비염증상의 유병률은 흡연자군과 비흡연자군 간에 유의한 차이를 보이지 않았다(Lee et al., 2015).

7. 음식유발성 비염

맥주, 와인등 주류는 비점막 혈관의 직접적인 확장을 통해 비폐색을 유발할 수 있다(Settipane and Kaliner, 2013). 음식이나 음식 첨가물에 대한 알레르기 또는 과민반응이 있는 경우에 비염증상이 발생할 수도 있으나 드물며, 대부분은 알레르기와는 무관한 미각성 비염gustatory rhinitis의 형태이다. 음식을 섭취한 직후 맑은 콧물이 발생하는 증상이 전형적이며, 뜨겁거나 매운 류의 자극성이 있는 음식을 먹은 경우에 특히 심하다(Raphael et al., 1989). 재채기, 가려움증, 코막힘 등의 기타 증상은 잘 동반되지 않는다(Georgalas and Jovancevic, 2012). 성인 전 연령대에 발병 가능하나 나이가 들면서 증상이 심해지는 경향이 있다(Ang et al., 2006). 미각성 비염이라고 명명되었지만 실제로는 미각 자극보다는 구강 내의 삼차신경의 자극으로 인한 것이며, 원인에 따라 외상, 두경부의 수술, 뇌신경병증cranial neuropathy 등 원인이 있는 경우와 원인을 알 수 없는 경우로 분류할 수 있다(Jovancevic et al., 2010). 발병기전은 삼차신경을 경유하는 신경반사를 통하며, 역방향antidromic과 정방향orthodromic의 반사가 모두 관여한다. 역방향의 반사는 구강 내의 삼차신경에 포함된 무수 C-섬유unmyelinated C-fiber가 TRPTransient receptor potential 수용체를 통해 캡사이신이나 고온에 노출되면 자극된 뉴런 및 동일 뉴런의 다른 말단에서도 tachykinin, NKA (neurokinin A), CGRP, substance P 등의 신경펩티드를 분비하는 현상이며 이로 인해 구강에서의 자극에 의한 비강에서의 염증발생이 가능하다(Salib et al., 2008). 정방향의 반사는 삼차신경의 구심궁afferent arc을 통해 상타액핵superior salivatory nucleus을 반사중추로 하여 원심궁efferent arc인 부교감신경이 활성화 되는 것인데, 원래는 음식 섭취시 타액(침)의 분비를 증가시키기 위한 반사이지만 타액선을 향하는 부교감신경과 비점막을 향하는 부교감신경 간의 이상 연결이 발생하여 비점막에서의 점막하 분비선에서 콧물의 분비가 증가하게 되며 Frey 증후군이나 crocodile tear가 발생하는 기전과 유사하다(Salib et al., 2008). 정방향 반사의 효과가 우세하므로 염증물질에 의한 혈관 투과성 증가에 따른 혈관성 분비vascular secretion보다는 부교감신경 자극에 의한 샘 분비glandular secretion가 콧물 발생의 주기전이 되며, 음식유발성 비염일 때 콧물에 비해 다른 증상이 두드러지지 않는 것도 이러한 이유 때문이다. 환자는 식사 때마다 발생하는 비루로 인해 대인관계에 어려움을 호소하는 경우가 많다. 근치는 어려우며 가장 효과적인 대증치료는 식전에 항콜린 제제인 ipratropium 비분무제를 코에 분무하는 것이다. 기타 치료는 특발성 비염의 치료에 준하여 한다.

8. 호산구증가 동반 비(非)알레르기 비염 증후군

NARESNon-allergic rhinitis with eosinophilia syndrome는 1980년에 호산구성 비알레르기 비염eosinophilic nonallergic rhinitis이라는 이름으로 문헌에 처음 기술되었으며(Mullarkey et al., 1980), NARES라는 명칭은 1981년에 처음 등장하였다(Jacobs et al., 1981). 비즙 도말 검사nasal smear상 호산구 증가가 있으면서 피부 단자검사가 음성이거나 혈청의 알레르기항원 특이 항체가 증명되지 않는 경우에 진단을 내리게 된다. 비즙 도말 검사상의 호산구증가eosinophilia의 정의는 질병의 역사에 비해 아직 통일된 기준이 마련되어 있지 않으며, 초창기에는 비즙에서 측정되는 백혈구 중 25% 이상의 호산구(Mullarkey et al., 1980), 또는 다른 백혈구에 대비해 20% 이상(전체 백혈구 중의 비율로 환산 시 16.7% 이상)(Jacobs et al., 1981) 등이었으며 이후에도 현미경 4백배 시야에서 호산구 5개 이상(Greiner and Meltzer, 2006), 또는 전체 백혈구 중 호산구 20% 이상(Ellis and Keith, 2006), 10% 이상(Miri et al., 2006; Crobach et al., 1996), 5% 이상(Kaliner et al., 2009) 등으로 기준이 제각각이다. 2008년에 미국 알레르기 천식 면역학회에서 공표한 '비염의 진단-치료 실무지표'에서도 NARES의 호산구 증가는 5~25%로 기준이 다양하게 정해지고 있다는 부분까지만 언급하고 있다(Wallace et al., 2008).

병인으로 정해진 병명이 아니라 원인은 모르되 검사 결과에 따라 통칭하여 부르는 질환군이므로 실제로는 원인이 각기 다른 이질적heterogenous인 경우가 혼재하는 것으로 추정된다. NARES가 아스피린 과민증의 전구상태인 경우가 있으며(Vautrin et al., 1990), NARES에 천식이 동반되어 있는 경우는 흔하지 않으나 약 절반가량의 NARES 환자는 기관지의 비특이적 과민성을 보인다고 하였다(Leone et al., 1997). NARES에 포함될 소지가 있는 또 하나의 질환은 국소알레르기 비염local allergic rhinitis이다. 국소알레르기 비염은 비점막에만 국한되어 발생하는 알레르기반응에 의한 비염으로 entopy라고도 칭하며(Pattanaik D and Lieberman, 2010), 국소적으로는 IgE의 생성에 뒤따르는 알레르기 비염의 과정이 진행되지만 전신적인 혈청 내 IgE 상승이 없어서 통상적인 피부단자 검사나 혈청 IgE 측정으로는 알레르기가 확인되지 않는 경우이다. 국소알레르기 비염임을 증명하기 위해서는 알레르기 항원을 이용한 비강 항원 유발검사nasal allergen provocation test가 양성이거나, 비즙에서 항체 특이 IgE, 트립신 분해효소tryptase 및 호산구 양이온 단백질eosinophilic cationic protein, ECP의 증가가 확인되거나, 비강을 항원에 노출 시킬때 면역학적으로 Th2 양상의 염증세포의 침윤이 발생하는지의 증명이 필요하다(Rondón et al., 2012). NARES의 진단에서 국소알레르기 비염을 배제하기 위해 비강항원유발검사를 필수로 시행하도록 권하기도 하며(Ellis and Keith, 2006) 또한 국소알레르기 비염이 배제된 NARES 환자도 상당수 존재

하는 것 또한 알 수 있다(Becker et al., 2015). 비즙에서의 성분 측정 검사는 실험적으로는 가능하지만 아직 임상적으로 보편화되어 있지 않으며, 비강항원유발검사는 시행 과정이 복잡하고 확인 가능한 원인 항원의 종류가 제한되므로 국소알레르기 비염과 국소알레르기 비염이 아닌 NARES를 감별 진단하는 것이 현실적으로는 어렵지만 임상의사로서는 염두에 두고 있어야 하며, 과거 다수의 NARES 관련 임상연구 보고들도 국소알레르기 비염을 포함한 환자 군으로 구성되어 있을 가능성이 높으므로 그 점 역시 염두에 두어야 한다. 참고로 국소알레르기 비염은 아직은 소수 연구자들에 의해 집중적으로 보고가 되고 있어 다양한 연구자로부터의 연구보고가 좀 더 많이 필요한 상황이다.

NARES의 증상은 수양성 비루, 재채기, 소양증, 비폐색, 간헐적 후각저하 등으로 알레르기 비염과 거의 유사하다(Settipane and Kaliner, 2013). 치료로는 비강분무 스테로이드제가 주된 치료수단이며(Webb et al., 2002) 반응은 좋은 편이나 간혹 그렇지 않은 경우도 있다(Blom et al., 1997). 비강분무 스테로이드제와 항히스타민제의 병용이 분무제의 단독 사용보다 더 좋은 효과를 보인다는 보고도 있는데(Ambrosio et al., 1999) 이런 결과의 해석에는 역시 NARES 환자군에 국소알레르기 비염이 포함되어 있을 가능성을 염두에 두어야 한다.

9. 노인성 비염

알레르기 비염을 포함한 모든 종류의 비염이 노인들에게서도 발생한다. 그러나 노인에게 비염이 생겼다고 해서 무조건 노인성 비염으로 치부하지는 않는다. 노인성 비염은 노화에 따르는 해부생리적인 변화가 비염의 주된 유발 및 악화요인인 경우로 국한하여 지칭하는 것이 일반적이다. 노화에 따르는 대표적인 코의 해부학적 변

화는 조직의 전반적 위축이다(Settipane, 2011). 조직의 위축은 코의 혈관분포의 감소를 동반하며(Bende, 1983), 이는 혈류의 감소를 초래하게 되고 따라서 온도 및 습도 유지 효과가 저하되어 비강을 건조하게 만든다(Lindemann et al., 2008). 또한 분비선의 위축으로 인한 점액량 자체의 감소 및 건조함으로 인한 점액에서의 수분 부족으로 점액의 점도 상승이 일어나 끈적해진다(Pinto and Jeswani, 2010). 노화는 기본적으로 체내의 수분이 저하되는 상황인 것도 이러한 현상에 기여한다(Slavin, 2009). 섬모상피세포의 수가 노화에 따라 급격히 줄지는 않는 것으로 알려져 있으나(Edelstein, 1996) 섬모의 운동 자체는 감소하며(Ho et al., 2001) 점액 점도 상승과 섬모운동 감소가 합쳐져 점액섬모청소 기능의 저하가 온다. 게다가 코를 구성하는 연골 등 결체조직의 노화 위축은 비첨을 포함한 코의 외형적 변화를 수반하며 코의 통기성 저하를 유발한다(Edelstein, 1996). 결국 점막의 촉촉함이 없고 끈적한 점액으로 인한 후비루 및 이물감, 점막의 위축과 가피의 형성을 보이는 건조성 비염rhinitis sicca이 노인성 비염의 대표적인 원형prototype이 된다(Settipane, 2011). 그리고 이 상태가 더욱 심화되면 위축성 비염이 될 수도 있다. 노년기에 잘 나타나는 코의 생리적 변화는 자율신경실조에 따른 국소적 부교감신경기능 항진이다(Settipane, 2011). 국소적 부교감신경기능의 항진은 점막분비선의 분비능을 촉진하여 수양성 비루를 유발하며 이는 특발성 비염이나 음식유발성 비염의 병태생리와 일치한다(Pinto and Jeswani, 2010). 결국 특발성 비염이나 음식유발성 비염은 노인성 비염의 또 다른 형태라고 할 수 있다. 수양성 비루가 잦으면 코의 건조감은 덜할 것이라고 일견 생각되지만 건조성 비염은 증상이 상시적이며 특발성 비염은 순간적으로 발작적 증상이 발현되므로 실제로 임상에서는 잦은 수양성 비루 및 건조함에 의한 불편함을 모두 다 호소하는 노인 환자들을 어렵지 않게 볼 수 있다. 또한 노인들은 건강상 다른 연령

층에 비해서 약물을 투여하는 빈도가 높으므로 약물유발비염의 빈도 또한 높다. 게다가 약물이 비염의 원인임이 명확해도 다른 약으로 대체하거나 중단할 수 없는 경우도 있다.

치료는 비염의 원형에 맞춰 시행한다. 건조성 비염의 증상에 대해서는 비강 내를 습윤하게 유지해주는 것을 목표로 하여 비강세척과 실내 가습을 시행하도록 권하며, 점액의 점도를 낮추기 위해 guaifenesin이나 acetylcysteine 등의 거담제를 처방한다(Pinto and Jeswani, 2010). 비강 세척 시 생리식염수보다 다른 무기염류들을 포함하는 세척액을 사용하는 crenotherapy가 노인성 비염의 치료에 좀 더 효과가 좋았다는 보고가 근자에 있었다(Cantone et al., 2015). 수양성 비루에 대해서는 비루가 발생하기 전에 ipratropium 비분무제를 코에 분무하도록 한다. 약물치료가 환자를 효과적으로 만족시키는 경우가 그리 많지 않으므로 환자에게 질환의 병태생리가 노화와 상관이 있음을 주지시키고 어느 정도는 증상을 감수하여야 함을 설명하고 꾸준한 치료를 받을 것을 권하는 것이 필요하다. 노인에게 비염치료 목적의 처방을 할 때 주의할 점을 몇 가지 소개하면 다음과 같다.

① 비폐색을 개선할 목적으로 pseudoephedrine 등의 비충혈 제거제가 포함된 경구 약제를 처방하는 경우, 고혈압, 부정맥, 심부전등 심혈관계의 질환을 악화시킬 수 있고 노인들에게는 이런 경우가 흔하므로 주의해야 한다(Kaliner, 2011). 또한 특히 고령의 남성에게 비충혈 제거제를 투여하면 아드레날린 알파 수용체의 자극을 통해 방광경부를 수축시켜 요폐urinary retension를 유발하게 된다.

② 비루를 개선할 목적으로 항히스타민제를 처방하는 경우가 종종 있는데, 노인성 비염과 같은 혈관운동성 비염에서의 비루의 발생 기전은 히스타민과는 무관하므로 사실 2세대 이상의 항히스타민제는 대부분 효과가 없다(Bernstein, 2013). 1세대 항히스타민제는

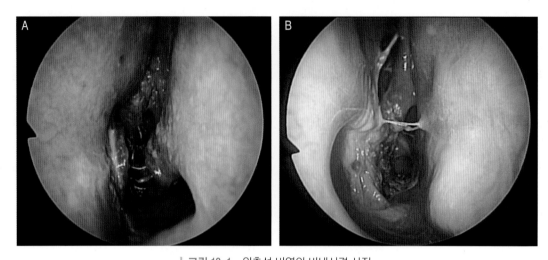

| 그림 12-1   위축성 비염의 비내시경 사진

A. 원발성 위축성 비염 환자의 좌측 비강(58세 남자, 중식당 요리사). B. 속발성 위축성 비염 환자의 우측 비강(72세 남자, 방사선치료를 받은 비강 임파선종 환자)

부작용인 항콜린효과를 통해 비루의 감소를 유도할 수는 있으나 구갈 등의 부작용이 있으며, 비루의 감소보다는 점액의 점도 상승효과가 커서 오히려 건조성 비염을 악화시키고 환자의 불편이 증가하는 경우가 많으므로 상당한 주의가 필요하다.

③ Ipratropium bromide spray도 항콜린제제로서 협각 녹내장, 전립선비대, 건조성 비염의 증상을 악화시킬 수 있는 약이므로(Bronsky et al., 1995) 처방에 신중해야 하며 처방 후 증상 개선도를 모니터할 필요가 있다.

10. 정서적인 원인의 비염

성적흥분이나 스트레스는 자율신경계를 통해 코 증상을 유발하거나 영향을 끼칠 수 있다. 성관계와 관련하여 재채기, 비루, 비폐색등의 증상이 발현되는 경우를 밀월비염honeymoon rhinitis이라고 하며, 심하면 천식발작이 유발되기도 한다(Monteseirin et al., 2001 ; Shah and Sircar,

1991). 환자는 대부분 알레르기 비염의 기왕력이 있고, 성관계 도중에는 증상이 없으나 성관계 직후에 증상이 악화되며 이는 성관계 시 교감신경의 흥분이 우세하다가 종료 후 교감신경이 약화되고 부교감신경의 영향이 상대적으로 증가하면서 발생하는 것으로 생각된다. 정서적인 원인은 아니지만 운동 후에도 비염증상이 발생하는 경우가 있으며 이 또한 비슷한 기전으로 해석된다(Harris, 1992). 감정적인 스트레스는 대부분 비염증상의 유발 및 악화인자로 작용한다. 알레르기 비염환자에게 항우울제인 imipramine을 항히스타민제와 함께 투여한 군에서 항히스타민제만 투여한 군에 비해 삶의 질 지표의 향상 정도가 우수했다는 보고가 있다(Hennawi et al., 2015).

11. 위축성 비염

위축성 비염atrophic rhinitis은 비강 내 점막의 위축과 가피의 과도한 형성이 특징인 질환이며 악취를 동반하는 경우에는 ozena, 냄새코염, 취비증(臭鼻症)stinking nose 등의 병명으로도 불리운다. 점막의 위축뿐 아니라 골부의 흡수로 인해 비갑개가 줄어들고, 콧속의 공간은 과도하게 넓어 보이나 환자는 비폐색 증상이 오히려 심하다. 가피는 정체된 점액이 굳어서 생기는데 대개 황록색이며 악취를 발생시키는 주원인이고 초기에는 무르다가 판상으로 덩어리가 되어 점막에 밀착되어 가는 경우가 많고 비인강으로 가피형성이 진행되어 있기도 하며 굳은 가피는 제거 시 점막에서 출혈이 생기기도 한다(그림 12-1). 후각이 저하되어 있는 경우가 많다. 기원전 고대 이집트의 기록에서도 질환에 대한 묘사가 있을 정도로 역사가 오래되었으며(Shehata, 1996) 1930년대부터 원발성primary(일차)위축성 비염과 속발성secondary(이차)위축성 비염으로 구분하기 시작하였고(Ruskin, 1932) 이는 지금도 유용한 구분법이다. 증상이 경미한 경우는 노인성 비염 항목에서 언급한 바 있는 건조성 비염과 병태생리 및 임상양상이 유사하며 건조성 비염을 위축성 비염과 같은 스펙트럼의 질환으로 보는 의견도 있다(Hildenbrand et al., 2011). 건조성 비염은 과거에는 위축성 비염과 혼용되어 쓰인 적이 있는 용어이고, 위축성 비염과 구분되어 사용되는 현재까지도 명확한 정의가 내려지지 않았으나 대개 환자가 호소하는 주관적인 건조감이 있으면서 검진상 가피가 관찰되면 건조성 비염으로 간주할 수 있고, 위축성 비염처럼 비폐색, 비출혈, 후각감퇴 등이 동반되기도 한다(Hildenbrand et al., 2011). 점막의 위축은 아직 두드러지지 않으며 오히려 비후가 있는 것으로 보이기도 한다(Moore and Kern, 2002). 건조증상은 인두와 연결되어 나타나기도 하며 코 증상보다 목 증상을 더 불편해 하기도 한다.

원발위축성 비염은 사회경제적 상태가 낮은 사람에게 잘 생기는 편이며 중동, 동남아 및 서남아, 중국, 아프리카 등 아열대 및 열대지방 개발도상국가에서 유병률이 높다(Dutt and Kameswaran, 2005). 실제 위축성 비염에 대한 임상연구보고도 인도나 중동에서 많이 이뤄지고 있다. 사춘기부터 발생하며 그 이전에는 거의 생기지 않고, 남자에 비해 여자에게 생기는 빈도가 5.6배 정도 높으며(Bunnag et al., 1999) 이는 내분비적인 영향이 있음을 시사한다(Hildenbrand et al., 2011). 약 85%의 환자에서 알레르기 비염이 선행한다는 보고가 있다(Bunnag et al., 1999). 해부학적으로는 점막의 상피와 점막하 조직, 심지어는 골부까지도 진행성 위축이 관찰되며 대개 비갑개가 작아져 있고 비강의 공간이 넓어져 있다(Moore and Kern, 2002). 조직학적으로는 점막분비선의 위축, 섬모와 배세포goblet cell의 결손 및 편평상피화생squamous metaplasia, 고유판lamina propria의 육아종성 염증세포침윤과 섬유화 및 반흔형성, 동맥내막염endarteritis 등을 보인다(Moore and Kern, 2002; Barbary et al., 1970). 발병기전은 아직 확실하지 않다. 미생물학적 관점에서 볼 때 환자의 비강에서 세균배양검사를 하면 Klebsiella ozaenae가 대부분 검출된다(Moore and Kern, 2002; Han, 1982). 참고로 돼지에서의 위축성 비염은 돼지의 3대 전염성 호흡기질환 중 하나로 취급될 만큼 사람에서보다 훨씬 흔하며 이환된 개체의 생장에 지장을 줘서 축산업에서 큰 문제점 중 하나였다. 이환된 돼지에서는 *Pasteurella multocida* 및 *Bordatella bronchiseptica*라는 세균이 검출되며 이들 세균의 독소가 위축성 비염의 각종 병리적 현상의 유발요인임이 밝혀져 있고, 이들 세균에 대한 백신이 위축성 비염 발생예방에 효과적이므로 돼지사육 시 기본접종으로 시행하고 있다(Hsuan et al., 2009; Kang et al., 2008). 이와 유사한 맥락에서 Klebsiella ozaenae가 인체 비점막에서 섬모운동성을 저하시키는 것을 증명하는 등(Ferguson et al., 1990) 사람에서 위축성 비염을 유발하는 원인균일 가능성이 상당히 있으나, *Pseudomonas aeruginosa*, *Escherichia coli*, *Proteus mirabilis* 등 기타 다른 종류의 세균이 함께 배양되는 경우도 많고(Hildenbrand et al., 2011) 항생제를 사용하는 치료가 그리 효과적이지 않은 점 등으로 보았을 때 Klebsiella가 병인임을 입증하는 연구는 좀 더 필요하다. 위축성 비염환자의 비강에서 국균류의 진균이 검출되는 경우도 많은데 이것이 질병의 원인인지 이차적 현상인지는 명확하지 않다(Effat and Madany, 2009). 환자에게서 채취한 검체로 시행한 연구에서 T세포 매개면역이 저하되어 있는 것이 발견되었고 이에 바이러스 감염이나 영양결핍 등에 기인한 비점막에 대한 자가면역질환일 가설이 제기되었으나(Fouad et al., 1980) 이후에 검증된 바는 아직 없다.

속발위축성 비염은 관련 선행질환이 있거나 그로 인한 치료를 한 이후에 위축성 비염이 발생하는 경우이다. 비강 내 수술, 특히 비갑개 절제술로 비강이 과도하게 넓어지게 된 후에 종종 발생하며, 만성육아종성 질환에 동반되어 오기도 하고, 외상, 방사선치료, 쇼그렌 증후군 등도 원인이 될 수 있다. 유소아에게는 위축성 비염이 거의 발생하지 않으나 Christ-Siemens-Touraine 증후군과 같은 선천적 외배엽 형성이상 ectodermal dysplasia 이 있거나 화골성 기관병증osteochondroplastic tracheo-bronchopathy이 있는 경우 속발위축성 비염이 발생하기도 한다(Wiesmiller et al., 2005; Jepsen and Sorensen, 1960). 방사선치료나 쇼그렌 증후군 등은 자체가 비점막의 점액섬모 청소능을 저하시키는 요인이며, 비갑개의 절제는 비강의 온도 습도 유지능력을 저하시키고 정상의 비기류인 층류를 유지할 수 없게 되며 발생한 와류가 비강의 건조를 촉진하게 된다(Naftali et al., 2005). Mayo클리닉의 다증례 분석 보고에 따르면 속발위축성 비염 197례 중 발생 전에 비갑개를 부분적 또는 전체적으로 절제하는 수술을 받은 경우가 80%에 달했으며 총 96%가 코 수술 후 발생하였다. 또한 미생물 배양을 시행했을 때 원발위축성 비염과는 달리 62건 중 3건에서만 Klebsiella ozaenae가 검출되었다(Moore and Kern, 2002).

비갑개 절제 후 발생할 수 있는 질환으로 빈코증후군empty nose syndrome이 있는데 이 병명도 Mayo 클리닉에서 처음 붙여졌으며 의인성 위축성 비염iatrogenic atrophic rhinitis과 동의어 취급을 받기도 하나 의인성이라는 공통점하에 증상이 일부 겹치는 부분이 있을 뿐 증상의 스펙트럼은 제법 다르므로 완전한 동의어로 볼 수는 없다. 환자의 주증상은 비폐색감이 대표적이며 흡기 시 발생하는 비강안면 통증, 두통 및 불안, 초조, 흥분성, 우울, 수면장애 등 환자의 주관적인 증상들이 포함되고 오히려 가피나 악취등은 상시적이지 않다(Kuan, 2015). 빈코증후군에서의 가장 공통적인 증상 5가지로는 역설적 비폐색, 호흡곤란, 비강 및 인두 건조감, 후각감퇴, 우울감이 꼽힌다(Chhabra and Houser, 2009). 주관적인 증상, 특히 비갑개 절제 후 역설적인 비폐색이 발병하는 기전으로는 기류변화로 인해 흡기가 비점막의 TRPM8 (Transient receptor potential (TRP) channel melastatin 8)과 같은 저온수용체를 구석구석 자극하는 효과가 감소하기 때문이고 아울러 비점막의 지각신경의 손실 및 불량한 재생 때문이라고 추정하고 있다(Zhao et al., 2011; Sozansky and Houser, 2015). 빈코증후군 환자는 멘톨을 이용한 비점막의 저온자극에 변연계가 반응하는 양태가 정상인과 다름이 f-MRI연구로 확인되었으며(Freund, 2011), 수술 후 지각신경의 재생 또는 상위신경과의 연결의 개체적 차이가 비갑개 절제술을 받은 환자 중 빈코증후군의 발생여부 또는 주관적 증상의 차이를 반영할 것으로 추정한다(Sozansky and Houser, 2015). 빈코증후군을 초래한 수술의 유형에 따라 하비갑개 절제형, 중비갑개 절제형, 중-하비갑개 동시절제형, 비갑개 보존시술형의 4가지로 나누기도 하는데, 가피는 하비갑개 절제형에, 흡기 시 통증발생은 중비갑개 절제형에, 우울증이나 후각저하는 동시절제형에 잘 발생하는 것으로 분석하였다(Chhabra and Houser, 2009).

진단은 병력과 진찰만으로도 가능하다. 알레르기 선행환자일 가능성이 있으므로 알레르기 검사를 하는 것도 좋으며, 필요에 따라 비강조직생검, 비강미생물도말 및 배양, 컴퓨터단층촬영 등을 시행해 볼 수 있으나 필수적이지는 않다. 속발위축성 비염으로서 선행병인의 존재가 의심되거나 원발위축성 비염이라도 철결핍이나 영양결핍 등이 의심되는 경우에는 그에 합당한 검사를 진행한다. 컴퓨터단층촬영으로는 부비동의 점막비후, os-tiomeatal complex의 폐쇄, 부비동의 발육저하, 비강의 확장 및 비강외측벽의 파괴, 비갑개 골부의 감퇴 또는 소실 등을 볼 수 있다(Hildenbrand et al., 2011).

치료는 완치를 달성하기는 어렵고 대부분 증상을 경감시켜주는 방법이다. 비수술적 치료와 수술적 치료로 구분할 수 있으며, 비수술적 치료로는 선행하는 요인의 해결, 가피제거, 비강 세척을 통한 청결유지, 보습, 항생제의 사용 등이 있다(Hildenbrand et al., 2011 ; deShazo and Stringer, 2011). 근거중심의학에 입각한 보고에 따르면 비강 세척은 만성부비동염에는 매우 효과적이나, 위축성 비염에 효과적인지를 확실히 입증할 근거는 희박하다(Hildenbrand et al., 2011). 그럼에도 불구하고 비강 세척은 시행이 용이하고 비용이 적게 드는 치료로서 종종 권장된다. 일일 일측당 200 ml 분량의 등장성 또는 고장성 식염수로의 세척이 효과적이며 세척의 끝은 스테로이드를 용해시킨(흡입기용 budesonide respule 1앰플, 0.25 mg) 식염수 50 ml로 세척을 마무리 하는 것이 효과적이다. 또한 가피에 악취가 심하거나 농성비루가 있을 때는 생리식염수 1리터에 항생제(mupirocin 5 g, levofloxacin 500 mg, clindamycin 600 mg, tobramycin 80 mg, 또는 ceftazidime 1 g)를 혼합하여 세척한다(Elliott and Stringer, 2006). 염화나트륨 이외의 다른 무기염류를 포함하는 액제나 포도당 25% 포함 글리세린액 등도 세척액으로 사용 가능하다(Bahadur and Take, 2008). 건조한 비점막의 보습에는 일반적인 생리식염수 이외에 dexpanthenol을 함유한 연고나 비분무제, 10% 글리세롤, 비타민A유, 참기름 등도 사용할 수 있다고는 하나

(Hildenbrand et al., 2011) 임상연구적 근거는 좀 더 필요하다. 세척액에 첨가하는 것 외의 항생제의 전신적 투여는 위축성 비염에는 별 효과가 없고, 전신증상이나 부비동염 등을 동반한 경우가 아니면 무의미하다(deShazo and Stringer, 2011). 전신 투여가 필요할 때에는 quino-lone을 주로 사용한다(deShazo and Stringer, 2011).

수술은 조직의 위축으로 인해 확대된 비강의 공간을 줄여주는 방법, 비강을 임시로 폐쇄하는 방법, 건조한 점막의 윤활도를 증가시키는 방법, 비강의 혈류증진을 도모하는 방법 등이 있다(Dutt and Kameswaran, 2005). 비강의 공간을 줄이는 것은 비강 내 기류, 특히 와류가 줄어듦으로써 점막이 건조해지는 조건을 완화시킬 수 있고, 비강을 폐쇄하는 것은 아예 기류를 없앰으로써 건조자극으로 손상된 점막이 회복될 시간을 벌어주는 효과를 기대하는 것이다. 특히 빈코증후군의 경우에는 비강의 청결 유지보다는 폐색감이나 통증 등의 증상 개선이 주된 치료목표인데 세척 등 보존적인 방법의 치료로는 증상들이 호전되지 않는 경우가 많다(Jang et al., 2011). 빈코증후군 환자에서는 생리식염수를 적신 솜을 비강 내 수술대상 공간에 20~30분간 넣어둔 상태에서 환자의 증상이 호전되는지를 점검하여 수술로 보강할 부위와 예상 효과를 미리 예측해보는 cotton test를 하기도 한다(Houser, 2007). 비강의 폐쇄는 비공에서 피부피판을 만들어서 봉합을 하여 비공을 막는데 양측을 동시에 하지 않고 순차적으로 하며 반대측을 할 때 먼저 시술한 쪽을 개방하여 회복 정도를 확인하는 술식이 1967년에 영국에서 처음 소개되었으며(Young, 1967) 개발자의 이름을 따 Young's operation이라고 한다. 이 술식은 이후 다양한 변형시술법이 소개 되었다(Sinha, 1977 ; Gadre, 1973, Kholy et al., 1998). 시술 후 점막의 회복이 조직학적으로 증명되었으나, 전체과정이 복잡하고 재발의 우려가 있으며 폐쇄를 해제한 이후에 오히려 비공의 협착이 문제가 될 소지가 많다는 것이 단점이다(Pavithran et al., 2010). 수술적인 폐쇄 대신 코 모양에 맞게 임시로 폐쇄하는 보형물을 제작해 코에 끼우고 지내는 방법도 있다(Kumar and Chandra, 2008). 비강 공간을 줄이는 술식은 Caldwell-Luc 접근법을 통해 상악동 내벽 및 비강 외벽을 비강쪽으로 전위시키는 방법을 독일의 Lautenschlager가 1923년에 소개한 것이 최초이며(Dutt and Kameswaran, 2005), 현재 주로 이용되는 수술적 치료법은 이식물을 비강 내외측이나 비강저의 골점막하 공간에 삽입하여 비강을 줄이는 방법이다. 이식물로 사용하는 물질로는 연골 및 뼈, 근육, 근막, 지방 등의 자가 또는 동종 생체 채취재료 및 hydroxylapatite, calcium phosphate ceramic, polyethylene sponge 등의 인조뼈 재료, 무세포진피, 테플론, 실리콘 등의 공간충전재료 등이 다양하게 이용되고 있다(Hildenbrand et al., 2011; Dutt and Kameswaran, 2005; Chhabra and Houser, 2009; Banks and Gada, 2013; Leong, 2015). 하이알유론산 젤이나 흡입추출 자가지방 등은 효과가 장기간 유지되지는 않지만 점막하공간에 주사로 간편하게 주입할 수 있다(Modrzyński, 2011; Friji et al., 2014). 건조한 점막의 윤활도를 증가시키는 방법으로는 구강으로 이하선의 타액이 배출되는 도관인 Stensen씨 관을 상악동을 경유해 코로 배출되게 출구를 바꾸는 수술이 있었는데 실제 시행받은 환자 중에는 침이 코로 배출되는 것을 원래의 위축성 비염 증상보다 훨씬 불편해 하는 경우가 있었으며(Gadre et al., 1971) 근자의 문헌에서는 보고되지 않고 있어 지금은 거의 시행하지 않는 것으로 보인다. 하비도에 개창을 하고 Calwell-Luc접근법으로 상악동 점막을 거상한 뒤 하비도를 통과시켜 비강에 상악동 점막을 이식하는 수술을 양측에 시행하는 방법도 있었으며(Raghaw, 1978) 이는 정상의 점액섬모기능을 하는 건강한 점막이 비강 내를 채우고 공간도 물리적으로 줄이는 효과를 함께 목표하는 방법이지만 이 수술방법에 대한 후속 연구보고는 없다. 비강의 혈류증진 도모 차원에서 성상절차

단술stellate ganglion block이 시행되었던 적도 있으나 이 또한 관련보고가 빈약하다(Sharma and Sardana, 1966). 빈코증후군과 관련하여 2007년부터 2014년까지의 9개의 임상연구보고를 종합하여 리뷰한 최근 문헌에 따르면 가장 많이 시행된 수술은 비강 측벽에 포켓을 만들어서 이식물을 삽입하는 방법이고 수술이 환자의 증상경감에 효과적이지 못한 경우는 21%였다(Leong, 2015).

12. 특발성 비염 Idiopathic rhinitis

비알레르기 비염의 71%를 차지하는 가장 전형적이고 대표적인 형태로(Settipane, 2009) 비루, 비폐색, 후비루 등 만성적인 비염 증상이 있으면서 알레르기가 증명되지 않고, 이제까지 전술한 종류의 비염 중 노인성 비염 및 음식유발성 비염을 제외한 나머지 어느 것에도 해당하지 않으며, 더 이상 다른 원인을 추정할 수 없는 경우에 특발성 비염 또는 원인불명비염이라고 한다. 통상적으로 이환 기간이 1년 이상인 경우에 해당한다(Pattanaik and Lieberman, 2010). 성인에서 발병하고 여성에서의 발생빈도가 남성에 비해 두 세배 높다(Kaliner et al., 2009). 원인은 정확히 밝힐 수 없어도 알레르기나 감염성 자극이 아닌 온도, 습도 또는 기압의 변화, 냄새, 담배연기나 매연 등 다양한 종류의 비특이적 자극에 의해 비염의 증상이 촉발되며, 전체 비염 환자의 1/3 가량이 이러한 유형의 비염인 것으로 추정하고 있다(Kaliner and Far, 2009). 혈관운동성 비염vasomotor rhinitis이라는 병명으로도 흔히 불리워 왔으나, 2008년에 WAOworld allergy organization 주관 전문가 원탁회의round table meeting에서 혈관운동성 비염은 혈관과 분비선의 내인적인 이상으로 인해 발생하는 염증을 의미하는 명칭이나 실제로는 그보다는 신경지각이상이 주된 발병기전이며 병리적인 염증의 형태는 질병의 주요요건이 아니므로 비알레르기

┃ 표 12-1   임상적 특징에 따른 특발성 비염(non-allergic
          rhinopathy*, NAR)의 정의

A. 다음에 열거하는 증상 중 일부가 있을 것
  1. 일차증상 : 비폐색, 비루
  2. 기타 연관증상 : 후비루(위산역류 등 인두에서의 원인이
     없을 것), 헛기침(throat clearing), 기침, 이관기능이상(이
     충만감, 갑자기 열리는 느낌, 통증 등), 재채기, 후각감퇴,
     안면압박감/두통

B. 증상은 통년성, 지속성, 계절성 모두 가능하며 다음에 열
   거하는 인자들로 인해 촉발된다. 단 이 촉발인자의 확인이
   NAR의 진단에 필수적인 것은 아님.
   찬공기, 기후의 변화(기온, 습도, 기압), 강한 냄새, 담배연
   기, 성호르몬 수치의 변화, 대기오염물질 및 화학물질, 운동,
   주류 (알코올)

C. 여자:남자 비율은 2:1 내지 3:1

D. 대부분 성인이 되어야 발병

E. 비점막은 종종 정상처럼 보이나 간혹 붉고 두툼하며(beefy) 소량
   의 점액이 있을 수 있음

F. 피부단자검사나 항원특이 IgE 검사에서 음성

G. 다음의 상태가 병발되어 있을 수 있음
  1. 음식유발 비루
  2. 비즙 호산구 5% 미만
  3. 이관기능이상
  4. 노인성 비염

H. 다음의 상태가 원인이어서는 안됨
  1. 만성부비동염 또는 비용
  2. NARES(비즙호산구 5% 이상)
  3. 아스피린 유발 비염, 비용, 천식
  4. 감염성 비염 또는 부비동염
  5. 해부학적 이상
  6. 약물성 비염
  7. 뇌척수액 비루
  8. 임신

*특발성 비염 또는 혈관운동성 비염의 대체용어

코병증nonallergic rhinopathy이라는 새로운 명칭을 혈관
운동성 비염이나 특발성 비염이라는 명칭 대신 사용할
것을 주창하였다(Kaliner et al., 2009). 이 제안이 절대적
인 것은 아니며 현재도 혈관운동성 비염이나 특발성 비
염이라는 명칭은 널리 사용되고 있지만, 이 회의체에서
제안한 비염에 대한 자세한 정의방법에 대해서는 비과

학을 전공하는 입장에서는 잘 알아둘 필요가 있다고 생
각하여 표로 정리하여 소개한다(표 12-1). 또한 회의체
에서는 환자를 대상으로 임상연구를 할 때의 포함기준
과 제외기준에 대해서도 논의를 하였으며, 포함기준으로
는 전술한 정의 기준 이외에도 2년 이상의 증상이 있는
12세 이상의 환자를 대상으로 할 것을 명시했다. 제외기
준은 상당히 복잡하고 까다로우며 분량이 많아 교과서
에 그대로 옮기기가 어려우나, 임상연구에서는 지켜져야
할 기준이므로 필요 시 참고할 것을 권장한다(Kaliner et
al., 2009).

이질적인 병태생리의 질환들이 원인불명이라는 하나
의 카테고리에 아직 묶여있을 가능성도 있음을 생각하
면 발생기전은 여러 가지일 가능성이 충분히 있으므로
이에 대한 연구는 지속적으로 이루어질 것으로 전망한
다. 발생기전은 크게 비점막 투과성의 증가, IgE 매개가
아닌 non-IgE-mediated 염증반응, 신경원성neurogenic
반응의 세 가지가 가장 중요하다(Fokkens, 2002). 비점막
투과성의 증가는 점막의 직접적인 손상을 가하는 외부
자극물질, 염증반응에서 생성되는 각종 염증물질, 신경
원성 반응에서 생성되는 신경전달물질 등이 모두 유발
할 수 있으며 특발성 비염만의 특징적 병태생리는 아니
다. IgE 매개가 아닌 염증반응은 이론적으로는 IgE 양성
인 세포의 부재상황 혹은 국소적으로 Th2 조건이 아닌
상황에서 염증세포의 동원 등 비점막 염증의 병리적 증
거를 확인하면 되나, 아직 기존 연구들은 특발성 비염에
서 이러한 과정을 완벽히 증명할 수 없었고 오히려 IgE
매개염증이 의심되는, 알레르기 비염과 유사한 상황을
종종 확인하였다(Powe et al., 2001 ; Powe et al., 2000). 이
는 필시 특발성 비염과 NARES 혹은 더 나아가서는 국
소알레르기에 대한 구분이 모호한 채 연구를 시행한 결
과일 가능성이 높을 것으로 추정되며, 근자에는 알레르
기와 유사한 결과가 나오는 나오는 경우 국소알레르기
를 추정하기 시작했다(Çomoğlu et al., 2012). 이에 대하

여는 좀 더 연구가 필요하나, 임상적으로 특발성 비염 환자에게 스테로이드제나 항히스타민제를 사용했을 때 알레르기 비염 때보다 효과가 적은 경우가 많은데 이는 어차피 조직학적으로 정의되는 백혈구의 침윤을 동반하는 염증이 특발성 비염의 주된 병리기전이 아님을 시사한다(Garay, 2004). 특발성 비염에서 현재까지 알려진 가장 주된 병리기전은 신경원성 반응기전이다. 기본적으로 외부의 유해자극이 코에 가해지면 유해자극을 감지하는 지각신경의 C섬유를 통한 통각반사작용이 발동하여 자극물질을 제거하기 위해 분비물이 증가하고 재채기가 발생하게 되는데 이 반사의 원심궁은 부교감신경이 담당한다. 자율신경의 불균형으로 부교감신경의 활성도가 증가하는 상황이 선행하면 이것이 정상보다 훨씬 심해지게 된다(Garay, 2004). 재채기나 콧물 반사는 정상적인 반사이지만, 너무 예민하고 과다하다면 비염으로 취급받게 되는 것인 셈이다. 또한 외부유해자극을 접할 때 펩티드성 섬유peptidergic fiber인 C섬유 자체가 방출하는 substance P, CGRP 등의 신경펩티드 물질들이 지배영역의 혈관투과성과 분비성향을 증가시키게 된다(Garay, 2004). 이러한 정방향 및 역방향 반사기전의 상당부분은 음식유발성 비염 항목에서 이미 설명한 바 있다. 보충하자면 음식유발성 비염의 반사자극은 구강의 삼차신경에서 인지하지만 일반적인 특발성 비염은 비강의 삼차신경이 자극을 인지한다. 또한 C섬유는 고온이나 캡사이신에 자극받는 TRPV1 (Transient receptor potential vanilloid receptor 1) 외에도 저온이나 양파 및 겨자 등에 자극받는 TRPA1 (Transient receptor potential ankyrin 1) 등 다른 다양한 통각수용체들을 가지고 있으며 이들이 다양한 외부의 유해자극들을 수용하게 된다(Nagata et al., 2005). 예를 들면 오존도 TRPA1을 통해 유해자극을 가하는 것으로 알려졌다(Clark and Undem, 2010). 그 밖에, 특발성 비염 환자의 비점막에서 일산화질소합성효소 nitric oxide synthase, NOS의 활성이 증가되어 있음을 증명

함을 통해 특발성 비염에서 일산화질소의 역할이 있음을 시사하는 보고들도 있다(Ruffoli et al., 2010; Giannessi et al., 2003).

증상은 표 12-1에서 보듯이 비루 또는 비폐색이 가장 중요한 증상이다(Kaliner et al., 2009). 비루가 주증상인 유형runner과 비폐색이 주증상인 유형blocker으로 나눠 볼 수도 있다. 알레르기 비염과 비교해 봤을 때 재채기 같은 자극 증상은 있을 수는 있지만 빈도는 덜하다(Lindberg and Malm, 1993). 여러 가지 비특이적 자극에 의해 증상이 촉발되는 경우가 흔한데 알레르기 비염 환자의 약 65%에서도 비특이적 자극에 의해 증상이 악화되는 현상이 나타나므로(Kaliner and Far, 2009) 이런 경우에는 증상만을 가지고 알레르기 비염인지 비알레르기 비염인지를 구분하는 것은 쉽지 않다. 진단은 다른 원인이 알려진 진단명을 확실히 배제함으로써 내리는 것이며 그렇게 하기 위해서는 알레르기 검사, 비즙 도말 검사 및 철저한 병력 청취가 필요하다. 또한 향후 국소알레르기를 감별하기에 임상적으로 적합한 검사법이 개발되면 필수 검사 항목으로 새로이 분류될 가능성이 높다.

치료는 약물치료를 했을 때 일반적으로 알레르기 비염보다는 치료효과가 전반적으로 떨어지는 편이다(Pattanaik and Lieberman, 2010; Blom, 1997; Garay, 2004). 일반적으로 가장 많이 쓰이는 약은 비강분무스테로이드제이다. 983명의 비알레르기 비염 환자를 대상으로 한 연구에서 비강분무스테로이드제는 위약에 비해서 약효가 확실했으며 비즙호산구증가가 있는 군 및 없는 군 모두에서 유의한 효과를 나타냈다(Webb et al., 2002). 비강분무스테로이드는 비염에서 적용 증상들의 범위가 가장 넓고, 비알레르기 비염의 모든 아형들에서 최소한 어느 정도의 효과는 있으므로 1차 치료제로 고려되어야 한다(Kaliner, 2011). 비강분무항히스타민제도 비알레르기 비염에 효과가 있음이 보고된 바 있으며(Banov CH, Lieberman, 2001; Lieberman et al., 2005) 이때는 항히스타민제

로서가 아니라 다른 염증물질이나 신경전달물질들에 대한 차단작용을 하는 것으로 추정된다(Kaliner, 2003). 경구항히스타민제는 2세대 제제의 경우 효과가 없고 1세대 제제의 경우 항콜린 부작용에 의해 비루의 억제효과가 있다(kaliner, 2011；Bernstein, 2013). 폐색증상이 주 증상인 유형에는 비충혈 제거제를 쓸 수 있고, 비루가 주 증상인 유형에는 비강분무 항콜린제인 ipratropium bromide를 쓸 수 있다. 대표적인 경구 비충혈 제거제에는 pseudoephedrine과 phenylephrine이 있는데 둘 다 단독 또는 항히스타민제 등 타 약제와의 혼합형 제형이 있으며 1회 복용 시의 효과는 pseudoephedrine이 좀더 우수한 것으로 알려졌다. 비강에 뿌리는 국소 비충혈 제거제는 일반적으로 5~7일 이상 사용 시 반동 비폐색 rebound congestion이 생겨 잘 권하지 않으나, 비강분무 스테로이드제와 같이 사용하면 2주 내지 4주까지도 반동 비폐색이 생기지 않음이 근래에 보고되었으며 이는 반동 비폐색의 기전인 아드레날린 알파수용체의 갑작스런 감소를 스테로이드분무제가 방지할 수 있기 때문으로 추정하고 있다(Baroody et al., 2011；Vaidyanathan et al., 2010). 특발성 비염 환자에게 C섬유의 신경전달물질을 고갈시키고 탈감작을 시키는 차원에서 캡사이신을 비점막에 반복적으로 도포하는 방법이 있으며 이 방법으로 증상이 호전되었다는 보고가 있는 반면(Blom et al., 1997) 캡사이신 도포가 오히려 비염을 조장했다는 보고도 있었다(Sanico et al., 1997). 최근의 코크란 데이터베이스 리뷰에서는 캡사이신 도포의 비염치료 효과가 있는 것으로 결론지었다(Gevorgyan et al., 2015). 식염수세척은 경도의 비충혈 제거효과를 통해 약간의 효과를 볼 수 있다(Bernstein, 2013). 보툴리눔 A독소를 비점막에 주사하여 혈관운동성 비염의 증상을 완화했다는 보고도 있다(Ozcan et al., 2006). 비갑개에 대한 조작을 통해 비폐색을 해소하고 아울러 비루의 감소를 노리는 다양한 수술들이 있으며 이는 비갑개를 다루는 별도의 단원

에서 언급된다. 비루를 감소하려는 목적으로 비디안신경 절제술이나 접형구개신경절 차단술 등이 시행되기도 한다. 비디안신경 절제술은 양측을 시행해야 하는데 과거에는 구강을 통해 접근했으나 현재에는 내시경적 술기의 발달로 큰 합병증의 우려 없이 코를 통해 시행할 수 있으며, 수술효과는 2년 내지 5년 정도 지속되는 것으로 알려졌다(Halderman and Sindwani, 2015). 내시경적 비디안신경 절제술의 가장 흔한 부작용은 수술 직후에 발생하는 안구건조증이지만 대부분 수술례에서 5개월 이내에 해소되는 것으로 보고되고 있으며, 기타 합병증으로는 가피 발생, 협부 및 구개의 감각이상, 접형구개동맥 분지의 출혈 등이 있다(Halderman and Sindwani, 2015).

참고문헌

1. Ang YY, Kawano K, Saito T, Kasai M, Ikeda K. Treatment of idiopathic gustatory rhinorrhea by resection of the posterior nasal nerve. The Tohoku Journal of Experimental Medicine 2006;210:165-8.
2. Bachert C. Persistent rhinitis allergic or nonallergic? Allergy 2004;58:11-5.
3. Bahadur S, Take A. Specific chronic infections. In: Gleeson MJ, Browning GG, Burton MJ, Clarke R, Hibbert J, Jones NS, et al. editors. Scott-Brown's Otorhinolaryngology: Head and Neck Surgery 7th ed. London: Hodder Arnold 2008;1458-68.
4. Banks T, Gada S. Atrophic rhinitis. Allergy and Asthma Proceedings 2013;34:185-7.
5. Banov CH, Lieberman P. Efficacy of azelastine nasal spray in the treatment of vasomotor (perennial nonallergic) rhinitis. Annals of allergy, asthma, & immunology 2001;86:28-35.
6. Baroody F, Brown D, Gavanescu L, DeTineo M, Naclerio R. Oxymetazoline adds to the effectiveness of fluticasone furoate in the treatment of perennial allergic rhinitis. Journal of allergy and clinical immunology 2011;127:927-34.
7. Bascom R, Kesavanathan J, Fitzgerald TK, Cheng KH, Swift DL. Sidestream tobacco smoke exposure acutely alters human nasal mucociliary clearance. Environmental health perspectives 1995;103:1026-30.
8. Bauer GE, Hull RD, Stokes GS, Raftos J. The reversibility of side effects of guanethidine therapy. Med J Aust 1973;1:930-3.
9. Becker S, Rasp J, Eder K, Berghaus A, Kramer MF, Groger M. Non-allergic rhinitis with eosinophilia syndrome is not associated with local production of specific IgE in nasal mucosa. European archives of oto-rhino-laryngology 2015: In press.
10. Bende M. Blood flow with 133Xe in human nasal mucosa in relation to age, sex and body position. Acta oto-laryngologica

1983;96:175-9.

11. Bernstein JA. Nonallergic rhinitis: therapeutic options. Current opinion in allergy and clinical immunology 2013;13:410-6.

12. Blom HM, Godthelp T, Fokkens WJ, KleinJan A, Mulder PG, Rijntjes E. The effect of nasal steroid aqueous spray on nasal complaint scores and cellular infiltrates in the nasal mucosa of patients with nonallergic, noninfectious perennial rhinitis. Journal of allergy and clinical immunology 1997;100:739-47.

13. Blom HM, Van Rijswijk JB, Garrelds IM, Mulder PG, Timmermans T, Gerth van Wijk R. Intranasal capsaicin is efficacious in non-allergic, non-infectious perennial rhinitis. A placebo-controlled study. Clinical and experimental allergy 1997;27:796-801.

14. Bonini S, Bonini M, Bousquet J, Brusasco V, Canonica GW, Carlsen KH, et al. Rhinitis and asthma in athletes: an ARIA document in collaboration with GA2LEN. Allergy 2006;61:681-92.

15. Bousquet J, Flahault A, Vandenplas O, Ameille J, Duron JJ, Pecquet C, et al. Natural rubber latex allergy among health care workers: a systematic review of the evidence. J Allergy Clin Immunol 2006;118:447-54.

16. Bousquet J, Khaltaev N, Cruz AA, et al. Allergic rhinitis and its impact on asthma (ARIA). Allergy 2008;63:8-160.

17. Bousquet PJ, Fabbro Peray P, Janin N, Annesi Maesano I, Neukirch F, Daures JP, et al. Pilot study assessing the impact of smoking on nasal-specific quality of life. Allergy 2004;59:1015-6.

18. Bronsky EA, Druce H, Findlay SR, Hampel FC, Kaiser H, Ratner P, et al. A clinical trial of ipratropium bromide nasal spray in patients with perennial nonallergic rhinitis. Journal of allergy and clinical immunology 1995;95:1117-22.

19. Bunnag C, Jareoncharsri P, Tansuriyawong P, Bhothisuwan W, Chantarakul N. Characteristics of atrophic rhinitis in Thai patients at the Siriraj Hospital. Rhinology 1999;37:125-30.

20. Calderon-Garciduenas L O-VA, Bravo-Alvarez H, Delgado-Chavez R, Barrios-Marquez R. Histopathologic changes of the nasal mucosa in southwest Metropolitan Mexico City inhabitants. Am J Pathol 1992;140:225-32.

21. Cantone E, Marino A, Ferranti I, Iengo M. Nonallergic Rhinitis in the Elderly: A Reliable and Safe Therapeutic Approach. ORL; journal for oto-rhino-laryngology and its related specialties 2015;77:117-22.

22. Chhabra N, Houser S. The diagnosis and management of empty nose syndrome. Otolaryngologic clinics of North America 2009;42:311-30, ix.

23. Comoğlu Ş, Keles N, Değer K. Inflammatory cell patterns in the nasal mucosa of patients with idiopathic rhinitis. American journal of rhinology & allergy 2012;26:e55-62.

24. Crobach M, Hermans J, Kaptein A, Ridderikhoff J, Mulder J. Nasal smear eosinophilia for the diagnosis of allergic rhinitis and eosinophilic non-allergic rhinitis. Scandinavian journal of primary health care 1996;14:116-21.

25. Dax EM. Drug dependence in the differential diagnosis of allergic respiratory disease. Ann Allergy 1990;64:261-3.

26. deShazo R, Stringer S. Atrophic rhinosinusitis: progress toward explanation of an unsolved medical mystery. Current opinion in allergy and clinical immunology 2011;11:1-7.

27. Dutt SN, Kameswaran M. The aetiology and management of atrophic rhinitis. Journal of laryngology and otology 2005;119:843-52.

28. Edelstein DR. Aging of the normal nose in adults. The Laryngoscope 1996;106:1-25.

29. Effat KG, Madany NM. Microbiological study of role of fungi in primary atrophic rhinitis. Journal of laryngology and otology 2009;123:631-4.

30. El Hennawi DE, Ahmed MR, Farid AM. Psychological stress and its relationship with persistent allergic rhinitis. Eur Arch Otorhinolaryngol 2015: In press.

31. el Kholy A, Habib O, Abdel Monem MH, Abu Safia S. Septal mucoperichondrial flap for closure of nostril in atrophic rhinitis. Rhinology 1998;36:202-3.

32. el-Barbary Ae-S, Yassin A, Fouad H, el-Shennawy M. Histopathological and histochemical studies on atrophic rhinitis. Journal of laryngology and otology 1970;84:1103-12.

33. Ellegard E, Karlsson G. Nasal congestion during the menstrual cycle. Clin Otolaryngol 1994;19:400-3.

34. Ellegård, EK. Clinical and pathogenetic characteristics of pregnancy rhinitis. Clin Rev Allergy Immunol 2004;26:149-59.

35. Elliott K, Stringer S. Evidence-based recommendations for antimicrobial nasal washes in chronic rhinosinusitis. American journal of rhinology 2006;20:1-6.

36. Ellis A, Keith P. Nonallergic rhinitis with eosinophilia syndrome. Current allergy and asthma reports 2006;6:215-20.

37. Fatti LM, Scacchi M, Pincelli AI, Lavezzi E, Cavagnini F. Prevalence and pathogenesis of sleep apnea and lung disease in acromegaly. Pituitary 2001;4:259-62.

38. Ferguson JL, McCaffrey TV, Kern EB, Martin WJ. Effect of Klebsiella ozaenae on ciliary activity in vitro: implications in the pathogenesis of atrophic rhinitis. Otolaryngology - head and neck surgery 1990;102:207-11.

39. Fernandez-Rivas M, Perez-Carral C, Senent CJ. Occupational asthma and rhinitis caused by ash (Fraxinus excelsior) wood dust. Allergy 1997;52:196-9.

40. Fokkens W. Thoughts on the pathophysiology of nonallergic rhinitis. Current allergy and asthma reports 2002;2:203-9.

41. Fouad H, Afifi N, Fatt Hi A, El Sheemy N, Iskander I, Abou Saif MN. Altered cell mediated immunity in atrophic rhinitis. Journal of laryngology and otology 1980;94:507-14.

42. Freund W, Wunderlich A, Stöcker T, Schmitz B, Scheithauer M. Empty nose syndrome: limbic system activation observed by functional magnetic resonance imaging. The Laryngoscope 2011;121:2019-25.

43. Friji MT, Gopalakrishnan S, Verma SK, Parida PK, Mohapatra DP. New regenerative approach to atrophic rhinitis using autologous lipoaspirate transfer and platelet-rich plasma in five patients: Our Experience. Clinical otolaryngology 2014;39:289-92.

44. Gadre KC, Bhargava KB, Pradhan RY, Lodaya JD, Ingle MV. Closure of the nostrils (Young's operation) in atrophic rhinitis. Journal of laryngology and otology 1971;85:711-4.

45. Gadre KC. Modification in the technique of closure of the nostrils. Journal of laryngology and otology 1973;87:903-4.

46. Garay R. Mechanisms of vasomotor rhinitis. Allergy 2004;59 Suppl 76:4-9.

47. Gautrin D, Desrosiers, M, Castano, R. Occupational rhinitis. Curr Opin Allergy Clin Immunol 2006;6:77-84.

48. Gautrin D, Ghezzo H, Infante-Rivard C, Malo JL. Incidence and host determinants of work-related rhinoconjunctivitis in apprentice pastry-makers. Allergy 2002;57:913-8.

49. Georgalas C, Jovancevic L. Gustatory rhinitis. Current opinion in otolaryngology & head and neck surgery 2012;20:9-14.

50. Gevorgyan A, Segboer C, Gorissen R, van Drunen CM, Fokkens W. Capsaicin for non-allergic rhinitis. Cochrane Database Syst Rev 2015;7:CD010591.

51. Giannessi F, Fattori B, Ursino F, Giambelluca MA, Soldani P, Scavuzzo M, et al. Ultrastructural and ultracytochemical study of the human nasal respiratory epithelium in vasomotor rhinitis. Acta oto-laryngologica 2003;123:943-9.

52. Girgis IH, Yassin A, Hamdy H, Moris M. Estimation of effect of drugs on the nasal circulation. J Laryngol Otol 1974;88:1163-8.

53. Graf P. Rhinitis medicamentosa: a review of causes and treatment. Treat Respir Med 2005;4:21-9.

54. Graf P. Rhinitis medicamentosa: aspects of pathophysiology and treatment. Allergy 1997;52:28-34.

55. Graudenz GS, Landgraf RG, Jancar S, Tribess A, Fonseca SG, Fae KC, et al. The role of allergic rhinitis in nasal responses to sudden temperature changes. J Allergy Clin Immunol 2006;118:1126-32.

56. Greiner A, Meltzer E. Pharmacologic rationale for treating allergic and nonallergic rhinitis. Journal of allergy and clinical immunology 2006;118:985-98.

57. Groenewoud G, de Graaf in 't Veld C, vVan Oorschot-van Nes AJ, de Jong NW, Vermeulen AM, van Toorenenbergen AW, et al. Prevalence of sensitization to the predatory mite Amblyseius cucumeris as a new occupational allergen in horticulture. Allergy 2002;57:614-9.

58. Groneberg D, Heppt W, Cryer A, Wussow A, Peiser C, Zweng M, et al. Toxic rhinitis-induced changes of human nasal mucosa innervation. Toxicologic pathology 2003;31:326-31.

59. Halderman A, Sindwani R. Surgical management of vasomotor rhinitis: a systematic review. American journal of rhinology & allergy 2015;29:128-34.

60. Han Sen C. The ozena problem. Clinical analysis of atrophic rhinitis in 100 cases. Acta oto-laryngologica 1982;93:461-4.

61. Harris WE, Giebaly K, Adair C, Alsuwaidan S, Nicholls DP, Stanford CF. The parasympathetic system in exercise-induced rhinorrhoea. Rhinology 1992;30:21-3.

62. Hedman J, Kaprio J, Poussa T, Nieminen MM. Prevalence of asthma, aspirin intolerance, nasal polyposis and chronic obstructive pulmonary disease in a population-based study. Int J Epidemiol 1999;28:717-22.

63. Heederik D, Venables KM, Malmberg P, Hollander A, Karlsson AS, Renstrom A, et al. Exposure-response relationships for work-related sensitization in workers exposed to rat urinary allergens: results from a pooled study. J Allergy Clin Immunol 1999;103:678-84.

64. Hens G. Sinonasal pathology in nonallerrgic asthma and COPD: "united airway disease" beyond the scope of allergy. Allergy 2008;63:261-7.

65. Hildenbrand T, Weber R, Brehmer D. Rhinitis sicca, dry nose and atrophic rhinitis: a review of the literature. European archives of oto-rhino-laryngology 2011;268:17-26.

66. Ho JC, Chan KN, Hu WH, Lam WK, Zheng L, Tipoe GL, et al. The effect of aging on nasal mucociliary clearance, beat frequency, and ultrastructure of respiratory cilia. American Journal of Respiratory and Critical Care Medicine 2001;163:983-8.

67. Horak F, Zieglmayer P, Zieglmayer R, Lemell P, Yao R, Staudinger H, et al. A placebo-controlled study of the nasal decon-

gestant effect of phenylephrine and pseudoephedrine in the Vienna Challenge Chamber. Annals of allergy, asthma & immunology 2009;102:116-20.

68. Houser S. Surgical treatment for empty nose syndrome. Archives of otolaryngology--head & neck surgery 2007;133:858-63.

69. Hsuan SL, Liao CM, Huang C, Winton J, Chen ZW, Lee WC, et al. Efficacy of a novel Pasteurella multocida vaccine against progressive atrophic rhinitis of swine. Vaccine 2009;27:2923-9.

70. Hytonen M, Kanerva L, Malmberg H, Martikainen R, Mutanen P, Toikkanen J. The risk of occupational rhinitis. Int Arch Occup Environ Health 1997;69:487-90.

71. Hytonen M, Sala E. Nasal provocation test in the diagnostics of occupational allergic rhinitis. Rhinology 1996;34:86-90.

72. Håkansson K, von Buchwald C, Thomsen SF, Thyssen JP, Backer V, Linneberg A. Nonallergic rhinitis and its association with smoking and lower airway disease: A general population study. Am J Rhinol Allergy 2011;25:25-9.

73. Incaudo GA. Schatz M. Rhinosinusitis associated with endocrine conditions: hypothyroidism and pregnancy. In: Nasal manifestations of systemic diseases. OceanSide Publications Inc. 1992;53-61.

74. Jacobs RL, Freedman PM, Boswell RN. Nonallergic rhinitis with eosinophilia (NARES syndrome). Clinical and immunologic presentation. Journal of allergy and clinical immunology 1981;67:253-62.

75. Jang Y, Kim J, Song H. Empty nose syndrome: radiologic findings and treatment outcomes of endonasal microplasty using cartilage implants. The Laryngoscope 2011;121:1308-12.

76. Jepsen O, Sorensen H. Tracheopathia osteoplastica and ozaena. Acta Otolaryngol 1960;51:79-83.

77. Jinot J, Bayard S. Respiratory health effects of exposure to environmental tobacco smoke. Reviews on environmental health 1996;11:89-100.

78. Jovancevic L, Georgalas C, Savovic S, Janjevic D. Gustatory rhinitis. Rhinology 2010;48:7-10.

79. Kaliner M, Baraniuk J, Benninger M, Bernstein J, Lieberman P, Meltzer E, et al. Consensus Description of Inclusion and Exclusion Criteria for Clinical Studies of Nonallergic Rhinopathy (NAR), Previously Referred to as Vasomotor Rhinitis (VMR), Nonallergic Rhinitis, and/or Idiopathic Rhinitis. The World Allergy Organization journal 2009;2:180-4.

80. Kaliner M, Farrar J. Consensus Review and Definition of Nonallergic Rhinitis With a Focus on Vasomotor Rhinitis, Proposed to be Known henceforth as Nonallergic Rhinopathy Part 1. Introduction. The World Allergy Organization journal 2009;2:97.

81. Kaliner M. Azelastine and olopatadine in the treatment of allergic rhinitis. Annals of allergy, asthma, & immunology 2009;103:373-80.

82. Kaliner MA, Baraniuk JN, Benninger MS, Bernstein JA, Lieberman P, Meltzer EO, et al. Consensus definition of nonallergic rhinopathy, previously referred to as vasomotor rhinitis, nonallergic rhinitis, and/or idiopathic rhinitis. The World Allergy Organization journal 2009;2:119-20.

83. Kaliner MA. Nonallergic rhinopathy (formerly known as vasomotor rhinitis). Immunology and allergy clinics of North America 2011;31:441-55.

84. Kang M, Kang S, Jiang HL, Guo D, Lee D, Rayamahji N, et al. Chitosan microspheres containing Bordetella bronchiseptica

antigens as novel vaccine against atrophic rhinitis in pigs. Journal of Microbiology and Biotechnology 2008;18:1179-85.

85. Katelaris CH, Carrozzi FM, Burke TV, Byth K. A springtime olympics demands special consideration for allergic athletes. J Allergy Clin Immunol 2000;106:260-6.

86. Katelaris CH, Carrozzi FM, Burke TV, Byth K. Effects of intranasal budesonide on symptoms, quality of life, and performance in elite athletes with allergic rhinoconjunctivitis. Clin J Sport Med 2002;12:296-300.

87. Katz RM. Rhinitis in the athlete. J Allergy Clin Immunol 1984;73:708-11.

88. Kaufman HS. Timolol-induced vasomotor rhinitis: a new iatrogenic syndrome [letter]. Arch Ophthalmol 1986;104:967, 70.

89. Kowalski ML. Rhinosinusitis and nasal polyposis in aspirin sensitive and aspirin tolerant patients: are they different? Thorax 2000;55:S84-6.

90. Kuan E, Suh J, Wang M. Empty nose syndrome. Current allergy and asthma reports 2015;15:493.

91. Kumar N, Chandra T. Prosthetic management of atrophic rhinitis. Indian Journal of Otolaryngology and Head and Neck Surgery 2008;60:379-81.

92. Lee WH, Hong SN, Kim HJ, Ahn S, Rhee CS, Lee CH, et al. Effects of cigarette smoking on rhinologic diseases: Korean National Health and Nutrition Examination Survey 2008-2011. International Forum of Allergy & Rhinology 2015;5:937-43.

93. Leone C, Teodoro C, Pelucchi A, Mastropasqua B, Cavigioli G, Marazzini L, et al. Bronchial responsiveness and airway inflammation in patients with nonallergic rhinitis with eosinophilia syndrome. Journal of allergy and clinical immunology 1997;100:775-80.

94. Leong S. The clinical efficacy of surgical interventions for empty nose syndrome: A systematic review. The Laryngoscope 2015;125:1557-62.

95. Leroyer C, Malo JL, Girard D, Dufour JG, Gautrin D. Chronic rhinitis in workers at risk of reactive airways dysfunction syndrome due to exposure to chlorine. Occup Environ Med 1999;56:334-8.

96. Lieberman P, Kaliner M, Wheeler W. Open-label evaluation of azelastine nasal spray in patients with seasonal allergic rhinitis and nonallergic vasomotor rhinitis. Current medical research and opinion 2005;21:611-8.

97. Lindberg S, Malm L. Comparison of allergic rhinitis and vasomotor rhinitis patients on the basis of a computer questionnaire. Allergy 1993;48:602-7.

98. Lindemann J, Sannwald D, Wiesmiller K. Age-related changes in intranasal air conditioning in the elderly. The Laryngoscope 2008;118:1472-5.

99. Mabry RL. Rhinitis of pregnancy. South Med J 1986;79:965-71.

100. Malcolmson K. The vasomotor activities of the nasal mucous membrane. J Laryngol Otol 1959;73:73-98.

101. Malo J. Occupational rhinitis and asthma due to metal salts. Allergy. 2005;60:138-9.

102. Marple B, Roland P, Benninger M. Safety review of benzalkonium chloride used as a preservative in intranasal solutions: an overview of conflicting data and opinions. Otolaryngol Head Neck Surg 2004;130:131-41.

103. Miri S, Farid R, Akbari H, Amin R. Prevalence of allergic rhinitis and nasal smear eosinophilia in 11- to 15 yr-old children in Shiraz. Pediatric allergy and immunology 2006;17:519-23.

104. Modrzyński M. Hyaluronic acid gel in the treatment of empty nose syndrome. American journal of rhinology & allergy 2011;25:103-6.

105. Moneret-Vautrin DA, Hsieh V, Wayoff M, Guyot JL, Mouton C, Maria Y. Nonallergic rhinitis with eosinophilia syndrome a precursor of the triad: nasal polyposis, intrinsic asthma, and intolerance to aspirin. Annals of allergy 1990;64:513-8.

106. Monteseirin J, Camacho MJ, Bonilla I, Sánchez Hernández C, Hernández M, Conde J. Honeymoon rhinitis. Allergy 2001;56:353-4.

107. Moore EJ, Kern EB. Atrophic rhinitis: a review of 242 cases. American journal of rhinology 2001;15:355-61.

108. Mullarkey MF, Hill JS, Webb DR. Allergic and nonallergic rhinitis: their characterization with attention to the meaning of nasal eosinophilia. Journal of allergy and clinical immunology 1980;65:122-6.

109. Naftali S, Rosenfeld M, Wolf M, Elad D. The air-conditioning capacity of the human nose. Annals of biomedical engineering 2005;33:545-53.

110. Nagata K, Duggan A, Kumar G, García Añoveros J. Nociceptor and hair cell transducer properties of TRPA1, a channel for pain and hearing. The Journal of neuroscience 2005;25:4052-61.

111. Ojima M, Tonori H, Sato T, Sakabe K, Miyata M, Ishikawa S, et al. Odor perception in patients with multiple chemical sensitivity. Tohoku J Exp Med 2002;198:163-73.

112. Ozcan C, Vayisoglu Y, Doğu O, Görür K. The effect of intranasal injection of botulinum toxin A on the symptoms of vasomotor rhinitis. American journal of otolaryngology 2006;27:314-8.

113. Pattanaik D, Lieberman P. Vasomotor rhinitis. Current allergy and asthma reports 2010;10:84-91.

114. Pavithran P, Pujary K, Mahesh SG, Parul P, Aziz B. Customised acrylic nasal stents following recanalisation of modified Young's procedure. Journal of laryngology and otology 2010;124:864-7.

115. Pinto JM, Jeswani S. Rhinitis in the geriatric population. Allergy, asthma & clinical immunology 2010;6:10.

116. Pirila T, Talvisara A, Alho OP, Oja H. Physiological fluctuations in nasal resistance may interfere with nasal monitoring in the nasal provocation test. Acta Otolaryngol Stockh 1997;117:596-600.

117. Powe DG, Hiskisson RS, Carney AS, Jenkins D, Jones NS. Idiopathic and allergic rhinitis show a similar inflammatory response. Clinical otolaryngology & allied sciences 2000;25:570-6.

118. Powe DG, Huskisson RS, Carney AS, Jenkins D, Jones NS. Evidence for an inflammatory pathophysiology in idiopathic rhinitis. Clinical and experimental allergy 2001;31:864-72.

119. Proud D, Naclerio RM, Meyers DA, Kagey-Sobotka A, Lichtenstein LM, Valentine MD. Effects of a single-dose pretreatment with captopril on the immediate response to nasal challenge with allergen. Int Arch Allergy Appl Immunol 1990;93:165-70.

120. Purello-D'Ambrosio F, Isola S, Ricciardi L, Gangemi S, Barresi L, Bagnato GF. A controlled study on the effectiveness of loratadine in combination with flunisolide in the treatment of nonallergic rhinitis with eosinophilia (NARES). Clinical and experimental allergy 1999;29:1143-7.

121. Raghaw S. Transplantation of maxillary sinus mucosa in atrophic rhinitis. Indian J Otolaryngol 1978;30:14-6.

122. Raphael G, Raphael MH, Kaliner M. Gustatory rhinitis: a syndrome of food-induced rhinorrhea. Journal of allergy and clini-

cal immunology 1989;83:110-5.

123. Rondón C, Campo P, Togias A, Fokkens W, Durham S, Powe D, et al. Local allergic rhinitis: concept, pathophysiology, and management. Journal of allergy and clinical immunology 2012;129:1460-7.

124. Ruffoli R, Fattori B, Giambelluca MA, Soldani P, Giannessi F. Ultracytochemical localization of the NADPH-d activity in the human nasal respiratory mucosa in vasomotor rhinitis. The Laryngoscope 2000;110:1361-5.

125. Ruskin SL. A differential diagnosis and therapy of atrophic rhinitis and ozena. Archives of otolaryngology 1932;15:222-57.

126. Salib RJ, Harries PG, Nair SB, Howarth PH. Mechanisms and mediators of nasal symptoms in non-allergic rhinitis. Clinical and experimental allergy 2008;38:393-404.

127. Sanico A, Togias, A. Noninfectious, nonallergic rhinitis (NINAR): considerations on possible mechanisms. Am J Rhinol 1988;12:65-72.

128. Sanico AM, Atsuta S, Proud D, Togias A. Dose-dependent effects of capsaicin nasal challenge: in vivo evidence of human airway neurogenic inflammation. Journal of allergy and clinical immunology 1997;100:632-41.

129. Sarlo K, Kirchner DB. Occupational asthma and allergy in the detergent industry: new developments. Curr Opin Allergy Clin Immunol 2002;2:97-101.

130. Schatz M. Special considerations for the pregnant woman and senior citizen with airway disease. J Allergy Clin Immunol 1998;101:S373-8.

131. Schick SF, van den Vossenberg G, Luo A, Whitlatch A, Jacob P, Balmes J, et al. Thirty minute-exposure to aged cigarette smoke increases nasal congestion in nonsmokers. Journal of toxicology and environmental health. Part A 2013;76:601-13.

132. Schiffman S, Nagle HT. Effect of environmental pollutants on taste and smell. Otolaryngol Head Neck Surg 1992;106:693-700.

133. Schwartz RH, Estroff T, Fairbanks DN, Hoffmann NG. Nasal symptoms associated with cocaine abuse during adolescence. Arch Otolaryngol Head Neck Surg 1989;115:63-4.

134. Settipane R. Epidemiology of vasomotor rhinitis. The World Allergy Organization journal 2009;2:115-8.

135. Settipane RA, Kaliner MA. Chapter 14: Nonallergic rhinitis. American journal of rhinology & allergy 2013;27 Suppl 1:S48-51.

136. Settipane RA. Other causes of rhinitis: mixed rhinitis, rhinitis medicamentosa, hormonal rhinitis, rhinitis of the elderly, and gustatory rhinitis. Immunology and allergy clinics of North America 2011;31:457-67.

137. Shah A, Sircar M. Postcoital asthma and rhinitis. Chest 1991;100:1039-41.

138. Shahab R, Phillips DE, Jones AS. Prostaglandins, leukotrienes and perennial rhinitis. J Laryng Otol 2004;118:500-7.

139. Sharma AN, Sardana DS. Stellate ganglion block in atrophic rhinitis. Journal of laryngology and otology 1966;80:184-6.

140. Shehata MA. Atrophic rhinitis. American journal of otolaryngology 1996;17:81-6.

141. Shusterman D, Balmes J, Avila PC, Murphy MA, Matovinovic E. Chlorine inhalation produces nasal congestion in aller-gic rhinitics without mast cell degranulation. Eur Respir J 2003;21:652-7.

142. Silvers WS. The skier's nose: a model of cold-induced rhinorrhea. Ann Allergy 1991;67:32-6.

143. Sinha SN, Sardana DS, Rajvanshi VS. A nine years' review of 273 cases of atrophic rhinitis and its management. Journal of laryngology and otology 1977;91:591-600.

144. Slavin RG. Treating rhinitis in the older population: special considerations. Allergy, asthma & clinical immunology 2009;5:9.

145. Sozansky J, Houser S. Pathophysiology of empty nose syndrome. The Laryngoscope 2015;125:70-4.

146. Spector S. Allergic and nonallergic rhinitis: update on pathophysiology and clinical management. Am J Ther 1995;2:290-5.

147. Stevenson D, Szczeklik A. Clinical and pathologic perspectives on aspirin sensitivity and asthma. J Allergy Clin Immunol 2006;118:773-86.

148. Szczeklik A, Sanak M, Nizankowska-Mogilnicka E, Kielbasa B. Aspirin intolerance and the cyclooxygenase-leukotriene pathways. Curr Opin Pulm Med 2004;10:51-6.

149. Szczeklik A, Stevenson DD. Aspirin-induced asthma: advances in pathogenesis, diagnosis, and management. J Allergy Clin Immunol 2003;111:913-21.

150. Tappia PS, Troughton KL, Langley Evans SC, Grimble RF. Cigarette smoking influences cytokine production and antioxidant defences. Clinical science 1995;88:485-9.

151. Taylor Clark T, Undem B. Ozone activates airway nerves via the selective stimulation of TRPA1 ion channels. Journal of physiology 2010;588:423-33.

152. Vaidyanathan S, Williamson P, Clearie K, Khan F, Lipworth B. Fluticasone reverses oxymetazoline-induced tachyphylaxis of response and rebound congestion. American Journal of Respiratory and Critical Care Medicine 2010;182:19-24.

153. Wallace D, Dykewicz M, Bernstein D, Blessing Moore J, Cox L, Khan D, et al. The diagnosis and management of rhinitis: an updated practice parameter. Journal of allergy and clinical immunology 2008;122:S1-84.

154. Webb DR, Meltzer E, Finn A, Rickard K, Pepsin P, Westlund R, et al. Intranasal fluticasone propionate is effective for perennial nonallergic rhinitis with or without eosinophilia. Annals of allergy, asthma, & immunology 2002;88:385-90.

155. Wiesmiller K, Keck T, Lindemann J. Atrophic rhinitis in a patient with anhidrotic ectodermal dysplasia. Rhinology 2005;43:233-5.

156. WIJK RG, Dieges PH. Nasal hyper-responsiveness to histamine, methacholine and phentolamine in patients with perennial non-allergic rhinitis and in patients with infectious rhinitis. Clin Otolaryngol 1991;16:133-7.

157. Ying S, Meng Q, Scadding G, Parikh A, Corrigan CJ, Lee TH. Aspirin-sensitive rhinosinusitis is associated with reduced E-prostanoid 2 receptor expression on nasal mucosal inflammatory cells. J Allergy Clin Immunol 2006;117:312-8.

158. Young A. Closure of the nostrils in atrophic rhinitis. Journal of laryngology and otology 1967;81:515-24.

159. Zhao K, Blacker K, Luo Y, Bryant B, Jiang J. Perceiving nasal patency through mucosal cooling rather than air temperature or nasal resistance. PLoS ONE 2011;6:e24618.

비중격

전북의대 이비인후과 **권삼현**, 고신의대 이비인후과 **권재환**

> CONTENTS

Ⅰ. 비중격의 해부

Ⅱ. 비중격의 혈관 분포

Ⅲ. 비중격의 신경 분포

Ⅳ. 비중격 질환

HIGHLIGHTS >>>

- 비중격은 전하방부의 연골부와 후방의 사골수직판 및 서골로 구성된 골부로 크게 나눌 수 있음
- 선천성 또는 후천성의 다양한 원인에 의해 비중격 기형이 발생하며, 그 기형으로 인해 증상을 유발하거나 기능적 장애를 일으킬 때 병적이라고 표현함
- 간혹 비중격 전반부의 만곡으로 비밸브(nasal valve) 부위가 좁아져 뚜렷한 비폐색을 보이는 경우를 제외하고는 만곡에 의한 증상은 뚜렷하지 않은 경우가 많으며, 심한 상기도 감염 후에 증상을 느끼기 시작하는 경우가 많음
- 비중격 만곡으로 인한 비폐색의 증상이 유발된 경우 약물치료를 우선으로 하나 증상 호전이 미약할 경우 수술적 치료가 필요함
- 비중격의 병적인 상태로 만곡 외에 천공, 혈종, 농양 등이 있으며 그에 따른 적절한 치료가 필요함

I | 비중격의 해부

좌우비강의 경계를 이루고 있는 비중격nasal septum은 비주와 비첨의 지지에 도움을 주는 연골과 골판으로 형성되고 서로 단단하게 접합되어 있다. 비중격 연골의 전하방부와 비주 사이를 막성 중격membraneous septum이라 하는데 양측으로 비전정 피부의 외층과 그 사이에 피하지방층으로 구성되어 있어 매우 유동적이고 비강 내로 외과적 접근 시 쉽게 외측으로 전위될 수 있다.

전방 가동부는 비중격 연골septal cartilage로 일명 사각연골quadrilateral cartilage이라고도 한다. 중심부는 3~4 mm의 두께로 전하방으로 올수록 두꺼워져 4~8 mm까지 증가하며 상방으로는 외측비연골upper lateral cartilage과 연결된다. 비중격 연골과 외측비연골이 연결되어 합쳐진 부분은 비골 밑에서 6~8 mm 정도로 겹쳐져서 단단하게 결합되어 있으며 콧등을 지지하는 가장 중요한

부분으로 코초석부위keystone area라고 부른다(Warbrick 1960). 비중격 수술 시 이 부분을 과도하게 분리하면 안장코가 발생할 수 있다(Reidenour 1998).

비중격 후상방은 사골수직판perpendicular plate of the ethmoid으로 되어 있고, 후하방은 서골vomer으로 되어 있어 연골막은 뒤쪽으로 사골 수직판 및 서골의 골막으로 이어진다. 사골수직판은 전상부 골성 중격bony septum을 형성하며 위쪽으로는 사판cribriform palte으로 연결되고 계관crista galli과 이어지며, 뒤쪽으로 접형골릉sphenoidal crest과 접하고 있다. 서골은 후하방 골성 중격을 이루며 사다리꼴 모양이다. 위로는 사골수직판과 아래로는 상악골과 구개골의 비릉nasal crest, 전방으로는 연골과 접하고 있고, 후방으로는 접형골릉과 접한다. 비중격 연골의 후하방에는 2~9 mm 길이의 후관흔적인 서골비기관vomeronasal organ of Jacobson이 있을 수 있다. 종종 접형동에 의해 서골이 함기화될 수 있으며 후비공의 경계를 이루고 있다(Hollinshead, 1982)(그림 13-1).

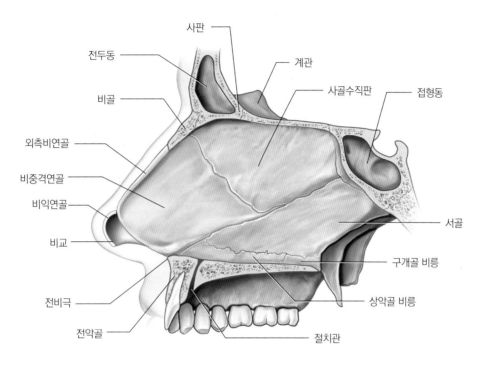

사판

전두동

계관

비골

사골수직판

접형동

외측비연골

비중격연골

비익연골

비교

서골

전비극

구개골 비릉

상악골 비릉

전악골

절치관

| 그림 13-1 비중격의 구조

사각연골을 덮고 있는 점막성 연골막은 비중격 저부의 상악골릉의 골막과 섬유성 결체 조직으로 단단하게 연결되어 있어 분리가 어렵지만, 후방에서는 단단end-to-end연결로 분리가 용이하다(그림 13-2). 비골과 사각연골의 배측 접합부위로부터 전비극을 지나는 가상의 수직선에 의해 비중격에서 주된 지지 역할을 하는 앞쪽 부위와 그렇지 않은 뒤쪽 부위로 나뉜다. 비중격을 수술할 경우에 이 가상선의 뒤쪽에 있는 구조물들은 제거가 가능하나, 이보다 앞쪽에 있는 연골은 가능한 보존하여야 한다(Reidenour, 1998)(그림 13-3).

II | 비중격의 혈관 분포

비강은 2개의 큰동맥으로부터 혈액을 공급받는데 하나는 내경동맥의 분지인 안동맥ophthalmic artery이고 다른 하나는 외경동맥의 분지인 내상악동맥internal maxillary artery이다. 안동맥은 안와 내에서 전후사골동맥으로 나뉘고 각각은 전두사골봉합frontoethmoidal suture에서 안구의 내측 지판을 통하여 사골판cribriform plate을 관통하여 비강 및 비중격에 분포한다. 전사골동맥은 후사골동맥보다 크며 주로 비강측벽의 전 1/3부위와, 비중격의 전방에 분포한다. 후사골동맥은 주로 상비갑개와, 비 중격 후상부에 분포한다. 전사골동맥의 외비분지external nasal branch는 비골과 측비 연골 사이를 지나 비배부nasal dorsum의 피부에 분포한다. 내상악동맥의 분지

A

B

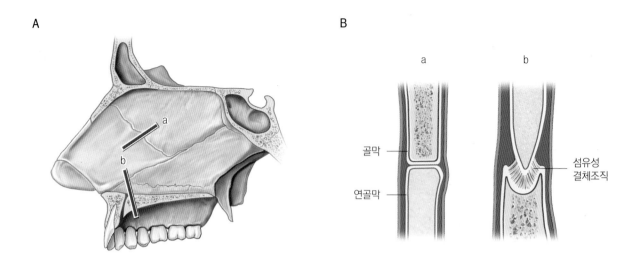

| 그림 13-2   비중격 골부와 연골부의 연결
후방에서는 단단(end-to-end)연결로 분리가 용이하나 전방의 연골과 상악릉 사이는 질긴 섬유성결체조직으로 되어 있어 분리가 힘들다.

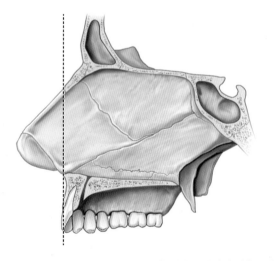

| 그림 13-3   비골의 끝에서 전비극을 지나는 가상의 선을 그은 후 이보다 앞쪽의 연골은 가능한 보존해야 한다.

인 접형구개동맥sphenopalatine artery은 접형구개공을 통하여 비강 내로 들어가 비강측벽과 비중격의 점막에 분포한다. 접형구개동맥의 비중격 분지는 접형구개공으로

부터 상행하여 비강의 천장으로 가면서 접형골의 형태를 따라가다 비중격으로 향하여 서골의 주행을 따라 비중격의 전하방으로 주행하게 된다. 따라서 비중격분지가 접형동 전벽의 개구부 아래의 점막안에 있기 때문에 접형동 수술 시 개구부 확장술시 이 동맥이 손상받지 않도록 주의하여야 한다. 상악동맥의 분지인 하행구개동맥descending palatine artery은 대구개동맥greater palatine artery과 소구개동맥lesser palatine artery으로 나누어지며, 소구개동맥은 연구개에 분포하고, 대구개동맥은 대구개공을 지나 경구개와 상악치은에 분지를 낸 후, 절치관incisive foramen을 통해 비강내로 들어와 비강저부에 분포한다. 그 외에 안면동맥facial artery의 분지인 상순동맥superior labial artery에서 비강의 전하방에 분포한다(그림 13-4). 상순동맥, 전사골동맥, 대구개동맥, 접형구개동맥의 비중격분지가 비중격의 전하방에 모여서 문합하는데 이 부위를 Kisselbach plexus, 또는 Little's area라고 하며 비출혈의 주된 부위 중 하나이다(그림 13-4, blue circle).

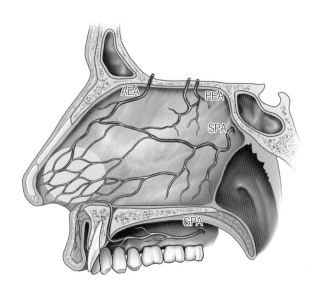

┃ 그림 13-4   비중격의 동맥 분포

상순동맥(superior labial a.), 전사골동맥, 대구개동맥, 접형구개동맥의 비중격분지가 비중격의 전하방에 모여서 문합하는데 이 부위(blue circle)를
Kisselbach plexus, 또는 Little's area라고 한다. AEA: anterior ethmoidal a.   PEA: posterior ethmoidal a.   SPA: sphenopalatine a.
GPA: greater palatine a.

Ⅲ ┃ 비중격의 신경 분포

비점막의 신경지배는 지각, 부교감, 교감 신경으로 이루
어진다. 지각신경중 후각신경은 비강상부의 1/3 부위 즉
상비갑개의 내측면과 그곳과 인접한 비중격, 비강의 천
장부위에 위치한다. 비점막의 일반감각은 삼차신경의 분
지인 안신경ophthalmic nerve과 상악신경maxillary nerve
이 담당한다. 상악신경의 분지들이 중비갑개뒤의 익구
개와에 있는 익구개 신경절pterygopalatine galglion을 경
유하여 비중격의 후방 및 중간부분까지 분포한다. 익구
개신경절에서 나오는 익구개신경의 분지인 비구개 신경
nasopalatine nerve은 내측으로 비강의 천정을 가로질러
중격을 따라 아래로 내려가면서 비중격분지를 내어 비중
격에 분포하고 계속 앞으로 진행하여 절치관incisive canal
을 지나 구강의 천정에서 대구개신경의 말단과 합쳐진

다. 대구개신경은 익구개관 내로 하행한 후 연구개 및 경
구개쪽으로 분지를 낸다. 안신경의 분지인 전사골신경
은 같은 이름의 동맥과 같이 전사골공을 통해 두개강으
로 들어간 후 사판의 외측연을 따라 앞쪽으로 달려 계
관 측면에 있는 사골의 틈을 통해 비강으로 들어가고 외
측 및 내측 분지lateral and medial internal branch를 내어
앞쪽 비강 외측벽과 비중격의 전방에 분포한다(그림 13-
5). 안면신경에서 분지된 부교감신경섬유는 대천추체신
경greater superficial petrosal nerve을 통해 익구개와에 들어
와 익구개신경절을 형성하고, 교감신경과 함께 익구개신
경의 분지를 따라 주행하여 비강 내에 분포한다. 교감신
경은 척수, 특히 여덟번째 경추부와 상부 흉추부에서 기
원하며 내경동맥총internal carotid plexus을 형성하고 내경
동맥을 따라 주행하며, 여기서 나온 심부추체신경deep
petrosal nerve을 따라 주행한 후 대추체신경과 합쳐져 익
돌관신경vidian nerve을 형성한 후 비강 내에 분포한다.

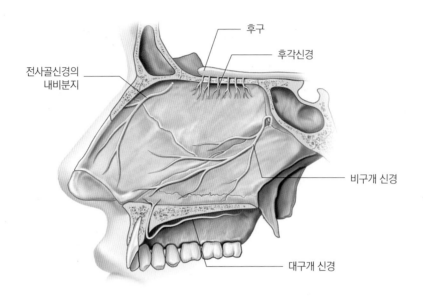

전사골신경의
내비분지

후구

후각신경

비구개 신경

대구개 신경

▎그림 13-5   비중격의 신경 분포

Ⅳ │ 비중격 질환

1. 비중격 만곡

비중격은 비강 정중부에 수직으로 위치하여 비강을 둘로 나누고 외비 및 비점막의 형태를 유지하여 비강호흡을 조절하며 전두와에 대한 충격흡수작용을 한다(Ballenger, 1991 ; William, 1969). 정상인에서도 다소 굽어 있는 모양을 보이는 것이 보통이며, 비중격 만곡은 일측 코막힘의 가장 흔한 원인이다. 선천성 또는 후천성의 다양한 원인에 의해 비중격 만곡이 발생하며, 그 기형으로 인해 증상을 유발하거나 기능적 장애를 일으킬 때 병적이라고 표현한다.

1) 발생원인

비중격 만곡의 발생 원인으로서는 대략 다음의 네 가지 설이 있다.

(1) 외상설

직접적인 외상으로 인한 비중격 만곡은 흔히 외비의 형태 이상을 동반하여 사비twisted nose, scoliotic nose나 매부리코hump nose, 안비saddle nose 등을 동반할 수 있으며, 연골부나 골부 또는 양쪽 모두에 복잡한 형태의 기형을 초래할 수 있다. 비중격 연골은 그 탄력성으로 인해 외상에 비교적 잘 견디나, 성장기의 연골에 상처가 생기면 성장력 차이에 의해 연골의 형태가 굽어지거나 심하게 접히는 모양을 초래할 수 있다. 따라서 영·유아기에는 가벼운 외상에도 서서히 성장의 차이에 의해 비중격 기형이 나타날 수 있다. 코의 성장을 대략 3단계로 나누면 1~5세는 빠른 성장을 하고, 6~10세는 서서히 성장하나 그 후 11~17세는 다시 급속성장을 하므로 이 급속성장기에 외상을 입게 되면, 서서히 장기간에 걸친 기형이 초래될 수 있다(Hinderer, 1976). 특히 영·유아기의 외상은 골-연골부의 탈구로 인한 심한 기형을 초래할 수 있으며, 사골수직판의 경우 18세 이후에 완전히 골화가 되므로 이 시기 이전의 손상은 쉽게 비중격 기형을 일으킨다(Ballenger, 1991). 대부분의 환자는 골-연골 경계 부위에서 만곡이 가장 심하다.

(2) 발육부조화설

비중격은 태생기에 이미 여러 형태를 보이며(Boyden, 1948), 선천적으로 비중격 연골이 비강 내에 있어야 할 크기보다 크게 발육한 경우는 크기의 차이에 의해 서서히 굽어지게 된다. 또한 전상악골premaxilla은 6세까지는 서골과 비슷하게 성장하나 그 후는 급속히 성장하여 주위 구조물과의 차이를 보이게 되는 등, 상악릉, 서골등의 골부 비중격의 부조화로 기형을 초래할 수도 있다. 또한 골, 연골의 성장력 차이, 비골, 사골, 구개, 인두, 아데노이드, 치조돌기 등의 해부학적 이상과 순열, 구개열 등에 의해서도 기형을 초래할 수 있다. 태생기에 전상악골과 구개의 봉합 시 혀가 구강 내로 내려갈 때 한쪽이 먼저 내려가고 다른 쪽이 따라가므로 이 시간 차이에 의해서도 기형이 생길 수 있다(Anton, 1893; Grünwald, 1925).

(3) 출산주형설

외상의 병력이 없는 환자에서 비중격 기형을 설명하는 원인기전 중 하나이다. 신생아의 16%에서 비중격 만곡을 발견할 수 있으며(Anton, 1893), 태생기 자궁 내 위치 이상에 의해 코와 상악부가 눌리고 출산 시 얼굴의 회전에 따라 심하게 압박 받아 발생할 수 있다. 출산아의 3.19%에서 비중격 탈구를 볼 수 있으며 초산이나 진통 2기가 15분 이상일 때 더 심한 탈구를 볼 수 있다. 탈구는 좌측전방 후두위일 때 우측, 우측전방 후두위일 때

좌측으로 발생하나 제왕절개에 의한 출산아에서도 비중격 기형을 볼 수 있다(Jeppesen and Windfield, 1972).

(4) 대상 Compensation설

비강 내 비갑개, 특히 중비갑개 비후, 비용, 이물, 종양 등이 만성적으로 비중격을 압박하여 기형이 초래될 수 있으며 그 외 비강호흡에 의한 양측 비강의 기류 흐름 및 기압 차이도 비중격 기형 발생에 영향을 미친다.

2) 비중격 기형의 분류

대부분의 포유동물은 비중격의 모양이 반듯하나 사람의 비중격은 다소 굽어있는 것이 일반적이다. 그 정도와 모양, 빈도 및 남녀비는 인종에 따라 다소 차이가 있으나 남녀 모두 좌측 만곡이 많고 남자에게 많으며, 백인에게 많다(Ballenger, 1985). 만곡의 부위에 따라 연골부 만곡, 골부 만곡, 골-연골부 만곡을 볼 수 있고, 이에 따라 다양한 형태의 만곡을 볼 수 있다.

(1) 형태에 따른 분류

비중격 기형은 복합적이고 3차원적 형태이기 때문에 간단히 표현하기는 어렵다. 만곡의 형태에 따라 C-만곡, S-만곡으로 나누고, 비중격 기형의 형상에 따라 돌기가 생겨 튀어 나온 극spur, spine, 이것이 길게 연결되어 산맥 같은 모양을 보이는 능ridge, crest 등으로 구분한다. 병리형태학적으로는 굴곡bending, 탈구dislocation, 중복duplication, 만곡bowing, 각형성angulation 등으로 나누기도 한다.

(2) 부위에 따른 분류

골부 만곡, 연골부 만곡, 상부 만곡, 하부 만곡, 전단부 만곡, 후방부 만곡이 있고, 특히 비중격 연골의 전단부 만

즉 비배부 만곡 시 심한 비폐색을 초래할 수 있다.

3차원적인 비중격 만곡의 형태를 일률적으로 묘사하기는 어렵다. Jeffrey는 기존의 비중격 기형을 분류한 논문들을 분석하여 비중격만곡을 보는 시각에 따라 전후상하로 나누고 각각을 다시 C형, S형 만곡으로 분류하였다. 그 외 비중격 기형으로 비극septal spur, 비중격천공을 추가하였다(Jeffrey, 2016).

3) 비중격 기형의 증상

(1) 자각증상

간혹 비중격 전반부의 만곡으로 비밸브 부위가 좁아져 뚜렷한 비폐색을 보이는 경우를 제외하고는 만곡에 의한 증상은 뚜렷하지 않은 경우가 많으며, 주로 심한 상기도 감염 후에 증상을 느끼기 시작하는 경우가 많다. 만곡이 심한 경우에 비강의 생리작용에 영향을 주며 비폐색, 점막 변화, 신경학적 변화 등이 생긴다. 비강 호흡 시 호흡 기류는 비중격에 의해 둘로 나눠지며, 비중격 기형이 있으면 양쪽 호흡기류가 장애를 받아 비폐색을 호소하고 그로 인한 구강호흡, 후비루를 동반한다. 반대편에 대상성으로 동반된 중비갑개나 하비갑개의 비후가 있는 경우는 눕는 위치에 따라 아래쪽이 교대로 막히는 경우가 많다. 그 외 두중감, 주의산만, 기억력 감퇴, 수면장애를 호소할 수 있고, 만곡으로 인한 비폐색이 심한 경우 수면무호흡도 초래할 수가 있다(Olsen et al, 1981). 간혹 만곡의 반대쪽이 막히는 것을 호소하는 경우도 있으며 이것을 역설적 비폐색paradoxical nasal obstruction이라 한다(Arbour and Kern, 1975). 이것은 비정상적인 비강 내 기류에 장기간 적응되어 이상을 느끼지 못하다가 비주기nasal cycle에 의해 비강 넓은쪽의 점막에 부종이 생길 시 비폐색을 호소하는 것이다.

점막 변화의 원인으로, 만곡된 비중격 주위 기류에 음압이 생겨 그 주위 점막에 부종이 생기면서 더욱 좁아지는 악순환이 반복되고, 기류가 점막의 일부분에 집중되면 점막이 건조되고 가피 형성이 촉진되며 이로 인해 궤양이 발생할 수 있고, 비중격 만곡의 볼록한 앞 부위는 쉽게 충혈되고 자극받기도 쉬워 비출혈이 잘 생긴다. 신경성 변화로 인한 두통 및 통증은 인접한 점막의 지각신경, 특히 전사골신경과 관련된다. 비중격 만곡이 지각신경에 압박을 주어 통증 등 신경증상을 유발할 수 있는데 이것을 전사골신경증후군anterior ethmoidal nerve syndrome이라 한다(Sluder, 1927; Shalom, 1963). 또한 신경반발 작용으로 비폐반사nasopulmonary reflex나 비반사nasal reflex를 초래할 수도 있다(Ogura et al, 1971).

그 외에 주위 조직인 이관Eustachian tube, 중이, 인두 및 후두까지 영향을 미치는 수도 있으며, 만곡이 심한 경우에는 비성이나 후각장애도 생길 수 있으나 인과관계가 분명치가 않으며, 비생리기능의 장애로인해 급성비·부비동염이 더 잘 생길 수 있다고 하나 역시 관계가 확실치는 않다(Douek, 1974).

(2) 타각 증상

국소 소견상 만곡이 심한 경우 외비 이상까지 초래하여 사비가 동반된 경우도 있고, 반대편 하비갑개나 중비갑개의 대상성 비후를 보이는 경우도 많다. 비강 검사 시는 비전정 부위를 비경으로 누르지 말고 검사해야 비중격 전방부위의 만곡을 찾아낼 수 있다. 비중격 만곡의 정도는 편의상 비경소견에서 중비도middle meatus가 잘 보이는 것을 경도, 중비갑개가 약간 보이는 것을 중등도, 중비갑개와 중비도가 모두 보이지 않는 것을 고도로 분류한다. 비전정이나 비밸브가 좁아진 경우는 Cottle 검사를 이용하여 진단할 수 있는데, 이것은 환자의 뺨을 바깥으로 당겨 전비공을 열어 주는 방법으로 흡기 시에 비판

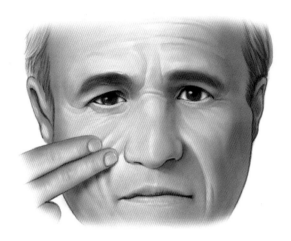

┃ 그림 13-6   Cottle 검사
뺨을 상외측으로 당기면 비판이 넓어진다. 이때 환자가 숨쉬기가 편해지
면 Cottle 검사 양성으로 판정한다.

으로 인한 코막힘이 있는 환자에서 유용한 검사 방법이
다(그림 13-6). 코 증상이 있어 비중격을 검사할 때는 비
중격만 보지 말고 주위 구조를 같이 검사하여 진단에 고
려하여야 하며 비중격 비후, 중비갑개, 구상돌기, 사골포,
비용 등의 이상 유무를 파악한다.

참고문헌

1. Anton W. Zur Kenntnis der congenitalen Deformitaten der Nasen-scheidewand. In : Lang J editor. Clinical anatomy of the nose, nasal cavity and paranasal sinuses. New York: Thieme 1989;31-41.
2. Arbour P, Kern EB. Paradoxical nasal ob-struction. Can J Otolaryngol 1975;4:333-8.
3. Ballenger JJ. Diseases of the nose, throat, ear, head and neck. 13th ed. Philadelphia Lea&Febiger 1985;88-9.
4. Ballenger JJ. Diseases of the nose, throat, ear, head and neck. 14th ed. Philadelphia Lea&Febiger 1991;70-1.
5. Boyden GL. Etiology of non-traumatic nasal septal deviations. Trans Pacific Coast Oto-Ophthal Soc 1948;150-3.
6. Douek E. The sense of smell and its abnormalities. London: Churchill Livingstone 1974.
7. Grünwald L. Deskriptive und photographische anatomie der nase und ihrer nebenhohlen. In : Lang J editor. Clinical anatomy of the nose, nasal cavity and paranasal sinuses. New York: Thieme 1989;31-41.
8. Hinderer KH. Nasal problems in children. Pediatr Ann 1976;5:499-509.
9. Jeffrey T, Victor, Edward TC, Macario C. Nasal Septal Deviations: A Systematic Review of Classification Systems. Plastic Surgery International Vol. 2016.
10. Jeppesen F, Windfield I. Dislocation of the nasal septal cartilage in the newborn. Acta Obstet Gynec Scand 1972;51:5-15.
11. Mladina R. The role of maxillar morpholohy in the development of pathological septal deformities. Rhinology 1987;25:199-205.
12. Ogura J, Harvey J. Nasopulmonary mechancis: experimental evidence of the William Hl. The nose as form and function. Ann Otol Rhinol Laryngol 1969;78:725.
13. Reidenour BD. The nasal septum. In: cummings CW, Fredrickson JM, Harker LA, Krause CJ, Schuller DE, editors. Otolarynology-Head and Neck Surgery, 3rd ed. St. Louis: Mosby Year Book 1998;921-948.
14. Shalom AS. The anterior ethmoid nerve syndrome. J Laryngol Otol 1963;77:315-8.
15. Sluder G. Nasal neurology, headaches and eye disorders. London:Kimpton 1927.

CHAPTER

14

비중격의 수술

영남의대 이비인후과 **김용대**, 성균관의대 이비인후과 **김효열**
성균관의대 이비인후과 **홍상덕**

> ## CONTENTS

Ⅰ. 비중격성형술
Ⅱ. 비중격 천공
Ⅲ. 비중격 농양
Ⅳ. 비중격 혈종

HIGHLIGHTS　　　　　　　　　　　　　　　　　　　　　　　　　　　》》》

- 비중격성형술은 비중격만곡증으로 인한 코막힘이 가장 흔한 적응증이며, 내시경 부비동수술 시 접근이 어려울 경우, 반복적인 비출혈의 원인으로 판단될 때, 두통의 원인으로 의심될 때, 수면 무호흡으로 인하여 상기도 수술을 시행할 때, 그리고 비성형술 혹은 내시경 두개저 수술 시행 시 연골, 골, 점막 등을 채취하고자 할 때 시행할 수 있음
- 현재의 비중격성형술의 세 가지 원칙은 비중격 연골의 안정성을 유지하기 위해 L-strut을 유지해야 하며, 잉여조직의 절제, 비중격의 만곡을 야기할 수 있는 다양한 원인들을 적절한 방법으로 교정하는 것임
- 재수술을 시행하는 환자에서 흔한 이유로서는 비밸브의 이상, 비배부 및 미부의 만곡이 남아있는 경우가 가장 흔하게 관찰되므로 수술 전 이에 대한 파악 및 이 부분의 교정에 대한 적극적인 고려가 필요함
- 비중격 수술의 가장 흔한 합병증은 수술 후에도 코막힘이 남아있는 것임. 이 외에 수술 후 출혈 및 이로 인한 혈종, 감염 및 비중격 농양, 유착, 비중격 천공, 안비 등의 외비기형이 있음
- 소아의 경우 수술의 적절한 시기에 대해서는 심하지 않은 비중격만곡증은 어느 정도 코의 성장이 완성되는 만 16세 이후가 권장되나, 심한 코막힘이 동반된 중증 비중격만곡증은 6세 이상의 소아에서도 수술을 시행할 수 있음

Ⅰ | 비중격성형술

1. 서론

비중격은 외비 지지의 토대를 제공하며 비강 기류를 조절하고 비강점막을 지지하는 역할을 한다. 비중격 전방은 연골로 구성되어 있고 후방은 골 조직으로 구성되어 있는 견고한 구조물로 비강 기류에 지속적인 영향을 미친다. 따라서 비중격 만곡증이 있는 경우 비강 기류 저항이 증가할 수 있으며 비강 생리에 영향을 미치게 된다.

비중격 만곡증은 매우 흔한 질환으로 한국에서의 유병률은 22.38%로 보고되었다(Min et al., 1995). 외상의 병력을 가지고 있는 경우도 있지만 상당 수의 환자들은 특별한 병력 없이 발견되기도 한다. 비중격만곡증을 가진 환자는 많은 수에서 코막힘을 호소하지만, 반대로 일부 환자에서는 이학적 검사상 한쪽 비강이 매우 좁더라도 코막힘을 호소하지 않는 경우도 있다. 일반적으로 이러한 만곡이 비중격의 전방, 앞쪽, 그리고 아래쪽에 발생할수록 비 폐색을 더 많이 발생시키는 것으로 알려져 있다(Garcia et al., 2010). 또한 일부 환자에서는 비중격 미측의 변형이 내비 또는 외비 밸브external nasal valve에 영향을 주어 비 폐색을 유발시킬 수 있고 외비의 모양을 변형시키는 원인이 되기도 한다(그림 14-1). 이러한 비중격만곡증을 교정하기 위해서 비중격성형술이 널리 시행되고 있으며 술자에 따라 여러 가지 방법으로 이루어지고 있다. 비중격성형술이 과거에는 다른 수술에 비해 술식이 어렵지 않아 전공의 수련기간 중 비교적 이른 시기에 시행해 볼 수 있는 수술이었으나 지금은 과거에 비해

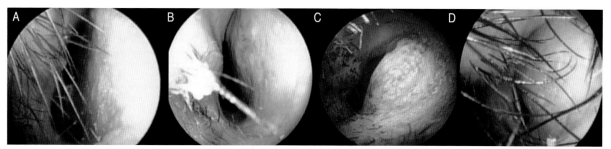

| **그림 14-1** 　다양한 우측 비중격만곡

일반적인 비중격 연골 중심부의 만곡(**A**) 외에도 비배부연골(**B**), 비중격연골 미부(**C**), 비중격연골 배부와 사골수직판 사이의 연결 부위(**D**) 등 다양한 부위가 만곡의 원인이 될 수 있다.

비중격만곡의 기전에 대한 이해가 늘어나고 술식이 다양해짐에 따라 점차 힘들어지고 있다.

2. 역사

비중격만곡증에 대한 치료는 의학 발전의 초기부터 시행되어 왔으며 고대 이집트 역사서에도 이에 대해서 기술되어 있다. 18세기에 Quelmatz는 비중격만곡증에 의한 문제를 인식하고 이것을 교정하기 위하여 손가락으로 비중격을 매일 누르는 것을 제안한 적이 있으며, 19세기 들어서는 근대 비중격 수술의 아버지라 불리는 Ingals가 코카인을 이용하여 마취를 시행한 뒤 비중격 연골의 일부를 제거하는 수술을 시행하였다. 하지만 근래의 수술법의 기초가 세워진 것은 20세기 들어서 Freer와 Killian 등이 점막하절제술을 소개하면서부터이다. 당시 널리 시행되었던 점막하절제술은 비중격 천공, 안비 saddle nose, 비주 위축columellar retraction, 비익 확장alar widening과 같은 후유증을 종종 일으켰다. 이후 기존의 점막하 절제술로 비중격 미측caudal septum의 교정이 불충분한 것을 개선하고자 1929년 Metzenbaum이 swinging door 방법을 고안하였으며, 1937년에는 Peer 등이 비중격 미측의 일부를 제거하여 곧게 만들고 곧게 펴진

연골을 정중앙에 다시 위치시키는 방법을 제안하였다. 1948년에 이르러서 Cottle이 비중격 수술에서의 보존적 수술을 소개하게 되었고 근대 비중격 수술의 기초를 형성하였다(Low et al., 2005; Gubisch, 2005; Boenisch and Nolst, 2006).

3. 진단 및 환자의 선택

비중격 성형술을 결정하는 가장 흔한 이유는 코막힘이다. 코막힘을 일으키는 원인은 다양하며 이에 대한 자세한 병력 청취와 이학적 검사가 필요하다. 자각증상이나 기능, 미용의 장애가 없는 비중격 만곡은 임상적으로 크게 문제되지 않으며 특별한 치료를 필요로 하지 않는 경우가 많다. 또한 비중격만곡증이 코막힘의 원인인 경우 양측성보다는 일측성인 경우가 많으며, 양측성이거나 양쪽이 번갈아가며 막히는 경우 비염이나 다른 내과적 질환에 의한 증상일 가능성도 의심하여야 한다. 따라서 수술을 결정하기 전 4주 정도의 비강 스테로이드 스프레이 등을 포함한 약물치료를 시행하여 증상 호전 여부를 확인하는 것이 좋다(Han et al., 2015).

　약물치료로 해결되지 않는 비중격의 구조적인 이상이 있을 경우 수술을 결정하게 되는데, 환자의 증상과

함께 전비경이나 비내시경에서 비중격의 만곡이나 이상이 관찰되어야 한다(Han et al., 2015). 비중격의 이상 외에도 용종이나 비갑개의 비후, 만성 비부비동염 등이 동반되어 있는지도 확인해야 한다. 비내시경상에서 관찰된 비중격만곡이나 다른 비강의 병변을 환자에게 설명하면서 앞으로 진행될 비중격성형술에 대한 이해를 구하는 것도 도움이 되나 환자에게 술 후 비중격이 완전하게 교정된다는 환상은 심어주지 않는 것이 좋다(Ahn, 2015).

먼저 외비의 모양이나 대칭성, 크기 등을 확인한다. 사비deviated nose와 같은 외비 이상이 관찰될 경우 이는 심한 비중격 만곡증과 코막힘을 유발할 수 있으며, 이럴 경우 환자와의 상의를 통해 기능성 외비성형술functional septorhinoplasty을 고려할 수 있다(그림 14-2). 노인에서 흔히 관찰되는 코끝 저하tip ptosis 또한 코막힘을 유발할 수 있으므로 주의 깊게 관찰하여야 한다(Kridel and Sturm, 2015). 공기가 출입하는 입구인 비공의 크기 및 대칭성, 형태 및 술 후 변형이 발생할 경우에 대비하여

비배부의 안비 여부 등도 확인하는 것이 좋다(Kridel and Sturm, 2015). 또한 외비의 관찰과 더불어 호흡 시에 비익 및 상외측 연골 부위의 내측 또는 외측 비밸브 함몰이 동반되는지도 확인하여야 한다. 과거에는 비외측의 피부를 외측으로 당겨서 비폐색감의 호전 여부를 확인하는 Cottle 검사법으로 비밸브 이상 유무를 확인하였지만 뺨을 너무 외측으로 당겨서 나타날 수 있는 위양성의 가능성이 있어 자연스러운 호흡을 하는 중에 나타나는 비외측 부위의 내측 함몰을 확인하거나 면봉 등을 이용하여 비밸브 내부에 대고 가볍게 들어올린 후 호전을 확인하는 변형 Cottle 검사법이 많이 활용되고 있다. 또한 한국인에서 흔하지는 않지만 하외측연골의 내측비주 부위 하연이 너무 외측으로 벌어져 비주가 두꺼워지는 경우가 발생하여 코막힘을 유발할 수 있으며, 이를 가볍게 조여주어 증상이 호전되는 경우 이 부위에 대한 성형술이 효과적일 수 있으므로 미리 확인하는 것이 좋다.

또한 수술을 결정함에 있어 필수적이지는 않으나

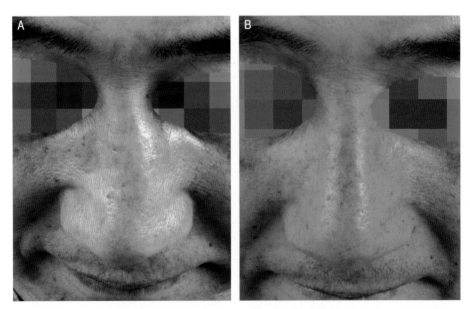

| 그림 14-2 외비의 이상이 관찰될 경우 비중격성형술과 더불어 외비성형술을 동시에 시행하는 것이 필요할 수 있다.
A. 술전. B. 술후

(Han et al., 2015) 환자에게 설명을 하거나 기록으로 남기는 경우 비강통기도검사rhinomanometry나 음향비강통기도검사acoustic rhinometry와 같은 객관적인 검사를 같이 사용하는 것이 도움이 된다. 단순 X-ray나 CT의 경우 동반한 다른 질환의 유무 등을 확인하기 위해 도움이 된다.

일반적인 비중격성형술의 적응증은 다음과 같다.

① 비중격만곡증으로 인한 코막힘이 가장 흔한 적응증이며,

② 내시경 부비동수술 시 접근이 어려울 경우,

③ 반복적인 비출혈의 원인으로 판단될 때,

④ 두통의 원인으로 의심될 때(contact point headache이 의심될 때),

⑤ 수면 무호흡으로 인하여 상기도 수술을 시행할 때, 그리고

⑥ 비성형술 혹은 내시경 두개저 수술 시행 시 연골, 골, 점막 등을 채취하고자 할 때 시행할 수 있다.

대체로 다음과 같은 세 가지 원칙을 기초로 이루어진다.

첫째, 비중격 연골의 안정성을 유지하기 위해 L-strut을 유지해야 한다. L-strut은 비중격연골의 미부 빛 배부 1~1.5 cm 넓이의 연골부위를 지칭하며, 이 L-strut는 비중격 구조의 유지에 매우 중요한 역할을 하므로 수술 시에 최대한 보존하기 위하여 노력해야 한다(Planas, 1977)(그림 14-3).

하지만 적지 않은 경우에서 L-strut의 이상이 비중격 만곡과 연관되어 있는 경우가 있어, 적절한 비중격의 교정을 위해서는 L-strut의 조작이 필요한 경우가 많다. 이런 경우 수술 시 L-strut이 적절한 위치에 고정될 수 있도록 노력해야 하며, 이 부위에 많은 조작을 가했거나 이전의 수술로 인해 L-strut이 약화되어 있는 경우에는 보강이식 batten graft 등을 추가하여 L-strut을 강화시키는 술식이 필요하다.

둘째, 잉여조직의 절제이다. 비중격만곡의 교정을 위한 전통적이고 확실한 방법은 절제resection이다. 하지만

4. 비중격성형술 주요 술기의 이해

1) 비중격성형술의 원칙과 다양한 술기의 분류

코의 해부 및 생리에 대한 지식이 쌓여감에 따라 비중격 만곡을 교정하기 위한 술식은 계속 발전하고 있다. 과거에는 골절이나 만곡 등 이상이 발생한 부위에 대한 절제가 우선적인 수술 원칙이었으나 근래에는 비중격 구조의 보존preservation 및 재배치realignment가 중요시되고 있다. 이러한 목적을 이루기 위해 여러 가지 방법의 연골 절개 및 절제, 봉합술을 이용한 교정, swing door 방법, tongue-in-groove 방법 등 다양한 방법이 사용되고 있으며, 현재 시행되는 비중격성형술은 이러한 다양한 술식들의 집합체라고 할 수 있다. 현재의 비중격성형술은

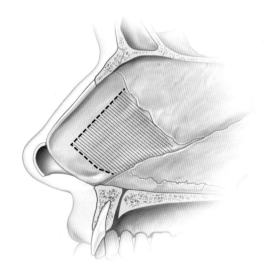

▎**그림 14-3** 비중격의 안정성을 유지하기 위해서는 비중격연골의 미부와 배부의 연골을 적어도 1 cm 이상 남기는 것이 안전하다(L-strut).

앞에서 기술한 코의 지지구조에 대한 고려 없는 절제는 수술 후 안비 등 심각한 문제를 야기할 수 있다. 따라서 최근의 술식은 잉여 조직을 제거하고 연골 내외부에서 비중격의 만곡을 야기할 수 있는 요소들을 교정해줌으로써 비중격의 이상을 교정하려 한다.

셋째, 비중격의 만곡을 야기할 수 있는 다양한 원인들을 적절한 방법으로 교정함으로써 비중격만곡을 교정한다. 연골 내외부에서 비중격의 만곡을 일으킬 수 있는 원인은 다양하다.

비강 내 공간에 비해 과도한 잉여연골surplus cartilage 외에도 과거 외상으로 인한 골절 및 섬유화, 약화된 연골 구조 등 연골 내부의 문제가 비중격의 만곡을 야기할 수 있으며, 연골과 Keystone 부위나 전비극anterior nasal spine 등 주위 골부와 비중격 연골 사이의 연결 위치 및 방향 등 외부 구조와의 연결이상이 비중격만곡증을 야기할 수 있다. 연골의 석회화가 진행되지 않은 젊은 환자에서는 적절한 잉여연골의 제거나 외부인자의 교정만으로도 교정이 가능한 경우가 많으나, 외상으로 인한 연골의 섬유화나 노화로 인한 석회화가 진행된 경우에는 잉여 연골을 제거하거나 주위 구조와의 연결을 정상화시키더라도 만곡의 교정이 이루어지지 않으므로 연골 절개나 봉합법suture technique, 보강 이식 등을 통해 연골 자체의 교정을 시도하는 것이 필요하다.

이중 연골 내부의 이상을 교정할 수 있는 방법으로는 만곡 부위의 부분 절개 또는 교차절개를 가하는 방법, 수평매트리스봉합 등 봉합법을 이용하는 방법, 만곡이 심한 부위를 분리한 후 다시 연결하는 방법cut-and-suture technique, 보강이식이나 크로스바 등을 이용해 약화된 연골부위를 강화시켜주는 방법 등이 있다(Chung et al., 2013; Giacomini et al., 2010; Aziz et al., 2013; Lee and Baker, 2013; Calderón et al., 2004; Jang et al., 2009). 비중격 연골과 전비극이나 keystone 부위와 같은 주위 구조물과의 잘못된 연결방향을 교정하는 방법으로는 연

골 미부의 이상을 교정할 수 있는 swinging door 방법, tongue-in-groove 방법, doorstop 방법 등이 있으며, 비중격연골 배부와 사골수직판의 연결이상을 교정하는 wedge 방법, 사골수직판을 지지대로 한 변형된 수평매트리스 봉합법 등이 보고되어 있다(Kang et al., 2012; Jin and Won, 2008; Lee et al., 2014). 비중격 배부의 만곡이 심하고 외비의 변형이 동반된 경우에는 spreader graft 등을 사용하여 교정할 수 있으며, 체외 비중격성형술 Extracorporeal septoplasty이 필요한 경우도 있다(Jin and Won, 2008; Kim and Gurney, 2006).

2) 비중격 자체의 만곡을 교정하기 위한 방법들

잉여 연골의 절제 후에도 연골 부위의 만곡이 남아 있을 경우 연골의 오목면에 절개scoring 또는 교차절개cross-hatching를 가해 연골 자체의 내부 탄성을 끊음으로써 만곡의 일부를 교정할 수 있다. 이는 1950년대 Converse에 의해 고안되었으며 이론적으로 연골 양측면은 균형을 이룬 장력tension을 유지한 상태로 존재하게 되는데 한쪽 면에 절개를 가하면 절개측의 장력이 약해져 만곡이 발생하며 변화의 정도가 연골의 두께와 세포배열 정도에 따라 달라지는 데 그 근거를 두고 있다(Fry, 1967; Fry, 1966)(그림 14-4). 교정의 정도는 절개의 깊이와 높은 상관관계를 보이며, Murakami 등은 부분 절개보다는 전층 절개가 만곡을 교정하는 데 효과적이라고 보고하였다(ten Koppel et al., 2003; Murakami et al., 1982).

하지만 환자에서 이러한 개념을 일률적으로 적용하기에는 문제가 있는데, 비중격만곡의 원인이 연골부위의 만곡에만 있어 교차절개로만 교정이 가능한 경우는 전체 환자의 일부에 불과하며, 나이, 외상의 과거력, 성별 등 환자에 따라 연골의 성상이 매우 달라 시술의 효과를 예측하기 힘들기 때문이다(Jin and Won, 2008; Yang et

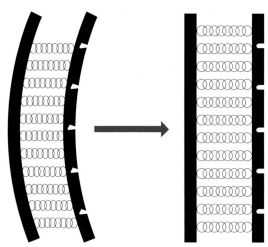

▌그림 14-4 만곡된 비중격연골의 오목면에 절개를 가하면 장력의 변화와 연골성장으로 인해 만곡의 교정이 이루어진다.

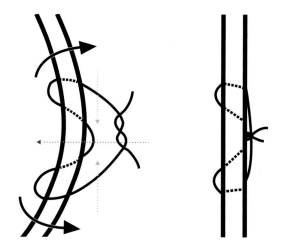

▌그림 14-5 수평매트리스봉합법을 이용한 비중격만곡의 교정 수평매트리스 봉합에서 발생하는 봉합사와 수직 방향의 힘을 이용해서 비중격의 만곡을 교정하게 된다.

al., 2008; Lee et al., 2004). 또한 비중격의 지지구조에 해당하는 L-strut 부위에 이러한 절개를 가할 경우 지지구조의 약화의 위험성이 있으므로 조심하여야 한다. 따라서 최근에는 L-strut에 만곡이 없고 연골성비중격의 중앙부에 미약한 만곡이 있을 때에 단독으로 사용되며, 대부분 봉합법이나 보강이식 등 다른 술식과 동반하여 사용하는 경우도 많다.

수평매트리스 봉합법horizontal mattress suture technique은 귀에서 사용되는 Mustarde 봉합법에서 사용되는 수평매트리스 봉합법을 비중격의 만곡을 교정하기 위해 도입한 방법이며, 수평매트리스 봉합에서 발생하는 수직 방향의 힘을 이용해서 비중격의 만곡을 교정하게 된다(그림 14-5)(Calderón et al., 2004). 만곡 부위의 오목면에 약간의 부분 절개를 같이 시행하면 만곡의 교정이 좀 더 용이하나, 연골이 너무 얇거나 약한 경우 연골이 휘어질 수 있으므로 주의해야 하며, 이런 경우 보강이식을 덧대는 것이 좋다.

보강 이식은 만곡이 관찰되는 연골이 약하거나 이전의 외상으로 인해 골절과 섬유화 등이 관찰될 경우 이의 교정과 보강을 위해 사용할 수 있다. 주로 연골이 많이 사용되나 비중격 후방의 서골이나 사골수직판에서 골편을 채취하여 만곡이 있는 연골부의 한쪽 면에 보강이식을 시행하기도 한다(Chung et al., 2013; Lee and Baker, 2013; Kim and Gurney, 2006)(그림 14-6). 이와 유사한 방법으로 만곡부위 변연부 연골에 구멍을 낸 후 횡목 crossbar 형태의 연골을 삽입하여 교정을 시도하는 방법도 보고되고 있다(Giacomini et al., 2010; Aziz et al., 2013; Jin and Won, 2008)(그림 14-7).

3) 비중격연골과 주위 구조와의 연결부위의 이상을 교정하는 방법(비중격의 재배치)

비중격연골의 만곡에 영향을 줄 수 있는 연결부위는 전비극과 keystone 부위가 있다. 이중 전비극과 비중격연골의 연결은 주로 미측 연골의 만곡을 가져오며, 이런 경우 swinging door 방법, tongue-in-groove 방법, doorstop 방법 등을 사용하여 교정할 수 있다.

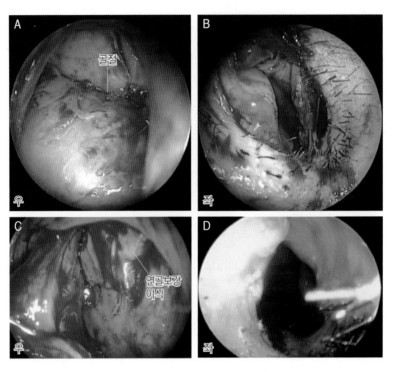

| 그림 14-6   이전의 외상으로 인해 미부 비중격 연골이 골절과 함께 좌측으로 편위된 것이 관찰된다(A, B). 연골보강이식을 골절 부위 우측에 시행하였으며 수술 후 비중격만곡이 교정되었다(C, D).

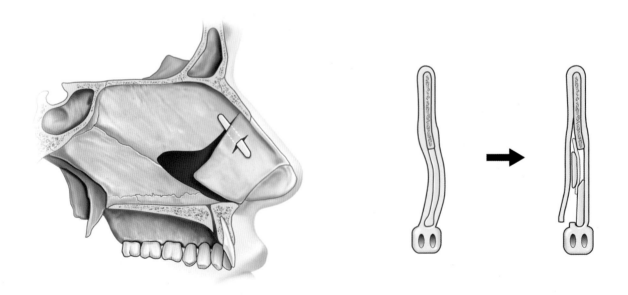

| 그림 14-7   Wedge technique을 이용하여 비배부의 만곡을 교정하는 모식도

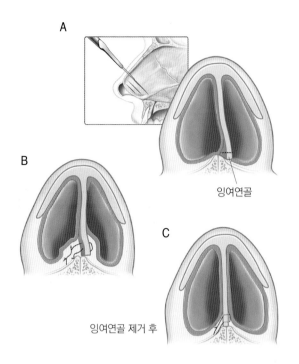

A

B

C

잉여연골

잉여연골 제거 후

▌ **그림 14-8** Swinging door법을 이용한 미부 비중격만곡의 교정
오목면에 약간의 절개를 가해 장력을 약화시키고 잉여연골을 절제한 후
비중격을 전비극위에 위치시킨다.

Swinging door법은 1929년 Metzenbaum 등에 의해 개발된 방법으로 비중격 미부가 전비극에서 한쪽으로 빠져 있을 경우 비중격연골의 미부에서 잉여연골을 절제한 후 휘어져 있는 비중격을 중앙의 전비극 위에 다시 고정하는 방법이다(그림 14-8). 이후 많은 변형술식이 보고되었으며, 동 등은 과잉연골을 일부 제거하고 8자형 봉합으로 전비극 위에 고정하는 술식을 보고하였다(Dhong et al., 2005). Pastorek 등은 휘어진 비중격 연골 미부를 중앙이 아니라 반대쪽으로 비중격 연골을 위치시키는 변형된 술식인 doorstop법을 보고하기도 하였으며(그림 14-9), 이러한 술식을 이용한 환자들의 82%에서 술 후 증상의 호전이 보고되었다(Pastorek and Becker, 2000; Sedwick et al., 2005; Metzenbaum, 1929). 장 등은 만곡이 심한 경우에 전비극에서 분리하는 대신 비중격 연골을 절개한 후 다시 봉합해주는 절단 후 봉합법cut-and-suture technique을 보고한 바 있고, 이 방법은 미부 비중격에 외상으로 인한 골절선이 있을 경우 특히 유용할 것이라 생각된다(Jang et al., 2009)(그림 14-10).

휘어진 비중격 미부를 중앙에 위치시키는 방법은 tongue-in-groove법으로도 가능하다. Kriedel에 의해

A

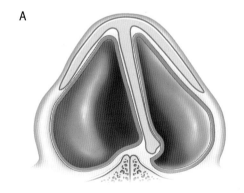

B

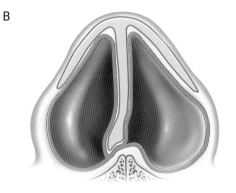

▌ **그림 14-9** Doorstop법을 이용한 비중격만곡의 교정 Swinging door법과는 달리 휘어진 비중격을 반대쪽으로 위치시킨다.

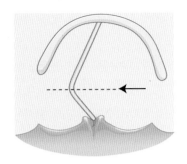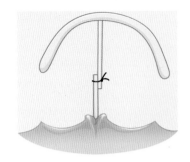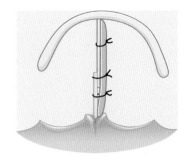

| 그림 14-10 절단 후 봉합법(cut-and-suture technique)을 이용한 미부 비중격만곡의 교정. 만곡이 가장 심한 부분을 절단한 후 길이를 맞추어 다시 묶어주는 방법으로서 필요시 보강이식을 추가할 수 있다.

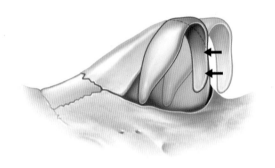

| 그림 14-11 Tongue-in-groove법
비익연골의 내측각 사이에 포켓을 만든 후 교정된 비중격 미단부를 고정시킨다.

개발된 이 방법은 휘어진 비중격 연골 미부를 교정한 후 비익 연골의 내측각 사이에 고정시키는 방법으로 내측각의 고정 위치에 따라 비첨의 모양을 변화시킬 수 있는 장점이 있다(Kridel et al., 1999)(그림 14-11).

5. 비중격성형술의 기본술기

1) 마취

전신마취와 국소마취 모두 사용할 수 있으며, 수술자의 선호도와 근무하고 있는 병원의 진료 형태에 따라 마취 방법은 달라질 수 있다. 일반적으로 소아나 통증에 예민한 성인, 재수술의 경우에는 전신 마취를 시행하는 것이 선호되며, 환자의 협조가 좋을 것으로 예상되고 비중격의 만곡 정도가 심하지 않을 때에는 국소마취를 시행할 수 있다.

4% lidocaine과 epinephrine의 혼합 용액을 면솜 cotton pledge 등에 묻혀서 비강 내 마취 및 점막 수축을 유도하고, 이어서 1% lidocaine에 1:100,000~200,000으로 희석된 epinephrine 용액을 수술 부위에 침윤 마취한다. 침윤마취를 하는 부위는 절개를 시행할 비중격 미부, 박리를 시행할 만곡의 오목면과 비강저 등이며, 연골막하로 주사하여 연골과 연골막 사이를 수력박리hydraulic dissection하면 수술 시 박리가 쉬워지며 출혈을 줄일 수 있다. 비중격 극spur이 있는 경우에는 돌기의 상하로 점막 내 침윤마취를 시행하면 돌기부위 점막의 손상을 줄일 수 있다. 주사 후 약제가 효과를 보일 수 있도록 5~10분 가량 기다린 후 수술을 진행한다.

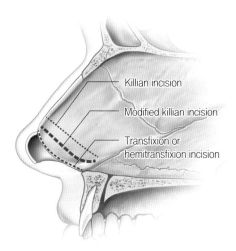

Killian incision

Modified killian incision

Transfixion or hemitransfixion incision

┃ 그림 14-12 비중격성형술에 사용되는 절개법들

2) 절개 및 노출

일반적으로 사용되는 비중격성형술의 절개법은 비중격 미단부 caudal septal margin 1~2 cm 뒤에서 시행되는 Killian 절개법과 이에서 변형된 미단부 3~4 mm뒤에서 시행하는 변형된 Killian 절개법, 그리고 미단부에서 1~2 mm 후방에서 시행하는 반관통절개hemitransfixion incision법이 있다(그림 14-12). 절개의 위치는 비중격만곡의 종류에 따라 결정하며, 비중격 미부의 이상을 교정할 필요가 없을 경우에는 Killian이나 변형된 Killian 절개법을 선호하지만 비중격 미부의 교정이 필요한 경우에는 반관통절개법이 유리하다. 반관통절개는 필요한 경우 관통절개법으로 쉽게 전환할 수 있는 장점이 있다. 비중격점막에 대한 절개를 한 다음, 이를 전비극과 이상구를 향하여 필요한 만큼 절개를 연장시킨다. 좁은 쪽 비강과 넓은 쪽 비강 중 어느 쪽으로 접근하느냐의 문제는 술자의 선호도에 달렸지만 일반적으로 넓은 쪽 비강으로 접근하는 것이 수술 시야를 확보하고 연골을 펴기 위한 전층 또는 부분 절개를 시행하는 데에 더 유리하다. 비중격의 만곡이 심하지 않고 비중격 돌기가 심한 경우에는 비

중격 돌기 상하의 점막에 접근하기 위해 돌기가 있는 쪽으로 접근할 수도 있다.

절개는 일반적으로 15번 칼날을 이용해서 시행하게 되며 과도하게 힘을 가해서 연골이 깊이 절개되지 않도록 주의해야 한다. 가벼운 힘으로 2~3회 절개를 반복하며 연골막 아래의 연골막하 수술면subperichondrial surgical plane을 찾게 되는데, 절개선 부근에서 적절한 수술면을 찾으면 이후의 박리는 어렵지 않게 진행되므로 주의 깊게 이 단계의 수술을 진행하여야 한다. 특히 초심자의 경우 이 단계를 소홀히 여겨, 이후 과정에서 계속되는 출혈이나 점막 손상으로 수술이 힘들어지는 경우가 있으므로 주의한다. Freer 또는 Cottle 거상기 등을 이용하여 점막연골막mucoperichondrium을 들어 올려 수술면을 확인하며, 의심이 되면 같은 과정을 반복하여, 적절한 수술면을 찾으려 노력하여야 한다. 연골이 노출된 경우 출혈이 적어지고, 표면을 긁어보았을 때 거친 느낌이 나며 약간 창백한 빛깔을 띠고 있다. 또한 이전에 안면부 외상이 있었거나 전에 비중격 수술을 시행한 경우에는 섬유 결체조직이나 반흔으로 인하여 점막연골막을 거상하는 것이 쉽지 않으므로 주의한다.

정확한 박리면을 확인한 후 후방으로 박리를 진행하면서 사골 수직판과 서골을 확인한다. 연골에서 골부로 이행하는 곳posterior bony-cartilage junction은 교차 섬유가 존재하지만 저항이 크지 않으므로 쉽게 박리를 시행할 수 있다. 위로는 비배부nasal roof, 뒤로는 접형동 전벽sphenoid rostrum, 아래로는 상악릉maxillary crest까지 박리를 시행한다. 이를 전방 또는 상방 터널anterior or superior tunnel이라고 하며, 이후 비강저의 점막골막mucoperiosteum을 박리하여 하방터널inferior tunneling을 시행한다.

다음으로 동측의 전방 터널과 하방 터널을 연결하여 하나의 공간으로 만드는데 상악릉과 비중격연골의 경계부에는 마치 관절에서 보는 것과 같은 섬유막joint-like capsule이 형성되어 있어 박리할 때 상당한 저항을 느끼

271

게 된다(Chapter 13 참조). 따라서 이 부분을 박리할 때에는 전방 터널과 하방 터널을 만든 후 상악릉에 연해있는 연결부위를 거상기의 날카로운 날을 이용해서 조심스럽게 박리한다.

박리 도중 비중격 능ridge이나 극을 덮고 있는 점막은 다른 부위에 비해 매우 얇으므로 박리 시 주의해야 하며 이러한 경우 능이나 극의 상하부 점막을 먼저 들어올려 포켓을 만든 후, 절제가위 또는 절골도 등을 이용해 만곡된 부위를 골절시켜 움직일 수 있게 만들면 점막의 손상 없이 진행할 수 있다. 점막연골막을 손상 없이 거상하는 것은 비중격 성형술의 기본이며 점막연골막이 찢어지거나 손상이 심할 경우 수술 후 비중격 천공과 같은 문제가 발생할 수 있다. 이때 반대쪽 점막연골막이 건재하고 연골이 남아있을 경우 천공의 위험성은 거의 없으나 점막열상이 크거나 반대쪽 점막도 열상이 있는 경우 천공의 위험성이 커지므로 한두번 봉합을 실시하고 양쪽 점막 피판 사이에 뼈나 연골을 이식해주는 것이 좋다.

스럽게 분리한다. 비중격연골과 후방골부의 경계는 대부분 눈으로 구분하여 확인할 수 있으며 불확실한 경우 Freer 거상기 등을 이용하여 만져보면 골부의 거칠고 딱딱하고 탄력없는 느낌과 연골부의 부드럽고 탄력있는 부분을 구분할 수 있다. 후방 골부와 연골을 분리할 때는 반대측 점막의 손상을 주지 않도록 주의해야 하며 이부위의 만곡이 심한 경우 반대측 점막에 침윤마취를 미리 시행하여 수력 박리를 함으로써 점막의 손상을 줄일 수 있다.

비중격연골을 상악릉이나 골성 비중격으로부터 분리할 때 L-strut 부위는 가능한 한 1 cm 정도는 남겨 두는 것이 비중격 연골의 안정성을 유지하는 데 중요하다(Planas, 1977)(그림 14-3). 하지만 많은 경우 만곡이 비중격연골의 미부나 keystone 부위 가까이까지 연결되어 있는 것이 관찰된다. 이런 경우 필요에 따라 조심스럽게 연골의 분리를 연장하기도 한다(Kang et al., 2012; Dhong et al., 2005; Hyun et al., 2012).

3) 비중격연골의 분리

비중격만곡의 교정은 연골을 변형시키고 있는 외부의 힘과 연골을 분리하는 것으로부터 시작한다. 먼저 비중격 연골을 하방에서 고정하고 있는 상악릉과의 연결을 분리하기 위해 연골과 상악릉을 분리하며, 연골이 주변 골부와 분리되어 자유롭게 움직일 수 있도록 충분히 박리한다. 상악릉이 일측으로 휘어 있거나 연골과 상악릉 사이에 비중격 돌기가 존재하는 경우 매우 조심스럽게 점막연골막의 거상을 시행해야 반대측 점막의 손상을 줄일 수 있다. 만곡으로 인한 잉여연골이 있을 경우 분리와 함께 잉여연골의 제거를 시행하면 다음 단계의 술식을 좀 더 쉽게 진행할 수 있다.

다음으로 비중격연골을 사골수직판과 서골에서 조심

4) 비중격만곡의 교정

저자의 경우 만곡의 교정은 골성 비중격 부위의 만곡의 교정, 잉여 연골의 제거, 비중격연골의 변형을 야기하는 외부 인자의 교정 및 비중격 자체의 변형의 교정, 미부 및 배부 비중격 만곡의 교정의 순서로 시행한다.

(1) 골성 비중격 만곡의 교정

먼저 골성 비중격이 휘어져 있거나 정중선으로부터 이탈해 있는 경우 Jansen-Middleton 중격 절제겸자septum cutting forceps, 골가위bone scissor, 골도osteotome 등으로 제거하거나 골절시킨 후 중앙으로 이동시킨다. 이때 휘어진 사골수직판의 비배부에 가까운 부위를 먼저 자른 후 하부를 겸자 등으로 흔들어 절제하거나 이동시켜야

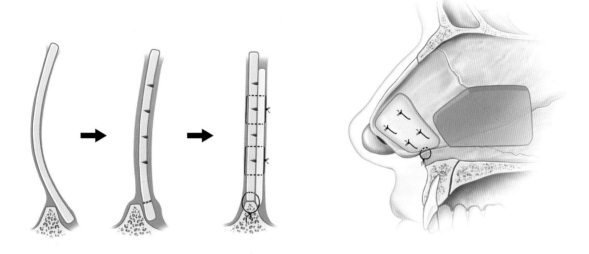

│ **그림 14-13** 잉여 연골 절제 후 부분 층 절개와 함께 보강이식을 시행하여 비중격만곡의 교정을 시행한 모습이다.

사상판의 손상으로 인해 발생할 수 있는 뇌척수액 비루를 방지할 수 있다. 상악릉이 휘어져 있으면 끌chisel, 절골기gouge, 골도 등으로 제거하거나 약목골절greenstick fracture시켜 교정한다.

(2) 잉여연골의 제거 및 연골성 비중격만곡의 교정

골성 비중격의 교정을 시행한 후 비중격을 관찰하였을 때, 비중격연골 변형이 남아 있다면 그 원인으로서는 비중격연골의 크기와 실제 공간과의 차이(잉여 연골), 비중격연골이 연해 있는 주위 구조(상외측연골, 골성 비중격의 최상단 부위(keystone 부위), 전비극)가 비중격연골의 변형을 일으키는 경우, 연골 자체의 변형 등을 들 수 있다.

먼저 휘어진 연골을 정중선에 위치하도록 밀어보면서 잉여 연골의 유무를 확인하고 절제한다. 가능한 한 비중격의 지지기능을 유지하기 위해 연골의 배부나 미부에 가까워지면서 점점 그 폭을 줄여 부메랑 모양으로 절제하게 된다(Chapter 13 참고). 젊은 환자의 경우 연골의 탄력성이 뛰어나 이 정도의 분리와 절제만으로 비중격이 펴지는 경우가 있으나, 중년 이후 연골의 석회화가 진행되거나 외상으로 인한 연골손상이 동반된 경우, L-strut에 해당하는 비중격 미부나 배부까지 만곡이 연결되어 있는 경우에는 이 술식만으로는 교정이 불충분하며 추가적인 시술이 필요하다.

만곡이 심하지 않은 경우에는 만곡된 연골의 오목면에 절개(crosshatching 또는 scoring)를 가해 연골 자체의 내부 탄성을 끊음으로써 만곡의 교정을 시도할 수 있다(그림 14-4). 그러나 교차절개만으로 비중격을 똑바로 펴기는 어려운 경우가 많으며, 이런 경우에는 부분층 절개와 함께 보강이식(그림 14-13), 수평매트리스봉합법 등의 방법이 사용될 수 있다(André RF and Vuyk, 2006; Wee et al., 2012).

또한 이전의 외상 등으로 인해 연골 내에서 골절이 확인되거나 비중격연골의 두께가 얇아 지지력이 약할 것으로 생각될 경우에는 골절선 등에 대한 절개나 절제 후 보강이식을 시행하여 교정을 시도한다.

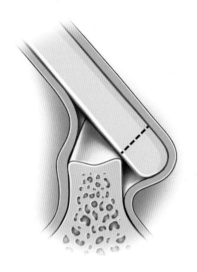
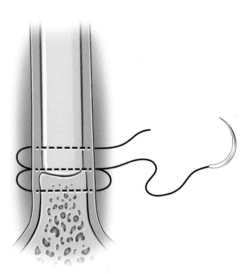

│ 그림 14-14 미부 비중격만곡의 교정
잉여연골의 절제 및 연골을 전비극으로부터 분리하여 가동성 있게 만든 후 정중앙에 맞추어 고정한다.

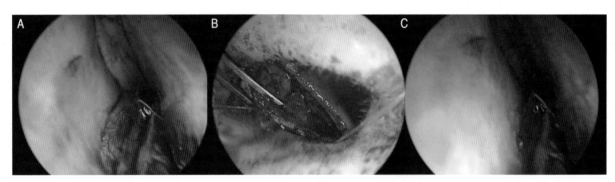

│ 그림 14-15 점막 피판을 들어올린 후 관찰되는 비중격연골의 만곡(**A**)이 관찰되며 미부 비중격연골의 잉여연골 절제 후 전비극에 고정하고 있다(**B**). 고정 시 연골을 가볍게 앞으로 잡아당겨 두미 방향의 비중격만곡을 좀 더 잘 교정할 수 있다. **C**를 보면 교정 전인 **A**에 비해 비중격연골 중앙부위도 교정된 것을 확인할 수 있다.

(3) 미부 비중격만곡의 교정

미부 비중격연골의 경우 연골의 과성장이나 외상으로 인해 비중격이 한쪽으로 치우쳐 있을 경우 L-strut을 보존하는 통상적인 방법으로는 교정이 힘든 경우가 많다. 이런 경우 L-strut에 대한 조작이 필요하나, 코의 안정성에 영향을 미쳐 안비 등의 부작용을 만들 수 있으므로 주의해서 시행하여야 한다.

먼저 전비극으로부터 미부 비중격연골을 분리한 후 잉여 연골을 조심스럽게 절제한다. L-strut의 안정성을 유지하기 위해 초보자의 경우 수 차례에 걸쳐 반복해 조심스럽게 절제하여 적절한 크기의 비중격swinging door 연골판을 만든다(Guyuron et al., 1999). 이후 이 연골판을 8자형 봉합으로 전비극 상부에 고정하며(그림 14-14), 고정 시 연골을 가볍게 앞으로 잡아당겨anterior sliding 두미cephalocaudal 방향으로의 만곡이 없도록 주의해야 한다(그림 14-15). 비슷한 방법으로 앞에서 설명한 doorstop법이나 절단 후 봉합법cut-and-suture technique 등을 사용할 수도 있다(Jang et al., 2009; Pastorek and Becker, 2000).

미부 비중격에 이전의 외상 등으로 인한 골절이 확인되거나 비중격연골의 두께가 얇아 지지력이 약할 것이라 생각될 경우에는 교정 후 보강이식을 시행하여 지지력을 강화시키는 것이 좋다.

(4) 배부 비중격만곡의 교정

비중격의 배부는 비중격성형술 시 가장 간과되기 쉬운 부위지만 비중격성형술 후 재수술이 필요한 경우 가장 교정이 필요한 부위는 배부 비중격의 연골부위dorsal strut와 골부(사골수직판)로 알려져 있다(Gillman et al., 2014). 비중격의 안정성을 유지하면서 배부 비중격만곡을 교정하는 것은 쉽지 않으나, 최근 여러 가지 다양한 방법들이 보고되고 있다.

심하지 않은 두미방향 비중격연골 만곡의 경우에는 만곡부위에 부분층 절개를 가한 후 수평매트리스봉합법을 이용하여 교정이 가능하며, 만곡이 심한 경우에는 상외측비연골과 비중격연골을 분리하여 펼침이식을 시행하는 것이 필요할 수도 있다(Han et al., 2015).

이외에도 최근 크로스바 이식 등을 이용하여 배부 비중격 만곡의 교정을 시도한 결과들도 보고되고 있다(Han et al., 2015; Aziz et al., 2013; Lee et al., 2014).

비중격연골 외에도 사골수직판 상부의 만곡과 이와 연결되어 있는 비중격연골 배부의 만곡이 동반하여 관찰되는 경우도 흔하다. 이런 경우 사용할 수 있는 술식

으로는 웨지법, 휘어있는 배부 비중격연골을 사골수직판과 분리한 후 고정하는 방법, 휘어져 있는 사골수직판을 상부에서 약목골절시킨 후 수평매트리스봉합을 시행하는 방법 등이 보고되어 있다(Kang et al., 2012; Hyun et al., 2012; Lee et al., 2014).

5) 고정과 마무리

교정이 끝난 후 출혈 부위를 확인 후 지혈한다. 제거되었던 연골은 분쇄기crusher를 이용하여 약화시킨 후 뼈/연골이 제거되었던 자리나 점막이 찢어진 부위에 다시 넣어준다. 점막연골막이 찢어지거나 손상이 심할 경우 반대측 점막이 온전하지 않다면 비중격 천공의 위험성이 있으므로 1~2번 정도 봉합을 실시하고 양쪽 점막 피판 사이에 뼈나 연골을 이식해주어 구조를 강화시키는 것이 좋다.

이후 절개선을 봉합한 후 비중격관통봉합transfixion suture, quilting suture을 시행하고 가벼운 패킹을 시행한다. 수술 후 패킹의 필요성에 대해서는 이론적으로 비중격의 안정화, 술 후 출혈 및 혈종의 예방이 목적이나, 지금까지의 메타분석에서는 관통봉합에 비해 출혈 및 혈종의 위험도를 낮추지 못하는 것으로 보고되었으며, 오히려 통증 및 감염의 위험도는 높이는 것으로 보고되었다. 따라서 적어도 모든 환자에서 일률적으로 시행할 필요는 없으며, 하비갑개 수술이나 비성형술을 동시에 시행하는 등 출혈이나 합병증의 위험성이 있는 환자에서 선택적으로 사용하는 것이 좋다(Certal et al., 2012). 최근 연구결과에 따르면 흡수성 패킹이 비흡수성 패킹에 비해 통증 및 부작용이 적은 것으로 보고되었으며(Yilmaz et al., 2012), 저자의 경우에는 관통봉합과 가벼운 흡수성 패킹을 시행하여 다음날 아침에 패킹을 제거한다.

수술 이후에는 가피제거 등을 위해 식염수 세척을 시

행하는 것이 좋으며, 코를 푸는 것은 3주 이후, 강도높은 운동은 5주 이후에 시행하는 것이 좋다(Kridel and Sturm, 2015).

6. 비중격성형술을 시행할 때 고려할 것들

1) 하비갑개 비후의 처치

비중격성형술을 시행할 때 흔히 관찰되는 하비갑개의 처치에 대해서는 약간의 논란이 있다. 초기 연구에서는 비중격수술 이후 넓은 쪽 비강의 비갑개 점막두께가 반대측과 비슷해지며, 비중격성형술 시 하비갑개에 대한 수술을 시행한 군과 그렇지 않은 군 사이에 장단기적으로 증상이나 객관적인 지표의 차이가 없다는 보고들이 있었다(Grymer et al., 1993; Illum, 1997; Kim et al., 2008). 하지만, 최근에는 수술 초기 증상의 호전 정도 및 재수술 방지의 측면에서 하비갑개축소술을 같이 시행하는 것이 유리하다는 보고가 있으며, 비중격 만곡증에서 흔히 동반되는 골비후가 비중격성형술 이후에도 호전되지 않는 것으로 보고되어 하비갑개축소술 시행을 동시에 하는 것의 근거가 되고 있다(Kim et al., 2008; Uzun et al., 2004; Karlsson et al., 2015; Devseren et al., 2011). 또한 하비갑개비후가 심할 경우 비중격에 대한 교정을 위한 공간이 불충분할 수도 있어, 적어도 심각한 비중격의 만곡이 동반되었거나 하비갑개의 골비후가 심할 경우 이에 대한 처치가 필요할 것이라 생각된다.

2) 수술의 실패 요인과 재수술 요인

비중격성형술 후 성공률은 저자에 따라 상이한 결과를 보이나 일반적으로 65~80% 정도로 보고된다(Gillman et al., 2014; Uppal et al., 2005; Dinis and Haider, 2002).

실패의 이유로는 알레르기 비염이나 부비동염과 같은 다른 동반질환이 있는 경우, 하비갑개 비후나 비밸브 이상을 인지하지 못한 경우, 수술이 너무 보존적으로 이루어지거나 L-strut에 있는 비중격 이상을 교정 못한 경우, L-strut 등 비중격의 구조에 중요한 역할을 하는 부위에 대한 수술 이후 비중격의 약화로 변형이 온 경우 등이 있다(Gillman et al., 2014). 또한 이 등은 특히 젊은 환자에서 과교정overcorrection의 가능성을 보고한 바 있다(Lee et al., 2004).

따라서 수술 전 적절한 환자의 선택 및 수술 결과에 영향을 미치는 다양한 인자들에 대해 환자들과 의논하는 것이 필요하며, 수술 후 코막힘이 절대적으로 좋아진다는 환상을 심어주지 않는 것이 현명하다. 재수술을 시행하는 환자에서 흔한 이유로서는 비밸브의 이상, 비배부 및 미부의 만곡이 남아있는 경우가 가장 흔하게 관찰되므로(Gillman et al., 2014; Becker et al., 2008), 수술 전 이에 대한 파악 및 이 부분의 교정에 대한 적극적인 고려가 필요하다.

7. 비중격성형술의 합병증

비중격 수술의 가장 흔한 합병증은 수술 후에도 코막힘이 남아있는 것이다(Kridel and Sturm, 2015). 이 외에 수술 후 출혈 및 이로 인한 혈종, 감염 및 비중격 농양, 유착, 비중격 천공, 안비 등의 외비기형이 있다.

비중격성형술 후 심각한 출혈은 드물지만, 약 6~13%에서 출혈이 발생하는 것으로 보고된다(Bloom et al., 2009; Rettinger and Kirsche, 2006). 예방을 위해서는 절개부위와 혈관이 있는 부위에 대한 적절한 침윤마취와 침윤마취 후 10분 정도 충분히 기다리는 것이 중요하다. 또한 상악 비릉을 제거할 경우에 절치관incisive canal 부위에서 박동성 출혈이 발생할 수 있으므로 주의하여 지혈하여야 한다. 술 후 비중격 혈종이 생길 경우 이의 배액이 늦어져 연골의 괴사와 비중격농양septal abscess이 발생할 수 있으므로 주의하여야 한다. 비중격농양에 대해서는 뒷부분에서 따로 다룰 예정이다.

술 후 감염은 흔하지는 않으나 0.5~2.5% 정도에서 보고되고 있다(Bloom et al., 2009; Schwab and Pirsig, 1997). 정상적으로 비강 점막은 정상 세균총에 의해 덮여 있으며, 수술 중 절개나 외상 등으로 점막 표피방어막이 손상되어 혈류를 통한 일시적인 균혈증의 가능성이 있으나 정상적인 면역 기능을 가진 환자에서는 아무런 해가 없으며 자연적으로 회복되므로 술 후 감염을 우려할 필요는 없다(Bloom et al., 2009; Okur et al., 2006). 하지만 당뇨나 항암요법 등으로 신체 면역기능이 떨어져 있는 환자에서는 예방적인 항생제 치료가 필요하다. 수술 후 패킹을 시행하는 경우는 황색포도상구균이 잘 자랄 수 있는 환경이 되므로, 매우 드물기는 하지만(0.0165%) 사망률이 10%에 이르는 치명적인 독성쇼크증후군toxic shock syndrome이 발생할 수 있다(Jacobson et al., 1986). 예방적 항생제 사용은 효과가 없으며, 예방을 위해서는 패킹을 피하거나 사용하더라도 48시간 이상 지속하지 않는 것이 바람직하다(Bloom et al., 2009; Ketcham and Han, 2010).

수술 이후 발생하는 흔한 합병증으로는 비중격과 비갑개 사이의 유착synechiae을 들 수 있다. 특히 비갑개 수술이 동시에 이루어졌을 때 흔히 발생하며, 대부분의 환자에서, 특히 유착이 후방에서 발생하였을 때는 무증상일 때가 많다. 하지만 코막힘과 같은 불편감을 야기할 경우에는 유착을 제거한 후 silastic판이나 가벼운 패킹을 삽입하여 재발을 방지하는 것이 좋다.

비중격 천공은 점막의 양측이 모두 찢어지거나 비중격농양 등 감염 이후에 발생하는 경우가 많으며 1~6.7% 정도에서 보고되고 있다(Bloom et al., 2009; Ketcham and Han, 2010).

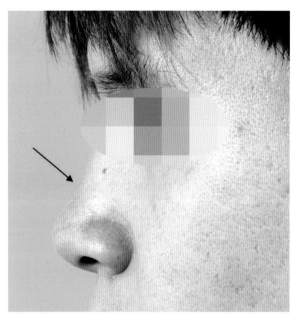

| 그림 14-16 비중격성형술 후 발생한 안비 변형

대부분 무증상이며, 앞쪽일수록 증상이 더 자주 발생하고 코막힘, 가피, 통증, 삑 소리가 나는 whistling 등의 부작용이 있을 수 있다. 예방을 위해서는 수술 시 최대한 점막을 보존하도록 노력하고 양측으로 찢어진 경우에는 반드시 봉합한 후 제거된 연골이나 골편을 바로 펴서 다시 넣어주는 것이 좋다.

비중격수술 후 외양의 변화와 관련된 부작용은 4~8% 정도이나, 미약한 변화까지 포함하면 21~40%까지 달한다는 보고도 있어 상당히 흔하게 볼 수 있는 부작용 중 하나이다(Bloom et al., 2009; Rettinger and Kirsche, 2006; Bateman and Woolford, 2003; Byrd, 1998; Vuyk and Langenhuijsen, 1997). 변화의 종류에는 흔히 안비로 알려져 있는 상비첨부 함몰supratip depression 외에도 비첨 돌출tip projection의 저하, 비주함몰columellar retraction 등이 있다(그림 14-16). 이는 비중격 연골의 L-strut을 과도하게 제거해 지지구조가 약해지거나 교정이 제대로 이루어지지 않았을 경우 주로 발생하나 비중격 천공이 생긴 경우 등 술 후 상흔구축scar contracture에 의해 이차적으로 발생할 수도 있으므로 주의하여야 한다(Bloom et al., 2009; Schwab and Pirsig, 1997).

수술 후 패킹이나 조직 부종에 의해 일시적으로 후각기능의 저하가 발생할 수 있으며, 전체 환자의 약 1% 정도에서는 지속적인 후각기능의 저하가 관찰된다(Rettinger and Kirsche, 2006; Schwab and Pirsig, 1997; Vuyk and Langenhuijsen, 1997). 그러므로 수술 전 후각기능에 대한 평가가 미리 이루어져야 하며, 수술 전 후각기능의 이상이 있는 경우에는 미리 환자에게 인지시켜 주는 것이 좋다.

상악절치 및 구개의 감각 이상 또한 수술 후 환자의 일부에서 관찰되며 이는 상악릉 교정 시 비구개신경nasopalatine nerve의 손상 때문인 것으로 생각된다(Bloom et al., 2009; Ketcham and Han, 2010). 따라서 이 부위의 출혈이 관찰될 경우 전기소작법 보다는 본왁스bone wax 등 주위 조직에 손상을 덜 미치는 방법을 사용하는 것이 좋다.

이 외에 드문 심각한 합병증으로는 사골수직판 손상에 의한 뇌척수액 비루가 있을 수 있으며, 이를 예방하기 위해서는 사골 수직판 절제 시 뇌기저부에 손상이 덜 미치도록 절제의 윗부분을 먼저 절단한 후 아래쪽의 골 조직을 제거하면, 골 제거 시 뒤틀리는 힘이 상부로 전달되는 것을 막을 수 있다.

8. 소아에서의 비중격성형술

1950년대에 Gilbert 등이 안면성장에 있어서 비중격연골 보존의 중요성과 수술로 이를 제거하는 것의 위험성에 대해 강조하면서 소아에서의 비중격수술이 안면성장에 영향을 미치는지에 대한 논란은 계속되어 왔다(Farmer and Eccles, 2006; Jun et al., 2009).

하지만 이후 시행된 일련의 연구들에서는 소아 비중격수술의 안정성에 대한 긍정적인 결과가 많이 보고되었다. 1960년대에 시행된 동물실험에서는 비중격연골의 절제가 안면성장에 영향을 미친다는 보고가 있었으나(Sarnat and Wexler, 1967; Christophel and Gross, 2009) 이는 점막연골막을 보존하지 않은 결과였고, 점막연골막을 보존한 이후의 연구에서는 안면성장에 문제를 일으키지 않는다고 보고되었다(Bernstein, 1973; Cupero et al., 2001).

소아를 대상으로 한 임상 연구에서도 일부 연구에서 비배부의 발육에 이상이 보고된 바 있으나, 대부분의 연구에서는 정상 대조군과 차이가 없다고 결론짓고 있으며, 최근 보고된 12년간의 장기 코호트 연구에서도 이상이 없는 것으로 보고되었다(Béjar et al., 1996; El-Hakim et al., 2001; Walker et al., 1993; Tasca and Compadretti, 2011). 반면 심한 비중격만곡으로 인해 구호흡이 심한 환아를 수술 없이 지속관찰 하였을 때, 안면이 길어지고 턱이 작아지는 아데노이드형 얼굴이 후유증으로 보고된 바 있다는 점을 고려하면(D'Ascanio et al., 2010), 구개열에 동반된 심각한 비중격이상이나 외상, 비중격농양과 같은 후유증이 예상되는 비중격질환, 심한 비중격만곡으로 비강호흡이 힘든 경우에는 좀 더 적극적으로 수술을 시행하는 것이 필요하다(Lawrence, 2012).

수술의 적절한 시기에 대해서는 심하지 않은 비중격만곡증은 어느 정도 코의 성장이 완성되는 만 16세 이후가 권장되나, 심한 코막힘이 동반된 중증 비중격만곡증은 6세 이상의 소아에서도 수술을 시행할 수 있다(Christophel and Gross, 2009; Béjar et al., 1996; Lawrence, 2012).

9. 내시경적 비중격 성형술
Endoscopic septoplasty

내시경적 비중격 교정술은 비중격에 최소한의 박리를 시행하고 비중격 기형을 내시경을 이용하여 직접 확인하고 교정하는 기술이다. 1991년 Lanza가 처음으로 비중격 돌기에 대한 내시경적 치료법을 상세히 기술하였다(Lanza et al., 1991 ; Lanza et al., 1993). 이후 많은 술자들에 의해서 내시경적 비중격 교정술이 시행 되었고 일측 비강 폐색을 호전시키기 위해서일 뿐 아니라 내시경 수술 중 중비도에 더 원활하게 접근하기 위해서도 이러한 수술법이 사용되었다.

내시경을 이용한 비중격 교정술은 비중격 미부에 절개를 가하고 연골 전체의 점막연골막 피판을 거상하며 기존 비중격 교정술 같은 시야에서 수술을 시행할 수도 있지만 비중격 기형이 일부분에 국한 되어 있거나 비중격 돌기 이외에 다른 병변이 없는 경우 교정하고자 하는 부분에 국소적인 절개를 가하고 수술을 시행할 수도 있다(Michael and Schalch, 2006)(그림 14-17).

이러한 내시경적 비중격 교정술은 다음과 같은 이점을 가지고 있다. 첫째 내시경은 headlight를 이용하는 것보다 비중격의 병변에 대해 더 자세하고 정밀하게 관찰할 수 있으며 골성 비중격을 포함한 비중격 후방의 조작시 더 큰 도움을 받을 수 있다. 또한 기형이 존재하는 부분만 점막을 박리할 수 있기 때문에 불필요한 비중격 점막연골막 피판의 생성을 막을 수 있으며 수술 후 부종을 줄일 수 있다. 이러한 이점은 비중격에 대한 재수술에 있어서 더 크게 작용한다. 둘째, 이러한 수술에 시행되는 수술 기구는 부비동내시경수술에 사용되는 것들과 크게 다르지 않기 때문에 내시경 부비동수술을 시행하다가 자연스럽게 비중격 교정술을 시행할 수 있다. 셋째, 내시경은 headlight를 이용한 수술법과 비교해서 교육적인 면을 고려하였을 때 매우 뛰어난 도구이다. 기존의 수술법은 집도의가 수술하는 것을 조수는 거의 관찰할 수 없었지만 내시경을 이용할 경우 전 과정을 집도의와 같은 시야에서 관찰하고 토의할 수 있다.

Ⅱ | 비중격 천공

1. 원인

비중격 천공은 비중격 수술, 반복적인 소작술, 수지 외상 등의 의인성 원인에 의해 발생하며, 이 중 비중격 수술이 가장 흔한 원인으로 수술 후 약 1.6~6.7%에서 발생한다(Ketcham and Han, 2010). Wegener 육아종, 사르코이드증, 루푸스 등 만성 염증성 질환이나 침습성 진균 감염, 비중격 농양, 결핵, 매독과 같은 감염성 질환이 있을 때에도 천공이 발생할 수 있다. 이 외에도 림프종과 같은 종양성 질환에 의해서도 발생한다. 국소 스테로이드제 및 국소 비점막 혈관 수축제도 천공을 유발할 수 있으며, 코카인 중독 및 다른 약물을 흡입하는 경우에도 생길 수 있다(Watson and Barkdull, 2009)(표 14-1).

2. 증상

비중격 천공은 무증상 환자에서 비내시경검사를 통해 우연히 발견되는 경우가 대부분이다. 증상을 호소하는 환자에서는 가피 형성, 코피, 휘파람 소리, 코막힘, 통증, 콧물 등의 증상이 있다. 가피 형성과 출혈은 주로 천공의 가장자리에서 발생하며 이는 노출된 연골 때문이다. 만약 연골의 노출 없이 양쪽 점막이 잘 덮여 있다면 가피와 출혈은 잘 생기지 않는다(Kridel, 2004).

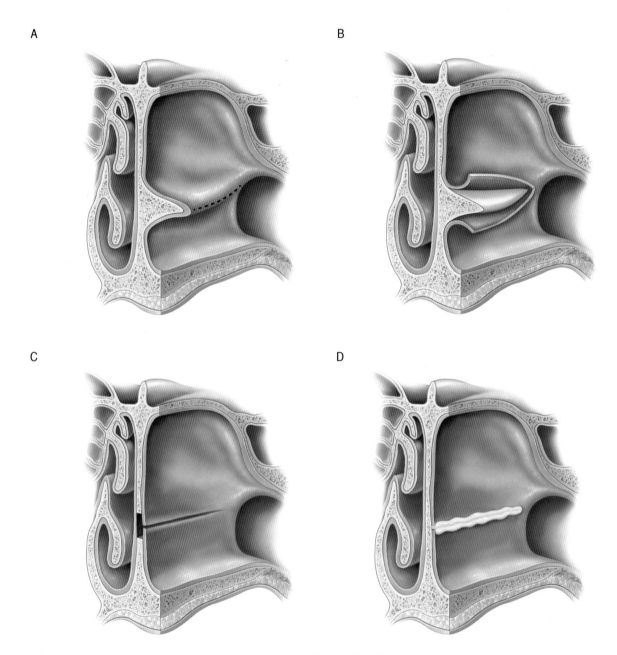

A

B

C

D

| 그림 14-17 내시경적 비중격 성형술

이상이 관찰되는 부위에 절개를 가한 후 점막을 들어올린다. 이후 돌기 등을 제거하고 들어올린 점막 피판을 다시 덮어준다. 이때 골 또는 연골이 제거된 부위에 교정된 연골을 다시 넣어줄 수 있으며, 분리된 점막은 다시 봉합할 필요는 없으나 의료용 풀 등을 이용하여 막아주는 것도 도움이 된다. 또한 국소적인 골극(bony spur)이 있는 경우 드릴을 사용할 수 있다.

| 표 14-1 | 비중격 천공의 감별질환 |

분류	원인
의인성	비중격성형술 외비성형술 비강소작술 경비 기도삽관
외상성	점막손상 잦은 코후빔 비중격 혈종 비강 내 이물질
염증성	사르코이드증 Churg-Starus 증후군 Wegener 육아종 루푸스
감염성	침습성 진균증 비중격농양 결핵 매독
종양	림프종
흡입제	비강 스테로이드 코카인 황산 가스(surfuric acid fume) 유리가루(glass dust) 수은 인 혈관수축제 스프레이

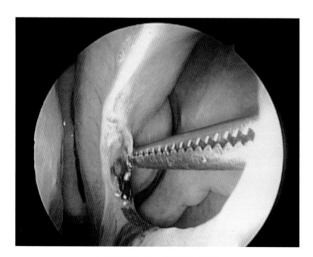

| 그림 14-18 비중격 천공

비중격 천공의 증상은 천공의 크기와 위치에 따라 다르다. 천공이 비공과 가까울수록, 즉 앞쪽에 위치할수록 증상이 심하며 그 이유는 후방 천공의 경우 흡기의 가습이 잘 되기 때문이다(Kridel, 2004). 일반적으로 천공의 크기가 커질수록 증상이 심해지지만 휘파람 소리의 경우는 주로 크기가 작은 천공에서 흡기 시에 발생한다(Lee et al., 2010). 천공의 크기가 큰 경우 외비의 안장코 변형이 발생할 수 있다.

3. 진단

비중격 천공의 진단과 원인을 감별하기 위해 병력청취가 중요하다. 코와 관련된 수술 또는 시술 여부, 외상력, 코카인 흡입, 이물질에 의한 손상 등을 확인하여야 한다. 또한 결핵, 매독 등 감염성 질환의 위험 요소가 있는지, 직업적으로 화학 물질에 노출되었을 가능성이 있는지를 문진한다. 비강 내 식염수 세척, 국소 스프레이 사용, 비강 내 연고 도포, 가피를 손가락으로 자주 제거하는 등의 비강 위생 습관 역시 천공을 발생시킬 수 있으므로 반드시 물어보아야 한다.

비내시경검사를 통하여 천공을 확인하며, 천공의 가장자리에 궤양 또는 비후된 조직이 있는지를 살펴보고 천공의 크기를 측정한다. 수술적 치료를 고려하는 경우에는 전후 길이뿐만 아니라 상하 길이를 측정하고 천공의 위치를 정확히 기술해야 한다(그림 14-18).

Churg-Strauss 증후군, Wegener 육아종, 사르코이드증 등의 질환이 의심되면 antineutrophil cytoplasmic autoantibody[ANCA], erythrocyte sedimentation rate[ESR], rheumatoid factor[RF], antiotensin-converting enzyme[ACE] 등 적절한 혈청 검사가 필요하다(Diamantopoulos and Jones, 2001).

비중격의 천공 가장자리에 염증 소견이 있는 경우 후

방에서 조직검사를 시행하고 결핵균, 진균을 포함한 배양검사를 한다. 천공의 상부 경계에서 조직검사를 하게 되면 천공의 장경이 더 길어져 재건 수술이 어렵게 되므로 후방 경계에서 검사를 하는 것이 좋다(Watson and Barkdull, 2009).

4. 예방

비중격 천공의 예방은 치료만큼이나 중요하다. 비중격 천공의 유발요인을 제거하고 원인질환을 찾아서 치료해야 하며 직업적 노출이 문제가 되는 경우 정기적인 검진이 필요하다.

또한 앞에서도 기술하였다시피 비중격 수술 시 비중격 점막 양측의 동일한 부위에 결손이 생기면 천공이 발생할 수 있으므로 주의해야 한다(Stoksted and Vase, 1978). 비출혈 등으로 인해 전기 소작을 시행할 때, 같은 부위의 양측 점막을 모두 소작할 경우 천공의 위험성이 높아지므로 양측 점막을 동시에 소작해서는 안 된다.

5. 치료

1) 비수술적 치료

첫 번째 치료로 비강 내 위생을 향상시키고 환자가 손가락으로 코를 파지 않도록 교육해야 한다. 생리 식염수를 이용한 코세척 및 주기적인 가습은 가피 형성을 줄일 수 있다. 항생제 연고를 사용하면 가피가 마르거나 딱딱해지는 것을 예방할 수 있고 점막에 염증이 있는 경우에도 도움이 된다(Fairbanks and Fairbanks, 1980).

실리콘, 아크릴 수지, 고무 등으로 만들어진 비중격 단추septal button를 천공부위에 삽입해 기계적인 장벽을

만들어주는 것도 도움이 된다. 비중격 단추에 의해 비강 내 공기의 와류를 줄이고 증상을 완화시킬 수 있지만 단추 주변으로 가피가 형성되어 오히려 불편감을 초래하기도 한다(Facer and Kern, 1979). 또한 코피가 자주 발생하고 단추에 의해 통증이 유발될 수 있으며 오히려 천공의 크기가 더 커지고 단추가 이탈하는 경우가 생길 수 있다(Watson and Barkdull, 2009).

2) 수술적 치료

비중격 천공의 성공적인 재건에는 천공의 크기가 가장 중요한 요소이다. 천공의 크기가 2~3 cm 정도인 경우 수술적 치료를 고려할 수 있으며 성공률은 술자에 따라 64~95%로 보고된다(Coleman and Strong, 2000). 또한 천공의 크기가 2 cm 이하인 경우, 양쪽 점막을 모두 재건한 경우에서 실패할 확률이 낮았다(Kim and Rhee, 2012).

크기가 작은 천공의 경우 내시경을 이용한 비내 접근법을 이용할 수 있으나 충분한 시야 확보가 어려울 수 있다. 개방성 외비성형술 접근법open rhinoplasty approach은 양쪽 점막과 비중격에 대한 넓은 시야를 얻을 수 있다. 이외에도 외측 비익 절개법lateral alotomy approach과 비내 접근법을 동시에 사용하기도 하고, 측비 절개법lateral rhinotomy approach, 안면 중앙부 노출법midfacial degloving approach 등의 방법을 이용할 수 있다(Coleman and Strong, 2000).

점막을 박리할 때에는 점막 봉합 시 긴장이 없도록 tension-free 재건하기 위해 결손부위보다 더 넓게 박리하는 것이 좋다. 비강저를 따라 필요한 경우 하비갑개 점막까지 박리를 하고 윗쪽으로는 상외측연골 부위까지 박리를 한 후에 점막에 절개를 가한다. 이 때 연골의 양측이 모두 노출되는 경우 새로운 천공이 발생할 수 있으

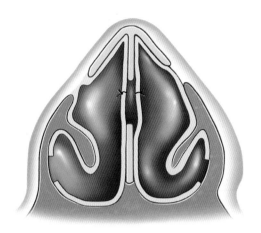

▎그림 14-19 Bipedicled advancement flap
하비갑개의 외측 벽의 점막에서부터(오른쪽) 상외측연골 위의 점막연골막까지 절개(왼쪽)를 가하면 충분한 피판을 얻을 수 있다.

므로 점막 절개 시 주의한다(그림 14-19). 천공의 크기가 큰 경우 조직 확장기tissue expansion를 이용하여 비강 저의 점막을 확장시킨 후 재건하는 방법도 있다(Romo et al., 1999).

점막연골막 피판으로 재건이 어려운 경우 점막 피판 사이에 여러 가지 이식편을 삽입하는 경우가 있다. 이식 물로는 측두근막이 가장 흔하게 사용되며, 두개골막, 유양돌기골막, 비중격 연골, 이개 연골, 이주 연골, 중비갑개, 사골수직판, 서골 등을 이용할 수 있다. 이외에도 전완부 근막 자유 피판을 이용하기도 하고, 요즘에는 인공진피acellular human dermal graft를 이용하기도 한다.

수술 후에는 점막을 보호하기 위해 silastic 판을 비중격 양쪽에 대고 비중격 연골에 봉합하여 고정하고 약 2주 정도 유지한다. 이식편이 건조해지지 않도록 적절히 가습을 하고 점막의 외상에 주의해야 한다(Coleman and Strong, 2000).

III │ 비중격 농양

1. 원인

비중격 농양은 비중격과 이를 둘러싸고 있는 점막연골막 또는 점막골막 사이에 농양이 고이는 것으로, 수술 등 비중격 손상에 의해 발생한 비중격 혈종의 이차 세균 감염에 의해 주로 발생한다(Ginsburg, 1998). 비중격 수술, 내시경 부비동수술, 비갑개 수술 등 모든 코수술이 비중격 농양의 의인성 원인이 될 수 있다(Teichgraeber et al., 1990). 소아에서는 코의 외상 이후에 발생하는 경우가 대부분이며 수상 후 평균 5~7일 정도 이후에 발생한다(Canty and Berkowitz, 1996). 드물지만 부비동염, 비전정염 등 비강과 부비동의 감염에 의해 발생하기도 하며, 치성감염이 원인이 되기도 한다. 면역저하 환자에서는 외상 등의 특별한 원인 없이도 비중격 농양이 발생하기도 하며, 코의 종기, 부비동염, 코카인 사용 등에 의해 발생할 수도 있다(Shah et al., 2000). 성별에 따라서는 비중격 농양의 가장 흔한 원인이 외상이므로 남자에서 호발하는 것으로 알려져 있으며 남녀 비율은 2:1 정도이다(sayn et al., 2011).

원인균은 포도상구균Staphylococcus aureus이 약 70%를 차지하며, 이외에도 연쇄상구균Streptococcus pneumoniae, group A β-hemolytic streptococcus, 인플루엔자균Hemophilus influenzae 등도 원인이 된다(Alshaikh and Lo, 2011). 드물게 폐렴간균Krebsiella pneumoniae, 장내세균Enterobacteriaceae, 혐기성균, 진균 등이 발견되기도 한다.

2. 증상

가장 흔한 증상은 코막힘이며, 화농성 비루, 비배부의 통증과 압통이 나타난다(Canty and Berkowitz, 1996). 또한 발열, 오한 등의 전신증상을 동반하기도 한다. 드물게는 코피가 나거나 외비의 평활한 종창이 발생한다.

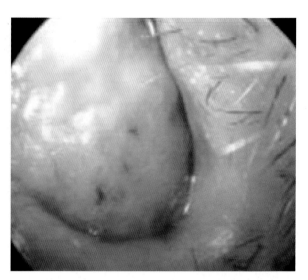

| 그림 14-20   비중격 농양
비중격의 부종으로 비전정이 가득 채워져 있고 비중격의 점막이 검붉은 색을 띄는 경우가 많다.

가 두꺼워지고 조영 증강이 되면 rim enhancement 비중격 농양을 의심할 수 있다(그림 14-21).

3. 진단

비내시경검사를 포함한 시진, 촉진을 반드시 시행해야 하며, 활력 징후와 중추 신경계 침범 증상이 있는지를 확인하여야 한다. 가장 흔한 소견으로는 외비의 종창, 압통이며 비중격의 양쪽 점막이 검붉은색을 보이면서 종창에 의해 비강이 막혀 있고 화농성 비루가 관찰된다(Alshaikh and Lo, 2011)(그림 14-20).

영상학적 검사는 쉽게 배농이 되는 경우에는 반드시 필요한 것은 아니다. 비중격 농양의 원인이 불분명하여 육아종, 결핵, 림프종 등의 감별이 필요한 경우, 약물 또는 수술적 치료에도 반응이 없는 경우 조영증강 컴퓨터 단층 촬영Computed tomography, CT 검사를 할 수 있다. 전비중격이 액체 저류에 의해 넓어져 있으면서 주변부

4. 치료

비중격 농양의 치료는 다른 세균성 감염과 유사하다. 미용적 변형과 두개 내 감염 전파를 예방하기 위하여 즉각적인 치료가 필요하다(Ambrus et al., 1981). 감염 부위를 절개배농하고 전신적인 광범위 항생제를 투여한다(Matsuba and Thawley, 1986). 두개 내 또는 전신적 합병증의 발생 여부를 관찰하기 위해 입원치료가 필요하며 성인은 대부분 국소마취 하에 적절한 절개배농을 할 수 있지만 소아의 경우 충분한 배농을 위해 전신마취 하에 시행하는 것이 좋다.

절개배농 시에는 Killian 절개, L 모양 절개 등 다양한 절개법이 사용될 수 있으며, 배액된 농은 반드시 균 배양검사를 시행하여야 한다. 농이 적절히 배액되고 난 후,

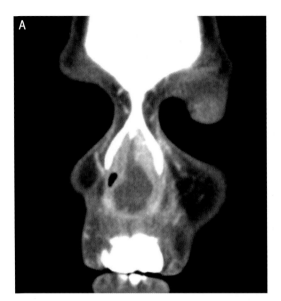

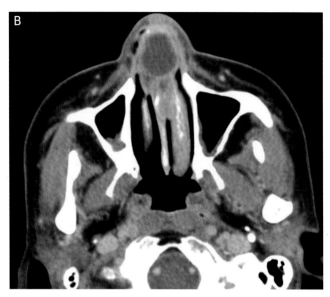

▎ 그림 14-21　비중격 농양의 CT 소견
Coronal(**A**) 영상과 axial(**B**) 영상에서 전비중격의 액체 저류 및 주변의 조영 증강을 보이고 있다.

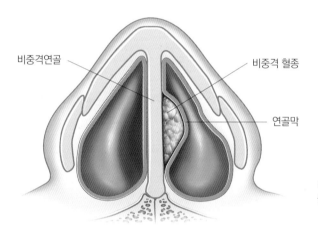

비중격연골

비중격 혈종

연골막

▎ 그림 14-22　비중격 혈종
비중격연골과 연골막 사이에 출혈이 발생하여 혈액이 고여 있다. 혈종이 연골의 혈액공급을 차단하여 연골 괴사를 일으킬 수 있다.

괴사된 연골을 절제하고 농양이 있었던 공간을 충분히 세척한다. 술자에 따라 작은 배액관을 넣어두거나 48-72시간 동안 비강 패킹을 유지하기도 한다(Ambrus et al., 1981).

5. 합병증

비중격 농양의 합병증으로 비중격 천공, 비중격 연골 괴사에 의한 안장코 변형 등의 국소 발생할 수 있으며, 드물게 해면정맥동 혈전증cavernous sinus thrombophlebitis, 뇌막염, 패혈증 등으로 사망하는 경우도 있다.

IV | 비중격 혈종

비중격 손상 특히 비중격 골절 및 비중격 수술 후 또는 여러 가지 혈액질환으로 비중격 연골과 연골막 사이에 출혈이 일어나고 혈액이 고이게 된다(그림 14-22). 연골은 연골막을 통하여 영양공급을 받는데 혈종으로 인하여 영양공급이 3일 이상 되지 않으면 연골의 괴사가 시작되고 연골의 변형으로 안비를 초래할 수 있다. 작은 혈종의 경우 연골의 괴사는 초래하지 않더라도 서서히 흡수되고 섬유화를 일으켜 비중격의 비후가 초래된다 (Mackay, 1997).

1. 증상

비폐색이 주 증상이다. 비배부에 압박감, 전두통frontal headache, 혈성 비루가 나타나기도 한다. 국소적으로는 비중격의 한편 또는 양편에 둥글고 평활한 종창이 있고 때로는 비강측벽에까지 도달하게 된다. 혈종의 크기가 매우 커지면 외비의 변형도 올 수 있으며 비중격 연골을 압박하여 연골의 괴사를 일으키기도 한다. 비중격 연골의 소실로 결국 비배부 지지가 약해져서 후에 안비 등의 기형을 초래할 수 있다.

2. 치료

발견 즉시 신속하게 치료되어야 비중격 농양, 비중격 천공, 외비 변형 등의 합병증을 예방할 수 있다. 최선의 치료법은 외과적 배액술surgical drainage이다. 작은 것은 주사기로 반복하여 혈액을 흡인 제거하면 되고 큰 것은 한쪽 점막하부에 비강저부와 평행하게 반관통 절개를 가

한 후 혈괴 및 괴사조직을 제거한다. 이때 연골을 통한 양면절개through and through incision는 비중격 천공을 일으킬 위험이 있으므로 금기다. 비중격 수술 후 발생한 혈종에 대해서는 절개를 가하였던 부위를 다시 개방하고 혈액을 제거한 후 polyethylene 튜브를 박고 비내 패킹을 하여 다시 혈액이 고이는 것을 방지한다. 비내 패킹은 양측이 균등히 되도록 하여 수술로 인해 불안정한 비중격이 어느 한쪽으로 편위되지 않도록 주의한다. 패킹은 24~48시간 후에 제거한다.

참고문헌

1. Ahn BH. A Practical and Clinical Application of the Septoplasty 2015;58:79-87.
2. Alshaikh N, Lo S. Nasal septal abscess in children: from diagnosis to management and prevention. International journal of pediatric otorhinolaryngology 2011;75:737-44.
3. Ambrus PS, Eavey RD, Baker AS, Wilson WR, Kelly JH. Management of nasal septal abscess. The Laryngoscope 1981;91:575-82.
4. André RF, Vuyk HD. Reconstruction of Dorsal and/or Caudal Nasal Septum Deformities With Septal Battens or by Septal Replacement: An Overview and Comparison of Techniques. The Laryngoscope 2006;116:1668-73.
5. Aziz ZS, Brenner MJ, Putman HC. Oblique septal crossbar graft for anterior septal angle reconstruction. Archives of facial plastic surgery 2013;12:422-6.
6. Bateman ND, Woolford TJ. Informed consent for septal surgery: the evidence-base, The Journal of Laryngology & Otology 2003;117:186-9
7. Becker SS, Dobratz EJ, Stowell N, Barker D, Park SS. Revision septoplasty: review of sources of persistent nasal obstruction. Am J Rhinol 2008;22:440-4.
8. Bernstein L. Early submucous resection of nasal septal cartilage. A pilot study in canine pups. Archives of otolaryngology 1973;97:273-8.
9. Bloom JD, Kaplan SE, Bleier BS, Goldstein Sa. Septoplasty complications: avoidance and management. Otolaryngologic clinics of North America 2009;42:463-81.
10. Boenisch M, Nolst TG. Reconstructive Septal Surgery. facial plastic surgery: FPS. 2006;22:249-54.
11. Byrd SH, Salomon J, Flood J. Correction of the crooked nose. Plastic and reconstructive surgery 1998;102:2148-57.
12. Béjar I, Farkas LG, Messner AH, Crysdale WS. Nasal growth after external septoplasty in children. Archives of otolaryngology-head & neck surgery 1996;122:816-21.
13. Calderón-Cuéllar LT, Trujillo-Hernández B, Vásquez C, Padilla-

Acero J, Cisneros-Preciado H. Modified mattress suture technique to correct anterior septal deviation, 2004;1436-1441.

14. Canty A, Berkowitz RG. Hematoma and abscess of the nasal septum in children. Archives of Otolaryngology Head & Neck Surgery 1996;122:1373-6.

15. Certal V, Silva H, Santos T, Correia A, Carvalho C. Trans-septal suturing technique in septoplasty: a systematic review and meta-analysis. Rhinology 2012;50:236-45.

16. Christophel JJ, Gross CW. Pediatric septoplasty. Otolaryngologic clinics of North America 2009;42:287-94, ix.

17. Chung YS, Seol JH, Choi JM, Shin DH, Kim YW, Cho JH, et al. How to resolve the caudal septal deviation?: Clinical outcomes after septoplasty with bony batten grafting. The Laryngoscope 2014;124:1771-6.

18. Coleman JR, Jr., Strong EB. Management of nasal septal perforation. Current Opinion in Otolaryngology & Head and Neck Surgery 2000;8:58-62.

19. Converse JM. Corrective surgery of nasal deviations. AMA Arch Otolaryngol 1950;52:671-708.

20. Cupero TM, Middleton CE, Silva AB. Effects of functional septoplasty on the facial growth of ferrets. Archives of otolaryngology--head & neck surgery 2001;127:1367-9.

21. Devseren NO, Ecevit MC, Erdag TK, Ceryan K. A randomized clinical study: outcome of submucous resection of compensatory inferior turbinate during septoplasty. Rhinology 2011;49:53-7.

22. Dhong HJ, Kim HY, Chung MK. Septoplasty with conservative resection and figure of 8 anchoring suture for the caudal septal deviation. Korean Journal of Otolaryngology-Head and Neck Surgery 2005;48:51-5.

23. Diamantopoulos I, Jones N. The investigation of nasal septal perforations and ulcers. The Journal of Laryngology & Otology 2001;115:541-4.

24. Dinis PB, Haider H. Septoplasty: long-term evaluation of results. Am J Otolaryngol 2002;23:85-90.

25. D'Ascanio L, Lancione C, Pompa G, Rebuffini E, Mansi N, Manzini M. Craniofacial growth in children with nasal septum deviation: a cephalometric comparative study. Int J Pediatr Otorhinolaryngol 2010;74:1180-3.

26. El-Hakim H, Crysdale WS, Abdollel M, Farkas LG. A study of anthropometric measures before and after external septoplasty in children: a preliminary study. Archives of otolaryngology--head & neck surgery 2001;127:1362-6.

27. Facer GW, Kern EB. Nasal septal perforations: use of Silastic button in 108 patients. Rhinology 1979;17:115-20.

28. Fairbanks DNF, Fairbanks GR. Nasal Septal Perforation: Prevention and Management. Annals of Plastic Surgery 1980;5:452-9.

29. Farmer SEJ, Eccles R. Chronic inferior turbinate enlargement and the implications for surgical intervention. Rhinology 2006;44:234.

30. Fry HJ. Interlocked stresses in human nasal septal cartilage. Br J Plast Surg 1966;19:276-8.

31. Fry HJ. Nasal skeletal trauma and the interlocked stresses of the nasal septal cartilage. Br J Plast Surg 1967;20:146-58.

32. Garcia GJ, Rhee JS, Senior BA, Kimbell JS. Septal deviation and nasal resistance: an investigation using virtual surgery and computational fluid dynamics. Am J Rhinol Allergy 2010;24:e46-53.

33. Giacomini P, Lanciani R, Di Girolamo S, Ferraro S, Ottaviani F.

34. Gillman GS, Egloff AM, Rivera-Serrano CM. Revision septoplasty: a prospective disease-specific outcome study. The Laryngoscope 2014;124:1290-5.

35. Ginsburg CM. Nasal septal hematoma. Pediatrics in review / American Academy of Pediatrics 1998;19:142-3.

36. Grymer LF, Illum P, Hilberg O. Septoplasty and compensatory inferior turbinate hypertrophy: a randomized study evaluated by acoustic rhinometry. The Journal of laryngology and otology 1993;107:413-7.

37. Gubisch W. Extracorporeal septoplasty for the markedly deviated septum. Arch Facial Plast Surg 2005;7:218-26.

38. Guyuron B, Uzzo CD, Scull H. A practical classification of septonasal deviation and an effective guide to septal surgery. Plast Reconstr Surg 1999;104:2202-9; discussion 2210-02.

39. Han JK, Stringer SP, Rosenfeld RM, Archer SM, Baker DP, Brown S M, et al. Clinical Consensus Statement: Septoplasty with or without Inferior Turbinate Reduction. Otolaryngol Head Neck Surg 2015;153:708-20.

40. Hyun DW, Kim YS, Lee JG, Yoon JH, Kim CH. Full-thickness horizontal mucosal incision to correct high septal deviation : Our experience in ten patients. Clinical Otolaryngology 2012;37:223-8.

41. Hyun DW, Kim YS, Lee JG, Yoon JH, Kim CH. Full-thickness horizontal mucosal incision to correct high septals deviation: our experience in ten patients. Clin Otolaryngol 2012;37:223-8.

42. Illum P. Septoplasty and compensatory inferior turbinate hypertrophy: long-term results after randomized turbinoplasty. European archives of oto-rhino-laryngology : official journal of the European Federation of Oto-Rhino-Laryngological Societies (EUFOS) : affiliated with the German Society for Oto-Rhino-Laryngology - Head and Neck Surgery 1997;254 Suppl:S89-92.

43. Jacobson JA, Kasworm EM, Crass BA, Bergdoll MS. Nasal carriage of toxigenic Staphylococcus aureus and prevalence of serum antibody to toxic-shock-syndrome toxin 1 in Utah. J Infect Dis 1986;153:356-9.

44. Jang YJ, Yeo N-K, Wang JH. Cutting and suture technique of the caudal septal cartilage for the management of caudal septal deviation. Archives of otolaryngology--head & neck surgery 2009;135:1256-60.

45. Jin HR, Won TB. 비중격성형술; 최근의 개념과 술기 2008;15:13-29.

46. Jun BC, Kim SW, Kim SW, Cho JH, Park YJ, Yoon HR. Is turbinate surgery necessary when performing a septoplasty?. European Archives of Oto-Rhino-Laryngology 2009;266:975-80.

47. Kang JM, Nam ME, Dhong HJ, Kim HY, Chung SK, Kim JH. Modified mattress suturing technique for correcting the septal high dorsal deviation around the keystone area. American journal of rhinology & allergy 2012;26:227-32.

48. Karlsson TR, Shakeel M, Supriya M, Ram B, Ah-See KW. Septoplasty with concomitant inferior turbinate reduction reduces the need for revision procedure. Rhinology 2015;53:59-65.

49. Ketcham AS, Han JK. Complications and management of septoplasty. Otolaryngologic Clinics of North America 2010;43:897-904.

50. Kim DH, Park HY, Kim HS, Kang SO, Park JS, Han NS. Effect of septoplasty on inferior turbinate hypertrophy. Archives of otolaryngology--head & neck surgery 2008;134:419-23.

51. Kim DW, Gurney T. Management of naso-septal L-strut defor-

mities. Facial plastic surgery: FPS. 2006;22:9-27.

52. Kim SW, Rhee CS. Nasal septal perforation repair: predictive factors and systematic review of the literature. Current opinion in otolaryngology & head and neck surgery 2012;20:58-65.

53. Kridel R, Sturm-O'Brien A. Nsal Septum. In: Flint PW editor. Cummings Otolaryngology. Philadelphia: Elsevier;2015:474-92.

54. Kridel RW, Scott BA, Foda HM. The tongue-in-groove technique in septorhinoplasty. A 10-year experience. Arch Facial Plast Surg 1999;1:246-56; discussion 257-48.

55. Kridel RWH. Considerations in the etiology, treatment, and repair of septal perforations. Facial plastic surgery clinics of North America 2004;12:435-50, vi.

56. Lanza DC Rosin DF, Kennedy DW. Endoscopic septal spur resection. Am J Rhinol 1993;7:213-6.

57. Lanza DC, Kennedy DW, Zinreich SJ. Nasal endoscopy and its surgical applications. Essential otolaryngology: head and neck surgery 5th ed. New York: Medical Examination 1991;373-87.

58. Lawrence R. Pediatric septoplasy: A review of the literature. International Journal of Pediatric Otorhinolaryngology 2012;76:1078-81.

59. Lee BJ, Chung YS, Jang YJ. Overcorrected septum as a complication of septoplasty. Am J Rhinol 2004;18:393-6.

60. Lee HP, Garlapati RR, Chong VFH, Wang DY. Effects of septal perforation on nasal airflow: computer simulation study. The Journal of Laryngology & Otology 2010;124:48-54.

61. Lee JE, Jung HJ, Chang M, Jin HR. A novel wedge technique to correct the curved deviation of the cartilaginous nasal septum. Auris Nasus Larynx 2014;41:190-4.

62. Lee JE, Jung HJ, Chang M, Jin HR. A novel wedge technique to correct the curved deviation of the cartilaginous nasal septum. Auris, nasus, larynx 2014;41:190-4.

63. Lee JW, Baker SR. Correction of caudal septal deviation and deformity using nasal septal bone grafts. JAMA facial plastic surgery 2013;15:96-100.

64. Low C, Sanjeevan N, Panarese A, Hone S. Key principles to minimize mucoperichondrial flap lacerations during nasal septal surgery. Operative Techniques in Otolaryngology 2005;16:209-12.

65. Matsuba HM, Thawley SE. Nasal Septal Abscess: Unusual Causes, Complications, Treatment, and Sequelae. Annals of Plastic Surgery 1986;16:161-6.

66. Metzenbaum M. Replacement of the lower end of the dislocated septal cartilage versus submucous resection of the dislocated end of the septal cartilage. Archives of Otolaryngology - Head and Neck Surgery 1929;9:282-96.

67. Michael F, Schalch P. Endoscopic septoplasty. Operative Techniques in Otolaryngology 2006;17:139-42.

68. Min YG, Jung HW, Kim CS. Prevalence study of nasal septal deformities in Korea: results of a nation-wide survey. Rhinology 1995;33:61-5.

69. Murakami WT, Wong LW, Davidson TM. Applications of the biomechanical behavior of cartilage to nasal septoplastic surgery. Laryngoscope 1982;92:300-9.

70. Okur E, Yildirim I, Aral M, Ciragil P, Kilic MA, Gul M. Bacteremia during open septorhinoplasty. Am J Rhinol 2006;20:36-9.

71. Pastorek NJ, Becker DG. Treating the caudal septal deflection. Arch Facial Plast Surg 2000;2:217-20.

72. Planas J. The twisted nose. Clin Plast Surg 1977;4:55-67.

73. Rettinger G, Kirsche H. Complications in septoplasty. Facial Plastic Surgery: FPS. 2006;22:289-97.

74. Romo TIII, Sclafani AP, Falk AN, Toffel PH. A Graduated Approach to the Repair of Nasal Septal Perforations. Plastic and Reconstructive Surgery 1999;103:66-75.

75. Sarnat BG, Wexler MR. The snout after resection of nasal septum in adult rabbits. Archives of otolaryngology 1967;86:463-6.

76. Sayn I, Yazc ZM, Bozkurt E, Kayhan FT. Nasal Septal Hematoma and Abscess in Children. Journal of Craniofacial Surgery 2011;22:e17-e19.

77. Schwab JA, Pirsig W. Complications of septal surgery. Facial plastic surgery: FPS 1997;13:3-14.

78. Sedwick JD, Lopez AB, Gajewski BJ, Simons RL. Caudal septoplasty for treatment of septal deviation: aesthetic and functional correction of the nasal base. Arch Facial Plast Surg 2005;7:158-62.

79. Shah SB, Murr AH, Lee KC. Nontraumatic nasal septal abscesses in the immunocompromised: etiology, recognition, treatment, and sequelae. American journal of rhinology 2000;14:39-43.

80. Stoksted P, Vase P. Perforations of the nasal septum following operative procedures. Rhinology 1978;16:123-38.

81. Tasca I, Compadretti GC. Nasal growth after pediatric septoplasty at long-term follow-up. American journal of rhinology & allergy 2011;25:e7-12.

82. Teichgraeber JF, Riley WB, Parks DH. Nasal Surgery Complications. Plastic and Reconstructive Surgery 1990;85:527-31.

83. ten Koppel PG, van der Veen JM, Hein D, van Keulen, F, Van Osch G J, Verwoerd-Verhoef HL et al. Controlling incision-induced distortion of nasal septal cartilage: a model to predict the effect of scoring of rabbit septa. Plast Reconstr Surg 2003;111:1948-57;discussion 1958-49.

84. Uppal S, Mistry H, Nadig S, Back G, Coatesworth A. Evaluation of patient benefit from nasal septal surgery for nasal obstruction. Auris Nasus Larynx 2005;32:129-37.

85. Uzun L, Savranlar A, Beder LB et al. Enlargement of the bone component in different parts of compensatorily hypertrophied inferior turbinate. Am J Rhinol 2004;18:405-10.

86. Vuyk HD, Langenhuijsen KJ. Aesthetic sequelae of septoplasty. Clinical otolaryngology and allied sciences 1997;22:226-32.

87. Walker PJ, Crysdale WS, Farkas LG. External septorhinoplasty in children: Outcome and effect on growth of septal excision and reimplantation. Archives of otolaryngology--head & neck surgery 1993;119:984-9.

88. Watson D, Barkdull G. Surgical management of the septal perforation. Otolaryngologic clinics of North America 2009;42:483-93.

89. Wee JH, Lee JE, Cho SW, Jin HR. Septal batten graft to correct cartilaginous deformities in endonasal septoplasty. Arch Otolaryngol Head Neck Surg 2012;138:457-61.

90. Yang JW, Kim SI, Kwon JW, Park DJ. Are Cross-hatching Incisions Mandatory for Correction of Cartilaginous Septal Deviation? Clin Exp Otorhinolaryngol 2008;1:20-3.

91. Yilmaz MS, Guven M, Elicora SS, Kaymaz R. An Evaluation of Biodegradable Synthetic Polyurethane Foam in Patients following Septoplasty: A Prospective Randomized Trial. Otolaryngology-Head and Neck Surgery 2012;0194599812465587.

CHAPTER

15

비밸브와 비갑개

한림의대 이비인후과 **박찬흠**, 중앙보훈병원 이비인후과 **장진순**

> **CONTENTS**

I. 비밸브
II. 비갑개

HIGHLIGHTS 〉〉〉

- 비밸브는 비내 공간 가운데 가장 좁은 부위로 해부학적으로는 상외측 연골 말단과 비중격 사이의 2차원적 가는 통로로 보이는 구조임

- 비밸브 기능 장애는 비밸브를 구성하는 구조물의 선천적 혹은 후천적(외상이나 수술) 이상을 파악하고 내 · 외 비밸브와 그와 연관된 정적 혹은 동적 기능 저하의 존재 유무를 확인하는 것이 매우 중요함

- 치료의 원칙은 수술을 통해 비밸브를 구성하는 골격과 연조직의 물리적 안전성을 정상화시켜 심화되는 비내 음압과 저항을 줄여 기류 흐름을 좋게 함으로써 숨이 잘 쉬어지게 만드는 것임

- 정적 기능 장애는 현수 봉합, 펼침 이식 등을 이용하여 휘거나 쳐진 부위를 당겨 고정시켜 비밸브를 넓히고 지지력을 강화시켜주는 술식을 이용하며, 동적 기능장애는 비익 강화이식, 외측각 지주 및 지주 이식 등으로 외측벽을 강화시켜 지지력을 복원함으로서 코막힘을 개선

- 비갑개의 비후는 점막의 비후와 비갑개 골의 비대로 나눌 수 있는데 점막의 비후를 일으키는 원인으로는 알레르기성 비염, 혈관 운동성 비염, 만성 감염성 비염 등이 있으며 비갑개골의 비대를 일으키는 원인은 과다한 공기 흐름으로 인하여 비강 내의 건조와 가피 형성이 생기는 것을 막기 위한 생리현상으로 인하여 발생하는 것으로서 국소 약물치료에는 잘 반응하지 않을 수 있어 수술적 치료가 필요한 경우가 많음

- 비갑개 수술의 목적은 비강 기도를 넓혀 호흡을 원활하게 하는 것으로 수술에 따른 출혈이나 비강 건조, 가피 형성, 악취 등의 필연적으로 따라오는 합병증이 발생하지 않도록 하는 것이 중요함

- 수술적인 방법으로는 스테로이드 주입법, 전기소작, 냉동법, 레이저 소작술, 고주파 절제술, 미세 연마술, 하비갑개 외골절, 하비갑개 절제술, 하비갑개 교정술 등이 있으며, 최근에는 최대한 점막을 보존하는 방향으로 수술이 이루어지고 있음

I | 비밸브

비밸브nasal valve는 비내 공간 가운데 가장 좁은 부위로 해부학적으로는 상외측 연골 말단과 비중격 사이의 2차원적 가는 통로로 보이는 구조이다. 기도 전체 저항의 약 50% 정도를 차지하는 비밸브는 흡기류 속도와 비내 압력 변화에 따라 기류를 역동적dynamic으로 조절한다(Chand and Toriumi, 2002). 흡기류 저항이 가장 심한 부위에 비밸브를 이루는 구조와 기능에 어떤 장애가 생기면 다른 비내 어떤 구조의 이상으로 생긴 것보다 더 심한 코막힘을 느끼게 되는데 이를 비밸브 기능장애 dysfunction(Dolan, 2003) 혹은 기능저하compromise(Rhee et al., 2010)라 한다. 비밸브 기능장애는 육안으로 보이는 비내 점막, 비갑개 그리고 비중격 각각의 요인에 의해서 발생한 코막힘에 비해 그 빈도는 낮지만 쉽게 간과할 수 있는 코막힘을 유발하는 또 하나의 중요한 원인이다. 이 장에서 비밸브의 해부, 기능, 병태 생리 그리고 기능장애의 진단과 수술적 치료에 집중하여 설명하기로 한다.

1. 해부학

비밸브는 그 위치에 따라 전통적으로 내비 밸브internal valve와 외비 밸브external valve로 나누는데 일반적으로 비밸브라 하면 대개 내비 밸브를 의미한다. 내비 밸브(그림 15-1)는 기도 가운데 가장 좁은 부위이자 흡기류의 저항이 가장 심한 곳으로 비역limen vestibule, os internum이라고도 불린다. 비밸브는 내공internal ostium 또는 협부isthmus라고 불리는 비밸브 영역nasal valve area을 구성하는 구조 중 일부분이다.

비밸브 영역은 평균 단면이 55~64 mm² 정도의 서양 배 모양처럼 생긴 3차원적인 공간(그림 15-2)을 말하는데, 비밸브 첨부에서 시작하여 내측은 비중격과 전상악익premaxillary wing, 외측은 상외측 연골의 말단부와 하비갑개의 두부, 측면 섬유지방 그리고 아래 경계는 피부로 덮힌 이상구 바닥을 이은 공간이다.

상외측 연골의 말단은 비중격과 만나 각을 이루고 이 각도를 비밸브 각nasal valve angle(그림 15-3)이라 한다. 정상범위가 서양인에서는 15~20°이며 동양인은 이보다 좀 더 넓다(Krause et al., 1999).

외비 밸브(그림 15-4)는 비공으로 들어가는 비익 ala 경계에서 시작하여 외면은 하외측 연골 말단 경계와 이어진 비익의 섬유지방 조직, 내면은 비주columella 그리고 밑면은 코틱nasal sill으로 둘러싸인 공간을 말한다. 비익 자체proper는 비공nostril의 외측벽에 위치한 섬유 지방 부위를 말하는데 직접적인 연골의 지지는 없고 비익확대근dilator naris이 붙어 직접 비공은 열고 간접적으로 외측각lateral crus과 골간intercartilagenous섬유에 부착하여 내비 밸브도 여는 역할을 한다.

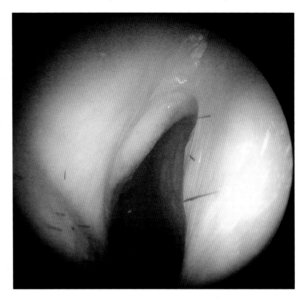

┃ 그림 15-1 내비 밸브

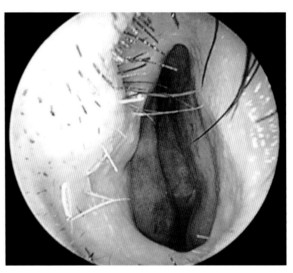

┃ 그림 15-2 비밸브 영역

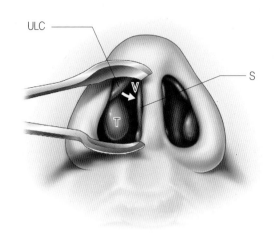

| 그림 15-3 비밸브 각

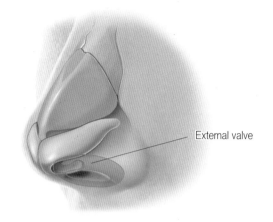

| 그림 15-4 외비 밸브

2. 비밸브 기능과 병태 생리

비밸브는 코 속 가장 좁은 부위라서 기류를 단지 제한하는 것이 아니라 함몰 가능한 조직에 둘러싸여 기류와 압력 변화에 반응을 하는 즉, 협착도collapsibility를 지닌 관의 단구역short segment과 유사하게 스탈링 저항기Starling resistor 같은 역할을 한다는 의미에서 Bridger(Bridger, 1970)는 비밸브 영역을 기류 제한 구역 flow limiting segment이라 하였다. 그러나 엄밀한 의미에서 비밸브는 기류를 분무하는 교란기turbulizer같은 역할이 더 주된 기능이라 할 수 있다. 그 이유는 층laminar류로 시작된 기류를 와turbulent류로 바꿔 비내 더 넓은 범위의 점막과 공기가 접촉해 여과, 가습, 보온, 후각 등이 충분히 일어나게 도와주고 있기 때문이다. 비공을 통과한 기류는 흐름이 상방으로 바뀌어 삼각형 모양의 좁은 비밸브를 향해 큰 포물선을 그리는 층류가 만들어진다 (Tarabichi and Fanous, 1993). 관경이 좁은 공간인 비밸브를 통과할 때 기속은 증가하고 압력은 감소한다는 베르누이Bernoulli법칙(그림 15-5A)에 의해 흡기류는 가속이 붙고 압력은 떨어진다. 이때 비밸브가 과도하게 좁아

지거나 이미 심하게 좁아져 있다면 비 내외 압력차가 심화되어 밸브내의 증가된 음압에 의해 내측으로 당기는 힘 소위 벤츄리 효과Venturi effect(그림 15-5B)가 더 강해져 비밸브의 함몰이 심화된다. 게다가 기류 저항을 결정짓는 주된 요소가 관 지름이고 관 지름의 4제곱에 기류 저항이 반비례 한다는 포이쉴리Poiseuille's 원리(그림 15-5C)에 따라 관경이 반으로 줄면 저항은 16배 증가해 기류 흐름은 매우 나빠진다. 결국 비밸브 기능 장애 환자는 베르누이 원리와 벤츄리 효과 그리고 포이쉴리 법칙이 더해져 들숨 시 매우 심한 코막힘을 느끼게 되는 것이다.

이렇게 비밸브의 함몰과 그에 따른 코막힘은 줄어든 단면적뿐만 아니라 내측으로 당기는 힘에 맞서는 측면부의 단단함rigidity이 약해져 발생하므로 비밸브가 정상적인 기능을 하려면 음압에 의한 비밸브 함몰을 막는 단단함과 안팎으로 자유롭게 움직이는 유연성mobility을 겸비해야 한다. 상외측 연골 말단부의 회귀return(그림 15-6)와 하외측 연골 두부는 서로 감기면서curling 겹치는 형태(I빔beam)로 맞물려scroll져 단단해지고 종자연골을 포함한 소성loose 결체조직으로 구성된 연골사이 공

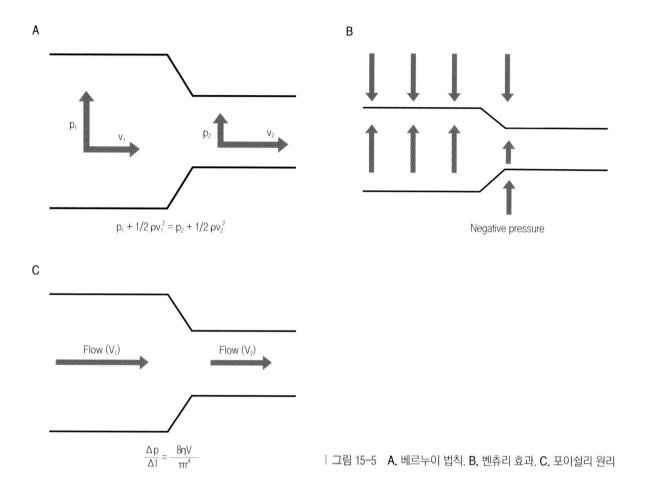

A

$$p_1 + 1/2 \, \rho v_1^2 = p_2 + 1/2 \, \rho v_2^2$$

B

Negative pressure

C

Flow (V_1)　　　Flow (V_2)

$$\frac{\Delta p}{\Delta l} = \frac{8 \eta V}{\pi r^4}$$

┃ 그림 15-5　**A.** 베르누이 법칙. **B.** 벤츄리 효과. **C.** 포이쉴리 원리

간intercartilagenous area은 비밸브 측면을 유연하게 안팎으로 움직이게 만든다.

　다시 말해 연골간 결합은 관절같이, 측면부 연조직은 경첩hinge 같은 역할로 운동성과 단단함을 모두 갖춰 비밸브를 안정적으로 유지하는 것이다. 따라서 상, 하외측 두 연골끼리 겹치는 접합부의 맞물림이 증가하면 측면부가 더 단단해지고 두 연골이 맞물리지 않거나 두껍게 맞물리거나 뒤집혀 맞물리는 등 맞물림이 비정상적이면 비밸브가 단단할 수 없어 상외측 연골이 내측으로 처져 비밸브가 좁아진다. 상외측 연골은 위로 비골과 비배에서는 비중격과 철저히 같이 움직이도록 접합되어 있어 선천적 혹은 외상 또는 절골로 비골 위치가 변하면 곧바

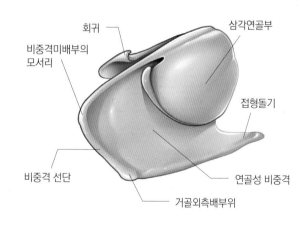

┃ 그림 15-6　회귀(return)
상외측 연골 말단부위가 휘어 올라가는 형태

비중격미배부의 모서리
회귀
삼각연골부
접형돌기
연골성 비중격
거골외측배부위
비중격 선단

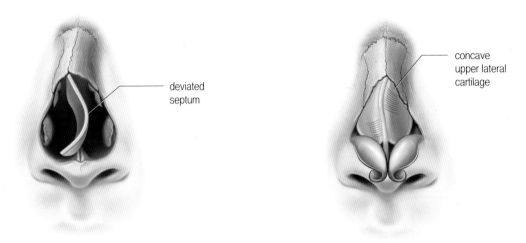

deviated
septum

concave
upper lateral
cartilage

| 그림 15-7   비중격과 비골의 변형이 상외측에 미치는 영향

로 상외측 연골도 변형(그림 15-7)이 일어나 비밸브가 좁아진다.

하외측 연골도 그 움직임을 연골간 결합을 통해 상외측에 전달하고 있어 상외측 연골과의 연결이 끊기거나 하외측 연골을 과도하게 제거하면 측면부 연조직이 수축해 상외측 연골을 내측으로 당겨 간접적으로 비밸브를 좁힌다. 한편 외비 밸브는 비익의 모양과 형태가 정상이면 비내 기류에 영향이 없으나 비익이 함몰되거나 좁아지면 기류를 방해하는데 이는 좁아진 비익이 비내 음압을 증가시켜 이차적으로 비밸브 함몰을 유도하기 때문이다. 비공의 외측벽은 연골에 의한 직접적인 지지가 없으므로 위치가 선천적으로 비정상이거나 외상이나 수술로 하외측 연골이 손상되면 비익이 처지거나flaccidity 함몰된다. 이러한 외비 밸브 기능 장애는 비익 기능 장애nasal alar dysfunction(Dolan, 2010)와 혼용되기도 하고 비익 함몰 또는 넓은 의미의 외측벽 함몰이란 표현으로 쓰이기도 한다.

3. 비밸브 기능장애의 진단

내비 밸브 및 외비 밸브의 기능장애는 정적static, 동적 dynamic 그리고 가변적variable으로 구분하는 것이 일반적이고 장애의 위치에 따라 중 비배부middle vault 함몰과 외측벽 기능부전insufficiency으로 나누기도 한다. 정적 기능장애는 공기 이동과는 무관하게 이미 협소나 협착이 있는 경우를 말하고 동적 기능장애는 느린 흡기류의 경우에는 괜찮으나 기류속도 및 비내외 압력차가 커지는 경우 함몰이 생기는 것을 말한다. 가변적 기능이상은 상황에 따라서는 정상일 수도 있고 비주기nasal cycle나 염증성 비염inflammatory rhinitis과 관련된 점막 및 연조직 부종으로 정적 및 동적 기능장애가 생긴 경우를 말한다.

비밸브 기능장애 진단은 병력청취와 들숨 시 상외측 연골말단과 비중격이 만나는 부위를 자세하게 살펴보는 비수기hand-off 진찰법이 가장 중요하다. 하지만 때로는 외비 연조직이나 연골이 약해져 외비 모양이 비대칭적으로 보이는 경우 손가락으로 외비 일정부위를 눌러 양측 대칭성, 편측 경직성 상태 등을 파악하는 것도 중

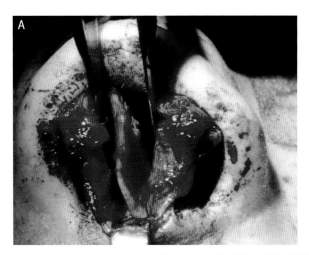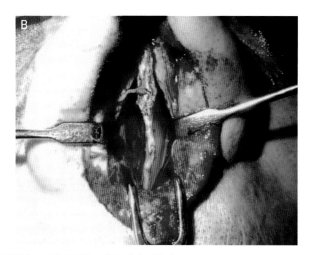

| 그림 15-8   **A.** 비비중격 L지주, 말단 비중격. **B.** 비비중격 L지주, 비배 비중격

요하다. 비밸브 기능장애를 진단하는 데 가장 흔히 쓰는 수정 Cottle검사(Ricci et al., 2001 ; Heinberg and Kern, 1973)는 비 외측 뺨을 밖으로 밀어 부위 이상을 정확하게 파악하기 힘들어 진단적 가치가 떨어지지만 면봉cotton tip applicator의 끝을 이용해 상외측 연골을 들어 숨쉬기 편해지는 것을 파악하는 수정검사는 상외측 연골 측면의 비밸브 장애를 파악하는 데 유용하게 사용할 수 있다. 비밸브 기능장애 특히 정적 비밸브 장애로 코가 막히는 환자에서 가장 흔히 관찰되는 소견은 비중격의 경우 L-지주라고 불리는 비비중격nasoseptal(그림 15-8) 즉, 말단caudal이나 비배부dorsal 만곡 혹은 고위high 비중격 변형(그림 15-9A)이고 상외측 연골의 경우는 말단이 내측으로 처져 비밸브 각도가 좁아진 협소한 비밸브 영역(그림 15-9B)모습 등이다.

과거력에 대한 문진도 중요하여 과거에 비성형술시 곡비hump 제거를 했었고 현재 특징적인 역 V변형이 외견상 보인다면 이는 상외측연골과 비중격의 연결이 끊겨 상외측 연골이 안쪽으로 꺼져 비밸브가 좁아져 코가 막히는 것이고 과거 비성형술 시행 시 하외측연골 두측을 과도하게 제거했거나 다듬었었다면 들숨 시 측면부

함몰을 동반한 코막힘이 나타나면서 특징적인 상비익 집게pinch가 외비 측면부에 보인다. 하외측 연골은 외측각이 선천적으로 두측으로 올라가 존재하는 경우 외견상 코 소엽lobule에 괄호parenthesis변형(Park and Becker, 2003)(그림 15-10)이 보이고 흡기 시 외측벽이 함몰되면서 코막힘을 호소한다.

이외에도 박스형boxy비첨을 교정하기 위해 돔결합 dome-binding봉합을 시행하는 환자가 하외측 연골에 외측각 전향recurvature을 갖는다면 돔 결합 후 외측각이 안쪽으로 당겨져 코가 막힐 수 있고 외측각의 정상적인 캠버camber 형태가 뒤집힌 반reverse 캠버 형태를 가진 환자도 외비 밸브의 단면이 좁아져 코막힘이 생길 수 있다. 외비 밸브 기능 장애는 얇은 비익 외벽, 과도하게 돌출된 비첨부 또는 가늘고 긴 비공을 가진 서양인에서 들숨 시 비익이 내측으로 함몰되어 비공이 닫힘으로 인한 경우가 있으나 동양인에서는 대부분 종양, 외상 그리고 과도한 절제, 재건 등과 같은 술 후에 아니면 외상 후 반흔에 의해 그리고 안면 신경 마비 후 발생하는 경우가 더 많다.

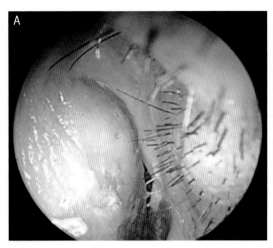
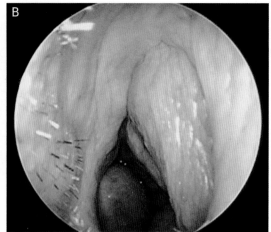

┃ 그림 15-9 **A.** 비배부 비중격 만곡(좌측 비내시경). **B.** 우측 상외측 연골의 내측 함몰

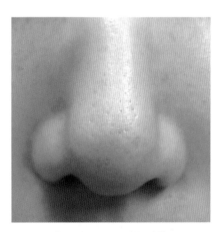

┃ 그림 15-10 괄호 변형

4. 비밸브 기능장애의 수술적 치료

수술적 치료 원칙은 비밸브 영역을 구성하는 구조물로 인해 발생한 저항을 낮추고 흡기류 속도는 줄여 비내 음압 생성을 최소화시킴과 동시에 벤츄리 효과(Beeson, 1987)에 맞설 지지력을 강화시켜 공기가 원활하게 흐르도록 하는 것이다.

1) 내비 밸브

(1) 정적 내비 밸브 기능 장애

① 상외측 연골 함몰 그리고 내측화 및 외측벽 함몰
i) 펼침 이식

펼침 이식spreader graft은 비밸브 영역을 넓혀 기류 흐름을 개선하는 데 가장 많이 쓰이는 대표적 술식이다(Sheen, 1984). 이식편은 주로 비중격에서 채취 후 길이 2~2.5 cm, 높이 3~4 mm, 두께 1~2 mm 정도의 긴 직사각형 모양으로 제작한다. 비내 접근법과 비외 접근법이 모두 가능한데 비내 접근법은 비밸브 바로 앞 비중격 점막을 절개하여 점막 연골막을 분리한 후 그 밑에 점막성 연골 막하submuco-perichondrial층을 따라 꼭 끼게 공간을 만든 후 연골 이식편을 넣어 외팔보cantilever효과로 비밸브를 넓힌다(André et al., 2004). 비외 접근법(그림 15-11)은 보다 더 흔하게 사용하는 방법으로 상외측 연골 내면과 비중격이 붙지 않은 비배부 말단 전비각 anterior septal angle에서 분리를 시작하여 두측 방향

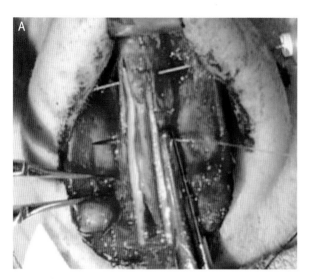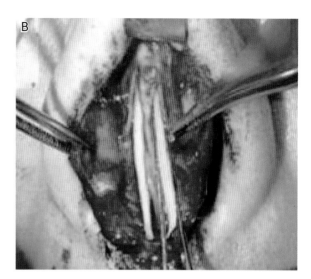

| 그림 15-11 펼침 이식

으로 공간 확보를 진행하고 확보된 양측 공간 사이에 하나씩 두개의 이식편을 삽입하여 비밸브 영역을 넓힌다. 봉합사는 5-0 PDS Ethicon, Somerville, NJ를 수평 매트리스 horizontal mattress suture 방식으로 묶어 고정하는데 양측 상외측 비연골과 이식편 그리고 비중격을 한꺼번에 관통해서 봉합한다(Rohrich and Hollier, 1996). 펼침 이식은 비밸브를 넓히기 위한 목적 이외에 짧은 코를 길게 하거나 들창코 overly rotated tip를 원위치로 복원할 때 휘어진 코를 교정할 때 그리고 비배부가 좁은 코를 넓힐 때도 쓰인다.

ii) 펼침 봉합술

상외측 말단 측면이 처진 경우 펼침 봉합술 flaring suture을 시행하여 꺼진 측면부를 거상시켜 비밸브를 넓힐 수 있다. 한 쪽 상외측 연골의 외측 처진 말단부에서 봉합을 시작하여 중앙을 가로질러 반대편에서 똑같이 봉합한 후 양측을 수평형태로 당겨 서로 묶어주는 방법이다. 비공을 통해 면봉을 넣어 처진 상외측 연골의 말단부를 받혀주고 단일 피부 갈

고리 single skin hook로 하외측 연골 외측각을 아래로 당겨(그림 15-12) 상외측 연골 처진 부위가 잘 드러나게 한 후 봉합을 시행한다(Schlosser and Park, 1999). 펼침 봉합술은 단독으로 하거나 펼침 이식과 동반해서 할 수 있는데 측면부가 들려 비밸브가 넓혀지는 효과가 펼침 이식보다 우수하다.

iii) 스플레이 이식

상외측 연골 밑면과 비점막 사이에 연골을 이식하여 상외측 연골의 경직성을 강화시키는 수술법으로 비밸브를 확장시키고 중비배부를 넓히는 효과가 있다(Guyuron et al., 1998)(그림 15-13).

이식편은 주로 이개강 conchal bowl(그림 15-14)에서 채취한다. 이개강의 연골은 오목한 자연스러운 굴곡이 있다는 것과 탄성력이 우수해 이식편으로 적합하다. 과도한 절제나 선천적인 원인으로 상외측 비연골이 약한 경우 스플레이 splay 이식은 펼침 이식보다 중 비배부 폭을 더욱 넓히므로 기류개선 효과가 펼침 이식보다 더 좋다. 비외 접근법으로 비중격과 상외측 연골을 분리한 후

A

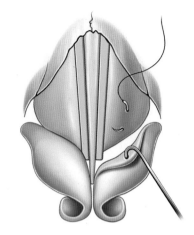
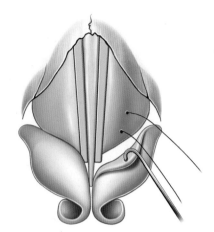

B

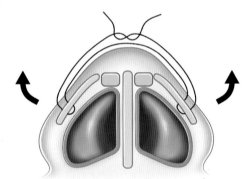

| 그림 15-12　펼침 봉합술

A

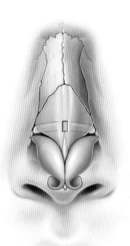

B

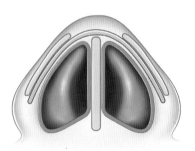

| 그림 15-13　스플레이 이식

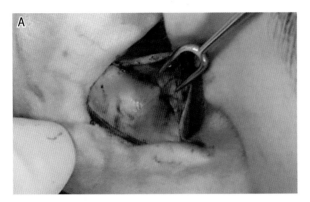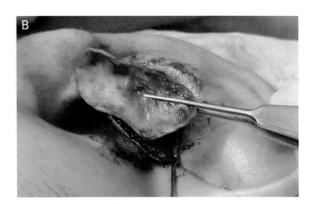

| 그림 15-14   이개 연골 이식편 채취

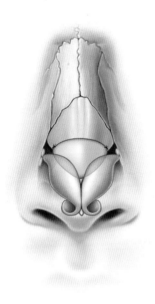

| 그림 15-15   나비 이식

상외측 연골 밑면을 비점막으로부터 조심스럽게 분리하여 이식편을 넣을 공간pocket을 만들어 이식편 삽입하는데 비중격을 지렛점fulcrum point으로 상외측 연골의 외연까지나 때에 따라 이상구까지도 연장하여 삽입할 수 있다. 박리와 이식편 삽입에 시간이 다소 걸리고 박리 시 비내 점막을 뚫어 작은 천공이 생겨도 이식편 생착에는 크게 영향을 주지는 않는다.

iv) 나비 이식

나비 이식butterfly graft(그림 15-15)은 스플레이 이식과 비슷하지만 이식편을 상외측 연골 윗면과 하외측 연골의 아랫면 사이에 위치시키는 중첩onlay 형태의 이식법이므로 외관상 중비배부 비폭을 넓히는 효과는 더 뛰어나다(Friedman and Cook, 2009; Clark and Cook, 2002). 다만 수술 전에 환자에게 수술 후 비배부가 다소 넓어질 수 있다는 점을 설명해야 한다.

v) 현수 봉합(그림 15-16)

비밸브를 지지를 위해 외측벽과 외측각lateral crus을 상악골에 현수 봉합하는 방법(Paniello, 1996; Page and Menger, 2011; Friedman et al., 2003)으로 비흡수성 봉합사를 이용하여 속눈썹 밑subciliary 절개나 경결막transconjunctival 절개를 가한 후 비 흡수성 봉합사를 상악골 골막 바깥쪽을 지나 함몰 부위보다 약간 두측으로 바늘을 통과시켜 코 안으로 향하게 한 다음 5 mm 정도 떨어진 아래 쪽에서 다시 안와 하연을 향해 되돌아 온 봉합사를 팽팽하게 당기면 외측벽이 바깥으로 당겨져 비밸브가 넓어진다.

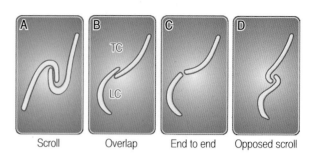

| 그림 15-17   접합부scroll 형태
TC triangular cartilage, LC lobular cartilage

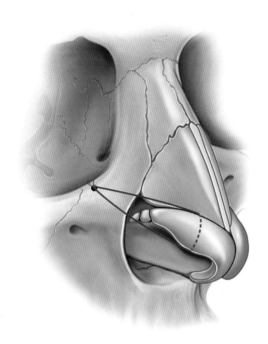

| 그림 15-16   현수 봉합

봉합사는 안와 하연 아래에서 골막을 통과하거나 고정 스크루screw를 이용하거나 드릴로 구멍을 만들어 통과시키는 세 가지 방법 중 하나를 선택해 안와연rim에 고정한다. 봉합사가 외측각을 당기면 외측각과 상외측 연골 사이의 섬유연결로 인해 간접적으로 비밸브가 넓혀지게 된다. 최근 시행되는 이 시술은 영구적 지속 효과는 아직 잘 알려지지 않았고 코 외측 아단위subunit가 현저하게 넓어질 가능성이 있고 외측 비벽에 반흔 형성이 있거나 연조직 결손이 있다면 효과가 떨어질 수 있다.

② 상외측 연골 말단 비대 및 비 정상 회귀와 접합부
상외측 연골 말단이 비대로 인해 비밸브가 좁아진 경우 연골간 절개 후 상외측 연골의 말단 외측면을 보존적

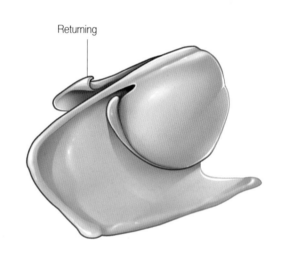

| 그림 15-18   Returning

conservative으로 절제하는 술식이다(Kern, 1978). 연골간 절개로 상외측 연골의 말단 외측면이 노출되면 밑면에 붙은 비점막으로부터 분리하고 상외측 연골 말단 그리고 외측면이 포함된 삼각형 모양의 연골을 절제한 다음 흡수성 단속 봉합으로 절개부위를 봉합하는 것이다. 술후 시간이 경과하면서 하외측 연골의 두부측 경계가 상

외측 연골의 말단부를 외측으로 당겨 비밸브 단면적이 넓어진다.

상, 하외측 연골의 접합부scroll**(그림 15-17A)**가 비정상인 경우란 두 연골이 맞물리지 않거나 두껍게 맞물리거나 뒤집혀 맞물리는 경우를 말한다. 이 때는 상외측 연골의 말단과 하외측 두축을 노출시켜 정상적인 접합부 형태를 만들어주거나 비 전정 점막과 분리한 다음 하외측 연골에 얹어 주는 방법 즉 전위transposition를 통해 하외측 연골과 묶어줌으로써 비밸브를 넓혀준다(Armengot et al., 2003). 상외측 연골은 말단부가 말려 되돌아 가는 모습 즉 회귀returning가 존재한다**(그림 15-18)**. 비정상적 회귀란 회귀가 이루어지지 않거나 뒤집혀**(그림 15-17D)** 말려 있는 모습 등을 말한다**(그림 15-18)**.

③ 비비중격 L-지주 변형

비밸브의 핵심요소인 비비중격 L-지주의 변형으로 생긴 비밸브 기능 장애는 변형된 부분을 제거removal하거나 연골 이식으로 강화cartilage bolstering시켜 주거나 비중격을 새로 다시 재건reconstruction하는 방법(Kim and Gurney, 2006)으로 교정한다. 비 비중격 L-지주의 변형 가운데 비 비중격 L-지주 연골이 휘거나 튀어나온 경우 가장 흔히 사용하는 교정법은 변형 부위만을 단순히 제거하는 것이다. 이때 지지 구조의 안정적 유지를 위해 L-지주의 미부와 배부 양단은 각각 1~1.5 cm 연골 폭을 반드시 남겨야 한다. 최근에는 남긴 L-지주 자체의 폭보다는 후방 연골-골 접합의 온전함stability이 더 중요하다고 하여 키스톤keystone으로 연결되는 상단의 접합 상태를 더 길게 유지하는 것이 외부 충격때 안비saddle nose를 예방하는 데 보다 효과적이라 알려졌다(Mau et al., 2007). 비중격 L-지주의 수평 성분인 비배부가 휘어진 경우 오목면에 강화batten 혹은 펼침 형태로 연골강화 cartilage bolstering 이식을 넣고 묶어서 펴거나 오목 면에 수평 혹은 수직 전층 절개scoring를 넣은 후 사골동 수직

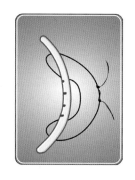

| 그림 15-19   봉합사를 이용한 만곡 교정(Mustard's 봉합)

판 뼈를 부목splint 형태(Toriumi and Ries, 1993)로 넣은 후 묶어 비배부 만곡을 교정한다. 최근에는 비중격 두 군데 사이에 이식 연골을 빗장cross bar형태(Boccieri and Pascali, 2003)로 끼워 비배부 만곡을 없애기도 한다. 봉합사로 만곡을 교정하는 방법은 만곡의 볼록면에서 소위 Mustard's 봉합suture(Byrd et al., 1998)이라고 하는 변형된 수평 석상horizontal mattress으로 봉합**(그림 15-19)**한 다음 봉합사를 잡아당겨 묶으면 휜 비중격이 펴지며 비밸브가 넓어진다.

수술은 외비 절개를 통한 접근만 가능하며 주변 조직에 의해 휜 채로 고정되었던 비중격을 자유롭게 만드는 것으로부터 시작한다. 이를 위해 비중격 양면을 상외측 연골로부터 분리하고 비배부, 전 비중격각, 후비중격각까지 노출시킨 다음 전비극 후방, 상악 전익 그리고 서골vomer 및 후방 사골 수직판과의 접합들과도 모두 분리해 비중격의 움직임을 좌우상하로 자유롭게 만들면 변형 부분의 제거와 비중격의 원 위치 복원이 가능해진다. 전·후비중격각, 말단 비중격의 기저부 그리고 비배부 비중격 부위의 휘어짐까지 제거한 다음 비중격을 정중앙에 놓고 전비극과 고정 봉합하면 비중격이 똑바로 서게 되고 비밸브 영역이 넓어져 코막힘이 개선된다. 비배부 만곡 변형 부위나 범위가 상기 방법으로도 교정이 되지 않는 경우 키스톤 영역을 제외한 모든 비중격 전체를

밖으로 들어낸 다음 새롭게 비비중격 혹은 미배지주를 만들어 삽입해 고정하는 체외extracorporeal 비중격 성형술로 교정한다(Gubisch, 2005).

④ 비갑개 비대

하비갑개 두부는 비밸브의 중요한 구성 요소이자 코막힘의 진단과 치료에 있어 반드시 염두해 두어야 할 부분이다. 축소하는 방법은 약물치료와 다양한 형태의 수술법이 있다. 약물치료는 수술적 치료에 선행되어야 하는데 장기간 약물치료의 종류로는 스테로이드 흡입(흡입 스테로이드), 스테로이드 주사, 항 콜린제anticholinergics, 비만세포 안정화 물질cromolyn sodium 등이 있다. 이들 모두 효과는 분명치 않지만 최소한 비갑개 비후를 동반한 알러지 환자에 있어서는 비내 흡입 스테로이드제가 효과가 있다. 비갑개 스테로이드 주사법도 분명 효과가 있지만 효과 지속 시간이 단지 수개월밖에 안된다는 단점이 있다. 약물치료에 반응하지 않는 환자는 물리적 방법을 사용하는데 간단한 비갑개 외 골절술turbinate out-fracture, 점막하 파괴술(전기 소작법electrocautery, 냉동법cryosurgery, 고주파 점막하 절제술radiofrequency), 비갑개 절제술(점막하 절제술, 부분 절제술, 전 절제술) 등의 다양한 수술적 치료가 있다. 수술적 치료는 필연적으로 출혈과 가피crusting 등이 동반되고 과도한 제거 후에는 위축성 비염 등의 심각한 부작용이 있음을 항상 염두에 두어야 한다. 비갑개 외골절술이나 점막하 파괴술과 같은 시술들은 보다 침습적인 방법보다 술 후 합병증 가능성이 적지만 기대하는 효과의 영구성은 보장하기 힘들다. 가장 추천되는 점막하 절제술은 침습적인 수술이지만 출혈, 가피 형성 및 위축성 비염 등의 합병증이 부분 절제술이나 전 절제술처럼 흔치 않고 수술 효과도 오래 지속되는 장점이 있다. 점막과 갑개골을 동시에 제거하는 비갑개 근치적 절제술radical turbinectomy 방법은 전산 비기류 역학computational fluid dynamics에서 밝혀진 바와 같이 빈코 empty nose증후군 혹은 위축성 비염의 기류 흐름이 나타나므로 권하지 않는 수술법이다(Chen et al., 2010). 비갑개 성형술turbinoplasty이라고 흔히 말하는 비갑개 점막하 절제술turbinate submucosal resection은 비갑개의 하연을 따라 점막 절개를 한 후 점막 피판을 들어 하비갑개골로부터 분리시키고 분리된 뼈와 붙어있는 점막을 가위로 제거한 후 들어 놓았던 점막 피판을 다시 덮어주는 술식이다. 비갑개에 대한 자세한 내용은 이어지는 단원에서 잘 설명되어 있으니 여기서는 더 이상의 설명은 생략한다.

⑤ 비밸브 반흔

비밸브의 반흔 형성에 의한 코막힘은 피판이나 점막 이식편을 이용해도 효과를 보기 힘들어 단순 반흔 제거 후 실라스틱 스텐팅silastic stenting을 3~5주 거치시키는 게 오히려 효과적이다.

⑥ 외측각의 내측 편위

외측각의 내측 편위는 외측각 전향recurvature을 갖는 환자가 박스형 비첨boxy nasal tip의 교정하기 위해 돔간 봉합dome binding suture을 시행하면 외측각이 내측으로 더 당겨지며 코막힘이 발생한다. 이때는 외측각 지주lateral crural strut를 중첩onlay형태의 연장 이식extension graft(그림 15-20)으로 외측 각에 연결하여 외측각을 펴줌으로써 외측각의 내측화를 막고 코막힘을 개선시킨다.

(2) 동적 내비 밸브 기능 장애

① 외측벽과 상외측 연골의 허약함
i) 비익 강화 이식

비익 강화 이식(Toriumi et al., 1997; Millman, 2002)(alar batten graft)(그림 15-21)은 비밸브 함몰이 일어나지 않게 외측 비벽을 안정화시켜줌과 동시에 상비익 집게도

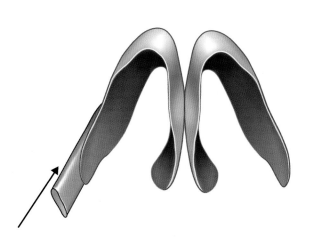

| 그림 15-20　외측각 지주
중첩 형태 연장 이식

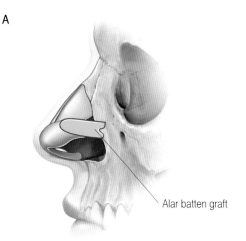

A

Alar batten graft

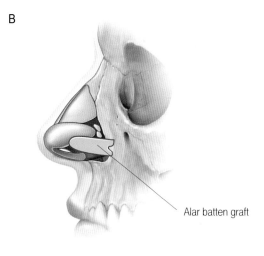

B

Alar batten graft

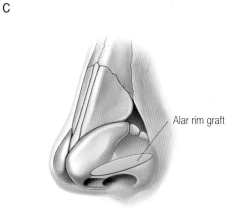

C

Alar rim graft

| 그림 15-21　**A, B.** 비익 강화 이식, **C.** 비익연 이식

교정하여 미용적 효과도 거둘 수 있다. 전형적으로 이식편은 비중격 연골이나 이개 연골을 채취하여 폭 6 mm, 길이 10~15 mm 정도로 제작하여 사용하고 비내 혹은 비외 접근법 모두 가능하다. 비내 접근법의 경우 함몰이 가장 심한 부위에 절개를 가해 피하 공간을 이식편이 단단하게 고정되도록 만드는데 이상구까지 걸치게 하고(**그림 15-21A**) 이식편의 굴곡이 비익 굴곡과 어울리게 하되 상비익 주름을 넘지 않게 해야 한다. 비외 접근의 피하 공간은 하외측 연골 말단의 더 아래까지 만들어 이상구까지 길게 연장할 수 있다. 환자에게 반드시 수술 후 외측 비벽이 두꺼워질 수 있는 것을 미리 고지해야 하며 만약 외측벽에 반흔이 있는 경우 비밸브 장애가 개선되지 않을 수 있음을 설명해야 한다.

303

2) 외비 밸브

(1) 정적 외비 밸브 기능 장애

① 비익연 함몰과 연조직 결손

연조직 결손이나 반흔이 없는 비익연 함몰은 곡선 연골 이식curvilinear cartilage graft을 사용하여 교정하는데 외측각에는 외측각 지주 이식(lateral crural strut graft) (Gunter and Friedman, 1997)을, 비익연에는 비익연 이식alar rim graft을 이용해 교정한다. 술 전에 미리 함몰된 비익을 측면으로 살짝 이동시켜 연조직 존재 유무와 조직 유연성을 확인해 볼 수 있다. 이동해도 비공의 축소가 없으면 연골 이식만으로 충분하지만 그렇지 않으면 연골 이식과 같이 함께 연 조직을 보충해야 한다. 정적 비익 장애는 과도하게 돌출된 비첨을 가진 서양인에서와 같이 비공이 길고 가는 환자에게서 발생하고 외측각의 과도한 절제나 상비익 주름 주위의 지지구조가 결핍될 때도 발생할 수 있다. 과도 돌출 비첨에서 비익연이 내측으로 좁혀진 경우 비익 강화 이식이나 외측각 지주 이식을 이용하여 비익의 기능 및 외관을 모두 개선시킨다. 외측각 지주 이식의 이식편은 주로 이개에서 채취하여 넓이 4 mm 길이 20 mm 정도로 제작한 다음 이식편이 외측각의 외측면과 이상구에 걸쳐지게 비전정과 외측각 사이를 박리하고 그 사이에 놓이게 삽입 한다. 이식편은 5-0 PDS를 이용해 두 개의 단속 봉합으로 외측각에 고정해 움직이지 않게 한다. 비익에 반흔이 형성되어 있거나 연조직 결손이 있는 경우 외측각 지주는 효과가 없을 수 있다. 연조직 결손이나 반흔에 의한 외비 밸브 기능 장애는 국소 피판이나 복합 조직 이식composite tissue graft으로 교정한다. 국소 피판은 비익 결손이 부분층partial thickness이거나 전체적일 때 사용된다. 하지만 피판의 경우 두껍게 비익이 재건되거나 구조 및 기능이 약할 수 있다. 또한 반흔이 형성되어 있거나 허혈 상

태인 곳은 복합 조직 이식의 생존율이 떨어진다. 비익연의 원래 둘레 굴곡처럼 복원하고 흡기 시 내측으로 좁아지는 걸 막기 위해서는 비익연 이식편과 함께 국소 피판술이 필요하다. 비익연 이식편은 휘어진 가늘고 긴 연골 조각을 이개에서 채취하여 폭 3~4 mm, 길이 15~20 mm로 제작한다. 이식편은 새로이 재건되는 비익의 변연을 따라 삽입한다. 비익부는 정상적으로는 연골이 없는 부위지만 피판의 무게를 지지하고 추후 발생할 수 있는 연조직 수축을 막기 위해 비해부학적non anatomic 위치에 비익연을 이식해야 한다(그림 15-21C). 비공 협착은 비출혈을 막기 위한 비강 패킹packing이나 경비강 기관삽관transnasal intubation과 같이 주로 의인성으로 발생한다. 단지 얇은 반흔 띠에 의한 문제라면 반흔 제거술이나 스탠팅stenting 등이 효과적이지만 대부분 비전정 결손이나 길이가 수 mm의 단단한 반흔으로 인한 경우가 많기 때문에 피부 및 점막 이식을 사용하는 경우 수축이나 협착의 재발 가능성이 높아 효과적인 치료가 되지 못한다. 만약 0.5 cm 이하, 0.25 cm^2 이하 정도로 크기가 작은 이식의 경우는 귀에서의 복합 조직 이식이 가능하지만 그 이상은 뺨이나 인접 점막에서의 유경 국소 조직pedicled local tissue을 사용해야 한다.

(2) 동적 외비 밸브 기능 장애

① 비익과 하외측 연골의 허약함

비익의 함몰은 하외측 연골 말단부보다 더 아래에 강화 이식을 하여 교정이 가능하다. 동적 비내 밸브 기능이상에서 시행하는 위치보다 좀 더 아래인 상비익 주름 아래에 강화 이식편을 심는다(그림 15-21B). 이때 현수 봉합을 같이 할 수도 있다.

② 외측각의 두측으로의 위치 이상

외측각의 두측으로 변위malposition(Constantian, 1993)는

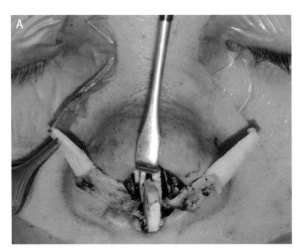

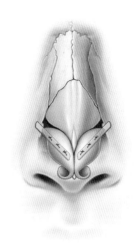

| 그림 15-22   **A.** 외측각의 두측 변위의 교정. **B.** 외측각 지주 이식

상비익 주름 부위와 그 아래 부위의 골격지지를 받지 못해 숨쉴 때 비익 함몰이 유발된다. 이러한 변형은 비외 접근법을 통해 외측각을 아래로 이동(그림 15-22A)시키고 말단부를 따라 외측각 지주 이식lateral crural strut graft (그림 15-22B)을 외측각 심연deep surface에서 이상구까지 연장시켜 넣은 후 봉합하여 모양과 위치를 정상화시킴으로써 측면부를 단단하게 재건하여 함몰에 의한 코막힘을 개선한다. 외측각 지주 이식으로 단단함이 유지되지 않으면 강화 이식을 더해줄 수 있다.

③ 하외측 연골의 오목 변형

하외측 연골의 외측각이 외비 피부 쪽으로 볼록한 형태를 취하지 않고 비강 쪽으로 볼록 튀어나오는 오목 형태 즉, 역설적 요면paradoxical concavity 변형은 대개 선천적인 문제로 기류 흐름에 저항을 일으켜 코막힘이 유발된다. 이때는 외비 접근을 통해 하외측 연골의 외측각을 노출시킨 다음 오목한 형태로 변형된 연골 부위를 비전정 점막과 분리해 잘라 떼어낸 후, 다음 이식편을 그대로 180° 뒤집어 PDS 5-0 봉합사로 다시 봉합하는 플립

플랍flip-flop(Schlosser and Park, 1999)으로 기류 흐름을 개선시킨다(그림 15-23).

5. 맺음말

코막힘은 그 원인이 흔히 보는 비갑개 그리고 비중격의 문제가 아니라 코 내부 단면 가운데 가장 좁은 부위로 흡기류를 조절하고 저항이 가장 심한 부위인 비밸브 문제로 인해 발생하기도 한다. 이러한 비밸브 기능 장애는 철저한 병력 청취와 진찰을 통해 비밸브를 구성하는 구조물의 선천적 혹은 후천적(외상이나 수술) 이상을 파악하고 내, 외 비밸브와 그의 연관된 정적 혹은 동적 기능 저하의 존재 유무를 확인하는 것이 매우 중요하다. 정확한 코막힘의 진원지epicenter가 확인되면 그 위치에 따른 site specific 각기 다른 술식과 방법을 적용해서 치료해야만 비밸브 장애로 인한 코막힘이 개선된다. 치료의 원칙은 수술을 통해 비밸브를 구성하는 골격framework과 연조직의 물리적 안전성stability을 정상화시켜 심화되는 비

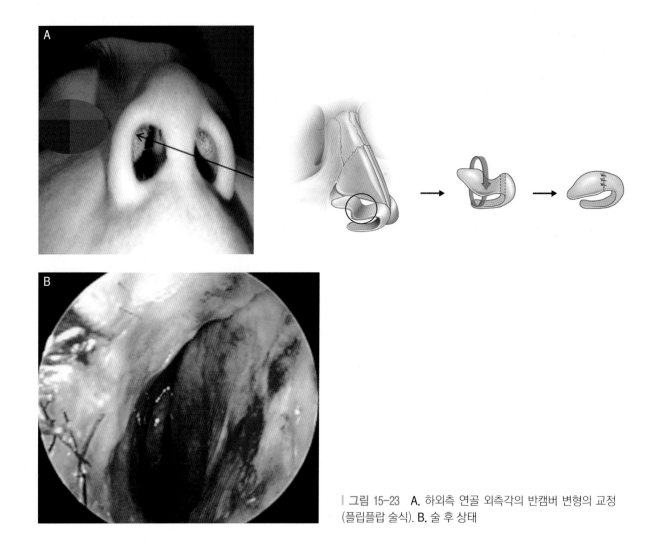

그림 15-23 **A.** 하외측 연골 외측각의 반캠버 변형의 교정
(플립플랍 술식). **B.** 술 후 상태

내 음압과 저항을 줄여 기류 흐름을 좋게 함으로써 숨이
잘 쉬어지게 만드는 것이다. 정적 기능 장애는 L-지주
인 비비중격 만곡이나 상외측 연골의 변형에 의한 것이
가장 흔하고 이 경우 변형된 부위를 제거하거나 연골을
받쳐 보강함으로써 결핍된 지지력을 강화해 주거나 연
골을 아예 새롭게 재건하여 구조 및 모양을 정상화시키
면 비밸브가 넓어지고 비호흡이 개선된다. 현수 봉합, 펼
침 봉합과 같이 봉합사도 단독으로 혹은 연골 보강과 함

께 휘거나 처진 부위를 당겨 고정시켜 비밸브를 넓히고
지지력을 강화시키는 데 도움을 줄 수 있다. 동적 기능
장애는 상, 하외측 연골 및 측면 연조직의 지지력이 약
하게 만드는 원인들, 선천적으로 비정상적 위치와 모양
을 가졌거나 미용 또는 다른 목적으로 상, 하외측 연골
을 과도하게 절제나 조작했던 것 그리고 외상 등이 주요
원인이므로 이때는 비익 강화이식, 외측각 지주 및 지주
이식 등으로 외측벽을 강화시켜 지지력을 복원하면 코

막힘이 개선된다. 결론적으로 단순히 비점막의 비후나 비중격 변형으로만 코가 막히는 것이 아니라 흡기류를 조절하는 핵심구조이자 코 내부 단면 가운데 가장 좁은 비밸브의 정적 동적 기능 장애로 인해 코가 막힐 수 있으므로 코막힘의 원인을 보다 폭 넓은 관점에서 바라보고 치료해야 코막힘이 해결될 수 있다.

Ⅱ | 비갑개

비강의 외측은 안와판lamina papyracea과 벌집뼈ethmoid bone로 이루어져 있으며 가운데와 아래쪽은 비갑개turbinate로 구성된다. 비갑개 뼈는 태아 5개월 때 연골로부터 골화가 시작되어 하비갑개, 중비갑개, 상비갑개로 대부분 이루어져 있으며 구조적으로 비강을 지지하며 점막뼈막mucoperiosteum으로 덮혀 있다. 대부분은 거짓 중층 원주세포pseudostratified ciliated columnar respiratory epithelium로 이루어져 있으나 하비갑개의 앞쪽은 중층 편평상피stratified squamous epithelium로 이루어져 있다. 이러한 점막의 섬모들은 상기도 시스템의 필터와 청소 역할을 하면서 비강 내의 습도와 온도를 유지시켜주는 중요한 역할을 한다. 이러한 큰 비갑개의 면적은 흡기 시에 상기도로 들어가는 공기를 빠르게 가온하고 가습하며 이물질을 걸러줌으로써 하기도의 가스 교환을 보호하고 지지하는 역할을 한다. 하지만 여러 가지 이유로 인하여 비갑개의 비후가 발생하게 되면 오히려 이러한 정상적 기능보다는 호흡 자체에 문제를 일으켜 생활하는 데 큰 불편함이 생기게 된다. 이 장에서는 비갑개의 해부, 기능이상의 문제점, 병태 생리, 그리고 기능이상의 진단과 수술적 치료에 집중하여 설명하기로 한다.

1. 해부학

비갑개는 보통 3개로 구성되어 있으며 비강의 외측면에 위치하고 있다. 상비갑개와 중비갑개는 벌집뼈의 일부분이고 반면 유일하게 하비갑개만이 분리되어 존재하고 있다. 비갑개들은 호흡상피와 후각상피로 덮여 있으며 이중 후각상피는 상비갑개의 위쪽에 존재하고 있다. 보통 벌집뼈의 사상판으로부터 기시하여 상비갑개까지 내려와서 있다. 이중 중비갑개는 매우 다양한 변형이 있을 수 있다. 중비갑개는 사상판, 안와판 또는 구상돌기 또는 비중격에서도 기원하는 형태의 다양성을 보여주고 있다. 그 중 가장 흔한 형태는 안와판에서 기원하는 형태이다. 비갑개의 변형은 비강 구조의 변형 중에서 구상돌기uncinate process의 변형보다 더욱 다양하게 나타나지만 비강 기류의 방해는 거의 일어나지 않는다. 비갑개의 변형은 역곡 중비갑개 이상paradoxical turbinate, 덧 비갑개accessory turbinate, 중복 비갑개duplicate turbinates, 비갑개 붙음turbinate-to-turbinate attachment 등이 있는데 역곡 중비갑개paradoxical turbinate는 주머니 선반concha bullosa과 더불어 중비갑개에 생기는 가장 흔한 변형으로써 정상적인 중비갑개의 곡선면은 둥근쪽이 비중격을 향하여 있지만 보통의 역곡 중비갑개는 이와 반대로 되어 중비갑개의 아래쪽 끝이 비중격을 향하여 있고 곡선면이 구상돌기 쪽으로 향하여 있어 만약 중비갑개의 점막의 비후가 일어나게 되면 중비도의 길을 좁게 만들어 비부비동염에 취약하게 만들 수도 있다. 중복 비갑개는 드문 변형으로써 같은 위치에 2개의 비갑개가 존재하는 것으로서 이러한 중복 비갑개 또한 중비도의 길을 좁게 만들어 비강 기류의 흐름을 방해하며 상악동의 정상적인 환기를 방해할 수 있다. 비갑개에서 돌출되어있는 뼈 가시가 존재하는 위치에 따라 자라나와 다른 비갑개와 붙을 수가 있는데 이것 또한 비강 기류를 저해할 수 있다. 이렇게 국소적인 해부학적 구조의 변형으로 인하여 비강 기류 방해가 일어날 수 있으므로 면밀히 살피어 보아 적절한 치료를 해주어야 한다.

2. 문제점

비갑개의 기능 이상의 가장 흔한 증상은 코막힘이다. 코막힘 증상은 경할 수도 있지만 국소 충혈 완화제를 과도하게 사용하였을 때는 약물에도 반응하지 않을 정도의 충혈로 인하여 코막힘이 매우 심할 수도 있다. 많은 환자들이 이를 치료하기 위하여 노력하지만 회복은 매우 제한적이다. 이로써 하비갑개의 문제를 해결하기 위해서는 비갑개 비후의 원인이 무엇인지 정확하게 알아야 한다. 기저질환과의 연관성 또한 확인한다. 하비갑개 비후의 원인은 병태생리에서도 다루겠지만 감염과 염증반응이 대부분의 원인을 차지하고 있어 이를 잘 치료하여 원활한 기류 환기를 회복할 수 있도록 한다.

3. 병인 및 병태생리

비갑개의 기능 이상은 전세계적으로 발생하며 모든 사람은 일생 동안 수 차례 다양한 정도의 증상을 경험한다. 비갑개의 기능이상 증상이 지속되는 것은 흔하지는 않지만 약 50%에서는 지속되는 것으로 알려져 있다. 하비갑개의 기능이상이 발생하는 원인은 매우 다양하다. 왜냐하면 하비갑개는 매우 풍부한 혈관 공급을 받고 있고 부교감신경에 의해서 지배를 받고 있기 때문에 이 두 가지 시스템에 영향을 미치는 것은 모든 것이 원인이 될 수 있기 때문이다.

비갑개의 기능 이상을 일으키는 가장 흔한 원인은 알레르기성 비염이다(Friedman and Vidyasagar, 2006). 알레르기성 비염은 주면 환경의 병원인자가 비강 내의 점막을 자극하여 염증 반응이 일어남으로 인하여 비점막의 충혈과 콧물의 증가가 일어나는 것이다. 알레르기성 비염이 차지하는 비중이 매우 크지만 혈관 운동성 비염과 같은 비알레르기성 비염으로도 비갑개의 기능이상을 야기할 수 있다. 혈관운동성이란 용어는 비강 내 점막의 신경혈관 조절을 가리키는 것으로써 여러 가지 심혈관계약물, 항고혈압약제, 여성 호르몬, 온도변화 등의 다양한 원인을 포함한다. 앞서 말한 것과 같이 환자들이 먹는 약에 의하여 비갑개 기능이상이 발생할 수 있는데 부교감신경을 자극하는 기능이 비강 점막의 충혈과 비후를 유발한다. 특히 프로게스테론과 같은 여성 호르몬은 이와 비슷한 효과를 나타내는데 월경전기나 월경 주기, 또는 임신 후반기 때 발생한다. 또한 폐경기 때의 여성 호르몬 치료나 경구 피임제 등의 사용에도 비슷한 증상이 발생한다고 알려져 있지만 여러 논문에서는 이러한 효과는 확인할 수 없었다.

온도 민감성 비염은 겨울철에 잘 발생하는 것으로 외부의 차가운 공기가 비강 내의 점막을 자극함으로써 비강내의 충혈과 코막힘이 발생하는데 이와 반대로 외부의 더운 환경에서 차가운 음료를 마실 때도 이러한 비강 내 증상이 발생할 수 있다(Salzan et al., 2011). 비염은 후두절제술을 받은 환자같이 더 이상 비강의 기류를 이용하지 않는 환자들에게서도 발생할 수 있는데 점막으로부터 비강기류의 피드백을 받지 못하여 발생하는 반응으로 생길 수 있고 과도한 국소 비강 혈관수축제 사용으로 인하여 오히려 국소 교감신경 자극제에 반대로 반응하여 혈관 확장이 일어나서 코막힘 증상이 더욱 심해질 수 있다.

다른 상기도 기관과 마찬가지로 비갑개의 막은 섬모, 거짓 중층 상피, 분비세포, 원주 상피세포로 이루어져있다. 섬모는 비강 내의 점액을 코인두 쪽으로 몰고 가며 이러한 점액은 삼켜진다. 이러한 점액 섬모 수송mucociliary transport은 점액의 생성과 섬모의 운동 기능에 달려 있으며 정상적으로 코와 비부비동은 하루에 약 1쿼트 정도 생성하는데 염증이 있을 때는 약 2배까지도 증가한다. 비갑개의 충혈의 정도와 분비는 혈액 공급과 신경계에 지배를 받는다. 부교감신경은 비점막의 긴장 정도와 분비의 조절을 담당하는데 이 신경은 안면 신경으로부터 나와 나비 입천장 신경절sphenopalatine ganglion을 통해 비강으로 들어와 지배를 한다. 비강의 혈류 공급은 내경동맥과 외경동맥의 여러 가지 분지들로부터 이루어지며 비강 내의 점막들은 주로 내상악동맥internal maxillary artery에서 혈류 공급을 받는다.

4. 진단

비갑개의 기능 이상이 있는 환자들은 주로 비충혈과 후비루 증상을 호소하며 때때로 중안면부의 통증과 두통 등을 호소하므로 정확한 문진을 통하면 대체로 알 수 있다. 비갑개의 기능 이상만 있을 때 콧물이 앞으로 나오는 것은 드문 일이지만 있을 수 있다. 만약 비갑개의 비후가 너무 심하여 비중격이나 외측벽에 닿을 경우에는 이로 인한 두통이 발생할 수도 있다. 이때 환자들은 주로 머리 이마 쪽이나 미간 쪽에 압박감이나 두통을 호소한다. 몇몇의 비충혈 증상은 심하여서 추가적인 약물을 먹거나 비강 내로 국소제제를 분무하게 되는데 용량이 너무 많아 약물성 홍반이 발생할 수도 있다.

환자들은 때때로 한쪽 비강씩 번갈아 가면서 코막힘의 발생을 호소할 수 있다. 이러한 증상은 비주기nasal cycle로 불리우는 증상으로 자세에 따라서도 비폐색 증상이 발생하는데 옆으로 누워서 잘 때 발생할 수 있다. 보통 2~4시간마다 한쪽 비강이 번갈아가면서 막혔다 풀렸다를 반복하는데 이러한 현상은 흡기 시에 발생하는 과도한 비강 건조나 자극의 지속을 방지하여주는 역할을 한다. 증상이 심하지 않다면 이러한 현상은 정상적인 현상으로 치료가 불필요하다(Jung, 2002).

만약 중비갑개가 역방향으로 휘어져 있을 경우나 paradoxical middle turbinate 주머니 선반이 있을 경우 부비동 개구 연합osteomeatal unit이 좀 더 쉽게 막혀 급성 또는 재발성 급성 비부비동염recurrent chronic sinusitis이 쉽게 발생할 수 있다. 이러한 해부학적인 변형은 내과적 치료에 실패하였을 경우에는 수술적 교정이 필요하다. 주머니 선반은 약 30%의 환자에게서 존재하며 비내시경이나 영상의학적 검사에서 확인할 수 있다.

부비동의 컴퓨터 단층 촬영은 비부비동과 비강의 병변과 구조를 평가하는 데 탁월하다. 중비갑개과 비중격, 비강의 외측벽간의 관계를 명확하게 파악하는 것은 비성 두통nasal headaches을 평가 하는 데 있어서도 유용하게 사용될 수 있다. 비압 측정법rhinomanometry은 비강 기류를 평가하는 데 매우 중요하고 유용한 검사로써 수술 전 비강 통기도와 수술 후 비강 통기도를 평가하는 데에도 사용될 수 있다.

5. 치료

비갑개의 기능 이상이 있을 때는 우선적으로 약물치료를 하는 것이 좋다. 하지만 적절한 치료 방법을 선택하는 것에 있어서는 정확한 진단이 필요하다. 여러 가지 그룹의 약물들이 환자들이 겪는 증상이나 비갑개의 점막에 효과가 있다. 항울혈제들은 국소제제와 경구용 약제 둘 다 효과가 좋지만 oxymetazoline이나 phenylephrine과 같은 강력한 α-agonist들은 반동성 효과가 있을 수 있으므로 장기간 사용은 금해야 한다.

1) 수술적 치료

비갑개의 비후는 점막의 비후와 비갑개 골의 비대로 나

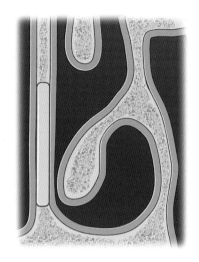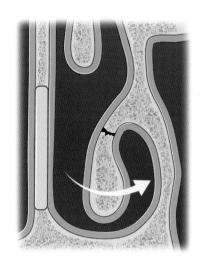

| 그림 15-24　하비갑개 외골절

눌 수 있는데 점막의 비후를 일으키는 원인으로는 알레르기성 비염, 혈관 운동성 비염, 만성 감염성 비염 등이 있으며 앞서 말한 것과 같이 만성적인 자극이 비갑개의 정맥총의 울혈 및 점막 내 섬유화와 염증과정을 유도하고 이러한 상태가 지속되어 비갑개 점막의 비후가 발생하는 것이다(Chang and Ries, 2004). 비갑개골의 비대를 일으키는 원인은 과다한 공기 흐름으로 인하여 비강 내의 건조와 가피 형성이 생기는 것을 막기 위한 생리현상으로 인하여 발생하는 것으로서 국소 약물치료에는 잘 반응하지 않을 수 있어 수술적 치료가 필요한 경우가 많다.

또한 환자에서 흔히 발견되는 비중격 만곡증nasal septal deviation은 하비갑개 비후inferior turbinate hypertrophy가 흔하게 동반되어 코막힘을 유발하고 악화시킨다. 비중격의 만곡이 있는 경우 비중격의 들어간 면concave쪽에서는 공기 흐름을 감소시켜 양쪽의 공기 흐름을 같게 하기 위한 생리적 보상 반응으로 하비갑개 비대가 발생한다(Quine et al., 1999).

이후 비중격 교정술septoplasty에 의해서 만곡한 면이 펴지면 공기 흐름이 감소하게 되므로 수술 후 코막힘 증상이 더욱 악화된다. 이러한 경우에는 비대해진 하비갑개를 축소시켜서 수술 후 적절한 비강 기류nasal airway가 유지되도록 해야 한다. 만일 외비 성형술rhinoplasty을 시행할 때 적절한 비갑개의 비후에 대한 수술이 이뤄지지 않았을 경우 비갑개가 비중격을 압박하여 다시 비중격 만곡을 초래하게 되며 이로 인하여 외비 변형deviated nose이 다시 발생할 수 있다(Chen et al., 2010).

비갑개 수술의 목적은 비강 기도를 넓혀 호흡을 원활하게 하는 것으로 수술에 따른 출혈이나 비강 건조, 가피 형성, 악취 등의 필연적으로 따라오는 합병증이 발생하지 않도록 하는 것이 중요하다.

수술적인 방법으로는 스테로이드 주입법steroid injection, 전기소작, 냉동법, 레이저 소작술laser vaporization, 고주파 절제술, 미세 연마술microabrasion, 하비갑개 외골절, 하비갑개 절제술inferior turbinectomy, 하비갑개 교정술inferior turbinoplasty 등의 다양한 방법으로 울혈 된 조직을 제거하고 최대한 점막을 보존하는 방향으로 이루어지고 있으나 확실히 우수한 방법으로 입증된 수술

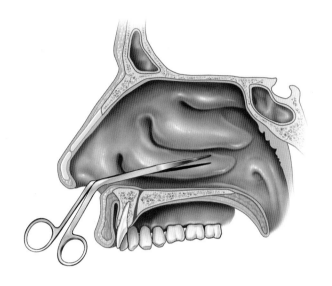

▮ 그림 15-25 하비갑개 절제술

은 없고 대부분의 술식들이 술자의 경험과 술식의 편의
성 그리고 환자에 대한 위험성과 효능 등에 의해서 선택
되어진다. 현재는 하비갑개 절제술과 하비갑개 교정술이
주로 사용된다(Ozcan et al., 2006).

(1) 하비갑개 외골절

비교적 가장 간단한 방법으로, Freer 거상기elevator를 하
비갑개의 외측에 위치시킨 후 내측으로 힘을 주어서 밀
어서 하비갑개의 외측 부착부위를 골절시키고 거상기를
다시 하비갑개의 내측에 위치시켜서 하비갑개를 외측
으로 밀어내어 비강측벽으로 위치시킴으로써 비강 내의
공간을 확보하는 술식으로 비교적 간단하게 시행할 수
있고, 특별한 합병증이 없다는 장점이 있으나 하비갑개
의 점막성 비후가 심한 경우에는 단독으로 쓰이기 어려
우며 하비갑개 절제술 또는 하비갑개 교정술 시행 시에
보조적인 술식으로 사용된다(Elwany and Harrison, 1990)
(그림 15-24).

(2) 하비갑개 절제술

비교적 간단한 술식으로 소아에서도 선택적으로 사용할
수 있다.

① 수술 전 하비갑개에 국소 마취제(1% lidocaine 2 ml
+ 1:100,000 epinephrine)를 침윤시킨 거즈pladget를
패킹하여 최대한 비갑개의 크기를 줄여 수술 시야
를 확보한다. 필요한 경우 외전향술을 시행한다(그림
15-24).

② Angled conchotomy scissors로 최대한 후반부까지
의 하비갑개를 절제한다. 절제되지 않고 남은 하비
갑개는 snare와 포셉을 이용하여 제거한다(그림 15-
25).

③ 비출혈을 예방하기 위해 수술 후 약 이틀간 비강 내
패킹을 시행한다.

하비갑개로의 혈액공급은 주로 외비동맥lateral nasal
artery에서 되는데 이 분지는 하비갑개의 점막 뒤쪽에서
앞쪽으로 진행하면서 하비갑개의 앞에서 뒤를 따라 분포
하여 하비갑개 점막에 혈액을 공급한다. 수술 시 이 분지

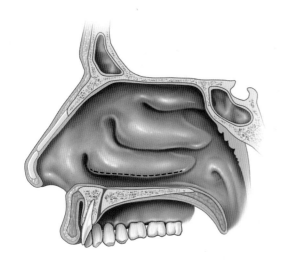

| 그림 15-26   하비갑개의 점막전층 절개

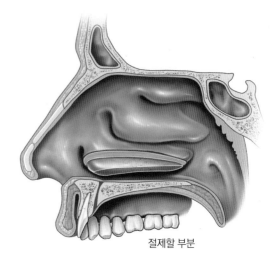

절제할 부분

| 그림 15-27   뼈막 피판 거상

들의 손상이 오게 되며 따라서 점막 위축과 과도한 출혈
이 발생할 수 있다. 따라서 하비갑개 절제술 시에 과도한
절제는 비강의 조절능력을 감소시키는 동시에 흡기 시
비강 내 점막을 건조한 공기에 많이 노출시키게 되고 이
로 인해 점막의 점성이 증가하게 되며 가피 형성, 출혈,
비강 섬모의 기능장애를 일으키게 된다. 하비갑개 절제
술은 비교적 적은 노력으로 원하고자 하는 소기의 목적
을 달성할 수 있는 술기이다. 그러나 양측으로 시행할 경
우 위축성 비염의 가능성이 있으므로 양측을 시행할 경
우에는 하비갑개 교정술(하비갑개 점막하 절제술)submu-
cosal resection을 사용해야 한다.

(3) 하비갑개 교정술 (하비갑개 점막하 절제술)

하비갑개 절제술에 비해 어렵고 수술 시간이 약간 길다
는 단점이 있지만 점막의 대부분을 보존함으로써 생리
학적으로 정상적인 비강에 더욱 가깝게 만들 수 있으며
하비갑개 절제술에 비해 수술 후 가피 형성이나 출혈,
점막 기능 이상 등의 부작용이 적은 장점이 있다(Rod et
al., 2002).

① 수술 전 하비갑개의 전하방anteroinferior 1/3 ~1/2 부
위에 국소 마취제(1% lidocaine 2 ml + 1 : 100,000 epi-
nephrine)를 침윤시킨 거즈를 패킹한다. 만약 비갑개
의 크기가 큰 경우에는 하비갑개를 내측으로 전내방
시켜 하비갑개의 점막을 모두 볼 수 있는 상황에서
수술을 시행한다.

② 15번 블레이드 또는 끝이 뾰족한 Colorado tip을 꽂
은 보비Bovie electorocautery를 이용하여 하비갑개의
전하방을 따라 비갑개 뼈concha bone에 닿을 정도로
약 1.5 cm~2 cm 가량의 점막 전층 절개를 시행한다
(그림 15-26).

③ Freer 거상기나 cottle 거상기 또는 Joseph forcep을
이용하여 내측과 외측으로 점막뼈막 피판mucoperi-
osteal flap을 거상하여 비갑개 뼈를 노출시킨다(그림
15-27).

④ Cutting forcep이나 conchotomy scissors를 이용하
여 비대되어 있는 비갑개 뼈를 제거한다. 대부분의
경우 후반부의 점막의 거상이 어려운 경우가 많으므
로 후반부의 점막과 비갑개 뼈의 외측에 부착된 점

A

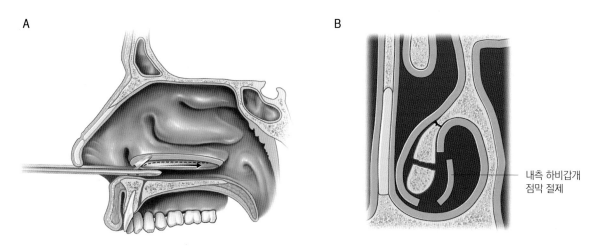

B

내측 하비갑개
점막 절제

│ 그림 15-28 **A.** 비갑개 뼈의 점막하 절제. **B.** 점막의 절제

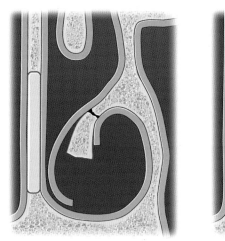 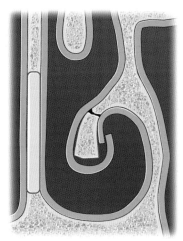

│ 그림 15-29 하비갑개 점막 피판 붙이기

막이 같이 제거된다. 절제된 점막연에서 출혈이 있는 경우 전기 소작술을 시행하기도 하며 남아있는 비갑개 뼈는 외전향 시킨다(그림 15-28).

⑤ 남은 내측의 점막은 외측으로 감아서 내면끼리 붙게 하면 새로운 하비갑개가 만들어지게 된다. 이때 비갑개 뼈가 노출될 경우 골염osteitis, 악취성 비루foul nasal drainage, 지속되는 가피prolonged crust와 지연 성 치유delayed healing 등이 발생할 수 있으므로 주의 해야 한다(그림 15-29).

(4) 그 외의 수술적 치료법

레이저 소작술, 냉동법, 전기 소작술 등은 주로 비갑개 뼈 비후concha hypertrophy보다는 점막 비후가 심한 경 우에 사용할 수 있는데 하비갑개 절제술에 비하여 쉽게

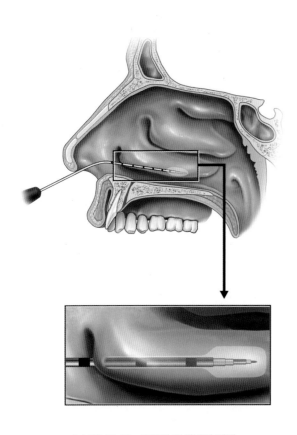

| 그림 15-30 고주파 발생기의 위치

시행될 수 있고 출혈이 적고 비 침습적인 장점이 있으나 술 후 비루가 지속될 수 있고 재발의 가능성이 높다.

최근 점막 비후가 심한 만성적 하비갑개 비후의 경우 기존의 하비갑개 성형술보다 비침습적인 술식으로 무선 진동수 소작술radiofrequency ablation을 이용하는 코블레이터coblator를 사용하여 하비갑개의 점막 부종을 감소시키는 술식이 많이 시행되고 있으며 비점막의 비후를 일으키는 거의 모든 그룹에서 효과가 있는 것으로 알려져 있다(Balasubramanian et al., 2014)(그림 15-30). 양극의 빠른 변화를 일으켜서 40도에서 70도 사이의 열을 발생시키며 열 침습은 최소화하면서 국소 조직만을 용해

시키는 방법이다(Di et al., 2010). 또한 점막성 비후가 심한 경우에 내시경하 비부비동염 수술을 할 때 병행 또는 단독으로 미세 흡입 절삭기microdebrider를 이용하여 점막하 조직을 제거하는 방법도 사용되고 있는데(Wexler and Braveman, 2005), 출혈이 많다는 단점이 있으나 점막을 완전히 보전하면서 비후된 점막하 조직을 효과적으로 제거할 수 있기 때문에 코막힘이나 콧물개선 효과가 좋으면서 수술 후 치유가 빠르고 장기적 추적 관찰 결과 상에서도 수술 후 재발이 적다는 장점이 있다(Siemon et al., 2010).

코블레이터와 미세 흡입 절삭기(그림 15-31)에 의한 하비갑개 성형술이 비록 기존의 하비갑개 성형술에 비하여 비 침습적이고 효과적인 수술이지만 약물치료보다 환자에게 침습적일 수 있는 수술이라는 점은 부인할 수 없다(Vijay et al., 2014).

코블레이터와 미세 흡입 절삭기를 이용하여 시행한 비갑개 교정술 간의 차이에 대하여 많은 연구들이 발표되었는데 대부분은 크게 유의한 차이는 없으나 비강용적의 증가와 비갑개 용적의 감소에 있어서는 미세 흡입 절삭기를 이용한 군이 조금 더 효과적이었지만 출혈 등의 합병증의 비율이 조금 더 높다는 단점이 있는 것으로 알려져 있다(Lee et al., 2011; Lee et al., 2006). 이에 술자의 기호와 경험, 환자의 선호도 등에 적절히 결정하여 시행하면 되겠다.

① 수술 전 하비갑개의 전하방 1/3~1/2 부위에 국소 마취제(1% lidocaine 2 ml + 1:100,000 epinephrine)를 침윤시킨 거즈를 패킹한 후에 국소 마취를 시행한다.
② 비내시경endoscopy을 보면서 전하방 부위로 고주파 발생기를 삽입한다. 고주파 발생은 기구의 앞쪽 일정 부분에서만 발생이 되므로 원하는 깊이까지 점막하 부위로 삽입한다.
③ 약 20~30초간 고주파를 발생시키면서 내시경으로 비갑개의 부피가 줄어드는 것을 확인한다.

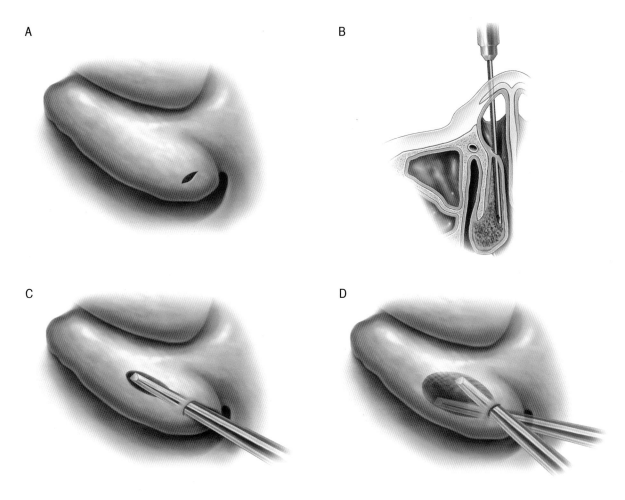

| 그림 15-31 미세 절삭기를 이용한 하비갑개 교정술
A. 점막 절개. **B.** 미세 절삭기 삽입. **C.** 하비갑개 전후 절삭. **D.** 상하로 비후된 하비갑개 절삭

④ 고주파 발생기에 표시된 눈금만큼 뒤로 빼면서 동일한 방법으로 시행한다. 과도한 시간 동안 코블레이션 할 경우 점막mucosa level까지 용해가 되어 오히려 과도한 가피 형성과 심할 경우에는 골염이 발생하여 비강의 생리기능 회복이 현저하게 늦어질 수 있으므로 과도하게 코블레이션 하지 않도록 한다.

⑤ 대부분은 패킹은 필요가 없지만 출혈이나 부종이 의심된다면 하루 정도 패킹을 한다(Baeck et al., 1997).

수술 전 상담과 이학적 검사를 통하여 비중격 만곡의 정도나 양측 하비갑개의 비후 여부, 골성 비후인지 점막성 비후인지의 감별을 통하여 정확한 판단 후에 수술 범위를 판단하여야 할 것이다. 특히 하비갑개의 수술은 비중격의 만곡과 밀접한 연관이 있기 때문에 비중격 교정술을 시행하는 경우에는 반드시 하비갑개 처치의 여부를 고려해야 하며 술식의 선택에도 신중을 기하여야 할 것이다.

315

참고문헌

1. André RF, Paun SH, Vuyk HD. Endonasal spreader graft place-ment as treatment for internal nasal valve insufficiency: no need to divide the upper lateral cartilages from the septum. Arch Facial Plast Surg 2004;6:36-40.

2. Armengot M, Campos A, Zapater E, Alba JR, Basterra J. Upper lateral cartilage transposition in the surgical management of nasal valve incompetence. Rhinology 2003;41:107-12.

3. Baeck SI, Joung DH, Min YG. Chronic rhinitis. In: Min YG, edi-tor. Clinical rhinology. 1st ed. Seoul: Ilchokak publishing Co. 1997;149-56.

4. Beeson WH. The nasal septum. Otolaryngol Clin North Am 1987;20:743-67.

5. Boccieri A, Pascali M. Septal crossbar graft for the correction of the crooked nose. Plast Reconstr Surg 2003;111:629-38.

6. Bridger GP. Physiology of the nasal valve. Arch Otolaryngol 1970;92:543-53.

7. Byrd HS, Salomon J, Flood J. Correction of the crooked nose. Plast Reconstr Surg 1998;102:2148-57.

8. Chand MS, Toriumi DM. Nasal physiology and management of the nasal airway. In: Gunter JP, Rohrich RJ and Adams WP Jr editors. Dallas rhinoplasty-nasal surgery by the masters. 1st ed. St. louis, missouri: Quality medical publishing, Inc. 2002;643-61.

9. Chang CW, Ries WR. Surgical treatment of the inferior turbi-nate: new techniques. Curr Opin Otolayrngol Head Neck Surg 2004;12:53-7.

10. Chen XB, Leong SC, Lee HP et al. Aerodynamic effects of in-ferior turbinate surgery on nasal flow--a computational fluid dynamics models. Rhinology 2010;48:394-400.

11. Chen XB, Leong SC, Lee HP, Chong VF, Wang DY. Aerodynamic effects of inferior turbinate surgery on nasal airflow--a compu-tational fluid dynamics model. Rhinology 2010;48:394-400.

12. Clark JM, Cook TA. The 'butterfly' graft in functional secondary rhinoplasty. Laryngoscope 2002;112:1917-25.

13. Constantian MB. Functional effects of alar cartilage malposi-tion. Ann Plast Surg 1993;30:487-99.

14. Di Rienzo Businoco L, Di Rienzo Bsinco A, Lauriello M. Com-preative study on the effectiveness of Coblation-assisted tur-binoplasty in allergic rhinitis. Rhinology 2010;48:174-8.

15. Dolan RW. Facial plastic, Reconstructive, and trauma surgery: Marcel Decker, Inc.2003;731-898.

16. Dolan RW. Nasal valve and nasal alar dysfunction. Facial Plast Surg Clin N Am 2010;8:447-64.

17. Elwany S, Harrison R. Inferior turbinectomy: comparison of four techniques. J Laryngol Otol 1990;104:206-9.

18. Friedman M, Ibrahim H, Syed Z. Nasal valve suspension: an improved, simplified technique for nasal valve collapse. Laryn-goscope 2003;113:381-5.

19. Friedman M, Vidyasagar R. Turbinate Hypertrophy. In: Bailey BJ, Johnson JT, Newlands SD editors. Head and Neck Surgery: Otolaryngology. 4th ed. Philadelphia : Lippincott Williams & Wilkins 2006;328-330.

20. Friedman O, Cook TA. Conchal cartilage butterfly graft in pri-mary functional rhinoplasty. Laryngoscope 2009;119:255-62.

21. Gubisch W. Extracorporeal septoplasty for the markedly devi-

22. Gunter JP, Friedman RM. Lateral crural strut graft: technique and clinical applications in rhinoplasty. Plast Reconstr Surg 1997;99:943-52;discussion 953-5.

23. Guyuron B, Michelow BJ, Englebardt C. Upper lateral splay graft. Plast Reconstr Surg 1998;102:2169-77.

24. Heinberg CE, Kern EB. The Cottle sign: an aid in the physical diagnosis of nasal airflow disturbances. Rhinology 1973;11:89-94.

25. Jung DH. Surgery of inferior turbinate. In: Rhinoplasty. 1st ed. Seoul: Green book 2002;151-6.

26. Kern EB: Surgical approaches to abnormalities of the nasal valve. Rhinology 1978;16:165-78.

27. Kim DW, Gurney T. Management of naso-septal L-strut defor-mities. Facial Plast Surg 2006;22:9-27.

28. Krause CJ, Mangat DS, Pastrock N. Aesthetic Facial Surgery, J. B. Lippincott 1991;175-87.

29. Kumar KV, Kumar S, Garg S. A comparative study of radiofre-quency assisted versus microdebrider assisted turbinoplasty in cases of inferior turbinate hypertrophy. Indian J Otolaryngol Head Neck Surg 2014;66:35-9.

30. Lee JS, Min HK, Kim NK, Oh HM, Son WS, Park BC. The long term efficacy of microdebrider assisted versus coblation as-sisted inferior turbinoplasty. Korean J otorhinolaryngol-Head Neck surg 2011;54:532-8.

31. Lee JY, Lee SW, Shin JM, Kim HJ, Kim KH, Byun JY, Cho SH. Comparative study on the long-term effectiveness between coblator-and microdebrider-assisted partial turbinoplasty. Ko-ran J Otolaryngol 2006;49:510-6.

32. Mau T, Mau ST, Kim DW. Cadaveric and engineering analysis of the septal L-strut. Laryngoscope 2007;117:1902-6.

33. Millman B. Alar batten grafting for management of the col-lapsed nasal valve. Laryngoscope 2002;112:574-9.

34. Ozcan C, Vayisoglu Y, Dogu O, Görür K. The effect of intranasal injection of botulinum toxin A on the symptoms of vasomotor rhinitis. Am J Otolaryngol 2006;27:314-8.

35. Page MS, Menger DJ. Suspension suture techniques in nasal valve surgery. Facial Plast Surg 2011;27:437-41.

36. Paniello RC. Nasal valve suspension. An effective treatment for nasal valve collapse. Arch Otolaryngol Head Neck Surg 1996;122:1342-6.

37. Park SS, Becker SS. Repair of Nasal airway obstruction in revi-sion rhinoplasty. In: Becker DG, Park SS, editors. Revision Rhi-noplasty. NY, USA: Thieme-Verlag 2008;52-68.

38. Quine SM, Aitken PM, Eccles R. Effect of submucosal diathermy to the inferior turbinates on unilateral and total nasal airflow in patients with rhinitis. Acta Otolaryngol 1999;119:911-5.

39. Rhee JS, Weaver EM, Park SS, Baker SR, Hilger PA, Kriet JD, et al. Clinical consensus statement: diagnosis and management of nasal valve compromise. Otolaryngol Head Neck Surg 2010;143:48-59.

40. Ricci E, Palonta F, Preti G, Vione N, Nazionale G, Albera R, et al. Role of nasal valve in the surgically corrected nasal respiratory obstruction: evaluation through rhinomanometry. Am J Rhinol 2001;15:307-10.

41. Rod JR, Jeffery KK, William PA, Bradley EM. Roll of submucous resection of hypertrophied inferior turbinate. In: Jack PG, Rod JR, William PA, editors. Dallas rhinoplasty-nasal surgery by the masters. 1st ed. St. louis, missouri: Quality medical publishing,

ated septum. Arch Facial Plast Surg 2005;7:218-26.

Inc. 2002;662-77.

42. Rohrich RJ, Hollier LH. Use of spreader grafts in the external approach to rhinoplasty. Clin Plast Surg 1996;23:255-62.

43. Salzano FA, Mora R, Penco S, Traverso D, Gaggero G, Salzano G, et al. Nasal tactile sensitivity in allergic rhinitis. Acta Otolaryngol 2011;131:640-4.

44. Schlosser RJ, Park SS. Functional nasal surgery. Otolaryngol Clin North Am 1999;32:37-51.

45. Schlosser RJ, Park SS. Surgery for the dysfunctional nasal valve. Cadaveric analysis and clinical outcomes. Arch Facial Plast Surg 1999;1:105-10.

46. Schlosser RJ, Park SS: Functional rhinoplasty. Operative Tech Otolaryngol Head Neck Surg 1999;10:203-8.

47. Sheen JH. Spreader graft: a method of reconstructing the roof of the middle nasal vault following rhinoplasty. Plast Reconstr Surg 1984;73:230-9.

48. Siméon R, Soufflet B, Delacour IS. Coblation turbinate reduction in childhood allergic rhinitis. European Annals of otorhinolaryngology, Head and Neck diseases. 2010;127:77-82.

49. Tarabichi M, Fanous N. Finite element analysis of airflow in the nasal valve. Arch Otolaryngol Head Neck Surg 1993;119:638-42.

50. Thiagarajan B. Coblation an overview. Otolaryngology journal 2014;Vol 4.1.5;1-6.

51. Toriumi DM, Josen J, Weinberger M, Tardy ME Jr. Use of alar batten grafts for correction of nasal valve collapse. Arch Otolaryngol Head Neck Surg 1997;123:802-8.

52. Toriumi DM, Ries WR. Innovative surgical management of the crooked nose. Facial Plast Surg Clin North Am 1993;1:63-78.

53. Wexler A, Braveman I. Partial inferior turbinectomy using microdebrider. J Otolaryngol 2005;34:189-93.

급성 비부비동염

가톨릭의대 이비인후과 **김동현**, 가톨릭의대 이비인후과 **김수환**

> **CONTENTS**

Ⅰ. 서론

Ⅱ. 원인

Ⅲ. 병원체

Ⅳ. 병리학적 변화

Ⅴ. 증상

Ⅵ. 신체검사

Ⅶ. 진단

Ⅷ. 치료

HIGHLIGHTS 》》》

- 정상 부비동의 생리에 관여하는 세 가지 주요 요소로서 자연공의 개방, 섬모의 기능, 분비물의 성상이 있는데, 이 중 자연공의 개폐 여부가 부비동염 발생에 가장 중요한 요소이며, 급성 부비동염에서 중요하게 여겨지는 또 다른 인자는 감염임
- 급성 비부비동염의 증상으로 비폐색, 비루, 후비루와 안면 및 침범된 부비동 부위의 동통과 압통이 있으며 이 동통이 급성 부비동염의 가장 주된 증상임
- 부비동 CT는 부비동 점막의 병변과 부비동의 해부학적 구조를 잘 보여주며, 합병증이 있거나 의심될 때, 충분한 약물치료 후에도 증상이 호전되지 않을 때, 종양이 의심될 때, 수술이 필요하다고 판단될 때에 시행함
- 부비동염의 치료 원칙은 첫째, 적절한 항생제를 충분한 기간 동안 투여하며, 둘째, 자연공을 통한 부비동의 배액과 환기를 유지시키고, 셋째, 발병의 선행요인을 교정하고 치료하여 개선하는 것임
- 항생제를 적절하게 사용하면 항생제를 사용한 지 48~72시간 내에 임상증상이 호전되기 시작함. 항생제는 증상이 소실된 이후에도 최소 3~7일간 사용하고, 전체 치료 기간은 짧게는 10일에서 길게는 3주 이상까지 권장함

I | 서론

부비동 질환을 이해하기 위해서는 부비동의 기본적인 병태생리를 알아야 한다.

부비동은 각각 고유의 자연공을 가지고 있어서 부비동 점막에서 생산된 분비물을 자연공을 향하여 지속적으로 운동하는 점액섬모에 의해 배출하며, 또한 자연공을 통한 가스교환으로 부비동 점막의 산소공급이 이루어진다. 정상 부비동의 생리에 관여하는 세 가지 주요 요소로서 자연공natural ostium의 개방, 섬모의 기능ciliary activity, 분비물의 성상이 있는데, 자연공의 폐쇄, 섬모수의 감소와 기능의 장애, 분비물의 과다생산 및 점도viscosity의 변화가 부비동 내 분비물 저류의 원인이 된다. 이 중 자연공의 개폐 여부가 부비동염 발생에 가장 중요한 요소이며, 가스교환의 속도 및 효율성은 자연공의 개방과 비강호흡에 좌우되며 저하된 부비동 내 산소분압이 특정 세균의 증식을 용이하게 한다. 급성 부비동염에서 자연공의 폐쇄와 함께 중요하게 여겨지는 또 다른 인자는 감염infection이다. 대부분의 급성 부비동염은 바이러스에 의한 감염이나 알레르기 상태가 선행된 후 이차적인 세균감염이 속발하는 것으로 알려져 있다.

II | 원인

1. 급성 비염

급성 부비동염의 가장 큰 원인은 감기에서 속발하는 급성 비염이다. 바이러스나 세균에 의한 비점막의 급성 감

염은 부비동 점막으로 염증이 파급되고 부비동 점막의 부종을 일으킨다. 이로써 자연공의 협착이나 폐쇄를 초래하여 부비동 내의 산소분압을 저하시킴으로써 혐기성 세균의 성장을 유도하거나 점액섬모운동에 의한 정화작용이 저하된다. 소아에서 볼 수 있는 비강 이물도 원인이 된다.

2. 치아 감염

상악 대구치molar tooth와 소구치premolar tooth의 충치나 발치에 의하여 급성 상악동염이 생길 수 있으므로 급성 부비동염에서는 치아나 잇몸의 상태를 자세히 관찰하여야 한다.

3. 해부학적 폐쇄

비중격과 비갑개의 기형, 사골포ethmoidal bulla, 구상돌기uncinate process의 이상 비대 등은 비강과 부비동의 환기와 배액을 방해한다. 비중격만곡에 의해서 좁아진 비강의 중비도는 협소하여 외부의 자극은 적으나 급성 염증이 있을 때 환기와 배액이 잘 안되어 염증의 완화가 지연된다. 반대로 넓어진 비강의 중비도는 비교적 개방되어 있으나 외부로부터의 자극을 받기 쉬워서 염증을 일으키기 쉽다. 비중격의 상부 만곡은 특히 중비갑개와 사골동의 영향을 받기 때문에 임상적 의의가 크다.

4. 감염에 의한 폐쇄

비강, 비인강 인두의 감염은 점막의 충혈과 부종을 일으켜 자연공을 폐쇄시킨다. 소아에서의 아데노이드 비대와 편도염, 인두염은 감염의 원인이 된다.

5. 알레르기에 의한 폐쇄

알레르기 상태에서는 비강과 부비동 점막의 부종으로 자연공이 폐쇄된다. 자연공이 작고 그 수가 많은 사골동이 침범되기 쉽고 여러 개의 비용nasal polyp을 형성하기도 한다.

6. 비강, 부비동의 종양

국소적 요인으로, 비강이나 부비동 점막이 종양에 영향을 받아 발생하거나 종양으로 인하여 부비동 자연공의 폐쇄나 환기가 방해되어 발생한다.

7. 수영

수영이나 다이빙 중에 오염된 물이 자연공을 통하여 부비동 안으로 들어가 급성 염증을 일으킨다. 이때에는 증상이 돌발적인 것이 특징이고 드물지만 전두골의 골수염도 일으킨다.

8. 외상

코나 안면 중앙부의 외상이 개구비도단위ostiomeatal unit, OMU의 해부학적 구조를 바꿀 수 있고, 상악골, 사골, 전두골의 골절로 해당 부비동이 개방되거나 혈괴가 저류되면 쉽게 감염이 된다. 압력손상barotrauma이 원인이 되기도 한다. 비행 중 혹은 잠수 중에 기압변동으로 부비동염을 일으킨다. 비행기가 하강할 때 부비동 내에 음압이 형성되어 부비동 점막부종, 부비동 정맥확장 등이 자연공을 폐쇄한다. 또한 급격한 압력변화는 부비동 점막을 박리시켜 혈종을 형성하기도 한다. 전두동의 형태는 가늘고 길며 자연공은 골관bony duct이며 부공 accessory ostium이 없기 때문에 압력손상에 영향을 많이 받는다.

9. 전신상태

영양결핍, 장기간의 스테로이드 치료, 잘 조절되지 않는 당뇨 혈액질환, 항암치료, 인플루엔자, 성홍열, 홍역, 폐렴 등의 급성 감염증에서 부비동염이 호발한다(Talmor et al., 1997).

10. 악안면기형 Maxillofacial deformity

구개파열cleft palate로 비부비동염이 잘 생기며 후비공 폐쇄증choanal atresia의 경우 비강의 배액장애로 부비동염이 호발한다.

11. 원발섬모운동이상증 Primary ciliary dyskinesia

섬모의 부정위disorientation와 동력단백팔dynein arms의 기형이 있는 선천성 질환인 부동섬모증후군immotile cilia syndrome이나 섬모운동이상증ciliary dyskinesia 등은 섬모운동의 장애를 초래해 부비동염을 일으킬 수 있다.

Ⅲ | 병원체

바이러스, 세균, 진균 등이 있다. 일반적인 바이러스성 비부비동염이 급성 비부비동염으로 진행하는 것은 약 2% 정도로 알려져 있다. 상기도 감염과 동시에 오며 배양에서는 음성으로 나타난다. Rhinovirus, Para-influenza, Echo (Fisher et al., 1991), Coxsackie (Davidsonet al., 1989), Respiratory syncytial virus 등이 흔한 원인 바이러스이다.

세균성 부비동염일 경우 성인에서의 원인균은 *Streptococcus pneumonia*가 가장 흔하며, *Hemophilus influenza*, *Streptococcus pyogenes* group A, B, C, *anaerobes*, *Staphylococcus aureus* 등이다. 소아의 경우는 급성 화농성 부비동염에서 *S. pneumonia*, *Moraxella catarrhalis*, *Hemophilus influenazae*, *Streptococcus pyogenes* group A, C, *Streptococcus pyogenes* α-hemolytic type 등이 원인균으로 알려져 있다(Brook, 1996). 2008년의 연구에서 어린이에게 polyvalent pneumococcal vaccine의 사용은 2차 군집무리의 면역에 영향을 미쳐 전체적인 *S. pneumonia* 감염을 감소시켰다고 하였다(Benninger, 2008). *Streptococcus*종의 세균간섭의 소실로 인해 이차적인 *Staphylococcus aureus*가 증가하는 것이 보고되기도 하였다. Methicillin-resistant *S. aureus*의 증가와 β-lactamase에 양성인 *Haemophilus influenzae*가 증가추세로 보고 되었다(Byrjalsen et al., 2014; Payne and Benninger, 2007).

분비물에 악취가 있으면 *Bacteroides*, *Peptostreptococcus*, *Fusobacterium* 등의 혐기성 세균에 의한 감염이며(6~10% 정도) 대개 치성 감염과 동반된다. 치성 감염에 의해 급성 비부비동염으로 발전된 경우 80% 이상이 혐기성 세균에 의한 감염이나 혼합감염으로 보고되고 있다(Brook, 2005).

진균으로서는 모균증*mucormycosis*, 칸디다증*candidiasis*, 국균증*aspergillosis* 등이 있으나 대단히 드물다. 쇠약자, 당뇨병, 면역억제제immunosuppressive drug를 장기간 사용한 환자에서 볼 수 있다. 증상은 비폐색과 혈성 비루가 특징이며 때로 비점막의 괴사를 일으킨다.

Ⅳ | 병리학적 변화

비부비동염은 세 가지 인자, 즉 자연공의 개방, 섬모의 기능, 분비물의 성상에 영향을 받을 수 있으며, 이 중 하나 또는 그 이상의 변화에 의하여 비부비동염이 발생하게 된다.

자연공의 폐쇄는 감염이나 알레르기에 의한 비용종, 비점막의 부종, 여러 다른 구조적 인자, 즉 수포성갑개 concha bullosa, Haller 봉소, 비중격만곡, 술 후 유착 등에 의해서 일어나며, 일단 자연공이 폐쇄되면, 부비동 내에 환기 장애가 생겨서 부비동의 산소분압이 저하되고 분비물이 축적되어서 세균의 증식이 활발해져 비부비동염을 일으킨다.

부비동과 비내로 분비된 점액은 섬모 작용에 중요한 역할을 하는데, 점액 구성의 변화나 추위, 알레르기 물질, 공해 물질 등에 의해 점액 분비량이 증가하면 섬모의 기능이 저해된다. 섬모의 기능 변화는 분비물의 저류를 일으키는데, 섬모의 기능은 찬 공기나 바이러스, 세균 등에 의한 섬모독소ciliatoxin, 사이토카인cytokine이나 다른 염증매개체 등과 자극성 물질이나 오염물질, 수술, 만성질병, 바이러스나 세균에 의한 섬모세포의 감소도 비부비동염 발생에 중요한 역할을 한다(Cauwenberge and Ingels, 1996). 염증과정은 혈관 혹은 증식상vascular or proliferative phase, 삼출상exudative phase, 회복상reparative phase의 세 가지 단계로 나타난다. 염증의 초기에는 점막부종과 함께 혈관의 충혈과 약간의 중성구 침윤neutrophil infiltration 등이 있으며, 배상세포goblet cell와 점액선에서 장액성 분비물이 분비된다. 이 시기에서 염증과정이 더 진전되지 않으면 완전히 회복된다. 만일 2차 세균감염이 있으면 더 많은 중성구가 축적되고 분비물들은 점액농성mucopurulent 혹은 농성purulent으로 되며 혈액이 섞일 수도 있다. 이 시기에서는 상피의 표재성 미란superficial erosion, 분비물, 세균, 중성구 및 기타 세포들의 조직 파편들이 혼합되어 점액성 분비물이 된다.

자연공을 통하여 분비물이 충분히 배출되면 점액부종은 감소되고 상피가 재생되면서 정상적인 조직상과 기능을 회복한다. 만일 분비물의 배출장애가 있으면 점액농성 분비물이 부비동 내에 축적되고 이것이 화농성 감염이면 광범위한 점막 침범을 동반한 급성 부비동염으로 발전하게 된다.

Ⅴ | 증상

급성 비부비동염의 증상으로 비폐색, 비루, 후비루와 안면 및 침범된 부비동 부위의 동통과 압통이 있으며 이 동통이 급성 비부비동염의 가장 주된 증상이다. 부비동의 급성염증은 주로 전두부 동통을 유발시키나 침범된 부비동에 따라 동통과 압통의 부위가 다를 수 있다. 급성 상악동염에서는 협부통과 상악 치열의 치통이 있다. 이때 치통toothache은 기침이나 머리를 움직일 때 더욱 심해진다. 급성 전두동염에서는 이마에 국한된 동통과 두통을 동반한다. 동통은 아침 기상 시에 시작해서 정오경에 가장 심하고 오후에는 소실되는데 이것은 일어서서 활동하는 시간에 분비물이 배액되기 때문이다. 급성 사골동염에서는 비근부와 안와 깊숙이 동통을 호소하고 안구를 움직일 때 동통이 심하다. 급성 접형동염은 전부비동염pansinusitis의 형태로 여러 증상과 함께 안와 깊숙한 부위, 후두부occiput 혹은 두정부vertex에 동통이 있고 양측 측두부bitemporal area의 동통이 나타난다(Ferguson, 1995). 비루는 발병 초기에는 점액성이나 그 양이 증가되고 곧 화농성으로 변하며 악취를 동반하기도 한다. 비폐색과 후각감퇴를 호소하고 전신적으로 발열과 권태감 등이 동반된다. 이러한 급성기 증상들은 만성화되면 두통이나 침범부위의 동통과 발열등의 증상은 소실되고 점액농성의 비루와 경도의 비폐쇄 증상만이 남는다. 그 외에도 안와는 삼면이 부비동으로 이루어져 있으므로 안구증상이 나타날 수 있다. 안와 주위 종창은 사골동염, 전두동염, 상악동염일 때 발생하며 급성 비부비동염의 합병증으로 실명이 초래될 수도 있다(Eustis et al., 1998).

소아 비부비동염에서는 전형적인 두통이 덜하고 대신 감기와 같은 증상이 7일 이상 지속되면서 저녁에 심해지는 기침과 미열, 점액화농성 비루가 나타난다. 급성 화농성 비부비동염이 재발하면 국소 또는 전신적인 원인인자를 조사하여야 한다(Incaudo and Wooding, 1998).

VI | 신체검사

급성 상악동염에서는 협부의 가벼운 열감과 종창이 있으며 하안검에도 있을 수 있다. 급성 전두동염에서는 상안검에 종창이 있을 수 있고 내안각부위의 압통이 있을 수 있다(Herr, 1991). 급성 사골동염에서는 합병증이 없는 한 안면부의 외부소견은 드물지만 소아에서 지판lamina papyracea의 결손이 있을 때 안구 내로 감염이 파급되면 안검부종과 열감이 있을 수 있다(Eustis et al., 1998).

전비경검사에서는 급성 비염을 동반하므로 비점막의 발적과 종창으로 비갑개가 비대되며 농성 분비물을 비강 전반에서 볼 수 있다. 이러한 분비물의 배출 부위를 관찰하면 어느 부위에 비부비동염이 있는지 결정하는 데 도움이 된다. 급성 전두동염에서는 중비갑개 전단 상부에서 분비물의 유출을 볼 수 있다. 급성 상악동염에서는 분비물의 유출을 중비도의 후단에서 볼 수 있다. 급성 전사골동염에서는 특히 중비갑개가 종창되어 있다. 급성 후사골동염이나 접형동염에서는 상비도에서 나오는 분비물이 후열olfactory fissure을 따라 유출되는 것을 볼 수 있다. 보통 비점막 부종 및 비루가 7~14일 이상 지속되면 비부비동염 원인이 세균성일 가능성이 높다. 비인두를 자세히 관찰하여 아데노이드, 종양, 후비공 폐쇄, 후비루 등의 유무를 확인해야 한다.

VII | 진단

환자의 증상, 병력은 급성 비부비동염 진단의 중요한 단서이다. 또한 신체검사에서 압통, 비강 내 화농성 혹은 점액성 비루의 저류, 특히 인두검사 시 관찰되는 후비루는 급성 비부비동염의 진단에 중요한 단서가 되며, 비점막은 홍조를 띠고 중등도로 충혈되어 있다.

비내시경검사는 점막 수축제를 분무한 전후에 시행하며, 화농성 비루가 각 부비동 자연공을 통하여 배설되는 것을 확인하여 침범된 부비동의 위치를 보다 정확히 진단할 수 있다. 비내시경을 사용하여 국소마취(1% lidocaine 2 ml 국소주사) 하에 상악동 천자나 하비도 측벽의 천자 혹은 자연공을 통하여 세균배양검사를 시행한다.

단순 방사선검사는 진단을 뒷받침하는 보조수단으로 Waters영상, Caldwell영상, 측면 영상이 필요하다.

Caldwell영상은 사골동을, Waters영상은 상악동을, 측면 영상은 전두동과 접형동을 보는 데 유용하다. 침범된 부비동에서는 부비동의 혼탁, 기수위air-fluid level 혹은 부비동점막 비후소견이 관찰된다. 부비동 내 수면의 관찰은 비루의 부비동 내 저류를 시사하는 소견으로 부비동염 진단의 중요한 소견이다. 부비동 내 기수위나 혼탁이 없을 때에는 점막부종의 정도를 측정하는 데 부비동 내 점막의 두께가 성인에서 5 mm, 소아에서 4 mm 이상이면 부비동 내에 농이 차 있거나 세균 배양검사가 양성으로 나올 가능성이 높다. 최근 급성 비부비동염의 진단에서 단순방사선검사의 역할은 제한적이다.

부비동 CT는 부비동 점막의 병변과 부비동의 해부학적 구조를 잘 보여주며(Gwaltney, 1996), 합병증이 있거나 의심될 때, 충분한 약물치료 후에도 증상이 호전되지 않을 때, 종양이 의심될 때, 수술이 필요하다고 판단될 때에 시행한다. MRI도 부비동 질환의 진단에 사용될 수 있으나 CT에 비해 비용이 많이 들며 비부비동염의 진단에 있어서 CT보다 장점이 없으므로 비부비동염의 합병증이 의심되거나 부비동의 종양이나 진균성 감염을 감별할 때를 제외하고는 보통 촬영하지 않는다.

상악동 검사 때 초음파 검사도 사용하는데 민감도와 특이도는 떨어지나 점막 비후와 분비물의 저류를 감별할 수 있으며, 급성 비부비동염을 추적관찰할 때에는 도움이 된다(민양기, 1997). 이와 같은 초음파 소견은 부비동 천자 소견과 일치성이 매우 높다. 초음파 검사에서 부비동이 공기로 차 있을 때에는 전벽반향anterior wall echo만 나타나고, 액체로 차 있을 때에는 전벽반향과 함께 후벽반향posterior wall echo도 나타난다. 그러나 아직까지 소아 비부비동염의 진단에서 초음파의 가치를 평가하기에는 경험이 충분하지 않다.

상악동 천자는 하비갑개 아래에서 비측벽을 통해 바늘을 직접 삽입하여 시행하는데 이 부위는 부비동 자연공과 영구치에 손상을 주지 않아 소아에서도 선호되며, 환자의 협조를 얻기 어려울 때에는 전신마취 하에 실시하기도 한다(민양기, 1997). 흡인하여 얻은 분비물로 그람염색과 호기성 배양과 혐기성 배양을 실시하며, 분리한 세균에 대해 항생제 감수성 검사를 실시한다. 천자와 흡인의 대상은 내과적 치료에도 반응하지 않거나 면역결핍 환자에서의 부비동 질환, 두통이나 안면통 같은 심한 증상, 초진 시 안와 내 또는 두개 내 화농과 같은 생명을 위협하는 합병증이 있는 경우 등이다(Low et al., 1997). 그러나 상악동 천자가 꼭 필요한 경우는 전체 환자의 1~2%에 불과하다.

또한 코 막힘과 비강 내 공기흐름을 측정, 평가하기 위하여 rhinomanometry나 acoustic rhinometry를 이용할 수 있다.

VIII │ 치료

급성 비부비동염을 적절히 치료하지 않으면 심각한 합병증이 발생할 수 있다. 그러므로 부비동염의 치료 원칙은 첫째, 적절한 항생제를 충분한 기간 동안 투여하며, 둘째, 자연공을 통한 부비동의 배액과 환기를 유지시키고, 셋째, 발병의 선행요인을 교정하고 치료하여 개선하는 것이다. 또한 부비동 내의 약물 농도가 다른 조직에 비해 낮으므로 이 점을 고려하여 적절한 항생제를 충분히 투여하여야 한다. 외과적 처치는 가급적 급성기에는 하지 않으나 심한 합병증이 병발한 경우에는 이를 고려한다(Diaz and Bamberger, 1995; Evans, 1998; Kankam and Sallis, 1997).

1. 항생제

급성 세균성 비부비동염은 항생제가 치료에 가장 중요한 부분이다. 항생제는 가능하면 내시경을 이용하여 얻은 검체로 세균배양과 감수성 검사를 시행하여 선택하는 것이 바람직하나 penicillin에 대한 allergy 반응이 없는 환자에게서는 penicillin 계통인 amoxicillin을 우선적으로 사용한다(Evans, 1998). 또는 amoxicillin-clavu-lanate (Augmentin®)를 사용할 수 있다.

Amoxicillin은 급성 비부비동염의 흔한 원인균 *H. influenza*와 *M. catarrhalis*에 대하여 사용할 수 있으나, 최근 항생제의 남용으로 인해 나타난 β-lactamase를 생성하는 세균이 원인균인 경우에는 β-lactamase에 저항성을 띤 약물을 사용한다(Cohen, 1997; Fagnan, 1998).

Amoxicillin 이외에도 Bactrim®을 일차 약물로 사용할 수 있다. 그러나 Bactrim®을 장기간 사용할 때에는 부작용 발생 여부를 주의 깊게 관찰하여야 한다.

Macrolide 계통의 clarithromycin이나 azithromycin 또는 quinolone계 약물로 levofloxacin, ciprofloxacin과 cephalosporin계 약물 등도 사용할 수 있다. 혐기성 세균이 의심될 때는 metronidazole이나 clindamycin을 사용할 수 있다(Sandler et al., 1996).

항생제를 적절하게 사용하면 항생제를 사용한지 48~72시간 내에 임상증상이 호전되기 시작한다. 항생제는 증상이 소실된 이후에도 최소 3~7일간 사용하고, 전체 치료 기간은 짧게는 10일에서 길게는 3주 이상까지 권장하는데 이렇게 장기간의 치료가 필요한 이유는 재발이나 만성 비부비동염으로 진행하는 것을 막기 위해서이다. 일차 약제에 반응이 없을 때는 이차 약제로 바꾸어 투여하는 것이 좋다. 대부분의 경우 경구 투여만으로 충분하지만 안와 내나 두개강 내의 합병증이 발생하였을 때에는 ceftriaxone 같이 혈액뇌장벽blood-brain barrier을 통과하는 약물을 사용한다.

1) β-Lactams

세균의 세포벽 합성을 저해함으로써 항균력을 나타내는 항생제로 크게 penicillin계 항생제와 cephalosporin계 항생제로 나누어진다.

(1) Penicillin계 항생제

① Amoxicillin

급성 비부비동염 환자에서 경험적 항생제 치료에 대표적인 항생제로 전형적인 용량은 1.5~1.75 g/day이다. 그러나 *S. pneumoniae*의 경우, 근래에는 penicillin-insensitive *S. pneumoniae*PISP나 penicillin-resistant *S. pneumoniae*PRSP가 증가하고 있어 기존의 통상 권장량의 amoxicillin으로는 치료가 되지 않는 경우가 많다. 한국과 같이 내성균의 유병률이 높은 지역에서는 amoxi-cillin을 처음부터 기존 용량의 두 배에 해당하는 4 g/day까지 증량하여 투여하는 것이 권장되고 있다.

② Amoxicillin/clavulanate

Clavulanate는 β-lactamase 저해제로서 β-lactamase를 만들어 내성을 나타내는 *H. influenzae*와 *M. catarrhalis* 균주에 매우 효과적이다. 그러나 *S. pneumoniae*의 내성 균주는 β-lactamase를 생성하는 것이 아니라 세포벽의 페니실린 결합단백질의 변성으로 내성을 나타내는 것이므로 PISP나 PRSP에 대해서는 amoxicillin/clavulanate의 투여가 amoxicillin 단독제제 투여보다 나은 점은 없다. 또한 clavulanate에 의한 위장관계의 점막자극 때문에 설사나 복통 등의 부작용을 호소하는 경우가 종종 있다. 고용량의 amoxicillin/clavulante는 하루 4 g의 amoxicillin에 250 mg의 clavulante를 복용하는 것이다.

(2) Cephalosporin계 항생제

Cephalexin을 비롯한 1세대 제제들은 공통적으로 *H. influenzae*, *M. catarrhalis*에 대한 작용이 미약하다. 흔히 쓰이는 약제는 다음과 같다.

① Cefaclor

2세대 cephalosporin 제제로 *H. influenzae*에 대한 작용이 1세대 제제에 비해서는 우수하나, *M. catarrhalis*에 대해서는 효과가 확실치 않으며 PRSP에 대해서는 전혀 항균력을 가지지 못한다. 또한 내성균이 증가 추세에 있고 1일 3회 투여해야 하는 점, 부작용으로 혈청병 serum sickness과 유사한 반응을 나타내는 점을 들어 비부비동염 치료에서는 권장하지 않고 있다.

② Cefixime

3세대 cephalosporin 제제로 현재 임상에서 많이 사용되고 있으며 *H. influenzae*, *M. catarrhalis*에 대한 작용이 우수하지만 PISP에 대한 효과는 떨어지는 편이다.

③ Cefpodoxime proxetil

항균 스펙트럼이 양호한 3세대 cephalosporin 제제로 *S. pneumoniae*에 대해서는 cefuroxime axetil, cefdinir와 유사한 항균력을 보이나 *H. influenzae*에 대해서는 우월한 항균력을 보인다. 주로 고용량의 amoxicillin이나 amoxicillin/clavulanate 치료에 실패한 경우 사용하기도 한다. 금속성의 맛으로 소아용의 제제로는 한계점이 있고 *C. difficile* 감염에 의한 위막성 장염pseudomembranous colitis 등 위장관계 부작용이 잦은 단점이 있다.

④ Cefuroxim axetil

항균 스펙트럼이 양호하고 효과가 좋으며 부작용이 적은 cephalosporin 제제이다. *S. pneumoniae*에 대해서는 cefpodoxime, cefdinir와 유사한 항균력을 보이나 *H.*

*influenzae*에 대해서는 cefpodoxime보다 낮은 항균력을 보인다. 맛이 좋고 부작용이 적으나 위장관계 부작용이 있다.

⑤ Cefdinir

항균 스펙트럼이 좋은 3세대 제제로 *S. penumoniae*에는 cefuroxime axetil, cefpodoxime proxetil과 비슷한 항균력을 보이나 PISP나 PRSP에는 효과가 적은 것으로 알려져 있다. *H. influenzae*에 대한 항균력은 cefuroxime axetil과는 유사하나 cefpodoxime proxetil보다는 낮다.

⑥ Cefditoren

항균 스펙트럼이 좋은 3세대 제제로 호흡기 감염을 유발하는 *H. influenzae*, *S. penumoniae*, *M. catarrhalis*와 methicillin-susceptible *S. aureus*에 좋은 효과를 보인다. 부작용으로는 설사, 오심, 구토 등이 있다.

⑦ Cefprozil

항균 스펙트럼이 좋고 맛이 좋은 장점을 지닌 cephalosporin으로 *S. pneumoniae*에 대해서는 cefdinir와 cefuroxime axetil과 유사한 항균력을 가지나 *H. influenzae*에 대한 항균력이 낮은 단점이 있다.

⑧ Ceftriaxone

항균 스펙트럼이 양호한 정맥 또는 근육 주사용 cephalosporin 제제이다. 정맥주사로 완전히 흡수되며 주사 후 약 2~3시간 만에 최대 혈청치에 도달한다.

2) Fluoroquinolones

Topoisomerase라 불리는 DNA gyrase에 세균의 DNA

합성을 방해하여 항균작용을 나타낸다. 스펙트럼이 광범위하면서도 작용이 강력하며 조직 투과성이 좋아 부비동에서 높은 농도로 유지된다. 하지만 18세 미만의 소아와 임신부에는 금기이다.

① Ciprofloxacin

그람 음성균과 비정형균주에 대한 광범위한 작용 스펙트럼을 가지고 H. influenzae나 M. catarrhalis에는 좋은 효과를 보이나 그람 양성균과 S. pneumoniae에 대한 효과가 강하지 않은 단점이 있다. 그람 양성균에 대한 효과를 보강하기 위하여 clindamycin과의 병용요법을 사용하기도 한다. 부작용으로 아킬레스건 파열achilles tendon rupture 등이 있을 수 있으며 특히 신장질환이나 신장부전이 있는 환자에서는 주의해서 사용해야 한다.

② Getifloxacin

이전 세대의 quinolone계 제제에 비해 그람 양성균, 특히 PRSP나 비정형균에 대한 효과가 강화되었다. 부작용으로 getifloxacin은 insulin 분비를 촉진시켜 혈당을 저하시키므로 당뇨병 환자에서는 주의해서 사용해야 한다.

③ Levofloxacin

그람 양성, 그람 음성균 및 PRSP, 비정형균 등에 광범위한 항균효과를 가진다.

④ Moxifloxacin

이전 세대의 quinolone계 제제에 비해 그람 양성균, 특히 PRSP나 비정형균에 대한 효과가 강화되었다.

⑤ Gemifloxacin

국내에서 처음 개발된 fluoroquinolone계 제제로 1일 1회 5일 투여로 좋은 효과를 보이며 특히 다른 quinolone계 항생제에 저항성인 균주에도 효과를 보이는 것

으로 알려져 있다. 부작용으로는 여성에서 5일 이상 복용하면 피부발진이 나타나기도 한다.

3) Macrolide

50s ribosome에 가역적으로 결합하여 translation이나 translocation을 방해함으로써 RNA dependent protein 합성을 억제하여 작용한다. 주로 그람 양성에 강한 항균력을 나타낸다. 페니실린에 알레르기가 있는 환자에게 1차로 사용되기도 하며 일반적인 2차 선택제로도 사용되고 있으나 최근 내성균이 서서히 증가하는 추세에 있다. Macrolide계 항생제는 2세대 항히스타민 제제인 terfenadine과 astemizole을 병용 복용했을 때 심장의 QT interval을 연장시켜 torsades de pointes 심실 부정맥으로 인한 급성 심장마비를 초래할 수 있으므로 주의해야 한다.

① Roxithromycin

Erythromycin과 유사한 구조와 항균력을 가지고 있는 macrolide계 항생제로 S. pneumoniae, M. catarrhalis, S. aureus에 항균력을 보유하고 있다. 위장관에서 잘 흡수되어 조직 및 체액에서 높은 농도로 유지된다.

② Clarithromycin

신세대 macrolide제제로 페니실린에 알레르기가 있는 환자에게 유용하게 사용되며 일반적인 2차 선택제로도 무난한 것으로 평가 받고 있다.

③ Azithromycin

신세대 macrolide제제로 반감기가 길어서 항균력이 오래 지속된다. 그람 양성균에게는 약하지만 그람 음성균, 특히 H. influenzae, M. catarrhalis에 항균력이 좋다. 음

식에 의해 위장관 흡수율이 떨어질 수 있다.

4) Other Antibiotics

① Telithromycin

Macrolide와 유사한 구조의 새로운 ketolide계 항생제로 분류되며 macrolide에 내성을 보이는 *S. pneumoniae*를 목표로 만들어졌다. 다른 macrolide 제제보다 기도감염 병원균에 높은 항균력을 보인다.

② Trimethoprim/Sulfamethoxazole

그람 음성균에 특히 효과적인 항생제로 페니실린 과민 환자에 사용 가능하다. *H. influenzae*와 *S. pneumoniae*에 효과가 일정치 않고 내성이 증가하고 있으며 부작용으로 피부발진과 설파제 과민, blood dyscrasia 등이 있다.

③ Clindamycin

혐기성 균주에 의한 감염이 의심될 때 사용되는 약제로 PRSP에도 좋은 효과를 보이고 있다. 위장관계 부작용이 흔하고 *C. difficle* 감염에 의한 위막성 장염의 위험도가 있으며 그람 음성 호기성 균주에는 효과가 없는 단점이 있다.

2. 점막수축제

α-adrenergic agonists로 다양한 단계의 tachyphylaxis를 유발할 수 있다. 그러므로 비강과 부비동의 자연공의 점막을 수축시켜 부비동의 배액과 환기를 향상시킬 목적으로 사용하는 혈관 수축제는 3~5일 이상 사용하지 않는 것이 좋다. 1% ephedrine 혹은 pseudoephedrine이나 epinephrine이 사용된다. 부작용으로는 불면증, 심

계항진, 혈압상승이 있으므로 고혈압 환자나 갑상선질환 환자에 사용 시 주의를 요한다.

3. 진통제

증상에 따라 동통의 완화를 위하여 진통제를 처방한다.

4. 항히스타민제

분비물의 저류를 초래하기 때문에 일반적으로 사용하지 않으나 선행 요인이 알레르기 비염인 경우에는 사용할 수도 있다.

5. 진해 거담제

부비동 내의 분비물 배액에 도움이 된다.

6. Topical nasal steroids

Glucocorticoids는 glucocorticoid receptor-α와 결합하여 여러 강력한 항염증반응을 일으킨다. 따라서 알레르기 여부와 상관없이 염증을 줄일 수 있다. 국소적 스테로이드는 경구 항생제와 함께 사용할 때가 항생제만으로 치료했을 때보다 환자의 증상을 더 호전시켰다는 보고가 있다(Meltzer et al., 2000). 전신적 생체이용률bio-availability이 낮고 전신적 스테로이드 반응이 적다. 그러나 비출혈 가능성이 있을 수 있으므로 정확한 사용방법의 숙지가 필요하고 건조한 날씨에 사용할 때에는 주의를 요한다.

7. 전신 스테로이드

당뇨나 골다공증 환자, 녹내장 등의 환자에게 사용 시 주의를 요한다. 급성 비부비동염에서 항생제와 함께 전신 스테로이드의 사용이 단기간 증상 개선 효과는 있었지만, 연구 종료 시점에서는 효과의 차이는 없었다고 한다(Venekamp et al., 2014).

8. 부비동 세척

부비동 세척은 치료목적 뿐만 아니라 부비동 내 진단 목적으로도 이용되고 있다.

1) 상악동의 세척

상악동 내에 저류액이 있을 경우 배농시킬 목적뿐만 아니라 저류액의 상태를 확인할 목적으로 시행한다. 중비도의 자연공을 통하는 방법, 하비도 측벽의 천자, 치은순이행부gingivolabial fold를 통한 견치와canine fossa의 천자 등이 있으나 하비도 측벽의 천자가 더 용이하다.

소아에서는 전신마취하에 실시하는 수도 있으나 대개는 국소마취로도 가능하다. 코카인이나 폰토카인액을 하비갑개와 하비도에 도포하여 충분히 마취한 다음 천자침trocar 혹은 굵은 주사침(18 gauge, 80 mm)으로 하비도 측벽을 천자한다. 천자부위는 골벽이 가장 얇은 하비도 측벽 상부이며 이상구pyriform aperture에서 약 1 cm의 거리로서 비루관nasolacrimal duct 개구부의 후방에 해당하는 부위이다. 하비도 측벽 전방의 골벽은 두껍고 비루관 개구부가 있으며, 하비도 측벽 골벽은 하방으로 갈수록 두꺼워지기 때문에 가능한 한 상방을 천자하여야 한다. 천자침의 끝이 동측의 이주tragus를 향하게 한다.

천자침이 상악동 내로 삽입되면 흡인하여 농성 분비물의 유무를 확인한다. 분비물이 흡인되지 않으면 분비물이 없거나 혹은 분비물이 상악동 하방에 저류되어 있어서 천자침이 부비동 상부에 삽입된 경우이기 때문에 일단 생리식염수를 주입한 후 다시 확인하고 세척한다. 세척액을 주입할 때 저항이 있으면 천자침 끝이 비후된 점막 안에 박혔거나 혹은 자연공이 완전히 폐쇄된 경우이기 때문에 무리하게 압력을 가하여 세척액을 주입하지 말고 서서히 환자의 상태를 관찰하면서 주입하여야 한다. 조작 중에 갑자기 환자가 통증을 호소하거나 환자의 상태가 나빠지면 즉시 중지한다. 공기가 들어가면 공기색전증air embolism을 일으키기 때문에 공기주입을 피하여야 한다.

상악동 천자 및 세척을 시행할 때 다음과 같은 사항을 주의하여야 한다.

① 천자침이 상악동을 관통하지 못하였을 경우로서 천자침이 너무 전방으로 치우치면 이상와의 연부조직으로 침이 들어간다. 반대로 너무 후방으로 치우치면 천자침이 미끄러져 역시 점막이나 연부조직으로 침이 들어간다.

② 천자침이 상악동을 관통하여 협부조직이나 안와 내로 들어갈 수 있다.

③ 세척 중에 심한 통증이 있으면 급성 염증이 남아있거나 천자가 잘못된 경우이다. 협부의 염발음crepitus 혹은 기종을 볼 수 있다.

④ 선천성 누공이나 상악골절이 있어도 통증을 호소한다.

급성기에는 부비동 천자를 시행하지 않는데, 그 이유는 자연공이 일반적으로 막혀있고, 견치와를 천자할 때 천자침이 통과하면서 주변의 연부조직으로 감염이 파급되어 상악골수염maxillary osteomyelitis 등의 합병증을 유발시킬 수 있기 때문이다. 천자 대신 중비도를 통하여 상악동 자연공에 직접 세척관을 삽입하여 세척할 수도 있다.

2) 전두동의 세척

중비도 전단(사골 전단)에 개구된 비전두관nasofrontal duct에 세척관을 삽입하여 세척한다. 급성 전두동염의 치료 중에 극심한 동통, 국소 종창, 고열 및 안와봉와직염의 의심이 있으면 전두동벽을 천공trephination하고 배설관을 삽입하는 방법이 있다.

3) 접형동의 세척

접형동의 세척은 접형동 자연공을 통하여 세척하는 방법과 접형동벽을 천자하는 방법이 있다. 접형동벽은 전비극anterior nasal spine에서 약 7 cm의 거리에 있고 비강원개vault of the nasal cavity에서 1 cm 이내에 있다. 세척관이나 천자침이 중비갑개 하연을 지나도록 삽입한다.

4) 사골동의 세척

사골포를 천자하여 사골동을 세척하는 수도 있으나 사골봉소의 수가 많고 그 구조가 복잡하기 때문에 사골동의 천자와 세척은 자주 시행하지 않고 Proetz 치환법을 이용한다.

Proetz 치환법
Proetz 치환법displacement method은 자연공의 위치가 접근하기 어렵기 때문에 세척이 힘든 후사골동posterior ethmoid sinus과 접형동sphenoid sinus을 세척하는 방법이다. 이 방법은 환자를 앙와위supine position로 하고 환자의 머리를 치료 의자의 끝에 위치하게 한 후 목을 신전extension시켜 턱의 끝과 외이도가 같은 수직면의 위치에 있게 한다. 이때 환자의 머리는 시술자의 무릎 위에 놓는다. 이러한 자세는 접형동과 접형동 자연공을 비강 내에서 가장 아래쪽에 위치시킨다. 이 자세에서 외비공을 통하여 액체를 주입하면 부비동은 액체에 잠기게 된다. 인두를 막기 위해 환자에게 /k/ 소리를 내게 하고 인두가 막힌 상태에서 한쪽 코를 막고 반대쪽 코에 음압을 가하면 부비동 내에 있는 공기가 빠져 나오고 부비동 내가 액체로 치환되게 된다. 이러한 방법으로 한쪽 코를 막고 교대로 반대쪽 코에 음압을 가한다. 치료의 효과를 높이기 위하여 시술 전에 5% cocaine이나 1% ephedrine sulfate로 점막을 수축시켜 부비동 자연공이 잘 노출될 수 있도록 한다. 또 환자의 머리를 시술자의 무릎 위에 놓고 수건을 준비하여 환자의 눈에 액체가 들어갈 경우 빨리 제거할 수 있도록 한다. 사용되는 액체는 체온과 비슷하여야 하며 양은 2 ml 정도가 적당하고 비중격을 따라서 주입한다. 시술이 끝나면 환자를 일어나게 한다. 치환된 액체는 상당기간(8시간에서 수일) 동안 부비동 내에 있게 된다.

치환 시 사용하는 액체는 시술 후 두통이 생기지 않도록 비자극적이어야 한다. Proetz(1927)는 생리식염수에 0.1~0.5%의 ephedrine sulphate를 첨가한 액체를 사용하여 가장 좋은 결과를 얻었다고 보고하였다.

참고문헌

1. 민양기. 임상비과학. 일조각 1997;281-307.
2. Benninger MS. Acute bacterial rhinosinusitis and otitis media: changes in pathogenicity following widespread use of pneumococcal conjugate vaccine. Otolaryngol Head Neck Surg 2008;138:274-8.
3. Brook I. Microbiology and management of sinusitis. The Journal of Otolaryngol 1996;25:249-56.
4. Brook I. Microbiology of acute and chronic maxillary sinusitis associated with an odontogenic origin. Laryngoscope 2005;115:823-5.
5. Byrjalsen A, Ovesen T, Kjaergaard T. Staphylococcus aureus is a major pathogen in severe acute bacterial rhinosinusitis. Rhinology 2014;52:48-52.
6. Cauwenberge P. Van, Ingels K. Effects of viral and bacterial infection on nasal and sinus mucosa. Acta Otolaryngol 1996;116:316-21.
7. Cohen R. The antibiotic treatment of acute otitis media and sinusitis in children. Diagn Microbiol Infect Dis 1997;27:35-9.
8. Davidson TM, Brahme FJ, Gallagher ME. Radiographic evaluation for nasal dysfunction: computed tomography versus plain films. Head Neck 1989;11:405-9.
9. Diaz I, Bamberger DM. Acute sinusitis. Semin Respir Infect 1995;10:14-20.
10. Eustis HS, Mafee MF, Walton C, Mondonca J. MR imaging and CT of orbital infections and complications in acute rhinosinusitis. Radiol Clin North Am 1998;36:1165-83.
11. Evans KL. Recognition and management of sinusitis. Drugs 1998;56:59-71.
12. Fagnan LJ. Acute sinusitis: a cost-effective approach to diagnosis and treatment. Am Fam Physician 1998;58:1795-802.
13. Ferguson BJ. Acute and chronic sinusitis. How to ease symptoms and locate the cause. Postgrad Med 1995;97:45-8.
14. Fisher EW, Toma A, Fisher PH, Cheesman AD. Rhinocerebral mucormycosis: use of liposomal amphotericin B. J Laryngol Otol 1991;105:575-7.
15. Gwaltney JM Jr. Acute community-acquired sinusitis. Clin Infect Dis 1996;23:1209-23.
16. Herr RD. Acute sinusitis: diagnosis and treatment update. Am Fam Physician 1991;44:2055-62.
17. Incaudo GA, Wooding LG. Diagnosis and treatment of acute and subacute sinusitis in children and adults. Clin Rev Allergy Immunol 1998;16:157-204.
18. Kankam CG, Sallis R. Acute sinusitis in adults. Difficult to diagnose, essential to treat. Postgrad Med 1997;102:253-8.
19. Low DE, Desrosiers M, McSherry J, Garber G, Williams JW Jr, Remy H, et al. A practical guide for the diagnosis and treatment of acute sinusitis. CMAJ 1997;156 Suppl 6:S1-14.
20. Meltzer EO, Charous BL, Busse WW, Zinreich SJ, Lorber RR, Danzig MR. Added relief in the treatment of acute recurrent sinusitis with adjunctive mometasone furoate nasal spray. The Nasonex Sinusitis Group. J Allergy Clin Immunol 2000;106:630-7.
21. Payne SC, Benninger MS. Staphylococcus aureus is a major pathogen in acute bacterial rhinosinusitis: a meta-analysis. Clin Infect Dis 2007;45:e121-7.
22. Sandler NA, Johns FR, Braun TW. Advances in the management of acute and chronic sinusitis. J Oral Maxillofac Surg 1996;54:1005-13.
23. Talmor M, Li P, Barie PS. Acute paranasal sinusitis in critically ill patients: guidelines for prevention, diagnosis, and treatment. Clin Infect Dis 1997;25:1441-6.
24. Venekamp RP, Thompson MJ, Hayward G, Heneghan CJ, Del Mar CB, Perera R, et al. Systemic corticosteroids for acute sinusitis. Cochrane Database Syst Rev 2014;3:CD008115.

만성 비부비동염과 진균성 부비동염

하나이비인후과병원 **동헌종**, 단국의대 이비인후과 **모지훈**

> **CONTENTS**

Ⅰ. 만성 비부비동염

Ⅱ. 진균성 부비동염

HIGHLIGHTS 〉〉〉

- 만성 비부비동염의 정의는 코막힘, 전·후비루, 안면통 또는 압박감, 후각감소의 증상 중 코막힘 또는 전·후비루를 포함한 2가지 이상의 증상이 양성이고, 내시경이나 CT에서 염증소견이 확인되는 경우로, 그 지속기간이 8~12주 이상 되는 코와 부비동의 염증을 말함

- 숙주의 비부비동 상피는 흡인 유해물질, 공생 미생물과 병원균이 상호작용하는 경계면으로, 점액섬모수송, 물리적 배출, 선천 또는 후천면역반응 등이 환경요인으로부터 숙주를 분리하는 역할을 함. 이러한 방어기제의 일부분이 약해지면 점막의 만성염증이 야기되며 부비동염의 증상이 발생함

- 컴퓨터단층촬영(computed tomography)은 부비동과 인접한 구조물들을 평가하는 데 가장 유용한 방법임. 컴퓨터단층촬영으로는 상악동의 전벽, 후벽, 측벽의 상태를 동시에 알 수 있고 종양의 침윤 정도도 알 수 있음. 또한 사골동, 접형동, 안와내 시신경, 시신경관 등의 이상 유무를 보여주는 장점이 있어, 부비동의 해부학적 구조와 내용물 및 인접 구조물에 대해 보다 더 많은 정보를 제공해 줌

- 국소용 스테로이드제는 모든 종류의 만성 비부비동염에 효과가 입증되어 있음. 항생제 사용은 화농성비루가 있고 배양 검사에서 Staphylococcus aureus, Pseudomonas aeruginosa 같은 균주가 나오는 경우 필요함. 생리식염수 스프레이 또는 세척의 경우 Cochrane 데이타베이스 리뷰에서 만성 비부비동염에 효과가 있다고 보고되었음

- 침습형 진균성 부비동염은 일반적으로 면역결핍 환자에서 흔하며, 백혈병과 같은 악성 질환이나, 호중구 감소증, 당뇨, 혈색소증, 단백질 칼로리 영양 실조 등의 면역저하와 연관이 있음

- 부비동 진균종(mycetoma)은 방사선학적으로 부비동의 음영증가가 보이며 대개 석회화(flocculent calcifications)를 관찰할 수 있고, 수술 시 점액농성 또는 치즈나 점토 같은 병변을 관찰할 수 있으며, 조직학적으로 알레르기성 점액(allergic mucin)은 보이지 않으나 근접한 부비동의 호흡상피에서 분리된 조밀한 균사의 응괴를 확인할 수 있음

Ⅰ | 만성 비부비동염

1. 서론

만성 비부비동염은 급성 비부비동염을 적절히 치료하지 않아서 급성 염증이 반복되거나 혹은 지속됨으로써 방사선학적으로 부비동점막 비후나 부비동 혼탁이 생기며, 화농성 혹은 점액성 비루, 후비루postnasal drip, 기침을 주증상으로 하며 이환기간이 3개월 이상 지속된 상태로 증상의 호전과 악화가 반복되는 부비동 점막의 염증성 질환이다. 만성 비부비동염의 경우 상악동, 사골동, 전두동, 접형동의 부비동이 각각 단독으로 이환되기도 하나, 대개는 몇 개의 부비동이 함께 이환되는 경우가 많고 양측성으로 발병하는 경우가 많다. 중비도와 전두동, 전사골동 및 상악동의 자연공으로 이루어지는 해부학적인 구조물인 ostiomeatal unitOMU의 병변과 연관된 사골동염과 상악동염이 가장 흔하게 볼 수 있는 이환형태이다.

2. 정의

만성 비부비동염은 여러가지 원인의 다양한 질환이 포함된 광의의 용어이다. 요즘에는 부비동염보다 비부비동염이라는 용어를 대부분 사용하고 있는데, 여러 비부비동염 가이드라인에 의하면 만성 비부비동염의 정의는 다음과 같다. 코막힘, 전·후비루, 안면통 또는 압박감, 후각감소의 증상 중 코막힘 또는 전·후비루를 포함한 2가지 이상의 증상이 양성이고, 내시경이나 CT에서 염증소견이 확인되는 경우로 그 지속기간이 8~12주 이상 되는 코와 부비동의 염증을 말한다. 비부비동의 염증 유무를 내시경이나 CT 같은 객관적인 검사로 반드시 확인해야 하는데 이는 비부비동염의 증상들이 비특이적이어서 상기도감염, 알레르기 비염 등의 다른 여러 질환이 비슷한 증상을 일으키기 때문이다. CT보다는 신뢰도가 떨어지지만 내시경 양성 소견이 있어도 진단에 많은 도움이 될 수 있다.

만성 비부비동염은 비용의 유무에 따라 CRS without nasal polyps^{CRSsNP} 또는 CRS with nasal polyps^{CRSwNP}으로 나눌 수 있다. 비용은 점막의 염증성 병변이 변형되어 튀어나온 병변으로 대부분 양측성으로 존재한다. 비부비동염의 주 증상으로 화농성 비루와 비폐색이 주이고, 비용이 없는 경우는 안면통 및 압통을 주로, 비용이 있는 경우는 후각소실을 주로 호소한다. 비용에 대한 내용은 다른 장에서 자세히 다루고 있어 여기서는 자세히 다루지 않는다.

3. 병태생리

비부비동염은 비부비동을 싸고 있는 점막에 염증성 변화를 일으킨 상태를 말하며, 여러 가지 병태생리를 가진 복잡한 질환이다. 비부비동이 정상기능을 유지하는 데는 ① 부비동 자연공의 개방성, ② 정상적인 점액섬모기능, ③ 분비물의 성분과 양이 중요한 인자로 작용한다. 부비동은 자연공을 통하여 비강과 연결되어 있어 비강의 염증성 질환이 쉽게 부비동 내로 전달된다. 염증에 의한 지속적인 자연공 폐쇄는 부비동의 음압과 부종을 유발시켜 세균의 부비동 내로의 유입을 촉진시킨다. 또 코를 킁킁거리거나, 재채기, 코풀기 등을 하면 비강 내압의 변화를 일으켜 세균의 부비동 내 유입이 촉진된다. 자연공이 상대적으로 좁기 때문에 염증에 의한 점막부종이 발생하면 점막 접촉^{mucosal contact}이 일어나며, 이러한 결과로 국소 점액섬모기능 장애, 분비물의 저류와 동내 혐기상태가 유발되어 바이러스와 세균의 서식이 용이하게 되어 결과적으로 부비동염이 생긴다(그림 17-1).

만성 비부비동염의 주된 원인균은 호기성 균과 혐기성 균으로 구분할 수 있다. 흔한 호기성 균에는 α-hemolytic *Streptococcus*, *Staphylococcus aureus*, *Moraxella catarrhalis*와 *Hemophilus*균들이며, 흔한 혐기성 균으로는 *Peptostreptococcus*균, *Prevotella*균, *Bacteroides*균, 그리고 *Fusobacterium*균 등이 있다(표 17-1).

그 외 비부비동염과 관련된 다른 인자들인 내과적 질환, 비강과 부비동의 해부학적 이상 및 환경적인 요소가 서로 연관되어 부비동의 기능 손상을 일으켜 비부비동염으로 진행되게 한다. 비부비동염과 동반되거나 선행되는 인자들이 표 17-2에 열거되어 있다.

위와 같이 초기의 부비동염 병인에 대한 가설은 외부 병원균이나 환경의 변화에 주안점을 두었으나, 점점 숙주의 감수성^{susceptibility}에 그 원인을 두는 쪽으로 바뀌는 추세이다. 따라서, 최근 만성 비부비동염의 병태생리에 관한 연구는 기본적으로 숙주와 환경요인의 상호작용에서 숙주의 기능장애로 인한 병인이 주된 분야이다(그림 17-2).

2000년대에는 진균과 초항원가설^{superantigen hypothesis}이 많은 각광을 받으면서 부비동염의 원인으로 연구

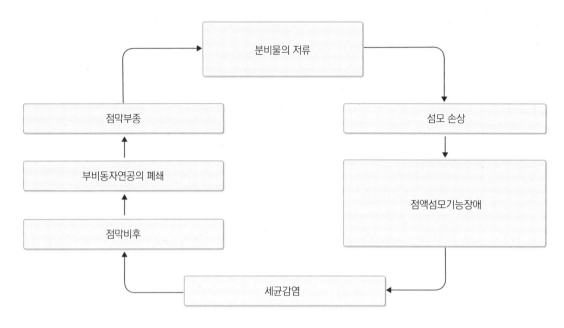

| 그림 17-1   만성 재발성 부비동염의 발병기전

| 표 17-1   만성 비부비동염의 원인균주(Brook et al., 1994)

혐기성 균주	호기성 균주
Bacterioides	α-hemolytic streptococcus
Peptococcus	Streptococcus pyogenes
Propionobacterium	Staphylococcus aureus
Fusobacterium	Streptococcus pneumoniae
Veillonella	Hemophilus influenzae
Corynebacterium	Moraxella catarrhalis

| 표 17-2   비부비동염과 동반되거나 선행되는 인자들
(Georgy MS, 2012)

숙주 요인	환경적 요인
섬모운동 장애	알레르기 항원
면역 결핍	자극물 (직접 또는 간접 흡연)
샘터씨삼징	코카인
육아종성 질환	
혈관염 (Churg-Straus syndrome, Wegener's granulomatosis)	
낭성섬유증	
천식	
알레르기 비염	

가 진행되었지만 이들 가설도 환경요인에 대한 질병의 감수성은 숙주에 의해 결정된다는 가설에 속해 있다고 할 수 있다. 2008년 비부비동염의 면역장벽가설immune barrier hypothesis이 제시되었으며, 이후 점점 많은 증거들이 모여 비부비동염의 중요 가설로 자리잡고 있다. 숙주의 비부비동 상피는 흡인 유해물질, 공생 미생물과 병

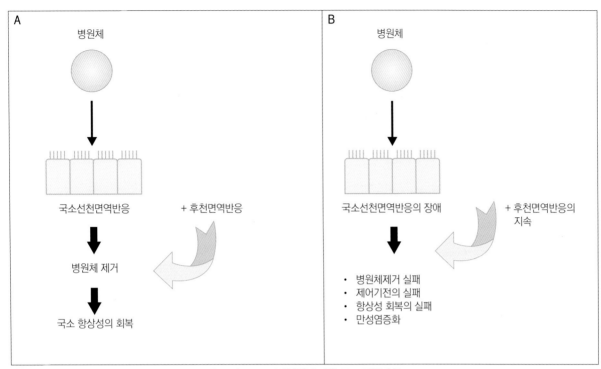

| 그림 17-2   병원체에 대한 국소면역반응

A. 국소선천면역과 후천면역에 의해 병원체가 제거되면 국소적인 항상성이 유지가 된다. **B.** 국소선천면역과 후천면역에 이상이 생겨 병원체가 적절히 제거되지 않으면 만성부비동염과 같은 만성염증상태가 된다.

원균이 상호작용하는 경계면으로, 점액섬모수송, 물리적 배출, 선천 또는 후천면역반응 등이 환경요인으로부터 숙주를 분리하는 역할을 한다. 이러한 방어기제의 일부분이 약해지면 점막의 만성염증이 야기되며 비부비동염의 증상이 발생한다. 이러한 일련의 과정이 면역장벽가설의 기본개념이며 숙주의 결손 또는 장애가 병인 및 병태생리의 중요 기전이라 할 수 있다.

아토피피부염(O'Regan and Irvine, 2008), 건선, 천식(Swindle et al., 2009), 염증성장질환(Groschwitz and Hogan, 2009) 등의 만성질환은 이미 세균 및 환경적 요인 등의 기전보다 숙주의 감수성susceptibility으로 병태생리를 설명하고 있으며, 숙주의 감수성이 병태생리에 중요하다는 사실들이 잘 정립되어 있다. 이론적으로 숙주의 1차 감수성은 숙주의 후천면역인 T 세포아군T cell subset

의 분포에 더 연관이 있겠지만, 만성 비부비동염에 관한 역학연구에서 만성 비부비동염의 유병률이 다른 부위의 염증성 질환보다 기도 상피에 대한 감수성에 더 밀접한 연관성이 있다고 보고된 바 있다. 따라서 본 병태생리에 관해서는 숙주의 감수성에 초점을 두고 감염, 장벽의 기능이상, 선천면역의 이상, 후천면역의 부적절한 활성, 재형성 및 유전학적인 측면을 이야기 하고자 한다.

1) 감염 및 Microbiome

지속적인 염증은 항상 비부비동염에 동반되는 병태생리이지만, 개개인에 있어 염증의 원인은 정확히 판별하기가 어렵다. 감염이 만성 비부비동염의 원인이라는 점은 오래전부터 제기되어 왔다. 특히 급성 비부비동염의 원인이 비부비동의 일시적인 바이러스 감염이라는 것은 과학적 근거가 충분하지만 만성 비부비동염의 원인으로 감염이 제시되는 것에 대한 과학적인 근거는 아직 충분하지는 않다. 만성 비부비동염의 급성 악화는 바이러스 감염에 의한 이차적인 것으로 생각된다.

(1) 세균 감염

세균 감염과 만성 비부비동염의 인과관계에 대해서는 아직 확실치는 않지만 몇몇 연구에서 강하게 주장되고 있다. 급성 비부비동염에서 만성 비부비동염으로 변하는 환자들에게 상악천자를 통한 세균조사 연구에서, 초기 항생제 치료에 실패한 환자들을 5~7주에 세균검사를 실시했을 때 처음엔 흔한 균주인 *Streptococcus pneumoniae, Haemophilus influenzae, Moraxella catarrhalis*가 동정되었고, 만성으로 변하자 다른 여러 균이 동시에 동정되기 시작하였으며 *Prevotella, Fusobacterium, Peptostreptococcus species* 같은 혐기성균도 동정 되었다. 이 연구에서 만성 비부비동염의 세균이 만성 비부비동염이 생기기 전의 세균들과 변화가 있음을 알 수 있다(Brook et al., 1996). 부비동에는 세균들의 정상총이 항상 존재하는데, 만성 비부비동염 상태에서는 이 정상총의 변화가 생긴다고 보는 것이 타당하며, 이때에는 *Staphylococcus species*와 혐기성 균주가 주로 발견된다. 이 때 보이는 세균총은 여러 세균들이 섞여 있으며 항생제 내성을 보이기도 한다. 또 부비동내시경수술 이후의 재발성세균성부비동염에 대한 연구에서 세균 감염이 수술 후에도 증상을 일으킨다고 보고하였고, 이점을 보아서도 세균이 일정 부분 만성 비부비동염의 병태생리에 관여함을 알 수 있으나 그 정도가 어디까지인지는 밝혀져야 한다.

(2) 초항원

세균이 만성 비부비동염을 일으키는 기전으로 직접적인

감염에 의한 염증부터 세균 부산물에 의한 점막손상, 세균 항원에 대한 과민반응에 이르기까지 여러가지 기전들이 제시되고 있으며, 최근 포도상구균의 초항원supe-rantigen이 CRSwNP을 일으킨다는 증거들이 점점 늘어나고 있다(Perez-Novo et al., 2004). 초항원은 여러 세포들에 영향을 끼쳐서 사이토카인cytokine 환경을 Th2방향으로 전환시켜 호산구증과 다클론면역글로불린E polyclonal IgE 생성을 촉진시키며, 또 초항원 양성인 경우 천식의 유병률의 증가와도 연관되어 있다.

(3) 균막

세균의 균막biofilm도 원인으로 제시되고 있다. 균막은 세포외기질extracellular matrix에 세균이 갇혀있는 기질화된 구조로 세균이 보호되고 있는 형태이다. 세균의 성장에 나쁜 조건이 되면 생존전략으로 균막을 형성한다. 균막은 숙주의 생체방어기전 및 항생제로부터 세균을 보호해주고 간헐적으로 세균을 방출하여 만성 비부비동염의 잦은 재발의 원인이 될 것으로 생각된다. 많은 연구에서 만성 비부비동염 환자의 점막에서 균막이 존재함을 보였으며 균막은 30~100%에서 존재한다고 보고하였다. 그 중 *Haemophilus influenzae, Staphylococcus aureus, Streptococcus pneumoniae, Moraxella catarrhalis* 등의 균막이 발견되었으며, *Staphylococcus aureus*의 균막이 있는 경우 예후가 나쁘다는 보고도 있는데(Singhal et al., 2011) 이는 *Staphylococcus aureus*가 초항원의 효과와는 별도로 Th2반응을 촉진하기 때문이라고 생각되며, 최근에는 환자의 상피세포가 손상되는 경우 균막에 의해 염증이 파급된다는 보고도 있다. 현재는 균막이 숙주의 방어기전에 대항하려는 세균의 보호기전으로서, 난치성 비부비동염의 원인일 것으로 생각되며 균막에 대한 치료법이 비부비동염의 치료에 유용하리라 생각된다. 하지만 균막이 비부비동염의 초기 발생에 어떤 역할을 하는지에 대해서는 분명치 않다.

(4) Microbiome

인체에 존재하는 세균의 유전체genome에 대한 연구를 microbiome이라고 하며 현재 여러 기관에서 활발히 연구가 진행되고 있다. NIH의 Human microbiome projectHMP에 의하면 약 10,000종의 세균이 인체에 존재한다고 하며, 이중 81~99%의 정상인의 전체 균주가 밝혀졌다. 비부비동의 세균과 만성 비부비동염 간의 연구는 꽤 많이 진행되었지만 microbiome에 대한 연구는 그리 많지 않다. 초창기 연구는 2003년도에 시행이 되었으며, 2010년도에 18명의 비부비동염 환자의 비점막을 이용하여 세균의 유전자 분석을 시행하였는데 *Staphylococcus aureus*, coagulase-negative StaphylococciCNS와 혐기성세균 등이 발견되었다. 또 다른 연구에서는 142개의 세균유전자가 검출되었다. 최근 연구에서는 15명의 만성 비부비동염 환자를 분석하였는데 50,000개 이상의 세균유전자가 동정되었다. 또 세균유전자의 다양성이 줄어들수록 천식의 유병률과 포도상구균의 우세가 증가하였다는 점이 특이할 만 하다(Feazel et al., 2012). 하지만 분석방법에 따른 불일치가 많고 오염의 가능성 등이 제기되고 있으며, 분석방법의 변화 등으로 인해 microbiome에 대해서 향후 많은 연구가 더 필요한 시점이다.

(5) 진균

지난 10년간 많은 연구에서 진균fungus을 만성 비부비동염의 원인으로 제시하였으나 여기에 대해서 많은 논란이 있었다(Ebbens et al., 2009). 아주 민감도가 높은 진균의 진단검사방법을 이용했을 때 정상인과 비부비동염 환자의 비강에서 모두 진균이 100% 검출되었는데(Braun, 2003), 비부비동염 환자의 조직에서만 호산구가 증가하였으나 진균에 대한 혈청 IgE의 증가는 없었다. 이런 사실에서 만성 비부비동염의 진균가설fungal hypothesis이 제안되었고 이는 공기매개 진균에 대한 비(非)IgE성 숙주의 과민반응이 만성 비부비동염의 1차 원인이며, 과민반응의 정도에 따라 비용종이 형성되기도 한다는 것이다. 이 가설에 대한 일차적인 증거는 정상보다 높은 농도의 alternaria를 만성 비부비동염 환자의 말초혈액단핵구peripheral blood mononuclear cell, PBMC에 일차적으로 자극했을 때 정상 환자의 PBMC에 비해 훨씬 더 반응을 한다는 점이었다. In vitro 실험에서 alternaria를 PBMC에 노출시켰을 때 Th1, Th2 cytokine이 모두 증가하였고, 이는 T 세포의 증가된 cytokine 반응이 만성 비부비동염의 원인이 될 것이라는 생각을 하게 하였다(Shin et al., 2004). 또 다른 증거로 만성 비부비동염 환자의 점액 및 조직이 호산구의 탈과립을 촉진하는데 나중에 alternaria가 PAR 수용체를 통해 탈과립을 촉진한다는 것이 밝혀진 것이다. 하지만 이에 대한 반론으로 호산구는 진균에 대한 숙주방어기전에 별로 관여하지 않고, 앞서 언급한 alternaria 연구에 참여한 대부분의 환자가 천식 환자였다는 점으로 보아 만성 비부비동염보다는 천식에 의해 Th1, Th2 cytokine이 증가됐으리라는 반론이 제기되었다. 또 다른 반론으로 alternaria의 생체외 in vitro 연구를 재현하는 데 실패하여서 진균 가설에 대해서는 회의적인 시각이 많아졌다.

하지만 이런 회의적인 시각에도 불구하고 많은 임상시험이 시행되었는데 초기에는 비강 내 항진균제 투여가 어느 정도 효과가 있다는 보고가 있었으나 비강 내 amphotericin B를 이용한 광범위한 다기관 임상연구multicenter trial에서 효과를 입증하지 못했다. 게다가 만성 비부비동염 환자의 비강 내 amphotericin B 투여 후 세척액에서 chemokine, cytokine, growth factor에서 아무런 효과가 없었다는 다기관 이중맹검위약 대조군 임상시험 보고로 인하여 진균 가설의 신뢰도가 추락했다(Ebbens et al., 2009). 결과적으로 현재로서는 만성 비부비동염 환자에서 국소항진균제 사용을 추천하지 않으며 진균 가설을 지지하는 시각도 드물다(Isaacs et al., 2011).

2) 만성 비부비동염의 물리적 장벽의 손상

전술한 바와 같이 상피장벽기능epithelial barrier function이 면역질환에서 점점 중요하게 연구가 되고 있으며, 만성 비부비동염에서도 예외는 아니다. 치밀이음tight junction은 비부비동의 상피세포에서 꼭대기쪽apical의 세포 간 연결에 관여하며 여기에는 occludin, claudin 등의 단백질이 있다. 치밀이음은 상피세포의 투과도를 조절하며 세포간 물질의 이동에 관여할 뿐 아니라 외부의 물질(항원)이 면역기능이 활성화된 상피하층으로 유입되는 것을 막아준다. 만약 치밀이음이 열리면 염증세포 및 염증유발물질이 유입되어 면역 및 염증반응이 진행 및 확산된다. 따라서 치밀이음은 조직 손상에 관련된 염증의 증가 및 해소를 조절하는 문지기 역할을 한다.

만성 비부비동염을 포함한 여러 만성 염증성 질환에서 상피세포의 기계적인 파괴로 인해 외부의 단백질이 내부로 들어와 면역반응을 유도함으로써 여러 변화를 야기할 수 있다. 이에 대한 증거로 만성 비부비동염에서 치밀이음tight junction 단백질의 감소(Zuckerman et al., 2008), 이온 투과도의 증가(Dejima et al., 2006), epithelial barrier function에 관여하는 단백질인 SPINK5의 감소(Richer et al., 2008) 등이 보고되었다. SPINK5는 LEKT1이라는 단백질분해효소 억제제protease inhibitor를 생성하는 유전자로 SPINK5의 감소로 인한 LEKT1의 감소는 단백분해를 촉진시켜 barrier function을 감소시킴으로 만성 비부비동염 같은 염증을 증가시킨다. 또 SPINK5는 barrier function의 유지뿐 아니라 상피세포 표면의 여러 수용체를 보호하는 역할을 함으로써 염증반응을 조절한다. IL-4, IFN-gamma도 barrier function을 손상시킬 수 있다고 보고 되었으며(Soyka et al., 2012) 집먼지진드기인 *Dermatophagoides pteronyssinus*Dp도 치밀이음을 손상시킨다고 보고되었다(Sardella et al., 2012).

임상적으로 바이러스 감염이 만성 비부비동염을 악화시키는데, 여기에 대한 기전은 잘 알려져 있지 않다. 최근 double stranded RNA인 TLR3 항진제(항바이러스 면역반응의 중요한 자극원)인 polyI:C를 생체에 투여하면 상피장벽기능이 심하게 감소한다고 보고되었는데(Rezaee et al., 2011) 이는 바이러스 감염으로 인한 만성 비부비동염 악화를 설명할 수 있는 한 기전으로 제시될 수 있다. 상기 사실로 보아 비부비동의 상피세포 및 세포 간의 치밀이음이 만성 비부비동염의 염증의 시작과 조절에 중요한 역할을 한다는 것을 알 수 있다.

3) 만성 비부비동염에서 선천면역 기능장애

기도는 비전정에서 폐의 폐포까지 이르는 연속적인 구조물로 그 표면은 항상 외부물질들과 접촉을 하고 있기 때문에 각종 유해물질, 알레르기유발 물질 및 미생물의 다양한 공격에 대해 1차방어를 하는 중요한 역할을 하며 거기에 맞게 적응되어 왔다. 따라서 기도는 유해자극에 신속하고 효과적인 반응을 함으로써 점막의 활성화를 조절하고 야기되는 반응을 적절히 중지시키는 역할을 한다. 이런 방어기제는 면역계가 담당을 하고 있으며 면역계는 크게 선천성과 후천성 면역으로 나눌 수 있다. 후천성 면역은 각각의 항원에 대한 특이반응을 하는 수용체가 존재하고 거기에 대한 기억을 하는 특징을 가지고 있지만 선천성 면역은 T세포, B세포가 아닌 대식세포, 수지상세포dendritic cell, 상피세포epithelial cell 등이 중요한 역할을 하며 항원특이성이 없으며, 기억을 할 수 없다는 특징이 있다. 최근 들어 미생물의 특정 패턴을 인식하는 톨-유사수용체Toll-like receptor, TLR 등의 선천성 면역기전에 대한 연구가 활발히 진행됨으로 인해 점점 여기에 대한 이해가 증가되고 있으며 비부비동염에 있어서도 선천성 면역의 역할에 대한 이해가 늘어가고 있다. 대체로 선천성 면역계의 작용과 함께 이것보다 느린 후천성 면역계의 작용으로 병원체를 제거하게 되는데 이 제거작용이 원활하지 않으면 면역계의 쏠림이 발생하고 이로 인해 질병이 생기게 된다.

(1) 항미생물 펩티드

만성 비부비동염은 반복적인 감염 및 세균 및 곰팡이의 군락형성과 연관되어 있다. 만성 비부비동염 환자에서 포도상구균의 군락형성이 증가되어 있지만 만성 비부비동염 환자의 일부만 포도상구균과 연관되어 있기 때문에 단일 세균만으로 만성 비부비동염을 다 설명할 수는 없다. 군락을 형성하는 세균이 매우 다양하기 때문에 숙주의 면역 감소 같은 숙주인자가 더 중요하리라 생각할 수 있다.

만성 비부비동염 환자에서 lysozyme(Tewfik et al., 2007), lactoferrin(Psaltis et al., 2007) 같은 항미생물 펩티드가 감소되어 있고 psoriasin 같은 숙주방어 물질, PLUNC 같은 지질다당질lipopolysaccharide에 결합하는 항미생물펩티드가 감소되었다고 보고되고 있다(Seshadri et al., 2012; Tieu et al., 2010). 이런 항미생물펩티드는 대부분 상피세포에서 생성되는데 psoriasin, defensin 등은 점막상피세포 중에서 비강의 하비갑개에서 생성되며, PLUNC, lysozyme, lactorferrin은 선상피glandular epithelium에서 생성되어 점액 또는 장액선의 형태로 기도로 분비된다. 이런 수십가지의 숙주방어 분자들이 미생물 억제에 관여하며 이들 물질의 분비에 장애가 생길 때 면역장벽에 손상이 오게 된다.

(2) 패턴인식수용체 Pattern recognition receptors, PRR

선천성 면역계는 pathogen-associated molecular patternsPAMPs이라고 하는 특정한 분자 구조를 인식하는데, 이는 병원체pathogen의 생존에 반드시 필요한 구조인 동시에 각종 면역반응을 유발시킨다. 선천성 면역

계는 이러한 PAMPs에 반응하여 후천성 면역계에 신호를 전달하여 기억memory 반응을 포함한 각종 면역반응이 작동되도록 도와준다. PAMPs의 대표적인 것으로는 Toll-like receptorsTLR, retinoic acid-inducible-like receptorsRLRs, nucleotide binding and oligomerization domainNOD-like receptorsNLRs 등이 있는데 이 중 TLRs이 가장 잘 알려져 있다. TLR는 막경유당단백질transmembrane glycoprotein로 세포밖의 N-terminal에는 leucine이 많은 구조로 되어 있고, 세포 내의 C-terminal은 IL-1 receptor와 구조적으로 일치하여 Toll/IL-1 receptorTIR domain이라고 하는 부위로 이루어졌다. 이 TIR domain은 세포 내에 존재하여 신호전달에 중요한 역할을 한다. TLR은 세포 표면이나 세포 내의 endosome에 존재하여 각종 병원체의 자극을 받아들이는 역할을 한다. 각종 TLR은 서로 다른 자극을 받아들이는데 대표적인 예를 들면 TLR4는 박테리아 세포벽 성분인 지질다당질 lipopolysaccharide, TLR5는 편모단위단백 flagellin, TLR9은 CpG sequence 등을 인식하여 신호전달을 하게 된다. 여러가지 PAMPs에 의해 자극된 신호들은 TLR에 의해 하부로 신호전달이 되어 각종 염증성 사이토카인들을 분비하게 되는데 이 신호에 의해 Th1, Th2 등의 양상이 정해지게 된다.

많은 연구에서 비부비동염 환자에서 Toll-like receptor 반응이 감소한다고 보고하였다. 특히 TLR2, TLR9의 반응이 난치성 만성 비부비동염 환자에서 저하되어 있다고 하였으나 그 정확한 분자학적 기전은 잘 밝혀져 있지 않다(Lane et al., 2006; Pitzurra et al., 2004). 한 가지 가설로 제시되는 것이 STAT3 전달신호의 약화이다. STAT3는 면역성과 밀접한 연관을 가지고 있으며, STAT3에 장애가 있으면 hyper-IgE증후군이라는 포도상구균과 진균 감염이 잘 생기는 병이 생길 수 있다(Holland et al., 2007). 상피세포의 방어 분자들의 분비가 대부분 STAT3의 활성화에 의해 매개됨이 여러 연구에

서 알려져 있는데, 만성 비부비동염 환자에서 국소적으로 STAT3의 활성화가 감소하는 것이 선천성 면역이 감소되어 있는 것과 기전적으로 연관되어 있지 않을까 추정하고 있다(Peters et al., 2010).

TLR 외에 이야기되고 있는 pattern recognition receptor로는 NLRs, RLRs이 있는데 비과학 분야에서는 많이 연구되지 않았지만 다른 분야에서는 많은 연구가 진행된 수용체이다. NLR 수용체는 NOD-1, NOD-2, NALP-3 3가지 수용체가 있는데 nasal polyp^NP에서 증가되어 있으며 스테로이드 치료 시 감소한다고 보고되고 있다(Mansson et al., 2011).

(3) Innate lymphoid cells ILCs 및 Innate cytokines

최근 면역학 분야에서 가장 흥미로운 발견 중의 하나가 선천림프모양세포 innate lymphoid cell (ILC)의 발견이다. ILC는 새로이 발견된 세포군으로 T 세포수용체 T cell receptor (TCR) 같은 항원수용체가 없으면서 형태학적으로 림프구계열 세포의 특징을 지닌 세포를 통칭해서 부른다(Spits, Di Santo, 2011; Vivier et al., 2009). 후천성면역에 중요한 역할을 하는 림프구가 아니면서 그와 생김새도 비슷하고 비슷한 역할은 하는 선천성 면역세포가 존재한다는 점에서 ILC의 발견은 큰 파장을 일으켰다. 이 세포군은 여러 신호에 즉각 반응하여 손상 조직 복구, 조직의 항상성 유지 및 병원체로부터의 면역반응 등 중요한 역할을 하며, 크게 세 가지 그룹으로 분류될 수 있다(Cella et al., 2009; Crellin et al., 2010; Takatori et al., 2009). Interleukin IL -15에 의존하여 interferon-gamma 등을 분비하여 표적세포를 죽이는 ILC1, 사이토카인인 IL-5, IL-13 을 생성하며 IL-7에 의해 영향을 받는 ILC2, Th17 세포 의 전사인자인 RORγt +를 발현하여 IL-17 과 IL-22 를 생산하는 ILC3 로 나눌 수 있다 .

이 중 ILC2는 Th2 사이토카인인 IL-5, IL-13을 생성할 수 있으며 IL-25, IL-33에 반응하는 세포로, 원래는 mouse gut에서 발견되었는데 특히 비용에도 많이 존재한다고 밝혀졌다(Mjosberg et al., 2011). 특히 스테로이드에 반응하지 않는 비용에 IL-33 mRNA의 발현이 증가한다고 보고되고 있으며(Reh et al., 2010), CRSwNP 환자의 상피세포에서 ILC2를 억제하는 IL-22의 수용체가 정상에 비해 적게 발현된다고 보고되어(Ramanathan et al., 2007) 비용에서의 ILC2의 증가와 연관지을 수 있다. 또 스테로이드에 반응을 하지 않는 비용에 TLR9 agonist인 CpG를 주었을 때 IL-33 mRNA level이 증가하는 것을 볼 수 있는데 스테로이드에 반응하는 비용에서는 변화가 없었다(Lloyd, 2010). 상기 연구결과에서도 만성 비부비동염에서의 선천성 면역계가 정상에서 벗어나 있음을 유추할 수 있다. 아직까지 만성 비부비동염에서 ILC, 특히 ILC2의 역할은 정확히 규명되지 않았으나 Th2 표현형 phenotype에서 중요한 역할을 하리라 유추할 수 있다.

IL-25, IL-33과 더불어 중요한 선천사이토카인innate cytokine으로 thymic stromal lymphopoietin^TSLP이 있는데, 주로 상피세포에서 분비되며 수지상세포dendritic cell의 보조자극인자costimulatory molecule인 OX40L liand를 상향조절upregulation시켜 강력한 Th2 반응을 유도한다(Liu, 2009). 상피세포가 손상되거나 TLR이 자극되면 상피세포에서는 TSLP, IL-25, IL-33을 생성하게 되고 이들은 감염에 대한 1차 방어역할을 하게 됨과 동시에 Th2 반응을 유도하여 알레르기염증을 일으킴으로써 선천성 면역계와 후천성 면역계의 가교역할을 한다. 전술한 만성 비부비동염에서 감소한 단백질분해효소억제제(protease inhibitor)인 LEKT1의 감소가 TSLP를 증가시킨다는 보고도 있는데(Briot et al., 2009), 이로 인해 만성 비부비동염에서 Th2 반응이 증가되는 것을 유추할 수 있으며 이는 추후 검증이 필요하다.

4) 만성 비부비동염에서 후천면역의 장애

세균, 곰팡이 및 균막 등에 의한 미세환경의 변화로 생긴 만성염증의 결과로 만성 비부비동염 환자의 조직은 T 세포, B 세포, 형질세포 등의 후천면역세포들이 증가되어 있으며, 이로 인해 IgE 및 IgA 등의 면역글로불린이 증가되어 있다(Bachert et al., 2003 ; Van Zele et al., 2007).

(1) 국소 면역글로불린 합성

IgE, IgA를 생성하는 형질세포plasma cell가 비용 조직에 특히 많으며, 국소 IgE, IgA가 비만세포, 호산구 등을 활성화시켜 국소염증을 증가시킬 수 있다(Schleimer et al., 2009). 비용에서 총 IgE는 아토피 유무와 상관없이 증가되어 있고 호산구성 염증의 정도와 관련되어 있다. 포도상구균 장독소Staphylococcal entertoxin, SE에 대한 특이 IgE는 점막에서 자주 발견되지만 혈청에서는 발견되지 않으며(Bachert et al., 2001), 비용에서 림프소절 같은 구조가 흔히 발견되는데 여기에 SE에 대한 IgE가 많아 비용에서 중요한 역할을 하리라 추측할 수 있다(Gevaert et al., 2005).

　IgE 외에 IgA도 비용에서 많이 발견되는데 IgE와 IgA 간 class-switch하는 효소가 비용에서 증가하는 것과 일맥상통한다(Mechtcheriakova et al., 2011). 국소 IgE는 대부분 흡입항원 또는 SE에 대한 것인데 실제로 기능을 하고 있으며 비만세포의 탈과립을 증가시킨다. SE-IgE 항체가 양성이고 IgE가 증가되어 있으면 천식을 동반하는 경우가 많다(Bachert et al. 2010). IgA의 만성 비부비동염에서의 정확한 역할은 잘 모르지만 점막염증에서 증가하는 것으로 보아 만성 비부비동염에서도 어느 정도 역할을 할 것으로 생각된다. 항IgE 치료를 통해서도 상기도와 하기도에서 IgE의 역할을 알아볼 수 있다. CRSwNP 환자에서 Omalizumab을 16주 동안 투여하였더니 비용 정도가 의미있게 감소하였으며 아토피와 상관없이 상기도 및 하기도 증상이 호전되었으며 천식관련 quality of lifeQOL 점수가 호전되었다(Gevaert et al., 2013). 상기 사실로 보아 비부비동염에서 IgE가 일정 부분 중요한 역할을 하리라 생각할 수 있다.

(2) 자가면역

면역글로불린의 국소 생산에 BAFFB cell-activating factor of the TNF family가 관여한다. 비용에서 BAFF의 증가는 B 세포와 형질세포의 증가와 연관성이 있으며, B세포 케모카인인 CXCL12, CXCL13도 비용에서 증가한다(Patadia et al., 2010). 난치성 비부비동염 환자의 비용에서 증가된 면역글로불린 중에 자가항원에 대한 면역글로불린도 포함된다(Tan et al., 2011). 국소 자가면역반응은 질병의 발생에 중요한 역할을 하리라 생각하며 향후 연구가 필요한 부분이다.

(3) T 세포아군

T 세포 중 조력 T 세포는 아형에 따라 Th1, Th2, Th17로 나누는데, 비부비동염도 주가 되는 T 세포의 아형에 따라 표현형을 구분하고, 또 조직 내 호산구 분포에 따라 호산구성 비부비동염, 비호산구성 비부비동염으로 나눈다. 2006년 Bachert 그룹에서 나온 연구에 의하면 CRSsNP는 interferon-γ를 분비하는 Th1세포가 주로 존재하고, CRSwNP은 Th2 세포가 주로 발견된다고 하였다(Van Zele et al., 2006; Zhang et al., 2008). 이후로 비부비동염 조직에 Th1, Th2, Th17 세포가 공존하고 서양인에서는 80% 이상이 Th2 양상을 띄고, 중국의 경우는 약 30~50%가 Th2 양상을 띄고 주로 Th17 양상을 보인다 하였다(Campbell and Clayton, 1964). T 세포의 표현형은 위와 같이 지역마다 차이가 있는 것과 동시에 또 각 개인에 따라 차이를 보일 것으로 생각되고 있다. T 세포아군의 조합이 결국은 환자의 염증상태를 반영하고 이것들은 동반질환과 연관되리라 생각된다(Bachert et al.

2010). 게다가 아시아인의 비용은 서양인에 비해 T 세포의 특징이 덜 명확하여 재형성remodeling과 염증상태 간에 연관성이 떨어질 가능성이 높다.

일본에서 나온 연구에서도 서양에서는 호산구성 비부비동염이 다수이고, 동양에서는 비호산구성 비부비동염이 더 많다고 하였으며, 호산구성 비부비동염과 비호산구성 비부비동염이 임상적인 차이가 있다고 하였다(표 17-3, 그림 17-3).

또한 조력 T 세포 외에 조절 T 세포regulatory T cell의 존재나 기능성이 CRSwNP과 CRSsNP간에 차이를 보인다고 하였다(Van Bruaene et al., 2008). 비용에서 조절 T 세포가 줄어들어 있고, 이와 더불어 TGF-beta도 감소함이 관찰되었다. 조절 T 세포의 감소로 CRSwNP에서 염증이 지속된다고 주장할 수 있으나, 아직은 논란의 여지

| 표 17-3 호산구성 비부비동염과 비호산구성 비부비동염의 임상양상 비교

	호산구성 비부비동염	비호산구성 비부비동염
특징적인 증상	초기에 후각소실이 발생	비교적 중후기에 발생
비내시경 소견	양측성 비용, 고점도의 분비물	중비도에 국한된 비용, 점액농성 분비물
CT 소견	초기에 주로 사골동을 침범	초기에 주로 상악동을 침범
혈액검사 소견	호산구 증다증	–
천식의 동반여부	빈번하다	흔하지 않다
Macrolide 투여	효과적이지 않다	효과적이다
비용의 재발	매우 흔하다	흔하지 않다
전신적 스테로이드 투여	매우 효과적이다	명확하지 않다

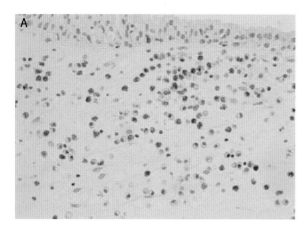 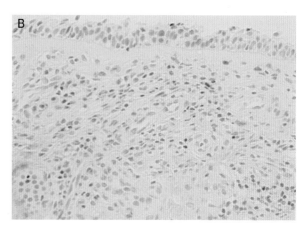

| 그림 17-3 호산구성 비용과 비호산구성 비용의 조직학적 사진
A. 호산구성 비용. B. 비호산구성비용

가 남아 있어 보다 많은 연구가 필요하다. 또 한편 조절 T 세포 전사인자인 Foxp3의 발현을 억제하는 SOCS3 단백질이 CRSwNP의 수지상세포 또는 조절 T 세포에 의해 과발현된다는 보고가 있어 치료의 표적으로 연구되고 있다(Lan et al., 2013).

5) 만성 비부비동염에서의 재형성

재형성remodelling이란 조직의 상처회복에 중요한 반응으로 세포외기질extracellular matrix, ECM의 생성 및 분해를 유발하는 역동적인 과정이다. 이로 인해 정상조직이 다시 회복되기도 하고 비정상적인 조직으로 병적으로 재생되기도 한다.

기도상피세포, 고유층, 점막하층의 변화로 기도 벽이 두꺼워지는 하부기도에서의 재형성에 대해서는 매우 잘 알려져 있다. 재형성의 가장 중요한 병리학적 변화는 대식세포, 임파구의 침윤, 섬유모세포의 증식, 혈관생성, 결체조직의 증가 및 조직파괴 등이다. 상부기도에서도 하부기도와 마찬가지로 알레르기 비염 및 만성 비부비동염에서 재형성이 일어난다고 밝혀져 있다. 염증성 cytokine과 재형성의 상태에 따라 만성 비부비동염을 CRSwNP 또는 CRSsNP으로 나누기도 한다.

CRSwNP과 CRSsNP은 조직학적으로 상이하다(Van Bruaene et al., 2009). CRSwNP은 주로 알부민 축적과 부종형성이 주인데 반해 CRSsNP은 섬유화 형성이 많고, 호중구 침윤이 두드러지고, 과다한 콜라겐침착 및 콜라겐섬유의 비후로 생긴 세포외기질의 섬유화가 많다. 그에 반면, CRSwNP은 거짓낭pseudocyst이 주로 보이는데, 이는 알부민축적, 부종형성, 콜라겐이 없는 세포외기질 및 호산구가 주인 염증세포의 침윤에 의한 것이다.

서양인의 CRSwNP은 주로 Th2 형의 호산구성염증이 주이며 IL-5, ECP, local IgE가 높으며, 아시아의 경우는 Th1/Th17로 분화를 보이고 있지만 두 군 모두 세포외기질 내에 알부민축적과 부종형성이 특징적이다.

CRSwNP의 특징적인 사실은 TGF-β의 신호전달이 별로 없다는 점인데 이로 인해 콜라겐형성이 부족한 반면, CRSsNP의 경우는 Th1 염증반응이 주로 일어나서 TGF-β 신호전달이 활발해져 콜라겐의 과도형성 및 섬유화가 진행된다(Yang et al., 2012). TGF-β는 기도 재형성에 중요한 역할을 하며 이는 섬유모세포의 유인과 증식유도 및 세포외기질의 생성이 증가되면서 이루어 진다. TGF-β는 CRSsNP에서는 증가하고, CRSwNP에서는 감소한다.

재형성은 정상상태 및 병적인 상태 모두에서 세포외기질의 생성 및 분해를 조절하는 역동적인 과정이다. 세포외기질의 분해는 matrix metalloproteinases^{MMPs} 및 MMP의 억제제인 tissue inhibitors of metalloproteinase^{TIMPs}라는 효소에 의해 주로 조절된다. 부비동염에서 MMP의 아형이 여러 가지이고 결과가 다양하여 해석하기가 어렵다. CRSsNP에서는 MMP-9과 TIMP-1이 증가하고 서로 상보적인 작용을 할 것으로 생각된다. 비용조직에서 MMP-9은 증가하고 TIMP-1이 감소하는데 MMP-9/TIMP-1의 부조화가 CRSwNP에서의 세포외기질의 분해에 관련 될 가능성이 제시되고 있다(Li et al., 2010). 그리고 MMP-9은 상처회복에도 연관이 있으며, 그 수치가 높을 때 술 후 회복이 잘 안됨을 알 수 있다.

최근 연구에서 tissue-plasminogen activator$^{u-PA, t-PA}$가 또한 조직의 재형성 및 CRSwNP의 병인에 관련되어 있음이 보고되었다(Takabayashi et al., 2013). 하지만 일부 결과에서 약간 상충되는 면이 있는 것은 아마 질환의 세부 분류가 차이가 나기 때문으로 생각된다.

국소스테로이드 같은 염증억제제는 염증과 부종형성을 억제할 수 있는 능력이 있지만 염증억제만으로는 콜라겐축적 같은 변화를 되돌릴 수 없을 것으로 생각된다. 따라서 질환이 진행되는 것을 막으려면 초기 치료가 중요할 것으로 생각한다. Doxycycline 같은 항생제는 MMP를 억제하는 능력이 있어 비용의 크기나 술 후 회복에 도움이 되는 것으로 보고되었다(Van Zele et al , 2010). 향후 수술 후 재형성 억제를 위한 적합한 처치에 대해 연구가 필요하다.

ESS의 초기 개념인 최소침습개념은 중증 비부비동염을 치료하는 데 턱없이 부족하다. 심한 비부비동염의 경우 염증이 있는 부위를 최대한 제거하여 국소치료제가 잘 도달하고 점막손상을 늦추며, 병든 점막이 새로운 점막으로 재생되도록 하여야 한다. 난치성 비부비동염의 경우 질환 자체의 복잡성 때문에 여러 치료를 복합적으로 사용하는 multimodality treatment가 필요하다.

6) 만성 비부비동염에서의 유전적 요인

만성 비부비동염에서 유전적 요인도 중요하게 작용한다고 밝혀져 있다. 여러 연구에 의하면 유전되는 확률이 13~53% 정도 보고되었으며, 가장 높은 유전율은 샘터씨삼징Samter's triad에서 보였다. 천식은 원래 유전율이 높은 질환인데 만성 비부비동염 환자의 20~31.9%에서 천식이 발병한다고 보고되었다. 유전질환인 낭성섬유화증의 경우도 만성 비부비동염이 많이 발생하는데, 이 질환 역시 유전적 요인이 만성 비부비동염의 병태생리에 관여한다고 보여주고 있다. 하지만 쌍둥이연구에서는 일치되지 않는 결과를 보여주고 있어 유전적 요인뿐 아니라 환경적 요인도 중요하리라 생각한다.

유전학쪽으로 많은 연구가 진행되어 왔지만 아직도 만성 비부비동염의 병태생리에 잘 밝혀지지 않은 점이 너무 많아 앞으로도 유전적변이, 후성유전학적 지표 및 환경적 요인들이 어떻게 만성 비부비동염의 특정한 형태로 이끌어갈지 밝히는 것이 앞으로의 숙제이다.

4. 유병률

최근 국내에서 시행된 국민영양평가 조사결과를 보면 비폐색과 비루가 3개월 이상 지속되고 의사가 시행한 내시경 소견에서 비루 또는 비용의 객관적인 소견이 있는 경우를 양성이라고 정의했을 때 우리나라에서 만성 비부비동염의 유병률은 6.95%이었다. 유럽에서 시행된 GA2LEN 연구에 의하면 EPOSEuropean Position Paper on Rhino-sinusitis and Nasal Polyps 기준에 의한 만성 비부비동염의 유병률은 10.9%(6.9~27.1%)로 우리나라보다 높게 나왔으며, 만성 비부비동염은 천식과 관련이 깊었다. 미국에서 2009년에 인구에 기초한 가정조사에서 설문조사로 유병률을 측정한 결과 13%가 나왔다.

5. 증상

만성 비부비동염의 증상은 다양하고 애매모호하다. 여러 부비동이 동시에 침범되므로 개개의 부비동 증상을 구분하기는 곤란하나, 만성 비부비동염의 전형적인 자각증상은 비폐색, 화농성 혹은 점액농성 비루, 후비루, 두통, 안면부통증 또는 중압감과 후각장애 등이다. 이 밖에 나타나는 국소증상으로 상악치아의 치통, 발열과 구취, 이내충만감ear fullness과 자성강청autophonia 등의 증상들이 있다.

전술한 바와 같이 만성 비부비동염의 진단은 증상 및 CT 또는 비내시경검사에 기반하기 때문에 반드시 코막힘, 전 · 후비루, 안면통 또는 압박감, 후각감소의 증상 중 2가지 이상이 양성이어야 하고, 코막힘, 전 · 후비루 중 하나는 반드시 양성이어야 한다.

6. 진단

환자의 병력, 이학적 검사, 방사선검사 및 보조적인 검사 등으로 진단한다.

1) 이학적 검사

(1) 전비경검사, 후비경검사, 인두검사
과거에 헤드미러를 이용하여 시행된 검사법으로 지금은 잘 시행하지 않고 대부분 비내시경검사로 대치되었다.

① 전비경검사
하비갑개와 중비갑개 점막의 부종과 발적을 관찰할 수 있다. 상악동염에서는 중비도에서 농성 비루를 볼 수 있고, 사골동염에서는 침범된 중비갑개가 비대되어 있는 경우가 많다. 접형동염에서는 후열olfactory fissure에서 농성 비루를 볼 수 있다. 전두동염에서는 농성 비루를 중비도에서 볼 수 있으나 상악동염, 사골동염과 병발하므로 구별은 어렵다.

② 후비경검사
상비도, 중비도, 비중격후단, 인두천정에서 분비물이 흘러내리는 것을 볼 수 있다.

③ 인두검사
후비루가 인두벽으로 흘러내려 오는 것을 볼 수 있고, 이로 인한 인두점막의 발적과 종창도 볼 수 있다.

(2) 비내시경검사
시야가 좋기 때문에 비강과 부비동 질환 진단에 널리 이용되고 있으며, 전비경, 후비경검사를 시행하지 않을 정도로 대치했다. 화농성 비루가 각 부비동 자연공을 통하여 배설되는 것을 확인하여 침범된 부비동의 위치를 보다 정확하게 진단할 수 있다. 비내시경은 직선형 내시경 rigid endoscope이 대부분 사용되며, 이 방법을 통하여 해부학적 변형, 부비동 자연공, 반흔, 농, 비용, 종양의 존재 여부를 잘 파악할 수 있다. 또 중비도의 작은 비용도 확인할 수 있을 정도로 시야가 좋으며, 최근에는 고해상도의 CCD 카메라가 사용되어 더 잘 관찰할 수 있다.

항생제나 스테로이드 혹은 알레르기치료 등에 대한 반응을 전비경검사 보다 정확히 알 수 있다. 정확한 장소에서 세균배양이나 조직검사를 위해 검체를 채취할 수 있고, 수술 후 수술 결과에 대한 정확한 판단과 재발 시 처치를 조기에 할 수 있다.

2) 방사선학적 검사

(1) 단순방사선검사
부비동의 단순방사선검사plain X ray는 부비동의 종합적 관찰, 발육 정도, 부비동의 연부 조직, 저류액의 유무, 종양의 발육, 침윤상태 및 골벽이상의 유무를 관찰하는 데 중요한 검사방법이다. 그러나 소아 만성 비부비동염에서 증상과 방사선학적 이상소견 사이에는 강한 연관성이 보이지 않아 단순방사선촬영의 의의가 감소되고 있다. Kovatch의 통계에 따르면 호흡기 증상과 무관하게 부비동 촬영을 했던 1세 이상의 소아에서 비정상적인 소견이 53%에서 나타난다(Kovatch et al., 1984). 부비동을 보기 위한 표준촬영 방법에는 후두비부방향촬영법Water's view, 후두전두방향촬영법Caldwell's view, 좌우방향촬영법 lateral view, 악하수직방향촬영법submentovertical view이 있다.

후두비부방향촬영법Water's view은 상악동의 형태가 가장 잘 관찰되며, 후두전두방향촬영법Caldwell's view은 전두동과 사골동을 잘 볼 수 있는 방법이다(Kovatch et al., 1984). 전사골동과 후사골동이 중첩해서 보이는 결점은 있으나 사골동 전체의 음영을 파악하는 데 좋다. 좌우방향촬영법lateral view은 진단적 가치가 적다. 악하수직방향촬영법submentovertical view은 주로 접형동의 관찰에 이용된다(Evans et al., 1975).

하지만 단순촬영은 급성 비부비동염의 진단에는 어느 정도 도움이 되지만, 만성 비부비동염의 진단에는 한계가 있다.

(2) 컴퓨터단층촬영

컴퓨터단층촬영computed tomography은 부비동과 인접한 구조물들을 평가하는 데 가장 유용한 방법이다. 컴퓨터단층촬영으로는 상악동의 전벽, 후벽, 측벽의 상태를 동시에 알 수 있고 종양의 침윤 정도도 알 수 있다. 또한 사골동, 접형동, 안와 내 시신경, 시신경관 등의 이상 유무를 보여주는 장점이 있어 부비동의 해부학적 구조와 내용물 및 인접 구조물에 대해 보다 더 많은 정보를 제공해 준다(Brant-Zawadzki, 1982 ; Carter et al., 1983).

과거에 수술을 받았던 환자의 컴퓨터단층촬영은 부비동 내 섬유화 또는 골 주위 점막조직의 비후와 액체 저류를 구별하는 데 있어서 유용하다. 특히 컴퓨터단층촬영은 사골동염, 접형동염 또는 종양이 의심될 때 유용하다.

컴퓨터단층촬영은 내시경 부비동수술의 광범위한 적용과 함께 만성 비부비동염의 진단과 치료 계획 수립에 필수검사이다. 조영제를 사용하지 않은 관상면 컴퓨터단층촬영coronal CT은 염증성 부비동 질환을 포착하는데 있어 가장 믿을만한 검사이다. 최근에는 나선형CTspiral CT가 도입되어 시상면도 같이 쉽게 볼 수 있어 전두봉소의 구별에 유용하게 쓰인다.

컴퓨터단층촬영의 촬영시기는 아직도 논란이 있으나, 가역적인 병변의 제거를 위하여 최소 2주간의 충분한 항생제 및 항히스타민제, 점막 수축제 혹은 스테로이드를

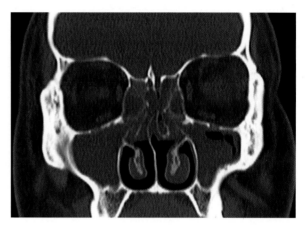

| 그림 17-4 만성 비부비동염의 OMU 전산화단층 촬영영상
양측 전사골동 및 상악동의 병변을 보여주는 만성부비동염의 전형적인 소견

경구 복용하고 촬영 전 코를 푼 후 점막수축제의 비강 내 분무가 권해지기도 한다. 일반적으로 부비동 컴퓨터단층 촬영은 안면골과 부비동 전체를 관찰할 수 있도록 조절되어 있는 반면, 각 부비동 자연공 주위를 집중적으로 촬영할 수 있도록 고안된 단층촬영법이 OMU 컴퓨터단층촬영이다.

OMU를 평가할 수 있는 방사선학적 진단방법으로는 컴퓨터단층촬영이 가장 좋은 영상검사이다. 컴퓨터단층촬영은 골조직과 연조직을 같이 볼 수 있다는 점에서 다른 영상검사보다 유리하며, 특히 관상주사coronal scan는 비내시경의 시야와 유사하여 가장 좋다(그림 17-4). 컴퓨터단층촬영의 역할은 첫째, OMU의 정확한 해부학적 정보를 제공해 준다. 둘째, 만성 비부비동염과 관련된 해부학적 변이를 알 수 있다. 셋째, 비내시경수술의 범위 등 치료계획을 세울 수 있고, 수술 후 지속적인 증상이 있는 경우 치료실패의 원인을 찾을 수 있다.

(3) 자기공명영상

자기공명영상magnetic resonance imaging은 연조직 구조에 대해 고해상력을 가지고 있으며, 초음파와 같이 환자

가 방사선에 노출되지 않는다는 장점이 있다. 자기공명영상은 비강 및 부비동 질환, 특히 종양의 진단과 치료계획, 추적검사에 중요하다. 그 이유는 종양과 염증 간의 T2 이완시간이 다른 물리적 차이로 양자 간의 구별 능력이 우수하고, 쉽게 병변을 발견할 수 있고, 다양한 평면을 볼 수 있기 때문이며, 또한 골이나 치아구조물로 인한 혼란이 컴퓨터단층촬영법보다 적기 때문이다. 경우에 따라서는 종양에 의해 혈관이 둘러싸이는 것 또는 침범 유무 등을 혈관부위의 신호 소실로 잘 알 수 있다. 그러나 골에 관한 정보가 적어서 골에서 생긴 종양이나 석회화기질이 주인 질병에서는 컴퓨터단층촬영보다 못한 단점이 있다. 또한 부비동의 비내시경수술을 하기 위하여 미세한 구조물의 변화를 아는 데 있어서 자기공명영상법의 역할은 미미하다.

T1 강조영상법은 주로 해부학적 구별을 하는 데 유용하며, T2 강조영상법은 병변의 유무를 찾고 종양과 비종양성 질환을 감별하는데 가치가 크다. 조영제Gd-DTPA는 비부비동염의 합병증이나 종양이 의심스러울 때 시행하며, 또 술후 추적검사의 기초로서 사용된다.

자기공명영상은 진균성 부비동 질환과 부비동 악성 질환의 영상진단 시 많은 도움이 된다(Washburn et al., 1988).

3) 기타

(1) 이외
피부단자검사, 폐기능검사, 후각검사, 아스피린불내성검사, 진균염색 및 배양 검사 등을 필요한 경우 할 수 있다.

(2) 초음파검사
초음파검사ultrasonography의 이점은 방사선 노출이 없고 검사시간이 빠르며 환자가 편히 검사할 수 있다는 것이다. 또한 같은 환자에게서 치료에 대한 반응을 검사하기 위해 연속적이고 반복적으로 시행할 수 있다.

하지만, 초음파검사는 두 가지 중요한 문제점을 가지고 있다. 첫째는 상악동과 전두동만이 검사 가능하다는 것이고, 둘째는 비부비동염을 가진 대부분의 환자에서 부비동 내에 실제 액체저류가 없고 단지 점막비후만이 있다는 것이다. 점막비후에 대한 초음파 기준과 단순방사선 소견 사이에 상관관계가 낮다(Druce et al., 1988).

(3) 상악동 천자
상악동 천자는 진단을 위한 흡인과 치료 목적의 세척을 위해 사용된다. 상악동 천자는 하비도나 혹은 견치와를 통해 이루어지며 상악동 자연공을 통하여 직접 세척하기도 한다. 천자 및 세척은 급성 비부비동염에서 급성기가 지난 후 상악동 내 저류액이 있는 경우 배액 및 저류액의 확인 목적으로 시행되며, 압박증상을 완화시키기 위해 사용된다. 진단적 목적의 세척은 뚜렷한 공기액체층air-fluid level이 있는 환자, 혹은 면역기능 부전이나 악성 환자에서 비전형적인 균주를 발견할 가능성이 높을 경우 고려된다.

(4) 철조법
철조등transilluminator을 이용하여 암실에서 검사하는데, 상악동에서는 철조등을 입안에 물고, 전두동에서는 안와 내 상연에 대고 좌우의 투명도를 비교하는 것이다. 동의 발육상태, 골 벽의 두께에 따라 소견이 달라지므로 판정에는 주의를 요한다. 상악동에서는 다음 세 가지를 관찰한다; 첫째, 빨갛게 보이는 동공의 투과광선, 둘째, 하안검의 위치에 상당한 반월형의 투과광선, 셋째, 개안 시 눈에 광선감각의 유무. 상악동 속에 농즙이 괴어있으면 광선이 투과되지 않는다.

4) 감별진단

만성 비부비동염과 비슷한 증상을 일으키는 질환으로는, 알레르기 비염, 비알레르기 비염, 부동성섬모증후군, 면역결핍증, 구조적인 이상, 아데노이드비대, 종양이 있고, 만성 비부비동염 특히 비용과 동반하는 질환으로 천식, 아스피린불내성, 알레르기성 진균성 부비동염, Churg-Strauss 증후군, 낭포성 섬유증 등을 감별하여야 한다.

또 만성 비부비동염은 비중격만곡, 비중격천공 등에 의해 악화될 수 있음을 고려하여야 하고, 코에서 맑은 액체가 흘러나오면 비염이나 뇌척수액 비루를, 화농성 비루가 나오면 비부비동염의 악화를 생각해야 한다. 후각저하가 있으면 주로 비용을 고려해야 하지만 드물게 두개 내 병변에 의한 것일 수도 있음을 고려해야 한다. 안면통이 있으면 치성, 혈관성, 신경성 원인을 생각해야 한다.

감별진단 외에도 고려해야 할 점은 비부비동염이 단순한 원인이 아니라 복잡한 병리기전에 의한 질환으로 여러 가지 요인이 관여한다는 점이다. 아토피가 있으면 비부비동염을 악화시킬 수 있고, 담배 같은 환경적 요인뿐 아니라 직업적인 요인들도 비부비동염을 악화시킬 수 있음을 고려해서 치료를 해야 한다.

5) 동반질환

천식과 Aspirin exacerbated respiratory disease

천식은 흔히 만성 비부비동염을 동반하기 때문에 두 질환은 밀접한 관계가 있다고 잘 알려져 있다. 신경계가 연관이 되어 염증성 매개인자들의 분비를 촉진하는 쪽과 상기도와 하기도가 면역학적으로 연관되었을 것으로 생각된다. 특히 Staphylococcal enterotoxin[SE]-IgE와 IL-5가 양성인 비용의 경우 천식과 밀접한 연관이 있음이 밝혀졌다.

만성 비부비동염의 중증도와 천식의 중증도 간에 밀접한 관계가 있음이 밝혀졌다. 천식의 정도가 심할 수록 만성 비부비동염의 빈도는 차이가 없었지만, 만성 비부비동염의 증상과 CT 소견이 더 심하다고 보고되었다. 또 미국의 연구에서도 만성 비부비동염의 CT 소견이 심할수록 천식의 정도도 심하다고 보고되었다. 또 조직학적으로도 만성 비부비동염과 천식의 병리소견이 비슷하다고 밝혀져서 같은 병리학적인 과정을 겪는다고 생각된다.

Aspirin exacerbated respiratory disease는 아스피린불내성, 천식, 비용의 3가지 특징을 가진 질환으로, 아스피린삼징 또는 샘터씨삼징으로도 불린다. 보통 20대에서 40세 정도 증상이 시작되고, 비용의 정도도 훨씬 심하고 치료예후도 훨씬 나쁘다. 치료가 어렵고 여러 번 수술을 겪는 경우가 흔하고 적극적인 치료가 필요하다. 아스피린 탈감작이 도움이 되는 환자도 있다.

7. 치료

만성 비부비동염의 치료는 지금도 현재 진행형이다. 지속적으로 새로운 약제가 개발되고 있으며 새로운 방법들이 시도되고 있다. 이비인후과 의사들의 개념으로는 기본적 치료가 수술이라고 생각할 수 있지만, 점점 비부비동염의 병태생리가 연구되면서 수술이 일차치료라는 개념이 약간씩 변하고 있는 중이다. 또 최근에는 생물학적인 약제들이 나와 사용되기 시작하고 있어서 향후 만성 비부비동염의 치료가 어느 방향으로 갈지 관심이 모아지고 있다.

1) 약물치료

(1) 국소용 스테로이드제

INS는 모든 종류의 만성 비부비동염에 효과가 입증되어 있다(level 1a)(Druce et al., 1988). 따라서 유지요법의 중심축으로 사용되고 있으며, beclomethasone dipropionate, budesonide, flunisolide, fluticasone propionate, mometasone furoate, tixocortol pivalate 같은 약제의 효과가 입증되어 있다. INS는 비점막의 국소 염증반응을 억제시켜 준다. 또한 이들은 점막수축제의 장기 사용으로 발생하는 약물성 비염rhinitis medicamentosa의 증상 경감에 유용하다. 사용 전 비점막의 과다한 점액을 생리식염수로 세척하고 분무하면 더욱 효과적이며, 약제에 따라 1일 1~4회 분무한다. 부작용으로는 점막부종, 발열, 작열감, 비내 건조감, 비출혈, Candida 감염, 비중격 천공 등이 올 수 있다. 그러므로 환자들에게 올바른 사용법 및 부작용에 대해서 반드시 교육시켜야 하며 주기적인 이학적 검사가 필요하다.

(2) 전신적 스테로이드제

스테로이드제의 전신적 투여는 부비동 자연공의 염증반응을 억제하여 부종을 감소시켜 그 직경을 넓혀 줄 수 있다. 이들은 흔히 점막수축제나 항히스타민제와 병합사용되어 왔다. 스테로이드제의 비폐색 및 울혈 해소 효과는 탁월하지만, 급성기에는 약 2주 정도로 제한하여 사용한다. 장기적으로 사용할 경우에는 전신적 부작용이 생기는가를 주기적으로 감시하여야 한다. 당뇨, 결핵, 위궤양, 신질환, 고혈압, 감정적 불안정 등을 가진 환자나 임신부에게는 사용을 금해야 한다.

보편적으로 낮은 용량을 단기간 사용하는 추세이나 그 용량은 개인마다 다르다.

(3) 항생제

만성 비부비동염의 급성악화 때에는 항생제가 매우 중요한 역할을 하지만 급성 악화기가 아닌 평상시의 항생제 치료는 아직 논란의 여지가 있다.

화농성 비루가 있고 배양 검사에서 *Staphylococcus aureus*, *Pseudomonas aeruginosa* 같은 균주가 나오는 경우가 적절한 항생제 사용이 필요할 때이다.

CRSsNP의 경우 장기간의 macrolide 항생제 투여를 고려해 볼 수 있다. Level 1b 연구에서 roxithromycin을 투여한 그룹이 위약군에 비해 투여 후 12주째 삶의 질 지표, 사카린 통과시간 및 비내시경 영상에서 월등히 좋은 결과를 보였다. 하지만 CRSsNP과 CRSwNP을 같이 포함한 연구에서는 azithromycin을 사용했는데 두군 간에 별다른 차이를 보이지 않았다. 이는 IgE 값이 증가되어 있거나 CRSwNP 환자가 섞여 있어서 차이가 없는 결과가 나왔을 수도 있다. 이와 같이 장기간의 macrolide 치료는 아직 그 효과가 명확하지 않아 논란의 여지가 있어 효과의 입증이 필요한 상태이다.

(4) 항류코트리엔제

항류코트리엔제는 국소스테로이드제와 함께 사용되어 CRSwNP에 효과가 있다고 보고되었지만, 위약대조군연구에서는 그 효과를 입증하지 못하였다.

(5) 항진균제

국소 및 전신항진균제는 무작위이중맹검위약대조군연구에서 그 효과를 입증하지 못하였다.

(6) 보조치료제

생리식염수 스프레이 또는 세척의 경우 Cochrane 데이타베이스 리뷰에서 만성 비부비동염에 효과가 있다고 보고되었다. 생리식염수는 비강과 OMU 주위의 분비물에 의한 가피형성을 억제해 준다. 또 분비물을 가습시킴으로써 점액섬모운동을 촉진시켜주고, 후비루를 감소시킨다. 반복적인 생리식염수 분무는 비강혈류를 감소시켜 경미한 비점막혈관의 수축을 일으킨다. 등장액을 사용하는 것이 대체로 선호된다.

거담제, 경구용 점막수축제, 비강 내 점막수축제의 사용은 아직 그 효과가 입증되지 않았다.

하지만 동반질환이 있는 경우 거기에 맞게 치료를 하는 것은 만성 비부비동염의 치료에 도움을 줄 수 있다. 비염이 있는 경우 항히스타민제, 회피요법 또는 면역치료를 시행할 수 있고, 위식도역류가 있는 경우 PPI 제제를 이용할 수도 있으며, aspirin-exacerbated respiratory disease가 있는 경우는 아스피린 탈감작 등을 시도한 후 아스피린 투여를 하는 것이 비용을 조절하는 데 도움이 된다는 보고가 있다.

(7) 만성부비동염의 표현형에 따른 약물치료
European position paper[EPOS consensus] 문서에 따르면 만성 비부비동염을 CRSsNP, CRSwNP, AFRS로 나누어 치료를 권장하였다(Fokkens et al, 2012).

① CRSsNP (with Evidence level)
* 초기에 비강 내 식염수[A/Ib]와 비강내스테로이드[A/Ib] 사용
* 3개월 후 호전되지 않으며 배양을 하고 macrolide장기요법 실시[A/Ib]
* 호전되면 비강 내 식염수와 비강내스테로이드를 계속 사용하고, macrolide요법은 상황에 따라 판단하여 투여
* 3개월 후 효과가 없으면 CT 촬영 후 수술

대체 권장사항으로 10일간 경구스테로이드와 3~4주의 경구용 항생제를 사용. 경구용 항생제는 Amoxicil-lin-clavulanate가 대부분의 환자에 적절하나 페니실린 알레르기가 있는 경우는 clindamycin이나 moxifloxacin을 투여. 증상이 중등도 이상인 경우는 초기에 macrolide 치료를 고려할 수 있다.

② CRSwNP (with Evidence level)
* 초기에 비강내스테로이드를 2배 용량을 투여[A/Ia]하고 잘 조절되면 용량을 줄임
* 3개월 후 조절이 안되면 비강내스테로이드를 다른 약제로 바꾸고[A/Ib], 3개월 후 재평가
* 비점막에 포도상구균이 잘 자라므로 doxycycline 200 mg을 첫날 투약하고, 그 후 20일간은 100 mg투여. 경구용 스테로이드를 단기간 투여(prednisolone 50 mg을 14일간)
* 3개월 후 조절이 안되면 CT 촬영 후 수술

대체 권장사항으로 초기에 비강내스테로이드[A/Ib]와 단기 경구스테로이드[A/Ia]와 doxycycline 100 mg/day를 3주간 투여할 수 있다.

유지요법으로 알레르기 비염이 있는 경우 이에 대한 치료를 하고, AERD인 경우 아스피린탈감작요법 후 아스피린 투여를 고려한다.

③ AFRS (with Evidence level)
* 진균덩어리와 폴립을 내시경수술로 제거
* 전신스테로이드를 술 후 투여(prednisolone 0.5 mg/kg를 점막 상태를 보고 몇 주 정도 투여 후 줄여나갈 것)
* 비강내스테로이드 세척 또는 비강내스테로이드 투여를 지속요법으로 사용
* 비강 내 또는 전신 항진균제는 사용하지 말것

초기에 술 전 전신스테로이드 요법을 하면 수술하기가 용이하므로 고려해 볼 수 있다.

2) 수술적 치료

수술치료는 적절한 약물치료에 증상을 동반한 만성 비부비동염이 반응을 하지 않은 경우에 고려할 수 있다. 수술의 결과는 환자에 연관된 인자 및 의사에 연관된 인자에 의해 영향을 받는다. 전자로는 만성 비부비동염의 표현형, 흡연 및 직업적인 노출, 약물치료 순응도가 있고, 후자로는 의사의 술기, 사용된 수술방법 및 술 후 치료가 있다.

과거에는 수술적 치료가 표준치료법이었지만 점점 많은 사실들이 밝혀지면서 수술적 치료는 많은 환자에서 약물치료에 대한 추가치료의 개념으로 바뀌고 있다. 최근의 Cochrane 데이타베이스 리뷰에서는 CRSsNP에서 수술적 치료가 더 이상 어떤 장점을 제공하지 않는다고 하였지만, 최근의 다기관연구에서는 CRSsNP 및 CRSwNP 모두에게 약물치료보다 더 나은 결과를 보였다고 하였다.

여러 연구에서 CRSsNP, CRSwNP 환자에게 내시경수술이 단기 증상의 호전뿐 아니라 5년 후에도 증상의 호전을 보였다고 하였지만 5년간 추적관찰한 결과 재수술한 경우가 19.1%나 되었다.

수술치료의 원칙은 첫째, 자연공을 통한 부비동의 배액과 환기의 유지, 둘째, 발병의 선행요인이 되는 비강내 구조적 이상을 제거하거나 교정, 셋째, 동내 점막의 병변이 비가역적인 경우 동점막을 제거하는 것이다. 수술에는 전통적인 방법과 최근에 널리 시행되고 있는 내시경 부비동수술이 있다(수술에 대한 자세한 설명은 다른 장에서 기술한다).

수술의 범위는 개개인에 따라 맞춤치료를 하는 쪽으로 변하고 있는데, 만성 비부비동염의 분류, 표현형, 염증의 심한 정도 등 여러 가지 변수에 따라 달라져야 하고, 만성 비부비동염의 새로운 병태생리가 밝혀짐에 따라 달라질 수 있을 것이다.

3) 생물학적 치료제

최근 들어 점점 생물학적 치료제가 개발되어 임상시험에 들어가고 있는데, 현재 사용되고 있는 치료제로는 IgE에 대한 항체인 omalizumab과 IL-5에 대한 항체인 reslizumab과 mepolizumab이 있다. 특히 omalizumab은 천식을 동반한 CRSwNP 환자에서 그 효과가 입증되어 이런 환자에서 도움을 줄 수 있을 것으로 생각된다. IL-5 항체도 임상연구에서 비용의 크기를 줄이는 효과가 입증되어 2012년 EPOS concensus update에서 사용을 권장하였다. 하지만 이들 약제는 아직 고가이기 때문에 많이 사용되고 있지 않지만, 향후 사용이 늘어날 것으로 생각된다.

4) 미래의 치료방향

만성 비부비동염의 병태생리가 점점 밝혀짐에 따라 CRSsNP, CRSwNP의 표현형보다 특정약물의 반응정도, 특정 사이토카인의 발현 정도 등에 따라 분류하는 인자형endotype의 분류가 더 필요한 쪽으로 변화하고 있다. 인자형이 더 확실히 규명되면 환자에 따른 맞춤치료가 가능해지는 쪽으로 치료의 방향이 바뀔 것이다. 이런 시대가 오면 내시경, CT뿐 아니라 인자형을 구별하는 생체표지자biomarker를 같이 검사해야 하고, 수술에 대한 개념도 바뀌리라 생각된다.

II | 진균성 부비동염

1. 진단

진균성 부비동염은 크게 침습형과 비침습형 진균성 부비동염으로 나눌 수 있으며 비침습형은 진균종과 알레르기성 진균성 부비동염으로, 침습형은 급성 침습형과 만성 침습형 진균성 부비동염으로 나누어진다. 이외에 침습형에 육아종성 침습형 진균성 부비동염도 있으나 국내에선 거의 관찰되지 않아 큰 의미가 없다. 진균성 부비동염은 모든 만성 부비동염 환자에서 고려되어야 하며 임상적 특징이 진단에 많은 도움이 된다(표 17-4). 비침습형 진균성 부비동염은 항생제 치료에 잘 반응하지 않으며 대개 진단이 내려지기 전에 여러 차례 수술을 거치는 경우가 종종 있다(de Shazo et al., 1997). 침습형 진균성 부비동염은 일반적으로 면역결핍 환자에서 흔하며 백혈병과 같은 악성 질환이나, 호중구 감소증, 당뇨, 혈색소증, 단백질 칼로리 영양실조 등의 면역저하와 연관이 있다. 조기 급성 발열, 기침, 비강 내 점막의 궤양이나 가피, 비출혈, 또는 두통 등의 증상을 동반한다. 만성 침습형 부비동염은 안구 돌출증이나 안와 첨단 증후군orbital apex syndrome을 동반하기도 한다. 치료되지 않은 모든 침습형 질환은 진균의 대뇌 혈관 침입으로 이어져, 허혈성 뇌경색이나 직접적으로 뇌의 감염성 질환의 원인이 될 수 있으므로 주의를 요한다.

2. 침습형 진균성 부비동염과 비침습형 진균성 부비동염의 구분

진균은 여러 지역에서 중요한 공기 전파 알레르겐aeroallergens이며, 몇몇 지역에서는 공기 중 진균의 포자 수가 꽃가루의 수천 배에 이르기도 한다(Bush and Yunginger,

표 17-4 진균성 부비동염의 치료와 진단의 임상적 특징

형태	임상적 특징	원인균	진단	치료
비침습형 진균성 부비동염	• 정상면역기능 환자 • 세균성 부비동염에 대한 적절한 치료에도 조절되지 않는 증상 • 알레르기 비염, 천식 • 비용 • CT 상 부비동의 석회화 • 소아에서의 안구돌출증	Hyaline mold Aspergillus Fusarium Dematiaceous mold Bipolaris Curvularia lunata Pseudallescheria boydii	• 부비동 물질 흡인 물질의 도은 • 염색(silver impregnation staining) 및 배양 • 부비동 내- 땅콩버터나 코티지 치즈같은 병변 • 당뇨나 면역억제 환자, 이환된 부분과 정상 점막 및 골조직 검사를 통해 조직 침습 여부 판단	• 수술로 막힌 점막, 비용 및 진균구 제거를 통한 부비동 환기
침습형 진균성 부비동염	• 면역억제 환자에서 열, 두통, 비출혈, 기침 • 당뇨, 혈색소증, 단백질-칼로리 영양결핍 • 비강 점막의 궤양, 가피 • CT 상 부비동의 석회화 • 안와 첨단 증후군 • 성인에서의 안구돌출증	Hyaline mold Zygomycetes Rhizopus oryzae Cunninghamella bertholettiae Aspergillus Fusarium Dematiaceous mold P. boydii	• 빠른 내시경검사 및 이환된 부분과 정상 점막 및 골조직 검사 • 부비동 내 물질 배양 • 반드시 모든 수술 검체의 도은 염색 시행(silver impregnation staining) • 내시경검사 상 음성인 경우 즉시 개방 생검(open biopsy) 시행	• 응급수술로 괴사, 활력을 잃은 조직의 제거 • 배양 검사 결과 전 조직침범이 확인된 즉시 Amphotericin B 투여 • 부신피질호르몬 및 호중구 감소 유발 치료 등 면역 억제 치료 중단

1987). 진균에 대한 숙주 방어 체계는 명확히 알려져 있지 않으나 진균성 부비동염의 병태 생리학적 원인은 부비동의 환기 저하, 곰팡이에 대한 면역 반응의 변화 등이 연관되어 있을 것으로 여겨진다(de Carpentier et al., 1994).

침습형과 비침습형 진균성 부비동염은 여러가지 공통점이 있다. 둘 다 면역력이 정상 또는 억제된 환자 모두에서 발생할 수 있고, 급성 또는 만성 경과를 가지며, 부비동 벽을 뚫고 안와, 안구나 뇌를 침범할 수 있다. 농성의 끈적한 물질이 이환된 부비동 내에서 발견되며 대개 악취를 동반하고 다양한 양의 진균이 포함되어 있으나 배양검사로 확인하기 어렵다(Jahrsdoerfer et al., 1979). 이러한 진균성 물질은 대개 비용이나 석회화와 연관되어 컴퓨터단층촬영 상 부비동의 국소적 혹은 전반적인 고음영 소견으로 나타나며(Zinreich et al., 1988), 자기공명영상촬영에서는 T1 강조영상과 T2 강조영상에서 낮은 신호강도를 보인다.

아스페르길루스Aspergillus는 진균성 부비동염의 가장 흔한 원인으로 보고되고 있다(Stammberger et al., 1984). 침습형 진균성 부비동염은 부비동의 영상학적 진단과 조직학적 검사를 포함한 임상 진단 기준을 통해 비침습형과 명확하게 다른 질환으로 구분된다(표 17-5). 진균성 부비동염과 연관된 영상학적 소견은 세균성 부비동염과 같이 공기액체층air-fluid level이나 8 mm 이상의 점막 골막의 비후를 보이며, 좀 더 특이적 소견으로 석회화 및 부비동 골 연속성의 파괴loss of bony sinus margin 등이 있다. 비즙의 진균 배양은 진균성 부비동염의 진단 방법으로 신뢰성이 낮다(Weber and Lopez-Berestein, 1987). 조직학적으로 진균의 균사hyphae는 만성 세균성 부비동염 환자의 비점막에는 존재하지 않으며, 비침습형 진균성 부비동염의 경우 점액농성 병변 내에, 침습형의 경우 부비동의 점막을 침습하여 점막하 고유층, 혈관, 골조직에서도 발견될 수 있다. 따라서 두 질환을 구분하기 위해서는 부비동 점막조직 내 균사가 침범하여 괴사가 진행된 부분과 인접한 정상 점막 및 가능하면 골조직까지 포함한 조직검사가 필요하다. 진균성 부비동염을 진단할 때 진균은 일반적인 염색 방법eg. hematoxylin and eosin으로 잘 동정되지 않으므로 진균 염색silver-impregnation fungal stain (methenamine silver staining)이나 수술적으로 잘라낸 표본의 배양을 고려해야 한다.

3. 비침습형 진균성 부비동염

1) 진균종

진균종(진균구, fungus balls) 환자는 보통 비폐색, 만성 부비동염, 안면 통증, 또는 악취를 주소로 내원한다. 진균종은 주로 상악동에 발생하며 비용이나 세균성 부비동염이 동반될 수 있다. 수술로 균사가 다량으로 포함된 병변을 얻어 배양해도 진균은 잘 자라지 않는데 이는 진균종의 진균은 생존력이 떨어지기 때문이다(Campbell and Clayton, 1964). 감염원이 확인되는 경우는 드물지만, 알려진 가장 흔한 원인으로 아스페르길루스Aspergillus fumigatus에 오염된 채로 관리하지 않는 양압기가 보고된 바가 있다(de Shazo et al., 1997).

부비동 진균종은 다음과 같은 특징을 가진다(de Shazo et al., 1997). 방사선학적으로 부비동의 음영증가가 보이며 대개 석회화flocculent calcifications를 관찰할 수 있다(그림 17-5). 수술 시 점액농성 또는 치즈나 점토같은 병변을 관찰할 수 있고(그림 17-6), 조직학적으로 알레르기성 점액allergic mucin은 보이지 않으나 근접한 부비동의 호흡상피에서 분리된 조밀한 균사의 응괴를 확인할 수 있다. 점막은 진균의 인접한 정도에 따라 다양한 만성 비육아종성 염증 반응을 보이며(Hartwick and Batsakis, 1991), 진균은 점막이나 혈관, 골조직을 침범하

표 17-5 침습형 및 비침습형 진균성 부비동염의 특징

질환명	원인균	지역적 분포	숙주의 특징	연관된 질환	조직학적 특징	임상 양상	치료	예후
알레르기성 진균성 부비동염	Bipolaris species, Curvularia lunata, Aspergillus fumigatus	습한 지역, 특히 북미 해안 지역	정상면역기능, 흔히하게 아토피 동반	만성 부비동염, 비용	조밀한 점액 성분("allergic mucin")에 다수의 호산구와 드물게 균사 포함; 인접 점막의 림프형질세포 및 호산구 반응	만성 범부비동염, 비용, CT상 부비동의 석회화, 소아의 안구돌출 또는 안근 침습(eye-muscle entrapment)	변연 절제술, 통기, 경구 및 국소 스테로이드, 알레르기 면역요법(?)*	빈번하게 재발
부비동 진균증 (진균구)	A. fumigatus dematiaceous fungi	습한 지역, 특히 북미 해안 지역	정상면역기능, 가끔 아토피 동반	만성 부비동염, 비용	점액 성분 내 조밀한 진균의 축적으로 팽창성 종괴 형성; 인접 점막의 낮은 정도의 만성 염증 반응	(대개 편측성)비부비 동염, 비폐색, 누강색의 비 비듬, CT상 부비동의 석회화	변연 절제술, 통기; 항진균 제제 투여는 불필요	아주 우수함
급성 (전격성) 침습형 진균성 부비동염	Mucorales A. fumigatus	지역적 특징 없음	면역 저하 환자, 드물게 정상면 역기능	당뇨, 악성 질환, 면역 억제 치료	진균의 점막, 점막하, 혈관, 골조직 침범 및 광범 위한 괴사와 호중구성 염증	발열, 기침, 비점막의 가피, 비출혈, 두통, 의식 상태 변화	조직학적으로 정상 조직이 확인될 때까지 근치적 변연 절제술, 항진균 제재, 기저 질환의 치료	부비동에 국한된 경우 양호; 두개 내 침범 시 예후 불량
만성 침습형 진균성 부비 동염	A. fumigatus	지역적 특징 없음	면역 저하 환자	당뇨	점막, 점막하, 골조직, 혈관의 괴사 및 낮은 정도의 염증	안와 첨단 증후군	근치적 변연 절제술, 항진균 제재	불량
육아종성 침습형 진균성 부비동염	A. flavus	북아프리카 지역	정상면역기능	없음	다핵성 거대 세포와 은상 조직구를 동반한 육아종	편측 안구돌출증	변연 절제술, 통기, itraconazole	양호하나 재발 가능

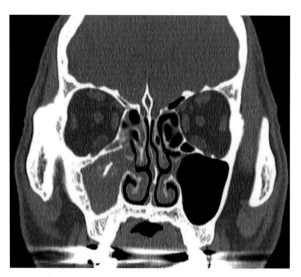

│그림 17-5 부비동 진균종 환자의 컴퓨터 전산화 단층 촬영
우측 상악동을 채우는 균일한 음영 소견과 내부 석회화로 인한 국소적인 음영증가를 관찰할 수 있다.

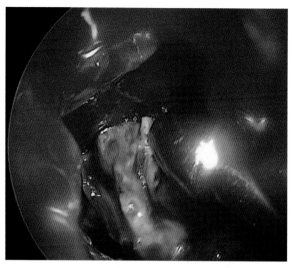

│그림 17-6 상악동 부비동 진균종 환자의 수술 소견
우측 상악동 내부의 치즈 또는 점토 같이 보이는 진균 덩어리를 확인할 수 있다.

지 않는다.

알레르기반응 양성이나 진균 특이 IgE는 진균종 환자에서 흔하지 않으며, 알레르기성 진균성 부비동염 환자와 마찬가지로 환자의 면역기능은 정상이다. 방사선학적으로 종종 골미란이 확인되나 침습형 질환과 달리 알레르기성 진균성 부비동염에서처럼 압력에 의한 골괴사가 일어난 것이다.

항진균 제제의 사용없이 내시경 부비동수술을 통한 진균종의 제거 후 부비동을 환기 및 배액시키는 것만으로도 치료할 수 있다(Klossek et al., 1997).

2) 알레르기성 진균성 부비동염

알레르기성 진균성 부비동염은 우리나라에서는 그리 흔하지는 않지만 점점 보고가 많아지고 있다. 잘 치료되지 않은 만성 비부비동염과 비용을 가진 환자 중 아토피를 동반하는 경우 의심해 볼 수 있으며, 대부분의 환자

들은 범부비동염을 가지고 있고, 진단 전까지 수차례 부비동수술을 받은 병력이 있다(deShazo and Swain, 1995; Goldstein et al., 1985). 특징적으로 수술 중 이환된 부비동 안에서 땅콩버터나 코티지 치즈 같은 갈색 또는 흑녹색의 점액을 확인할 수 있다. 이러한 물질은 알레르기성 점액allergic mucin이라고 하며, 정상 또는 퇴화된 호산구의 층화된 축적물과 샤콧 레이든 크리스탈Charcot-Leyden crystals 및 세포 잔해 덩어리가 존재하며 드물게 진균의 균사가 염색 없이도 관찰된다(Katzenstein et al., 1983). 인접한 부비동 점막은 호산구, 형질세포, 림프구의 혼합된 침윤 양상을 보인다(그림 17-7). 알레르기성 점액allergic mucin과 비용은 부분적으로 석회화된 팽창성 종괴를 형성해 부비동의 환기를 막을 수 있으며, 이로 인해 세균성 부비동염이 종종 알레르기성 진균성 부비동염과 같이 발생한다. 종괴가 커지면 압박을 통한 골미란, 부비동 벽이 녹을 수 있고 드물게 부비동 내 점액이 인접한 안와나 두개 내로 누출되기도 한다. 소아의 경우 두개골 석회화가 완전하지 않아 전두동과 사골동

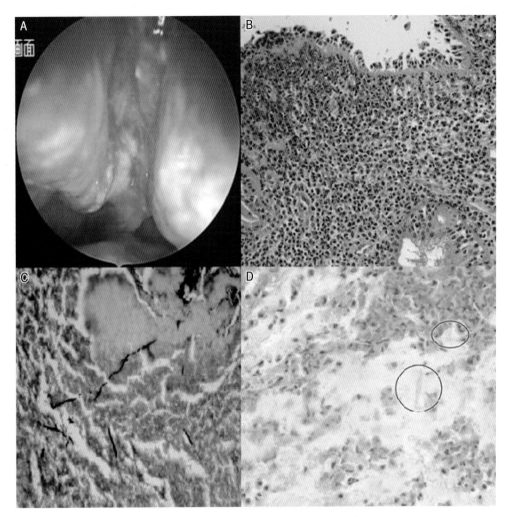

| 그림 17-7   알레르기성 진균성 부비동염 환자의 비강 내 소견 및 부비동 점막 조직 소견(Hematoxylin and Eosin stain, Gomori methenamine silver stain)

A. 땅콩버터나 코티지 치즈 같은 갈색 또는 흑녹색의 점액을 확인할 수 있다. **B.** 점막과 점막하 고유층 조직내에 다수의 호산구가 조밀하게 침윤되어 있다. **C.** Gomori 염색에서 진균의 균사를 발견할 수 있다. **D.** 샤콧 레이든 크리스탈(Charcot-Leyden crystals)이 보이며 진균의 균사가 특수 염색 없이도 관찰된다.

의 질환은 양안 격리증이나 안구 돌출증을 야기할 수 있다(Goldstein et al., 1985).

알레르기성 진균성 부비동염의 가장 흔한 원인은 curvularia, bipolaris, pseudallescheria 등을 포함한 흑색 진균dematiaceous fungi (pigmented)과, 아스페르길루스와 붉은 곰팡이aspergillus and fusarium를 포함한 hyaline mold가 주요 원인으로 알려져 있다(deShazo and Swain, 1995; Walsh et al., 1996). 이들 진균은 알레르기 비염의 흔한 원인도 된다(deShazo and Swain, 1995). 알레르기성 진균성 부비동염 환자는 대개 천식, 알레르기 비염, 호산구증을 동반하며 방사선 알레르기 흡착 검사 및 피부 검사 시 총 IgE와 진균 특이 IgE 농도가 증가되어 있다. 알레르기성 진균성 부비동염은 IgE 매개 과민 반응을 대표적인 예로 보이며 알레르기성 기관지 폐 아스페르길루스증allergic bronchopulmonary aspergillosis에서 기관지의 반응과 유사한 것으로 여겨진다(Katzenstein et al., 1983).

알레르기성 진균성 부비동염의 진단 기준은 Bent와 Kuhn의 전통적인 기준이 여전히 널리 사용되고 있으며 다음과 같다; ① 비용종증, ② 현미경 또는 배양으로 확인된 진균의 존재, ③ 진균의 부비동 조직 침범이 없고 호산구성 점액의 존재, ④ 피부반응검사나 in vitro test를 통한 1형 과민반응의 입증, ⑤ 부비동 확장이나 비균질적인 부비동의 혼탁 등의 특징적 CT 소견 다섯 가지이다. 하지만 임상양상은 비슷하지만 1형 과민반응 또는 진균의 입증이 되지 않은 경우가 자주 발견되어 1형 과민반응이 빠진 경우는 호산구성 진균성 비부비동염eosinophilic fungal rhinosinusitis, EFRS, 진균 또는 1형 과민반응을 입증하지 못한 경우는 호산구성 점액성 비부비동염eosinophilic mucin rhinosinusitis, EMRS이라고 명명하였다. 이 세 가지 질환은 공통적으로 호산구성 점액을 가지고 있으며 이는 전술한 바와 같이 호산구 또는 호산구가 퇴화된 물질들이 쌓인 것으로 외관적으로 특징적인 양상을 띄는데 아주 끈적끈적하고 잘 떨어지지 않는 갈색 또는 검정의 분비물 양상을 띤다.

환경적 요인과 유전적 요인도 관계가 되는데 주로 미국 남부 또는 인도와 같은 따뜻하고 습한 지역에서 호발하며 우리나라에는 유병률이 높지는 않지만 종종 발견된다.

CT 소견이 특이적인데 일측성 또는 비대칭적인 양상이 흔하며 부비동의 뼈가 팽창하여 얇아지는 소견이 특징적이며 안와와 두개저에서 주로 이런 소견이 보이며 비균질적인 음영을 많이 보인다. 석회화는 잘 발견되지 않는데 이는 진균의 균사가 밀집되지 않고 성기게 발견

되기 때문이라 생각된다.

다른 진균성 부비동염과 마찬가지로 알레르기성 진균성 부비동염은 반드시 부비동염을 유발할 수 있는 다른 종류의 감염이나 신생물, 그리고 염증성 질환과 감별되어야 한다(Brandwein, 1993).

내시경수술로 비용과 염증성 병변을 제거하여 부비동의 환기와 배액이 충분히 이루어지도록 하는 것이 치료의 첫번째 단계이다. 반복적인 부비동수술 시 해부학적 지표가 소실되고, 추가 시술에 따른 합병증의 빈도가 증가하며 일부 환자에서 관혈적 시술이 필요하게 될 수 있다.

Amphotericin B는 약제의 독성으로 인해 권장되지 않으며 새로운 저독성의 항진균제는 효과가 확인되지 않았다. 알레르기성 진균성 부비동염은 부비동수술이나 부비동수술과 항진균제의 병행 치료 후 재발이 흔하므로 재발을 예방하기 위한 추가 치료가 시도되고 있다(Morpeth et al., 1996). 예를 들어, 하루 2회 따뜻한 등장성 생리식염수로 부비동 세척을 하게 되면 점액의 저류를 방지할 수 있다. 부비동의 염증과 비용의 재발을 막기 위한 부신피질호르몬 사용은 알레르기성 기관지 폐 아스페르길루스증allergic bronchopulmonary aspergillosis의 치료 경험에서 유래했다(Goldstein et al., 1985; Safirstein et al., 1973). 술 후 10~20 mg/day의 경구 prednisone을 2주 이상 사용한 후 동일한 용량을 격일로 2주 더 사용하도록 한다. 정상 용량의 속효성 비강 내 스테로이드 분무는 장기적으로 사용하도록 한다(Corey et al., 1995). 술후 정기적으로 내시경검사를 시행하여 유착이나 비용 발생 시 신속하게 제거한다. 알레르기 면역요법allergen immunotherapy은 진균 특이 IgE의 생산을 줄이고 염증 반응을 감소시켜 유용하다고 여겨진다(Klossek et al., 1997).

4. 침습형 진균성 부비동염

1) 급성(전격성) 침습형 진균성 부비동염

급성(전격성) 침습형 진균성 부비동염은 숙주의 면역기능이 저하된 경우에 진균이 점막하층에 침범하는 아주 위급한 질환이다. 아주 빠르게 진행되는 경우가 많고 생명이 위험할 수 있을 정도로 전격성으로 진행하는 경우도 많다.

흔한 균주로 *Aspergillus*종들과 털곰팡이 목 *Mucorales* (*Rhizopus*종과 *Mucor*종)이 흔한 종이고 이들은 혈관은 따라 침범하는 특징을 가지고 있어서 조직괴사를 야기시킨다. 그 외에 *hyaline molds*도 있지만 상대적으로 드문 균주이다.

비대뇌 털곰팡이증Rhinocerebral mucormycosis은 부비동염과 구개나 비중격의 통증이 없는 검은색의 궤양 및 가피가 특징이다. 조기에 치료하지 않으면 진균이 혈관을 통해 급속히 진행하여 하루 안에 사망할 수 있다. 당뇨나 면역결핍 환자에서 주로 발생하지만 드물게 건강한 사람에서도 발생할 수 있다(Blitzer and Lawson, 1993; Radner et al., 1995). 조직학적으로 경동맥과 해면정맥동을 포함한 혈관의 균사 침범, 혈관염 및 혈전, 출혈, 그리고 조직의 경색증을 초래한다. 염증 반응은 큰 특징이 없다. 급성 호중구 침윤이 있을 수 있으나(Blitzer et al., 1980) 한 연구 보고에서는 "원심성으로 확산되며 최소한의 염증, 혈전, 진균 동맥류와 조직의 허혈성 경색을 동반한 괴사성 반응"으로 설명하고 있다(Gowing and Hamlin, 1960).

*Aspergillus, Fusarium, Pseudallescheria boydii*의 감염으로 인한 비중격의 궤양을 포함하는 일련의 증후군을 전격성 침습형 부비동염fulminant invasive sinusitis이라고 한다(Blitzer and Lawson, 1993; McGill et al., 1980; Talbot et al., 1991). 발열, 기침, 비점막 가피, 비출혈, 두

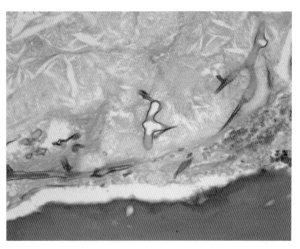

그림 17-8 급성 침윤성 진균성 비부비동염 환자의 조직 병리 소견
골수 내부로 진균이 침윤하였음을 알 수 있으며, 분지가 예각인 aspergillus종임을 확인할 수 있다.

통이 가장 흔한 증상이다(Talbot et al., 1991). 대개 후천적 면역 결핍증이나 전신 홍반성 루푸스, 악성종양으로 인한 면역억제 치료나 골수 이식을 받은 환자에서 발생한다(Choi et al., 1995; Gonzalez-Crespo and Gomez-Reino, 1995; Meyer et al., 1994; Talbot et al., 1991; Teh et al., 1995). 전격성 침습형 부비동염과 비대뇌 털곰팡이증은 동일한 질환이므로 두 질환을 합해 '급성 (전격성) 침습형 진균성 부비동염acute (fulminant) invasive fungal sinusitis'으로 부른다(de Shazo et al., 1997).

침습형 진균성 부비동염의 증상과 징후가 있으면, 의심을 하는 것이 가장 중요하고 응급 수술을 통해 조직의 조직학적 진단을 시행하고 진균이 자라고 있는 죽은 조직을 적극적으로 제거하는 것이 필요하다. 조직학적 진단은 *Mucor*종과 *Aspergillus*종을 구별하는 것이 중요한데 *Mucor*종은 격막 Septation이 없고 분지가 둔각을 이루고 있고, *Aspergillus*종은 격막이 있으며 분지가 예각을 이루고 있다(그림 17-8). 하지만 실질적으로 두 종 간에 구별이 쉽지 않은 경우를 종종 볼 수 있고 이런 경우

에 조직을 이용한 배양이 필요할 수 있다.

방사선학적 검사는 비특이적인 경우가 대부분이고 CT상에는 대체로 부비동의 연조직 음영을 관찰할 수 있고, 골미란, 안면의 연조직 비후, 상악동 주위 연조직의 침범 소견 등은 병이 진행된 이후에 관찰할 수 있다. 안구나 뇌로의 침윤이 의심되는 경우는 MRI가 도움이 된다.

항진균제 사용에도 진균의 종류를 구별하는 것이 중요한데, 이는 진균의 종류에 따라 사용하는 약제가 달라지기 때문이다. 일단 amphotericin B 투여를 시작해야 되고 털곰팡이인 경우는 amphotericin B를, 아스페르길루스인 경우는 보리코나졸이 1차 선택약제이다. liposomal amphotericin B, 아졸계열 항진균 제제azole antifungal agents, 항진균 제제의 병합 요법 또한 유용한 치료방법으로 확인되었다(Graybill, 1996). amphotericin B의 리포좀 형태는 효과도 더 좋고 독성이 낮지만 가격이 비싸다. 항진균제의 사용기간에 대한 치료방침은 아직 명확히 확립되지 않아 불분명한 상태이고, 계속적으로 면역이 억제된 상태인 경우는 경구용 제제로의 전환이 필요할 수 있다.

드물지 않게 안와적출, 구개나 상악적출술이 필요한 경우를 만날 수 있으며, 면역상태가 회복되지 않는 경우 예후가 나쁘다. 치명율이 10~50% 정도 보고되고 있으며, 면역상태의 회복 정도, 발견 당시의 병변의 범위에 따라 예후가 결정된다. 치료에는 내과 전문의와 외과 전문의 사이의 긴밀한 협조가 반드시 필요하다.

2) 만성 침습형 진균성 부비동염

만성 침습형 진균성 부비동염Chronic invasive fungal sinusitis은 만성적 경과, 진균종과 유사한 균사의 조밀한 침착 및 안와 첨부 증후군, 당뇨, 스테로이드 치료를 받는 환자와 연관이 있다는 점에서 다른 두 형태의 침습형 진균성 부비동염과 구별된다. 안와 첨부 증후군은 시력 감퇴 및 안와 상부의 덩어리로 인한 안구 운동 저하가 특징이다(Dooley et al., 1992; Milroy et al., 1989; Young et al., 1978). 골미란과 함께 사골동으로부터 진균이 침범하여 종괴를 형성한다(Soto-Aguilar, 1997). 이러한 이유로 염증성 가종양으로 오진되어 적절한 안구 검사 및 조직 검사가 시행되기 전에 부신피질호르몬 치료를 시작할 수 있다. 조직 검사와 안구 검사 결과로 진균의 혈관 침범과 드물게 만성 염증성 침윤을 확인할 수 있다. 해면정맥동을 침범한 경우 사망할 수 있다. 처음에는 부비동 진균종으로 시작되어 침습형으로 진행될 수도 있으며, 이는 당뇨나 부신피질호르몬 치료 등 면역력이 억제된 결과로 보인다. 예후가 나쁘므로 급성(전격성) 침습형 진균성 부비동염과 마찬가지로 적극적인 치료가 필요하다.

3) 육아종성 침습형 진균성 부비동염

일차적 부비동 육아종은 안구돌출과 관련된 만성 부비동염의 특이한 증후군으로 무통성 진균성 부비동염indolent fungal sinusitis이라고도 불린다(Milosev et al., 1969; Sandison, 1967). 수단에서 첫 증례가 보고되었으나 인도, 파키스탄, 미국에서도 보고된 증례가 있으며, 드문 질환으로 우리나라에서도 몇 케이스 보고되었다(Green et al., 1969; Washburn et al., 1988). 환자들은 정상 면역 체계를 가지고 있으며, 대부분 *Aspergillus flavus*가 원인균이다.

임상양상으로 부비동을 침범하는 서서히 자라는 섬유성 종양의 양상을 보이며, 안와와 두개로 침범할 수도 있다. CT에서는 만성 침습형 진균성 부비동염과 비슷하나 조직학적으로 거대 세포 및 형질 세포가 포함된 비건락성 육아종을 보인다. 호산구의 중심성 미세 육아종, 섬유양 괴사, 섬유화, 혈관염 역시 주의해야 한다(Veress et al., 1973). 수술적으로 제거하지 않으면 섬유성 진균덩이가 안와, 경막과 뇌 내로 퍼지게 된다. 8~10 mg/kg/day의 itraconazole 투여가 술 후 높은 재발율을 낮추는 것에 도움이 된다(Gumaa et al., 1992).

5. 결론

진균 감염은 모든 만성 비부비동염 환자에서 고려되어야 한다. 비침습형 진균성 부비동염의 조기 진단은 재수술의 반복을 방지하며 효과적인 치료에 도움이 된다. 침습형 진균성 부비동염은 면역 억제 환자가 급성 부비동염, 비중격 점막의 염증, 설명되지 않는 발열이나 기침, 안와 첨부 증후군의 증상을 보일 경우 의심해야 한다. 세 가지 형태의 침습형 진균성 부비동염 모두 진단과 치료가 조기에 이루어질 경우 양호한 치료 반응을 보인다.

이들 증후군의 명확한 분류와 진단 기준은 적절한 치료 확립을 위한 임상적 시도를 가능하게 한다. 진균성 부비동염의 대부분에서 수술적 치료의 역할이 굉장히 중요하며, 이와 더불어 침습형의 경우 항진균제가 치료의 중요한 축으로 역할을 한다. 알레르기성 진균성 부비동염의 경우 면역치료와 항진균제가 보조 치료로 사용되지만 아직 그 역할이 확립되지는 않은 상태이다.

참고문헌

1. Bachert C, Gevaert P, Holtappels G, Johansson SG, van Cauwenberge P. Total and specific IgE in nasal polyps is related to local eosinophilic inflammation. J Allergy Clin Immunol 2001;107:607-14.

2. Bachert C, van Zele T, Gevaert P, De Schrijver L, Van Cauwenberge P. Superantigens and nasal polyps. Curr Allergy Asthma Rep 2003;3:523-31.

3. Bachert C, Zhang N, Holtappels G, Lobel LD, Cauwenberge P, Liu S et al. Presence of IL-5 protein and IgE antibodies to staphylococcal enterotoxins in nasal polyps is associated with comorbid asthma. J Allergy Clin Immunol 2010;126:962-8, 968 e961-6.

4. Blitzer A, Lawson W. Fungal infections of the nose and paranasal sinuses. Part I. Otolaryngol Clin North Am 1993;26:1007-35.

5. Blitzer A, Lawson W, Meyers BR, Biller HF. Patient survival factors in paranasal sinus mucormycosis. Laryngoscope 1980;90:635-48.

6. Brandwein M. Histopathology of sinonasal fungal disease. Otolaryngol Clin North Am 1993;26:949-81.

7. Brant-Zawadzki MN, Minagi H, Federle MP, Rowe LD. High resolution CT with image reformation in maxillofacial pathology. AJR Am J Roentgenol 1982;138:477-83.

8. Braun H, Buzina W, Freudenschuss K, Beham A, Stammberger H. 'Eosinophilic fungal rhinosinusitis': a common disorder in Europe? Laryngoscope 2003;113:264-9.

9. Briot, A, Deraison, C, Lacroix, M, Bonnart, C, Robin, A, Besson, C et al. Kallikrein 5 induces atopic dermatitis-like lesions through PAR2-mediated thymic stromal lymphopoietin expression in Netherton syndrome. J Exp Med 2009;206:1135-47.

10. Brook I, Yocum P, Frazier EH. Bacteriology and beta-lactamase activity in acute and chronic maxillary sinusitis. Arch Otolaryngol Head Neck Surg 1996;122:418-22; discussion 423.

11. Bush RK, Yuninger JW. Standardization of fungal allergens. Clin Rev Allergy 1987;5:3-21

12. Campbell MJ, Clayton YM. Bronchopulmonary Aspergillosis. A Correlation of the Clinical and Laboratory Findings in 272 Patients Investigated for Bronchopulmonary Aspergillosis. Am Rev Respir Dis 1964;89:186-96.

13. Carter BL, Bankoff MS, Fisk JD. Computed tomographic detection of sinusitis responsible for intracranial and extracranial infections. Radiology 1983;147:739-42.

14. Cella M, Fuchs A, Vermi W, Facchetti F, Otero K, Lennerz JKM et al. A human natural killer cell subset provides an innate source of IL-22 for mucosal immunity. Nature 2009;457:722-5.

15. Choi SS, Milmoe GJ, Dinndorf PA, Quinones RR. Invasive Aspergillus sinusitis in pediatric bone marrow transplant patients. Evaluation and management. Arch Otolaryngol Head Neck Surg 1995;121:1188-92.

16. Corey JP, Delsupehe KG, Ferguson BJ. Allergic fungal sinusitis: allergic, infectious, or both? Otolaryngol Head Neck Surg 1995;113:110-9.

17. Crellin NK, Trifari S, Kaplan CD, Satoh-Takayama N, Di Santo JP, Spits H. Regulation of cytokine secretion in human CD127(+) LTi-like innate lymphoid cells by Toll-like receptor 2. Immunity 2010;33:752-64.

18. de Carpentier JP, Ramamurthy L, Denning DW, Taylor PH. An algorithmic approach to aspergillus sinusitis. J Laryngol Otol 1994;108:314-8.

19. Dejima K, Randell SH, Stutts MJ, Senior BA, Boucher RC. Potential role of abnormal ion transport in the pathogenesis of chronic sinusitis. Arch Otolaryngol Head Neck Surg 2006;132:1352-2.

20. deShazo RD, O'Brien M, Chapin K, Soto-Aguilar M, Swain R, Lyons M, et al. Criteria for the diagnosis of sinus mycetoma. J Allergy Clin Immunol 1997;99:475-85.

21. deShazo RD, Swain RE. Diagnostic criteria for allergic fungal sinusitis. J Allergy Clin Immunol 1995;96:24-35.

22. Dooley DP, Hollsten DA, Grimes SR, Moss J, Jr. Indolent orbital

apex syndrome caused by occult mucormycosis. J Clin Neuroophthalmol 1992;12:245-9.

23. Ebbens FA, Georgalas C, Fokkens WJ. The mold conundrum in chronic hyperplastic sinusitis. Curr Allergy Asthma Rep 2009;9:114-20.

24. Ebbens FA, Georgalas C, Luiten S, van Drunen CM, Badia L, Scadding GK, et al. The effect of topical amphotericin B on inflammatory markers in patients with chronic rhinosinusitis: a multicenter randomized controlled study. Laryngoscope 2009;119:401-8.

25. Evans FO, Jr., Sydnor JB, Moore WE, Moore GR, Manwaring JL, Brill AH, et al. Sinusitis of the maxillary antrum. N Engl J Med 1975;293:735-9.

26. Feazel LM, Robertson CE, Ramakrishnan VR, Frank DN. Microbiome complexity and Staphylococcus aureus in chronic rhinosinusitis. Laryngoscope 2012;122:467-72.

27. Fokkens WJ, Lund VJ, Mullol J, Bachert C, et al. European position paper on rhinosinusitis and nasal polyps 2012. Rhinology. Suppl 2012;23:1-298.

28. Gevaert P, Calus L, Van Zele T, Blomme K, De Ruyck N, Bauters W, et al. Omalizumab is effective in allergic and nonallergic patients with nasal polyps and asthma. J Allergy Clin Immunol 2013;131:110-6. e111.

29. Gevaert P, Holtappels G, Johansson SG, Cuvelier C, Cauwenberge P, Bachert C. Organization of secondary lymphoid tissue and local IgE formation to Staphylococcus aureus enterotoxins in nasal polyp tissue. Allergy 2005;60:71-9.

30. Goldstein MF, Atkins PC, Cogen FC, Kornstein MJ, Levine RS, Zweiman B. Allergic Aspergillus sinusitis. J Allergy Clin Immunol 1985;76:515-24.

31. Gonzalez-Crespo MR, Gomez-Reino JJ. Invasive aspergillosis in systemic lupus erythematosus. Semin Arthritis Rheum 1995;24:304-14.

32. Gowing NF, Hamlin IM. Tissue reactions to Aspergillus in cases of Hodgkin's disease and leukaemia. J Clin Pathol 1960;13:396-413.

33. Graybill JR. The future of antifungal therapy. Clin Infect Dis 1996;22 Suppl 2:S166-78.

34. Green WR, Font RL, Zimmerman LE. Asperillosis of the orbit. Report of ten cases and review of the literature. Arch Ophthalmol 1969;82:302-13.

35. Groschwitz KR, Hogan SP. Intestinal barrier function: molecular regulation and disease pathogenesis. J Allergy Clin Immunol 2009;124:3-20; quiz 21-22.

36. Gumaa SA, Mahgoub ES, Hay RJ. Post-operative responses of paranasal Aspergillus granuloma to itraconazole. Trans R Soc Trop Med Hyg 1992;86:93-4.

37. Hartwick RW, Batsakis JG. Sinus aspergillosis and allergic fungal sinusitis. Ann Otol Rhinol Laryngol 1991;100:427-30.

38. Druce HM, Heiberg E, Rutledge J. Imaging in chronic sinusitis :disparity between radiographic and ultrasound interpretation. Arn J Rhinol 1988.

39. Holland SM, DeLeo FR, Elloumi HZ, Hsu AP, Uzel G, Brodsky N, et al. STAT3 mutations in the hyper-IgE syndrome. N Engl J Med 2007;357:1608-19.

40. Isaacs S, Fakhri S, Luong A, Citardi MJ. A meta-analysis of topical amphotericin B for the treatment of chronic rhinosinusitis. Int Forum Allergy Rhinol 2011;1:250-4.

41. Jahrsdoerfer RA, Ejercito VS, Johns MM, Cantrell RW, Sydnor JB.

Aspergillosis of the nose and paranasal sinuses. Am J Otolaryngol 1979;1:6-14.

42. Kato A, Peters A, Suh L, Carter R, Harris KE, Chandra R et al. Evidence of a role for B cell-activating factor of the TNF family in the pathogenesis of chronic rhinosinusitis with nasal polyps. J Allergy Clin Immunol 2008;121:1385-92, 1392 e1381-1382.

43. Katzenstein AL, Sale SR, Greenberger PA. Allergic Aspergillus sinusitis: a newly recognized form of sinusitis. J Allergy Clin Immunol 1983;72:89-93.

44. Katzenstein AL, Sale SR, Greenberger PA. Pathologic findings in allergic aspergillus sinusitis. A newly recognized form of sinusitis. Am J Surg Pathol 1983;7:439-43.

45. Klossek JM, Serrano E, Peloquin L, Percodani J, Fontanel JP, Pessey JJ. Functional endoscopic sinus surgery and 109 mycetomas of paranasal sinuses. Laryngoscope 1997;107:112-7.

46. Kovatch AL, Wald ER, Ledesma-Medina J, Chiponis DM, Bedingfield B. Maxillary sinus radiographs in children with nonrespiratory complaints. Pediatrics 1984;73:306-8.

47. Lan F, Zhang N, Zhang J, Krysko O, Zhang Q, Xian J, et al. Forkhead box protein 3 in human nasal polyp regulatory T cells is regulated by the protein suppressor of cytokine signaling 3. J Allergy Clin Immunol 2013;132:1314-21.

48. Lane AP, Truong-Tran QA, Schleimer RP. Altered expression of genes associated with innate immunity and inflammation in recalcitrant rhinosinusitis with polyps. Am J Rhinol 2006;20:138-44.

49. Li X, Meng J, Qiao X, Liu Y, Liu F, Zhang N, et al. Expression of TGF, matrix metalloproteinases, and tissue inhibitors in Chinese chronic rhinosinusitis. J Allergy Clin Immunol 2010;125:1061-8.

50. Liu YJ. TSLP in epithelial cell and dendritic cell cross talk. Adv Immunol 2009;101:1-25.

51. Lloyd CM. IL-33 family members and asthma - bridging innate and adaptive immune responses. Curr Opin Immunol 2010;22:800-6.

52. Mabry RL, Manning SC, Mabry CS. Immunotherapy in the treatment of allergic fungal sinusitis. Otolaryngol Head Neck Surg 1997;116:31-5.

53. Mansson A, Bogefors J, Cervin A, Uddman R, Cardell LO. NOD-like receptors in the human upper airways: a potential role in nasal polyposis. Allergy 2011;66:621-8.

54. McGill TJ, Simpson G, Healy GB. Fulminant aspergillosis of the nose and paranasal sinuses: a new clinical entity. Laryngoscope 1980;90:748-54.

55. Mechtcheriakova D, Sobanov Y, Holtappels G, Bajna E, Svoboda M, Jaritz M, et al. Activation-induced cytidine deaminase (AID)-associated multigene signature to assess impact of AID in etiology of diseases with inflammatory component. PLoS One 2011;6:e25611.

56. Meyer RD, Gaultier CR, Yamashita JT, Babapour R, Pitchon HE, Wolfe PR. Fungal sinusitis in patients with AIDS: report of 4 cases and review of the literature. Medicine (Baltimore) 1994;73:69-78.

57. Milosev B, el-Mahgoub S, Aal OA, el-Hassan AM. Primary aspergilloma of paranasal sinuses in the Sudan. A review of seventeen cases. Br J Surg 1969;56:132-7.

58. Milroy CM, Blanshard JD, Lucas S, Michaels L. Aspergillosis of the nose and paranasal sinuses. J Clin Pathol 1989;42:123-7.

59. Mjosberg JM, Trifari S, Crellin NK, Peters CP, van Drunen CM, Piet B, et al. Human IL-25- and IL-33-responsive type 2 in-

nate lymphoid cells are defined by expression of CRTH2 and CD161. Nat Immunol 2011;12:1055-62.

60. Morpeth JF, Rupp NT, Dolen WK, Bent JP, Kuhn FA. Fungal sinusitis: an update. Ann Allergy Asthma Immunol 1996;76:128-39; quiz 139-140.

61. O'Regan GM, Irvine AD. The role of filaggrin loss-of-function mutations in atopic dermatitis. Curr Opin Allergy Clin Immunol 2008;8:406-10.

62. Patadia M, Dixon J, Conley D, Chandra R, Peters A, Suh LA, et al. Evaluation of the presence of B-cell attractant chemokines in chronic rhinosinusitis. Am J Rhinol Allergy 2010;24:11-6.

63. Perez-Novo CA, Kowalski ML, Kuna P, Ptasinska A, Holtappels G, van Cauwenberge P, et al. Aspirin sensitivity and IgE antibodies to Staphylococcus aureus enterotoxins in nasal polyposis: studies on the relationship. Int Arch Allergy Immunol 2004;133:255-60.

64. Peters AT, Kato A, Zhang N, Conley DB, Suh L, Tancowny B, et al. Evidence for altered activity of the IL-6 pathway in chronic rhinosinusitis with nasal polyps. J Allergy Clin Immunol 2010;125:397-403. e310.

65. Pitzurra L, Bellocchio S, Nocentini A, Bonifazi P, Scardazza R, Gallucci L, et al. Antifungal immune reactivity in nasal polyposis. Infect Immun 2004;72:7275-81.

66. Psaltis AJ, Bruhn MA, Ooi EH, Tan LW, Wormald PJ. Nasal mucosa expression of lactoferrin in patients with chronic rhinosinusitis. Laryngoscope 2007;117:2030-5.

67. Radner AB, Witt MD, Edwards JE, Jr. Acute invasive rhinocerebral zygomycosis in an otherwise healthy patient: case report and review. Clin Infect Dis 1995;20:163-6.

68. Ramanathan M, Jr., Spannhake EW, Lane AP. Chronic rhinosinusitis with nasal polyps is associated with decreased expression of mucosal interleukin 22 receptor. Laryngoscope 2007;117:1839-43.

69. Reh DD, Wang Y, Ramanathan M, Jr., Lane AP. Treatment-recalcitrant chronic rhinosinusitis with polyps is associated with altered epithelial cell expression of interleukin-33. Am J Rhinol Allergy 2010;24:105-9.

70. Rezaee F, Meednu N, Emo JA, Saatian, B, Chapman TJ, Naydenov NG, et al. Polyinosinic:polycytidylic acid induces protein kinase D-dependent disassembly of apical junctions and barrier dysfunction in airway epithelial cells. J Allergy Clin Immunol 2011;128:1216-24. e1211.

71. Richer SL, Truong-Tran AQ, Conley DB, Carter R, Vermylen D, Grammer LC, et al. Epithelial genes in chronic rhinosinusitis with and without nasal polyps. Am J Rhinol 2008;22:228-34.

72. Safirstein BH, D'Souza MF, Simon G, Tai EH, Pepys J. Five-year follow-up of allergic bronchopulmonary aspergillosis. Am Rev Respir Dis 1973;108:450-9.

73. Sandison AT. Aspergilloma of paranasal sinuses and orbit in northern sudanese 1967.

74. Sardella A, Voisin C, Nickmilder M, Dumont X, Annesi-Maesano I, Bernard A. Nasal epithelium integrity, environmental stressors, and allergic sensitization: a biomarker study in adolescents. Biomarkers 2012;17:309-18.

75. Schleimer RP, Kato A, Peters A, Conley D, Kim J, Liu MC, et al. Epithelium, inflammation, and immunity in the upper airways of humans: studies in chronic rhinosinusitis. Proc Am Thorac Soc 2009;6:288-94.

76. Seshadri S, Lin DC, Rosati M, Carter RG, Norton JE, Suh L, et al.

Reduced expression of antimicrobial PLUNC proteins in nasal polyp tissues of patients with chronic rhinosinusitis. Allergy 2012;67:920-8.

77. Shin SH, Ponikau JU, Sherris DA, Congdon D, Frigas E, Homburger HA, et al. Chronic rhinosinusitis: an enhanced immune response to ubiquitous airborne fungi. J Allergy Clin Immunol 2004;114:1369-75.

78. Singhal D, Foreman A, Jervis-Bardy J, Wormald PJ. Staphylococcus aureus biofilms: Nemesis of endoscopic sinus surgery. Laryngoscope 2011;121:1578-83.

79. Soto-Aguilar M. Classification of and criteria for the diagnosis of invasive fungal sinusitis 1997.

80. Soyka MB, Wawrzyniak P, Eiwegger T, Holzmann D, Treis A, Wanke K, et al. Defective epithelial barrier in chronic rhinosinusitis: the regulation of tight junctions by IFN-gamma and IL-4. J Allergy Clin Immunol 2012;130:1087-96. e1010.

81. Spits H, Di Santo JP. The expanding family of innate lymphoid cells: regulators and effectors of immunity and tissue remodeling. Nat Immunol 2011;12:21-7.

82. Stammberger H, Jakse R, Beaufort F. Aspergillosis of the paranasal sinuses x-ray diagnosis, histopathology, and clinical aspects. Ann Otol Rhinol Laryngol 1984;93:251-6.

83. Swindle EJ, Collins JE, Davies DE. Breakdown in epithelial barrier function in patients with asthma: identification of novel therapeutic approaches. J Allergy Clin Immunol 2009;124:23-34; quiz 35-26.

84. Takabayashi T, Kato A, Peters AT, Hulse KE, Suh LA, Carter R, et al. Excessive fibrin deposition in nasal polyps caused by fibrinolytic impairment through reduction of tissue plasminogen activator expression. Am J Respir Crit Care Med 2013;187:49-57.

85. Takatori H, Kanno Y, Watford WT, Tato CM, Weiss G, Ivanov II, et al. Lymphoid tissue inducer-like cells are an innate source of IL-17 and IL-22. J Exp Med 2009;206:35-41.

86. Talbot GH, Huang A, Provencher M. Invasive aspergillus rhinosinusitis in patients with acute leukemia. Rev Infect Dis 1991;13:219-32.

87. Tan BK, Li QZ, Suh L, Kato A, Conley DB, Chandra RK, et al. Evidence for intranasal antinuclear autoantibodies in patients with chronic rhinosinusitis with nasal polyps. J Allergy Clin Immunol 2011;128:1198-206. e1191.

88. Teh W, Matti BS, Marisiddaiah H, Minamoto GY. Aspergillus sinusitis in patients with AIDS: report of three cases and review. Clin Infect Dis 1995;21:529-35.

89. Tewfik MA, Latterich M, DiFalco MR, Samaha M. Proteomics of nasal mucus in chronic rhinosinusitis. Am J Rhinol 2007;21:680-5.

90. Tieu DD, Peters AT, Carter RG, Suh, L, Conley DB, Chandra R, et al. Evidence for diminished levels of epithelial psoriasin and calprotectin in chronic rhinosinusitis. J Allergy Clin Immunol 2010;125:667-75.

91. Van Bruaene N, Derycke L, Perez-Novo CA, Gevaert P, Holtappels G, de Ruyck N, et al. TGF-beta signaling and collagen deposition in chronic rhinosinusitis. J Allergy Clin Immunol 2009;124:253-9, 259 e251-2.

92. Van Bruaene N, Perez-Novo CA, Basinski TM, Van Zele T, Holtappels G, de Ruyck N, et al. T-cell regulation in chronic paranasal sinus disease. J Allergy Clin Immunol 2008;121:1435-41, 1441 e1431-3.

93. Van Zele T, Claeys S, Gevaert P, Van Maele G, Holtappels G,

Van Cauwenberg P, et al. Differentiation of chronic sinus diseases by measurement of inflammatory mediators. Allergy 2006;61:1280-9.

94. Van Zele T, Gevaert P, Holtappels G, Beule A, Wormald PJ, Mayr S, et al. Oral steroids and doxycycline: two different approaches to treat nasal polyps. J Allergy Clin Immunol 2010;125:1069-76. e1064.

95. Van Zele T, Gevaert P, Holtappels G, van Cauwenberge P, Bachert C. Local immunoglobulin production in nasal polyposis is modulated by superantigens. Clin Exp Allergy 2007;37:1840-7.

96. Veress B, Malik OA, el-Tayeb AA, el-Daoud S, Mahgoub ES, el-Hassan AM. Further observations on the primary paranasal aspergillus granuloma in the Sudan: a morphological study of 46 cases. Am J Trop Med Hyg 1973;22:765-72.

97. Vivier E, Spits H, Cupedo T. Interleukin-22-producing innate immune cells: new players in mucosal immunity and tissue repair? Nat Rev Immunol 2009;9:229-34.

98. Walsh TJ, Hiemenz JW, Anaissie E. Recent progress and current problems in treatment of invasive fungal infections in neutropenic patients. Infect Dis Clin North Am 1996;10:365-400.

99. Washburn RG, Kennedy DW, Begley MG, Henderson DK, Bennett JE. Chronic fungal sinusitis in apparently normal hosts.

Medicine (Baltimore) 1988;67:231-47.

100. Weber RS, Lopez-Berestein G. Treatment of invasive Aspergillus sinusitis with liposomal-amphotericin B. Laryngoscope 1987;97:937-41.

101. Yang YC, Zhang N, Van Crombruggen K, Hu GH, Hong SL, Bachert C. Transforming growth factor-beta1 in inflammatory airway disease: a key for understanding inflammation and remodeling. Allergy 2012;67:1193-202.

102. Young CN, Swart JG, Ackermann D, Davidge-Pitts K. Nasal obstruction and bone erosion caused by Drechslera hawaiiensis. J Laryngol Otol 1978;92:137-43.

103. Zhang N, Van Zele T, Perez-Novo C, Van Bruaene N, Holtappels G, DeRuyck N, et al. Different types of T-effector cells orchestrate mucosal inflammation in chronic sinus disease. J Allergy Clin Immunol 2008;122:961-8.

104. Zinreich SJ, Kennedy DW, Malat J, Curtin HD, Epstein JI, Huff LC, et al. Fungal sinusitis: diagnosis with CT and MR imaging. Radiology 1988;169:439-44.

105. Zuckerman JD, Lee WY, DelGaudio JM, Moore CE, Nava P, Nusrat A, et al. Pathophysiology of nasal polyposis: the role of desmosomal junctions. Am J Rhinol 2008;22:589-97.

CHAPTER

18

불응성 만성 비부비동염

대구가톨릭의대 이비인후과 **신승헌**, 한양의대 이비인후과 **조석현**

> **CONTENTS**

Ⅰ. 서론
Ⅱ. 불응성의 원인과 병태생리
Ⅲ. 불응성 만성 비부비동염의 진단
Ⅳ. 불응성 만성 비부비동염의 치료
Ⅴ. 결론

HIGHLIGHTS 〉〉〉

- 불응성 만성 비부비동염은 일반적으로 정확하게 정의하기 어려우나 EPOS 2012 가이드라인에서 제시한 기준은 다음과 같음. 최소 3개월간의 약물치료 후에 환자의 증상, 부비동 점막의 상태와 약물치료의 필요 여부로 판단함. 지난 1달 동안의 1) 코막힘, 2) 비루/후비루/안면통/두통, 3) 후각장애, 4) 수면장애/피로의 주관적 증상, 5)비용종/점액농성 분비물/점막염증의 내시경 소견 중 3가지 이상이 있으면서 장기적인 항생제 혹은 전신적 스테로이드가 필요한 경우에 진단할 수 있음

- 이전 수술의 완전성은 우선적으로 검토해야 할 부분이며, 분무용 스테로이드는 만성 비부비동염에서 가장 중요한 약물치료로서 이에 대한 사용법을 잘 교육하여 순응도를 높여야 함. 내시경 부비동수술 후 주기적인 외래 추적관찰이 이루어지지 못한 경우에도 부비동염이 재발하여 불응성의 원인으로 작용할 수 있음

- 만성 비부비동염에서 천식, 아스피린과민증, 육아종성 질환, 낭성 섬유증, 면역결핍, 원발섬모운동이상증 등과 같은 "전신질환"이 동반되는 경우에는 대개 모든 부비동이 이환되며, 일반적인 약물과 수술 치료에 불응하게 됨

- 불응성 만성 비부비동염은 기왕의 적절한 약물치료와 수술치료에 실패한 경우이기 때문에 재수술을 한다고 해도 성공을 보장하기는 어려움. 수술 횟수가 증가함에 따라 수술성공률은 낮아짐을 알아야 하며, 내시경과 CT촬영에서 병변의 범위가 크지 않은 경우에는 수술을 시행하지 않는 경우가 많고, 일반적으로 기왕에 점액수송능력이 저하된 환자에서 잦은 재수술을 시행하는 것은 바람직하지 않음

Ⅰ 서론

만성 비부비동염chronic rhinosinusitis, CRS의 치료원칙은 적절한 약물치료에도 불구하고 반응이 없을 때 내시경 부비동수술endoscopic sinus surgery, ESS을 시행하는 것이며, 수술 성공률은 76~98%이다. 일부에서는 약물치료와 수술적 치료 후에도 증상개선이 없거나 재발하게 되는데, 이러한 난치성difficult-to-treat 혹은 불응성refractory 만성 비부비동염은 전체 만성 비부비동염의 약 20%를 차지한다(Hellings et al., 2013).

충분한 기간 동안의 약물 사용은 약물치료의 가능성과 함께 수술의 회피 가능성을 보기 위함이고, 술 후 약물치료 및 국소치료는 잔류염증을 치료하고 정상적인 점막회복을 목적으로 한다. 내시경 부비동수술의 역할은 병소를 제거하고, 부비동의 배농과 환기를 증진시키며, 술 후 부비동 청소와 국소약물topical drug의 전달이 용이하게끔 하는 것으로 대부분의 경우 치료에 반응하여 정상적인 점막으로 회복이 가능하다. 그러나 이러한 적극적인 약물 및 수술적 치료에도 불구하고 재발하거나 낫지 않는 불응성 만성 비부비동염에서는 비용종과 점막염증의 재발이 잦고, 점도가 높은 분비물, 후비루, 안면통, 코막힘 등의 증상이 지속하게 된다.

불응성 만성 비부비동염은 일반적으로 정확하게 정의하기 어려우나 EPOSEuropean position paper on rhinosinusitis and nasal polyps 2012 가이드라인에서 아래와 같

은 기준을 제시하였다(Fokkens et al., 2012). 불응성 만성 비부비동염은 최소 3개월간의 약물치료 후에 환자의 증상, 부비동 점막의 상태와 약물치료의 필요성으로 판단한다. 지난 1달 동안의 1) 코막힘, 2) 비루/후비루/안면통/두통, 3) 후각장애, 4) 수면장애/피로의 주관적 증상, 5) 비용종/점액농성 분비물/점막염증의 내시경 소견 중 3가지 이상이 있으면서 장기적인 항생제 혹은 전신적 스테로이드가 필요한 경우에 진단할 수 있다. 그러나 이런 불응성의 정의에 대한 유용성은 좀 더 연구가 필요하다.

만성 비부비동염에서와 마찬가지로 불응성 만성 비부비동염의 정확한 병인에 대한 이해가 아직 부족하고, 많은 아형에 대한 정의가 정립되어 있지 못하며, 치료에 대한 근거가 부족하여 이에 대한 치료원칙을 명확하게 제시하기 어렵다는 한계를 가지고 있다.

여기에서는 불응성 만성 비부비동염에 대하여 지금까지 알려진 가설과 병태생리를 정리하여 원인에 대한 이해를 넓히고, 관련질환과 감별진단에 대하여 알아봄으로써 정확한 진단을 가능하게 하며, 여러 가지 치료방법과 예후인자에 대하여 살펴보고자 하였다.

II | 불응성의 원인과 병태생리

만성 비부비동염에서 하나의 공통된 병리현상은 지속적인 부비동 점막의 염증인데, 단일 요인만 가지고는 설명할 수 없는 경우가 많아서 다인성multifactorial 질환으로 이해된다. 여기에는 국소local 원인, 전신systemic 원인, 세균microbial, 진균fungal, 환경environmental, 유전genetic 및 의인성iatrogenic 등 매우 다양한 요인들이 있는데, 이들은 독립적으로 혹은 서로 상호작용을 일으켜 결과적으로 부비동 점막의 염증이 해결되지 못하거나 치료에

도 불구하고 재발하게 된다(Ferguson et al., 2009). 그러나 이러한 요인들을 발견하기 어렵거나 각 개별요인의 병인 설명력이 충분하지 않은 경우가 있어 환자 치료에 어려움을 겪게 된다.

그동안 불응성 만성 비부비동염의 원인을 찾아내기 위한 다각적인 노력이 있었다. 부비동 점막에서 일어나는 잘못된 면역반응이 무엇인지, 동반된 전신질환은 불응성에 어떠한 영향을 미치는지, 또한 만성 비부비동염에서 불응성을 일으키는 특정한 아형이 있는지 등에 대한 내용을 정리하여 병태생리에 대한 이해를 돕고자 하였다.

1. 불응성 만성 비부비동염과 연관된 치료요인

이전 수술의 완전성은 우선적으로 검토해야 할 부분인데, 만성 비부비동염에서 내시경수술이 불완전하게 시행된 경우 흔히 불응성으로 이어질 수 있기 때문이다(Mahoney and Metson, 2009). 또한 수술 후 약물치료가 불충분하였거나 혹은 환자의 순응도가 떨어졌던 경우에는 다른 악화인자가 없다 하더라도 불응성으로 이어질 수 있다. 생리식염수 세척이나 분무용 스테로이드는 매우 효과적인 치료임에도 불구하고 일부 환자에서는 잘 시행하지 못하거나 낮은 순응도를 보인다. 분무용 스테로이드는 만성 비부비동염에서 가장 중요한 약물치료로서 이에 대한 사용법을 잘 교육하여 순응도를 높여야 한다. 즉 분무용 스테로이드의 낮은 순응도가 원인인지 아니면 약물 불응성(스테로이드 저항성)이 원인인지에 대한 정확한 판단은 향후 약물치료의 선택에 매우 중요한 영향을 미친다. 일반적으로 장기적으로 사용해야 하는 약물의 순응도에는 약물 부작용에 대한 과도한 걱정, 경제적 이유 혹은 약물치료의 중요성에 대한 낮은 인식 등이

복합적으로 작용할 수 있어 이에 대한 교육이 중요하다.

내시경 부비동수술 후 가피와 혈괴를 제거하는 등 정상적인 상처치유를 위해 국소치료가 중요함에도 불구하고 주기적인 외래 추적관찰이 이루어지지 못한 경우에도 부비동염이 재발하여 불응성의 원인으로 작용할 수 있다. 잘못된 치유과정은 중비도의 유착과 반흔 및 사골동의 골비후 등으로 이어져 재수술을 더욱 어렵게 하는 요인이 된다.

만성 비부비동염에서는 천식, 아스피린과민증과 면역결핍 등 다양한 전신질환이 동반될 수 있으며, 불응성의 원인으로 작용하여 나쁜 예후를 보인다(그림 18-1). 따라서 이들 질환에 대한 정확한 진단과 치료가 필요하며, 만약 이에 대한 치료가 부적절했거나 해당 질환의 예후가 좋지 않은 경우에는 불응성의 원인으로 작용할 수 있다(Batra et al., 2013; Ryan and Brooks, 2010).

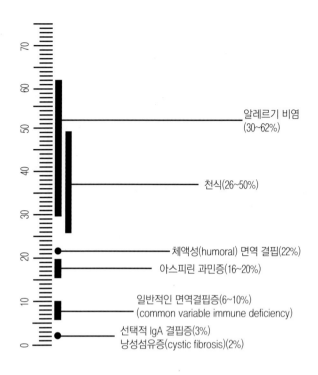

알레르기 비염 (30~62%)

천식(26~50%)

체액성(humoral) 면역 결핍(22%)

아스피린 과민증(16~20%)

일반적인 면역결핍증(6~10%)
(common variable immune deficiency)

선택적 IgA 결핍증(3%)
낭성섬유증(cystic fibrosis)(2%)

| 그림 18-1 만성 비부비동염과 동반된 전신질환

2. 나쁜 예후를 보이는 만성 비부비동염의 표현형

만성 비부비동염은 임상적으로 비용종, 재발성, 중증도, 급성 악화요인, 약물치료에 대한 반응성 등에 따라 다양한 표현형phenotype으로 분류할 수 있다(Akdis et al., 2013).

만성 비부비동염의 대표적인 임상적 분류는 비용종의 동반여부에 따라서 비용종을 동반하지 않는 만성 비부비동염 CRS without nasal polypsCRSsNP과 비용종을 동반한 만성 비부비동염CRS with nasal polyps, CRSwNP으로 구분하는 것이다. CRSsNP은 CRSwNP에 비하여 일측성의 빈도가 높고, 해부학적 이상/진균구/치성요인 등 특정한 단일요인을 가질 확률이 높아 대체로 좋은 예후를 보이는 경우가 많다. 이에 반하여 CRSwNP은 양측성

의 빈도가 높고, 천식/아스피린과민증 등 전신질환의 동반이 흔하며, 특정한 단일요인을 발견할 수 없는 경우가 많아서 충분한 기간의 약물치료와 적절한 수술에도 불구하고 잦은 재발을 하게 된다.

재발성 혹은 불응성 만성 비부비동염으로 인한 부비동 내시경 재수술revision ESS의 성공률은 50~70%로 첫 번째 수술에 비하여 낮은 성공률을 보인다. 그것은 국소적, 전신적 혹은 환경적 병태생리가 해결되지 못한 채 지속적으로 영향을 미치고 있으며, 이전 수술로 인한 의인성 요인이 가중될 수 있기 때문이다. 의인성 요인에는 불완전한 수술, 반흔scar, 유착synechia, 점액재순환recirculation, 골염osteitis과 합병증 등이 이에 해당한다.

이 외에 중증도가 심할수록, 해결되지 못한 악화요인이 있거나 많을수록, 기왕에 약물치료에 대한 반응이 좋

표 18-1 불응성 만성 비부비동염의 생물표지자	
생물표지자	불응성 만성 비부비동염에서 나타나는 변화
조직학	• Goblet cell (↑) • Thickness of basement membrane (↑)
세균	• Culture-positive cases including Staphylococcus aureus (↑) • Superantigens (↑) • Bioflim (↑)
염증세포	• Eosinophils (↑), eosinophilic mucin (↑) • Neutrophils (↑), macrophages (↑), natural killer cells (↓)
선천면역	• TLR-5 (↑), acidic mammalian chitinase (↑) • TLR-9 (↓), IL-22 receptor (↓), PLUNC (↓)
염증매개물질	• IL-5 (↑), IL-33 (↑), IL-25 (↑), IL-21 (↑), eotaxin (↑), RANTES (↑), ECP (↑), IgE (↑) • IFN-γ (↓)

TLR: Toll-like receptor, IL: Interleukin, PLUNC: Palate, lung, nasal epithelial clone, RANTES: Regulated on activation, normal T cell expressed and secreted, ECP: eosinophil cationic protein, IFN: Interferon

지 못했던 경우에는 재발성 혹은 불응성 만성 비부비동염의 원인으로 작용하고, 또한 나쁜 예후를 보이게 된다.

3. 재발성 혹은 불응성 만성 비부비동염의 인자형과 생물표지자

그동안 내시경수술 후 재발되는 비용과 치료되지 않는 비부비동염의 원인을 찾고, 나쁜 예후를 가지는 환자들을 미리 선별하는 데 유용한 생물표지자biomarker를 찾아내려는 노력이 있었다(López-Chacón et al., 2015). 이런 연구들은 주로 환자의 혈액과 수술에서 얻어지는 조직에서 정상인 혹은 잘 치료되는 군과의 조직학, 세포학과 분자생물학적 실험을 통한 비교연구로 이루어졌다(표 18-1).

조직학적으로 배상 세포goblet cell의 증식과 기저막 비후가 심한 경우 내시경수술 후 지속적으로 심한 증상을 보이고, 부비동 검체에서 균동정이 된 경우와 포도

상구균Staphylococcus aureus과 연관된 초항원superantigen 혹은 균막biofilm이 있는 경우 재발과 불응성에 관여한다. 조직 내 호산구eosinophils를 비롯한 염증세포의 침윤이 심한 경우 재발의 원인이 될 수 있으며, 이와 반대로 중성구neutrophils의 침윤은 스테로이드 저항성과 연관되어 약물치료를 어렵게 하는 요인이 될 수 있다. 일부 선천면역innate immunity을 대표하는 인자들의 감소는 외부 물질과 항원의 유입으로 이어져 결과적으로 과도한 Th2 면역반응의 원인으로 작용할 수 있다. 염증매개물질은 주로 호산구 및 IgE와 연관된 Th2 형의 인자들이 증가한 반면, IFN-γ와 같이 Th1 형의 인자들은 감소한 소견을 보인다.

아직까지는 다른 것들과 비교하여 우위에 있는 단일 인자key factor가 무엇인지 밝혀져 있지 않은 상태로 추가적인 연구를 통해 불응성 만성 비부비동염의 특이적인 병태생리를 보이는 인자형endotype을 밝혀야 할 것이다.

4. 호산구성 만성 비부비동염

만성 비부비동염은 작용하는 세포-분자학적 기전에 따라 다른 염증반응과 리모델링 패턴을 보이는데, 가장 특징적인 인자는 조직학적인 '호산구 침윤'이다(Nakayama et al., 2011). 이러한 호산구성 만성 비부비동염eosinophilic CRS, ECRS은 서양인에서 80% 이상으로 가장 흔하며, 약물치료와 내시경수술에 불응하는 경우가 많아 나쁜 예후를 보이는 것으로 알려져 있다(Wang ET et al., 2014). ECRS에서 심한 호산구 침윤의 원인은 아직 명확하게 밝혀져 있지 않으나 국소 IgE와 상관이 있다는 보고가 있으며, 전신 아토피와는 무관하다. ECRS를 서양인에서 흔한 알레르기 진균성 비부비동염allergic fungal rhinosinusitis, AFRS의 아형으로 보는 견해도 있으나, 동양인에서는 AFRS의 빈도가 낮고, ECRS의 진단기준에 진균에 대한 제1형 과민반응이 포함되어 있지 않다는 차이점을 가지고 있다. 또한 한국, 중국과 일본을 포함한 동양인에서 ECRS의 발생빈도는 60% 미만(25.5~59.6%)으로 서양인에 비하여 낮으며, 상대적으로 중성구 침윤을 보이는 비호산구성 만성 부비동염non-eosinophilic CRS, non-ECRS이 많다.

ECRS는 non-ECRS에 비하여 임상양상, 병태생리, 치료결과 및 예후가 다르다(Ishitoya et al., 2010). 일본에서 제시한 ECRS의 진단기준에는 조기 후각감퇴, 양측성, 점도가 높은 점액viscous mucus, 말초혈액 호산구 증가, 특이적인 컴퓨터단층촬영CT 소견(사골동 침범>상악동 침범), 조직 호산구 증가(총 염증세포의 5~20% 이상 혹은 고배율 시야에서 70~120개 이상), 술 후 잦은 재발 등의 인자들이 포함되어 있으나, 아직까지 일반적으로 통용되는 기준은 정립되지 못한 상태이다. 약물치료에 대한 반응에서 ECRS는 장기적 저용량 마크로라이드long-term low-dose macrolide 치료에 불응하는 경우가 많고, 경구용 스테로이드(1~2주간 0.5 mg/kg)에 좋은 효과를 보인다.

5. 만성 비부비동염에 악영향을 미치는 전신질환

만성 비부비동염에서 천식, 아스피린과민증, 육아종성 질환, 낭성 섬유증, 면역결핍, 원발섬모운동이상증 등과 같은 '전신질환'이 동반되는 경우에는 대개 모든 부비동이 이환되며, 일반적인 약물과 수술 치료에 불응하게 된다. 이것은 수포성갑개concha bullosa, 비중격만곡증, 독립된 용종isolated polyp과 같이 분명한 해부학적 요인에 의한 '국소질환'이 양호한 예후를 보이는 것과 차별된다. 따라서 재발성 혹은 불응성 만성 비부비동염의 경우 전신질환의 가능성을 의심하여 이를 진단하기 위한 검사가 필요하다(표 18-2). 전신질환이 동반된 경우 이에 대한 치료와 예후가 중요하며, 전신질환에 대한 치료가 어렵거나 불가능할 경우 가능한 증상개선을 유도해 삶의 질을 개선하려는 '완화 치료palliative care'의 개념이 필요하다(Mahoney and Metson, 2009).

비염, 부비동염과 천식은 유사한 병태생리를 공유하며, 상기도 질환과 하기도 질환은 중증도, 재발과 예후에 밀접한 영향을 미친다는 '단일기도질환one airway disease'으로 이해되고 있다(Kariyawasam and Rotiroti, 2013). 따라서 불응성 만성 비부비동염에서 천식에 대한 철저한 관리가 중요하다(표 18-3).

6. 불응성 만성 비부비동염에 관계하는 가설들

만성 비부비동염에서 세균감염이 원인으로 작용하는지에 대한 증거는 분명하지 않다. 항생제는 만성 비부비동염의 주된 약물치료 중 하나이지만, 항생제의 치료효과는 대부분의 연구에서 만족스럽지 못한 것으로 보고되고 있어, 만성 비부비동염과 불응성 비부비동염에서 세균 가설의 근거는 충분하지 못하다. 이런 상황에서 최근

| 표 18-2   만성 비부비동염을 악화시키는 전신질환의 감별진단

전신질환	검사소견
천식	Pulmonary function test
아스피린 과민증	Aspirin provocation test (oral, nasal, or bronchial)
베게너 증후군	ANCA, ESR, biopsy (polyangitis)
Churg-Strauss 증후군	ANCA, biopsy (necrotizing granulomatous vasculitis)
유육종증	ACE, chest X-ray, biopsy (noncaseating granuloma)
낭성 섬유증	Sweat test, PNS CT, Blood analysis for CFTR gene mutation
원발섬모운동이상증	Mucociliary clearance time, Nasal NO, Electron microscopy
면역결핍	• Complete blood count with differential • Quantitative immunoglobulins: IgA, IgE, IgG, IgM • Immunoglobulin subclasses: secretory IgA, IgG_1, IgG_2, IgG_3, IgG_4 • T cell subpopulations: CD4, CD8 • Pneumococcal antibody titers: before and 6 weeks after pneumococcal vaccination

ANCA: Anti-neutrophil cytoplasmic antibody, ACE: Angiotensin-converting enzyme, CFTR: Cystic fibrosis transmembrane conductance regulator, NO: nitric oxide.

| 표 18-3   만성 비부비동염과 천식의 밀접한 관계

만성 비부비동염에서 천식 동반률

• CRSsNP 환자의 10~15%
• CRSwNP 환자의 45%

공통된 병리현상

• 상기도와 하기도의 면역체계는 서로 긴밀하게 연관되어 있어 비슷한 염증반응을 보임

천식을 동반한 만성 비부비동염의 임상적 특징

• 높은 연령
• 심한 부비동염(높은 CT 점수와 내시경 점수)
• 알레르기 비염과 비용종의 동반률 증가
• 삶의 질 저하
• 부비동 수술 횟수의 증가
• CRSwNP의 흔한 재발

비슷한 조직병리

• 상피손상, 기저막 비후, 상피하 섬유화, 콜라겐 침착
• 점막의 부종, 혈관확장, 신생혈관
• 배상 세포(goblet cell) 수 증가, 점액선(mucous gland) 비후
• 염증세포(호산구, 림프구) 침윤, major basic protein 침착

치료와 예후

• 만성 비부비동염의 조절은 천식의 주관적 및 객관적 지표의 향상과 연관성이 있음
• 천식의 존재는 CRSwNP에 대한 부비동 내시경수술의 나쁜 예후를 예측하게 함

CRSsNP: Chronic rhonosinusitis without nasal polyps, CRSwNP: Chronic rhinosinusitis with nasal polyps

초항원superantigen, 균막biofilm과 균총microbiome의 역할이 보고되었다(Lam et al., 2015).

만성 비부비동염의 55%에서 장독소enterotoxin를 분비하는 포도상구균Staphylococcus aureua이 검출되었고, 이것은 일반적인 항원전달과정을 회피하여 직접 T세포 수용체를 자극하여 과도한 염증반응을 유발할 수 있는데, 이를 초항원이라고 한다. 초항원이 계속 작용하는 경우 내시경수술 후 재발을 잘 하고, 약물치료에도 불응하는 것으로 알려져 있다(Ou et al., 2014).

균막은 점막에 부착된 세균이 만든 3차원적 다량체 기질로서 낮은 대사작용을 보이고, 간헐적으로 세균을 방출하는 세균의 저장소 역할을 하며, 항생제 투과를 방해하여 세균의 생존을 돕는 역할을 한다. 따라서 균막이 있는 경우 내시경수술 후 나쁜 예후를 보이고, 조절되지 않는 난치성 염증의 원인으로 작용한다(Post et al., 2007).

최근 세균 특이적 16s rRNA를 기반으로 전체적인 세균지도를 알아보려는 연구가 있었고, 특정 질환에서 잘 알려진 병원균pathogenic flora 외에 매우 다양한 종류의 정상 균총commensals이 존재함이 밝혀졌다. 이러한 정상 균총은 병원균의 증식을 억제하여 면역 조절기능을 담당하며, 이러한 균형이 깨졌을 때 질병으로 발전한다는 '균총가설microbiome hypothesis'이 제시되었고, 이러한 균 생태계의 변화는 만성과 불응성 만성 비부비동염에서 병리기전으로 작용할 수 있다(Choi et al., 2014).

면역장벽immune barrier은 점막 상피의 물리학적 구조와 면역학적 기능을 아우르는 개념으로 만약 면역장벽이 약화되거나 기능저하를 보일 때 질병을 일으킬 수 있다. 낭성 섬유증에서 상피의 염소채널 기능부전으로 인하여 점액섬모청소기능에 장애가 생기면서 만성 비부비동염이 발생하는 것과 비용종에서 Oncostatin M의 발현이 증가하여 상피의 치밀이음tight junction이 느슨해지는 현상 등은 면역장벽의 중요성을 대변한다. 또한 lactoferrin, PLUNCPalate, lung, nasal epithelial clone, S100 등 선천면역을 담당하는 물질들이 비용종을 포함한 만성 비부비동염에서 발현이 감소하게 된다. 약화된 면역장벽기능으로 인하여 외부 물질과 항원의 내부 유입이 증가하여 결과적으로 과민한 면역반응을 일으킬 수 있다(Lam et al., 2015).

III | 불응성 만성 비부비동염의 진단

1. 일반적인 진단적 접근

불응성 만성 비부비동염의 올바른 진단을 위해서는 자세한 병력의 청취, 내시경검사와 CT 소견이 매우 중요하며, 치료는 증상이 있는 경우에 시행하는 것이 원칙이다. 만약 내시경과 CT에서 점막비후, 유착, 반흔 등의 소견이 있다 하더라도 무증상인 경우에는 추적관찰을 하는 것이 좋다. 이러한 원칙의 예외사항으로 점액종이 있거나 국소적인 비용종이 재발한 경우에는 무증상인 경우에도 국소마취하에 외래에서 제거해 주는 것이 좋다.

2. 내시경검사

내시경검사는 부비동수술 후 국소처치 및 추적관찰에 필수적이며, 기왕의 수술에 의하여 열려 있는 부비동 내부의 상태를 보다 잘 관찰할 수 있다. 불완전한 수술로 남아있는 구상돌기, 점액재순환 등의 국소질환이 있는지 반흔, 유착, 점액수송경로의 폐쇄 등 잘못된 상처치유로 인한 합병증이 있는지를 면밀하게 검사한다. 위와 같은 기계적 혹은 해부학적 문제가 발견되는 경우에는 불응성 비부비동염에서 재수술의 근거가 된다.

3. 컴퓨터단층촬영

많은 연구에서 CT 중증도와 환자의 증상은 일치하지 않는 것으로 보고되었다. CT 중증도가 심할수록 술 후 증상개선의 효과가 크지만, 반대로 술 후 재발의 위험도가 높다. CT 촬영은 충분한 약물치료 후에 시행하는 것이 원칙이며, 내시경으로 관찰되지 않는 병소의 위치와 범위를 파악하고 재수술 여부를 결정하는 데 도움이 된다. 특히 상안와봉소supraorbital ethmoid cell, Onodi 봉소 및 Haller 봉소 등은 일차 수술에서 제거되지 못한 경우가 많고, 부비동염 재발의 흔한 원인으로 작용하기 때문에 면밀한 판독이 요구된다. 또한 CT는 병소의 위치와 점액수송경로의 상태에 따라서 재수술의 접근법 결정에 도움을 준다.

4. 특수검사

알레르기, 천식 및 면역결핍에 대한 자세한 검사가 불응성의 원인을 밝히고, 동반 질환의 진단에 도움이 된다. 알레르기와 천식이 의심되는 경우 각각 피부단자검사와 폐기능검사를 시행해야 하며, 아스피린과민증이 의심되는 경우 유발검사가 도움이 된다(표 18-2).

　만성 비부비동염에서 일반적으로 면역기능에 대한 검사는 불필요하지만, 잦은 상기도(부비동염)-하기도(폐렴)의 감염과 위장관 감염(설사)의 병력이 있는 경우에는 불응성 만성 비부비동염의 원인으로 면역결핍을 의심하여 이에 대한 검사를 시행해 볼 수 있다(Stevens and Peters, 2015). 면역결핍은 크게 체액성 면역결핍(B 세포, 항체, 보체)과 세포성 면역결핍(T 세포, 대식구)으로 구분되며, 항체결핍antibody deficiency이 전체 면역결핍의 50% 이상으로 가장 흔한 원인이다. 항체결핍이 있는 경우 *Streptococcus pneumonia*, *Hemophilus influenza*와

Moraxella catarrhalis 등의 세균감염이 호발하여 비부비동염을 유발한다.

IV │ 불응성 만성 비부비동염의 치료

1. 불응성 만성 비부비동염에 대한 일반적인 치료계획

만성 비부비동염에서 적절한 내과적 및 외과적 치료를 시행했음에도 불구하고 이에 불응하는 경우 치료는 매우 어렵다. 처음 방문했을 때의 차트기록, 수술 전 약물치료, CT 소견 등 내시경수술을 시행하기 전의 상태와 내시경수술의 방법과 수술소견, 그리고 수술 후 약물치료와 국소치료 등 수술 후 상태에 대한 면밀한 검토가 필요하다(Palmer and Kennedy, 2003). 또한 여러 가지 환경요인들이 해결되었는지 여부와 이전 수술 후에 발생한 의인성 요인이 있는지 등에 대한 검토가 필요하다.

　흡연, 먼지, 곰팡이, 화학물질, 공해물질 등 환경요인을 회피하고, 알레르기가 동반된 경우 원인 항원에 대한 면역치료가 도움이 된다(Lee et al., 2012). 동반된 전신질환들은 만성 비부비동염의 예후를 나쁘게 하고, 불응성 만성 비부비동염의 원인으로 작용하기 때문에 철저한 관리와 치료가 중요하며, 해당 질환의 예후가 비부비동염에 영향을 미친다.

　천식은 비부비동염과 매우 밀접하게 연관된 질환으로 내시경수술의 예후를 나쁘게 하고, 잦은 재발의 원인으로 작용하기 때문에 호흡기내과와 협의하여 잘 관리해야 한다(Stachler, 2015). 아스피린과민증이 있는 환자에서는 반드시 아스피린을 회피하고, 소염제를 써야 하는 경우 선택적 COX-2 차단제(celecoxib 등)가 도움

이 된다. 아스피린과민증에서 항류코트리엔제는 효과가 없으며, 가능하면 탈감작desensitization 치료를 하는 것이 장기적인 예후를 좋게 하는 방법이다(Makowska et al., 2015). 항체결핍증이 있는 경우 예방적 항생제의 사용, 폐렴구균 백신과 주기적 정맥용 IgG 주사 등의 치료를 환자에 맞게 고려해야 한다. IgG 주사는 400 mg/kg를 시작용량으로 하여 3~4주마다 투여하여 혈중 IgG를 500 mg/L 이상으로 유지해야 한다(Stevens and Peters, 2015).

내시경과 CT 촬영으로 반흔, 유착, 신생골 등의 확실한 요인이 발견되는 경우 재수술을 시행할 수 있으나 수술 성공률은 첫 번째 수술보다 좋지 않을 수 있으며, 병소의 위치와 점액수송경로를 잘 고려하여 수술접근법을 결정해야 한다. 약 3개월 정도의 항생제와 분무용 혹은 경구용 스테로이드를 포함한 약물치료에 반응하지 않을 때 수술여부를 결정할 수 있다.

위에 기술한 원인들이 발견되지 않거나 치료가 잘 이루어지지 못한 경우와 좋은 예후를 기대하기 어려운 경우에는 증상개선 목적의 완화치료를 해야 하므로 이에 대한 전략을 잘 이해해야 한다.

2. 불응성 만성 비부비동염의 내과적 치료

불응성 만성 비부비동염에 대한 내과적 치료에는 크게 기계적 치료, 항생제와 항염증제로 구성되는데, 치료효과에 대한 근거는 충분하지 않으며 의사의 경험과 환자의 상태에 따라 효과가 달라질 수 있다(Desrosiers and Kilty, 2008).

기계적 치료는 생리식염수로 부비동을 세척하여 부비동 내에 있는 점액, 농, 가피 등을 제거하는 방법으로, 안전하고 효과적인 부가적 치료로서 장기적으로 시행할 수 있다. 등장액isotonic과 고장액hypertonic의 효과는 비슷하며, 고장액의 경우 점막자극 등의 부작용이 있어 일반적으로 등장액 생리식염수 세척이 추천된다. 특히 알레르기성 진균성 비부비동염, 낭성 섬유증과 원발섬모운동이상증 환자인 경우에는 점액의 점도가 매우 높거나 점액수송기능이 저하되어 주기적으로 기계적인 제거가 필수적이다. 생리식염수 세척은 환자가 집에서 자가로 시행하는 방법이 일반적이지만, 때로는 직선형 혹은 굴곡형 캐뉼라를 부비동 안으로 삽입하여 세척을 시행해야 할 경우도 있다.

항생제는 세균성 급성 악화가 있거나 농이 지속적으로 배출되거나 포도상구균의 초항원이 의심될 때 사용할 수 있다. 불응성 만성 비부비동염에서 항생제의 사용은 부비동 검체에 대한 세균검사 결과에 따라 시행하는 것이 원칙이며, 초항원을 분비하는 포도상구균의 박멸을 위해 doxycycline을 사용하기도 한다. 또한 장기적 저용량 마크로라이드 투여를 고려해 볼 수 있는데, 아직 이에 대한 명확한 효과는 입증되지 못하였다. 낭성 섬유증에서는 녹농균Pseudomonas aeruginosa이 흔한 원인균으로 작용하여 ciprofloxacin이 효과적이다. 포도상구균, 녹농균과 Hemophilus influenza 등의 세균은 균막의 원인균으로 보고되었으나 항생제 투여로 균막을 제거하기는 어렵다.

항염증제는 분무용 스테로이드가 주된 치료제로 사용되고 있으나, 불응성 비부비동염에서는 효과가 충분하지 않다. 이런 경우 스테로이드 점안액steroid drop으로 교체하여 투여하는 것이 유리하며, 스테로이드 용액steroid solution(0.5 mg of budesonide BID)을 이용한 세척이 도움이 되기도 한다. 알레르기 진균성 비부비동염과 호산구성 만성 비부비동염과 같이 일부 환자에서는 경구용 스테로이드가 좋은 효과를 보이는데, 전신 부작용에 주의해야 한다. 최근에는 흡수성 스테로이드-방출 임플란트steroid-eluting implant가 개발 및 사용되어 좋은 효과를 보이고 있다. 스테로이드 저항성에 관여하는 인자로는 중성구neutrophils 침윤이 많은 경우와 아스피린 과민증이 동반된 경우가 보고되었다.

다른 약제인 국소 항생제local antibiotics, 정맥용 항생제intravenous antibiotics와 항진균제antifungal agent의 사용은 효과가 불분명하여 추천되지 않는다. 항류코트리엔제anti-leukotriene의 비용종 재발에 대한 효과는 아직 증거가 부족하다.

항균막치료anti-biofilm therapy로 baby shampoo와 같은 세제나 mupirocin과 같은 항생제가 효과가 있고, 천식에서 사용되는 항 IL-5 항체mepolizumab와 항 IgE 항체omalizumab가 비용종의 크기를 감소시킬 수 있으며, 자외선ultraviolet을 이용한 광선요법phototherapy이 호산구와 T 세포의 사멸을 유도할 수 있다는 등의 연구가 있으나, 아직까지 불응성 만성 비부비동염에서 임상적으로 사용되고 있지 않거나 사용허가기준을 통과하지 못한 상태이다.

3. 불응성 만성 비부비동염의 외과적 치료

1) 수술원칙

불응성 만성 비부비동염은 기왕의 적절한 약물치료와 수술치료에 실패한 경우이기 때문에 재수술을 한다고 해도 성공을 보장하기는 어렵다. 따라서 동 배액sinus drainage의 명백한 장애가 관찰되거나 질병부담disease load이 큰 경우에 선택적으로 시행해야 한다. 기왕의 수술이 불완전하게 되었거나 반흔, 유착 등 의인성 요인이 분명한 경우에는 재수술의 근거가 될 수 있으나, 수술 횟수가 증가함에 따라 수술성공률은 낮아짐을 알아야 한다. 내시경과 CT 촬영에서 병변의 범위가 크지 않은 경우에는 수술을 시행하지 않는 경우가 많고, 일반적으로 기왕에 점액수송능력이 저하된 환자에서 잦은 재수

술을 시행하는 것은 바람직하지 않다(Cohen et al., 2006).

2) 수술방법

불응성 만성 비부비동염에서 재수술은 여러 가지 어려움과 위험성을 가진다. 일반적으로 수술 도중 출혈량이 많기 때문에 수술 전 단기간 스테로이드 투여를 하는 것이 도움이 된다. 과다한 출혈로 수술시야에 방해가 심하거나 지혈이 어려운 경우에는 수술 중단의 이유가 된다. 정상적인 해부학적 구조물의 소실로 안와와 두개저 손상 등 합병증의 발생이 증가할 수 있기 때문에 영상유도수술image-guided surgery이 도움이 된다(Prulière-Escabasse and Coste, 2010). 신생골에 의하여 뼈가 매우 두꺼워진 경우에는 curette이나 biting forceps으로 제거가 어려워 선택적으로 diamond burr drill을 사용할 필요가 있다.

상악동을 폐쇄하거나 지속적인 염증의 원인으로 작용하는 남아있는 구상돌기, Haller 봉소와 점액재순환 등이 발견되는 경우 제거하고, 자연공은 가능한 크게 열어주는 것이 좋다. 상악동 내의 점막병변이 심한 경우 필요에 따라 견치와천공술canine fossa puncture이나 Caldwell-Luc 접근법을 시행할 수 있고, 점액수송능력이 떨어지거나 점도가 높은 점액이 있는 경우에는 하비도개창술inferior meatal antrostomy이나 상악동 내벽절제술medial maxillectomy이 도움이 된다.

사골동은 Onodi 봉소 등 후사골동을 포함하여 제거되지 않고 남아있는 봉소들을 모두 제거complete ethmoidectomy해야 하며, 뼈가 심하게 두꺼워진 경우가 흔해 diamond burr drill이 필요할 수 있다. 접형동은 사골동을 통하거나 비강을 통해 접근할 수 있고, 자연공을 찾아서 안와내벽과 두개저까지 넓게 열어주는 것이 좋다.

전두동은 원형유착과 신생골의 발생이 호발하여 내

시경적 접근이 불가능한 경우가 많아 수술이 가장 어려운 부위이다. 따라서 정상적인 해부학적 경로를 우회하는 above and below 접근법이나 변형된 Lothrop 술식이 필요한 경우가 많다(Cho et al., 2010).

V | 결론

만성 비부비동염은 약물과 수술로써 대부분 조절이 가능하지만 약 20%의 환자에서는 불응성 만성 비부비동염으로 진행한다. 불응성의 원인과 병태생리에 대하여 많은 사실과 가설이 있고 이들은 매우 복잡한 양상으로 서로 연관되어 환자의 예후에 영향을 미친다. 아직까지 이에 대한 명확한 진단체계와 치료지침이 정립되지 못한 상태이다.

자세한 병력, 내시경 및 CT 소견으로 환자의 상태를 점검하고, 이전 약물치료와 수술치료의 실패요인을 잘 파악하는 것이 중요하다. 또한 악영향을 미칠 수 있는 환경요인을 회피하고, 전신질환의 가능성을 의심하고 진단하려는 노력이 필요하다.

약물치료는 치료지침에서 추천하는 방법 이외의 다른 약물(경구용 스테로이드)을 필요로 하는 경우가 많으며, 수술은 전통적인 내시경수술의 범위를 확장하거나 정상적인 해부학적 경로를 우회하는 방법이 필요할 수 있다. 그러나 환자의 질병을 완치시키기 어려운 경우가 많아 증상개선에 목적을 둔 완화치료의 개념으로 접근해야 한다.

환자는 매우 다양한 그리고 파악하기 쉽지 않은 인자들의 복잡한 함수관계를 가지고 내원하는 데 반하여, 실제 사용할 수 있는 수단이 제한되어 있어 향후 이에 대한 많은 연구가 필요하다.

참고문헌

1. Akdis CA, Bachert C, Cingi C, Dykewicz MS, Hellings PW, Naclerio RM, et al. Endotypes and phenotypes of chronic rhinosinusitis: a PRACTALL document of the European Academy of Allergy and Clinical Immunology and the American Academy of Allergy, Asthma & Immunology. J Allergy Clin Immunol 2013;131:1479-90.
2. Batra PS, Tong L, Citardi MJ. Analysis of comorbidities and objective parameters in refractory chronic rhinosinusitis. Laryngoscope 2013;123 Suppl 7:S1-11.
3. Cho SH, Lee YS, Jeong JH, Kim KR. Endoscopic above and below approach with frontal septotomy in a patient with frontal mucocele: a contralateral bypass drainage procedure through the frontal septum. Am J Otolaryngol 2010;31:141-3.
4. Choi EB, Hong SW, Kim DK, Jeon SG, Kim KR, Cho SH, et al. Decreased diversity of nasal microbiota and their secreted extracellular vesicles in patients with chronic rhinosinusitis based on a metagenomic analysis. Allergy 2014;69:517-26.
5. Cohen NA, Kennedy DW. Revision endoscopic sinus surgery. Otolaryngol Clin North Am 2006;39:417-35.
6. Desrosiers MY, Kilty SJ. Treatment alternatives for chronic rhinosinusitis persisting after ESS: what to do when antibiotics, steroids and surgery fail. Rhinology 2008;46:3-14.
7. Ferguson BJ, Otto BA, Pant H. When surgery, antibiotics, and steroids fail to resolve chronic rhinosinusitis. Immunol Allergy Clin North Am 2009;29:719-32.
8. Fokkens WJ, Lund VJ, Mullol J, Bachert C, Alobid I, Baroody F, et al. European position paper on rhinosinusitis and nasal polyps 2012. Rhinology Suppl 2012;23:1-298.
9. Hellings PW, Fokkens WJ, Akdis C, Bachert C, Cingi C, Dietz de Loos D, et al. Uncontrolled allergic rhinitis and chronic rhinosinusitis: where do we stand today? Allergy 2013;68:1-7.
10. Ishitoya J, Sakuma Y, Tsukuda M. Eosinophilic chronic rhinosinusitis in Japan. Allergol Int 2010;59:239-45.
11. Kariyawasam HH, Rotiroti G. Allergic rhinitis, chronic rhinosinusitis and asthma: unravelling a complex relationship. Curr Opin Otolaryngol Head Neck Surg 2013;21:79-86.
12. Lam K, Schleimer R, Kern RC. The Etiology and Pathogenesis of Chronic Rhinosinusitis: a Review of Current Hypotheses. Curr Allergy Asthma Rep 2015;15:41.
13. Lee S, Kundaria S, Ferguson BJ. Practical clinical management strategies for the allergic patient with chronic rhinosinusitis. Curr Opin Otolaryngol Head Neck Surg 2012;20:179-87.
14. López-Chacón M, Mullol J, Pujols L. Clinical and biological markers of difficult-to-treat severe chronic rhinosinusitis. Curr Allergy Asthma Rep 2015;15:19.
15. Mahoney EJ, Metson R. Palliative care for the patient with refractory chronic rhinosinusitis. Otolaryngol Clin North Am 2009;42:39-47.
16. Makowska J, Lewandowska-Polak A, Kowalski ML. Hypersensitivity to Aspirin and other NSAIDs: Diagnostic Approach in Patients with Chronic Rhinosinusitis. Curr Allergy Asthma Rep 2015;15:47.
17. Nakayama T, Yoshikawa M, Asaka D, Okushi T, Matsuwaki Y, Otori N, et al. Mucosal eosinophilia and recurrence of nasal polyps - new classification of chronic rhinosinusitis. Rhinology 2011;49:392-6.

18. Ou J, Wang J, Xu Y, Tao ZZ, Kong YG, Chen SM, et al. Staphylococcus aureus superantigens are associated with chronic rhinosinusitis with nasal polyps: a meta-analysis. Eur Arch Otorhinolaryngol 2014;271:2729-36.

19. Palmer JN, Kennedy DW. Medical management in functional endoscopic sinus surgery failures. Curr Opin Otolaryngol Head Neck Surg 2003;11:6-12.

20. Post JC, Hiller NL, Nistico L, Stoodley P, Ehrlich GD. The role of biofilms in otolaryngologic infections: update 2007. Curr Opin Otolaryngol Head Neck Surg 2007;15:347-51.

21. Pruliére-Escabasse V, Coste A. Image-guided sinus surgery. Eur Ann Otorhinolaryngol Head Neck Dis 2010;127:33-9.

22. Ryan MW, Brooks EG. Rhinosinusitis and comorbidities. Curr Allergy Asthma Rep 2010;10:188-93.

23. Stachler RJ. Comorbidities of asthma and the unified airway. Int Forum Allergy Rhinol 2015;5 Suppl 1:S17-22.

24. Stevens WW, Peters AT. Immunodeficiency in chronic sinusitis: recognition and treatment. Am J Rhinol Allergy 2015;29:115-8.

25. Wang ET, Zheng Y, Liu PF, Guo LJ. Eosinophilic chronic rhinosinusitis in East Asians. World J Clin Cases 2014;2:873-82.

비용

서울의대 이비인후과 **김동영**, 단국의대 이비인후과 **정영준**

> **CONTENTS**

Ⅰ. 서론

Ⅱ. 역학

Ⅲ. 비용과 연관된 질환들

Ⅳ. 비용의 조직병리학

Ⅴ. 비용의 발생기전

Ⅵ. 징후 및 증상

Ⅶ. 진단

Ⅷ. 감별 진단

Ⅸ. 치료

HIGHLIGHTS 〉〉〉

- 비용은 비부비동 점막상피에서 발생하는 만성 염증성 결과물로 흔히 중비도와 사골동에서 기원함. 만성 비부비동염이 가장 흔히 동반되는 질환이며, 알레르기 비염에서는 비용이 일관성 있게 높은 빈도로 보고되지 않을 뿐만 아니라 비용을 동반한 만성 비부비동염에서 알레르기의 역할이 아직 명확하지 않음. 그러나 비용에 아토피가 동반되는 경우에는 삶의 질이 떨어지고 천식 발생 확률도 높아짐
- 미국과 유럽에서는 호산구성 침윤이 동반되는 비용이 80%까지 차지하는 반면, 아시아에서는 비호산구성이나 호중구성 침윤을 보이는 경우와 더 연관이 있는 것으로 보고됨
- 비강 내 스테로이드제제가 비용에 대한 일차 약물치료제로 인정받고 있음. 전신적 스테로이드 치료는 알레르기 환자에서 심한 비용이나 다른 치료에 반응하지 않는 비용을 동반된 경우에 사용될 수 있음. 3개월 이상의 장기간 저용량 마크로라이드계 항생제는 만성 비부비동염의 치료에 사용될 뿐만 아니라 비용에서도 상당한 효과가 있는 것으로 보고되고 있음
- 내시경수술은 심한 증상을 동반하거나 반복적인 비부비동염을 동반하는 경우, 약물치료에 반응하지 않는 경우에 시행될 수 있음

I | 서론

비용은 비부비동 점막상피에서 발생하는 만성 염증성 결과물로 흔히 중비도와 사골동에서 기원한다(Dalgorf and Harvey, 2013). 흔히 비강과 부비동에서 양측성으로 발생하며, 부종성의 반투명성 소엽 종물 형태를 보인다. 비용의 중증도severity는 비강 내에서 비용이 차지하는 범위에 따라 정해지는데, 중비도에 국한된 경우, 중비도를 넘어선 경우, 그리고 비강을 채우는 경우로 흔히 구분된다.

II | 역학

인종에 상관없이 전 인구의 1~4%에서 비용이 발생한다(Bateman et al., 2003; Soler et al., 2012). 남성에서 더 호발하며, 40세 이상에서 흔히 발생한다(Fokkens et al., 2012). 16세 이하의 소아에서 발생하는 경우는 매우 드문데, 이런 경우 국내에는 드물지만 외국에서는 낭성 섬유증cystic fibrosis을 의심해야 한다(Virgin et al., 2012).

Ⅲ | 비용과 연관된 질환들

비용은 흔히 국소 및 전신 기저 질환에 동반되어 발생하는데, 만성 비부비동염이 가장 흔히 동반되는 질환이다(Settipane, 1997)(표 19-1). 표에서 알레르기가 빠진 이유는 일반인들에 비해 비용 환자들에서 아토피의 동반 빈도가 높음에도 불구하고, 알레르기 비염에서 비용이 일관성 있게 높은 빈도로 보고되지 않을 뿐만 아니라 비용을 동반한 만성 비부비동염에서 알레르기의 역할이 아직 명확하지 않기 때문이다(Fokkens et al., 2012; Tan et al., 2011; Settipane et al., 2013; Kennedy and Borish, 2013). 이는 알레르기 비염 환자들에서 비용의 유병률이 일반인들과 비슷하다는 역학 조사에서도 밑받침되고 있다. 하지만, 비용에 아토피가 동반되는 경우에는 삶의 질이 떨어지고 천식 발생 확률도 높아진다(Kennedy and Borish, 2013).

| 표 19-1   비용과 연관된 질환 및 유병률

질환	유병률
아스피린 과민성 호흡기 질환	15~23%
성인 천식	7%
IgE 매개성	5%
IgE 비매개성	13%
비염	
비알레르기성 비염	5%
알레르기 비염	1.5%
성인 만성비부비동염	33%
소아 천식/부비동염	0.1%
낭성 섬유증	
소아	10%
성인	50%
알레르기성 진균성 부비동염	66~100%
Churg-Strauss 증후군	50%
원발성 섬모 운동 이상증(Kartagener 증후군)	40%
Young 증후군(무정자증)	?

Ⅳ | 비용의 조직병리학

조직학적으로 비용의 점막 표면은 호흡상피와 염증세포가 침윤된 부종성 기질stroma로 구성된다. 비용의 점막은 하비갑개에 비해 염증세포의 침윤이 더 심하고, 점막선mucous gland의 밀도는 더 낮다. 비용의 조직학적 특징은 인종과 대륙에 따라 다르게 보고되는데, 미국과 유럽에서는 호산구성 침윤eosinophilic infiltrate이 동반되는 비용이 80%까지 차지하는 반면, 아시아에서는 비호산구성이나 호중구성 침윤non-eosinophilic or neutrophilic infiltrate을 보이는 경우와 더 연관이 있는 것으로 보고된다(Cao et al., 2009). 아시아에서 호산구성 염증이 낮은 것은 아스피린 과민성 호흡기 질환이 낮은 빈도를 보이는 것과 관련이 있다(Fan et al., 2012). 하지만, 비용을 동반한 만성 비부비동염 환자들을 분석한 결과에서 과거와 달리 아시아서도 최근에는 호중구성 염증에서 호산구성 염증으로 전환되고 있으며, 이는 점막 내 포도상구균Staphylococcus aureus 감염과 연관성이 있다고 보고된 바 있다(Katotomichelakis et al., 2013). 낭성 섬유증에서 관찰되는 비용은 호중구성 염증이 일반적인 소견이다(Sobol et al., 2002).

Ⅴ | 비용의 발생기전

비용의 원인 및 발생기전에 대해서는 아직 명확하지 않지만(Hsu and Peters, 2011), 알레르기, 바이러스 감염, 세균 감염, 진균 감염 그리고 환경 오염 등 여러 유발 요인들이 복합적으로 작용하는 것으로 생각되고 있다. 이런

| 표 19-2   비용 형성 기전으로 제시된 이론

연구	제시된 발생 기전
Ramanathan et al.	↓ Local Th1−based immune response, ↑ Th2−based activity
Ramanathan et al.	↑ Eosinophils
Lane et al.	↓ Toll−like receptors 9
Qiu et al.	↑ Toll−like receptors 2
Kowalski et al.	↑ Expression of survivin
Meyer et al.	↓ Apoptosis of eosinophils
Olze et al.	↑ Expression of eotaxin ↑ RANTES
Rudack et al.	↑ Eosinophils
Ohori et al.	↑ Eosinophil related cytokine IL−5
Kim et al.	↑ VCAM−1 enhanced by TNF−α Absence of lymphangiogenesis in inflamed sinonasal mucosa
Lechapat−Zalcman et al.	↑ Stromal edema and polyp formation Up−regulation of MMP−9 in the glands and vessels
Bernstein et al.	↑ Production of Staphylococcus aureus superantigen
Van Zele et al.	Activation of Th1 and Th2 cytokines
Cannady et al.	Abnormalities in NO metabolism
Shin et al.	↑ IL−25 secreting from the sinonasal epithelium

RANTES = regulated on activation normal T-cell expressed and secreted; TNF-α = tumor necrosis factor-α; VCAM-1 = vascular cell adhesion molecule 1; MMP-9 = matrix metalloproteinase-9; NO = nitrous oxide.

초기 유발인자들에 의해 상피 손상이 발생하고 염증 반응이 유발되는데, 이 염증이 소실되지 않으면 기질 부종이 비용을 형성하는 것으로 추정되고 있다(Norlander et al., 1996). 또한, 여러 연구자들이 비용 발생에 대한 다양한 이론들을 계속 제시하고 있지만, 아직까지 비용 형성 기전에 대해서는 정확히 밝혀지지 않은 상태이다(표 19-2).

비용을 동반한 만성 비부비동염에서 비용이 가장 흔히 관찰되는 질환이기 때문에, 여기에서는 이에 국한하여 원인과 기전에 대해 기술하고자 한다.

숙주-환경 상호작용의 장애dysfunctional host-environment interaction는 최근에 부상한 개념으로 다양한 외인성exogenous 물질들과 이에 대한 숙주 반응의 장애가 비부비동 점막에 변화를 일으킨다는 개념이다(Fokkens et al., 2012). 이 외에도 발생기전에 대해 여러 가설이 제시되었지만(Hsu and Peters, 2011)(표 19-3), 비용의 생성

| 표 19-3   비용이 동반된 만성 부비동염: 병태생리학적 가설

Microorganisms
Staphylococcal superantigen hypothesis
Biofilms
Fungal hypothesis
Immune barrier hypothesis
Excessive Th2 response
Defects in eicosanoid pathway

을 촉발시키는 기전들에 대해선 아직 명확하지 않다.

비용의 발생에 미생물이 미치는 역할에 대해서는 부비동 내 존재하는 미생물에 대한 연구를 포함하여, 포도상구균의 초항원S. aureus superantigen, 균막biofilm, 그리고 진균fungi에 대한 면역 반응에 초점을 두고 연구되고 있지만, 이들의 임상적인 유용성에 대해서는 아직 명확하진 않다. 비록 균막이 포도상구균 군집의 존재 빈도와 이 균에 대한 특이 면역글로불린 EIgE의 생성 빈도에

비례하여 관찰되지만, 아직까지 이들의 역할에 대해서는 명확하지 않다. 포도상구균 초항원 가설Staphylococcal superantigen hypothesis은 포도상구균의 외독소가 일반적인 항원처리antigen processing 과정을 거치지 않고, 주조직적합 복합체major histocompatibility complex, MHC II군에 직접 붙어 순차적으로 T세포 수용체를 자극하여 CD4+, CD8+ MHC II군 의존 T세포를 과도하게 활성화시킴으로써 염증반응을 증폭시킨다는 개념이다(Kim et al., 2011; Kim et al., 2011; Van Crombruggen et al., 2011). 진균이 알레르기 진균성 비부비동염을 제외한 다른 비용을 동반한 만성 비부비동염의 발생에 미치는 영향에 대해서는 한때 큰 관심을 끌기는 하였지만, 최근에는 진균의 역할이 매우 제한적인 것으로 인식되고 있다(Fokkens et al., 2012; Laury et al., 2013).

면역장벽가설immune barrier hypothesis은 상피층과 같은 물리적 장벽의 결손과 선천성, 후천성 면역 장벽의 결손이 만성 비부비동염의 발생에 기여한다는 개념으로 제시되었다(Kern et al., 2008). Toll-like receptorsTLRs 등과 같은 형태 인식 수용체 pattern recognition receptorsPRRs의 기능장애도 이 개념에 포함된다(Sun et al., 2012). S100 단백질들과 같은 비부비동 점막의 상피층에서 유래된 항균 단백질의 감소가 병원체에 대한 감수성을 증가시킬 수 있다(Tieu et al., 2010). IL-6 사이토카인의 전사매개체인 signal transducer and activator of transcription 3STAT3는 숙주의 방어 조절에 중요한 역할을 하는데, 이 부분의 결손은 만성 비부비동염의 과잉 염증 반응에 기여한다(Peters et al., 2010). 이를 종합하면 면역 장벽의 다양한 결손들이 미생물의 증식을 도모하며, 이로 인해 장벽 손상이 가속화되고 면역 반응에 손상을 야기한다.

비용 조직 내에서 B 세포 활성화 인자B-cell activating factor, BAFF가 증가되어 있는데, 이는 B 세포의 생존과 증식 및 항체 생산에 중요한 역할을 한다(Kato et al., 2008). B 세포 활성화 인자의 과도한 생성이 B 세포 증식을 유도하고, 추후 조직에 손상을 가하는 국소 항체local antibodies를 생성할 뿐만 아니라, Th2 방향으로의 지나친 왜곡을 초래할 수 있어 이로 인해 비용이 발생한다는 가설이다(Kato et al., 2008). 만성 비부비동염 환자에서 채취한 비용 조직에서 국소 항체들을 생산할 수 있는 B 세포와 형질 세포plasma cell가 증가된 것이 확인되어 이 가설을 뒷받침한다(Hulse et al., 2013).

아스피린 과민성이 있는 환자들에서 발생한 비용의 경우에는 아라키돈산 대사 과정의 이상과 연관되어 있다. 정상적으로 아라키돈산 대사의 60%는 cyclooxygenase 경로이며 30%가 lipoxygenase 경로인데, 아스피린 과민성이 있는 경우에는 cyclooxygenase 경로가 차단되어 90% 이상이 lipoxygenase 경로를 취하게 된다. 그 결과로 cyclooxygenase 수준이 높게 유지되고, 5-lipoxygenase 대사 산물인 leukotrienes이나 cysteinyl leukotriene 1 receptor와 leukotriene C4 synthase의 호흡기 내 발현이 증가된다(Laidlaw et al., 2012). 따라서, 비용은 leukotriene의 과다한 작용이나 prostaglandin의 부족과 관련이 있다.

VI | 징후 및 증상

정도의 차이는 있기는 하지만, 대부분의 환자들이 일년 내내 지속되는 코막힘과 후각감퇴를 호소한다. 비용으로 인해 비폐색이 심해지면 이차적인 비부비동염을 야기하여 화농성 비루나 후비루와 같은 비부비동염 증상이 발생할 수 있다.

VII │ 진단

비내시경검사를 포함한 철저한 비강 검진이 필수적이다. 비경이나 비내시경을 통해 반투명성의 창백한 회색이나 핑크빛의 소엽성 점막 조직을 비강 내에서 관찰할 수 있고, 빛을 비추면 부드럽고 광택이 나는 표면이 관찰된다. 하비갑개나 다른 종물들이 견고한firm 성상인 것에 반해, 비용은 가동성mobile이면서 압력을 가했을 때 쉽게 눌리는 양상을 보인다. 비내시경검사를 통해 크기 및 기시부를 비롯한 비용의 위치를 평가해야 한다. 또한, 만성 비부비동염과 동반되는 경우가 많기 때문에 이에 준하는 검사가 필요한데, 부비동 전산화 단층촬영을 시행하여 비강과 부비동으로 확대된 병변의 범위를 확인한다. 특히, 편측성이나 단독으로 발생한 비용의 경우는 영상의학검사와 더불어 조직검사를 시행하여 다른 양성 및 악성종양과의 감별이 필요하다.

VIII │ 감별 진단

비용이 특징적인 모양을 보이기는 하지만, 양성 혹은 악성종양을 포함한 다른 비강 내 종물들을 비용으로 오인할 수 있다(Bernstein, 1997; Hennessey and Reh, 2013, 표 19-4)(Bernstein, 1997; Harvey and Dalgorf, 2013, 표 19-5). 만성 비부비동염과 동반된 비용이 대부분 양측성인 반면, 편측성 비용성polypoid 종물은 항상 악성종양의 가능성을 의심해야 한다(Dykewicz and Hamilos, 2010). 성인에서 비용으로 오인될 수 있는 흔한 양성 병변으로는 수포성갑개concha bullosa와 반전성유두종inverted papilloma이 있다(Wood and Casiano, 2012). 소아에서 일측성 병변인 경우 혈관섬유종angiofibroma 과의 감별도 필요하며, 감별해야 할 질환이 성인과는 다르다는 점을 유의해야 한다(Bernstein, 1997)(표 19-6). 또한, 감별해야 할 질환으로 후비공용종choanal polyp이 있는데, 이는 부비동에서 기시하여 부비동공sinus ostium을 통과한 후 후

표 19-4 비용으로 오인될 수 있는 양성 병변

Anatomic
  Concha bullosa
  Tumors
Epithelial
  Papilloma—inverted, everted, and cylindric
  Minor salivary—pleomorphic adenoma
Mesenchymal
  Neurogenic—meningioma, schwannoma, and neurofibroma
  Vascular—hemangioma and angiofibroma
  Fibro-osseous—ossifying fibroma
  muscular—leiomyoma and angioleiomyoma
Granulomatous/inflammatory
  Wegener's granulomatosis
  Sarcoidosis
  Crohn's disease

표 19-5 비용으로 오인될 수 있는 악성 병변

Epithelial
  Squamous cell carcinoma
  Adenocarcinoma
  Adenoid cystic carcinoma
  Acinic cell carcinoma
  Mucoepidermoid carcinoma
  Olfactory neuroblastoma
  Malignant melanoma
  Metastatic tumors, e.g., kidney, breast, and pancreas
  Undifferentiated carcinoma
Mesenchymal
  Lymphoreticular—lymphoma and plasmacytoma
  Rhabdomyosarcoma
  Chondrosarcoma
  Ewing's sarcoma

표 19-6　소아에서 비강 내 종물의 감별질환
선천성(congenital) 　뇌류(encephalocele) 　교종(glioma) 　유피낭(dermoid cyst) 　비루관낭(nasolacrimal duct cyst) 종양(neoplasia) 　양성(benign) 　　혈관섬유종(angiofibroma) 　　두개인두종(craniopharyngioma) 　　혈관종(hemangioma) 　　신경섬유종(neurofibroma) 　악성(malignant) 　　횡문근육종(rhabdomyosarcoma)

비공choana까지 진행하는 양성 단일성 병변으로, 상악동 후비공용종antrochoanal polyp이 가장 흔한 형태이다. 상악동 이외의 다른 부비동에서도 단일성 병변으로 발생할 수 있으며, 드물게는 다발성으로도 발생할 수 있다. 확진은 비내시경으로 부비동공을 통해 후비공으로 진행하는 비용을 확인함으로써 할 수 있지만, 술 전 비내시경검사만으로 기시하는 부비동을 알 수 없는 경우도 있어 정확한 평가를 위해선 부비동 전산화 단층촬영이 필수적이다. 뇌수막류meningoencephalocele나 뇌류encephalocele가 의심되는 경우에는 영상의학적 검사를 반드시 시행하여 전두개와anterior cranial fossa의 결손 부분이 있는지를 확인해야 한다.

IX | 치료

비용에 대한 치료에는 경과관찰, 약물치료, 수술단독치료 또는 수술 후 약물치료를 병행하는 방법이 있다.

1. 약물치료

스테로이드에 대해선 효과가 명확하게 입증되었지만, 항생제나 다른 면역조절제immunomodulatory agent의 효과는 아직 명확하지 않다(Aouad and Chiu, 2011).

일반적으로 비강 내 스테로이드제제가 비용에 대한 일차 약물치료제로 인정받고 있는데(Badia and Lund, 2001; Filiaci et al., 2000), 비폐색과 비루 등의 증상을 개선시키는 비특이적nonspecific 항염증 효과를 보인다(Bonfils et al., 2003). 수술 전에 사용되면 내시경수술 시 시야를 개선시키고, 출혈과 수술 시간을 줄이는 효과가 있다(Albu et al., 2010). 또한, 수술 전 국소 스테로이드 치료는 만성 비부비동염 수술 시 세균배양 양성률을 감소시킬 뿐만 아니라(Desrosiers et al., 2007), 수술 필요성을 줄일 수 있다는 보고도 있다(Aukema et al., 2005). 수술 후에 장기간의 국소 스테로이드의 사용이 비용의 재발을 줄이는 것으로 보고되어(Dingsor et al., 1985; Hartwig et al., 1988; Karlsson and Rundcrantz, 1982; Rowe-Jones et al., 2005), 수술 후 식염수를 이용한 비강세척과 더불어 비강 내 스테로이드의 사용이 재발을 예방하는 데 중요하다(Rowe-Jones et al., 2005). 다른 비강 스테로이드제제와 달리 betamethasone은 전신적으로 흡수되어 부신기능을 억제하여 쿠싱증후군을 초래한다는 증례들이 보고된 바 있다(Badia and Lund, 2001; Gazis et al., 1999; Homer and Gazis, 1999; Stevens, 1988).

비용 내에 직접 스테로이드를 주사하는 방법이 경구용과 국소용 스테로이드에 반응하지 않는 비용 환자들에게 고려되고 있다. Triamcinolone acetonide (40 mg/mL)는 분자 크기가 작아 가장 선호되는 제제이지만, 확실한 효과를 입증할 만한 결과가 아직 미흡하다. 또한, 다른 스테로이드 전달법과 비교해 흡수 정도에서 얼마나 차이가 나는지에 대한 데이터도 아직 충분하지 않은 상태이다(Antunes and Becker, 2010).

전신적 스테로이드 치료는 알레르기 환자에서 심한 비용이나 다른 치료에 반응하지 않는 비용이 동반된 경우에 사용될 수 있다. 비용의 크기를 줄이고(Hissaria et al., 2006; Lildholdt et al., 1997), 후각 기능을 개선시키는 데 효과가 있다(Blomqvist et al., 2001; Van Camp and Clement, 1994). 또한, 수술 전에 사용함으로써 수술 시 시야 확보에도 도움이 된다(Wright and Agrawal, 2007). 하지만, 전신적 스테로이드는 당뇨, 조절되지 않는 고혈압, 위궤양 그리고 녹내장이 있는 환자들에서는 주의해서 사용해야 한다(Sieskiewicz et al., 2006).

3개월 이상의 장기간 저용량 마크로라이드계 항생제long-term low-dose macrolides 치료의 효과는 그 자체의 항균력보다는 항염증 속성과 연관되어 있는데(Iino et al., 2001), 만성 비부비동염의 치료에 사용될 뿐만 아니라 비용에서도 상당한 효과가 있는 것으로 보고되고 있다(Ragab et al., 2004; Wallwork et al., 2006).

천식 치료에 중요한 부분을 차지하는 Montelukast나 Zafirlukast 같은 류코트리엔 수용체 길항제leukotriene receptor antagonists나 Zileuton 같은 합성 억제제synthesis inhibitor는 비용의 증상을 개선시킬 수 있고, 장기간의 경구 스테로이드 치료를 대체할 수 있다는 보고도 있지만, 효과를 명확히 입증하기 위해서는 무작위 대조군 연구들이 더 필요하다(Dahlen et al., 1998; Parnes et al., 2000).

전신적 아스피린 탈감작요법systemic aspirin desensitization은 특히 Samter's triad를 동반한 만성 비부비동염 환자들에서 부비동 염증과 비용의 재발을 감소시켜 추가적인 수술 필요성을 감소시키는 데 효과가 있다(Bernstein, 1997; McMains et al., 2006; Rozsasi et al., 2008). 하지만, 국소적 라이신-아스피린 탈감작요법topical lysine-aspirin desensitization은 임상적 효과가 없다(Parikh et al., 2005).

항히스타민제들은 알레르기 증상을 감소시키지만, 아직까지 비용의 일차적인 치료법으로는 간주되지 않는다(Haye et al., 1998). 국소적 이뇨제 사용은 비용 환자들에서 수술 전 비부비동의 부종을 줄이는 데 효과가 있고(Kroflic et al., 2006), 술후 비용을 동반한 재발성 만성 비후성 부비동염recurrent chronic hyperplastic sinusitis with nasal polyposis을 예방하는 데 효과가 있다고 보고된 바 있다(Passali et al., 2003).

비용에서도 알레르기 비염과 마찬가지로 IgE가 비부비동 조직과 환자 혈청에서 흔히 증가되어 있지만, 아직까지 비용에서는 IgE 역할이 명확하지는 않다. 이 개념을 이용하여 혈청 내 유리 IgEfree IgE에 특이 결합하는 재조합recombinant IgG1 단일클론항체인 Omalizumab과 같은 항IgE 제제로 비만세포mast cell와 호염기구basophil에 IgE가 결합하는 것을 막아 Th2 반응을 억제하는 치료법이 현재 연구되고 있다(Verbruggen et al., 2009).

2. 수술치료

내시경수술은 심한 증상을 동반하거나 반복적인 비부비동염을 동반하는 경우, 약물치료에 반응하지 않는 경우에 시행될 수 있다(Aouad and Chiu, 2011). 내시경수술이 그동안 여러 면에서 많은 발전을 이루어 왔지만, 5~10% 정도의 심한 비용 환자들에서는 재발이 흔하다(Fokkens et al., 2012). 수술 범위에 대해서는 아직까지 이견이 있는 상태이지만, 비용 절제술 단독으로는 완치가 불가능하다는 의견이 현재는 지배적이다(McFadden et al., 1990).

3. 기타 치료법

협대역 자외선narrow-band UVB을 사용하는 광선요법phototherapy이 국소적 스테로이드 치료에 반응하지 않는 비용 환자들에서 증상 개선에 효과가 있다고 보고된 바 있지만, 아직까지는 비용에서 광선요법의 역할을 밝히기 위해서는 더 많은 연구가 필요하다(Bella et al., 2010).

심한 비용 환자들에서 사용할 수밖에 없는 전신적 스테로이드의 양을 줄이기 위해 저용량의 Methotrexate와 같은 면역억제제를 이용해 비용 증상을 개선시켰다는 보고도 있지만(Asplund et al., 2010; Buyukozturk et al., 2009), 아직까지 그 효과에 대해서는 근거가 부족한 상태이다.

참고문헌

1. Albu S, Gocea A, Mitre I. Preoperative treatment with topical corticoids and bleeding during primary endoscopic sinus surgery. Otolaryngol Head Neck Surg 2010;143:573-8.

2. Antunes MB, Becker SS. The role of local steroid injection for nasal polyposis. Curr Allergy Asthma Rep 2010;10:175-80.

3. Aouad RK, Chiu AG. State of the art treatment of nasal polyposis. Am J Rhinol Allergy 2011;25:291-8.

4. Asplund MS, Hagberg H, Holmstrom M. Chemotherapy in severe nasal polyposis--a possible beneficial effect? A report of three cases. Rhinology 2010;48:374-6.

5. Aukema AA, Mulder PG, Fokkens WJ. Treatment of nasal polyposis and chronic rhinosinusitis with fluticasone propionate nasal drops reduces need for sinus surgery. J Allergy Clin Immunol 2005;115:1017-23.

6. Badia L, Lund V. Topical corticosteroids in nasal polyposis. Drugs 2001;61:573-8.

7. Bateman ND, Fahy C, Woolford TJ. Nasal polyps: still more questions than answers. J Laryngol Otol 2003;117:1-9.

8. Bella Z, Kadocsa E, Kemeny L, Koreck A. Narrow-band UVB phototherapy of nasal polyps: results of a pilot study. J Photochem Photobiol B 2010;100:123-7.

9. Bernstein JM, Ballow M, Schlievert PM, Rich G, Allen C, Dryja D. A superantigen hypothesis for the pathogenesis of chronic hyperplastic sinusitis with massive nasal polyposis. Am J Rhinol 2003;17:321-6.

10. Bernstein JM. The immunohistopathology and pathophysiology of nasal polyps. In: Settipane GA, Lund VJ, Bernstein JM, Tos M, editors. Nasal Polyps: Epidemiology, Pathogenesis and Treatment. Providence, RI.: OceanSide Pubications 1997;85-95.

11. Blomqvist EH, Lundblad L, Anggard A, Haraldsson PO, Stjarne P. A randomized controlled study evaluating medical treatment versus surgical treatment in addition to medical treatment of nasal polyposis. J Allergy Clin Immunol 2001;107:224-8.

12. Bonfils P, Nores JM, Halimi P, Avan P. Corticosteroid treatment in nasal polyposis with a three-year follow-up period. Laryngoscope 2003;113:683-7.

13. Buyukozturk S, Gelincik A, Aslan I, Aydin S, Colakoglu B, Dal M. Methotrexate: can it be a choice for nasal polyposis in aspirin exacerbated respiratory disease? J Asthma 2009;46:1037-41.

14. Cannady SB, Batra PS, Leahy R, Citardi MJ, Janocha A, Ricci K, et al. Signal transduction and oxidative processes in sinonasal polyposis. J Allergy Clin Immunol 2007;120:1346-53.

15. Cao PP, Li HB, Wang BF, Wang SB, You XJ, Cui YH, et al. Distinct immunopathologic characteristics of various types of chronic rhinosinusitis in adult Chinese. J Allergy Clin Immunol 2009;124:478-84, 84 e1-2.

16. Dahlen B, Nizankowska E, Szczeklik A, Zetterstrom O, Bochenek G, Kumlin M, et al. Benefits from adding the 5-lipoxygenase inhibitor zileuton to conventional therapy in aspirin-intolerant asthmatics. Am J Respir Crit Care Med 1998;157:1187-94.

17. Dalgorf DM, Harvey RJ. Chapter 1: Sinonasal anatomy and function. Am J Rhinol Allergy 2013;27 Suppl 1:S3-6.

18. Desrosiers M, Hussain A, Frenkiel S, Kilty S, Marsan J, Witterick I, et al. Intranasal corticosteroid use is associated with lower rates of bacterial recovery in chronic rhinosinusitis. Otolaryngol Head Neck Surg 2007;136:605-9.

19. Dingsor G, Kramer J, Olsholt R, Soderstrom T. Flunisolide nasal spray 0.025% in the prophylactic treatment of nasal polyposis after polypectomy. A randomized, double blind, parallel, placebo controlled study. Rhinology 1985;23:49-58.

20. Dykewicz MS, Hamilos DL. Rhinitis and sinusitis. J Allergy Clin Immunol 2010;125:S103-15.

21. Fan Y, Feng S, Xia W, Qu L, Li X, Chen S, et al. Aspirin-exacerbated respiratory disease in China: a cohort investigation and literature review. Am J Rhinol Allergy 2012;26:e20-2.

22. Filiaci F, Passali D, Puxeddu R, Schrewelius C. A randomized controlled trial showing efficacy of once daily intranasal budesonide in nasal polyposis. Rhinology 2000;38:185-90.

23. Fokkens WJ, Lund VJ, Mullol J, Bachert C, Alobid I, Baroody F, et al. European position paper on Rhinosinusitis and nasal polyps 2012. Rhinology Suppl 2012;23:1-298.

24. Gaines A. Chapter 13: Olfactory disorders. Am J Rhinol Allergy 2013;27:S45-7.

25. Gazis AG, Homer JJ, Henson DB, Page SR, Jones NS. The effect of six weeks topical nasal betamethasone drops on the hypothalamo-pituitary-adrenal axis and bone turnover in patients with nasal polyposis. Clin Otolaryngol Allied Sci 1999;24:495-8.

26. Hartwig S, Linden M, Laurent C, Vargo AK, Lindqvist N. Budesonide nasal spray as prophylactic treatment after polypectomy (a double blind clinical trial). J Laryngol Otol 1988;102:148-51.

27. Harvey RJ, Dalgorf DM. Chapter 10: Sinonasal malignancies. Am J Rhinol Allergy 2013;27 Suppl 1:S35-8.

28. Haye R, Aanesen JP, Burtin B, Donnelly F, Duby C. The effect of cetirizine on symptoms and signs of nasal polyposis. J Laryngol Otol 1998;112:1042-6.

29. Hennessey PT, Reh DD. Chapter 9: Benign sinonasal neoplasms. Am J Rhinol Allergy 2013;27 Suppl 1:S31-4.

30. Hissaria P, Smith W, Wormald PJ, Taylor J, Vadas M, Gillis D, et al. Short course of systemic corticosteroids in sinonasal polyposis: a double-blind, randomized, placebo-controlled trial with evaluation of outcome measures. J Allergy Clin Immunol

2006;118:128-33.

31. Homer JJ, Gazis TG. Cushing's syndrome induced by beta-methasone nose drops. In rhinological disease betamethasone should be regarded as systemic corticosteroid. BMJ 1999;318:1355.

32. Hsu J, Peters AT. Pathophysiology of chronic rhinosinusitis with nasal polyp. Am J Rhinol Allergy 2011;25:285-90.

33. Hulse KE, Norton JE, Suh L, Zhong Q, Mahdavinia M, Simon P, et al. Chronic rhinosinusitis with nasal polyps is characterized by B-cell inflammation and EBV-induced protein 2 expression. J Allergy Clin Immunol 2013;131:1075-83, 83 e1-7.

34. Iino Y, Sasaki Y, Kojima C, Miyazawa T. Effect of macrolides on the expression of HLA-DR and costimulatory molecules on antigen-presenting cells in nasal polyps. Ann Otol Rhinol Laryngol 2001;110:457-63.

35. Karlsson G, Rundcrantz H. A randomized trial of intranasal beclomethasone dipropionate after polypectomy. Rhinology 1982;20:144-8.

36. Kato A, Peters A, Suh L, Carter R, Harris KE, Chandra R, et al. Evidence of a role for B cell-activating factor of the TNF family in the pathogenesis of chronic rhinosinusitis with nasal polyps. J Allergy Clin Immunol 2008;121:1385-92, 92 e1-2.

37. Katotomichelakis M, Tantilipikorn P, Holtappels G, De Ruyck N, Feng L, Van Zele T, et al. Inflammatory patterns in upper airway disease in the same geographical area may change over time. Am J Rhinol Allergy 2013;27:354-60.

38. Kennedy JL, Borish L. Chronic sinusitis pathophysiology: the role of allergy. Am J Rhinol Allergy 2013;27:367-71.

39. Kern RC, Conley DB, Walsh W, Chandra R, Kato A, Tripathi-Peters A, et al. Perspectives on the etiology of chronic rhinosinusitis: an immune barrier hypothesis. Am J Rhinol 2008;22:549-59.

40. Kim DW, Khalmuratova R, Hur DG, Jeon SY, Kim SW, Shin HW, et al. Staphylococcus aureus enterotoxin B contributes to induction of nasal polypoid lesions in an allergic rhinosinusitis murine model. Am J Rhinol Allergy 2011;25:e255-61.

41. Kim ST, Chung SW, Jung JH, Ha JS, Kang IG. Association of T cells and eosinophils with Staphylococcus aureus exotoxin A and toxic shock syndrome toxin 1 in nasal polyps. Am J Rhinol Allergy 2011;25:19-24.

42. Kim TH, Lee SH, Lee HM, Lee SH, Jung HH, Cho WS, et al. D2-40 immunohistochemical assessment of lymphangiogenesis in normal and edematous sinus mucosa and nasal polyp. Laryngoscope 2007;117:442-6.

43. Kowalski ML, Grzegorczyk J, Pawliczak R, Kornatowski T, Wagrowska-Danilewicz M, Danilewicz M. Decreased apoptosis and distinct profile of infiltrating cells in the nasal polyps of patients with aspirin hypersensitivity. Allergy 2002;57:493-500.

44. Kroflic B, Coer A, Baudoin T, Kalogjera L. Topical furosemide versus oral steroid in preoperative management of nasal polyposis. Eur Arch Otorhinolaryngol 2006;263:767-71.

45. Laidlaw TM, Kidder MS, Bhattacharyya N, Xing W, Shen S, Milne GL, et al. Cysteinyl leukotriene overproduction in aspirin-exacerbated respiratory disease is driven by platelet-adherent leukocytes. Blood 2012;119:3790-8.

46. Lane AP, Truong-Tran QA, Schleimer RP. Altered expression of genes associated with innate immunity and inflammation in recalcitrant rhinosinusitis with polyps. Am J Rhinol 2006;20:138-44.

47. Laury AM, Wise SK. Chapter 7: Allergic fungal rhinosinusitis. Am J Rhinol Allergy 2013;27:S26-7.

48. Lechapt-Zalcman E, Coste A, d'Ortho MP, Frisdal E, Harf A, Lafuma C, et al. Increased expression of matrix metalloproteinase-9 in nasal polyps. J Pathol 2001;193:233-41.

49. Lildholdt T, Rundcrantz H, Bende M, Larsen K. Glucocorticoid treatment for nasal polyps. The use of topical budesonide powder, intramuscular betamethasone, and surgical treatment. Arch Otolaryngol Head Neck Surg 1997;123:595-600.

50. McFadden EA, Kany RJ, Fink JN, Toohill RJ. Surgery for sinusitis and aspirin triad. Laryngoscope 1990;100:1043-6.

51. McMains KC, Kountakis SE. Medical and surgical considerations in patients with Samter's triad. Am J Rhinol 2006;20:573-6.

52. Meyer JE, Bartels J, Gorogh T, Sticherling M, Rudack C, Ross DA, et al. The role of RANTES in nasal polyposis. Am J Rhinol 2005;19:15-20.

53. Norlander T, Westrin KM, Fukami M, Stierna P, Carlsoo B. Experimentally induced polyps in the sinus mucosa: a structural analysis of the initial stages. Laryngoscope 1996;106:196-203.

54. Ohori J, Ushikai M, Sun D, Nishimoto K, Sagara Y, Fukuiwa T, et al. TNF-alpha upregulates VCAM-1 and NF-kappaB in fibroblasts from nasal polyps. Auris Nasus Larynx 2007;34:177-83.

55. Olze H, Forster U, Zuberbier T, Morawietz L, Luger EO. Eosinophilic nasal polyps are a rich source of eotaxin, eotaxin-2 and eotaxin-3. Rhinology 2006;44:145-50.

56. Parikh AA, Scadding GK. Intranasal lysine-aspirin in aspirin-sensitive nasal polyposis: a controlled trial. Laryngoscope 2005;115:1385-90.

57. Parnes SM, Chuma AV. Acute effects of antileukotrienes on sinonasal polyposis and sinusitis. Ear Nose Throat J 2000;79:18-20, 4-5.

58. Passali D, Bernstein JM, Passali FM, Damiani V, Passali GC, Bellussi L. Treatment of recurrent chronic hyperplastic sinusitis with nasal polyposis. Arch Otolaryngol Head Neck Surg 2003;129:656-9.

59. Peters AT, Kato A, Zhang N, Conley DB, Suh L, Tancowny B, et al. Evidence for altered activity of the IL-6 pathway in chronic rhinosinusitis with nasal polyps. J Allergy Clin Immunol 2010;125:397-403 e10.

60. Qiu ZF, Han DM, Zhang L, Zhang W, Fan EZ, Cui SJ, et al. Expression of survivin and enhanced polypogenesis in nasal polyps. Am J Rhinol 2008;22:106-10.

61. Ragab SM, Lund VJ, Scadding G. Evaluation of the medical and surgical treatment of chronic rhinosinusitis: a prospective, randomised, controlled trial. Laryngoscope 2004;114:923-30.

62. Ramanathan M, Jr., Lee WK, Dubin MG, Lin S, Spannhake EW, Lane AP. Sinonasal epithelial cell expression of toll-like receptor 9 is decreased in chronic rhinosinusitis with polyps. Am J Rhinol 2007;21:110-6.

63. Ramanathan M, Jr., Lee WK, Spannhake EW, Lane AP. Th2 cytokines associated with chronic rhinosinusitis with polyps down-regulate the antimicrobial immune function of human sinonasal epithelial cells. Am J Rhinol 2008;22:115-21.

64. Rowe-Jones JM, Medcalf M, Durham SR, Richards DH, Mackay IS. Functional endoscopic sinus surgery: 5 year follow up and results of a prospective, randomised, stratified, double-blind, placebo controlled study of postoperative fluticasone propionate aqueous nasal spray. Rhinology 2005;43:2-10.

65. Rozsasi A, Polzehl D, Deutschle T, Smith E, Wiesmiller K, Riech-

elmann H, et al. Long-term treatment with aspirin desensitization: a prospective clinical trial comparing 100 and 300 mg aspirin daily. Allergy 2008;63:1228-34.

66. Rudack C, Stoll W, Bachert C. Cytokines in nasal polyposis, acute and chronic sinusitis. Am J Rhinol 1998;12:383-8.

67. Settipane GA. Epidemiology of nasal polyps. In: Settipane GA, Lund VJ, Bernstein JM, Tos M, editors. Nasal Polyps: Epidemiology, Pathogenesis and Treatment. Providence, RI: OceanSide Pubications 1997;17-24.

68. Settipane RA, Borish L, Peters AT. Chapter 16: Determining the role of allergy in sinonasal disease. Am J Rhinol Allergy 2013;27:S56-8.

69. Shin HW, Kim DK, Park MH, Eun KM, Lee M, So D, et al. IL-25 as a novel therapeutic target in nasal polyps of patients with chronic rhinosinusitis. J Allergy Clin Immunol 2015;135:1476-85 e7.

70. Sieskiewicz A, Olszewska E, Rogowski M, Grycz E. Preoperative corticosteroid oral therapy and intraoperative bleeding during functional endoscopic sinus surgery in patients with severe nasal polyposis: a preliminary investigation. Ann Otol Rhinol Laryngol 2006;115:490-4.

71. Sobol SE, Christodoulopoulos P, Manoukian JJ, Hauber HP, Frenkiel S, Desrosiers M, et al. Cytokine profile of chronic sinusitis in patients with cystic fibrosis. Arch Otolaryngol Head Neck Surg 2002;128:1295-8.

72. Soler ZM, Mace JC, Litvack JR, Smith TL. Chronic rhinosinusitis, race, and ethnicity. Am J Rhinol Allergy 2012;26:110-6.

73. Stevens DJ. Cushing's syndrome due to the abuse of betamethasone nasal drops. J Laryngol Otol 1988;102:219-21.

74. Sun Y, Zhou B, Wang C, Huang Q, Zhang Q, Han Y, et al. Biofilm formation and Toll-like receptor 2, Toll-like receptor 4, and NF-kappaB expression in sinus tissues of patients with chronic rhinosinusitis. Am J Rhinol Allergy 2012;26:104-9.

75. Tan BK, Zirkle W, Chandra RK, Lin D, Conley DB, Peters AT, et

al. Atopic profile of patients failing medical therapy for chronic rhinosinusitis. Int Forum Allergy Rhinol 2011;1:88-94.

76. Tieu DD, Peters AT, Carter RG, Suh L, Conley DB, Chandra R, et al. Evidence for diminished levels of epithelial psoriasin and calprotectin in chronic rhinosinusitis. J Allergy Clin Immunol 2010;125:667-75.

77. van Camp C, Clement PA. Results of oral steroid treatment in nasal polyposis. Rhinology 1994;32:5-9.

78. Van Crombruggen K, Zhang N, Gevaert P, Tomassen P, Bachert C. Pathogenesis of chronic rhinosinusitis: inflammation. J Allergy Clin Immunol 2011;128:728-32.

79. Van Zele T, Gevaert P, Watelet JB, Claeys G, Holtappels G, Claeys C, et al. Staphylococcus aureus colonization and IgE antibody formation to enterotoxins is increased in nasal polyposis. J Allergy Clin Immunol 2004;114:981-3.

80. Verbruggen K, Van Cauwenberge P, Bachert C. Anti-IgE for the treatment of allergic rhinitis--and eventually nasal polyps? Int Arch Allergy Immunol 2009;148:87-98.

81. Virgin FW, Rowe SM, Wade MB, Gaggar A, Leon KJ, Young KR, et al. Extensive surgical and comprehensive postoperative medical management for cystic fibrosis chronic rhinosinusitis. Am J Rhinol Allergy 2012;26:70-5.

82. Wallwork B, Coman W, Mackay-Sim A, Greiff L, Cervin A. A double-blind, randomized, placebo-controlled trial of macrolide in the treatment of chronic rhinosinusitis. Laryngoscope 2006;116:189-93.

83. Wood JW, Casiano RR. Inverted papillomas and benign nonneoplastic lesions of the nasal cavity. Am J Rhinol Allergy 2012;26:157-63.

84. Wright ED, Agrawal S. Impact of perioperative systemic steroids on surgical outcomes in patients with chronic rhinosinusitis with polyposis: evaluation with the novel Perioperative Sinus Endoscopy (POSE) scoring system. Laryngoscope 2007;117:1-28.

CHAPTER

20

내시경 부비동수술

고려의대 이비인후과 **박일호**, 고려의대 이비인후과 **이흥만**

> **CONTENTS**

I. 내시경 부비동수술의 원리와 개념

II. 적응증

III. 수술 전 준비

IV. 수술 중 고려사항

V. 수술 방법

VI. 특수한 상황

VII. 수술 후 처치

HIGHLIGHTS 〉〉〉

- 내시경 부비동수술의 최종 목적은 부비동의 환기와 점액섬모청소가 가능한 환경을 재건하여 부비동의 기능을 복원하는 것임
- 수술 시의 원칙으로는 필요 이상의 점막 제거는 피하고 병변과 무관한 점막은 남겨두어야 하며 특히 두개저, 지판, 그리고 부비동 내강의 점막은 최대한 보존하도록 노력해야 함
- 내시경 기구와 술기의 개선으로 현재는 내시경수술의 절대적인 적응증과 금기증의 기준이 구분되어 있지 않으며, 그보다는 가용한 장비와 기구 그리고 술자의 경험에 따라 내시경의 적용 범위의 한계를 정확히 파악하는 것이 더 중요함
- 수술 후 처치는 내시경 부비동수술의 결과에 매우 큰 영향을 주지만 아직까지 표준화되어 있지 않아 술자에 따라 다양하게 시행함. 흔히 시행하는 수술 후 처치는 비강 세척, 비강 청소, 경구스테로이드, 국소스테로이드, 항생제 등이 있음

I │ 내시경 부비동수술의 원리와 개념

내시경 부비동수술은 이미 19세기 초부터 시도되었던 부비동 질환의 내시경을 이용한 접근이 1978년 Messerklinger가 발표한 부비동의 점액섬모 청소에 관한 생리학적 연구 성과를 통해 이론적 근거를 갖추면서 발전하기 시작하였다(Stammberger, 1994). 심한 염증성 병변도 적절한 원인 인자의 제거를 통해 정상 조직으로 환원되는 것이 가능함을 이해하면서 기존의 침습적 술식을 대체하고 현재는 내과적 치료에 반응하지 않는 비부비동의 염증성 질환에 대한 표준 수술 치료로 자리잡았다.

현재까지의 일반적인 내시경 부비동수술의 최종 목적은 부비동의 환기와 점액섬모청소가 가능한 환경을 재건하여 부비동의 기능을 복원하는 것이다. 이러한 목적은 Kennedy가 제시한 기능적 내시경 부비동수술functional endoscopic sinus surgery이라는 용어에 잘 반영되어 있으며(Kennedy et al., 1985), 이를 위해서는 이미 비가역

적 손상이 발생한 질병 점막과 뼈를 선택적으로 조심스럽게 제거하고 정상 조직을 최대한 보존하면서 질환이 발생한 각각의 부비동의 입구를 확보하는 과정이 필요하다. 개구비도단위ostiomeatal unit, OMU는 상악동, 전사골동 그리고 전두동의 자연공이 밀집되어 있어 이 부위의 경미한 병변으로도 부비동의 정상 생리가 손상되어 질환이 유발될 수 있으므로 개구비도단위는 내시경 부비동수술에서 가장 중요한 대상 부위 중 하나이다. 내시경 부비동수술의 과정에서 자연공의 확보를 위해 골격막은 제거하되 필요 이상의 점막 제거는 피하고 병변과 무관한 점막은 남겨두어야 하며 특히 두개저, 지판, 그리고 부비동 내강의 점막은 최대한 보존하도록 노력해야 한다. 불필요한 점막의 제거는 상처 회복 과정에서 과도한 육아 조직의 형성 및 유착과 같은 문제를 일으킨다. 합병증이 동반된 급성 비부비동염이나 광범위한 진균성 부비동염 그리고 범발성 비용의 경우에는 일반적인 내시경 부비동수술의 원칙을 고려하되 수술범위의 확대가 필요할 수 있다.

부비동수술에 내시경이 도입된 이후로 경험이 누적되고 활발한 교류가 이루어지면서 대부분의 술자가 지금까지 확립된 원칙에 근거하여 비교적 표준화된 술식을 시행하고 있다. 이러한 경향으로 인해 부비동수술의 시행에서 OMU에 대한 중요성이 지나치게 강조되고 비부비동 질환의 다양한 병인과 아형에도 불구하고 동일한 절차의 수술이 시행되고 있다. 그러나 현재는 대부분의 임상의가 내시경 부비동 수술이 만성비부비동염 완치의 충분조건이 되지 않음에 동의하고 있으며, 실제로 적지 않은 수의 환자가 재발로 인하여 재수술이나 추가 약물치료를 받고 있다. 앞으로 내시경 부비동수술이 현재의 한계를 극복하고 환자맞춤형 수술로 자리매김을 하기 위해서는 비부비동 염증성 질환의 발생원인에 따른 체계적인 분류 및 각 아형이 수술적 접근에 미치는 영향에 대한 지속적인 연구가 필요하다.

II | 적응증

비부비동 질환의 치료는 크게 보존적 치료와 수술로 나뉘며 수술은 다시 외부접근법과 내시경접근법으로 나뉜다. 임상의는 병력, 비내시경 검사 소견, 부비동 전산화 단층촬영을 포함한 영상학적 진단 등의 결과를 바탕으로 보존적 치료 또는 수술을 선택하게 된다. 내시경의 사용은 (1) 흉터를 만들지 않고, (2) 여러 기관의 정상 기능을 보존하며, (3) 외부 절개를 통해서는 시야를 확보하기 어려운 병변에 접근이 용이할 수 있으며, (4) 선명하고 확대된 수술부위 시야를 확보할 수 있는 장점이 있다. 이러한 이유로 외과적 치료를 선택하게 되면 대부분의 비부비동 질환의 치료에서 내시경이 일부 또는 전체 시술에 사용되고 있다. 과거에는 일부 가이드라인에서 적

응증과 금기증을 제시하기도 하였으나 현재는 내시경수술의 절대적인 적응증과 금기증의 기준이 명확히 구분되어 있지 않으며, 그보다는 가용한 장비와 기구 그리고 술자의 경험에 따라 내시경의 적용 범위의 한계를 정확히 파악하는 것이 더 중요하다.

내시경 부비동수술 시행의 가장 흔한 원인은 약물치료를 포함한 보존적 치료에 실패한 만성 비부비동염이다. 만성 비부비동염에서 수술은 폐쇄된 자연공을 개방하여 적절한 부비동의 환기 및 배출을 위한 통로를 확보하고 이를 통해 점액섬모 기능을 정상화하기 위한 목적으로 시행된다. 그러나 여전히 수술 이후에도 질환이 지속되는 경우가 적지 않다(Smith et al., 2013). 즉, 만성 비부비동염에서 수술이 시행된다고 하더라도 여전히 추가 약물치료가 필요한 경우가 많기 때문에 수술이 치료의 끝이라기보다는 치료 과정의 한 단계로 고려되어야 한다. 비용이 동반된 만성 비부비동염의 경우에는 이러한 경향이 더욱 두드러진다. 특히 천식, 알레르기 진균성 비부비동염, 아스피린 유발 호흡기 질환aspirin-exacerbated respiratory disease과 동반된 비용의 경우 치료가 매우 어려우며 수술의 예후가 불량하다.

만성 비부비동염 이외에 내시경 부비동수술이 선호되는 질환으로는 합병증이 동반된 급성 비부비동염, 재발이 잦은 급성 비부비동염, 진균성 부비동염, 점액류 등이 있다. 합병증이 동반된 급성 비부비동염은 비강점막의 부종과 심한 염증으로 인하여 만족스러운 내시경 시야를 확보하기 어려운 경우가 많아 과거에는 외부접근법이 선호되었으나 내시경 술기의 발달로 현재는 내시경수술의 역할이 커지고 있다. 특히 안와의 내측에 발생한 골막하 농양의 경우 내시경수술이 표준치료로 자리잡고 있으며 안와상부에 발생한 골막하 농양에서도 내시경 사용에 대한 보고가 꾸준히 발표되고 있다(Gavriel et al., 2016). 하지만 여전히 안와 외측과 안와 내 합병증 그리고 두개 내 합병증이 발생한 경우에는 외부접근법

의 역할이 중요하다(Bedwell and Bauman, 2011; Ketenci et al., 2013). 점액류의 경우 용이하게 내시경을 이용한 조대술로 외부접근법을 통한 완전절제술 못지 않은 만족스러운 결과를 얻을 수 있어 내시경접근법이 침습적인 외부접근법을 대부분의 경우에서 대체하고 있다(Har-El et al., 1997; Har-El, 2001; Ikeda et al., 2000). 특히 전두동 후벽과 같은 복구가 어려운 부위의 골결손이 동반된 점액류의 수술에는 내시경적 조대술이 오히려 더 적합한 선택이다(Chiu and Vaughan, 2004).

비강과 부비동 및 뇌기저부 종양의 절제, 두개저 결손, 안와 감압술orbital decompression, 시신경 감압술optic nerve decompression, 누낭비강문합술dacryocystorhinos-tomy 등에도 내시경이 사용된다. 과거에는 외부접근법이 선호되었던 비부비동의 양성 및 악성종양의 치료에 내시경수술이 적극적으로 도입되고 있으며 기대할 만한 결과가 보고되고 있다(Nicolai et al., 2008; Lund et al., 2007). 내시경접근법으로는 전통적인 악성종양의 치료 원칙인 절제연margin 확보 및 일괴적출en bloc의 원칙을 지키기가 어려운 경우가 많지만 분할절제piecemeal resection를 시행한 후 방사선치료 및 항암 치료를 병행하면 장기 예후의 차이가 적고 삶의 질 향상에 도움이 된다는 연구가 다수 보고되었다. 최근에는 뇌척수액 비루cerebrospinal fluid rhinorrhea 및 전방뇌수막류anterior meningoencephalocele의 치료에서 내시경을 이용한 수술이 표준 술식으로 받아들여지고 있으며, 터키안sella turcica 병변에 접근하기 위한 내시경적 경접형동 접근법transsphenoidal approach이 널리 사용되고 있다. 경우에 따라 측두하와infratemporal fossa, 사대clivus, 전·중두개저anterior and middle cranial fossae 및 추체첨부petrous apex 접근에도 내시경을 활용한다.

그 외 비강 이물 제거, 후비공 폐쇄choanal atresia 복원, 조절되지 않는 후방 비출혈 및 두통과 안면 통증 등에도 내시경수술이 사용된다(Gosepath et al., 2007; Tosun et al., 2000). 두통과 안면통에서의 내시경 부비동수술의 적응은 논란이 있다. 내시경 부비동수술이 두통을 호전시키는 경우는 상당히 제한적이기 때문에 수술을 결정하기 전에 충분한 신경학적 검사가 선행되어야 한다. 급성, 아급성, 만성 비부비동염 모두에서 두통이 동반될 수 있으나 일반적으로 고열과 화농성 비루가 동반된 급성 비부비동염에서 두통이 동반되는 경우가 많으며 만성 비부비동염은 상대적으로 두통이 동반되는 경우가 드물다. 비부비동염은 비내시경과 컴퓨터 단층촬영의 소견을 통해 진단할 수 있으며, 두통 때문이 아니더라도 질환 자체의 치료 목적으로 수술을 시행할 근거가 있는 경우가 많기 때문에, 두통이 주 증상 중 하나이더라도 치료로 수술을 선택할 때 부담이 상대적으로 적다. 그러나 컴퓨터단층촬영에서 점막 이상 소견이 동반되지 않을 수 있는 접촉점 두통contact-point headache이나 압력부비동염barosinusitis은 편두통migraine, 긴장성 두통tension headache, 군발성 두통cluster headache과 같은 두통의 다른 원인과의 감별진단이 어려울 수 있으므로 진단에 대한 확신이 없다면 수술을 결정하기 전에 신경과와의 협진이 필요하다. 접촉점 두통으로 진단하기 위해서는 컴퓨터단층촬영에서 접촉점의 관찰이 확인되어야 하며 동시에 국소마취제의 적용이나 점막수축제의 사용이 두통의 호전과 연관성을 보일 필요가 있다(Clerico et al., 1997). 안면통을 유발하는 압력 두통은 비행이나 다이빙에 의해 유발되므로 문진을 통해 의심할 수 있다. 그러나 이러한 근거를 바탕으로 내시경 부비동수술로 해부학적 이상을 교정하였더라도 증상의 호전을 담보할 수는 없기 때문에 장기간의 추적관찰이 필요하다.

Ⅲ | 수술 전 준비

1. 병력청취

수술의 시행 여부를 결정하기 전에 자세한 병력 청취를 시행한다. 이전에 시행한 약물치료를 포함한 내과적 치료의 종류와 기간 및 치료반응 등에 대한 과거의 기록을 파악하고 필요한 경우 추가 치료를 시행한다. 수술은 내과적 치료가 실패하거나, 일차적으로 수술이 필요한 적응증일 경우 시행한다. 질환의 경과 및 수술의 예후와 관련될 수 있는 요소를 술 전에 인지하여야 하며, 이러한 요소에는 흡연을 포함한 생활습관과 환경 요소 그리고 천식, 아스피린 과민증, 알레르기 및 면역질환과 같은 동반 질환의 유무, 마지막으로 환자의 순응도와 정신과적 질환의 동반 유무 등이 있다.

2. 신체검사

수술을 시행하기에 앞서 부비동과 주변 기관에 대한 신체검사를 시행한다. 기본적인 이비인후과 신체검사를 시행하며 간단한 안과 검사도 병행하도록 한다. 비강의 관찰은 전비경과 비내시경을 사용하여 시행하며 비중격의 형태와 비강의 전반적인 상태를 검사한다. 비강의 해부학적 특성을 검토하며 특히 이전에 수술을 받은 경우에는 더욱 주의 깊은 관찰이 필요하다. 병변 주변으로 점막의 심한 염증이 관찰되거나 점막과 기구와의 가벼운 접촉에도 쉽게 출혈이 있는 경우 수술 중에 점막 출혈로 시야의 확보가 어려울 수 있으므로 이에 대한 충분한 전처치가 필요하다.

3. 영상학적 검사

부비동 컴퓨터단층촬영Paranasal sinus computed tomography, PNS CT은 비부비동의 해부학적 구조와 병변을 평가하고 수술을 준비하기 위해 유용한 영상학적 검사 방법이다. 2~5 mm 간격으로 단층촬영을 시행하며, 일반적으로는 3 mm 간격으로 촬영한다. 부비동 CT를 통해 전비경검사나 비내시경으로 확인하지 못한 병변을 찾을 수 있다. 하지만 CT에서 관찰되는 이상소견과 환자의 증상이 항상 상관관계가 있는 것은 아니므로 해석에 주의를 요한다. CT에서 골미란 또는 골결손이 있으면 자기공명영상촬영Magnetic resonance imaging, MRI을 시행하여 종양이나 뇌수막류, 뇌수막탈출증enchephalocele 등의 질환을 감별한다. 관상면coronal view에서는 OMU의 상태와 부비동과 두개 및 안와와의 관계를 잘 관찰할 수 있고 축상면axial view에서는 후사골동과 접형동의 구조를 확인할 수 있다. 시상면sagittal view에서는 전두와와 두개저의 기울기를 확인할 수 있다. 술자는 관상면/축상면/시상면의 영상을 종합해 부비동을 3차원적인 구조로 머리속에 재구성할 수 있어야 한다.

수술을 준비하기 위해 CT를 검토하는 과정에서 수술에 영향을 줄 수 있는 주요 구조물의 특성과 위험 요소를 놓치지 않기 위해서는 검토 항목을 표준화하는 것이 도움이 된다. 이미 많은 저술에서 모범이 될 만한 예시를 제시하고 있으며 공통으로 언급하고 있는 검토 항목은 다음 표와 같다(Vaid et al., 2011; Meyers and Valvassori, 1998; Bayram et al., 2001)(표 20-1). 간략히 정리하면 각 부비동의 배출로와 정상적으로 존재하는 비중격, 비갑개, 구상돌기 등의 해부학적 변이를 확인하고 전두동, 상악동 그리고 접형동 내부로 함입되는 사골봉소인 전두와봉소, 안와하봉소, 그리고 Onodi 봉소를 인지하고, 부비동과 주변의 주요 기관인 안와, 두개저, 경동맥, 시신경과의 관계를 파악하는 과정으로 이해할 수 있다.

표 20-1   수술 전 CT 검토 항목

비중격	모양
중비갑개	모양, 두개저와의 관계
구상돌기	구상돌기의 각도, 지판과의 관계, 상부 부착 부위
상악동	함기화, 안와의 높이, Haller 봉소, 하안와신경, 부공
사골동	전, 후 사골동맥, 두개저의 위치와 각도, 지판, Onodi 봉소, 시신경의 포함 여부
접형동	크기, 중격의 위치 및 경동맥과의 관계, 시신경
전두동	함기화, 전두동의 배출경로, 전두와의 전후 및 좌우 크기, 비제 봉소, 전두와봉소
기타	후열, 골재형성, 비인강

특히 지판의 상악동 자연공 내측 위치, 상악동 발육부전, 사골천장 기형, 지판 결손, 시신경과 경동맥의 이상 주행 및 골결손을 포함하는 접형동벽의 이상, 접형사골봉소 존재는 안와 및 두개 내 합병증의 위험을 증가시키므로 반드시 확인이 필요하다.

수술 전 영상학적 검사가 필요한 또 다른 이유는 적절한 도구와 장비의 준비와도 관련이 있다. 영상학적 검사에서 판단하여 필요한 경우 내시경 부비동수술용 드릴, 영상유도장치의 사용 가능 여부를 확인할 필요가 있다.

IV | 수술 중 고려사항

1. 마취

마취방법은 수술 범위, 환자의 상태 및 술자의 선호도 등의 요소에 따라 선택할 수 있으며, 선택 전에 각 방법

의 장단점과 특징을 환자에게 설명할 필요가 있다. 전신마취가 선호되나 경우에 따라서는 국소마취로도 효과적으로 내시경 부비동수술을 시행할 수 있다. 병의 범위가 광범위한 경우, 수술 시간이 길 것으로 예측되는 경우, 출혈로 인한 기도 내 흡입이 우려되는 경우 그리고 환자의 불안감이 큰 경우에는 전신마취를 시행한다.

1) 국소마취

과거에는 국소마취 하에서 내시경 부비동수술을 보편적으로 많이 시행하였다. 국소마취는 기관 삽관이 필요 없고 전신마취로 인한 위험을 줄일 수 있는 장점이 있다. 전신마취에 비해 수술 시간과 회복 기간이 짧고, 수술 직후의 구역, 구토, 비출혈, 그리고 예기치 못한 재입원의 빈도가 낮다고 보고되었다(Fedok et al., 2000). 또한 환자가 의식이 있는 상태이기 때문에 안와 골막과 두개 경막에 접근할 경우 환자가 통증을 호소하여 안와 내 또는 두개 내 합병증의 위험을 낮출 수 있으며, 수술 중에 안와로의 손상이 발생한 환자의 시력을 실시간으로 확

인 할 수 있어 도움이 된다고 알려져 있지만 국소마취가 전신마취에 비해 내시경 부비동수술의 합병증 발생빈도가 더 높다는 연구결과도 있어 어느 마취 방법이 합병증 발생이 더 낮은가에 대해서는 단언하기 어렵다(Gittelman et al., 1993). 국소마취의 가장 큰 단점은 환자의 불안감을 조절할 수 없다는 점이기 때문에 진정을 함께 시행하는 편이 도움이 된다. 진정은 환자의 불안감과 혈압을 낮추어 출혈을 줄여준다. 대부분의 경우 국소마취로 내시경 부비동수술을 성공적으로 시행할 수 있으나 수술 중에 환자의 상태가 불안정해지면 신속히 지혈을 시행하고 수술을 중단한다. 경우에 따라서는 전신마취로의 전환도 고려한다.

국소마취를 위해서는 1% lidocaine과 1:100,000 epinephrine의 혼합액을 주로 사용한다. 비중격, 하비갑개 그리고 중비갑개에 주사한다. 경우에 따라서는 구강을 통해 대구개공greater palatine foramen을 통한 차단술이 출혈 감소에 도움을 줄 수 있다. 주사를 하고 난 뒤에는 혈관수축과 추가 표면 마취를 위하여 lidocaine과 1:1000 또는 1:2000으로 희석한 epinephrine을 적신 거즈를 비강에 삽입한다. 심혈관계 질환을 가지고 있는 환자에서는 epinephrine을 좀 더 희석하여 사용하는 것을 권장한다.

2) 전신마취

현재는 내시경 부비동수술의 시행을 위해 전신마취가 더 많이 시행되고 있다. 전신마취의 장점은 기도 확보와 환자의 자세고정이며, 과거에 비해 개선된 전신마취의 안전성도 전신마취가 선호되는 이유 중 하나이다. 특히, 과거에 비해 내시경 부비동수술 술기가 정교해지면서 수술시간이 길어지고, 수술에 동원되는 장비의 종류도 많아져 환자의 자세 고정은 더욱 큰 장점이 된다.

전신마취가 이루어지면 기관 삽관을 하여 기도를 확보한다. 삽관용 튜브는 흡인을 방지하기 위한 기낭을 포함하여야 하며, 철심 등으로 강화된 제품이 튜브가 구부러져서 발생할 수 있는 기도의 폐쇄를 방지할 수 있어 안전하다. 전신마취에서도 부분마취와 마찬가지로 혈관수축제를 국소적으로 사용하여 수술 중 출혈을 줄여준다.

수술 중 출혈은 출혈량, 시야 확보 및 조작의 정확성 그리고 수술시간과 밀접한 관련이 있기 때문에 전신마취로 인한 혈역학적인 변화는 중요한 관심사이다. 전신마취를 위해 최근에 많이 사용하고 있는 방법으로 총정맥마취total intravenous anesthesia, TIVA가 있다. 총정맥마취는 흡입마취보다 출혈량이 적고 전신혈관저항의 감소 없이 심박출량을 줄여주어 수술 중 지혈 및 수술 시야 확보가 용이하다(Ahn et al., 2008; Kelly et al., 2013). 직접적으로 혈압을 조절하기 위한 약제를 고려할 수 있으나 약물 기전에 따른 혈역학적 변화에 대한 충분한 인지가 필요하다. 예를 들어 nitroglycerine이나 sodium nitroprusside은 저혈압 상태를 만들어 수술 중 출혈을 줄일 수 있으나 보상성 빈맥 및 심박출량 증가로 인해 오히려 출혈을 악화시킬 수 있다(Boezaart et al., 1995; Jacobi et al., 2000). 반면에 β-억제제는 말초혈관의 저항을 증가시키지 않고 심박출량만을 선택적으로 낮추어 혈압을 낮추어 주기 때문에 도움이 된다.

2. 의사, 환자 및 기구의 위치

술자는 수술을 서서 하거나 앉아서 할 수 있지만 전신마취가 보편화되고 수술 시간이 대체적으로 증가하여 앉은 상태를 권고한다. 보통은 환자의 우측에서 수술을 하게 된다. 술자는 내시경을 들고 있는 우측의 팔꿈치를 적당한 높이의 테이블이나 팔걸이에 기댈 수 있도록 하여 내시경이 흔들림을 방지할 수 있다. 환자는 바른 자세로 수술침대에 누워있도록 한다. 수술침대를 머리가 높고 다리가 낮은 anti-Trendelenburg 위치로 조정하면 두개저의 기울기와 내시경의 진행방향이 평행이 되도록 하여 두개저 손상의 위험을 줄여줄 수 있고 돌출되어 있는 삽관 튜브가 손의 움직임을 방해하지 않으며 수술 부위의 출혈을 감소시킬 수 있는 장점이 있다. 환자의 머리가 술자를 향하게 하면 술자가 앉아서도 팔을 높이 올려줄 필요가 없어 도움이 된다. 수술기구 테이블과 내시경의 부속기구는 환자의 왼쪽과 머리 부근에 위치시킨다. 만약 수술 중 네비게이션을 사용할 계획이라면, 환자의 머리 위에 시스템을 위치시켜 술자가 네비게이션 화면과 내시경 화면을 편안하게 볼 수 있도록 내시경 모니터를 배치한다. 이러한 환자의 위치와 수술기구의 배치에는 마취의의 협조가 필요하다.

V | 수술 방법

1. 기본 술기

내시경 부비동수술은 전방에서 후방으로 진행하는 전진접근법과 후방에서 전방으로 진행하는 후진접근법으로 나눌 수 있다. 전진접근법은 Messerklinger가 처음 확립한 접근방법으로 비내시경을 이용하여 전방으로부터 구상돌기의 제거를 통한 누두infundibulum의 노출로 시작하여 사골포의 제거, 전두동 자연공의 노출, 사골포의 천장 확인 등의 과정으로 진행하게 된다. 두개저가 확인되면 후방으로 남아있는 전사골동을 제거하고 후사골동의 제거와 접형동 자연공 개방을 시행한다. 상악동 자연공을 확인하고 필요시 자연공을 넓혀준다. Wigand는 사골동 제거를 후방에서 전방으로 시행하는 방법을 제안하

였다. 중비갑개의 일부를 제거하고 후사골동 봉소를 개방한 뒤 접형동의 전벽을 제거한다. 접형동 내부에서 두개저가 확인되면 전방으로 후사골동과 전사골동 봉소를 제거한다. 이 방법의 장점은 두개저를 조기에 확인한다는 점이다. 실제로는 두 가지 방법이 결합되어 시행된다.

내시경 부비동수술은 좁은 비강 내로 내시경과 기구를 함께 삽입하므로 기구는 적절한 크기와 모양을 갖추어야 한다. 내시경 부비동수술은 대개 왼손은 내시경을 잡고 오른손은 수술기구나 흡인단자suction tip를 조작해야 하는 '한 손' 수술이다. 하지만 내시경이 제공하는 명확한 시야와 비강 내에서의 내시경의 자유로운 움직임 등이 이러한 어려움을 충분히 보상하기 때문에 경험이 풍부한 술자에게는 큰 문제가 되지 않는다. 내시경의 끝을 직접 보면서 비전정에 삽입하면 불필요한 상처를 막을 수 있고 코털을 피할 수 있다. 코털 점액이나 분비물이 렌즈에 묻으면 시야를 방해할 수 있으므로 코털은 미리 짧게 깎아둔다. 비전정의 상부에 내시경을 기대면서 비강의 바닥과 평행하게 내시경을 전진하면, 안정적인 시야를 얻을 수 있고, 그 아래로 내시경과 기구를 삽입할 공간을 확보할 수 있다. 술자는 내시경과 수술기구가 수술 중에 비강 내에서 교차하지 않도록 한다. 70° 내시경을 사용하여 전두동에 접근할 경우 기구 아래 내시경을 위치시키면 수술 기구의 끝을 눈으로 확인하여 기구가 점막에 상처를 주지 않도록 할 수 있다. 비강 점막의 작은 상처에 의한 출혈로도 시간이 지체될 수 있고 또한 불필요한 유착의 원인이 될 수 있으므로 수술 중에 항상 주의해야 한다. 내시경은 선명하고 넓은 수술시야를 제공하므로 내시경을 수술 부위로 지나치게 가까이 접근시키고자 하는 유혹이 생긴다. 이렇게 내시경을 근접시켜 수술을 하면 잔여 격벽을 충분히 제거하지 않은 상태에서 전진하는 경향이 생기기 때문에, 특히 후사골동이나 접형동 부위까지 도달해야 할 때는 전반적인 시야의 확보가 부족한 상태에서 바로 앞부분만 잘 보이는 터

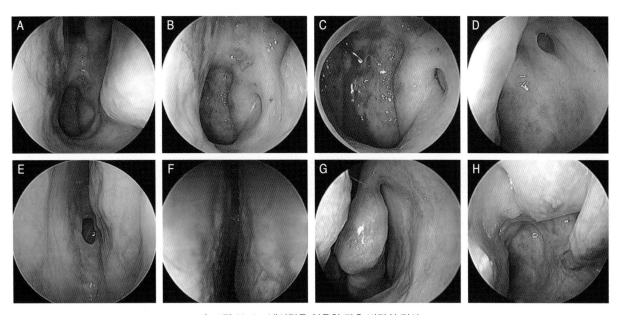

| 그림 20-1   내시경을 이용한 좌측 비강의 검사
A. 하비갑개. B. 이관. C. 비인두. D. 비루관. E. 접형동 자연공. F. 후각열. G. 중비갑개와 구상돌기. H. 사골포, 반월열공 및 접형구개 부위

널시야가 형성된다. 근접화면에서는 원근감이 없어지고, 충분히 내시경이 삽입되지 않은 것 같은 느낌이 들게 되고, 이로 인하여 깊이에 대한 착각이 유발되는 위험한 상황이 생길 수 있다. 내시경은 가능하면 기구 뒤로 거리를 두어 정확한 방향을 잡기 위한 해부학적 지표를 같이 확인하도록 한다.

2. 내시경을 이용한 관찰

수술의 시작과 함께 환자의 비강을 4 mm 0° 또는 30° 내시경을 이용하여 관찰한다. 우선 혈관수축제를 이용하여 비점막을 수축시키기 전에 비중격과 비강의 외벽의 손상에 유의하면서 내시경을 비강 내로 전진시켜 점막과 점액 그리고 분비물의 양상을 확인한다. 반드시 양측을 확인하고 해부학적 변이를 확인한다. 기본적인 관찰이 끝나면 혈관수축제를 충분한 시간 동안 사용하여 비

강 점막의 충혈을 완화시키고 보다 체계적으로 비강을 관찰한다(그림 20-1). 첫 단계는 비강의 바닥을 따라서 비중격과 하비갑개의 사이로 내시경을 전진하여 하비갑개, 후비공, 비인두, 이관을 관찰한다. 필요한 경우 하비도 상부의 비루관 개구부를 확인한다. 두 번째 단계에서는 중비갑개와 비중격 사이의 구조물을 확인한다. 후비공 상단을 기준으로 접형사골함요sphenoethmoidal recess, 상비갑개, 접형동 개구부 그리고 후각열olfactory fissure을 관찰한다. 마지막 단계에서는 중비도로 내시경을 전진하면서 구상돌기uncinated process, 반월열공hiatus semilunaris, 상악동 자연공, 사골포ethmoid bulla, 접형구개 부위 sphenopalatine area를 관찰한다. 중비도를 관찰하기 위해서는 중비갑개를 내측으로 이동시킬 필요가 있다. Freer 거상기를 사용하여 중비갑개를 부드럽게 내측으로 밀어 중비도의 시야를 확보한다. 그러나 중비갑개의 최상부는 두개저와 연결되어 있어 과도한 조작 시 중비갑개가 불안정해지거나 두개저 골절을 야기할 수 있기 때문에 주

의해야 한다. 본격적인 술식 이전에 내시경을 이용하여 비강을 관찰하는 과정은 반드시 상기 기술된 순서를 따라야 하는 것은 아니지만 비강 내부를 체계적으로 관찰하는 단계는 반드시 필요하다.

3. 구상돌기 절제

구상돌기 절제술은 내시경 부비동수술의 첫 번째 단계로 적절하게 시행하지 못할 경우 수술 실패나 안와 및 비루관 손상의 원인이 될 수 있으므로 주의가 필요하다. 구상돌기는 낫sickle 모양의 골로 상방으로는 상악골maxilla의 전두와frontal recess, 중간 부위는 누골lacrimal bone, 하방으로는 하비갑개와 닿아 있고 후방은 다른 구조물과 연결되어 있지 않은 자유연을 이룬다. 점막으로 덮여 있는 상태에서 구상돌기와 상악골 사이의 경계가 연결부위의 굴곡으로 구분될 수 있다. 비용의 동반이나 구상돌기의 경골화 및 외측화 등의 이유로 구상돌기의 위치가 명확하지 않을 수 있으며 이러한 경우에는 ball-tipped probe 또는 freer 거상기로 후방의 자유연 또는 예상되는 경계를 촉진하여 위치를 확인한다. 구상돌기 절제술은 겸상도sickle knife로 구상골기의 중간 부위에 절개를 가하여

시행한다. 필요한 경우 ball-tipped probe로 미리 구상돌기를 내측으로 당겨놓은 후 절개를 시작한다. 칼날이 외측을 향하지 않고 가능한 비중격에 평행하도록 칼날을 삽입하고 구상돌기의 부드러운 골조직을 충분히 통과한 이후에 역시 비중격에 평행하게 절개를 진행한다. 하방에서는 구상돌기가 초승달 모양임을 고려하여 후하방으로 절개를 진행한다(그림 20-2). 남아 있는 구상돌기 상부는 cutting forcep을 이용하여 제거하나 상방의 구상돌기 일부는 전두와 주변의 협착을 방지하고 전두동 자연공의 위치 확인을 위한 표지자로 남겨둔다. 하방에 남게 되는 구상돌기의 수평부는 미세절삭기microdebrider나 downbiting forcep 등의 기구를 사용하여 제거한다. 구상돌기 절제 후에 자연공이 관찰되지 않으면 구상돌기 전하방의 일부가 남아 있을 수 있어 확인이 필요하다. 구상돌기 제거는 backbiting forcep을 이용하여 후방에서 전방으로 시행할 수도 있다. Ball tipped probe을 사골누두로 부드럽게 밀어 넣어 구상돌기를 내측으로 이동시킨 후 backbiting forcep을 사용하여 구상돌기 중간 1/3을 제거한다. 전방으로 단단한 상악골 전두돌기에 닿으면 절개를 중지한다. 만약 구상돌기가 단단하여 상악골 전두돌기와의 경계가 애매한 경우에는 backbiting forcep 의 날의 끝부분을 내측으로 회전시키면서 전진하여 전

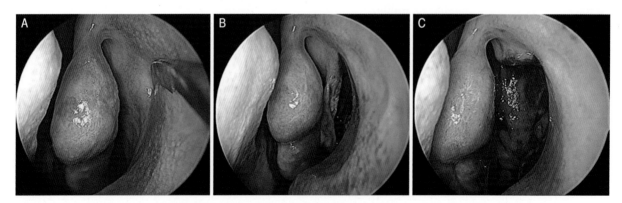

┃ 그림 20-2   A. sickle knife를 이용한 구상돌기 절개. B. 구상돌기 절개 후 소견. C. 구상돌기 절제 후 소견

두돌기가 손상되지 않도록 한다. 구상 돌기의 상부외측은 안와와 가까워 상부 절개를 시행할 때 안구의 손상에 주의해야 하며, 구상돌기가 접하고 있는 전방의 상악골 전두돌기 내에는 비루관이 위치하고 있어 backbiting forcep의 지나친 전방으로의 진행은 비루관 손상을 일으킬 수 있다.

4. 상악동 자연공 개방

구상돌기를 제거하면 외측에 위치한 사골 누두ethmoid infundibulum가 노출된다. 상악동의 자연공은 구상돌기

하방의 외측에 위치하며, 사골누두의 바닥으로 비스듬하게 기울어져 있어 명확한 관찰을 위해서는 30° 내시경이 필요하다. 자연공은 타원형의 형태를 띄고 후천문posterior fontanelle에 위치하는 부공accessory ostia은 원형에 가깝기 때문에 위치나 모양으로 구별이 가능하다. 구상돌기를 제거하지 않은 상태에서 발견할 수 있는 상악동의 개구부는 대부분 부공이다. 만약 점막의 부종이 심하여 상악동 자연공을 확인하기 어려우면 끝이 날카롭지 않은 굽어진 기구로 부드럽게 탐색하여 자연공의 위치를 확인한다. 안와의 위치가 상대적으로 낮은 경우 안와의 손상을 일으킬 수 있으므로 힘을 주어 상악동의 내벽을 뚫으려는 시도는 하지 않는다. 이미 확인한 자연

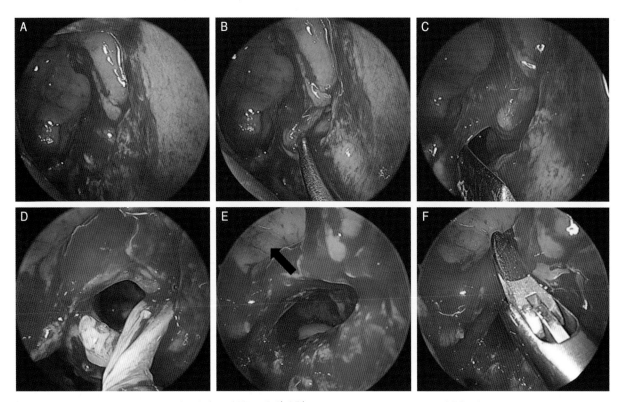

| 그림 20-3 **A.** 점막의 부종으로 인한 상악동 자연공 폐쇄(좌측). **B.** Curved ball-tip probe를 이용한 상악동 자연공 확인. **C.** Fontanelle knife를 이용한 자연공 후방 절개. **D.** 상악동 내부로부터의 분비물 흡입. **E.** Haller cell(화살표). **F.** Haller cell과 상악동 사이의 격벽의 제거

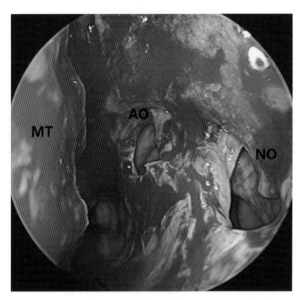

| 그림 20-4 상악동의 자연공(NO)과 부공(AO)

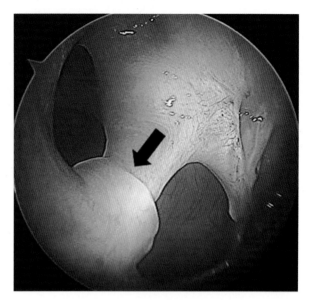

| 그림 20-5 재순환(recirculation) 현상

공을 넓혀줄 필요가 있다면 fontanelle knife 등의 기구를 사용하여 자연공의 후방으로 절개를 가하고 남아 있는 부분을 straight punch를 사용하여 정리하며 넓혀준다(그림 20-3). Fontanelle knife가 아닌 curved suction tip 등을 사용할 때는 상악동 점막이 상악골로부터 분리되지 않도록 주의한다. 자연공을 확대할 때는 부공과 연결시켜 자연공에서 흘러나오는 분비물이 다시 부공으로 흘러 들어가는 재순환recirculation 현상이 발생하지 않도록 한다(그림 20-4, 20-5) 자연공의 개방을 어느 범위까지 해야 하는가에 대해서는 논란이 있다. 상악동의 점액청소 기능의 저하, 혈관의 손상, 불필요한 조작으로 인한 유착의 발생 등의 가능성을 고려하여 불필요한 개방확대는 피하는 것이 좋겠지만, 비용이 심한 경우나 상악동 내부 병변에 접근이 필요한 경우에는 자연공의 개방을 크게 할 필요가 있으며 아래로는 하비갑개까지 후방으로는 상악동의 후벽까지 넓혀줄 수 있다. 상방과 전방은 안와와 비루관의 손상을 조심해야 한다. Haller cell이 있는 경우 상악동과 경계를 이루는 격막을 충분히 제

거한다. 상악동 자연공 개방이 마무리되면 상악동 내부를 30° 또는 70° 내시경을 이용하여 관찰하고 병변을 적절한 기구를 이용하여 제거한다. 상악동 내부의 병변이 개방된 자연공을 통해 접근하기 어려운 부위에 위치한 경우에는 견치와canine fossa 천공 또는 하비도개창술inferior meatal antrostomy을 시행하여 접근한다.

5. 전사골동 제거

사골포ethmoid bulla는 전사골동에서 가장 큰 세포로 중비도에서 전방으로 크게 돌출되어 있어 가장 두드러지게 관찰된다. 사골포 뒤의 공간retrobullar space이 있다면 이곳으로 기구를 밀어 넣어 사골포를 뒤에서 앞으로 제거할 수 있으나, 만약 공간이 존재하지 않는다면 큐렛과 같은 기구를 이용하여 사골포의 전면 내하방에서 사골포로 진입한다. 사골포를 전방에서 접근한 경우에는 시행한 천공을 통해 안전한 뒤쪽 공간의 존재여부를 확인

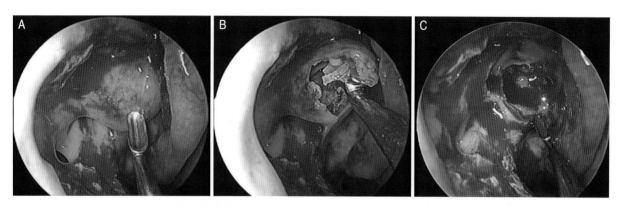

┃ 그림 20-6 **A, B.** 우측 사골포의 내하방에서의 큐렛을 이용한 내부로의 진입. **C.** 사골포의 전벽을 제거한 뒤의 내시경 소견

하여 사골포 내로 올바르게 진입하였음을 확인한다. 사골포의 전벽과 내벽을 제거하여 후벽이 충분히 노출될 수 있게 한다(그림 20-6). 사골포의 외벽은 지판hamina papyracea이다. 지판은 반드시 보호해야 할 구조이면서 동시에 가장 유용한 표지자이다. 전사골동의 제거를 시행하면서 외측을 조작할 때는 지판에 손상을 가하지 않도록 주의해야 하며, 점막이 뼈로부터 분리되어 상처회복이 지연되지 않도록 한다. 특히 전사골동 내에서 미세절삭기를 사용할 때는 날이 외측을 향하지 않도록 하여 치명적인 지판 및 안와 손상의 발생을 예방한다. 지판과 더불어 두개저를 확인하고 손상을 가하지 않도록 주의해야 한다. 후사골동까지 제거할 계획이라면 접형동의 전벽 상부에서 두개저를 확인한 후에 후방에서 전방으로 두개저의 위치를 추적하는 방법이 유용하고 안전하다. 후사골동의 제거를 시행하지 않을 경우에는 (1) 중비갑개의 두개저 부착부위 후내측 즉 사골포의 내상방에 얇고 손상되기 쉬운 두개저 부위인 사상판cribriform plate이 존재하고 (2) 두개저가 외측에 비해 내측이 얇고 쉽게 손상될 수 있고 (3) 외측에 비해 내측이 더 낮게 위치하여 쉽게 착각을 유발할 수 있는 등의 이유로, 내측에서 두개저를 확인하기 보다는 외측에서 두개저를 확인하는 것이 안전하다. 사골포의 상부로는 상사골포 세

포suprabullar cell와 비제봉소agger nasi cell가 있다. 이 두 세포는 두개저를 확인한 후 제거한다. 사골포를 모두 제거하면 전사골동의 뒤쪽 경계인 중비갑개의 기판basal lamella을 확인할 수 있다.

6. 후사골동 제거

후사골동에 접근하기 위해 중비갑개의 기판을 제거한다. 기판의 제거는 사골포로의 진입과 동일하게 두개저와 안와의 손상을 예방하기 위하여 내하방으로 시행하며, 중비갑개의 기판을 제거할 때는 수직부만 제거하고 수평부는 남겨두어 중비갑개가 불안정하게 되지 않게 한다. 후사골동 내의 세포 사이의 격벽을 충분히 제거하게 되면 내측으로는 상비갑개가 외측으로는 지판이 남게 된다. 가장 후방의 사골동은 접형동의 전상부에 위치하며, Onodi cell, posterior ethmoid cell 또는 spheno-ethmoid cell과 같은 다양한 명칭을 가진다. 드물지 않게 후사골동 세포가 크게 발달하여 접형동처럼 보일 수 있다. 만약 0° 내시경으로 바닥이 관찰된다면 이는 후사골동 세포임을 시사하는 소견이며, 접형동의 자연공을 통해 접형동의 정확한 위치를 파악하여 구별할 수 있다.

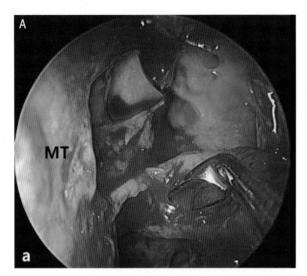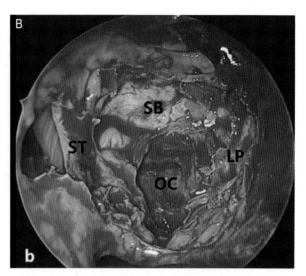

┃ 그림 20-7   A. 기판의 내하방에서의 큐렛을 이용해 좌측 후사골동으로 진입. B. 후사골동 제거 후 내시경 소견

MT: middle turbinate, ST: Superior turbinate, SB: skull base, LP: lamina papyracea, OC: Onodi cell

접형동의 자연공은 대부분 상비갑개의 내측에서 발견되며, 비강의 바닥으로부터 30° 각도로 비공으로부터 7 cm 거리에 위치한다. 전사골동에서와 마찬가지로 전방에서 후방으로 세포를 제거하는 과정에서 두개저가 명확하지 않다면 우선 하방의 격벽을 모두 제거한 뒤 후방에서 두개저를 확인한 후 후방에서 전방으로 두개저에 연결된 격벽을 정리하는 것이 안전하다(그림 20-7).

7. 접형동 자연공 개방

접형동으로 접근하기 전에 방사선학적 검사를 통해 입체적으로 접형동의 해부학적 특성을 파악한다. 접형동은 중비갑개를 기준으로 내측과 외측으로 또는 비중격을 통하여 진입할 수 있다. 중비갑개의 외측으로 진입하는 경사골동 접근은 특히 사골동의 병변이 동반된 경우나 접형동의 병변이 외측에 존재할 때 유용하다. 사골동 절제술을 마무리하고 접형동의 전벽, 지판, 두개저 및 상

비갑개의 위치를 확인하고, 최후방 사골동의 내하방을 통하여 접형동에 진입한다. 상비갑개가 내측으로 위치하여 확인이 어려운 경우에는 backbiting forcep을 사용하여 중비갑개의 내후하방을 일부 제거하여 확인할 수 있으나 중비갑개가 불안정해지지 않도록 주의해야 한다. 접형동의 전방에 위치한 접형사골 함요sphenoethmoidal recess를 정확히 관찰하기 위해서 상비갑개의 하방 1/3을 cutting forcep으로 제거할 수 있으나 후각의 손상을 예방하기 위해 지나치게 상부까지 제거하는 것은 피한다(그림 20-8). 중비갑개의 내측으로 진입하는 경비강 접근은 접형동에 국한된 병변의 제거를 위해 시행할 수 있으며 비중격의 후방의 일부와 접형동 사이 중격을 제거할 경우 양측 접형동으로 접근이 가능하다. 경비강 접근은 사골동의 정상 해부 구조를 손상시키지 않는다는 점에서 장점이 있으나 비중격의 만곡이 심한 경우에는 어려울 수 있는 제한이 있다. 경비중격 접근법은 비강의 중심에서 벗어나지 않아 안전하게 접형동 내부로 접근할 수 있어 아직 내시경이 보편적으로 사용되기 전에 많

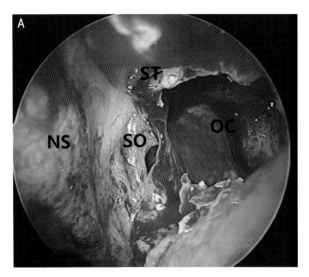 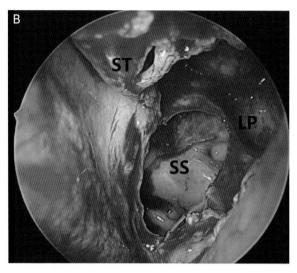

│ 그림 20-8 **A.** 상비갑개의 하부 1/3을 제거한 뒤 상비갑개의 내측으로 관찰되는 접형동 자연공. **B.** 접형동 전벽의 제거 후 내시경 소견
NS: nasal septum, SO: Sphenoid sinus ostium, ST: Superior turbinate, LP: lamina papyracea, OC: Onodi cell, SS: sphenoid sinus

이 사용되었던 방법으로 양측 접형동 내부를 넓은 시야로 관찰할 수 있는 장점이 있다. 접형동의 자연공을 확인한 이후에는 자연공을 통해 sphenoid punch와 같은 기구를 삽입하여 내하방으로 입구를 넓혀준다. 접형동 자연공의 하방으로는 접형구개동맥의 비중격분지가 지나가며 손상 시 적절한 지혈로 수술 후 출혈을 예방하며, 만약 비중격 피판을 사용할 계획이 있다면 비중격분지가 비중격 피판의 공급동맥이므로 보존하도록 한다. 접형동 내부의 모든 이물은 깨끗이 제거하며 동시에 점막이 손상되지 않도록 한다. 접형동의 후방, 상부 및 외측으로는 두개저와 시신경 및 내경동맥이 존재하기 때문에 각 구조물의 해부학적 지표에 대한 확신 없이는 상기 방향에 대한 접근은 피한다. 접형동 중격의 일부 경우는 동맥관carotid canal과 부착되어 있으며 동맥관의 23%가 골의 결손을 동반하고 있어 중격의 조작은 큰 주의가 필요하다.

8. 전두와 개방

해부학적 이해와 도구의 발달에도 불구하고 전두동은 여전히 내시경 부비동수술에서 가장 까다로운 부위이다. 전두동은 직선 시야의 상부에 위치하여 기타의 부비동수술과는 다른 각도의 내시경과 도구가 필요하고 전두와 주변의 해부학적 변이가 복잡하고 다양하기 때문에 전두동 수술에 익숙해지기까지는 많은 경험이 필요하다. 수술 후에 병의 지속이나 재발에 대한 우려가 높으며, 내시경을 이용한 수술 부위의 관찰이 상대적으로 용이하지 않은 경우가 발생할 수 있고, 실수로 인한 전두와 주변 점막의 손상은 병적인 상태의 지속이나 반복된 시술을 요구할 수 있다. 이러한 이유로 전두동 수술의 시작은 전두동 수술의 시행여부를 결정하는 과정부터 시작한다. 우선 전두동이 이환되지 않은 경우라면 불필요한 전두동 수술은 피하도록 한다. 전두동이 이환되어 있더라도 병변이 전두와 주변으로 제한되어 있고 OMU의 이상으로 인한 이차 병변이 의심된다면 전두와 개방을

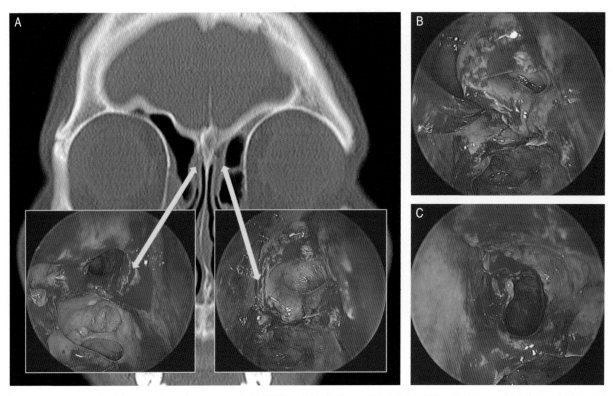

| 그림 20-9 **A.** 좌측에서는 구상돌기의 상부가 지판에 부착하고 우측에서는 중비갑개로 부착하는 환자의 CT와 비내시경 소견. **B.** 전두동 큐렛을 구상돌기 상부와 두개저 사이로 삽입하여 좌측 비제봉소의 제거를 시행. **C.** 좌측 비제봉소를 제거한 이후에 좌측 전두동와의 확장이 시행된 소견

하지 않고 수술 후 전두동 병변의 개선을 기대할 수도 있다.

전두와에 대한 수술을 하기로 결정하였다면 CT를 통한 전두동 및 전두와의 분석이 중요하다. 각이 있는 내시경과 도구를 사용해야 하므로 적합한 도구의 준비와 수술 공간의 확보를 담보해야 하며 이를 위해서는 전두동의 발달 정도, 전후 및 내외 길이를 포함한 전두와의 크기, 예상되는 전두와의 위치, 전두와 주변의 신생골 형성 유무 그리고 주변의 함입세포와의 관계 등을 충분히 파악하고 이를 3차원적으로 재구성하여 내시경에서 보이는 시야와 연결시킬 수 있어야 한다(그림 20-9).

전두와 개방을 위한 첫 번째 단계는 구상돌기 상부 부착부의 확인이다. 구상돌기의 상부는 중비갑개, 사골 와fovea ethmoidalis 또는 지판에 부착하며, 지판의 부착 부위에 따라 전두와의 배출로는 구상돌기의 내측 또는 외측에 위치한다. 구상돌기가 지판에 부착하는 경우가 가장 흔하며 전두와 배출로는 구상돌기의 내측으로 이어져 중비도와 연결되므로 구상돌기와 중비갑개의 사이에서 전두와를 찾을 수 있다. 전두와가 확인되면 후방의 두개저와 전방의 비제봉소agger nasi cell 또는 말단함요terminal recess 사이로 전두동 큐렛을 삽입하여 구상돌기 상부와 연결되어 있는 비제봉소 또는 말단함요를 제거하여 전두와를 노출시킨다. 구상돌기가 중비갑개나 사골와에 부착하는 경우에는 전두와의 배출로는 사골누두로 이어지며 구상돌기 상부 부착 부위를 제거하여 전두와를 확인할 수 있다. 전두와를 노출시키는 과정에서 생성되는 골편의 제거를 위해서는 giraffe 겸자를 이용하며 골편을 제거하는 과정에서 생성된 잉여 점막은 절삭 겸자cutting forcep나 미세절삭기microbrider를 이용하여 정리하고 전두와 주변의 점막이 손상되지 않고 보존될 수 있도록 주의한다.

전두와 개방을 시행하는 과정에서 다양한 전두와봉소frontal recess cell를 만날 수 있으며 이들의 해부학적 변이는 수술을 어렵게 하거나 수술이 실패하는 원인이 된다. 사골봉소에서 기원하는 전두와봉소는 크게 발달하는 경우 전두동 배출로가 좁아져 전두동염의 치유를 어렵게 한다. 전두와봉소를 적절히 제거하기 위해서는 술 전에 전두와와 전두와봉소의 관계를 CT를 통해 파악해야 하며 수술 중에는 네비게이션 장치가 도움을 줄 수 있다. 전두와봉소로는 상안와봉소supraorbital cell, 전두동 중격봉소intersinus septal cell, 1~4형 전두봉소frontal cell, 상사골포봉소suprabullar cell, 전두사골포봉소fronal bullar cell 등이 있다. 이들 봉소가 잘 발달되어 있는 경우 전두와와 혼동하여 전두와 개방이 적절하게 시행되지 않을 수 있으므로 주의가 필요하다. 전두와봉소의 위치가 확인되면 전두와와 전두와봉소 사이의 격벽을 최대한 상부까지 제거하여 전두동 배출로를 가능한 넓게 확보한다.

VI | 특수한 상황

내시경 부비동수술을 계획하고, 시행하고자 할 때 비부비동의 해부학적 변이가 동반된 경우를 종종 마주치게 된다. 비부비동의 해부학적 변이가 실제로 만성 비부비동염의 발생 및 경과에 미치는 영향은 아직까지 명확히 알려져 있지는 않지만, 이론적으로는 비중격 만곡증과 중비갑개의 함기화 봉소는 OMU를 좁히거나 막을 수

있고, 더불어 내시경수술의 시야뿐만 아니라 술기도 방해할 수 있다. 따라서 수술 전 계획단계에서 상기 해부학적 변이의 유무를 확인하고, 내시경 부비동수술 시행 시 교정여부를 결정해야 한다.

1. 비중격 만곡증

비중격 만곡이 코막힘을 유발하거나 내시경수술을 방해한다면, 비중격 성형술을 시행한다. 하지만 코막힘 등 증상을 유발하지 않거나 수술 시야 및 조작을 크게 방해하지 않는 비중격 만곡을 교정할지 여부는 논란이 있다. 비중격 만곡의 교정으로 내시경 부비동수술을 더 쉽게 진행할 수 있거나 수술 후 내시경검사나 가피 제거에 도움이 된다면 비중격 수술도 함께 시행하는 것이 좋다. 최근 내시경으로 시야를 확보하며, 비중격을 교정하는 내시경 비중격성형술이 널리 시행되고 있고, 이 술기는 비중격 후방까지 시야가 우수하고 전공의 교육 및 술기 지도에 용이하다는 장점이 있다.

2. 중비갑개 함기화 봉소

중비갑개의 함기화 봉소가 존재한다면, 내시경 부비동수술 시 중비도의 시야 확보를 위해 제거한다. 함기화 봉소의 전벽에 겸상도 등을 사용하여 절개를 하고, 미세절삭기 등의 기구를 사용하여 주변 정상 점막을 보존하며 제거한다. 후방으로 중비갑개의 기판까지 제거할 수 있으나 과도한 조작은 중비갑개의 불안정화를 유발할 수 있어 주의한다. 만약 중비갑개가 불안정해져 수술 후 외측화의 우려가 있다면 중비갑개를 완전히 절제하는 방법도 고려해야 한다.

3. 만성 비부비동염과 동반된 비용종

내시경 부비동수술 시 비용이 존재한다면 제거해야 한다. 미세절삭기를 사용하여 빠르게 용종을 제거하면 출혈을 줄이고, 시야 확보에도 도움이 된다. 중비도에 비용이 있는 경우 중비갑개와 주변 해부학적 지표를 확인하며 비용의 전방과 하방에서부터 제거하고, 안와 및 뇌기저부를 확인하며 안전하게 진행해야 한다. 비용이 중비갑개와 인접하거나 붙어있는 경우, 중비갑개도 함께 제거할 수 있다. 다른 술식과 유사하게 첫 수술이 비용을 제거하기 가장 용이하며, 재수술인 경우 과도한 출혈 등으로 시야 확보 및 조작에 어려움이 있다. 따라서 광범위한 비용이 있다면 첫 수술 시 가능한 깨끗이 비용을 제거하고, 부비동 개창술은 넓게 시행해야 한다. 앞서 언급하였듯이 전두동 및 전두와 수술은 증상이 없는 경우 반드시 접근할 필요는 없으나, 수술이 필요하다면, 비용은 전두와에서 흔하게 재발하기 때문에 전두동 개창술을 넓게 시행해야 한다.

VII | 수술 후 처치

수술을 마치고 출혈의 위험이 있을 경우 비강 패킹을 시행할 수 있지만 그렇지 않을 경우 시행하지 않는다. 환자가 마취에서 깨어나면 회복실로 옮긴 후 의식 상태를 확인하고 간단한 시야검사를 시행한다. 회복실에서 퇴원하기 전이나 병동으로 이동한 후 환자에게 과도한 활동, 코풀기 및 일부 약제가 출혈 가능성을 높일 수 있음을 설명하고 주의하도록 당부한다. 수술 후 처치는 내시경 부비동수술의 결과에 매우 큰 영향을 주지만 아직까지 표준화되어 있지 않아 술자에 따라 다양하게 시행되

고 있다. 흔히 시행하는 수술 후 처치는 비강 세척, 비강 청소, 경구스테로이드, 국소스테로이드, 항생제 등이 있다(Rudmik et al., 2011).

비강 패킹을 시행하였거나 수술 시 화농성 비루가 있었던 경우에는 적절한 항생제를 처방한다. 특히 감염의 동반이 의심되는 경우에는 수술 전에 항생제의 투여를 시작하며 수술 중 시행한 균배양 검사의 결과에 따라 필요시 변경한다. 수술 중 소견에서 골염이 심하거나 골조직의 노출이 심한 경우에는 항생제의 장기간 사용이 필요할 수 있다. 수술 부위에 대한 주의 깊은 관찰을 통해 적정기간 동안 항생제를 사용하여 항생제 남용과 감염관리의 실패 사이의 균형을 맞추도록 한다. 국소스테로이드는 염증이 동반된 모든 환자에서 사용을 고려한다. 국소스테로이드의 사용은 부종을 감소시키고 경구스테로이드의 사용을 줄이며, 재발을 줄이거나 재발이 되기까지의 기간을 의미 있게 연장시킨다. 국소스테로이드를 처방할 때는 분무 시 자세를 포함한 올바른 사용방법을 환자에게 충분히 교육하여 약물이 비강 내에 골고루 분사될 수 있도록 한다. 범발성 비용과 같은 일부 환자에서는 경구스테로이드가 도움이 된다(Wright and Agrawal, 2007). 술 전에 경구스테로이드 투여를 시작하여 내시경 소견에 근거하여 수일에서 수주간 완만히 투여량을 줄여나간다.

비강 세척은 비강 패킹을 시행하지 않은 경우에는 다음날부터 시작할 수 있으며 늦어도 1주 뒤에는 시작할 것을 권한다. 비강 세척은 환자의 주관적인 증상이나 내시경 소견 및 점액섬모 청소를 호전시킨다(Freeman et al., 2008; Pigret and Jankowski, 1996). 비강 세척의 부작용으로는 국소작열감, 이통, 비출혈, 두통 그리고 부비동에 고여있던 세척액으로 인한 예기치 못한 콧물 등이 있을 수 있어 적절한 설명이 필요하다. 주로 등장성 용액을 사용하며 고장성 용액을 사용하는 경우 수술 후 통증을 증가시킬 수 있다. 세균으로 오염된 세척액을 사용하

여 수술 부위 감염을 유발할 수도 있기 때문에 세척액의 관리에 주의를 기울일 필요가 있다(Lewenza et al., 2010). 수술 후 비강 세척의 빈도와 사용량에 대해서는 아직까지 합의되어 있지 않아 이에 대한 연구가 필요하다.

비강 청소는 혈괴와 분비물, 아직 녹지 않은 비강 패킹의 제거 및 남아있는 골조각을 제거하는 과정으로 수술부위 염증의 원인을 제거하고 유착이 생길 수 있는 골격을 제거함으로써 유착과 부비동 입구의 폐쇄를 예방하고 환자의 주관적 증상을 호전시킨다(Patel and Govindaraj, 2010; Kennedy, 1992; Bugten et al., 2006). 비강 청소를 시행할 때는 상처부위에 대한 추가 손상을 주지 않는 범위에서 조심스럽게 시행한다. 비흡수성 비강 패킹을 사용한 경우에는 패킹을 제거하자마자 비강 청소를 시작하고 흡수성 비강 패킹을 사용한 경우에는 수술 후 하루부터 일주일 이내에 시행한다. 비강 청소의 정도, 간격 및 기간에 대한 정해진 원칙은 아직까지 없지만 점액 섬모운동이 재건되는 시점이 수술 후 3~4주임을 고려하여 그 이전에는 매주 집중적으로 비강 청소를 시행하고 그 이후는 코점막이 정상 조직으로 치유될 때까지 비내시경에서 관찰되는 염증의 정도에 따라 판단하여 시행한다. 혈괴와 가피 및 분비물이 많을 경우에는 국소마취제와 국소혈관수축제를 적신 거즈를 미리 수술부위에 위치시켜 두었다가 제거하고 비강 청소를 시행하여 환자의 통증을 경감시켜 준다.

환자가 외래에 내원할 때는 내시경을 이용하여 수술부위의 염증, 부종 및 유착의 정도를 평가하며 필요시 비강 청소, 항생제, 스테로이드를 적극적으로 사용하여 질환의 재발을 예방하기 위해 노력한다. 예상되는 비부비강의 상처치유 과정과 그로 인한 증상에 대해 미리 환자에게 설명하여 혈성 비루나 후비루와 같은 증상으로 환자가 불안해하지 않도록 한다. 주관적인 증상에 대한 문진을 통해 통증과 충만감이 지속될 때에는 원인에 대한 검토가 필요하며 후각감퇴가 재발할 경우 질환의 재발을 고려하여 약물치료를 시행한다. 수술 후 CT는 내시경 소견이 양호하다면 일반적으로 필요하지 않으나 증상의 지속이나 재발이 의심되는 경우 특히 전두동 병변에 대한 검토가 필요한 경우 시행하지만 수술 시점과 충분한 간격을 두어야 CT로부터 올바른 정보를 얻을 수 있다.

참고문헌

1. Ahn HJ, Chung SK, Dhong HJ, Kim HY, Ahn JH, Lee SM, et al. Comparison of surgical conditions during propofol or sevoflurane anaesthesia for endoscopic sinus surgery. Br J Anaesth 2008;100:50-4.
2. Bayram M, Sirikci A, Bayazit YA. Important anatomic variations of the sinonasal anatomy in light of endoscopic surgery: a pictorial review. Eur Radiol 2001;11:1991-7.
3. Bedwell J, Bauman NM. Management of pediatric orbital cellulitis and abscess. Curr Opin Otolaryngol Head Neck Surg 2011;19:467-73.
4. Boezaart AP, Van Der Merwe J, Coetzee A. Comparison of sodium nitroprusside- and esmolol-induced controlled hypotension for functional endoscopic sinus surgery. Can J Anaesth 1995;42:373-6.
5. Bugten V, Nordgard S, Steinsvag S. The effects of debridement after endoscopic sinus surgery. Laryngoscope 2006;116:2037-43.
6. Chiu AG, Vaughan WC. Management of the lateral frontal sinus lesion and the supraorbital cell mucocele. Am J Rhinol 2004;18:83-6.
7. Clerico DM, Evan K, Montgomery L, Lanza DC, Grabo D. Endoscopic sinonasal surgery in the management of primary headaches. Rhinology 1997;35:98-102.
8. Fedok FG, Ferraro RE, Kingsley CP, Fornadley JA. Operative times, postanesthesia recovery times, and complications during sinonasal surgery using general anesthesia and local anesthesia with sedation. Otolaryngol Head Neck Surg 2000;122:560-6.
9. Freeman SR, Sivayoham ES, Jepson K, De Carpentier J. A preliminary randomised controlled trial evaluating the efficacy of saline douching following endoscopic sinus surgery. Clin Otolaryngol 2008;33:462-5.
10. Gavriel H, Jabrin B, Eviatar E. Management of superior subperiosteal orbital abscess. Eur Arch Otorhinolaryngol 2016;273:145-50.
11. Gittelman PD, Jacobs JB, Skorina J. Comparison of functional endoscopic sinus surgery under local and general anesthesia. Ann Otol Rhinol Laryngol 1993;102:289-93.
12. Gosepath J, Santamaria VE, Lippert BM, Mann WJ. Forty-one cases of congenital choanal atresia over 26 years--retrospective analysis of outcome and technique. Rhinology 2007;45:158-63.
13. Har-El G, Balwally AN, Lucente FE. Sinus mucoceles: is marsupialization enough? Otolaryngol Head Neck Surg 1997;117:633-40.

14. Har-El G. Endoscopic management of 108 sinus mucoceles. Laryngoscope 2001;111:2131-4.

15. Ikeda K, Takahashi C, Oshima T, Suzuki H, Satake M, Hidaka H, et al. Endonasal endoscopic marsupialization of paranasal sinus mucoceles. Am J Rhinol 2000;14:107-11.

16. Jacobi KE, Bohm BE, Rickauer AJ, Jacobi C, Hemmerling TM. Moderate controlled hypotension with sodium nitroprusside does not improve surgical conditions or decrease blood loss in endoscopic sinus surgery. J Clin Anesth 2000;12:202-7.

17. Kelly EA, Gollapudy S, Riess ML, Woehlck HJ, Loehrl TA, Poetker DM. Quality of surgical field during endoscopic sinus surgery: a systematic literature review of the effect of total intravenous compared to inhalational anesthesia. Int Forum Allergy Rhinol 2013; 3:474-81.

18. Kennedy DW, Zinreich SJ, Rosenbaum AE, Johns ME. Functional endoscopic sinus surgery. Theory and diagnostic evaluation. Arch Otolaryngol 1985;111:576-82.

19. Kennedy DW. Prognostic factors, outcomes and staging in ethmoid sinus surgery. Laryngoscope 1992;102:1-18.

20. Ketenci I, Unlu Y, Vural A, Dogan H, Sahin MI, Tuncer E. Approaches to subperiosteal orbital abscesses. Eur Arch Otorhinolaryngol 2013;270:1317-27.

21. Lewenza S, Charron-Mazenod L, Cho JJ, Mechor B. Identification of bacterial contaminants in sinus irrigation bottles from chronic rhinosinusitis patients. J Otolaryngol Head Neck Surg 2010;39:458-63.

22. Lund V, Howard DJ, Wei WI. Endoscopic resection of malignant tumors of the nose and sinuses. Am J Rhinol 2007;21:89-94.

23. Meyers RM, Valvassori G. Interpretation of anatomic variations of computed tomography scans of the sinuses: a surgeon's perspective. Laryngoscope 1998;108:422-5.

24. Nicolai P, Battaglia P, Bignami M, Bolzoni Villaret A, Delu G, Khrais T, et al. Endoscopic surgery for malignant tumors of the sinonasal tract and adjacent skull base: a 10-year experience. Am J Rhinol 2008;22:308-16.

25. Patel ZM, Govindaraj S. The prevention and management of complications in ethmoid sinus surgery. Otolaryngol Clin North Am 2010;43:855-64.

26. Pigret D, Jankowski R. Management of post-ethmoidectomy crust formation: randomized single-blind clinical trial comparing pressurized seawater versus antiseptic/mucolytic saline. Rhinology 1996;34:38-40.

27. Rudmik L, Soler ZM, Orlandi RR, Stewart MG, Bhattacharyya N, Kennedy DW, et al. Early postoperative care following endoscopic sinus surgery: an evidence-based review with recommendations. Int Forum Allergy Rhinol 2011;1:417-30.

28. Smith TL, Kern R, Palmer JN, Schlosser R, Chandra RK, Chiu AG, et al. Medical therapy vs surgery for chronic rhinosinusitis: a prospective, multi-institutional study with 1-year follow-up. Int Forum Allergy Rhinol 2013;3:4-9.

29. Stammberger H. The evolution of functional endoscopic sinus surgery. Ear, Nose & throat journal 1994;73:451.

30. Tosun F, Gerek M, Ozkaptan Y. Nasal surgery for contact point headaches. Headache 2000;40:237-40.

31. Vaid S, Vaid N, Rawat S, Ahuja AT. An imaging checklist for pre-FESS CT: framing a surgically relevant report. Clin Radiol 2011;66:459-70.

32. Wright ED, Agrawal S. Impact of perioperative systemic steroids on surgical outcomes in patients with chronic rhinosinusitis with polyposis: evaluation with the novel Perioperative Sinus Endoscopy (POSE) scoring system. Laryngoscope 2007;117:1-28.

부비동 재수술

연세의대 이비인후과 **김창훈**, 연세의대 이비인후과 **조형주**

CONTENTS

Ⅰ. 부비동 재수술 원인과 수술 전 평가
Ⅱ. 부비동 재수술의 기본 원칙과 해부학적 지표
Ⅲ. 부비동 재수술의 예후와 수술 후 관리

HIGHLIGHTS ⟩⟩⟩

- 내시경수술 후 재발이 되는 경우는 약 2~24% 정도로 다양하게 보고되고 있으며, 그 원인은 부적절한 수술 테크닉, 수술부위 반흔조직 형성, 수술 후 잘못된 관리, 환자의 유전적 문제 및 면역상태 등 매우 다양하므로 반복되는 재수술을 피하기 위해서는 재발된 원인을 자세히 분석하는 것이 중요함

- 재수술이 계획된 경우에는 수술 시 합병증 발생 가능성이 처음 수술에 비해 높으므로 이전 수술 이후 해부학적으로 달라진 부분을 꼼꼼히 살펴보고 수술계획을 세워야 함

- 부비동 재수술 시행 중 가장 중요한 해부학적 지표는 중비갑개인데 이전 수술로 인하여 제거되었거나 구조가 바뀌어 있을 수 있으므로 수술 시 주요 지표를 항상 염두에 두고 해부학적 위치가 확실한 부분부터 애매한 부위로 수술 범위를 넓혀서 진행하는 것이 중요함

- 해부학적 지표로 유용하게 사용될 수 있는 구조물은 상악동 전두돌기와 중비갑개의 기시부 부위가 만나서 형성되는 arch 부분, 잔여 중비갑개, 상악동의 천장과 후벽, 지판, 비중격, 그리고 후비공궁 등이 있음

- 부비동 재수술 시에는 위에 언급된 주요 해부학적 지표를 잘 활용하여 합병증 발생을 예방하면서 안전하게 병변을 잘 제거하는 것이 중요함

Ⅰ | 부비동 재수술 원인과 수술 전 평가

내시경을 이용한 부비동수술endoscopic sinus surgery, ESS은 만성 부비동염의 치료, 특히 약물치료에 잘 듣지 않거나 수술 후 재발이 된 경우 외부접근을 이용한 수술방법을 대신하여 널리 사용되고 있다. 내시경수술 후 재발이 되는 경우는 약 2~24% 정도로 다양하게 보고되고 있으며(Jiang and Hsu, 2002; Moses et al., 1998; Senior et al., 1998), 그 원인은 부적절한 수술 테크닉, 수술부위 반흔조직 형성, 수술 후 잘못된 관리, 환자의 유전적 문제 및 면역상태 등 매우 다양하므로 반복되는 재수술을 피하기 위해서는 재발된 원인을 자세히 분석하는 것이 중요하다. 드물지만 환자의 전신적 질환, 가령 낭종성 섬유증cystic fibrosis, 면역글로불린 결핍immunoglobulin deficiency, 자가면역질환autoimmune disease, 육아종성 질환granulomatous disease, 카타제너 증후군Kartagener syndrome 등도 반복되는 부비동염으로 부비동 재수술이 필요할 수 있는 질환들이다. 이들 전신질환이 있는 환자에서도 부비동 재수술은 염증을 줄이고 환자의 증상을 호전시킬 수 있는 장점이 있지만, 수술 후에도 지속적인 약물치료와 재발 여부를 확인하기 위한 관찰이 필수적이다. 환경적 요인으로 흡연, 화학적 물질, 대기 오염 물질, 알레르겐, 곰팡이 등에 노출되는 것도 만성적으로 정상적 점액섬모수송 능력을 떨어뜨리고 점막 염증을 지속적으로 유발시킬 수 있다. 따라서 환자의 병력과 이전 조직검사 결과, 그리고 내시경 및 CT 촬영 결과를 다시 분석하여 환자의 이전 진단이 맞게 되었는지 다시 한

번 확인이 필요하다. 또한 해부학적 요인으로 부비동염이 재발되었는지, 환자 요인이 있는지 혹은 환경적 요인이 있는지 분석도 하여야 한다. 또한 이전 수술로 인하여 변경된 해부학적 구조를 면밀히 확인하여 재수술에 적합한지 여부도 결정하여야 한다. 재수술이 계획된 경우에는 수술 시 합병증 발생 가능성이 처음 수술에 비해 높으므로 이전 수술 이후 해부학적으로 달라진 부분을 꼼꼼히 살펴보고 수술계획을 세워야 한다.

내시경검사는 점막의 염증 정도를 평가하고 재발된 비용이 존재하는지를 확인할 수 있는 중요한 검사이다. 내시경을 이용하여 확인해야 할 사항들은 비중격만곡증, 중비갑개middle turbinate의 존재 및 외측편위, 전두동 입구 부위의 반흔 조직 유무, 상악동의 missed ostium sequence으로 인한 재순환recirculation 현상 등을 살펴보아야 한다.

CT 검사는 매우 중요하며, 이전 수술에서 사용했던 CT와 재수술 전에 촬영한 CT를 비교하는 것이 좋다. 이를 통해서 이전에 없던 새로운 병변이 생겼는지, 이전 병변이 아직 남아있는지, 반흔scarring이나 골신생osteoneogenesis이 생겼는지를 확인하여야 한다. 두개저skull base, 지판lamina papyracea에 이전 수술로 인한 손상 유무를 확인하는 것은 재수술 중 합병증 발생을 예방하기 위하여 매우 중요하다. 만약 후사골동 부위의 Onodi 봉소가 있다면 재수술 중 시신경에 손상을 줄 가능성이 있으므로 주의해야 한다. 상악동 수술 부위에서는 Haller 봉소 유무나 구상돌기uncinate process가 남아 있는 경우 재발의 원인이 된다. 전두동 부위에서는 비제봉소agger nasi cell, 상안와사골포supraorbital ethmoid cell 존재 여부를 확인하고, 수술 후 전두동 입구부위의 반흔화 정도 및 폐쇄 여부를 확인해야 한다.

부비동 재수술을 시행하는 경우 가장 흔하게 발견되는 원인은 중비갑개와 비강 측벽lateral nasal wall 사이에 유착이 생겨 개구비도단위ostiomeatal complex가 막히는 경우이다(Lazar et al., 1992). 또한 사골동ethmoid sinus과 전두와frontal recess 부위에 비용nasal polyp이 재발되거나, 사골봉소ethmoid air cell가 남아 있어서 문제를 일으키는 경우도 비교적 흔하다(Chambers et al., 1997). 그 외에 전두동 배출로의 협착frontal sinus ostium stenosis 혹은 상악동 재순환maxillary sinus recirculation도 부비동 재수술의 원인이 된다(Ramadan, 1999).

II | 부비동 재수술의 기본 원칙과 해부학적 지표

부비동 재수술을 시행 중 가장 중요한 해부학적 지표landmark는 중비갑개인데 이전 수술로 인하여 제거되었거나 구조가 바뀌어 있을 수 있다. 또한 두개저나 지판에 결손이 존재할 수도 있다. 따라서 수술 시 주요 해부학적 지표를 항상 염두에 두고 해부학적 위치가 확실한 부분부터 애매한 부위로 수술 범위를 넓혀서 진행하는 것이 중요하다. 해부학적 지표로 유용하게 사용될 수 있는 구조물은 상악동 전두돌기maxilla frontal process와 중비갑개의 기시부root 부위가 만나서 형성되는 궁arch 부분, 남아 있는 중비갑개, 상악동의 천장과 후벽, 지판, 비중격nasal septum, 그리고 후비공궁posterior choanal arch 등이 있다(May et al., 1994)(그림 21-1). 상악동 전두돌기 자체는 비강 측벽lateral nasal wall을 이루고, 중비갑개와 함께 만나서 형성하는 궁 부분은 사골 복합ethmoid complex의 앞쪽 경계에 해당된다. 상악동 천장maxillary sinus roof은 거의 접형동 자연공sphenoid sinus ostium 높이에 해당이 되므로, 접형동 자연공 개방sphenoid sinusotomy을 시행할 때 참고가 될 수 있다. 상악동의 후벽maxillary sinus posterior wall은 대략 접형동의 앞부분 정도의 깊이

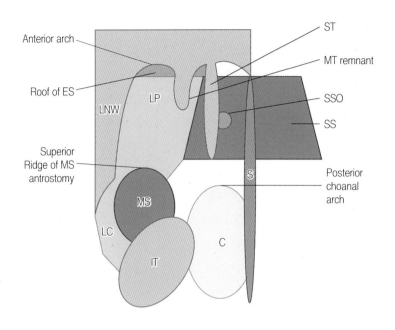

│ 그림 21-1 부비동 재수술 시 해부학적 지표

C: choana, ES: ethmoid sinus, IT: inferior turbinate, LC: lacrimal bone, LNW: lateral nasal wall, LP: lamina papyracea, MS: maxillary sinus, MT: middle turbinate, S: septum, SS: sphenoid sinus, ST: superior turbinate, SSO: sphenoid sinus natural ostium

에 해당이 된다. 접형동은 아래쪽으로 후비공posterior choanal arch궁이 존재하고, 내측으로는 비중격의 뒤쪽으로 경계되어 있으므로, 이들 지표를 이용하면 도움이 된다. 또한 접형동의 자연공sphenoid sinus natural ostium은 상비갑개를 중심으로 내측 혹은 외측에 항상 존재하므로 이를 이용할 수도 있다(Kim et al., 2001).

부비동 재수술 시에는 위에 언급된 주요 해부학적 지표를 잘 활용하여 합병증 발생을 예방하면서 안전하게 병변을 잘 제거하는 것이 중요하다. 이때 문제가 있는 점막을 조심스럽게 제거해야 하는데 점막을 모두 벗겨내어 뼈가 노출되게 되면 골신생osteoneogenesis이나 골염osteitis이 생겨 회복에 오랜 시일이 걸릴 수 있고, 간혹 수술부위가 나중에 다시 좁아져 막힐 수 있으므로 세심한 주의가 필요하다. 따라서 수술기구 선택을 신중히 하여야 하며 through-cutting forceps나 powered micro-debrider를 사용하면 도움이 된다.

1. 상악동의 재수술

우선 상악동의 위치와 범위를 CT와 내시경소견을 통해서 먼저 확인한 뒤, 이전 중비도 개구술middle meatal antrostomy이 자연공natural ostium과 하나로 연결되어 있는지 보아야 한다. 또한 구상돌기, Haller 봉소 등이 남아 있다면 이를 제거하고 충분한 크기로 넓혀 준다. 남아 있는 구상돌기를 확인하기 위해서는 30도 내시경 등을 이용하면 쉽게 관찰할 수 있으며, ostium seeker probe를 이용하여 구상돌기의 뒤쪽 부분을 안쪽 방향으로 당긴 후 back-biting forceps를 사용하면 쉽게 이를 제거할 수 있다. 이때 구상돌기의 전상 부분까지 완전히 제거하는 것이 중요하다. 아래 부분을 넓힐 때는 하비갑개의 부착부위를 절제해서 하비도inferior meatus가 열리지 않도록 주의한다. 만약 cystic fibrosis, ciliary dyskinesia 혹은 이전 Caldwell-Luc 수술 이후 정상적 점액섬모수송능력이 저하되어 있는 경우는 하비갑개의 뒤쪽 반 정도를 함께 상악동의 내측벽을 제거하여 크게 넓히는 mega-antrostomy가 필요한 경우도 있다(Cho and Hwang, 2008).

2. 사골동의 재수술

기본적 수술원칙과 마찬가지로 사골동의 재수술에 있어서도 정상 점막을 보존하면서 두꺼워진 병적 뼈 부분을 제거하고 점막을 벗겨내지 않는 것이 중요하다. 지판과 두개저는 두 가지 중요한 해부학적 지표이다. 수술 전 CT에서 뇌낭류encephalocele, 후사골동의 시신경관의 결손dehiscent optic canal, 지판 및 사상판cribriform plate의 외측판lateral lamella의 결손 여부를 잘 확인하여야 한다. 중비도 개방술middle meatal antrostomy을 먼저 시행하고 나면 상악동의 천장이 내측으로 지판으로 이어지게 되므로 수술 시 참고가 될 수 있다. 중비갑개의 기판basal lamella은 사골동을 전사골동과 후사골동으로 나누는 구조물이다. 전사골동에 위치하는 사상판의 외측판은 매우 얇으므로 이전 수술 후 결손이 존재할 수도 있고 수술 시 손상되면 뇌척수액 유출이 발생하므로 매우 주의가 필요하다. 전사골동의 두개저에는 전사골 동맥anterior ethmoidal artery이 주행하며 손상 시 안와 혈종orbital hematoma이 발생할 수 있다. 수술 진행 시 기판을 지나면 후사골동맥posterior ethmoidal artery이 두개저에 존재할 수 있으므로 주의가 필요하다.

3. 접형동의 재수술

접형동은 수술 시 안구의 내측벽의 뒤쪽 부분에 대한 지표로 활용될 수 있으며, 일반적으로 접형동의 바닥floor은 상악동의 천장 높이roof level 정도에 위치한다. 반복되는 접형동 병변은 이전 수술 시 병변 부위를 제대로 제거하지 못했거나, 상비갑개의 반흔으로 인하여 접형동의 전벽 개구부를 막는 경우, 혹은 접형사골 오목spheno-ethmoidal recess부위에 비용polyp이 생기는 경우 발생될 수 있다. 수술 전에는 CT를 통해 시신경optic nerve과 경동맥carotid artery의 주행경로와 Onodi 봉소가 존재하는지 여부를 반드시 체크하여야 한다. 재수술 시에는 사골동이 이전 수술로 인하여 해부학적으로 변형되어 접형동을 찾기가 어려울 수 있다. 이 경우 중비갑개의 내측으로 접근하여 상비갑개를 찾은 후 하방 약 1/3 정도를 절제하고 나면 접형동의 자연공을 쉽게 발견할 수 있다(Kim et al., 2001). 그러나 재수술의 경우는 접형동의 자연공이 반흔조직 변형이 되어 찾기가 어려울 수 있다. 이 경우 상악동의 천장과 비중격의 후방 부위를 지표로 이용하여 접형동의 하방 내측으로 접근하면 보다 안전하게 수술이 가능하다. 접형동을 발견하고 나면 mushroom punch나 sphenoid punch, Kerrison rongeur 등으로 접형동의 전벽을 충분히 넓힌다. 이때 아래쪽 부위를 넓히는 도중 접형구개동맥sphenopalatine artery의 비중격 분지posterior septal branch에 손상을 주어 출혈이 발생할 수 있으며 흡인 지혈기suction cautery 등으로 쉽게 지혈이 가능하다. 접형동 전벽을 넓힐 때에도 정상 점막은 잘 보존해야 수술 후 다시 협착이 생기는 것을 줄일 수 있다.

4. 전두동의 재수술

재발성 전두동 병변은 이전 수술에서 구상돌기 윗부분, 비제봉소 혹은 전두봉소frontal cell 등이 남아서 전두동 입구를 막고 있는 경우가 있으므로 수술 전 CT에서 확인하여야 한다. 또한 두개저와 지판이 전두동 주변에 어떻게 위치해 있고 뼈의 결손부위는 없는지도 확인해 두어야 한다. 이전 수술 이후 남아있던 중비갑개가 외측으로 붙으면서 형성된 반흔조직도 재발의 원인이 될 수 있으므로 세심한 원인분석이 필요하다. 전두동의 재수술에 있어서 우선적으로는 내시경을 이용한 수술을 고려하는 것이 바람직하다. 그러나 전두봉소가 전두동 내부 외측에 존재하거나, 종양성 병변이 전두동 외측에 존재하여 내시경적 접근법으로 제거가 어려운 경우 등에서는 전두동 외측 접근법과 내시경을 이용한 비내 접근법을 동시에 시행하는 것이 필요할 수도 있다.

III | 부비동 재수술의 예후와 수술 후 관리

부비동 재수술의 경우 해부학적 지표가 없거나 과도한 출혈, 신생골 형성, 그리고 반흔조직으로 인한 유착 등으로 인하여 합병증 발생률이 약 1% 정도로 높게 보고된다(Moses et al., 1998). 수술의 성공률도 처음 시행하는 부비동수술에 비해 약간 낮은 편으로 50~90% 정도로 알려져 있다(Moses et al., 1998; Musy and Kountakis, 2004). 수술 중 해부학적 지표가 명확하지 않고 수술을 진행하고 있는 부위에 대한 위치를 인지하기 어렵다면 수술을 더 이상 진행하지 않고 중단하는 것이 심각한 합병증을 피할 수 있는 현명한 선택이다. 최근에는 네비게이션 장비의 도입으로 특히 재수술의 경우 안전하고 꼼꼼하게 병변 부위를 수술하는 데 큰 도움을 받을 수 있으므로, 재수술을 시행할 경우에는 가능하다면 네비게이션 장비를 사용하는 것이 좋겠다. 수술 후에 만약 중비갑개와 비강 외벽 사이에 유착이 생기면 through-cutting forceps 등을 이용하여 외래에서 간단히 떼어내면 된다. 수술 후에는 일반적 내시경 부비동수술과 마찬가지로 항생제, 국소 스테로이드 스프레이, 비강세척 등의 치료를 시행하며, 수술 부위 상태에 따라 치료 기간과 용법을 다르게 적용하게 된다.

부비동 재수술을 시행받는 환자는 수술 후 결과에 기대가 높을 수 있다. 따라서 부비동 재수술 시행여부를 결정할 때는 수술 후 개선시킬 증상에 대한 목적을 갖고 환자에게 이를 수술 전에 이해를 시켜주는 것이 중요하며, 재수술 이후에도 수술부위에 대한 드레싱과 약물치료가 필요하고 다시 재발이 될 수도 있음을 주지시켜야 한다. 술자는 재수술 여부를 결정하기 전에 철저한 내시경검사와 CT의 세심한 관찰 그리고 환자의 기저 질환 여부 확인을 적극적으로 해야 수술 성공률을 높이고 안전한 재수술을 시행할 수 있음을 명심하여야겠다.

참고문헌

1. Chambers DW, Davis WE, Cook PR, Nishioka GJ, Rudman DT. Long-term outcome analysis of functional endoscopic sinus surgery: correlation of symptoms with endoscopic examination findings and potential prognostic variables. Laryngoscope 1997;107:504-10.

2. Cho DY, Hwang PH. Results of endoscopic maxillary mega-antrostomy in recalcitrant maxillary sinusitis. Am J Rhinol 2008;22:658-62.

3. Jiang RS, Hsu CY. Revision functional endoscopic sinus surgery. Ann Otol Rhinol Laryngol 2002;111:155-9.

4. Kim HU, Kim SS, Kang SS, Chung IH, Lee JG, Yoon JH. Surgical anatomy of the natural ostium of the sphenoid sinus. Laryngoscope 2001;111:1599-602.

5. Lazar RH, Younis RT, Long TE, Gross CW. Revision functional endonasal sinus surgery. Ear Nose Throat J 1992;71:131-3.

6. May M, Schaitkin B, Kay SL. Revision endoscopic sinus surgery: six friendly surgical landmarks. Laryngoscope 1994;104:766-7.

7. Moses RL, Cornetta A, Atkins JP Jr., Roth M, Rosen MR, Keane WM. Revision endoscopic sinus surgery: the Thomas Jefferson University experience. Ear Nose Throat J 1998;77:190.

8. Musy PY, Kountakis SE. Anatomic findings in patients undergoing revision endoscopic sinus surgery. Am J Otolaryngol 2004;25:418-22.

9. Ramadan HH. Surgical causes of failure in endoscopic sinus surgery. Laryngoscope 1999;109:27-9.

10. Senior BA, Kennedy DW, Tanabodee J, Kroger H, Hassab M, Lanza D. Long-term results of functional endoscopic sinus surgery. Laryngoscope 1998;108:151-7.

CHAPTER

22

내시경 부비동수술의 발전

순천향의대 이비인후과 **백병준**, 순천향의대 이비인후과 **최지호**

> CONTENTS

Ⅰ. 영상유도수술
Ⅱ. 풍선-보조 부비동수술
Ⅲ. 3차원 내시경

HIGHLIGHTS　　　　　　　　　　　　　　　　　　　　　　　》》》

- 영상유도수술은 병변을 비롯한 비강 및 부비동 주위의 복잡한 해부학적인 구조들의 위치를 비교적 정확하게 3차원적으로 확인하는 데 도움이 되어 비강 및 부비동수술 영역에서 다양하게 활용되고 있음

- 영상유도수술을 시행할 때 실제 탐침위치와 영상위치 사이에 1~2 mm 범위 내의 오차가 존재할 수 있으며, 수술 중 발생하는 변화를 실시간으로 반영하지 못하는 제한점이 있음을 이해하고 미리 환자의 해부학적인 구조를 충분히 파악한 후 필요할 때 보조수단으로 활용한다면 좋은 수술결과를 얻을 수 있을 것으로 사료됨

- 풍선-보조 부비동수술은 비강 및 부비동의 점막 손상을 최소화하면서 부비동의 자연공을 확장시킬 수 있는 최소침습적인 수술방법으로 비교적 안전하고 수술관련 통증, 수술 및 회복 기간을 줄여줄 수 있는 장점이 있음

- 3차원 내시경은 깊이에 대한 지각, 해부학적 구조에 대한 이해, 수술의 효율성, 술자의 자신감 등을 향상시키는 데 도움을 줄 수 있는 이점을 가지고 있어 최근 활용 빈도가 증가하고 있지만 기술적인 문제, 장비 관련 불편감, 사용자 부작용 등과 같은 제한점들이 있어 이러한 문제점의 해결이 필요함

과학 및 의학 기술들이 점점 발달함에 따라 내시경 부비동수술 분야에도 많은 변화와 발전이 이루어지고 있다. 이번 장에서는 영상유도수술image-guided surgery, IGS, 풍선-보조 부비동수술balloon sinuplasty, 3차원 내시경3D endoscopy 등을 중심으로 최근 내시경 부비동수술 영역에서 진행되고 있는 최신 발전 현황에 대해 소개하고자 한다.

Ⅰ | 영상유도수술

1. 서론

영상유도수술image-guided surgery이란 수술 전에 미리 확보한 컴퓨터단층촬영computed tomography, CT, 자기공명영상magnetic resonance imaging, MRI 등과 같은 영상자료를 이용하여 수술 중 실시간으로 정확한 수술 부위 및 주위 구조들을 확인하면서 진행하는 수술 방법을 말하며, 흔히 네비게이션navigation 수술로 알려져 있다. 영상유도수술은 먼저 신경외과에서 시행되었는데, 주로 뇌병변에 대한 조직검사 및 절제를 하기 위해서 병변의 정확한 위치를 확인하고 주변 조직 또는 중요 구조물과의 경계를 구분하는 데 사용되었다(Bergstrom and Greitz, 1976; Cala et al., 1976). 이후 부비동 주위의 뇌, 안와 및

주변 조직, 시신경을 비롯한 주요 뇌신경과 혈관 등에 대한 손상가능성을 최소화하고 부비동의 환기 및 배액을 원활하게 하기 위한 목적으로 내시경 부비동수술 영역에서 영상유도수술의 도입이 활발하게 이루어졌다. 또한, 내시경 부비동수술이 시행된 초기 문헌이긴 하지만 대략 8%에 이르는 수술과 관련된 심각한 합병증과 부비동의 복잡한 구조, 내시경의 2차원적 수술 시야, 렌즈에 의한 왜곡현상 등과 같은 내시경 부비동수술의 제한점이 내시경 부비동수술 영역에서 영상유도수술이 빠르게 적용된 이유로 작용하였다(Stankiewicz, 1987; Pruliere-Escabasse and Coste, 2010). 본문에서는 비강 및 부비동 영역에서 영상유도수술의 역사, 원리, 적응증, 활용 및 결과에 대해 알아보고자 한다.

2. 역사

영상유도수술에 대한 개념은 1970년대 신경외과 영역에서 처음 시작되었다. 1970년대 국소적으로 병변을 없애기 위한 뇌정위수술stereotatic brain surgery에서 컴퓨터단층촬영을 이용하여 병변의 위치를 확인하려는 연구가 있었으며 이때에는 기준틀reference frames을 환자 머리에 단단하게 부착해서 사용함과 동시에 위치표지자 fiducial marker를 이용했기 때문에 이비인후과 수술에 적용하기에는 번거로운 측면이 있었다(Bergstrom and Greitz, 1976; Cala et al., 1976). 1980년대에서 1990년대 사이에는 기준틀을 대신해서 음파 또는 초음파의 삼각측량triangulation을 이용하거나 관절식 팔articulated arm을 이용한 다양한 방식들이 개발되었으며 이러한 방식들은 정확도를 2 mm까지 높일 수 있었다(Heilbrun et al., 1983; Barnett et al., 1993). 1990년대에는 조금 더 비내시경수술에 집중하여 비투과성 방사선표지자opaque radio-marker와 적외선 다이오드infrared diode를 이용한 위치확인방식localization system들이 개발되었다(Laborde et al., 1992; Mosges and Klimek, 1993). 1994년에는 컴퓨터를 이용한 위치확인방식을 비내시경수술에 접목하여 미국에서 처음으로 영상유도 내시경 부비동수술이 시행되었다(Anon et al., 1994). 1990년대 후반에는 기존의 위치표지자와 관절식 팔이 필요 없는 적외선과 전자기를 이용한 위치확인방식들이 개발 및 상용화되었으며 현재까지 이르고 있다(Metson et al., 1998).

3. 원리

영상유도수술의 작동 원리를 세 가지 단계로 구분할 수 있다(Cala et al., 1976). 첫 번째는 입체 공간을 인식/저장하는 단계로 일반적으로 전자기electromagnetic 또는 광학optical 방식이 이용된다(표 22-1). 두 번째는 인식/저장된 입체 공간spatial repository을 저장된 영상image repository과 연결시키는 단계로 인식/저장된 수술 필드와 수술 전에 촬영한 영상자료를 일치시키는 작업registration이다. 세 번째는 탐침이 가리키는 실제 지점을 영상으로 출력하는 단계로 수술 중 실시간으로 미리 저장된 영상으로부터 3차원적인 수술 위치 및 구조를 확인하는 작업이다.

4. 적응증

미국 이비인후과학회에서는 부비동 및 두개저 수술을 하는 동안 복잡한 해부 구조를 명확하게 확인하는 데 도움이 될 수 있도록 적절한 적응증에 해당하는 경우에서 영상유도수술을 추천하고 있다(Kingdom and Orlandi, 2004)(표 22-2). 현재 국내에서는 이를 준용하여 영상유도수술을 시행하고 있다(그림 22-1).

| 표 22-1 영상유도수술에 이용되는 전자기 및 광학 방식의 비교

	전자기 방식(electromagnetic tracking system)	광학 방식(optical tracking system)
위치측정원리	• 수술 필드를 포함하고 있는 전자기장 영역 내에서 센서를 통해 전자기를 띄고 있는 기구를 감지하여 위치를 측정	• 능동적 방식: 적외선 감지 카메라가 적외선을 방출하는 방사체(emitter)들을 감지하여 위치를 측정 • 수동적 방식: 카메라에서 방출되는 적외선을 반사시키는 방사체를 감지하여 위치를 측정(모두 삼각측량을 사용)
장점	• 저장된 영상자료를 통해 수술 중 실시간으로 탐침의 위치를 3차원적으로 감지할 수 있음	• 저장된 영상자료를 통해 수술 중 실시간으로 탐침의 위치를 3차원적으로 감지할 수 있음
단점	• 실제 탐침위치와 영상위치간의 정확성에 본질적으로 한계가 있음(일반적으로 1.5~2 mm 오차까지 인정) • 전자기장 내에서 간섭을 유발하는 요인이 없어야 함	• 실제 탐침위치와 영상위치간의 정확성에 본질적으로 한계가 있음(일반적으로 1.5~2 mm 오차까지 인정) • 카메라와 기구 사이에 방해물이 없어야 함

| 표 22-2 영상유도수술의 적응증(미국 이비인후과학회)

	적응증
1	부비동 재수술
2	발육, 외상, 이전 수술에 기인한 해부학적 왜곡
3	광범위한 비용
4	전두동, 사골동 후부 또는 접형동 관련 병리
5	두개저, 안와, 시신경 또는 경동맥 인접 질환
6	뇌척수액 비루 또는 두개저 결손
7	비강 내 양성 및 악성종양

5. 활용 및 결과

비강 및 부비동 영역에서 영상유도수술은 현재 내시경을 이용한 비부비동수술을 비롯하여 외부접근법external approach에 의한 비부비동수술, 뇌척수액 비루 교정술, 비부비동 종양 절제술, 접근이 어려운 부위의 생검 또는 수술[예, 익구개와pterygopalatine fossa, 측두하와infratemporal fossa 등], 경접형동 뇌하수체 절제술transsphenoidal hypophysectomy, 전두개저 종양anterior skull base tumors 절제술 등 다양하게 활용되고 있다.

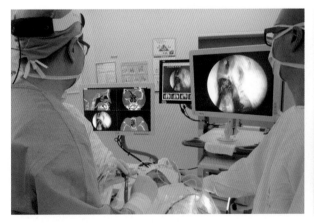 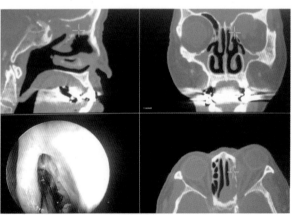

| 그림 22-1 영상유도수술 기계 장비를 이용하여 수술하는 모습

영상유도수술은 쉽게 접근하기 어려운 전두동에 병변이 있는 경우뿐만 아니라 사골동, 상악동, 접형동에 병변이 있는 경우에도 사용할 수 있는데, 특히, 해부학적인 구조의 복잡성 때문에 전두동 수술에 있어서 영상유도수술의 활용가치는 매우 높다. 사골포ethmoid bulla의 함기화, 비제봉소agger nasi 및 중비갑개middle turbinate의 위치 등에 따라 전두와frontal recess 주위가 다양하고 복잡하기 때문에 내시경 전두동수술 시 영상유도수술을 접목한다면 보다 안전하게 수술을 진행할 수 있다(Metson et al., 2000). 또한, 이전 수술로 인해 중비갑개, 지판과 같은 해부학적 기준점landmark이 사라진 경우, 점막이 유착된 경우, 골형성 과다증hyperostosis이 발생한 경우 등 정상 구조와 달라 수술에 어려움이 예상될 때에는 영상유도수술을 활용하는 것이 도움이 될 수 있다(Metson et al., 2000; Jiang and Hsu, 2002). 한편, 수술결과와 관련된 문헌들을 종합해보았을 때 사골동, 상악동, 접형동 개방술에 있어서는 영상유도수술이 기존의 수술과 큰 차이가 없는 것으로 나타났으나 전두동 개방술에 있어서는 영상유도수술이 기존의 수술보다 더 좋은 수술결과를 보였다(Reardon, 2002). 또한, 영상유도수술을 이용하여 내시경하 변형 Lothrop 수술Endoscopic Modified Lothrop or Draf 3이나 골성형 전두동 폐쇄술osteoplastic frontal sinus surgery을 시행한 경우에서도 비교적 좋은 수술결과를 나타내는 것으로 보고되고 있다(Samaha et al., 2003; Ung et al., 2005).

내시경을 이용한 뇌척수액 비루 교정술은 이미 20여 년 전부터 외상성 및 비외상성 뇌척수액 비루 모두에서 만족할 만한 수술결과를 보여왔지만, 전두동처럼 접근이 어려운 곳 또는 뇌척수액 누출 부위가 뇌신경이나 동맥 등과 같은 중요 구조물 주변에 있는 경우에는 수술 위험성도 높아지고 술자가 많은 부담을 갖는 것이 사실이다. 이와 같은 경우에 영상유도수술이 유용하게 사용될 수 있다(Justice and Orlandi, 2012).

비강 또는 부비동 내 발생한 악성종양을 내시경을 이용하여 제거하는 것에 대해서는 아직까지 논란이 있으나 비강 또는 부비동 내 발생한 비용, 낭종, 골종, 반전성 유두종 등과 같은 양성 병변 또는 종양을 내시경을 이용하여 제거하는 것에 대해서는 큰 이견이 없는 상태이다. 특히, 지판lamina papyracea, 사상판cribriform plate, 두개저cranial base, 전사골동맥anterior ethmoid artery, 시신경optic nerve, 경동맥carotid artery 등 종양으로 인해 변형되거나 손상된 해부학적 구조들을 확인하는 경우 또는 근접하기 힘든 곳에 종양이 위치한 경우에서 영상유도수술을 통해 종양을 제거하는 데 많은 도움을 얻을 수 있다(Jagannathan et al., 2006; Melroy et al., 2006).

익구개와pterygopalatine fossa, 측두하와infratemporal fossa 등 일반적으로 접근하기 어려운 부위에 발생하거나 이러한 부위를 침범한 병변을 생검biopsy 또는 수술할 때 영상유도수술이 매우 유용한 것으로 보고되고 있는데, 영상유도수술을 통해 이러한 부위의 주요 혈관이나 신경에 대한 손상 가능성을 낮추면서 정확한 병변의 위치를 찾을 수 있기 때문이다(Aronsohn et al., 2004).

뇌하수체 병변 또는 뇌하수체 주변에 있는 병변을 수술하는데 영상유도수술이 매우 유용한 것으로 알려져 있다. 특히, 안장sella 부근에 큰 종물이 있거나, 종양이 재발해서 재수술을 해야 하는 경우에 내경동맥internal carotid artery, 시신경을 포함한 여러 뇌신경, 뇌실질brain parenchyma 등의 구조가 정상과 다르게 변화될 가능성이 많기 때문에 이러한 경우에는 영상유도수술이 많은 도움이 될 수 있다(Jagannathan et al., 2006; Gondim et al., 2014). 뇌하수체 수술 영역에서 영상유도수술은 수술의 정확성을 높일 수 있고, 수술 계획 수립에 도움이 되며, 수술 시간을 단축시키는 데 도움이 되는 것으로 보고되고 있다(Jagannathan et al., 2006; Gondim et al., 2014).

내시경 부비동수술로 인해 발생할 수 있는 주요 합병증major complication에 대한 위험도는 대략 3% 이하로 비교적 낮은 편이지만, 만약 발생하게 된다면 비출혈, 복시, 실명, 뇌척수액 비루, 뇌병변 등 매우 심각한 질환이나 장애가 나타나는 것은 물론 사망에까지 이를 수 있기 때문에 적절한 적응이 되는 경우 영상유도수술을 적극적으로 고려하는 것이 좋다(Stankiewicz et al., 2011; Dalgorf et al., 2013). 실제 메타분석 연구에 따르면 내시경 부비동수술에서 영상유도장비를 이용한 경우 기존 수술에 비해 주요 합병증뿐 아니라 총 합병증 발생 위험도가 유의하게 감소하는 것으로 나타났다. 하지만, 안와 합병증, 출혈major hemorrhage, 두개 내 합병증, 수술 완성도, 재수술 빈도 등 세부 항목별 분석에서는 기존 수술과 유의한 차이가 나타나지는 않는 것으로 알려졌다(Dalgorf et al., 2013).

6. 결론

영상유도수술은 병변을 비롯한 비강 및 부비동 주위의 복잡한 해부학적인 구조들의 위치를 비교적 정확하게 3차원적으로 확인하는 데 도움이 되어 비강 및 부비동 수술 영역에서 다양하게 활용되고 있다. 또한, 주요 합병증을 비롯한 총 합병증 발생 위험도를 유의하게 감소시키기 때문에 비부비동수술에서 매우 중요한 역할을 하고 있는 것이 사실이다. 하지만, 영상유도수술을 시행할 때 실제 탐침위치와 영상위치 사이에 1~2 mm 범위 내의 오차가 존재할 수 있으며, 수술 전 촬영한 영상을 이용하여 위치를 확인하기 때문에 수술 중 발생하는 변화를 실시간으로 반영하지 못하는 제한점이 있다. 그러므로, 영상유도수술에 전적으로 의지하기보다는 미리 환자의 해부학적인 구조를 충분히 파악한 후 필요할 때마다 보조수단으로 잘 활용한다면 좋은 수술결과를 얻을 수 있을 것으로 사료된다.

Ⅱ | 풍선-보조 부비동수술

1. 서론

풍선-보조 부비동수술ballon-assisted sinus surgery이란 풍선카테터를 좁아지거나 폐쇄된 부비동의 자연공natural ostium에 위치시킨 뒤 풍선에 높은 압력을 주입하여 자연공을 확장시키는 술식으로 비부비동염의 중요한 발생 요인인 부비동 자연공 폐쇄를 해결하기 위한 최소침습 수술방법이다. 풍선카테터를 이용한 수술은 심혈관계, 소화기계, 비뇨기계 등 다른 영역의 질환들을 치료하기 위한 목적으로 먼저 사용되었으며 이후 성공적인 치료 결과들을 바탕으로 2006년부터 임상적으로 부비동수술에 적용되기 시작했다(Brown and Bolger, 2006). 풍선-보조 부비동수술은 비교적 간단하고 안전한 방법으로 국소마취하에 진행할 수 있고, 수술관련 통증을 감소시키며, 수술시간 및 회복기간을 단축시킬 수 있는 장점이 있어 점점 활용 빈도가 증가하고 있는 추세이다. 본문에서는 내시경 부비동수술에서 풍선-보조 부비동수술의 원리, 적응증, 시술방법, 활용 및 결과에 대해 알아보고자 한다.

2. 원리

비부비동염은 각종 감염 및 염증, 알레르기, 구조적인 문제 등 다양한 요인들이 관여하여 결국 부비동의 자연공이 좁아지거나 막혀서 발생하게 되므로 고압의 풍선을 이용하여 자연공을 넓게 만들어 부비동의 환기와 배농을 정상적으로 만들어 주는 것이 풍선-보조 부비동수술의 기본 개념이다(Sillers and Melroy, 2013)(그림 22-2). 풍선-보조 부비동수술의 작동 원리를 3단계로 구분할 수

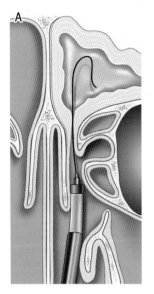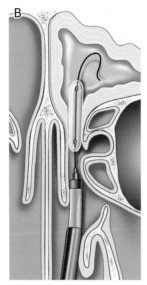

│ 그림 22-2   풍선-보조 부비동수술의 모식도
A. 유도 카테터를 부비동 내에 삽입하는 모습. **B.** 풍선이 자연공에 걸치
도록 위치시킨 후 풍선을 팽창시켜 자연공을 확장하는 모습

있는데, 첫째는 자연공을 확장시키고자 하는 목표 부비
동을 유도 카테터/철선guide catheter/wire 또는 풍선탐색
자balloon seeker를 통해 확인하는 단계로 일반적으로 철
조법transillumination 또는 영상유도방식image-guided sys-
tem이 이용된다. 둘째는 확인된 목표 부비동의 자연공에
풍선을 위치시킨 후 팽창기구를 이용하여 자연공을 확
장시키는 단계이며, 셋째는 풍선카테터로 확장된 자연공
상태를 내시경을 이용하여 확인하는 단계이다. 이후 필
요에 따라서 확장된 자연공을 통해 세척을 하거나 추가
적인 소독을 진행할 수 있다.

3. 적응증

풍선-보조 부비동수술에 대한 적응증은 문헌마다 약간
의 이견은 있으나, 일정기간 적절한 약물치료에도 불구
하고 상악동, 전두동, 접형동의 점막에 국한되어 염증이

있는 만성 비부비동염, 재발성 급성 비부비동염recurrent
acute rhinosinusitis, 부비동 압력손상sinus barotrauma 등이
있는 경우 수술 적응증이 된다(Sillers and Melroy, 2013;
Bolger et al., 2007; Halderman et al., 2015). 또한, 다양한
내과적 질환, 높은 출혈위험, 중환자실 치료 등에 의해
내시경 부비동수술이 어려운 경우에서 풍선-보조 부비
동수술이 도움이 될 수 있다. 하지만, 이전 부비동수술,
외상 등으로 인한 해부학적 구조의 변형, 진균성 부비동
염, 다발성 또는 광범위한 비용, 심한 사골동 병변, 낭성
섬유증cystic fibrosis, 섬모운동이상ciliary dysfunction, 종양
등이 있는 경우에는 일반적으로 단독 수술의 적응증이
되지 않는다(Sillers and Melroy, 2013; Bolger et al., 2007;
Halderman et al., 2015). 한편, 상황에 따라 기존의 내시
경 부비동수술과 풍선-보조 부비동수술을 함께 하는 경
우hybrid procedure도 있으므로 술자에 따라 적응증이 다
를 수 있다(Sillers and Melroy, 2013).

4. 시술방법

상악동의 자연공으로 접근하기 위해서는 구상돌기와 사
골포 사이로 진입해야 하며 구상돌기를 전방으로 약간
당기면서 전방, 하방, 외측에 있는 자연공을 향해 풍선카
테터 또는 풍선탐색자를 밀어 넣으면서 풍선이 자연공
에 걸치도록 위치시킨 후 풍선을 반복적으로 팽창시켜
자연공을 확장시킨다. 철조법을 사용하는 경우에는 미리
유도 카테터와 철선을 위의 경로를 통해 상악동 안으로
밀어 넣은 후 상악동 부위(상악동 전벽, 견치와, 입천장 등)
에서 철조현상을 관찰함으로써 잘 진입된 것을 확인할
수 있으며, 영상유도방식을 이용하는 경우에는 수술 중
누두infundibulum 주위 구조를 파악하면서 풍선탐색자의
상악동 내 진입유무를 확인할 수 있다.
　전두동의 자연공으로 접근하기 위해서는 중비갑개 전

방 부착부위의 바로 후방, 사골포의 전방, 구상돌기의 내측 사이로 진입해야 하며 보통 내측 전방에서 외측 후방으로 자연공을 향해 풍선카테터 또는 풍선탐색자를 밀어 넣으면서 풍선이 자연공에 걸치도록 위치시킨 후 풍선을 반복적으로 팽창시켜 자연공을 확장시킨다. 철조법을 사용하는 경우에는 미리 유도 카테터와 철선을 위의 경로를 통해 전두동 안으로 밀어 넣은 후 전두동 부위에서 집중된 철조현상focused transillumination을 관찰함으로써 잘 진입된 것을 확인할 수 있다. 만약 유도 철선이 상안와봉소, 전두와봉소, 사골동 등 다른 곳에 있는 경우에는 분산된 철조현상diffuse transillumination이 발생하게 된다. 영상유도방식을 이용하는 경우에는 복잡한 전두동 주변 구조들을 3차원적으로 관찰하면서 풍선탐색자의 전두동 내 진입유무를 판단할 수 있다(그림 22-3).

접형동의 자연공으로 접근하기 위해서는 비중격과 상비갑개 사이로 진입해야 하며 자연공을 향해 풍선카

테터 또는 풍선탐색자를 밀어 넣으면서 풍선이 자연공에 걸치도록 위치시킨 후 풍선을 반복적으로 팽창시켜 자연공을 확장시킨다. 철조법을 사용하는 경우에는 미리 유도 카테터와 철선을 위의 경로를 통해 접형동 안으로 밀어 넣은 후 내시경으로 비강 및 비인두에서 불빛이 없음을 관찰하거나 내시경 밝기를 모두 줄인 뒤 접형동 전벽에서 등불jack-o'-lantern을 관찰함으로써 잘 진입된 것을 확인할 수 있다. 영상유도방식을 이용하는 경우에는 실시간으로 접사함요sphenoethmoidal recesss 주위 구조를 관찰하면서 풍선탐색자의 접형동 내 진입유무를 확인할 수 있다.

수술 후에는 내시경을 이용하여 넓어진 자연공 부위를 잘 관찰하는 것이 중요하다. 특히, 상악동 부공accessory ostium의 존재 유무를 꼭 확인해야 하며, 만약 부공이 존재하는 경우에는 재순환recirculation을 방지하기 위해 자연공과 부공을 연결시켜 하나의 개구부로 만들어

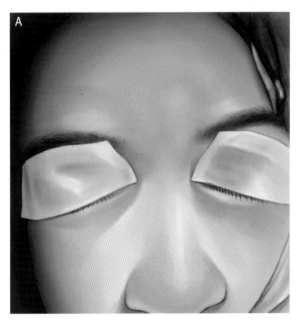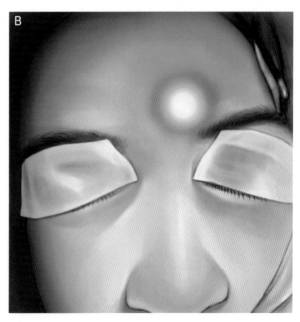

| 그림 22-3 유도 철선을 이용한 철조법으로 전두동을 확인하는 방법
A. 유도 철선이 상안와봉소, 전두와봉소, 사골동 등 다른 곳에 있는 경우에는 분산된 철조현상(diffuse transillumination)이 발생한다. **B.** 유도 카테터와 철선을 위의 경로를 통해 전두동 안으로 밀어 넣은 후 전두동 부위에서 집중된 철조현상(focused transillumination)이 관찰된다.

야 한다. 또한, 계속된 시도에도 불구하고 부비동 내 진입이 어려울 수가 있는데, 상악동의 경우에는 구상돌기 일부를 제거한 후, 전두동의 경우에는 구상돌기나 비제봉소의 일부를 제거한 후 다시 풍선-보조 부비동수술을 시도하는 혼합법hybrid procedure을 시행할 수도 있다.

5. 활용 및 결과

2006년 풍선-보조 부비동수술이 실제 임상에서 처음 사용되어 발표된 이래로 상악동, 전두동, 접형동 등 사골동을 제외한 부비동수술영역에서 현재 다양하게 활용되고 있다(Sillers and Melroy, 2013 ; Batra et al., 2011). 많은 연구들이 풍선-보조 부비동수술의 가능성, 안정성, 유효성 등을 중심으로 발표되고 있으며, 비교적 안전하고 기존 내시경 부비동수술과 비슷한 효과를 나타내는 것으로 대부분 보고하고 있다(Bolger et al., 2007 ; Kuhn et al., 2008 ; Levine et al., 2008). 2007년 115명을 대상으로 다기관 연구를 시행한 결과 풍선-보조 부비동수술을 이용하여 96.9%(347/358)의 부비동에서 수술 중 개구부를 성공적으로 확장시킬 수 있었고(Bolger et al., 2007), 같은 환자들을 수술 1년 후 내시경으로 추적 관찰한 결과 85%(172/202)에서 부비동 개구부의 개방성이 잘 유지되는 것으로 조사되었다(Kuhn et al., 2008). 또한, 2008년 1,036명을 대상으로 평균 40.2주를 관찰한 다기관 연구에 따르면, 풍선-보조 부비동수술 후 95.2%에서 비부비동염 증상이 호전된 것으로 조사되었다(Levine et al., 2008). 그러나, 다른 연구에 따르면 풍선-보조 부비동수술만 사용한 군(68명)과 혼합법hybrid procedure을 사용한 군(44명)의 수술 실패율이 각각 65%, 66%로 조사되어 기존의 연구들과 상반되는 결과를 보였다(Tomazic et al., 2013).

대부분의 연구에서 기존 내시경 부비동수술과 비교했을 때 풍선-보조 부비동수술로 인해 발생할 수 있는 술 후 합병증의 종류는 거의 비슷하나 합병증의 빈도는 더 낮은 것으로 조사되었으며 특히, 주요 합병증major complication에 대한 위험도는 거의 없는 것으로 보고되고 있다(Bolger et al., 2007 ; Plaza et al., 2011). 하지만 매우 드물게 비중격 혈종, 뇌척수액 비루, 안와 합병증 등이 나타난 것으로 조사되었다(Alexander et al., 2009 ; Tomazic et al., 2010 ; Karanfilov et al., 2013).

6. 결론

풍선-보조 부비동수술은 비강 및 부비동의 점막 손상을 최소화하면서 부비동의 자연공을 확장시킬 수 있는 최소침습적인 수술방법으로 비교적 안전하고 수술관련 통증, 수술 시간 및 회복 기간을 줄여줄 수 있는 장점이 있어 여러 환자들에서 활용되고 있다. 하지만, 일부 연구에서 술 후 주요 합병증의 발생과 비교적 높은 수술 실패율 등을 보고하고 있어 수술을 계획하거나 진행할 때 이에 대한 고려가 필요하다. 비강 및 부비동의 해부학적 구조에 대한 이해와 내시경 부비동수술에 대한 충분한 경험을 바탕으로 적절한 적응증에 맞게 풍선-보조 부비동수술을 시행한다면 수술 성공률을 높이는데 많은 도움이 될 것으로 사료된다.

III | 3차원 내시경

1. 서론

3차원 내시경3D endoscopy이란 직접 두 눈으로 보는 것과 같이 입체적인 시야를 제공하는 내시경을 말하며, 2차원(평면)적인 시야를 제공하는 기존 내시경보다 한 단계 더 발전된 형태이다. 기존 내시경에 비해 3차원 내시경은 자연적인 깊이를 느낄 수 있게 도와주는 것은 물론이고 효율적이고 정확한 수술 술기를 시행하는 데 도움을 줄 수 있는 장점을 가지고 있다. 따라서, 과거부터 3차원 내시경을 개발하기 위한 다양한 시도들이 있어왔으나, 해상도 저하, 비교적 큰 부피, 입체 안경이나 머리 장착 디스플레이 등으로 인한 불편감, 비용 증가 등의 이유로 널리 사용되지는 못하였다. 하지만, 최근 로봇, 새로운 입체 내시경 및 디스플레이 등을 포함한 입체 기술의 발전으로 3차원 내시경 영역이 활성화되고 있는 추세이다. 본문에서는 기존 내시경의 제한점, 3차원 내시경의 원리, 내시경 부비동수술에서의 활용 및 결과에 대해 알아보고자 한다.

2. 기존 내시경의 제한점

기존 내시경을 이용하는 술자가 공간감을 느끼기 위해서는 단안에 의한 시각적 신호monocular cues, 해부학적인 지식, 촉감에 의한 피드백haptic feedback 등에 의존해야 하는데, 이러한 보상 기전에도 불구하고 2차원적인 시야는 실제 입체적 구조와 많이 다를 수 있다(Singh and Saraiya, 2013; Hofmeister et al., 2001). 기존 내시경의 주요 제한점들은 다음과 같다(Hofmeister et al., 2001; Taffinder et al., 1999). 첫째, 3차원의 양안 시야가 아닌 2차원의 단안 시야를 제공한다. 둘째, 공간을 지각하는 능력, 손과 눈의 동작을 일치시키는 능력, 크기 평가 능력 등을 저하시킨다. 셋째, 수술 중 동작 시간이 길어지고 수술적 주요 지표들surgical landmarks 사이의 거리를 다소 짧게 추정하는 경향이 있다.

3. 원리

내시경이 소개된 이후로 3차원적인 시야를 구현하기 위해 이중 카메라 비디오dual-camera video, 셔터 기전shutter mechanism, 편광polarization, 입체 디스플레이stereoscopic displays 등을 포함한 많은 기술들이 활용되었다. 현재까지 2개의 입체 영상 생성 방식이 주로 사용되고 있는데, 바로 이중 채널dual-channel 방식과 셔터 기전shutter mechanism 방식이다(Singh and Saraiya, 2013). 이중 채널dual-channel 방식은 3차원 영상을 만들기 위해 카메라 또는 비디오 칩으로부터 생성된 2개의 다른 영상을 사용하며, 셔터 기전shutter mechanism 방식은 입체 시야를 만들기 위해 약간 다른, 빨리 번갈아 나타나는 영상들을 생성하는 단일 카메라의 시간적 변화를 이용한다(Szold, 2005).

4. 활용 및 결과

기존 2차원 내시경과 비교했을 때, 대부분의 연구에서 3차원 내시경은 깊이에 대한 지각depth perception, 공간감spatial orientation or impression, 해부학적 이해 등에 도움을 주는 것으로 나타났으며, 일부 연구에서는 3차원 내시경이 동작 효율성을 향상시키거나 작업 시간을 단축시키는 것으로 조사되었다(Taffinder et al., 1999; Votanopoulos et al., 2008; Storz et al., 2012; Fraser et al.,

2009). 하지만, 수술 시간, 실수 또는 합병증 비율 등에서 기존 내시경과 큰 차이가 없음을 보고한 연구들도 많이 있다(Brown et al., 2008 ; Tabaee et al., 2009 ; Kari et al., 2012).

학습 및 교육과 관련된 연구들을 분석해보면 3차원 내시경은 초보자에게서 작업 속도를 높이거나 실수 비율을 줄이는 데 도움이 되며, 경험자에게도 작업 시간을 단축시키는 것으로 나타났다(Smith et al., 2012 ; Byrn et al., 2007). 반면, 일부 연구에서는 시각화의 방법(2D or 3D) 보다는 해부학에 대한 교육 및 경험이 깊이에 대한 인지depth perception 에 더 큰 영향을 주는 것으로 보고하고 있다(Jones et al., 1996 ; Sidhu et al., 2004).

5. 결론

3차원 내시경은 깊이에 대한 지각, 해부학적 구조에 대한 이해, 수술의 효율성, 술자의 자신감 등을 향상시키는데 도움을 줄 수 있는 이점을 가지고 있어 최근 활용 빈도가 증가하고 있다. 하지만, 기술적인 문제, 장비 관련 불편감 및 두통, 오심, 눈의 피로감 등의 사용자 부작용 같은 제한점들이 있어 아직까지는 보편화되어 있지 않은 상태이다. 향후 로봇, 새로운 3차원 내시경 등 입체 기술이 발전함에 따라 부비동과 두개저를 포함한 다양한 내시경수술 분야에서 널리 활용될 것으로 사료된다.

참고문헌

1. Alexander AA, Shonka DC, Jr., Payne SC. Septal hematoma after balloon dilation of the sphenoid. Otolaryngol Head Neck Surg 2009;141:424-5.

2. Anon JB, Lipman SP, Oppenheim D, Halt RA. Computer-assisted endoscopic sinus surgery. Laryngoscope 1994;104:901-5.

3. Aronsohn MS, Stringer SP, Brown HM. Utility of image guided surgery in the diagnosis of pterygopalatine fossa lesions. Laryngoscope 2004;114:424-7.

4. Barnett GH, Kormos DW, Steiner CP, Weisenberger J. Use of a frameless, armless stereotactic wand for brain tumor localization with two-dimensional and three-dimensional neuroimaging. Neurosurgery 1993;33:674-8.

5. Batra PS, Ryan MW, Sindwani R, Marple BF. Balloon catheter technology in rhinology: Reviewing the evidence. Laryngoscope 2011;121:226-32.

6. Bergstrom M, Greitz T. Stereotaxic computed tomography. AJR Am J Roentgenol 1976;127:167-70.

7. Bolger WE, Brown CL, Church CA, Goldberg AN, Karanfilov B, Kuhn FA, et al. Safety and outcomes of balloon catheter sinusotomy: a multicenter 24-week analysis in 115 patients. Otolaryngol Head Neck Surg 2007;137:10-20.

8. Brown CL, Bolger WE. Safety and feasibility of balloon catheter dilation of paranasal sinus ostia: a preliminary investigation. Ann Otol Rhinol Laryngol 2006;115:293-9; discussion 300-1.

9. Brown SM, Tabaee A, Singh A, Schwartz TH, Anand VK. Three-dimensional endoscopic sinus surgery: feasibility and technical aspects. Otolaryngol Head Neck Surg 2008;138:400-2.

10. Byrn JC, Schluender S, Divino CM, Conrad J, Gurland B, Shlasko E, et al. Three-dimensional imaging improves surgical performance for both novice and experienced operators using the da Vinci Robot System. Am J Surg 2007;193:519-22.

11. Cala LA, Mastaglia FL, Vaughan RJ. Localisation of stereotactic radiofrequency thalamic lesions by computerised axial tomography. Lancet 1976;2:1133-4.

12. Dalgorf DM, Sacks R, Wormald PJ, Naidoo Y, Panizza B, Uren B, et al. Image-guided surgery influences perioperative morbidity from endoscopic sinus surgery: a systematic review and meta-analysis. Otolaryngol Head Neck Surg 2013;149:17-29.

13. Fraser JF, Allen B, Anand VK, Schwartz TH. Three-dimensional neurostereoendoscopy: subjective and objective comparison to 2D. Minim Invasive Neurosurg 2009;52:25-31.

14. Gondim JA, Almeida JP, Albuquerque LA, Gomes EF, Schops M. Giant pituitary adenomas: surgical outcomes of 50 cases operated on by the endonasal endoscopic approach. World Neurosurg 2014;82:e281-90.

15. Halderman AA, Stokken J, Momin SR, Smith TL, Sindwani R. Attitudes on and usage of balloon catheter technology in rhinology: A survey of the American Rhinologic Society. Am J Rhinol Allergy 2015;29:389-93.

16. Heilbrun MP, Roberts TS, Apuzzo ML, Wells TH, Jr., Sabshin JK. Preliminary experience with Brown-Roberts-Wells (BRW) computerized tomography stereotaxic guidance system. J Neurosurg 1983;59:217-22.

17. Hofmeister J, Frank TG, Cuschieri A, Wade NJ. Perceptual aspects of two-dimensional and stereoscopic display techniques in endoscopic surgery: review and current problems. Semin Laparosc Surg 2001;8:12-24.

18. Jagannathan J, Prevedello DM, Ayer VS, Dumont AS, Jane JA, Jr., Laws ER. Computer-assisted frameless stereotaxy in transsphenoidal surgery at a single institution: review of 176 cases. Neurosurg Focus 2006;20:E9.

19. Jiang RS, Hsu CY. Revision functional endoscopic sinus surgery. Ann Otol Rhinol Laryngol 2002;111:155-9.

20. Jones DB, Brewer JD, Soper NJ. The influence of three-dimensional video systems on laparoscopic task performance. Surg

Laparosc Endosc 1996;6:191-7.

21. Justice JM, Orlandi RR. An update on attitudes and use of image-guided surgery. Int Forum Allergy Rhinol 2012;2:155-9.

22. Karanfilov B, Silvers S, Pasha R, Sikand A, Shikani A, Sillers M. Office-based balloon sinus dilation: a prospective, multicenter study of 203 patients. Int Forum Allergy Rhinol 2013;3:404-11.

23. Kari E, Oyesiku NM, Dadashev V, Wise SK. Comparison of traditional 2-dimensional endoscopic pituitary surgery with new 3-dimensional endoscopic technology: intraoperative and early postoperative factors. Int Forum Allergy Rhinol 2012;2:2-8.

24. Kingdom TT, Orlandi RR. Image-guided surgery of the sinuses: current technology and applications. Otolaryngol Clin North Am 2004;37:381-400.

25. Kuhn FA, Church CA, Goldberg AN, Levine HL, Sillers MJ, Vaughan WC, et al. Balloon catheter sinusotomy: one-year follow-up--outcomes and role in functional endoscopic sinus surgery. Otolaryngol Head Neck Surg 2008;139:S27-37.

26. Laborde G, Gilsbach J, Harders A, Klimek L, Moesges R, Krybus W. Computer assisted localizer for planning of surgery and intra-operative orientation. Acta Neurochir (Wien) 1992;119:166-70.

27. Levine HL, Sertich AP, 2nd, Hoisington DR, Weiss RL, Pritikin J. Multicenter registry of balloon catheter sinusotomy outcomes for 1,036 patients. Ann Otol Rhinol Laryngol 2008;117:263-70.

28. Melroy CT, Dubin MG, Hardy SM, Senior BA. Analysis of methods to assess frontal sinus extent in osteoplastic flap surgery: transillumination versus 6-ft Caldwell versus image guidance. Am J Rhinol 2006;20:77-83.

29. Metson R, Gliklich RE, Cosenza M. A comparison of image guidance systems for sinus surgery. Laryngoscope 1998;108:1164-70.

30. Metson RB, Cosenza MJ, Cunningham MJ, Randolph GW. Physician experience with an optical image guidance system for sinus surgery. Laryngoscope 2000;110:972-6.

31. Mosges R, Klimek L. Computer-assisted surgery of the paranasal sinuses. J Otolaryngol 1993;22:69-71.

32. Plaza G, Eisenberg G, Montojo J, Onrubia T, Urbasos M, O'connor C. Balloon dilation of the frontal recess: a randomized clinical trial. Ann Otol Rhinol Laryngol 2011;120:511-8.

33. Pruliere-Escabasse V, Coste A. Image-guided sinus surgery. Eur Ann Otorhinolaryngol Head Neck Dis 2010;127:33-9.

34. Reardon EJ. Navigational risks associated with sinus surgery and the clinical effects of implementing a navigational system for sinus surgery. Laryngoscope 2002;112:1-19.

35. Samaha M, Cosenza MJ, Metson R. Endoscopic frontal sinus drillout in 100 patients. Arch Otolaryngol Head Neck Surg 2003;129:854-8.

36. Sidhu RS, Tompa D, Jang R, Grober ED, Johnston KW, Reznick RK, et al. Interpretation of three-dimensional structure from two-dimensional endovascular images: implications for educators in vascular surgery. J Vasc Surg 2004;39:1305-11.

37. Sillers MJ, Melroy CT. In-office functional endoscopic sinus surgery for chronic rhinosinusitis utilizing balloon catheter dilation technology. Curr Opin Otolaryngol Head Neck Surg 2013;21:17-22.

38. Singh A, Saraiya R. Three-dimensional endoscopy in sinus surgery. Curr Opin Otolaryngol Head Neck Surg 2013;21:3-10.

39. Smith R, Day A, Rockall T, Ballard K, Bailey M, Jourdan I. Advanced stereoscopic projection technology significantly improves novice performance of minimally invasive surgical skills. Surg Endosc 2012;26:1522-7.

40. Stankiewicz JA, Lal D, Connor M, Welch K. Complications in endoscopic sinus surgery for chronic rhinosinusitis: a 25-year experience. Laryngoscope 2011;121:2684-701.

41. Stankiewicz JA. Complications of endoscopic intranasal ethmoidectomy. Laryngoscope 1987;97:1270-3.

42. Storz P, Buess GF, Kunert W, Kirschniak A. 3D HD versus 2D HD: surgical task efficiency in standardised phantom tasks. Surg Endosc 2012;26:1454-60.

43. Szold A. Seeing is believing: visualization systems in endoscopic surgery (video, HDTV, stereoscopy, and beyond). Surg Endosc 2005;19:730-3.

44. Tabaee A, Anand VK, Fraser JF, Brown SM, Singh A, Schwartz TH. Three-dimensional endoscopic pituitary surgery. Neurosurgery 2009;64:288-93; discussion 94-5.

45. Taffinder N, Smith SG, Huber J, Russell RC, Darzi A. The effect of a second-generation 3D endoscope on the laparoscopic precision of novices and experienced surgeons. Surg Endosc 1999;13:1087-92.

46. Tomazic PV, Stammberger H, Braun H, Habermann W, Schmid C, Hammer GP, et al. Feasibility of balloon sinuplasty in patients with chronic rhinosinusitis: the Graz experience. Rhinology 2013;51:120-7.

47. Tomazic PV, Stammberger H, Koele W, Gerstenberger C. Ethmoid roof CSF-leak following frontal sinus balloon sinuplasty. Rhinology 2010;48:247-50.

48. Ung F, Sindwani R, Metson R. Endoscopic frontal sinus obliteration: a new technique for the treatment of chronic frontal sinusitis. Otolaryngol Head Neck Surg 2005;133:551-5.

49. Votanopoulos K, Brunicardi FC, Thornby J, Bellows CF. Impact of three-dimensional vision in laparoscopic training. World J Surg 2008;32:110-8.

내시경 부비동수술 합병증

제주의대 이비인후과 **강주완**, 아주의대 이비인후과 **박도양**

> CONTENTS

합병증의 분류
1. 뇌척수액 비루
2. 안와 합병증
3. 출혈
4. 비강 유착
5. 기타

최근에는 대부분의 부비동수술이 내시경수술Endoscopic sinus surgery으로 이루어지고 있다. 하지만 부비동의 해부학적 위치 특성상 좁은 시야와 안와orbit, 두개저와 같은 치명적인 구조물에 인접하고 있기 때문에, 내시경수술에 비교적 많은 위험을 내포하고 있다. 내시경 부비동수술로 인한 합병증은 병소의 심한 정도와 범위, 이전 수술유무, 술부의 해부학적 변이 유무, 비용종의 분포, 환자의 투약력이나 과거병력, 그리고 술자의 경험도 등에 따라 다양하게 나타날 수 있다. 합병증의 발생률은 저자에 따라, 심각한 합병증Major complication의 경우 0~5%, 경미한 합병증Minor complication의 경우 5~29%로 다양하게 보고하고 있다. 술자의 숙련도Learning curve가 높을수록 합병증의 발생이 감소하는 경향을 보이나, 최근 사용이 많은 미세절삭기microdebrider의 이용도 합병증의 빈도를 증가시킬 수 있다. 또한, 네비게이션 시스템의 사용이 수술 시 도움이 되지만 심각한 합병증의 발생 빈도에는 영향이 없다고 하며, 따라서 지나치게 의존하는 것을 피해야 한다. 따라서, 합병증을 예방하기 위해서 해부학적인 지식이나 수술 술기를 익히는 것이 매우 중요하며, 술 전 CT 등을 통해 해부학적 변이 등을 철저히 파악하는 것이 중요하다. 또한, 병이 심한 경우에

는 숙련되지 않은 술자의 경우는 수술을 피하는 것도 좋다. 하지만 합병증은 항상 발생할 수 있다는 것을 인지하고, 술 전 충분한 설명을 환자에게 한 후 동의서를 받아야 하며, 합병증 발생 시 적절한 대처 방법을 익히는 것 또한 매우 중요하다(Stankiewicz et al., 2011 ; Stankiewicz, 1989 ; Stankiewicz, 1987 ; Ramadan and Allen, 1995 ; Gross et al., 1997).

Ⅰ | 합병증 분류

부비동수술의 합병증은 합병증의 정도와 치료의 필요, 영구적인 결손 가능성의 유무에 따라 심각한 합병증과 경미한 합병증으로 구분하거나, 발생시기에 따라서 수술 중 합병증과 수술 후 합병증으로 분류한다(May et al., 1994). 경미한 합병증은 치료가 필요 없는 일시적인 안와주위 기종 periorbital emphysema 및 반상출혈periorbital ecchymosis, 치아 및 입술의 통증과 무감각 등이 있고, 일시적이지만 치료가 필요한 증상을 동반한 유착, 패킹이

나 소작 등의 처치를 요하는 출혈, 감염 등이 있으며, 영구적인 후유증을 남기는 합병증으로 영구적인 치아 및 입술의 통증과 무감각, 영구적인 후각 저하나 소실 등이 있다. 심각한 합병증은 치료에 의해 교정될 수 있는 합병증으로 교정 가능한 안와 혈종postseptal, 시력저하, 복시, 유루증epiphora, 과량의 출혈, 뇌척수액 비루cerebrospinal fluid leakage, 뇌수막염meningitis, 뇌농양, 두개 내 혈종 등이 있으며, 치료에도 불구하고 영구적으로 후유증이 남는 실명, 유루증, 뇌경색, 그리고 사망 등이 있다 (표 23-1).

1. 뇌척수액 비루

뇌척수액 비루cerebrospinal fluid leakage는 비강상부 어디에서나 발생할 수 있다. 하지만, 전사골동맥과 후사골동맥 사이에서 자주 발생하게 되며, 중비갑개의 두개저의 기시부보다 상부에서 내측으로 진행하게 되는 경우에 두개저에 손상을 주는 경우가 많다(그림 23-1).

특히 사골와fovea ethmoidalis와 사상판cribriform plate 이 낮게 위치한 경우에 그 위험성이 가중될 수 있다. 따라서, 수술 전 컴퓨터단층촬영을 통하여 두개골 기저부의 상태를 파악하는 것이 중요하며, 사상판과 사골와의 위치에 따라 Keros type I, II, III 등으로 나누기도 한다 (Keros, 1962)(그림 23-2).

내시경 부비동수술로 인해 뇌척수액 비루가 발생하는 경우는 저자에 따라 0.46%에서 0.85%까지로 보고하고 있다(May et al., 1994; Kim and Russell, 2010). 손상부위가 악화될 경우 뇌수막염이나, 두개기종, 두개 내 혈종, 두개 내 농양, 신경학적 결손, 사망 등 치명적인 합병증으로 이어질 수 있다.

두개저 주위를 수술하던 중, 갑작스러운 출혈이나

| 표 23-1 부비동수술의 합병증의 분류

경미한 합병증

- 치료가 필요 없는 일시적 합병증
  안와 주위 기종, 안와 주위 반상출혈(전격막, preseptal), 치아 및 입술의 통증과 무감각
- 일시적이지만 치료가 필요한 합병증
  증상을 동반한 유착, 패킹이나 소작 등의 처치를 요하는 출혈, 감염 – 전두동, 상악동, 접형동
- 영구적인 후유증을 남기는 합병증(1년 이상 지속)
  영구적인 치아 및 입술의 통증과 무감각, 영구적인 후각 저하나 소실

심각한 합병증

- 치료에 의해 교정될 수 있는 합병증
  안와 혈종(후격막, postseptal), 시력저하, 복시, 누낭비강문합술(dacryocystorhinostomy)을 요하는 유루증(epiphora), 수혈을 요하는 과량의 출혈, 뇌척수액 비루(cerebrospinal fluid leakage), 경동맥 손상, 뇌수막염(meningitis), 농양, 두개 내 혈종
- 치료에도 불구하고 영구적으로 후유증이 남는 합병증
  실명, 복시, 유루증, 뇌경색, 중추신경장애, 사망

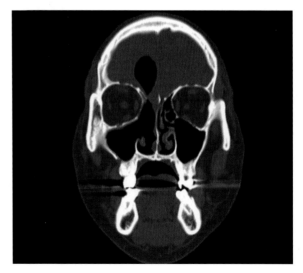

| 그림 23-1 뇌척수액 비루(Cerebrospinal fluid leakage)
두개저의 결손으로 인한 뇌척수액의 비루가 관찰되며, 뇌 내측으로의 기종이 관찰된다.

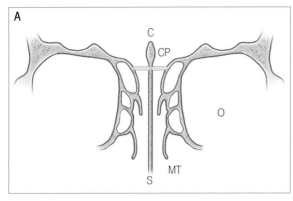

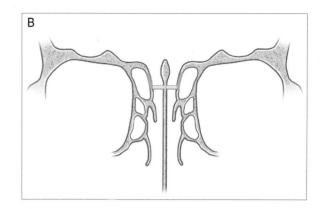

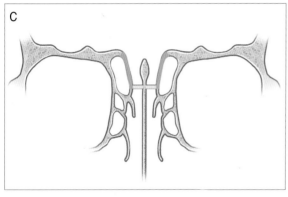

| 그림 23-2 사판측벽의 높이(푸른 선)에 따른 Keros 분류
A. Type I. **B.** Type II. **C.** Type III. C: 계관(crista galli), CP: 사상판(cribriform plate), MT: 중비갑개(middle turbinate), O: 안와(orbit), S: 비중격 (nasal septum)

washout sign(수술시야로 맑은 물이 나오면서 혈액이 씻겨 나가는 소견)을 보이는 경우 뇌척수액 유출을 의심할 수 있다. 손상부위에서 빛이 나는, 압력을 가했을 때 저항 감이 느껴지는 흰색의 섬유성 구조물을 발견했다면 이 는 경막이 노출된 것을 의심할 수 있다. 수술 중 뇌척수 액 비루가 발생하면, 처치 전에 먼저 주변의 부비동 병 변을 모두 제거한 뒤, 손상부위가 적고 소량의 유출액이 있는 경우에는 항생제에 적신 gelform 등으로 손상부위 를 덮고 polyvinyl acetate^Merocel 등의 패킹 물질packing material로 packing한다. 손상부위가 크고 과량의 유출액 이 있으면 뇌척수액의 지속적인 유출이 결손부위의 자 연 폐쇄를 방해하므로, 결손부위를 근막이나 유리점막 이식편으로 막는다. 결손부위가 0.5 cm² 이상인 경우, 전자의 방법으로 충분치 않을 수 있어, 중비갑개나 비중 격으로부터 얻은 복합 이식편composite graft으로 막고,

그 위에 fibrin glue, hydrogel sealant^Duraseal 등의 물질 을 사용할 수 있으며, polyvinyl acetate로 패킹한다(그림 23-3). 최근에는 비중격 피판nasoseptal flap을 이용한 회 전 피판rotational flap으로 결손부위를 재건하기도 한다 (그림 23-4).

하지만, 수술 중 뇌기저부 손상 및 뇌척수액 유출을 확인하지 못하고 술 후 지연발견을 한 경우에는 손상부 위가 작은 경우 경과관찰만으로도 완치될 수 있으나, 뇌 척수액 비루가 2~3주간 지속되는 경우에는 수술적인 치 료가 필요하다.

패킹은 약 일주일 정도 유지하는 것이 좋으며, 수술 후 발생할 수 있는 뇌막염을 방지하기 위해 뇌혈관장벽 blood brain barrier을 통과하는 항생제를 투여한다. 요추 배액lumbar drainage을 실시하여, 시간당 8~10 ml 정도 의 뇌척수액을 배액 시킨다. 더 많은 양을 배액할 경우

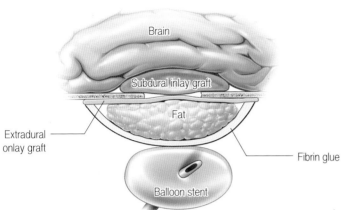

| 그림 23-3 뇌척수액 비루 재건을 위한 3층 보강방법

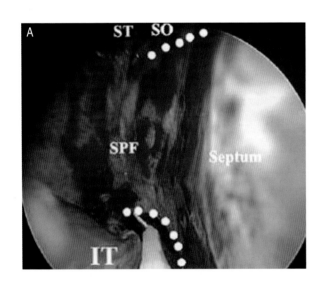

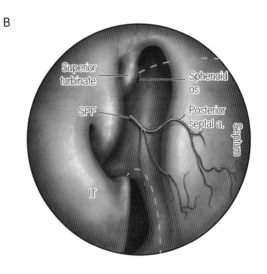

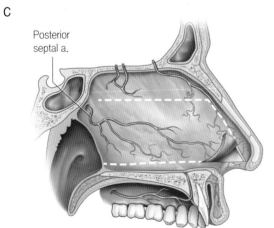

| 그림 23-4 후비강의 내시경 영상(**A**)과 동일 영상의 모식 그림(**B**) 및 비중격 피판의 도안을 위한 절개선(점선)

IT: 하비갑개(inferior turbinate), SO: 접형동 개구부(sphenoid ostium), SPF: 접형구개공(sphenopalatine foramen), ST: 상비갑개(superior turbinate)

빠르게 뇌압을 낮출 수는 있으나 두통이 동반될 가능성이 높으며, 뇌압이 너무 낮아질 경우 뇌기저부 결손부위를 통해 공기가 유입되어 기뇌증이 발생할 수 있다. 따라서 뇌압을 적절하게 모니터링 하면서 배액량을 조절하는 것이 필요하다. 또한, 뇌압이 상승되어 있는 경우에는 뇌척수액배액은 금기이다. 보존적 치료로서 환자의 머리를 10~15도 정도 높여야 하며, 기침, 재채기, 코풀기, 변비 등 두개내압이 상승할 수 있는 상황을 피해야 하고, 완화제, 수분제한, 이뇨제 등을 통하여 두개내압이 상승하는 것을 막아야 한다(Patel et al., 2013).

수술 중에는 뇌척수액 유출 소견을 발견하지 못했다 하더라도, 수술 후 일측의 지속적인 수양성 콧물이 보일 경우, β2-transferrin을 이용하여 감별한 후, 내시경, MR cysternography를 통해 손상부위를 확인할 수 있으며, 최근에는 척추천자를 통하여 경막 내로 fluorescein을 투여하여 비강 내 수술시야에서의 정확한 누출부위를 찾기도 한다.

최근에는 위험요소가 많은 환자나 취약부위를 내시경 부비동수술을 하는 경우 네비게이션을 통해 여러 도움을 받는 경우가 많아지고 있지만, 이 때에도 최대 2mm 정도의 오차가 있을 수 있으므로 이를 고려하여 조심하여야 한다(Pruliere-Escabasse and Coste, 2010; Labadie et al., 2005).

2. 안와 합병증

안와 합병증orbital complication의 예방을 위해서는 해부학적인 지식과 함께 술전에 해부학적인 변형 등을 파악하는 것이 중요하다. 또한, 수술 준비 시 안구를 노출시켜 수술 중에 쉽게 검사를 할 수 있도록 하는 것도 필요하다.

1) 지판 손상

지판lamina papyracea은 0.5mm 정도의 얇은 골판으로, 구상돌기uncinate process 절제술을 시행하거나 사골동 외측의 병변을 제거할 때, 중비도 상악동개방술middle meatal antrostomy 시 자연 개구부 위쪽을 확장할 때 손상받을 수 있다. 지판이 자연적으로 결손이 되어 있거나 외상에 의해 손상이 되어 있는 경우에 합병증의 위험성이 증가할 수 있다. 수술 중 지판이 손상되는 경우는 약 2% 정도이며, 이로 인한 안와 합병증은 0.4%에서 발생하는 것으로 보고되었다(Ramakrishnan and Palmer, 2010).

술 후 환자는 안와 주위 반상출혈periorbital ecchymosis을 보일 수 있으며, 지판 손상 정도에 따라 대부분 치료가 필요 없으며, 별다른 합병증 소견도 보이지 않는다. 지판 손상과 함께 안와골막 손상이 동반된 경우 안와 내 지방이 사골동으로 돌출될 수 있는데, 병변 조직으로 오인하여 제거할 경우 안와 내직근 손상과 같은 치명적인 결과를 초래할 수 있다. 이미 제거한 조직이 안와 내 지방으로 의심될 경우, 제거한 조직을 물에 넣어 보아 물에 뜰 경우 지방조직으로 의심해 볼 수 있다. 또한, 술 중 지판 손상이 의심되는 경우 눈을 외부에서 압박하여 수술시야 내로 안와 내 지방이 돌출되는지 확인Stankiewicz sign하는 것이 필요하다. 단순히 안와 내 지방이 돌출되기만 한 경우에는 정복이나 제거 등의 조치가 필요치 않으나, 주변 병변을 추가 제거해야 할 경우 미세절삭기 등의 사용을 주의하여야 한다. 결손부위가 클 경우 silicone plate 등을 이용하여 결손부위를 지지한 후, 안와내벽의 외향 골절에 준한 치료를 할 수도 있다.

지판의 손상이 있는 경우, 수술 종료 후 기관튜브 발관 뒤, 마스크 양압환기 시 손상된 지판으로 공기가 유입될 수 있어 주의를 요하며, 술 후 수일간은 코를 풀지 않도록 주의하여 안와주위 기종 발생을 예방하는 것이 좋다. 안와내 기종이 발생한 경우 대부분 특별한 치료 없이 7~10일 이내에 호전된다. 하지만, 드물게 지판 손상 이후 안와 내 출혈, 안근손상, 안와 봉와직염, 영구적인 시력손실이 동반될 수 있어 수술 중 지판 손상이 인지된 경우 술 후 주의깊게 관찰하는 것이 좋다(Graham and Nerad, 2003; Bhatti and Stankiewicz, 2003).

┃ **그림 23-5**   안와혈종에 의한 안와주변으로의 출혈반

2) 안와혈종

안와혈종orbital hematoma은 지판에 분포하는 정맥의 손상이나, 전사골 동맥anterior ethmoidal artery 또는 후사골 동맥posterior ethoidal artery이 손상으로 인해 발생하게 된다. 또, 안와혈종은 위치에 따라 격막전pre-septal과 격막후 post-septal 혈종으로 나눌 수 있다. 비교적 초기에 안와주변으로 출혈반이 발생하게 되며(그림 23-5) 대부분의 안와혈종은 정맥의 손상으로 인해 발생하고, 동맥 출혈에 의한 경우에 비하여 서서히 진행하게 된다. 반대로 동맥 출혈은 진행 속도가 빠르고 안압 상승이나 이로 인한 실명의 위험성이 높아 빠른 진단과 치료가 필요하다.

격막전 혈종의 경우 다른 증상을 동반하지 않는다. 하지만 격막 후 혈종의 경우 안와 내압을 증가시키고, 안구 돌출을 야기하며, 이는 시신경을 압박하거나 시신경으로의 혈액 공급을 방해하여 시력 손실을 초래할 수 있다. 중심망막동맥central retinal artery이 눌려 시신경으로 혈액공급이 한 시간가량 중단되면 영구적으로 실명할 수 있다(Ramakrishnan and Palmer, 2010; Bhatti and Stankiewicz, 2003). 특히 동맥 손상에 의한 혈종의 경우 수술 중에 급격한 통증호소와 함께 안구운동장애, 시력 저하를 보이거나, 전신마취시에는 안구돌출, 안검주위 반상출혈, 동공의 확대, 대광반사 감소 등의 소견이 보이면 후구출혈retrobulbar hemorrhage을 의심할 수 있다. 치료로는 비내 패킹을 제거하고, 안구 마사지를 시행하여 혈종을 분산시켜 안와내압을 낮추어야 한다(그림 23-6). 다만 예전에 눈에 관련된 수술을 받은 기왕력이 있는 경우, 주의를 요할 수 있다.

20% mannitol을 1~2 mg/kg 용량으로 30분 이상에 걸쳐 정맥주사하고, 고용량의 스테로이드(dexamethasone 0.5~1 mg/kg/day)를 6~8시간 간격으로 투여하며, Acetazolamide, Trimolol drops 등을 통해 안구방수 aqueous humor 생성을 줄여야 한다. 동시에 안과 전문의의 협진을 요청하여 정확한 평가를 시행해야 한다. 응급 조치 이후에도 시력손실과 현저한 안구돌출이 지속된다면 하안검의 외안각 절개술lateral canthotomy을 시행해야한다(Ramakrishnan and Palmer, 2010). 충분한 감압이나 지혈이 되지 않은 경우에는 Lynch 절개를 통해 전사골 동맥 등의 안와 내 출혈부위를 결찰하고 지판을 제거하여 안와 내 압력을 감소시키는 안와감압술orbital decompression이 필요할 수도 있다(Ramakrishnan and Palmer, 2010; Bhatti and Stankiewicz, 2003).

3) 안구 내직근 및 시신경 손상

후사골동 지판은 내직근medial rectus과 아주 인접해 있으므로 후사골동 지판의 손상 시 내직근의 손상이 쉽게 초래될 수 있다. 그 외 하직근 등도 손상받을 수 있다. 최

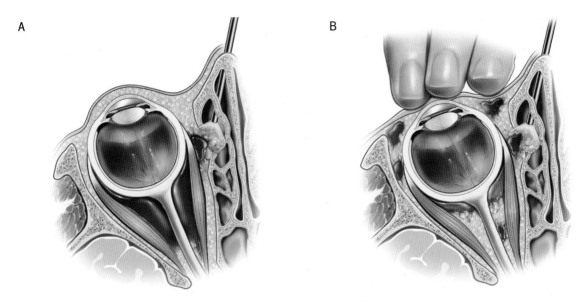

A

B

┃ 그림 23-6 안와 내의 혈종을 재분포시켜 안구 내압을 낮추기 위한 안구마사지

근에는 수술에 미세절삭기와 같은 기구를 널리 사용하게 되면서 기구의 흡인력에 의해 내직근 및 안와 구조물이 손상받을 위험성이 높다(그림 23-7). 안근 손상 시 대개는 영구적인 안구운동 장애가 생기므로 수술 중 지판의 손상과 함께 안근손상이 의심되면, 안과적 협진을 요청하고 안근의 유착을 방지하기 위해 충분한 항생제와 다량의 스테로이드를 투여해야 한다. 컴퓨터단층촬영을 통하여 내직근 손상을 진단할 수 있으며 안과적 수술이 필요할 수 있다(Bleier and Schlosser, 2010 ; Bhatti et al., 2005). 안근의 부분적인 손상이 있는 경우에는 3주 이내에 안근의 복원수술이 필요하다. 시신경이나 시신경 교차optic chiasm에 대한 직접적인 손상으로도 시력손실이 올 수 있으며, 그 외 혈관수축제를 포함하는 거즈 등이 과도하게 장시간 시신경 부위에 유치되어 있을 경우에도 일시적인 시신경 손상이 발생할 수 있다. 시신경 손상이 의심되면 즉시 수술을 중단하고 고해상도 컴퓨터단층촬영을 실시하여 시신경관과 시신경의 손상 정도를 판단하는 것이 중요하다. 시신경관의 골절이 의심되는

경우 즉시 다량의 스테로이드 투여와 함께, 시신경 감압술이 필요할 수 있다. 시신경의 직접적인 손상으로 시신경이 절단된 경우에는 근본적인 치료법은 없으며 예후가 매우 불량하다(Bleier and Schlosser, 2010).

4) 비루관 손상

비루관nasolacrimal duct은 구상돌기 외측에 위치하며, 상악골과 누골lacrimal bone로 이루어져 있는 골성관bony canal을 통해, 하비갑개 전단부 1 cm 이내에서 하비도의 Hasner's valve를 통해 개구한다. 비루관의 뒤의 누골부는 얇으며, 20%에서는 뼈가 없는 경우가 있어, 수술 시 손상되기 쉽다(Unlu et al., 2001 ; Cohen et al., 2010). 중비도 상악동개방술middle meatal antrostomy 시행 시 back biting forceps으로 상악동 앞쪽벽을 넓히는 경우, 손상받을 수 있다. 앞쪽벽으로 진행할 시에, 중비갑개 전단까지는 진행하지 말아야 하며 back biting forceps 조작

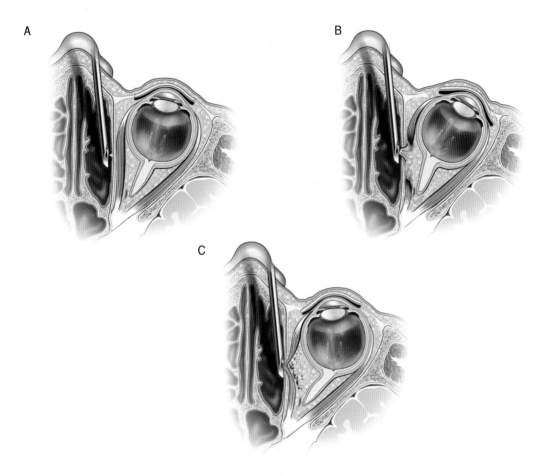

| 그림 23-7 미세절삭기에 의한 내직근 손상 과정

시에, 골이 더 두꺼워지는 느낌이 들면 진행을 멈추어야 한다. 하비도 상악동 개방술inferior meatal antrostomy 시에는 하비갑개 전단부에서 1 cm 이상 떨어져 시행하는 것이 안전하다. 발생률은 보고자에 따라 3~15% 정도로 보고하고 있으며 비루관의 손상 후 유루증이 발생하는 경우는 0.1~1.7% 정도로 낮으며, 수술 직후에 유루증이 있다고 하여도 추적관찰 중에 손상된 관이 중비도로 생기거나 자연적으로 치유되는 경우가 대부분이나, 누낭염의 반복 시에는 누낭비강문합술dacryocystorhinostomy을 시행하여야 하며 성공률은 87~98% 정도로 보고되고 있다(Ramakrishnan et al., 2007 ; Bolger et al., 1992).

3. 출혈

전후 사골동맥과 접형구개동맥sphenopalatine artery 및 이 혈관들의 분지branch가 분포하는 곳에서 주로 출혈이 일어나며, 접형구개동맥은 3기판의 후하방에 위치하며 이부분을 절제하거나 중비갑개 뒷부분을 절제할 시에 손상될 수 있다. 전사골동맥의 손상은 이전에 기술한 안와 내 출혈부터, 혈관이 수축 이동하여 두개 내로 들어갈 경우, 경막하 출혈 등도 일으킬 수 있다. 이 부위의 출혈은 전기적인 소작술 등을 통한 지혈이 필요할 수 있다. 접형동 수술 시 해부학적인 위치상, 내경동맥의 손상으로 인한 대량 출혈이 가능하며, 이때는 즉시 패킹 물질로 비강 내 패킹을 실시하고 경부외측에서 내경동맥을 압박하며, 혈압을 낮게 유지하고 충분한 수혈 및 수액공급을 통해 체액을 적절히 유지하며, 혈관촬영을 실시하여 뇌파 감시하에 풍선을 이용한 내경동맥 폐쇄술도 고려할 수 있다. 접형동으로 접근할 때에는 가급적 내하방으로 접근하는 것이 안전하다.

재수술, 알레르기성 점막충혈, 고혈압, 스테로이드나 아스피린 사용, 혈관수축제의 장기 사용, 비-부비강의 급성 감염 등이 있는 환자의 경우에 수술 중 및 수술 후에 출혈의 가능성이 높으므로 세심한 전주의가 필요하다. 출혈이 있을 경우 명료한 시야 확보를 불가능하게하여 합병증의 위험성을 높일 수 있으므로 국소 혈관수축제를 수술 전 충분히 사용하고, 수술 중 혈압을 낮게 유지하며, 병이 있는 점막만 제거하여 출혈을 최소화해야 한다.

4. 비강 유착

Stammberger에 따르면 부비동수술 후 약 8%에서 유착adhesion or synechia이 있었다고 하며, 내시경 부비동수술의 가장 흔한 합병증으로 하비갑개와 비중격, 중비갑개와 비중격, 중비갑개와 외측벽의 유착이 흔하다. 유착을 예방하기 위해서는 수술 시 중비갑개 외측벽의 손상을 최소화해야 한다. 또한 비용성 변성을 일으킨 부비동 점막은 제거하되 cutting forcep이나 미세절삭기 등을 사용하여, 점막하층은 가급적 보존하는 것이 중요하다. 심한 비용성 변성을 일으키거나 위축성의 중비갑개 병변소견이 있다면 병변 부분을 제거하고 polyvinyl acetate 등의 spacer를 삽입하는 것이 바람직하다. 중비갑개의 유착을 방지하기 위해 중비갑개 전단을 절제하는 경우 중

비갑개를 약화시켜 외측으로 향하게 하여 유착을 일으킬수 있으므로 주의하여야 한다. 보통 경미한 유착의 경우별다른 증상을 일으키지 않으나, 수술 후 환자의 비강 세척 및 내시경을 통한 잔여조직의 debridement 등을 통해 유착을 예방하는 것이 중요하며, 심한 경우 유착박리술synechiolysis을 시행한다.

5. 기타

1) 안면부 통증 및 감각 둔화

안와하신경infraorbital nerve의 손상 등으로 치아나 입술의 통증이나 무감각 증상이 올 수 있다. 대부분의 경우일시적이며 수술 후 3~6개월 이내에 회복되나, 영구적으로 지속될 수도 있다.

2) 독성 쇼크 증후군

독성 쇼크 증후군toxic shock syndrome은 잔여 조직, 패킹의 잔유물remnant packing material, 가피에서 포도상구균의 감염으로 생기며, 고열과 함께 피부발진, 표피탈락이동반되고 저혈압에 의하여 Shock에 이르기도 한다. 예방하기 위해서는 비강이나 부비동내에 패킹을 남겨두지말아야 하며, 술 중, 술 후에 패킹의 잔유물들의 유무를확인하여야 한다.

3) 피하 안와 기종

손상된 지판을 통하여 Valsalva 동작 혹은 코를 풀 때 공

기가 유입되어 발생하며 1주일 이내에 회복된다. 따라서 지판의 손상이 있는 환자에게 수술 후 약 1주일 동안은 코를 풀지 않도록 교육하여야 한다.

4) 술 후 점막의 육아종

술 후 초기에 관찰되는 육아종은 정상적인 현상으로 점막재생에 필수적이나, 과육아종의 경우 내시경하에서 제거하거나 10~20% $AgNO_3$로 소작한다.

참고문헌

1. Bhatti MT, Schmalfuss IM, Mancuso AA. Orbital complications of functional endoscopic sinus surgery: MR and CT findings. Clin Radiol 2005;60:894-904.
2. Bhatti MT, Stankiewicz JA. Ophthalmic complications of endoscopic sinus surgery. Surv Ophthalmol 2003;48:389-402.
3. Bleier BS, Schlosser RJ. Prevention and management of medial rectus injury. Otolaryngol Clin North Am 2010;43:801-7.
4. Bolger WE, Parsons DS, Mair EA, Kuhn FA. Lacrimal drainage system injury in functional endoscopic sinus surgery. Incidence, analysis, and prevention. Arch Otolaryngol Head Neck Surg 1992;118:1179-84.
5. Cohen NA, Antunes MB, Morgenstern KE. Prevention and management of lacrimal duct injury. Otolaryngol Clin North Am 2010;43:781-8.
6. Graham SM, Nerad JA. Orbital complications in endoscopic sinus surgery using powered instrumentation. Laryngoscope 2003;113:874-8.
7. Gross RD, Sheridan MF, Burgess LP. Endoscopic sinus surgery complications in residency. Laryngoscope 1997;107:1080-5.
8. Keros P. [On the practical value of differences in the level of the lamina cribrosa of the ethmoid]. Z Laryngol Rhinol Otol 1962;41809-13.
9. Kim E, Russell PT. Prevention and management of skull base injury. Otolaryngol Clin North Am 2010;43:809-16.
10. Labadie RF, Davis BM, Fitzpatrick JM. Image-guided surgery: what is the accuracy? Curr Opin Otolaryngol Head Neck Surg 2005;13:27-31.
11. May M, Levine HL, Mester SJ, Schaitkin B. Complications of endoscopic sinus surgery: analysis of 2108 patients--incidence and prevention. Laryngoscope 1994;104:1080-3.
12. Patel KS, Komotar RJ, Szentirmai O, Moussazadeh N, Raper DM, Starke RM, et al. Case-specific protocol to reduce cerebrospinal fluid leakage after endonasal endoscopic surgery. J Neurosurg 2013;119:661-8.
13. Pruliere-Escabasse V, Coste A. Image-guided sinus surgery. Eur Ann Otorhinolaryngol Head Neck Dis 2010;127:33-9.
14. Ramadan HH, Allen GC. Complications of endoscopic sinus surgery in a residency training program. Laryngoscope 1995;105:376-9.
15. Ramakrishnan VR, Hink EM, Durairaj VD, Kingdom TT. Outcomes after endoscopic dacryocystorhinostomy without mucosal flap preservation. Am J Rhinol 2007;21:753-7.
16. Ramakrishnan VR, Palmer JN. Prevention and management of orbital hematoma. Otolaryngol Clin North Am 2010;43:789-800.
17. Stankiewicz JA. Complications of endoscopic intranasal ethmoidectomy. Laryngoscope 1987;97:1270-3.
18. Stankiewicz JA. Complications in endoscopic intranasal ethmoidectomy: an update. Laryngoscope 1989;99:686-90.
19. Stankiewicz JA, Lal D, Connor M, Welch K. Complications in endoscopic sinus surgery for chronic rhinosinusitis: a 25-year experience. Laryngoscope 2011;121:2684-701.
20. Unlu HH, Goktan C, Aslan A, Tarhan S. Injury to the lacrimal apparatus after endoscopic sinus surgery: surgical implications from active transport dacryocystography. Otolaryngol Head Neck Surg 2001;124:308-12.

CHAPTER

24

비외 부비동수술

전남의대 이비인후과 **이동훈**, 전남의대 이비인후과 **임상철**

> **CONTENTS**

Ⅰ. 상악동 수술
Ⅱ. 사골동 수술
Ⅲ. 접형동 수술
Ⅳ. 전두동 수술

HIGHLIGHTS　　　　　　　　　　　　　　　　　　　　　　　　　　　>>>

- 부비동 질환의 표준 치료는 내시경 부비동 수술임
- 비외 부비동수술은 내시경하 접근이 어려운 경우 제한적으로 시행함
- Caldwell-Luc 수술: 내시경적 중비도 개창술이 실패한 재발성 상악동 병변, 익구개와 등 상악동 후방의 병변, 술후성 협부 낭종 등에서 고려함
- 비외사골동 절제술: 안와 또는 안와주위 농양 등에서 비강내 접근이 위험한 경우, 사상판이나 사골와에서 나오는 뇌척수액 비루의 치료, 전두개저 종양 제거, 두개안면절제술 시 시행
- 전두동 천공술, Riedel 술식, Killian, Lothrop, Lynch 등의 전두동 외측 접근법: 좁은 전두와, 제4형 전두봉소, 전두동의 상부나 외측부의 병변, 전두와의 신생골형성, 외상, 심각한 전두와 협착, 전두동 골수염 등에서 시행함

부비동 질환의 수술에 내시경 수술이 도입된 이후, 내시경 수술이 부비동 질환의 표준 치료로 자리잡았으며, 그 치료범위가 두개저 병변까지 확장되고 있다. 그러나, 내시경 수술에도 제한점이 있어 상악동의 전하방 내측 부위나 전두동의 외측 부위에 발생한 질환 등에 대해서는 내시경하에서 접근하기 어려운 경우가 있으므로, 고식적인 수술 방법이 불가피할 때가 있다. 따라서, 내시경 수술 뿐만 아니라, 고식적인 수술 방법의 장단점을 이해하고 수술 술기를 숙지하는 것이 필요하다.

I | 상악동 수술

1. Caldwell-Luc 수술

19세기말경 많은 이비인후과 의사들은 상악동의 병변 제거를 위한 많은 연구를 시행하였다. 많은 연구들 가운데 미국의 George Caldwell과 프랑스의 Henri Luc은 견치와canine fossa에 구멍을 만들어 상악동의 병변을 제거하고 동시에 상악동과 하비도를 연결시켜 상악동을 개방하는 술식을 처음으로 고안하였다(Donald PJ et al., 1987; Terrell JE, 1988). 내시경 부비동 수술이 보급되어 자연공을 통한 수술이 시행된 1980년 중반까지 Caldwell-Luc 수술은 만성 상악동염의 치료 및 두개저 접근 방법으로 널리 사용되었다. 그러나, 최근에는 만성 상악동염의 일차적 수술로 사용되기보다는 내시경적 중비도 개창술endoscopic middle meatal antrostomy이 실패한 상악동 병변이나 익구개와pterygopalatine fossa 등에 병변

이 있을 때 사용되는 유용한 접근방법 중의 하나로 사용되고 있다.

1) 적응증

내시경 수술로 병변의 제거가 어렵고 치유가 되지 않은 경우는 Caldwell-Luc 수술의 적응이 된다. 특히 원발성 섬모운동이상증primary ciliary dyskinesia이나 낭성 섬유증cystic fibrosis 등 점액섬모기능 장애가 있는 환자에서는 내시경 수술보다 Caldwell-Luc 수술이 선호된다(Terrell JE, 1988). 진균성 상악동염에서는 상악동의 전방부, 하방부, 측부에 깊은 골이 형성되어 있고 이곳에 진균덩어리가 박혀 있어 생리식염수 세척에도 제거되지 않는다면 Caldwell-Luc 수술법으로 제거할 수 있다(민, 1997; 나, 2009). Caldwell-Luc 수술 후 상악동 점막이 남아 있는 경우에 종종 발생하는 합병증 중 하나인 술후성 협부낭종postoperative cheek cyst도 Caldwell-Luc 수술의 적응증에 포함된다. 최근에는 내시경을 이용하여 중비도나 하비도를 통한 배액수술을 하여 좋은 결과를 얻고 있지만, 술후성 협부낭종의 위치가 내시경하에서 비강을 통하여 접근하기 어렵거나 여러 개의 낭이 격막에 의해 나누어져 있을 때는 Caldwell-Luc 수술의 적응증이 된다(민, 1997; 나, 2009).

상악동후비공비용은 내시경 수술로 대부분 제거가 가능하나, 내시경하에 상악동 내부의 비용점막을 깨끗하게 절제하기 어렵거나 자주 재발하는 경우에 Caldwell-Luc 수술법이 고려된다(민, 1997; 나, 2009). 상악동 내 악성종양이 의심되는 경우에 진단을 위하여 Caldwell-Luc 수술을 시행할 수 있다. 그러나 조직 생검 과정에서 이환되지 않은 부위를 암세포로 오염시킬 위험이 있기 때문에, 내시경을 이용하여 중비도를 통한 접근법으로 조직검사가 가능한지 우선적으로 고려해야 한다.

갑상선 기능항진증에 따른 안구돌출증Graves ophthalmopathy의 외과적 치료로 안와감압술을 시행할 때 Caldwell-Luc 수술로 안와 하벽에 쉽게 도달하여 충분한 감압을 할 수 있다(Walsh TE et al., 1957). 익돌관신경절제술vidian neurectomy, 내상악동맥결찰술internal maxillary artery ligation, 익구개와에 생긴 종양에 대한 조직 생검 등 익구개와의 접근을 위하여 Caldwell-Luc 수술이 사용된다. 또한, 상악동 이물 제거, 구강상악동누공oroantral fistua 폐쇄, 상악동 골절과 같은 안면골 골절의 정복술, 치성 상악동염의 수술 등에도 Caldwell-Luc 수술을 이용할 수 있다(민, 1997; 나, 2009).

2) 수술방법

전신마취나 국소마취에서 모두 가능하나 전신마취를 한다면, 구강기관튜브는 수술하는 반대편 입가에, 양쪽 모두 수술하는 경우에는 중앙에 위치시킨다. 국소마취와 전신마취 모두에서 비점막을 혈관수축제와 리도케인이 묻은 면구cottonoid를 이용해 손상 없이 비점막을 수축시킨다. 그리고, 위쪽 치은협구gingivobuccal fold와 하비도의 외측벽을 2% lidocaine과 1:100,000 epinephrine 용액으로 침윤마취한다. 절개는 치은 구순구 약간 위에서 견치에서 제1 대구치까지 실시한다. 절개 후 연부조직하 피판의 길이를 충분히 만들어야 수술 종료 시에 상처 봉합을 쉽게 할 수 있다. 윗입술은 위로 올리고 같은 쪽 입가는 옆으로 당기면서 골막을 아래로 박리하여 안와하신경infraorbital nerve 부위까지 연부조직을 위로 올리고 상악동 전벽을 넓게 노출시킨다(그림 24-1A). 안와하신경infraorbital nerve을 확인하고 조심스럽게 보호하면서 연부조직을 이 신경의 내외측으로 더 박리한다. 안와하신경을 다치지 않게 견인기retractor를 재위치시켜 노출을 최대로 한 후에 상악동 전벽을 트로카trocar, 망치와

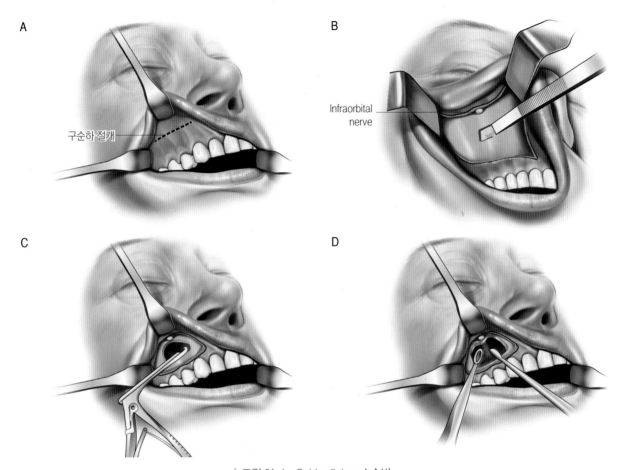

A

구순하 절개

B

Infraorbital nerve

C

D

| 그림 24-1   Caldwell-Luc 수술법
A. 절개선. B. 견치와가 노출된 후 osteotome으로 구멍을 낸다. C. Kerrison rongeur로 구멍을 넓힌다. D. 상악동 병변을 제거한다.

끌 혹은 드릴을 이용하여 구멍을 뚫는다(그림 24-1B). 드릴은 골밀도가 감소된 뼈osteopenic bone에서는 조절이 어려울 수 있으며, 흔히 많이 이용하는 망치와 끌을 사용할 경우에는 정확성이 떨어져 위험할 수 있다. 천공의 위치는 견치와 소구치의 뿌리 위쪽으로 한다. 노출을 더 크게 하기 위해 Kerrison rongeur와 접형동 punch를 이용해 상악골의 앞면을 조금 더 제거한다(그림 24-1C). 안와하신경을 보존하면서 병의 정도에 따라 신경의 내외측을 지나 위쪽으로 뼈를 더 제거할 수도 있다. 이때 치아와 치아에 분포하는 신경을 손상시킬 수 있기 때문에 너무 아래까지 넓히지 말아야 하며, 또한 외측 상악

동 골벽lateral maxillary buttress을 손상시키지 않아야 한다(Schneider JS et al., 2015). 과거에는 상악동 점막을 전부 제거하는 근치수술을 시행하였으나 요즘에는 병의 정도에 따라 가역적인 병변을 지니거나 정상적으로 보이는 점막은 보존한다(그림 24-1D). 상악동의 노출이 다 끝나면 중력을 이용한 배액을 위해 하비도의 중간 1/3 부위에 비강상악동창nasoantral window을 가능하면 크게 만든다. 하비갑개를 위로 젖혀서 하비도를 노출시킨 다음, 비강상악동창의 개존도를 유지하기 위해 하비도 측벽에서 하부에 기저부를 둔 점막골판피판을 만든다. 크게 만든 비강상악동창의 하연에 점막골판피판을 위치시

켜 골이 노출되지 않도록 한 후에 하비갑개를 원래의 위치로 하고 패킹을 시행한다. 치은협구의 절개선은 흡수성 봉합사로 철저하게 봉합한다. 수술 후 침대 머리를 30도 올리고 얼음주머니를 협부에 위치하여 수술 부위의 부종을 감소시킨다. 수일간 항생제를 투여하고 생리식염수로 비강을 세척하여 혈괴나 가피의 형성을 줄여준다(민, 1997).

하비도에 비강상악동창을 반드시 만들어야 하는지에 대해서는 아직 논란이 있다(Mabry RL, 1994). 최근에는 견치와 구멍을 작게 만들어 내시경의 도움으로 병적인 상악동 점막만을 제거하고 정상적인 점막을 보존하기 때문에, 비강상악동창을 만드는 대신에 중비도의 자연구를 넓게 열어주는 보다 생리적이고 보존적인 수술을 더 많이 시행한다.

되며 얼음찜질로 통증과 부종을 감소시킬 수 있다. 대개의 환자들은 일시적으로 안와하신경 지배영역에 이상감각을 겪으며, 이 중 30% 정도는 증상이 지속될 수 있다(Lawson W, 1991). 이는 수술 시 안와하신경의 직접적인 손상이나 과도한 견인을 피함으로써 줄일 수 있다. 대구치 등의 치아 뿌리가 상악동 내로 들어간 경우에는 치아 손상의 가능성이 있으며, 특히 소아에서 영구치가 나오기 전에는 치아 손상을 막기 위하여 더욱 조심하여야 한다(민, 1997; 나, 2009). 치아의 손상으로 인해 무감각, 치통, 실활치devitalized teeth 등의 합병증이 올 수 있다. 모든 종류의 부비동 수술과 마찬가지로 비루관nasolacrimal duct 외상을 포함한 피하안와기종, 안구돌출, 복시, 시력감소 등의 안와합병증이 생길 수 있다(Murray JP, 1983).

3) 합병증

Caldwell-Luc 수술의 합병증은 술 중과 술 후 합병증으로 나누어진다. 가장 심각한 술 중 합병증은 내상악동맥internal maxillary artery 또는 접형구개동맥sphenopalatine artery 손상으로 인한 출혈이다. 이 출혈은 트로카 등을 이용하여 상악동 전벽을 뚫을 때 너무 많은 힘을 주어 상악동 후벽에 손상을 주었기 때문이다. 따라서 망치와 끌을 사용하기보다는 트로카를 이용한 twisting technique을 사용해야 한다(Schneider JS et al., 2015). 술후에 발생할 수 있는 가장 흔한 합병증은 절개부위 회복지연이다. 절개부위 회복 지연은 상악동의 염증으로 인해 발생했을 가능성이 있으며, 절개부 봉합이 적절치 않아서 장기간 절개 부위가 치유되지 않으면 구강상악동누공이 발생할 수 있다. 대부분의 경우에 수술 후 수일동안 동측의 볼에 부종과 출혈반이 생기지만 자연 소실

‖ | 사골동 수술

1. 비외사골동 절제술

1984년 Jansen에 의해 처음 고안된 비외사골동절제술external ethmoidectomy은 만성 부비동염의 외과적인 치료에서 중요한 방법의 하나로(Montgomery WW, 1971; Schneider JS et al., 2015), 안와 내측과 두개저를 직접 확인하면서 수술하기 때문에 사골봉소를 완벽하게 제거하는 데는 아주 효과적이다. 얼굴에 흉터가 남는 단점이 있으나 다양한 절개법과 성형외과적 봉합으로 흉터를 줄일 수 있다(Neal GD, 1985). 그러나, 내시경수술로 사골동과 전두개저, 안와내측의 병변을 외부접근법과 거의 동일하게 치료할 수 있으므로 그 유용성은 많이 감소된 상태이다.

1) 적응증

비외사골동절제술은 사골동과 전두동을 동시에 넓게 접근하고자 할 때 종종 사용되는 방법으로 만성적인 사골동염을 앓고 있으며 진행된 병변이나 이전의 수술로 정상 해부학적 지표가 많이 훼손되어 비강 내 접근이 위험한 경우에 유용하다. 또한 안와 또는 안와주위 농양이 발생한 급성 사골동염이나 전두동염과 사상판cribriform plate이나 사골와에서 나오는 뇌척수액 비루의 치료에도 적응이 되며, 전두개저 종양의 완전한 절제를 위한 두개안면절제술craniofacial resection surgery을 시행할 때 함께 사용될 수 있다.

2) 수술방법

수술은 대개 전신마취에서 실시하며, 사상판의 천공을 피하기 위해 앙와위에서 머리를 20~30도 올리고 시행한다. 눈썹의 내측면에서부터 비배측까지 연조직에 2%

lidocaine과 1:100,000 epinephrine을 섞은 용액을 주사함으로써 지혈에 도움이 되도록 한다. 비강내의 충혈제거와 혈관 수축은 비내사골동수술과 비슷하며 안구를 보호하기 위하여 검판봉합술tarsorrhaphy을 실시한다.

비외사골동절제술은 modified Lynch incision을 시행하는데, 눈썹의 내측하방부터 시작하여 곡선을 그리면서 비배부의 중앙선과 내안각inner canthus을 연결하는 중앙부위를 통과하며 이 지점에서 1 cm 연장한다(그림 24-2A). 안각정맥angular vein과 안각동맥angular artery이 손상되지 않도록 조심하여 결찰한 후 골막을 박리한다. 내안각인대medial canthal ligament와 활차신경trochlear nerve이 손상을 받지 않도록 골막을 주의 깊게 다루며, 누낭lacrimal sac을 조심스럽게 누낭와로부터 들어올린다. 활차신경이 심하게 당겨지는 경우는 수술 후에 일시적으로 복시현상이 생길 수 있으나 이는 수주 이내에 자연적으로 회복된다. 처음에는 골막이 뼈에 단단히 부착되어 있지만 후누릉posterior lacrimal crest을 넘어서면 부착 정도가 느슨해져 빠르게 진행할 수 있다. 안와의 내측벽이 넓게 노출되면 전누릉anterior lacrimal crest의 약

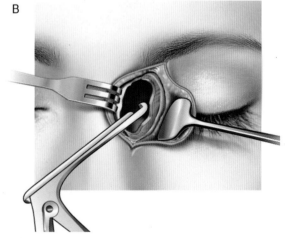

| 그림 24-2 비외사골동절제술
A. 절개선. B. 겸자로 누낭와로부터 절제를 시작한다.

24 mm 뒤 전두사골 봉합선에서 전사골동맥이 관찰되며, 이 혈관은 결찰하거나 전기소작한다. 안와 주위는 견인기retractor로 주의 깊게 보호하여 안와골막periorbita이 손상되어 안와 지방이 빠져나오는 것을 막는다. 눈을 견인할 때에는 45~90초마다 견인을 풀어 망막 혈행 장애를 예방해야 한다. 박리를 더 진행하면 전사골동맥의 약 12 mm 뒤에 후사골동맥이 위치하고, 후사골동맥의 6 mm 후방에 시신경이 있다. 전누릉, 전사골동맥, 후사골동맥과 시신경과의 관계는 '24/12/6 법칙'이다(Rontal E et al., 1979). 후사골동맥은 전사골동맥보다 크기가 작으며 후사골동맥에서는 전기소작술을 시행하지 않는다. 후사골동맥이 크거나 상대적으로 앞쪽에 위치하고 있을 때만 결찰을 시행하며 후사골동맥을 결찰할 때는 시신경 손상의 위험이 있기 때문에 매우 주의해야 한다.

사골은 망치와 끌을 써서 누선와를 통하여 들어갈 수 있으며 Kerrison rongeur나 Blakesley 겸자를 써서 넓혀 나간다(그림 24-2B). 사솔봉소를 절제할 때도 사상판의 손상을 막기 위해 처음에는 중비갑개의 내측벽과 외측 비강벽 사이의 중비갑개 부착부위를 넘지 말아야 하며 지판의 절제 역시 전두사골 봉합선 아래로 국한되어야 한다. Kerrison rongeur로 누선와를 통해 상악골의 전두돌기 안쪽에서 비제봉소를 제거하며 뒤쪽으로는 후사골동맥부분까지 조심스럽게 절제한다. 전두동 수술이 필요하면 전두동을 아래에서부터 열고 비강 내 전사골 동개방술을 시행함으로써 사골동과 중비도의 연속성을 유지할 수 있다. 전두동수술 후 유착의 가능성이 있으면 가벼운 silastic판을 관tube 모양으로 만들어 전두동에서 하비갑개의 앞부분까지 위치하게 두고 봉합해서 고정해 둔다. 스텐트 거치 기간은 다양하며, 전두동에서 중비도까지 점막이 덮히면 스텐트를 제거한다.

수술이 끝나면 코를 패킹한 후에, 흡수되는 봉합사로 골막과 피하조직을 봉합하며, 내안각인대가 절개된 경우는 안각격리증telecanthus을 방지하기 위해 비흡수성 봉합사로 봉합하여야 한다. 피부는 6-0 나일론이나 흡수되는 봉합사로 봉합한다. 수술 후 광범위 항생제를 사용하고 통증과 부종을 줄이기 위하여 머리를 30도 정도 올리고 얼음찜질을 한다. 수시로 시력 감소나 안구운동장애가 발생하는지 검사해야 한다. 수술 후 2~4일째 패킹을 제거하고 봉합사는 수술 후 5일째에 제거한다. 술 후 국소용 스테로이드제를 분무하고, 가피형성을 최소화하기 위해서 매일 생리식염수로 비강세척을 시행한다.

3) 합병증

사골동맥의 부적절한 지혈로 술 후 심각한 출혈이 발생할 수 있으며, 이로 인해 안와 혈종이 발생하여 시력 상실의 위험이 있다. 수술과정에서 시신경이나 내측직근medial rectus muscle의 직접적인 손상이 발생할 수 있다. 또한 두개저 손상으로 인한 뇌척수액 비루 등의 합병증이 발생할 수 있다. 절개 반흔은 대부분의 경우 문제되지 않지만, 비후된 반흔 조직이 생기면 반흔을 제거하고 W-plasty나 multiple Z-plasty로 교정할 수 있다. 전두부의 무감각이나 감각 저하가 일어날 수 있으나 안와상신경supraorbital nerve과 활차상신경supratrochlear nerve이 손상되지 않았으면 대개는 호전된다. 전두와나 전두동 하벽의 점막을 제거하였을 때 전두와 협착이 발생하여 전두동염이나 점액낭종이 발생할 수 있기 때문에 전두동 입구의 정상점막은 반드시 보존하여야 한다. 지판lamina papyracea의 과도한 제거는 안구의 내측 이동을 초래해서 전두와를 막을 수 있기 때문에 안와벽 내측상부를 유지하는 것이 바람직하다.

2. 경상악동사골동 절제술

1) 적응증

약물치료에도 호전되지 않은 상악동 및 사골동의 염증성 질환에서 Caldwell-Luc 접근으로 상악동의 병변 제거와 상악동 자연공을 통한 사골동절제술을 시행할 수 있다. 그 외에 안와감압술, 이물이나 양성종양의 적출 등에 이용할 수 있다(Ogura JH et al., 1971).

2) 수술방법

먼저 Caldwell-Luc 수술을 시행하기 위해 치은협부절개를 시행하고 견치와를 노출시킨 후, 견치와에 구멍을 가능한 한 크게 뚫는 것이 좋다. 상악동 점막은 질병의 정도에 따라 제거하며, 상악동 내측벽의 상악동 자연공을 부위를 촉지하여 그 위치를 예측한 후에 부드럽게 구멍을 뚫는다. 상악동에서 사골동으로 접근하여 사골포를 절제하면서 지판과 사골와fovea ethmoidalis의 위치를 미리 확인하는 것이 좋다(민, 1997). 전사골봉소들을 겸자로 제거하고 후방향으로 절제한다 그러나 비제봉소agger nasi는 이 방법으로 절제할 수 없다. 가능하면 사골와를 앞에서 확인하고 안와판과 사골와를 지표로 이용하면서 겸자로 접형동쪽을 향해 절제를 하는 것이 안전한데 많은 경우에 있어서 사골와는 후상부에서 더 쉽게 확인된다(Kinnekman CP, 1988). 사골와의 각도가 앞에서 뒤로 갈수록 아래로 향한다는 것을 기억하면서 사골봉소들을 후방향으로 제거한다. 병변이 다 절제되면 비강내 패킹을 시행하고, 상처봉합은 Caldwell-Luc 수술과 동일하다.

3) 합병증

비내사골동절제술과 Caldwell-Luc 수술의 합병증과 동일하다.

III | 접형동 수술

1. 비외접형동 절제술

이 접근법은 접형동까지 최단거리로 접근할 수 있으며, 비외사골동절제술의 연장으로 사골동절제술을 마친 후에 후사골동으로부터 접형동의 전벽을 확인하고 접형동절개를 시행하는 것으로, 내시경수술이 도입되어 이 술식은 자주 사용되지 않는다. 그러나, 시야가 좋고 지판과 두개저를 확인하며 수술할 수 있기 때문에 매우 안전한 술식이다.

2. 경상악동접형사골동 절제술

이 접근법은 Caldwell-Luc 수술 후에 상악동의 자연공을 통하여 후사골동을 절제한 후에 접형동을 개방하는 술식이다(Malotte MJ et al., 1991). 그러나 접근방향이 비스듬하여 중요한 구조물의 해부학적 상관 관계를 파악하는 데 혼동을 줄 수 있고, 접형동의 외측벽에 대한 시야가 좋지 않으므로 외측벽에 위치한 시신경이나 해면정맥동 주변의 구조물이 다치지 않도록 주의를 기울여야 한다(민, 1997).

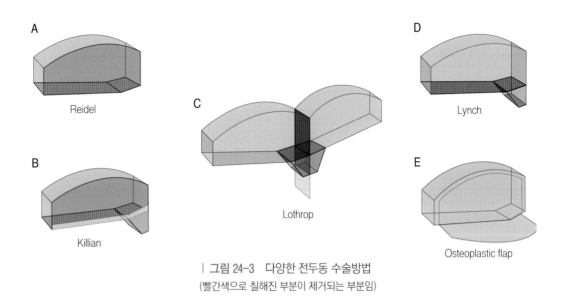

| 그림 24-3 다양한 전두동 수술방법
(빨간색으로 칠해진 부분이 제거되는 부분임)

IV | 전두동 수술

전두동 수술은 전두와frontal recess의 복잡한 해부학적 특성 때문에 내시경으로 접근하기 어려워서 많은 경험을 필요로 한다. 최근에는 전두와 해부의 이해와 Draf III 등 내시경 술기의 발달, 항법장치의 사용으로 인해 대부분의 전두동병변의 경우에는 내시경적 치료가 가능해졌지만, 좁은 전두와, 제4형 전두봉소type IV frontal cell, 전두동의 상부나 외측부의 병변, 전두와의 신생골형성neo-osteogenesis, 외상, 심각한 전두와 협착, 전두동 골수염 등의 경우에도 전두동 수술을 위해서는 외부 접근법이 필요할 수 있다(Zonis RD et al., 1966). 부비동염의 치료에 항생제가 도입되기 전에는 전두동염 발병 후에 뇌막염, 경막하농양, 뇌농양, 두개골 골수염 등의 중대합병증이 발생하면 생명이 위험하였기 때문에 19세기 말부터 여러 가지 외부접근법이 소개되었다(그림 24-3). 이 중에서 전두동 천공술과 골성형피판전두동폐쇄술은 전두동 병변의 내시경치료의 보조 술식이나 내시경치료 실패의 구제수술로도 아직 유효하다.

1. 전두동 천공술

1) 적응증

전두동 천공술frontal sinus trephination은 1884년 Ogston이 소개한 수술방법으로 적절한 항생제의 사용에도 불구하고 증상의 호전 없이 방사선학적 검사상 전두동의 혼탁을 보이는 급성 전두동염에 사용되어 왔다. 48시간 동안의 약물치료에도 반응하지 않는 급성 전두동염에서 통증이나 안와주위부종이 지속되거나, 안와 합병증이나 두개 내 합병증의 초기에 더 이상의 진행을 막기 위해 2차 수술을 하기 전에 우선적으로 시행하기도 한다. 그 외에 전두동 내의 농을 배액하고 균 배양 검사를 한 후 카테터나 드레인을 위치시켜 식염수로 세척하는 통로를 만들거나 조직 생검에 이용되기도 한다. 최근에는 내시경수술 과정에서 전두와를 찾을 수 없거나 내시경수술만으로 전두동의 병변을 제거하기 어려울 때, 전두동천공술을 함께 시행하는 경우가 많다(Patel AB et al., 2015).

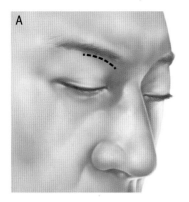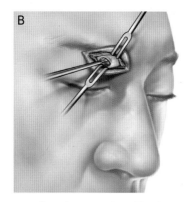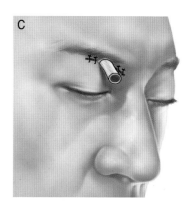

▌그림 24-4 전두동천공술
A. 절개선. B. 드릴로 천공을 만든다. C. 관을 삽입하고 봉합한다.

2) 수술방법

외부 절개는 3가지가 있는데, 눈썹위 절개, 눈썹 내 절개, 눈썹아래 절개로 나누어진다. 각 절개는 각기 장단점이 있는데 눈썹위 절개는 흉터가 보이고 V1 감각이상의 가능성이 높지만 눈썹의 탈모의 가능성이 없다. 눈썹내 절개는 흉터는 보이지 않고 V1 감각이상의 가능성이 낮지만 탈모의 가능성이 있다. 한편 가장 흔하게 사용되는 눈썹아래 절개는 흉터가 보이지 않고 눈썹 탈모의 가능성이 없고 V1 감각이상의 가능성도 낮다(Palmer JN, 2013). 눈썹아래절개의 경우, 눈썹의 내측하방에 2% lidocaine과 1:100,000 epinephrine 용액을 주사하고 1~2 cm의 길이로 눈썹 바로 밑을 절개하고 눈썹의 내측 끝에서 절개를 멈춘다(그림 24-4A). 절개는 눈썹의 모낭과 평행하게 비스듬하게 시행해야 눈썹의 탈모증을 피하고, 좋은 미용학적 결과를 얻을 수 있다. 절개는 피하조직과 안륜근orbicularis oculi muscle을 지나 골막까지 가서 밑에 있는 골막에 절개를 가하고 골막기자periosteal elevator를 사용하여 박리하여 1×1 cm 정도 크기의 골을 노출시킨다. 이 위치의 안와연에서 대략 15 mm에 활차 신경이 있으므로 조심하여 박리한다(민, 1997). 전두

동 천공의 위치는 전두동의 발달 정도에 따라 매우 다양하다. 고전적으로는 전두동의 깊이가 제일 깊다고 알려진 중앙부에서 1~1.5 cm 부위의 전두동 바닥에 천공술을 시행한다(Schneider JS, 2015). 골두께는 평균 4 mm로 알려져 있으며(Palmer JN, 2013), 최근에는 영상유도 수술 시스템Image guided surgery system을 이용하여 전두동과 병변의 위치를 확인하여 안전하게 전두동 천공술 위치를 확인할 수 있다. 그 후 드릴을 사용하여 전두동 바닥의 앞쪽에 구멍을 만든 후 전두동 내의 분비물을 채취하여 균 배양검사를 한다(그림 24-4B). 구멍의 크기는 6~8 mm 정도로 넓히는 것이 좋지만(Palmer JN, 2013), 병변의 제거 때문에 너무 크게 구멍(1~3 cm)을 만든 경우에는 티타늄메쉬나 hydroxyapatite로 재건해야 함몰을 피할 수 있다. 전두동염인 경우, 한 개 내지 두 개의 배액관을 거치하고 따뜻한 생리식염수로 부드럽게 관류 세척한다. Epinephrine 등의 점막 수축제를 혼합하여 주면 비전두관의 부종을 가라앉혀 배액에 도움을 준다. 최근에는 내시경을 이용하여 전두동 내부를 관찰하고 필요한 경우 전두와가 잘 열려 있는지 확인하기 위하여 색소를 넣고 비강 내로 흘러나오는지 관찰하기도 한다. 만약 반대측의 전두동에서 혼탁이 있으면 전두동중격에

구멍을 만들어 배액을 향상시킬 수 있다(Goode RL et al., 1980). 다른 쪽 전두동에 농이 계속 남아 있는 것을 방지하려면 가능하면 중격의 낮은 곳에 구멍을 크게 만든다. 천공부위에는 배액관을 설치하고 안전하게 피부절개의 가장자리에 비흡수봉합사로 봉합한다(그림 24-4C). 관류세척은 관으로 더 이상의 농이 나오지 않을 때까지(보통 3~5일) 항생제가 포함된 용액으로 하며 이것은 비강 내로 배액된다. 일단 농이 멈추면 관을 뺀다. 내시경으로 전두동개방술을 시행하고 전두동 천공술을 병행하는 above-and-below technique으로 전두동염이나 전두동 종양을 제거할 수 있다.

3) 합병증

전두동 천공술의 합병증은 매우 드물며, 대부분의 경우 심각하지 않다(민, 1997; 나, 2009; Lee AS et al., 2010). 절개 반흔 형성이나 감염, 안면 봉소염, 출혈, 안와후부 박리, 화상 등이 발생할 수 있다. 또한, 활차상신경이나 안와상신경을 손상하면 전두의 감각저하나 무감각이 올 수 있으며 안와골막을 박리할 때 활차의 손상으로 복시가 발생할 수 있다. 급성기의 염증 상태에서 수술하기 때문에 전두골의 골수염을 일으키거나 골수염이 더 악화될 수 있고, 전두동 골벽에 구멍을 만들 때 구멍의 위치가 틀렸거나 드릴 등 기구가 너무 깊게 들어가면 전두동 후벽이 손상되어 경막의 열상, 뇌척수액 유출, 뇌막염, 뇌농양 등 두개내 합병증이 발생할 수 있다. 이를 피하기 위해서는 영상유도시스템을 이용하거나 수술 전 CT에서 후벽까지의 거리를 미리 확인하는 것이 중요하다. 그 외에도 전두동 구멍의 크기가 너무 크면 함몰되어 미용상 문제가 생길 수 있다.

2. Riedel 술식

1889년 Riedel이 발표한 수술 방법으로 전두동 수술 중에서 가장 근치적인 방법인데, 경우에 따라서는 지금도 이 방법이 쓰이고 있다. 이는 전두동의 전벽과 바닥을 제거하고 이마의 피부를 후벽에 갖다 대는 것으로 심한 기형을 남긴다(그림 24-3A). 항생제가 개발되기 전에는 전두동 전벽에 염증이 심하거나 골수염이 생기는 경우가 빈번하여 안전하고 신뢰를 받는 방법이었으나, 수술 후 전두부위에 외상을 받았을 때 뇌손상의 가능성이 높아 위험하다. 술 후 기형을 최소화하기 위해서는 전두동과 안와상연의 모서리를 잘 다듬어야 한다(Raghavan U et al., 2004).

1) 적응증

전두동 전벽의 병변은 있지만 후벽은 보전되어 있는 경우에 사용된다. 전두동의 배액수술과 전두동폐쇄술에 모두 실패한 경우나 전벽의 골수염이 있는 경우에 이용될 수 있는 방법이나, 최근에는 전벽 전체에 병변이 있는 경우를 제외하고는 시행하지 않는다.

2) 수술방법

수술은 관상절개coronal incision이나 눈썹절개brow incision를 통해 이루어진다. 오늘날 이 수술이 시행될 경우에는 대개 12개월 후에 두개성형술을 실시하기 때문에 나중에 이식편을 떼어낼 자리와 겹치지 않기 위하여 관상절개가 더 선호된다(민, 1997). Kerisson rongeur 등으로 전두동의 전벽과 전두동 내부를 제거하고 조심스럽게 전두동 바닥과 안와 골막을 분리한다. 이때 전두동

453

속으로 사골동의 일부가 들어와 있는 경우에는 함께 제거한다. 전두동 후벽은 보존하는 것이 원칙이지만, 전두동 후벽의 괴사된 골조직이 있어 이를 제거할 때는 경막이 다치지 않게 세심한 주의가 필요하다. 특히 노인에서는 경막이 찢어지기 쉽고 부스러지기 쉬우므로 더욱 조심해야 한다. 뇌척수액이 조금이라도 샐 경우에는 감염의 통로가 되므로 조심스럽게 봉합하고 새지 않도록 완전히 밀폐한다(민, 1997). 전두동의 뼈가 완전히 제거되고 나면 가장자리를 드릴로 깨끗하게 다듬고, 앞이마의 연조직을 전두동 내로 밀어 넣은 후 후벽에 닿도록 대어준다. 상처를 봉합한 뒤에 부드러운 거즈를 위에 덮고 압력을 가해 연조직이 제자리에 위치하도록 한다. 수술 후 처음 몇 주 정도는 상당한 부종이 존재하며, 약 12개월이 경과한 후 두개성형술을 시행하기도 한다.

3. Killian 술식

Riedel 술식에 따른 심한 외형적 기형을 줄이기 위해 1903년 Killian이 고안한 방법이다(Jacobs J, 1997). Reidel 방법과 마찬가지로 전두동의 전벽과 바닥을 제거하나 안와상연supraorbital rim에 1 cm 정도 턱을 남겨 모양을 좋게 한다(그림 24-3B). 그러나 이로 인해 전두동의 아래 부분이 완전히 폐쇄되지 않을 수 있으며 안와상연 턱의 골수염과 잦은 재발로 거의 사용되지 않는다.

4. Lothrop 술식

Riedel 술식의 심한 기형과 Killian 술식 후에 생기는 잦은 재발 때문에 20세기 초반에 고안된 방법으로 전두동의 염증성 병변을 비강 내로 배액시키는 것이 이 수술의 원리이다(Jacobs J, 1997). 1914년 Lothrop은 당시에 많은 비전두관 확장술에서 나타나는 재협착 문제 때문에 비전두관을 최대한 넓히는 개념을 고안하여, 많은 부분의 전두동 바닥과 양측 전두동 사이의 중격intersinus septum을 제거하였으며 여기에 덧붙여 비골에 접해 있는 비중격의 상부를 따라 중비갑개, 전사골동을 제거하였다(그림 24-3C). 그러나 이 술식은 수술시야를 확보하는 것이 어려워 사용이 제한되어 왔는데, 최근에는 내시경변형Lothrop 수술로 대체되었다.

5. Lynch 전두사골동절제술

Lynch 전두사골동절제술은 전두와를 외부적으로 접근하는 술식으로, 1921년 Lynch가 처음으로 기술한 후에 1960년대까지 전두동염을 치료하는 표준술식이었다. 처음에는 전두동 점막을 다 제거하는 술식이었으나, 변형 Lynch 수술에서는 전두동 점막을 보존하고 스텐트를 삽입한다. Lynch 술식은 앞에서 설명한 비외사골동절제술을 실시한 후에 전두동의 하벽과 전두동점막을 제거하는 것이다(Jacobs J, 1997; Terrell JE, 1988)(그림 24-3D).

1) 적응증

급성 전두사골동염으로 인하여 안와합병증이나 두개 내 합병증이 발생한 경우, 범발성 폴립증에서 이전의 수술로 해부학적 지표를 알 수 없는 경우, 내시경으로 접근이 어려운 점액낭종이나 농류pyocele 등의 치료에 사용되고 있다. 그 이외에도 전두동 및 사골동에 발생한 골종osteoma이나 종양의 절제, 뇌척수액 비루 폐쇄술 등에 이용할 수 있다.

2) 수술방법

비외사골동절제술 시행 후에 Kerisson rongeur로 전두사골봉합 상부에 남아 있는 내측 안와벽을 제거하여 사골와와 전두동 바닥을 노출시킨다. 사골동절제술을 후방에서 진행하여 접형동 전벽 위치까지 남아 있는 후사골봉소를 제거한다. 이전에 전두동 천공술을 시행했다면 이를 따라서 전두동절제를 시행하고, 시행하지 않은 경우에는 안와상부의 전내측면에 구멍을 뚫음으로써 전두동으로 들어갈 수 있다. 전두동바닥 전체는 전두동 중격 높이까지 제거하고 병변이 양측성이면 중격도 제거한다. 그런 경우에는 반대쪽 전두사골동절제술을 시행함으로써 반대쪽 전두동바닥을 제거해야 한다(민, 1997). 이 수술의 어려움 중의 하나는 전두동 바닥을 통하여 전두동 점막을 완벽하게 제거하는 것이 쉽지 않고 점막을 모두 제거한 경우 비정상적인 점막으로 덮여 재발의 원인이 될 수 있다는 점이다(Donald PJ, 1979). 이러한 어려움 때문에 변형Lynch수술이 시도되었으며 전두공frontal ostium을 유지하기 위해서는 스텐트를 삽입하는 것이 필수적이며, 비내점막피판중에서는 Sewall-Boyden 피판이 가장 효과적으로 사용된다(Barton RT, 1980). 또 전두공 부위의 상측 골을 너무 제거하면 안와 내용물이 내측으로 이동해서 전두와가 막힐 수 있으므로 보존하는 것이 좋다(Schneider JS et al., 2015).

3) 합병증

합병증은 비외사골동절제술과 동일한데, 가장 흔한 합병증은 전두와의 협착으로 전두동염이 재발하거나 수술 후에 점액낭종이 발생하기 쉽다는 것이다(Jacobs J, 1997). 전두와의 협착을 방지하는 가장 좋은 방법은 수술 시 전두와 부위의 점막을 최대한 보존하는 것이다.

6. 두개화

1978년 Donaldson과 Bernstein에 의해 발표되었는데, 전두동 전벽을 제거하는 Reidel 수술과는 반대로, 두개화 수술은 전두동 후벽을 제거해서 전두동을 없애는 술식이다. 전두동 후벽이 심하게 손상된 전두동 골절과 치료에 반응하지 않는 만성 전두동염에 사용될 수 있다(Pollock RA et al., 2013; van Dijk JM et al., 2012).

7. 골성형피판술

요즘에는 대부분의 전두동 수술을 내시경수술로 치료가 능하지만, 내시경수술이 실패하거나 내시경적 접근이 불가능한 전두동병변은 골성형피판술을 사용해야한다. 전두동골성형피판술은 1894년 Schonborn이 처음 보고하였고, 1904년 Hoffman이 발전시켰으며, 1950~1960년대에 Goodale과 Montgomery에 의해 널리 사용되었다(Goodale RL et al., 1961). 이 수술의 원칙은 이마피판을 모상하면subgaleal plane으로 박리하고 전두동 전벽에 두개골막이 붙은 상태로 두고, 이마피판을 앞으로 젖혀서 전두동을 개방한 후에 병변이 있는 전두동 점막을 모두 제거한다. 전두동이 비강과 서로 교통하지 않게 전두동 자연공을 막고, 전두동을 지방 등 충전물로 폐쇄시킨 후에 전두동 전벽을 제자리로 위치시켜 미용상 결손없이 병변을 제거하고 재발을 막는 것이다. 전두동을 폐쇄시키기 위한 물질은 자가지방이 가장 보편적으로 안전하게 사용되고, 그 외 두개골막, hydroxyapatite, methylmethacryate, 골조각 등이 사용된다(Bosley WR, 1972; Donald PJ et al., 1987; Salamone FN et al., 2004). 자가지방이식은 감염에 대한 저항력이 있고 골생성을 억제하고, 수일 내에 전두동 내측뼈로부터 혈류공급을 유도하는 장점이 있지만, 지방조직이 상처를 받거나 활동성 감염이 있는 경우에는 지방괴사와 감염이 생길 수 있어 조심하여야 한다(민, 1997). 이 술식에도 여러 변형 술식이 있는데, 원래의 모상하면박리subgaleal dissection와 달리 두개골막하박리subperiosteal dissection를 시행하여 두개골막을 전벽에서 완전 박리한 후 전두동 전벽 골판을 제작하거나, 전두동 폐쇄를 하지 않는 대신 내시경변형 Lothrop수술처럼 전두동 바닥을 크게 넓혀 전두동과 비강이 소통할 수 있도록 하기도 한다.

1) 적응증

내시경수술, 전두동천공술, 전두사골동절제술 등의 치료에도 불구하고 잘 치유되지 않거나 재발하는 전두동염이나 이로 인한 안와 합병증이나 두개 내 합병증, 골수염 등이 발생하였을 때 시행한다. 또한 전두동에 발생한 점액낭종, 농류, 골종, 섬유성 이형성증fibrous dysplasia, 전두동 골절 정복술 등에도 이용될 수 있다.

2) 수술방법

전두동의 위치를 확인하는 방법에는 6 feet Caldwell 촬영사진을 전두동 주형으로 사용하는 방법, 안와벽 내측벽을 통한 철조법, 영상유도수술시스템Image guided surgery system 등이 있다. 절개는 두정부에 관상절개를 하거나 눈썹을 따라서 절개하는 이마절개, 이마 중앙의 주름을 따라 절개를 하는 중간이마절개mid-forehead incision가 있다. 관상절개는 접근이 용이하며 상처를 가릴 수 있어 머리카락이 많은 남녀에서 시행되며 전두동이 발달되었을 때에는 이 방법이 편리하다. 그러나, 대머리에서는 이용할 수 없으며 출혈이 많다. 눈썹절개는 전두동이 작고 대머리인 환자에서 시행되는데, 수술 전 검판봉

합술tarsorrhaphy을 실시하여 눈을 보호하고 절개에 앞서 2% lidocaine과 1:100,000 epinephrine 용액을 절개부위에 주사한다. 양측 눈썹의 전장에 걸쳐 눈썹의 거의 아래경계에 칼날이 모낭방향을 향하게 비스듬히 시행한다. 절개는 눈썹의 내측 2/3에서 눈썹의 아래쪽을 주름살을 따라 내려가서 비근점nasion을 통과하여 반대편과 대칭이 되게 연결한다. 이 절개 방법의 단점은 흉터가 남는 것인데 대부분 심각한 문제가 되지는 않는다. 눈썹의 약간 윗부위에 전두근frontal muscle을 자르고 전두근 아래로 골막 위의 공간을 따라 박리한다. 중앙 이마절개는 대머리가 있거나 이마에 주름이 깊은 경우 시행한다(민, 1997). 한편, 관상절개는 머리카락이 난 머리선에서 2 cm 뒤에서 시행하고 앞부분의 두정부vertex를 지나 이개auricle 위까지 모상건막galea aponeurotica을 통하여 두개골막 전까지 절개한다. 외측으로 측두근막temporal fascia을 보호하여 안면신경의 전두분지가 손상되지 않도록 조심한다(민, 1997). 두피를 압박한 후 클립을 사용하여 지혈한다. 건막하공간subgaleal space을 따라 눈썹까지 박리한 후 앞으로 젖혀서 전두동을 노출시킨다. 수술 전에 촬영하여 소독한 전두동 주형이나 영상유도수술시스템을 이용하여 전두동의 위치를 확인하고 펜으로 전두동의 경계를 그린다(그림 24-5B). 골막은 표시한 경계보다 1 cm 여유를 가지고 밖에서 절개한 후 표시선 경계에 드릴을 시행할 수 있을 정도로 박리한다. 드릴을 이용해서 여러 개의 구멍을 뚫고 드릴은 45도 정도 눕혀서 안쪽으로 실시하는데 그 이유는 수술 후에 골성형피판이 전두동 안으로 빠지는 것을 방지하고, 주형으로 이용한 Caldwell 촬영사진이 실제보다 큰 경우에 드릴이 두개 내로 뚫고 들어가는 것을 막기 위한 것이다(민, 1997). 뚫어놓은 5 mm 간격의 구멍들을 작은 골절단기나 각진 톱으로 구멍들을 연결한다(그림 24-5C). 골손실을 최소화하기 위해서는 일반적인 드릴바보다는 30도 오실레이팅 톱날 또는 철사 드릴이 추천된다(Schneider JS et al.,

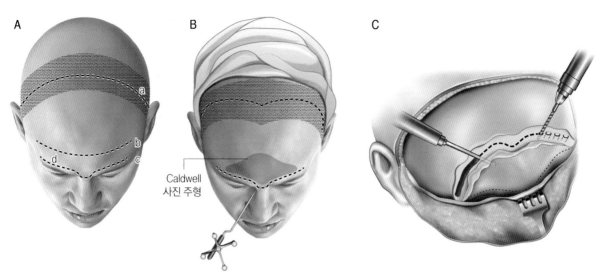

| 그림 24-5 **A.** a. 관상 절개. b. 중앙 이마절개. c. 양측 나비 또는 갈매기 날개 눈썹절개. d. 일측 나비 또는 갈매기 날개 눈썹절개.
B. Caldwell 사진 주형이나 영상유도수술시스템으로 전두동의 위치를 확인한다. **C.** 드릴로 구멍을 뚫고 osteotome으로 연결한다.

2015). 미간glabella 바로 아래부위까지 골절단기를 사용하여 이마에 골절을 만들고 전두동의 중격을 따라서 전두동 내로 골절단기를 넣어 골성형피판osteoplastic flap을 앞으로 들어올려 안와의 전상방부위를 따라서 약목골절greenstick fracture을 시키면 전두동 내의 병변이 드러난다. 이렇게 하면 골막이 붙어 있어 혈류를 공급받을 수 있는 골성형피판이 만들어지게 된다. 가장 흔한 소견으로는 점액낭종, 화농성 점액낭종, 점막의 비후성 또는 용종성 변성이며 농이 차 있을 경우에는 균 배양 검사를 시행한다. 모든 점막은 섬세한 기구를 사용하여 제거하고 전두동 점막은 Breschet 공foramina of Breschet 속으로 자라 들어가기 때문에 수술현미경이나 확대경을 이용하여 확대된 수술 시야에서 드릴로 전두동 내측벽을 갈아 완전하게 점막을 제거하여야 한다(민, 1997). 전두동 후벽과 안와는 매우 얇기 때문에 조심하며, 완전히 제거되지 않은 점막은 재발을 일으킬 수 있다. 전두동의 폐쇄를 시행할 때, 전두와의 폐쇄는 이 술식의 성공에 매우 중요하다(Salamone FN et al., 2004). 비전두관의 점막은

코 쪽으로 향하게 반전시키고 근막이나 근육편 혹은 골편을 이용하여 막는다. 전두동을 폐쇄시키기 위하여 사용되는 지방이식편은 충수절제술의 반흔과 혼동되지 않도록 복부 좌측에서 얻는다. 지방이식편은 자가지방 이식 후 괴사를 줄이기 위해서, 가능한 한 지방조직이 덜 손상되도록 큰 덩어리로 떼어내며, 사용 직전에 채취하여 건조되지 않도록 하고, 전두동의 크기에 맞추어 전두동 안에 넣는다. 이와 같이 전두동 폐쇄에 이용된 지방은 50~100% 정도가 남게 되며 나머지는 섬유조직으로 대체된다. 골성형피판을 다시 원위치시키고 골막을 봉합한다(민, 1997). 그러나 골성형피판이 불안정하면 철사나 microplate 등으로 고정한 다음 골막을 봉합한다. 피부의 절개부위를 봉합하고 흡입드레인을 위치시키고 가볍게 압박 드레싱을 한다. 상안와 봉소의 과함기, 진균성 전두동염, 반전성 유두종의 경우에는 전두동폐쇄술을 시행하지 않는 것이 바람직한데, 이때는 전두동개방술 또는 내시경적 변형 Lothrop 수술을 병행하고 전두동의 점막은 최대한 보존한다. 그러나 새로운 통로가 다시 막

힐 가능성이 높기 때문에 스텐트를 장기간 거치하는 것도 고려해야 한다.

3) 합병증

골성형피판전두동폐쇄술의 합병증은 절개 방법과 전두동의 발달 정도, 전두동의 질병, 전두동 폐쇄 방법 등에 따라 매우 다양하다. 절개 방법에 따른 가장 중요한 합병증은 흉터로 인한 미용적인 부분이다. 전두동 후벽의 손상으로 경막 손상, 전두엽 손상, 뇌척수액 비루, 뇌막염 등의 두개 내 합병증이 발생할 수 있으며, 안와 손상으로 복시, 시력 감소 등의 안와 합병증이 발생할 수 있다. 또한 안와상신경과 활차상신경의 손상으로 일시적 또는 영구적인 전두부의 통증, 감각저하, 무감각이 올 수 있는데, 주로 눈썹절개 환자에서 발생한다. 골성형피판을 올리는 과정에서는 안와 지방이 노출되거나, 전두동 전벽의 의도치 않은 골절이 발생되거나, 부비동 주변의 구조물이 손상될 수 있다. 모든 점막이 제거되지 않았거나 전두와가 제대로 폐쇄되지 않은 경우 염증이 재발하거나 점액 낭종이 발생할 수 있다. 점액낭종은 골성형피판전두동폐쇄술의 장기간에 발생하는 가장 흔한 합병증이다. 골성형피판전두동폐쇄술 후 1~42년 후에 점액낭종이 발생할 수 있다고 보고되었으며, 평균적으로는 7.5년 사이이다(Javer AR et al., 2010). 점액종이 흔히 발생하는 호발부위는 전두와frontal recess이며(Javer AR et al., 2010), 그 원인은 전두와와 전두동의 점막의 불완전제거이다. 만약 전두동 점막을 완벽하게 제거할 수 없다면 전두동 폐쇄술을 하지 않아야 한다. 이식된 자가지방을 떼어낸 복부에 혈종, 감염, 농양 등이 발생할 수 있으며 후각소실, 이식된 지방조직의 괴사, 창상감염, 전두근 기능 손상, 골성형피판의 골수염, 골성형피판의 내함 혹은 비후로 인한 전두부기형 등의 합병증이 발생할 수 있다.

8. 전두동 스텐트 삽입술

전두동 천공술, Lynch 수술, 전두동을 폐쇄하지 않는 골피판성형술 등의 수술 후 전두공이 막힐 가능성이 높을 때 전두공의 유지를 위해 전두동 스텐트 삽입술이 사용된다. 표준화된 적응증은 없지만 새로 만든 전두공의 크기, 점막병변의 손상 범위 및 정도, 중비갑개의 위치 등을 고려해서 삽입해야 한다. 전두공의 크기가 5 mm 이하일 때, 수술로 인해 전두공 둘레의 점막 손상이 심하거나 골이 노출될 때, 폴립이 심해서 전두동 배출 경로를 막을 가능성이 있을 때, 중비갑개의 불안정으로 인한 내측화, 전두공 주변에 골염이 있을 때 전두동 스텐트 삽입술을 고려한다(Malin BT et al., 2010). 여러 가지 형태의 스텐트가 시도되어 왔는데, 딱딱한 것보다는 부드럽고 유연성이 있는 스텐트가 낫다고 알려져 있다. 스텐트의 합병증은 이물 반응, 이동, 폐쇄 또는 반복성 감염 등이다. 스텐트 거치 기간에는 이론이 있으며, 일반적으로 수일에서 8주까지라고 알려졌지만, 최근에는 6개월 또는 내시경하에서 잘 치유될 때까지 스텐트를 둔다고 한다(Malin BT et al., 2010).

참고문헌

1. 대한이비인후과학회. 이비인후과학-두경부외과학. 개정판. 서울. 일조각 2009;1182-97.
2. 민양기. 임상비과학. 1판. 서울. 일조각 1997;323-38.
3. Barton RT. The use of synthetic implant material in osteoplastic frontal sinusotomy. Laryngoscope 1980;90:47-52.
4. Bosley WR. Osteoplastic obliteration of the frontal sinuses: a review of 100 patients. Laryngoscope 1972;82:1463-76.
5. Donald PJ, Montgomery WW, Calcaterra T. Frontal bone defect with frontal sinus mucopyocele. Head Neck Surg 1987;10:59-62.
6. Donald PJ. The tenacity of frontal sinus mucosa. Otolaryngol Head Neck Surg 1979;87:557-66.
7. Goodale RL, Montgomery WW. Anterior osteoplastic frontal sinus operation. Five years' experience. Ann Otol Rhinol Laryngol 1961;70:860.

8. Goode RL, Strelzow V, Fee WE Jr. Frontal sinus septectomy for chronic unilateral sinusitis. Otolaryngol Head Neck Surg 1980;88:18-21.

9. Jacobs J. 100 years of frontal surgery. Laryngoscope 1997;107:1-36.

10. Javer AR, Alandejani T. Prevention and management of complications in frontal sinus surgery. Otolaryngol Clin North Am 2010;43:827-38.

11. Kinnekman CP, Weisman RA, Osguthorpe JD, Kay SL. The efficacy and safety of transantral ethmoidectomy. Laryngoscope 1988;98:1178-82.

12. Lawson W. The intranasal ethmoidectomy: an experience with 1,077 procedures. Laryngoscope 1991;101:367-71.

13. Lee AS, Schaitkin BM, Gillman GS. Evaluating the safety of frontal sinus trephination. Laryngoscope 2010;120:639-42.

14. Mabry RL. The case for the Caldwell-Luc procedure. Am J Rhinol 1994;6:311-5.

15. MacBeth R. Caldwell-Luc operation,1952-1966. Arch Otolaryngol 1968;87:630-6.

16. Malin BT, Sherris DA. Frontal sinus stenting techniques Operative Techniques in Otolaryngology-Head and Neck Surgery. 2010;21:175-80.

17. Malotte MJ, Petti GH Jr, Chonkich GD, et al. Transantral sphenoethmoidectomy: a procedure for the 1990s? Otolaryngol Head Neck Surg 1991;104:358-61.

18. Montgomery WW. Surgery of the upper respiratory system. Philadelphia: Lea & Febiger 1971;41-93.

19. Murray JP. Complications after treatment of chronic maxillary sinus disease with Caldwell-Luc procedure. Laryngoscope 1983;93:282-4.

20. Neal GD. External ethmoidectomy. Otolaryngol Clin North Am 1985;18:55-60.

21. Ogura JH, Pratt LL. Transantral decompression for malignant exophthalmos. Otolaryngol Clin North Am 1971;4:193-203.

22. Palmer JN, Chiu AG. Atlas of endoscopic sinus and skull base surgery. 1st ed. Saunders 2013;319-25.

23. Patel AB, Cain RB, Lal D. Contemporary applications of frontal sinus trephination: A systematic review of the literature. Laryngoscope 2015;125:2046-53.

24. Pollock RA, Hill JL Jr, Davenport DL, Snow DC, Vasconez HC. Cranialization in a cohort of 154 consecutive patients with frontal sinus fractures (1987-2007): review and update of a compelling procedure in the selected patient. Ann Plast Surg 2013;71:54-9.

25. Raghavan U, Jones NS. The place of Riedel's procedure in contemporary sinus surgery. J Laryngol Otol 2004;118:700-5.

26. Rontal E, Rontal M, Guilford FT. Surgical anatomy of the orbit. Ann Otol Rhinol Laryngol 1979;88:382-6.

27. Salamone FN, Seiden AM. Modern techniques in osteoplastic flap surgery of the frontal sinus 2004;15:61-6.

28. Schneider JS, Day A, Clavenna M, Russell PT 3rd, Duncavage J. Early practice: External sinus surgery and procedures and complications. Otolaryngol Clin North Am 2015;48:839-50.

29. Terrell JE,. Primary sinus surgery. In; Cumming CW, Fredrickson JM, Harker LA, et al, eds. Otolaryngology: Head and Neck Surgery, 3rd ed. St Louis: Mosby Year Book 1988;1163-72.

30. Van Dijk JM, Wagemakers M, Korsten-Meijer AG, Kees Buiter CT, van der Laan BF, Mooij JJ. Cranialization of the frontal sinus--the final remedy for refractory chronic frontal sinusitis. J Neurosurg 2012;116:531-5.

31. Walsh TE, Ogura JH. Transnasal orbital decompression for malignant exophthalmos. Laryngoscope 1957;67:544-68.

32. Zonis RD, Montgomery WW, Goodale RL. Frontal sinus disease: 100 cases treated by osteoplastic operation. Laryngoscope 1966;76:1816-25.

CHAPTER

25

비부비동염의 합병증

건국의대 이비인후과 **조재훈**, 건국의대 이비인후과 **홍석찬**

> **CONTENTS**

Ⅰ. 분류
Ⅱ. 역학
Ⅲ. 병태생리
Ⅳ. 임상 양상
Ⅴ. 진단
Ⅵ. 치료
Ⅶ. 결론

HIGHLIGHTS 〉〉〉

- 비부비동염의 합병증은 그 위치에 따라 안와 합병증 및 두개 내 합병증으로 분류할 수 있음
- 안와 합병증: 안와주위염, 안와봉와직염, 안와골막하농양, 안와농양, 해면정맥동혈전
- 안와 합병증은 소아에서 흔하게 발생하며, 안와 합병증이 의심될 경우 CT 촬영이 필수적임. 입원 치료가 필요하며 안과적 평가와 광범위 항생제 투여가 필요함
- 안와 합병증의 수술적 치료를 결정하는 데 가장 중요한 지표는 환자의 임상적 상태임
- 두개 내 합병증 : 골수염, 뇌수막염, 경막하 농양, 뇌농양
- 두개 내 합병증의 진단에서 가장 중요한 검사는 CT이며, 척수천자는 진단적 이득보다 뇌탈출의 위험이 더 크므로 뇌수막염을 진단하는 데만 제한적으로 사용함
- 두개내 합병증의 치료는 입원하여 혈액뇌장벽을 통과할 수 있는 고용량의 정맥 내 항생제를 투여(3세대 cephalosporin + metronidazole 병합요법 등)하며, 균배양 결과에 따라 조정이 필요
- 심각한 뇌부종이 예상되는 경우 스테로이드의 사용이 필요하며 경련의 발생률이 높은 경우 예방적 항경련제 사용도 가능함
- 일반적으로 두개 내 합병증이 발생하고 나면 내과적 치료만으로는 불충분하고 두개 내와 비부비동 병변에 대한 외과적 치료가 필요하며 내시경적 수술을 우선적으로 고려함

비부비동염으로 인한 합병증은 두개 내뿐만 아니라 안와와 그 주위 뼈, 연조직까지 침범할 수 있다. 다행히 이러한 합병증은 비부비동염의 신속한 진단과 치료로 인해 많이 감소하였지만, 방치될 경우 심각한 결과를 초래할 수 있기 때문에 정확한 진단과 적극적인 치료가 필수적이다. 따라서, 이비인후과 의사들은 비부비동염 환자의 진료 시 이러한 합병증 가능성을 항상 염두에 두어야하겠다. 철저한 문진, 신체검사 및 영상검사를 통해 환자의 상태를 파악하고 진단 및 치료 계획을 세워야 하며, 안과나 신경외과, 감염내과의 협진 또한 종종 필요하다. 일반적으로 정맥 내 항생제 투여와 적절한 배농술을 시행하는데, 빠른 치료가 이환율을 낮추고 재원 기간을 줄일 수 있다(Witterick IJ et al., 2012; Benninger MS et al., 2015; Goldberg AN et al., 2001).

I | 분류

비부비동염의 합병증은 크게 안와 내 합병증과 두개 내 합병증, 그 외 합병증으로 나눌 수 있다. 안와 내 합병증은 안와주위염, 안와봉와직염, 안와골막하농양, 안와농양, 해면정맥동혈전이 있고(그림 25-1, 25-2), 두개내 합병증은 뇌막염, 경막외농양, 경막하농양, 뇌농양이 있으며, 그 외 합병증으로는 골수염, 상안와열증후군 및 안와첨증후군이 있다(Witterick IJ et al., 2012; Benninger MS et al., 2015).

Ⅱ | 역학

1. 안와 합병증

비부비동염은 안와 감염의 주된 원인 중 하나이다. 사골동이 가장 흔한 원발 부위이며, 다음으로 전두동, 접형동, 상악동 순이다. 60~80%의 안와 합병증은 급성 비부비동염에서 초래되며, 전체 비부비동염 환자의 약 3%에서 안와 침범을 경험한다. 비부비동염의 첫 증상이 안와 감염인 경우도 있다. 안와 합병증은 주로 소아에게 발생하는데 5~10세에 가장 흔하다. 전두동염에 의한 합병증은 이보다 10~20년 늦은 나이의 환자군에서 호발한

다(Witterick IJ et al., 2012; Jackson K et al., 1986; Schramm VL Jr et al., 1982).

2. 두개 내 합병증

두개 내 합병증은 안와 합병증 다음으로 잘 일어나며, 두개 내 염증의 원인 중 최대 10%는 비부비동염이다. 이 중 전두동이 가장 흔하며, 사골동, 접형동, 상악동 순이다. 두개 내 합병증은 청소년기 남아에서 가장 흔한데, 이는 이들에게서 전두골이 계속 성장하면서 전두골 내 판간형 정맥동diploic venous system이 잘 발달되어 이를 통해 염증이 쉽게 파급되기 때문이다(Witterick IJ et

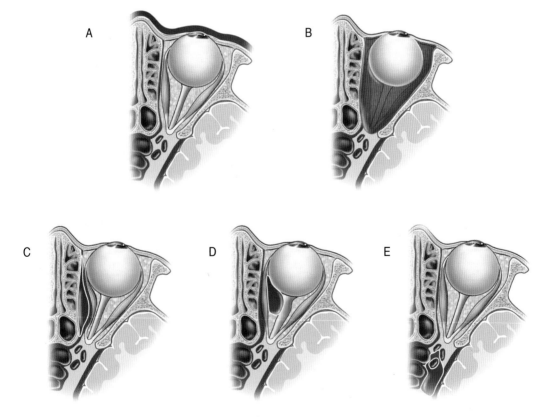

| 그림 25-1   안와 내 합병증의 분류
A. 안와주위염. **B.** 안와봉와직염. **C.** 안와골막하농양. **D.** 안와농양. **E.** 해면정맥동혈전

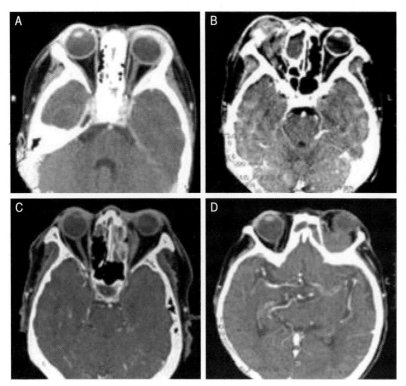

| 그림 25-2 다양한 안와 합병증의 CT 사진
A. 안와주위봉와직염(좌측). **B.** 안와봉와직염(우측). **C.** 안와골막하농양(좌측). **D.** 안와농양(좌측)

al., 2012; Benninger MS et al., 2015; Clayman GL et al., 1991). 전두동에서는 다른 부비동에서는 잘 생기지 않는 골수염이 종종 발생한다(Witterick IJ et al., 2012). 경막외 농양Epidural abscess은 비부비동염의 합병증 중에서 상대적으로 드물다. 대부분 전두동 바로 뒤에서 발생하는데, 이곳에 발달한 정맥동과 느슨한 경막으로 인해 경막과 두개골 사이에 농양 형성이 쉽기 때문이다(Singh B et al., 1995). 경막하 농양Subdural abscess도 대부분 건강한 10대에서 발생하는데, 다른 두개내 합병증과 마찬가지로 남자에서 흔하다. 신생아기에는 뇌수막염 이후에 경막하 삼출이 생기고 이후 이 삼출액이 감염되어 경막하 농양이 생기는 경우가 흔하다. 특히 경막하 농양은 다른 두개 내 합병증에 비해 비부비동염, 특히 전두동염에서 초래된 경우가 흔하다(41~67%)(Witterick IJ et al., 2012; Benninger MS et al., 2015; Nathoo N et al., 1999).

III | 병태생리

1. 안와 합병증

안와격막orbital septum은 골막에서 연장되어 위, 아래 눈꺼풀로 뻗어있는 결합조직으로 염증이 안와 내부로 확산되는 것을 차단한다. 이 안와격막 전방의 감염을 안와주위 봉와직염periorbital cellulitis이라고 한다. 비부비동염의 안와 침범은 직접 전파 혹은 역행성 혈전 정맥염을 통해 일어날 수 있다. 직접 전파는 선천적인 뼈의 결손과 미란, 골절선, 신경이나 혈관이 드나드는 소공foramen 등을 통해 이루어진다. 역행성 혈전 정맥염은 사골동, 상악동, 안와, 안면부 피부의 정맥들이 합쳐져 이루어진 정맥 얼기들network을 통해 발생하는데, 이들 정맥 얼기들은 특징적으로 혈관 내에 판막valve이 없어 한 곳의 감염이 주위로 쉽게 전파된다. 안와에는 림프절이 없기 때문에 이들을 통한 질병의 확산은 어렵다(Witterick IJ et al., 2012; Benninger MS et al., 2015). 안와의 염증은 일시적인, 혹은 영구적인 시력 저하를 유발할 수 있다. 시력 저하는 안저 검사에서 별다른 이상이 없어도 발생할 수 있으므로, 시력 측정을 자주 하는 것이 매우 중요하다(Witterick IJ et al., 2012; Patt BS et al., 1991). 시력 저하는 몇 가지 원인으로 발생할 수 있다. 첫째, 중심 안동맥central ophthalmic artery의 혈류 감소 혹은 폐쇄로 시신경과 망막에 허혈성 시신경 병변ischemic optic neuropathy이 발생하는 것이다. 중심 망막동맥central retinal artery의 폐쇄는 100분 내에 회복되지 않으면 영구적 시력 손상으로 이어질 수 있다. 둘째, 시신경에 직접적으로 가해지는 압박으로 인해 발생한 시신경 압박 손상compressive optic neuropathy이다. 사골동염과 함께 종종 발생한다. 셋째는 시신경 주변의 염증으로 인해 시신경 자체가 염증성 손상inflammatory optic neuropathy을 받는 경우이다. 현재까지도 안와 합병증으로 인해 약 10%의 환자에서 영구적 시력 저하가 발생한다고 알려져 있다(Witterick IJ et al., 2012; Patt BS et al., 1991). 급성 비부비동염의 합병증이 발생한 환자들에서 세균배양검사는 정확하지 않은 경우가 많은데, 이미 항생제를 많이 사용한 후 시행하는 경우가 많기 때문이다. 가능하면 중비도에서 시행하는 것이 좋으며, 안와 합병증을 유발하는 흔한 균은 *Streptococcus pneumoniae, Haemophilus influenzae, Moraxella catarrhalis, Streptococcus pyogenes* 등으로 급성 비부비동염의 경우와 비슷하다. *Staphylococcus aureus*와 혐기성균이 발견되는 경우는 위에 언급한 세균들보다는 드물다. 소아에서는 패혈증이 생기기도 한다(Witterick IJ et al., 2012; Benninger MS et al., 2015).

2. 두개 내 합병증

두개 내 합병증의 발병 기전은 안와 합병증과 마찬가지로 크게 두 가지인데, 직접 전파와 판간형 정맥diploic vein을 통한 역행성 혈전 정맥염이다. 부비동에서 두개 내 공간까지의 거리가 해부학적으로 매우 가까우므로, 염증이 뼈나 경막외 공간으로 직접 전파가 가능하다. 때때로 염증이 경막에서 경막하 공간으로 전파되기도 한다. 역행성 혈전 정맥염은 부비동과 두개 내 구조물이 정맥을 공유함으로 인해 촉진된다. 일단 감염이 경막하 공간에 도달하게 되면, 이를 가로막는 격막의 부재로 염증은 뇌이랑을 넘어 쉽게 전파된다. 계속 진행되면서, 경막하 농양이 혈관염과 대뇌 피질에 국소적 염증을 일으키며 국소적 부종 및 경색을 초래하는 세균성 정맥 혈전증을 초래한다. 결국 정맥 경색이 부종과 경색을 더욱 악화시키고 최종적으로 천막절흔뇌탈출transtentorial herniation로 인한 사망을 초래할 수 있다(Witterick IJ et al., 2012; Benninger MS et al., 2015). 뇌농양은 전두엽에 가장 많이 생기며 보통 전두동염에서 2차적으로 생기는데, 시상정맥동sagittal sinus과 판간형 정맥에서 기원한 패혈성, 역행성 색전이 그 기전이다. 뇌농양의 피막형성은 10~14일차에 시작되며, 여러 개의 농양이 만들어질 수도 있다. 농양은 혈관 공급이 적은 백색질에서 많이 만들어지는데, 회색질과 백색질의 경계가 가장 위험도가 높다. 상시상 정맥동superior sagittal sinus의 혈전은 전두동염으로부터 생긴 역행성 혈전 정맥염 다음으로 흔히 발생하는데, 경막외 농양, 경막하 농양 또는 뇌농양과의 연관성이 종종 보고된다. 해면정맥동혈전cavernous sinus thrombosis은 보통 사골동염, 접형동염의 합병증으로 발생하며, 직접 전파나 안정맥ophthalmic vein의 역행성 혈전 정맥염이 그 기전이다. 경막외 혹은 경막하 농양에 의해 초래될 수도 있다(Witterick IJ et al., 2012;

Benninger MS et al., 2015). 두개 내 합병증 발생 시 검출된 균으로는 *Staphylococcus aureus*, *Streptococcus*, *Hemophilus influenzae*, *Bacteroides*, *microaerophilic Streptococci*를 포함한 기타 그람 양성 호기성 및 혐기성 세균들이다(Clayman GL et al., 1991; Chandler JR et al., 1970; Southwick FS et al., 1986). 전두엽의 Pott's puffy tumor 환자들에서는 흔히 다양한 세균이 검출된다(Feder HM Jr et al., 1987).

Ⅳ | 임상 양상

1. 안와 합병증

Chandler는 안와 합병증을 안와주위봉와직염periorbital cellulitis, 안와봉와직염orbital cellulitis, 안와골막하농양 subperiosteal abscess, 안와농양orbital abscess, 해면정맥동 혈전의 다섯 가지로 분류하였다(Chandler JR et al., 1970). 이러한 분류는 다소 부정확하기는 하지만, 해부학적으로 구분이 용이하고 치료 및 예후를 결정하는 데 도움이 된다.

1) 안와주위 봉와직염
비부비동염으로 인한 안와 합병증 중 가장 흔한 질환으로, 약 70~80%를 차지한다(Jackson K et al., 1986; Schramm VL Jr et al., 1982). 안와 내 감염은 없이 눈꺼풀의 염증성 부종과 압통을 동반하며, 종종 눈꺼풀 피부에 홍반이 나타나기도 한다. 이 부종은 안와격막orbital septum에 의해 안와주위 눈꺼풀periorbital eyelid에만 국한된다. 경한 안구돌출이 있을 수 있으나, 안구운동이나 시력에

는 문제가 없다(Witterick IJ et al., 2012; Benninger MS et al., 2015).

2) 안와 봉와직염

안와 내용물에 농양의 형성 없이 전반적인 부종과 염증 소견을 보인다. 거의 모든 환자들이 안와주위 부기와 부종(95%), 안구돌출 소견을 보인다. 눈의 통증은 85~89%에서 나타난다(Jackson K et al., 1986).

3) 안와 골막하 농양

안와골막과 안와벽 사이에 농이 차있는 상태를 나타내며, 전형적으로 사골안와판, 지판lamina papyracea과 내측 안와골막medial periorbita 사이에 존재한다. 농양은 안와구조물을 측하방으로 밀게 된다. 농양이 작을 때는 안구운동이나 시력에 문제가 없으나, 진행될수록 안구운동 제한, 시력저하, 결막부종이 진행된다. 이 농양은 골막을 관통하여 안와 내 혹은 눈꺼풀로 침투할 수 있다(Witterick IJ et al., 2012; Benninger MS et al., 2015).

4) 안와 농양

안와 내 농이 형성된 것으로 골막과 외안근 사이extraconal 혹은 근원추의 내측intraconal에서 발생한 경우로 나눌 수 있다. 안와봉와직염이 진행되거나 혹은 안와골막하농양이 안와내로 퍼지면서 생길 수 있다. 안와농양 환자들은 일반적으로 결막부종과 안구운동의 제한, 시력저하를 보인다(Witterick IJ et al., 2012; Benninger MS et al., 2015).

5) 해면 정맥동 혈전

안구돌출, 결막부종, 안구운동 저하, 시력저하, 궁극적으로는 실명으로 진행된다. 초기 증상은 열, 두통, 광선 공포증photophobia, 복시, 눈주위 부종 등이다. 고전적 소견은 안검하수, 안구돌출, 결막 부종, 안구 마비, 시력저하 등이다. 뇌하수체에 염증이 동반되면 뇌하수체기능저하증이 발생할 수도 있다. 해면정맥동혈전의 확실한 지표는 양측 안구의 증상 발현이지만, 편측 안구소견 시에도 의심해 보아야 하고, 특히 뇌수막염과 두개 신경병증cranial neuropathies의 징후와 동반되었을 경우 더욱 의심해 보아야 한다. 빠르게 인지하고 치료에 나선다 하더라도, 실명, 뇌수막염, 심지어 사망에 이를 수 있다(Witterick IJ et al., 2012 ; Benninger MS et al., 2015).

2. 두개 내 합병증

전두동염이 있는 환자에서 지속적인 발열, 이마 부종, 증상 호전이 없는 경우는 두개 내 징후가 없을지라도 잠재적인 두개 내 합병증 여부를 평가하기 위한 방사선학적 평가가 필요하다. 두개 내 합병증에는 급성과 전격성의 세균성 뇌수막염, 해면 정맥동 혈전, 경막하 농양 등이 있다. 뇌 농양과 경막외 농양은 전형적으로는 무증상 발현이 많으나, 뇌실 내로 뇌농양이 파열된 경우에는 급성 신경학적 악화를 촉발할 수 있다(Witterick IJ et al., 2012 ; Benninger MS et al., 2015 ; Singh B et al., 1995).

1) 골수염

두통은 흔하게 나타나는 증상이다. 골막하에 농양이 생기고 이마가 돌출되면, 고전적으로 Pott 종괴Pott's puffy tumor라고 불린다. 전두골의 골수염에서 야기된 이 골막하 농양은 1775년 Sir Percival Pott에 의해 처음 기술되었고, 항생제 도입으로 그 빈도가 매우 낮아졌으나, 급성 또는 만성 전두동염 모두에서 발생할 수 있는 합병증이다. Pott 종괴는 전두골 골수염에 의한 이차적 질환일 수 있으나, 혈전정맥염에서 혈류가 역행하여 두개 내 골막 아래에 세균이 쌓이면서 골수염과 동반되지 않은 단독의 Pott's puffy tumor가 발생할 수도 있다. CT상에서 골 미란이 보이면, Tc 99m pertechnetate와 Ga67 citrate 뼈스캔을 통해 골수염을 확진할 수 있다(Witterick IJ et al., 2012 ; Benninger MS et al., 2015).

2) 뇌수막염

두통, 발열, 발작 이후에 졸리움, 섬망, 혼수가 뒤따를 수 있다. 수두증과 경막하 응집 같은 감염 후 후유증은 소아에서 흔하다. 지속되는 고열과 의식의 변화, 광선 공포증, 수막 자극 증상 또는 심각한 두통이 동반된 환자에서는 뇌수막염의 평가가 이루어져야 하고, 뇌수막염이 의심되는 모든 환자에서는 다른 두개 내 병변을 평가하기 위하여 조영제 CT 또는 MRI를 시행해야 한다. 척수 천자로 진단이 되며, 세포 증다증, 단백질 증가, 당 저하, 감염 미생물 등이 나타난다(Witterick IJ et al., 2012 ; Benninger MS et al., 2015).

3) 경막외 농양

경막하 공간으로 농양이 진행하거나 정맥계를 통해 다른 두개 내 구조물로 전이될 수 있으나, 대개 증상이 경미하고 신경학적 이상이 없어 종종 발견되지 않을 수도 있다. 안와 염증은 흔한 증상이며, 이마의 부종 및 압통

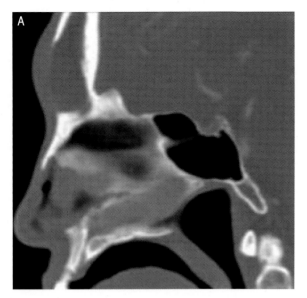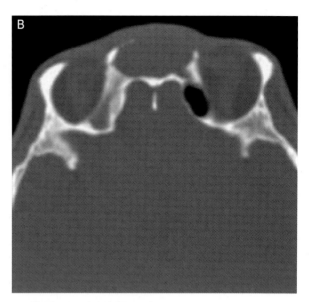

| 그림 25-3 **Pott's puffy tumor의 CT 사진(좌측 시상면, 우측 축상면)**
전두동을 가득 채운 연조직 음영이 전두동 전벽의 결손부위를 통해 이마로 돌출되어 있다.

또한 발생할 수 있다. 환자들은 대부분 두통과 미열을 경험한다. 점진적인 크기의 증가는 두개내압을 증가시켜 증상을 야기할 수 있다(Witterick IJ et al., 2012; Benninger MS et al., 2015).

는 뇌신경 마비, 반신 마비, 서맥, 고혈압, 유두 부종, 오심, 구토, 패혈증, 쇼크 등이 발생한다. 빠른 진행 양상은 경막하 농양의 지표이며, 따라서 즉각적 처치가 중요하다(Witterick IJ et al., 2012; Benninger MS et al., 2015; Jones NS et al., 2002).

4) 경막하 농양

두개내압 증가와 뇌수막 자극증상, 뇌염에 의한 두통, 발열, 경부 강직, 백혈구 증가증, 국소적 뇌수막염의 징후 등을 보인다. 농양이 전두엽에 위치할 경우, 진단하기 어려운데, 인격과 기분의 변화, 국소적 신경학적 증상이 관찰된다. 환자들은 대부분 발열이 있으며, 뇌수막 자극증상과 전신적 감염 징후가 나타난다. 경막하 농양이 파급됨에 따라 대뇌 피질의 허혈 및 경색이 발생한다. 발작은 25~80%의 경우에 나타나며, 다른 두개 내 합병증보다 경막하 농양에서 더 흔하다. 증상은 급격히 악화될 수 있는데, 의식 수준의 저하, 국소 신경학적 결손 또

5) 뇌농양

뇌농양은 국소 신경학적 징후의 부재로 임상적 진단이 어렵다. 의식의 둔화, 무기력, 두통이 의심의 지표가 될 수 있다. 뇌농양 환자의 57%에서만 의식수준의 변화가 나타났고, 26%가 뇌신경 마비증상이 있었으며 19%는 끝내 사망하였다. 농양이 뇌실계로 파열되면 급격히 악화될 수 있다(Witterick IJ et al., 2012; Benninger MS et al., 2015; Singh B et al., 1995).

V | 진단

1. 안와 합병증

시력, 동공 반응, 안구의 움직임 등에 대한 안과적 검사가 필요하다. 현저한 시력 저하가 나타나기 전까지는 동공 반사의 감소는 관찰되지 않을 수 있다. 색깔을 구분하는 능력은 질병의 진행에 지표로 사용될 수 있으며, 안압의 증가는 시력이 악화되기 전에 적녹색맹을 야기할 수도 있다. CT는 안와 합병증이 의심되는 경우 시행하고, 환자 상태의 변화를 파악하기 위해 여러 번 반복해서 시행할 수 있다. 조영제를 사용하는 경우가 많으나, 조영제 없이 시행하기도 한다. 일반적으로 안와 주변의 감염이 의심될 경우(안구 돌출과 안구 움직임의 제한 등), 또는 항생제를 사용해도 호전이 되지 않을 경우 CT를 권유한다(Witterick IJ et al., 2012; Patt BS et al., 1991). 소아 환자에서는 안와 합병증이 흔하고 더 치명적일 수 있으므로 더욱 적극적으로 CT를 시행한다. CT는 안와 농양과 골막하 농양을 구별하는 데 매우 뛰어난 검사이다. 하지만, 수술적 치료의 필요성을 결정하는 데 CT에만 의존해서는 안 되며, 환자의 임상적 상태가 수술적 치료를 결정하는 데 가장 중요한 지표이다(Witterick IJ et al., 2012). 염증이 사골동에서 안와로 파급됨에 따라, 안와의 골막은 염증성 결합조직염phlegmon이 축적되어 두꺼워지고, 점차 솟아오르게 된다. CT에서는 부비동과 안와 측면의 사골안와판, 지판lamina papyracea 경계가 불명확하며, 조영 증강이 된 종물로 나타난다. 저음영 물질이 조영 증강된 테두리에 싸여 있는 CT 소견은 봉와직염보다는 농양을 시사하나, 두 상태의 구별이 모호한 경우도 있고, 염증성 부종과 농양이 구별하기 어려울 수도 있다. CT 결과는 안와 합병증의 84%에서만 수술적 소견과 일치하였고, 두개 내 합병증의 50%를 진단하지 못

하였다는 연구결과가 있다(Nathoo N et al., 1999; Clary RA et al., 1992).

2. 두개 내 합병증

수술에서 얻은 뼈와 염증성 물질, 농양으로부터 배양검사를 시행한다. 면역저하 환자나 당뇨 환자에서 침습성 진균성 부비동염이 의심될 경우 검체의 조직학적 검사도 빠르게 시행해야 한다. 대부분 두개 내 합병증의 경우, 척수천자는 진단적 이득보다 뇌탈출의 위험이 더 크므로 뇌수막염을 진단하는 데만 사용한다. 척수천자를 시행하기 전 영상학적 검사가 반드시 필요하며, 뇌탈출을 예방하기 위해 주의해야 한다. 방사선학적 이미지는 경막하 농양이 의심되는 모든 환자에서 시행되어야 한다. MRI는 농양과 같은 뇌실질의 병변을 보여주는데 더 예민한 검사이나, CT가 가용성과 빠른 진단을 위해 선호된다. 또한 비부비동과 연관된 골이상 소견을 보여줄 수 있는 가장 좋은 검사이다. 일부 환자에서는 병변의 진행을 관찰하고, 수술적 개입 시기를 결정하기 위해 지속적으로 촬영하기도 한다. MRI는 골수염, 뇌막의 염증, 축외extra-axial 농양, 조기 뇌염 등을 진단하는 데는 CT보다 우수하지만, CT보다 오래 걸리고, 움직임에 예민하여, 어린이들의 경우 전신마취 또는 진정요법이 필요하다. 한 연구에서는 두개 내 합병증이 있는 환자들에서 뇌수막염이 가장 흔한 진단이었고, 진단을 결정하는 데 있어 MRI가 97%로 가장 정확하였으며, CT는 87%, 임상 소견이 82%라고 하였다(Younis RT et al., 2002). 경막하 농양에서 T1-weighted MRI는 화농된 저강도 영역에서 질량효과mass effect를 보이며, 이는 T2-weighted image에서는 고강도로 나타난다. 농양은 조영 증강하지 않은 T1-weighted image에서 고강도의 테두리를 가진다. MRI와 자기공명정맥조영도magnetic resonance venogram는 해면 정맥동 혈전을 진단하는 데 매우 예민한 검사이다. 질병이 진행하기 전에는 위음성이 있을 수 있으나, 조영 증강된 CT에서는 음영결손filling defect이 관찰될 수 있다. 상안와 정맥superior ophthalmic vein은 전형적으로 커져있거나 혈전이 차 있고, 안외근들은 정맥 울혈로 매우 커져있을 수 있다. 안와 정맥 조영도는 만성 해면 정맥동 혈전을 진단하는 데 있어 매우 예민한 검사이나, MRI가 발전함에 따라 흔히 사용되지 않는다(Witterick IJ et al., 2012; Benninger MS et al., 2015).

VI | 치료

1. 안와 합병증

입원치료가 필요로 되어지며, 이비인후과와 안과적 평가가 수행되어야 하고, 혈액뇌장벽을 통과할 수 있는, 광범위 항생제를 투여한다. 항생제는 배양 결과에 따라 조정되어야 한다. 안와 또는 두개 내 침범이 의심되는 심각한 부비동염에서 가장 흔히 추천되는 경험적 1차 정맥 내 항생제는 ceftriaxone, 3세대 cephalosporin 또는 ampicillin/sulbactam이다(Manning SC, 2003). Aminoglycosides는 그람음성균의 감염에 있어 여전히 1차 선택제이고, 항균제 저항성이 있는 Staphylococcus aureus, Streptococcus pneumoniae에서는 vancomycin의 역할이 점점 중요해지고 있다. 스테로이드제는 안와 감염 환자에서 추천하지 않는다. CT 결과만으로 치료를 결정해서는 안 되며, 임상적 평가가 더욱 중요하다. 크고, 경계가 명확한 농양, 완전 안구마비, 특히 시력저하가 동반된 환자에서는 부비동과 농양의 즉각적인 수술적 배농이 필요하다. 일반적으로 수술이 필요한 경우는 농양의 형성, 시력저하, 24시간 이상 질병의 진행, 48~72시간의 항생제 사용에도 반응이 없을 경우 등이다(Schramm VL Jr et al., 1982). 수술을 계획할 때는 이비인후과 의사와 안과 의사의 명확한 의사소통이 중요하며 종종 예민한 문제가 된다. 안와 농양 수술에 있어서는 특히 안과 의사의 협조가 필요하다. 골막하 또는 안와 농양의 수술 목적은 안와에 고여 있는 농을 배액하고, 원인 부비동을 찾고, 배양검사를 시행하는 것이다. 만일 수술 중 적절히 배농하였음에도 불구하고 안압이 지속적으로 상승되어 있다면, 안와벽을 열어 감압하는 것이 필요할 수 있다. 연관된 부비동도 체외 혹은 내시경적 수술을 통해 배농할 수 있다.

1) 골막하 농양

대부분의 골막하 농양은 수술적 배농을 필요로 한다. 소아의 내측 골막하 농양에서 적절한 초기치료에 대해서는 논란이 남아 있다. 일부는 즉각적 배농을 선호하나, 일부에서는 정맥 항생제 시도를 우선 추천하고, 수술은 내과적 치료에 반응이 없는 경우에 수술을 권유한다. 과거에 골막하 농양은 Lynch 절개를 가해 배농되고, 사골동 개방술도 동시에 시행하였지만, 최근에는 대부분 내시경을 이용해 시행하고 있다. 내시경적 접근에서 가장 큰 문제점은 급성 염증 시 출혈이 많아 시야가 좋지 않다는 점인데 특히 소아와 같이 수술 공간이 좁은 경우 더욱 문제가 된다. 이러한 경우 외측 접근을 통해 수술을 시도해야 한다(Herrmann BW et al., 2004; Brown CL et al., 2004).

2) 안와 농양

내측 안와 농양을 배액하기 위해서는 개방적 접근, 경비강 내시경적 접근, 복합적 접근이 모두 사용 가능하다. 전통적인 접근은 비외사골동수술 절개 및 안와절개를 통해서 시행되는데, 안와 농양 배액을 위해 안와골막의 절개가 필요하다. 날카로운 sickle knife 등을 사용해 후면에서 전면으로 절개하며 대부분의 골막과 외안근 사이extraconal 농양의 배액에 적합하다. 근원추의 내측 intraconal 농양의 배액은 복합적 방법을 통해서 안과 의사와 함께 진행하는 것이 좋다(Witterick IJ et al., 2012; Benninger MS et al., 2015).

2. 두개 내 합병증

입원하여 혈액뇌장벽을 통과할 수 있는 고용량의 정맥내 항생제를 투여하는데, 주로 3세대 cephalosporin과 metronidazole 병합요법을 시행한다(Clayman GL et al., 1991). 안와 감염과 마찬가지로 균배양 결과에 따라 조정되어야 한다. 두개 내 합병증 중 경련의 발생률이 높은 경우 신경과와 협진하여 예방적 항경련제 사용도 가능하다. 신경외과 협진이 필요한 경우도 있다. 스테로이드의 사용에 대해서는 논란이 있지만, 심한 뇌부종이 예상되는 경우 사용될 수 있다. 대뇌 부종에 의해 의식저하가 있는 환자에게 스테로이드corticosteroid 효과는 아직 이견이 있다(Clayman GL et al., 1991). 스테로이드는 항생제 침투와 환자의 면역반응을 방해하고 농양 주위의 캡슐형성을 저해한다. 하지만, 뇌농양에 대한 동물실험에 의하면 경정맥 스테로이드의 사용은 초기 및 후기 사망률을 줄이고, 농양 형성 발생도 줄이는 효과가 있는 것으로 보인다(Schroeder KA et al., 1987). 대부분 두개

내 합병증이 발생한 경우, 내과적 치료만으로는 불충분하고, 두개 내 합병증과 기저 비부비동 감염에 대한 적절한 외과적 치료가 필요하다. 최적의 외과적 기법은 어느 부비동에 감염이 있는지에 따라 달라진다. 과거에는 비외 수술적 접근이 많이 사용되었으나 최근에는 내시경을 사용하는 빈도가 높다(Lusk RP et al., 1992; Manning SC, 1993). 급성기 염증이 가라앉고 난 뒤 원인이 되는 부비동에서 염증을 제거해 두개 내 전파의 원인을 없앤다.

1) 골수염

급성 골수염은 적절한 정맥 항생제 투여로 대부분 호전되며, 외과적 제거는 드물게 필요하다. 만성 골수염은 급성 골수염의 부적절한 치료 이후 발생하며, 증상은 급성 골수염의 증상과 비슷하지만 더 자주, 덜 심하게 나타난다. 진단을 위해 CT가 필요하며, gallium bone scanning이 염증의 활성도를 나타낸다. 괴사된 뼈의 광범위한 절제와 배양검사를 바탕으로 한 정맥 항생제 치료가 필요하다(Goldberg AN et al., 2001).

2) 뇌수막염

혈액뇌장벽을 통과하는 정맥 항생제 치료를 즉시 시행한다. 경험적 항생제로 주로 3세대 cephalosporin과 metronidazole 병합요법을 시행한다. 정맥 스테로이드제는 특히 젊은 환자에서 뇌수막염과 연관된 청력감소의 발생률을 감소시키는 데 도움을 준다고 알려져 있으나, 비부비동염에서 기원한 뇌수막염에서도 도움이 되는지는 밝혀지지 않았다. 내과적 치료로 24~48시간 이내에 환자의 상태가 호전되지 않으면 부비동 질환에 대한

외과적 치료를 고려한다(Witterick IJ et al., 2012 ; Benninger MS et al., 2015).

3) 경막외 농양

개두술 또는 경전두경로transfrontal route를 통한 농양의 배액이 가장 효과적이다. 농양과 전두동 사이의 교통이 흔히 존재하여 부비동의 두개화를 만들지만 효과는 불확실하다. 합병증이 동반되지 않은 경막외 농양은 구멍을 뚫어 제거할 수 있지만, 경막에 손상을 주면 추가적인 감염의 확산을 유발할 수 있어 주의해야 한다(Witterick IJ et al., 2012).

4) 경막하 농양

경막하 농양은 외과적 치료가 즉시 시행되어야 한다. 외과적 치료의 목표는 뇌의 감압과 농양의 완전한 배농이다. 버홀burr hole과 개두술이 모두 시행되고 있는데, 최근에는 내시경적 부비동수술이 발달하면서 경막하 농양에서도 자주 시행되고 있다(Nathoo N et al., 1999 ; Bock AP et al., 1993 ; Feuerman T et al., 1989 ; Bannister G et al., 1981 ; Wackym PA et al., 1990 ; Tsai YD et al., 2003).

5) 뇌농양

뇌 농양의 치료는 환자의 상태, 농양벽의 성숙도, 농양의 위치 등에 따라 달려있다. 어떤 농양은 내과적 치료만으로도 관해가 되지만 다른 경우에는 CT-유도 또는 개방형 배액이 필요하다. 일반적으로 농양벽은 그대로 두고 국소절개 혹은 흡입 및 배농이 선호된다. 반복적인 흡입을 시행하는 경우도 있다. 농양이 작을 때, 여러 개일 때, 외과적으로 접근이 불가능한 영역에 있을 때, 뇌염 단계에 있을 때, 환자가 신경학적으로 안정적일 때 내과적 단독 치료를 고려해 볼 수 있다. 또 다른 선택은 두개내압을 감소시키고 남아있는 농양에 의한 재발 가능성을 낮추기 위해 개두술을 통해 농양을 즉시 절개하는 것이다. 완전 절제는 크고, 1차 대뇌피질 영역을 침범하지 않은 피막화된 농양이 있을 때 혹은 흡입이 실패한 경우 등에 시행될 수 있다(Clayman GL et al., 1991 ; Rosenblum ML et al., 1978 ; Yang SY et al., 1993).

6) 해면정맥동 혈전

해면정맥동 혈전의 치료는 정맥 항생제, 원인 부비동의 배액, 선택적 항응고제 사용이다. 항응고제의 빠른 사용은 혈전의 전파를 막고 사망률 및 합병증을 줄여준다. 항응고제 사용으로 발생 가능한 합병증은 정맥경색 부위 혹은 경동맥의 해면정맥동 내 부위에서의 출혈이다. 뇌하수체 부전은 스테로이드 사용의 적응증이 된다. 원인 부비동은 반드시 외과적으로 배액되어야 하지만 적절한 시점은 정해지지 않았다. 보호장벽을 파괴하여 추가적인 감염의 확산을 유발할 수 있기 때문에 경막은 열지 말아야 한다(Clayman GL et al., 1991 ; Southwick FS et al., 1986 ; Levine SR et al., 1988).

3. 결과

항생제가 개발되기 전, 안와 합병증은 17%에서 뇌수막염으로 이어지고 20%에서 시력상실로 이어졌다(Gamble RC, 1933). 항생제 사용 시작 이후에도 부비동염의 발생률은 변하지 않았지만 합병증의 빈도가 감소하였다. 적극적인 신경외과 및 이비인후과적 배액으로 두개 내 합병증으로 인한 사망률은 감소했다. CT 개발 전 두개 내 합병증으로 인한 사망률은 66%이었지만 최근 2~7%까지 감소했다(Clayman GL et al., 1991; Jones NS et al., 2002; Small M et al., 1984). 그럼에도 불구하고 경막하 농양은 여전히 예후가 좋지 않다. 뇌수막염의 발생률이 감소하고 있지만, 사망률은 여전히 높다. 두개 내 합병증이 발생한 비부비동 환자에 대한 연구에서 뇌수막염의 적극적인 치료에도 불구하고 사망률은 45%였다(Singh B et al., 1995). 광범위 항생제의 사용이 가능하기 전에는 경막하 농양은 외과적인 배액을 함에도 불구하고 거의 대부분 치명적이었다. 항생제 사용으로 사망률은 5.6~41%까지 감소했다(Small M et al., 1984). 해면정맥동 혈전의 사망률은 여전히 40% 이상으로 높다(Southwick FS et al., 1986).

VII | 결론

진단 및 치료방법의 발달에도 불구하고 부비동염의 합병증은 여전히 발생하고 있고, 중요한 문제로 남아있다. 합병증 발생 가능성에 대해서 숙지함으로써 조기에 발견이 가능하고 합병증과 관련된 사망률 및 이환율을 줄이는 데 도움이 될 수 있다.

참고문헌

1. 강재호, 최경민, 김정민, 김승우. 비외접근법을 이용한 Pott's Puffy Tumor 치료 1예. 한이인지 2010;53:371-3.
2. 김수환, 박준욱, 박찬순, 이주형, 심민보, 조진희. 비부비동염에 의한 안와합병증의 임상적 고찰: 10년간 경험. 한이인지 2006;49:293-6.
3. Bannister G, Williams B, Smith S. Treatment of subdural empyema. J Neurosurg 1981;55:82-8.
4. Benninger MS, Stokken JK. Acute Rhinosinusitis. In: Flint PW, Haughey BH, Lund VJ, et al. Cummings Otolaryngology, 6th ed. Waltham: Saunders 2015;724-30.
5. Bok AP, Peter JC. Subdural empyema: burr holes or craniotomy? A retrospective computerized tomography-era analysis of treatment in 90 cases. J Neurosurg 1993;78:574-8.
6. Brown CL, Graham SM, Griffin MC, Smith RJ, Carter KD, Nerad JA, Bauman NM. Pediatric medial subperiosteal orbital abscess: medical management where possible. Am J Rhinol 2004;18:321-7.
7. Chandler JR, Langenbrunner DJ, Stevens ER. The pathogenesis of orbital complications in acute sinusitis. Laryngoscope 1970;80:1414-28.
8. Clary RA, Cunningham MJ, Eavey RD. Orbital complications of acute sinusitis: comparison of computed tomography scan and surgical findings. Ann Otol Rhinol Laryngol 1992;101:598-600.
9. Clayman GL, Adams GL, Paugh DR, Koopmann CF Jr. Intracranial complications of paranasal sinusitis: a combined institutional review. Laryngoscope 1991;101:234-9.
10. Feder HM Jr, Cates KL, Cementina AM. Pott puffy tumor: a serious occult infection. Pediatrics 1987;79:625-9.
11. Feuerman T, Wackym PA, Gade GF, Dubrow T. Craniotomy improves outcome in subdural empyema. Surg Neurol 1989;32:105-10.
12. Gamble RC. Acute inflammation of the orbit in children. Arch Opthalmol 1933;10:483-97.
13. Goldberg AN, Oroszlan G, Anderson TD. Complications of frontal sinusitis and their management. Otolaryngol Clin North Am 2001;34:211-25.
14. Herrmann BW, Forsen JW Jr. Simultaneous intracranial and orbital complications of acute rhinosinusitis in children. Int J Pediatr Otorhinolaryngol 2004;68:619-25.
15. Jackson K, Baker SR. Clinical implications of orbital cellulitis. Laryngoscope 1986;96:568-74.
16. Jones NS, Walker JL, Bassi S, Jones T, Punt J. The intracranial complications of rhinosinusitis: can they be prevented? Laryngoscope 2002;112:59-63.
17. Levine SR, Twyman RE, Gilman S. The role of anticoagulation in cavernous sinus thrombosis. Neurology 1988;38:517-22.
18. Lusk RP, Tychsen L, Park TS. Complication of sinusitis. In: Lusk RP, ed. Pediatric Sinusitis. New York: Raven Press 1992;127-46.
19. Manning SC. Endoscopic management of medial subperiosteal orbital abscess. Arch Otolaryngol Head Neck Surg 1993;119:789-91.
20. Manning SC. Medical management of nasosinus infectious and inflammatory disease. In: Cummings CW, Flint PW, Haughey BH, et el., eds. Otolaryngology: Head & Neck Surgery. 4th ed. New York: Mosby 2003;52.

21. Nathoo N, Nadvi SS, van Dellen JR, Gouws E. Intracranial subdural empyemas in the era of computed tomography: a review of 699 cases. Neurosurgery 1999;44:529-35.

22. Patt BS, Manning SC. Blindness resulting from orbital complications of sinusitis. Otolaryngol Head Neck Surg 1991;104:789-95.

23. Rosenblum ML, Hoff JT, Norman D, Weinstein PR, Pitts L. Decreased mortality from brain abscesses since advent of computerized tomography. J Neurosurg 1978;49:658-68.

24. Schramm VL Jr, Curtin HD, Kennerdell JS. Evaluation of orbital cellulitis and results of treatment. Laryngoscope 1982;92:732-8.

25. Schramm VL, Myers EN, Kennerdell JS. Orbital complications of acute sinusitis: evaluation, management, and outcome. Otolaryngology 1978;86:221-30.

26. Schroeder KA, McKeever PE, Schaberg DR, Hoff JT. Effect of dexamethasone on experimental brain abscess. J Neurosurg 1987;66:264-9.

27. Singh B, Van Dellen J, Ramjettan S, Maharaj TJ. Sinogenic intracranial complications. J Laryngol Otol 1995;109:945-50.

28. Small M, Dale BA. Intracranial suppuration 1968-1982--a 15 year review. Clin Otolaryngol Allied Sci 1984;9:315-21.

29. Southwick FS, Richardson EP Jr, Swartz MN. Septic thrombosis of the dural venous sinuses. Medicine (Baltimore) 1986;65:82-106.

30. Tsai YD, Chang WN, Shen CC, Lin YC, Lu CH, Liliang PC, Su TM, Rau CS, Lu K, Liang CL. Intracranial suppuration: a clinical comparison of subdural empyemas and epidural abscesses. Surg Neurol 2003;59:191-6.

31. Wackym PA, Canalis RF, Feuerman T. Subdural empyema of otorhinological origin. J Laryngol Oto 1990;104:118-22.

32. Witterick IJ, Vescan AD. Complication of Rhinosinusitis. In: Kennedy DW, Hwang PH. Rhinology. New York: Thieme Medical Publishers 2012;261-70.

33. Yang SY, Zhao CS. Review of 140 patients with brain abscess. Surg Neurol 1993;39:290-6.

34. Younis RT, Anand VK, Davidson B. The role of computed tomography and magnetic resonance imaging in patients with sinusitis with complications. Laryngoscope 2002;112:224-9.

CHAPTER

26

소아 비부비동염

제주의대 이비인후과 **김정홍**, 이화의대 이비인후과 **배정호**

> **CONTENTS**

Ⅰ. 병태생리
Ⅱ. 원인균
Ⅲ. 진단
Ⅳ. 급성 비부비동염의 치료
Ⅴ. 만성 비부비동염, 재발성 비부비동염의 치료
Ⅵ. 합병증

HIGHLIGHTS 〉〉〉

- 소아에서 바이러스성 상기도 감염과 급성 세균성 비부비동염에 의한 증상은 구별하기 어려움
- 증상이 10일 이상 지속될때와 10일 이내이더라도 계속 심해지는 양상을 보이거나 완화되었던 증상이 다시 심해지면(double worsening) 급성 세균성 비부비동염을 의심할 수 있음
- 소아에서는 39도 이상의 발열을 동반하면서 3일 이상 화농성 콧물이 지속될 때는 초기에 세균성 비부비동염으로 진단하고 치료함
- 급성 비부비동염의 치료에서 가장 먼저 고려하여야 할 문제는 부비동의 이차적인 세균 감염과 바이러스에 의한 상기도 감염이나 알레르기성 염증을 구별하는 것임
- 급성 세균성 비부비동염의 경우는 주요 원인균이 H. influenzae, S. pneumoniae, M. catarrhalis, S. aureus, or S. pyogenes 으로 이들 균에 적합한 경험적 항생제 투여가 필요함
- 소아 만성 비부비동염에서 내시경 부비동수술의 술기는 성인에서와 큰 차이는 없으며 개구비도단위의 폐쇄를 없앰으로써 점액섬모 흐름이 잘 이루어지게 하는 것이 주된 목표임
- 일반적으로 성인보다 보존적인 수술을 시행하며 전사골동과 상악동에 국한되는 경우가 많음
- 소아의 얼굴뼈 성장과 내시경 부비동수술과의 연관성은 크게 연관이 없는 것으로 보고됨
- 소아의 비부비동염은 성인에 비해 합병증의 발현 가능성이 높아 합병증 의심 증상이 있을 경우 즉시 부비동 CT를 촬영하며 입원 후 정맥 항생제의 사용이 필요함. 경우에 따라 응급수술이 필요할 수 있음

비부비동염rhinosinusitis은 콧물, 코막힘, 안면통 등의 증상을 동반하는 비강 및 부비동 점막의 염증성 질환을 의미한다. 소아는 1년에 평균 6~8회 정도 바이러스에 의한 상기도 감염에 걸리며 대부분은 자연 치유되나 이 중 5~13%에서 이차적으로 세균성 비부비동염bacterial rhinosinusitis으로 진행된다고 보고되고 있다. 특히 어린이집이나 유치원, 놀이방처럼 공동 생활을 하는 아이들이 많아지면서 바이러스 감염 빈도가 높아지고 있으며, 이로 인해 세균성 비부비동염의 발생 빈도도 높아지고 있다(김, 1997; 대, 2005; Sokol W, 2001). 비부비동염의 분류는 발병기전과 진단근거, 치료에 대한 접근 방식이 계속 수정되어 아직 표준화된 분류법이 없

다. EPOSEuropean Position Paper on Rhinosinusitis and Nasal Polyps 2012에서는 12주 이내에 증상이 소실되면 급성으로 분류하고 증상이 12주 이상 지속되면 만성으로 구분지었다. 급성 비부비동염acute rhinosinusitis, ARS은 발병 원인과 증상 지속기간에 따라 바이러스성 비부비동염 viral acute rhinosinusitis, viral ARS, 바이러스 감염 후 비부비동염post-viral acute rhinosinusitis, post-viral ARS, 그리고 급성 세균성 비부비동염acute bacterial rhinosinusitis, ABRS 의 세 가지로 구분하였는데, viral ARS는 증상 지속 기간이 10일 이내인 경우, post-viral ARS는 증상 발생 5일 후에 증상이 악화되거나 10일 이상 지속될 때, ABRS는 혼탁/화농성 콧물, 편측 부비동과 연관된 국소통증, 38도

이상의 발열, ESR/CRP 수치 상승, 증상 호전 후 재악화 소견 및 주간 기침 중 적어도 3가지 이상의 증상을 보이면서 10일 이상 12주 이내 지속되는 경우에 의심해 볼 수 있다. 만성 비부비동염chronic rhinosinusitis은 비용을 동반한 경우Chronic rhinosinusitis with nasal polyp, CRSwNP와 비용을 동반하지 않는 경우Chronic rhinosinusitis without nasal polyp, CRSsNP로 분류하였다(Wald ER et al., 2013; Fokkens WJ et al., 2012; Parsons DS et al., 1996; Shapiro GG et al., 1992).

I | 병태생리

비강과 부비동이 정상적인 조건과 기능을 유지하려면 점액분비와 섬모운동, 점막 면역기능에 있어 항상성을 유지하면서 부비동 자연공이 지속적으로 개방되어 있는 것이 가장 중요한데 점액의 과다 분비 혹은 점도의 변화, 섬모 수의 감소 혹은 기능 장애, 점막 부종에 의한 자연공의 폐쇄가 발생하게 되면 부비동 내 분비물이 저류되고 환기 장애가 일어나 부비동 내 산소가 급속히 흡수되면서 음압 상태를 야기하게 된다. 이러한 음압 변화 때문에 소아가 코를 풀거나 훌쩍거리면서 들여마실 때 비강 내 바이러스 혹은 세균이 쉽게 부비동 내로 들어갈 기회가 많아지고 부비동 내 저류된 분비물이 바이러스와 세균이 증식할 수 있는 배지 역할을 하게 되어 비부비동염이 점차 악화되게 된다. 또한 구조적으로도 6세 전후의 사골동 자연공의 크기는 1~2 mm 정도로 매우 작아 비점막 부종이 일어나면 폐쇄가 쉽게 일어나고 상악동 자연공은 상악동 크기에 비해 입구가 상대적으로 넓어 바이러스나 세균에 의한 감염이 쉽게 상악동 내로 전파될 수 있다(Kim HJ et al., 2006). 소아 급성 비부비동

염에서 자연공이 막히는 주 원인으로는 반복적인 바이러스성 상기도 감염이나 알레르기 염증 반응에 의한 점막 부종이 가장 흔하지만 그 외 오염된 물에서 수영하거나 다이빙이나 비행기의 급강하 시 비강 내 압력의 급격한 변화, 낭성 섬유증cystic fibrosis, 섬모 운동 이상증ciliary dyskinesia, 안면 외상 등에 의해 발생할 수 있다. 해부학적 원인으로는 비용polyps, 비강 이물foreign body, 비중격만곡deviated nasal septum, Haller 봉소Haller cells, 비제봉소agger nasi cells, 수포성 갑개concha bullosa, 구상돌기uncinated process 구조이상, 역곡중비갑개paradoxical middle turbinate, 후비공 폐쇄choanal atresia 등이 있는데 이러한 해부학적 변이가 소아에서 비부비동염의 발병 확률을 어느 정도로 높이는지는 아직 명확히 밝혀지지 않았다(Berçin AS et al., 2007). 이러한 원인 외에도 소아에서 비부비동염을 일으키기 쉬운 인자들로서는 아데노이드 염증 및 증식, 위식도 역류증, 담배연기 등의 공기 오염 물질, 놀이방 등의 공동생활, 천식, 면역 결핍, 섬모 운동이상증 등이 있다(Bothwell MR et al., 1999)(표 26-1).

| 표 26-1 소아 급·만성 비부비동염의 원인 및 위험인자

급성 비부비동염
  바이러스성 상기도염
  비강 내 이물
  급성 아데노이드염

만성 비부비동염
  알레르기 비염
  간접흡연
  해부학적 이상
    비갑개 비후
    아데노이드 비후
    비중격 만곡
    비용종
    후비공 폐쇄
  천식
  위식도 위산 역류에 의한 비인두 역류증
  종양
  낭성 섬유증
  면역 결핍증

원발성 섬모운동이상증

II | 원인균

소아 비부비동염의 원인균을 확인하기 위해서는 하비도 외측벽을 천자해 상악동 검체를 얻거나 상악동 자연공 입구로 멸균식염수를 주입해서 나오는 검체를 수집하여 균 동정을 하게 되는데 소아는 협조가 힘들고 정상 세균총normal flora의 오염없이 검체를 얻기가 현실적으로 어려워 원인균에 대한 연구가 제한적이다.

1. 급성 비부비동염

급성 비부비동염의 경우에는 *Streptococcus pneumonia* (30~66%)가 가장 흔한 균주이며 그 다음으로 *Haemophilus influenzae non-type b*(20~30%), *Moraxella catarrhalis*(12~28%), *Staphylococcus aureus*(<10%)의 순서로 동정된다. 급성 비부비동염에 선행돼 감염을 일으키는 바이러스로는 *human rhinovirus*가 가장 흔하며 그 외 *respiratory syncytial virus, parainfluenza, influenza, adenovirus* 등이 있다(Wald ER et al., 2013; Fokkens WJ et al., 2012).

2. 만성 비부비동염

세균 감염이 만성 비부비동염의 직접적인 원인으로 작용하는지 아니면 이차적으로 세균 감염이 동반된 것인지는 아직은 명확하지 않다. 만성 비부비동염 소아 환자에서 상악동 천자를 통해 시행한 세균 배양 검사에서 *α-hemolytic Streptococcus*(20.8%)가 가장 많이 동정되었고, *Hemophilus influenzae*(19.5%), *Streptococcus pneumonia*(14.0%), *coagulase-negative Staphylo-* *coccus*(13.0%), *Staphylococcus aureus*(9.3%), *Anaerobes*(8.0%), *Moraxella catarrhalis*(5.3%)의 순서로 동정되었다. 이 중 *α-hemolytic Streptococcus*와 *coagulase-negative Staphylococcus*는 건강한 소아의 중비도와 상악동에서도 흔히 동정되는 상재균이므로 급성 비부비동염과 마찬가지로 *H. influenzae*와 *S. pneumonia*가 소아 만성 비부비동염에서 가장 흔한 원인 균주로 간주되고 있다. 하지만 만성 비부동염의 상태에 따라서 감염 균주에 차이가 있을 수 있으며 약물에 잘 반응하지 않거나 자주 재발하는 경우에는 혼합감염polymicrobial infection의 가능성도 고려해야 한다(Hsin CH et al., 2010).

III | 진단

소아 비부비동염의 진단은 부비동 함유물의 세균 배양 검사가 현실적으로 힘들어 일차적으로 임상증상에 대한 병력청취가 가장 중요하며 비내시경검사를 포함한 신체 검사, 영상검사 등이 도움이 될 수 있다. 소아 비부비동염의 임상증상은 나이에 따라 다르게 나타나며 비교적 나이가 많은 소아, 청소년기에는 성인과 비슷하게 국소적인 불편감을 호소하는 반면, 어린 소아들은 호소하는 증상들이 부비동과의 연관성이 불분명한 경우가 많다(Pappas DE et al., 2008).

1. 급성 세균성 비부비동염

급성 바이러스성 상기도 감염(감기, common cold)에 의한 증상과 급성 세균성 비부비동염에 의한 증상은 구별하기 힘들다. 가장 큰 차이점은 증상의 지속 기간이다. 소아에서 일반적인 감기 증상은 바이러스 감염 후 1~3일 후 인두 자극 증상으로 시작되어 콧물, 코막힘이 동반되고 미열과 근육통, 전신쇠약, 식욕감퇴 등의 전신 증세가 수반되며 성인과 마찬가지로 대부분 약 5~7일 이내에 증상이 소실된다. 이에 반해 증상이 10일 이상 지속될 때, 10일 이내이더라도 증상이 계속 심해지거나, 완화되었던 증상이 다시 심해지면double worsening 급성 세균성 비부비동염을 의심해 볼 수 있다. 성인과의 차이점은 소아에서는 39도 이상의 발열을 동반하면서 3일 이상 화농성 콧물이 지속될 때는 초기에 세균성 비부비동염으로 진단하고 치료한다. 비부비동염의 콧물은 장액성, 점액성, 화농성 등 다양하게 나타나고 콧물의 지속 기간이 길어지고 특히 후비루postnasal drip가 있으면 야간에 더욱 심해지는 기침을 호소한다. 안면통, 두통과 같은 안면 증상은 어린 소아에서는 드물고 약 1/3 정도에서만 나타난다. 이외에도 발열, 피로와 같은 비특이적 전신 증상이 동반되기도 한다(Chow AW et al., 2012; American college of Radiology, 2009; Triulzi F et al., 2007).

2. 만성 비부비동염

급성 비부비동염을 적절하게 치료하지 않아 염증이 반복되거나 지속되어 12주 이상 비부비동에 염증 소견을 보이는 경우로 코막힘, 점액성 혹은 화농성 콧물, 기침, 후비루 등의 증상을 호소한다. 대부분 양측성으로 발생하며 다수의 부비동들이 함께 이환되는 경우가 많다. 해부학적 구조이상, 알레르기 비염, 아데노이드 비대, 섬모운동이상증, 면역 결핍 등이 있을 경우에 만성 비부비동염이 흔하게 발생한다. 콧물은 점액성 또는 화농성 등 다양한 양상을 보이며 때로는 경미하거나 없을 수도 있고 후비루로 인해 목이 항상 자극되어 목 뒤로 가래를 넘기면서 가다듬는 습관을 보이기도 한다. 코막힘이 좀

더 심해지면 구강 호흡을 하게 되고 아침에 인후두통을 호소하기도 한다. 기침은 만성 비부비동염에서 더 흔하며 야간에 악화되는 경향을 보이고 수면을 방해하고 아침에 구역질을 유발하기도 한다. 기침이 주된 증상을 보일 경우 기관지염, 천식, 폐렴 등이 동반되어 있는지 감별해야 한다. 그 외에 안면통, 두통, 후각장애, 호흡 시 구취 등이 동반될 수 있으며 지속적으로 구취가 나는 소아에서 편도염, 충치, 치은염, 설염, 구강 위생 불량, 비강 내 이물질 등의 소견이 없으면 만성 비부비동염의 가능성도 고려해야 한다(Kakish KS et al., 2000; Wald ER, 2011).

3. 신체검사

비부비동염 증상으로 내원한 소아 환자의 비강 검사 시 우선 환아가 신체검사에 겁내지 않도록 분위기를 조성하는 것이 중요하다. 비강 검사로는 전비경검사, 강직형 내시경검사, 굴곡형 내시경검사 등이 있다. 급성 비부비동염 환아의 비내시경 소견은 비갑개 점막의 부종, 발적 등이 보이며 중비도 주변 점막의 부종으로 인한 폐쇄를 관찰할 수 있다. 콧물은 병의 진행 시기 및 감염원에 따라 여러 형태로 관찰되는데 수양성이면 바이러스성 혹은 알레르기성 비염을 의심할 수 있고 노랗거나 진한 점액성의 콧물이 보이면 세균 감염을 의심할 수 있다. 세균성 비부비동염인 경우 점막수축제를 적신 거즈를 하비도에 삽입한 후 점막을 수축시키면 중비도에서 농성 분비물이 흘러나오는 것이 관찰된다(그림 26-1). 또한 구강을 통해 구인두강으로 후비루가 관찰되면 색깔과 점도의 형태에 따라 비부비동염의 원인 및 진행 정도를 유추할 수 있고 상악동을 촉진하거나 타진했을 때 압통 혹은 상악 치아 통증을 호소할 수도 있다. 만성 비부비동염 환아의 비내시경 소견은 하, 중비갑개의 부종과

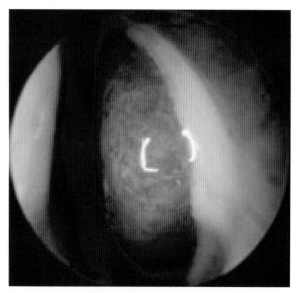

| 그림 26-1 급성 비부비동염 소아의 중비도 비강 내시경 사진

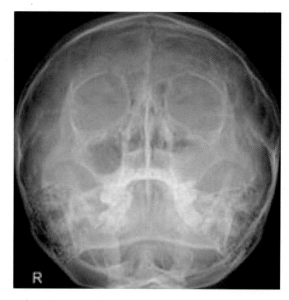

| 그림 26-2 좌측 급성 상악동염 소아의 Waters 영상

발적이 관찰되고 점도 높은 콧물과 비용종 등이 관찰될 수 있다. 급성기와 만성기에 따른 콧물의 양상은 다양하여 점도와 색깔을 통해 병의 중증도를 짐작할 수 있다. 부비강 천자는 세균성 비부비동염의 원인균을 확인할 수 있는 가장 정확한 검사이지만 매우 침습적인 시술이어서 일반적인 치료에 반응을 보이지 않거나 합병증 발생시에만 환아의 협조를 통해 시도해 볼 수 있다(Ueda D et al., 1996).

4. 영상검사

비부비동염이 의심되는 소아를 영상학적으로 진단하는 방법으로는 단순 부비동 영상paranasal sinus view, 컴퓨터단층촬영CT, 자기공명영상MRI과 초음파 검사가 있다. 단순 부비동 영상은 상악동의 염증을 확인하기 위한 Waters 영상(그림 26-2)나 전두동과 사골동을 볼 수 있는 Caldwell 영상, 접형동과 비인강에 위치한 아데노이

드를 보기 위한 측면 영상이 있다. 단순 방사선검사는 저렴하고 쉽게 검사할 수 있다는 장점에도 불구하고 현재 환아의 임상증상이나 CT 소견과 일치하지 않는 경우가 많아 진단용이나 치료 결과를 판정하는 검사로는 활용도가 떨어진다. Waters 영상에서 부비동의 완전 혼탁, 공기-액체면과 4 mm 이상의 부비동 점막 비후가 관찰되면 부비동염을 의심할 수 있으나 이러한 소견이 정상 혹은 단순 바이러스성 상기도염에서도 보일 수 있어 진단적 가치는 떨어진다. 영상검사 중 부비동의 상태를 평가하기 위한 가장 정확한 방법은 CT 검사로서 부비동 개구복합체ostiomeatal complex의 정확한 해부학적 정보를 제공하므로 비부비동염의 합병증이 의심되거나 만성 비부비동염의 수술적 치료를 고려 시 실시할 수 있다. 최근 급성 비부비동염이 의심되는 소아에게 바이러스에 의한 비부비동염과 세균 감염에 의한 비부비동염을 감별할 목적으로는 어떠한 영상학적 검사도 촬영할 필요가 없다고 권고하고 있어서 환아의 증상과 내시경검사 결과를 바탕으로 바이러스성 비부비동염과 세균성 비부

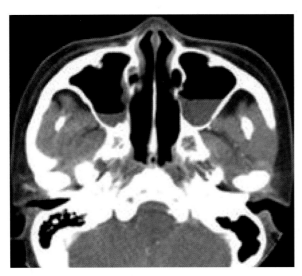

| 그림 26-3 양쪽 급성 상악동염 소아의 CT 사진

비동염을 감별하고 안와 혹은 두개 내 합병증이 의심되는 경우에만 CT 영상 소견을 토대로 치료 방법을 결정해야 한다(그림 26-3). MRI 검사도 부비동 질환의 진단에 사용할 수 있으나 부비동 종양이나 진균성 감염이 의심되는 경우를 제외하곤 그 효용성이 제한적이다. 초음파 검사는 방사선검사와 비교하여 민감도와 특이도가 낮다(American college of Radiology, 2009 ; Triulzi F et al., 2007).

IV | 급성 비부비동염의 치료

진단에서도 언급한 바와 같이 소아의 급성 비부비동염의 치료에서 가장 먼저 고려하여야 할 문제는 부비동의 이차적인 세균 감염과 바이러스에 의한 상기도 감염이나 알레르기성 염증을 구별하는 것이다. 이는 과다한 항생제 처방을 줄이고 항생제 투여에 따른 내성균 발생이

나 설사 등의 합병증을 줄이는 데 도움을 줄 수 있다. 급성 세균성 비부비동염으로 진단된 경우에도 50~60%의 환아들은 항생제 치료 없이 회복되고 일부 무작위 위약 대조군 연구에서는 항생제 투여군과 위약군이 증상의 완화나 유병 기간에 큰 차이가 없는 것으로 보고되었다. 하지만 심한 임상 양상을 보이거나 시간이 지나면서 증상이 악화되는 경우worsening course에는 증상을 완화시키고 합병증을 예방하기 위해 적절한 항생제 사용이 필요하다. 소아의 급성 세균성 비부비동염의 90퍼센트 이상에서 원인 균주가 *H. influenzae*, *S. pneumoniae*, *M. catarrhalis*, *S. aureus*, or *S. pyogenes*이며 세균 배양 검사에 시간이 소요되므로 일차적으로 이들 균주에 적합한 경험적 항생제를 투여한다(Wald ER et al., 2013 ; Wald ER et al., 2009). 항생제의 선택에는 증상의 심한 정도, 지역에 따른 내성 균주, 약물의 복용 편이성과 비용을 고려하여야 한다. 2013년 미국소아과학회American Academy of Pediatrics, AAP 가이드라인에 따르면 현재까지도 많은 연구에서 경증에서 중등도의 소아 급성 세균성 비부비동염의 초기 치료로 amoxicillin이 권장되지만 증상이 심한 경우나 항생제 내성율이 높은 지역, 최근 항생제 치료를 받은 경우, 어린이 집에 다니는 소아는 초기 치료로 amoxicillin-clavulanate를 하루 두 번 나누어서 투여하는 것이 권장된다. 이 중 amoxicillin 조성분량은 80~90 mg/kg/day의 용량이 적절하다. 세파계 항생제는 Cefdinir 14 mg/kg/day, cefuroxime 30 mg/kg/day, 혹은 cefpodoxime 10 mg/kg/day을 처방할 수 있다. 환아가 페니실린 알레르기, 특히 type 1 과민 반응이 있다면, clarithromycin 15 mg/kg/day이나 azithromycin 10 mg/kg/day를 처방한다. 경구용 항생제 투여 시 구토하는 소아에게는 ceftriaxone 50 mg/kg/day를 하루 한 번 정주 또는 근주할 수 있다. 이 가이드라인은 약물의 안전성, 내약성, 낮은 비용, 그리고 이들 항생제의 소아 급성 세균성 중이염에 대한 연구 결과 등을 고려하여

결정되었다. 항생제의 투여 기간은 Wald 등은 항생제의 부비동 내 농도 등을 고려하여 환아가 증상이 없어진 후부터 7일간 더 치료가 지속되어야 함을 제안하였으나 아직 명확한 결론은 없어 각 개인의 증상의 완화 등을 고려하여 결정한다(Wald ER et al., 2009).

72시간의 초기 항생제 치료에 반응을 보이지 않고 증세가 악화되는 경우 원인 균주로 amoxicillin에 저항성이 있는 *H. influenza, M. catarrhalis* 외에도 b-lactamase를 생산하는 staphylococci와 매우 저항성이 높은 highly resistant-pneumococci를 생각해 볼 수 있다. 증세가 매우 심하거나 합병증이 의심되는 경우 입원하여 vancomycin, cefotaxime, ceftriaxone 등 주사용 항생제를 사용한다(Smith MJ, 2013; Brook I, 2009; Wald ER, 2007; Garbutt J et al., 2004; Pichichero ME, 2005; Pichichero ME et al., 2007).

급성 비부비동염의 치료에서 국소용 혹은 전신적 혈관 수축제를 사용하여 부종 등에 의한 부비동 입구의 폐쇄를 없애주고 배액을 돕는 것은 도움이 될 것으로 생각되나 현재까지 소아에서 혈관 수축제가 치료에 도움이 된다는 명백한 보고는 없으며 혈관 수축제 사용은 비강 건조를 유발하여 비강 점액 수송에 악영향을 미칠 수도 있다. 또한 국소 혈관 수축제는 장기간 사용 시 약물성 비염rhinitis medicamentosa을 유발할 수 있어 더욱 사용에 주의를 기울여야 한다. 혈관 수축제는 부비동 폐쇄로 인한 압통이 심한 경우에 한하여 2~3일 정도 사용하는 것이 적절하다. 급성 비부비동염에서 항히스타민제, 점액 용해제, 비강 스테로이드 사용은 역시 소아를 대상으로 충분한 연구가 이루어지지 않았다(Shaikh N et al., 2010; Dolor RJ et al., 2001).

V | 만성 비부비동염, 재발성 비부비동염의 치료

1. 약물치료

소아의 만성 비부비동염과 재발성 비부비동염의 약물치료의 효과는 아직 확립되어 있지 않다. 원인균에 대한 경험적 항생제 투여의 경우 여러 연구에서 항생제 사용군이 위약군, 혹은 생리 식염수 세척군에 비하여 더 나은 치료 효과를 보이지 않았다. 하지만 재발성 비부비동염과 만성 비부비동염의 급성 악화기에는 증상 완화와 합병증 예방을 위하여 급성 비부비동염의 경우와 비슷한 방법으로 항생제를 투여하며 일부 연구에서는 좀 더 긴 3주 이상의 항생제 투여가 증상의 재발을 낮추는 데 도움이 된다고 보고하였다. 이러한 장기간의 항생제 치료는 항생제 내성과 위장관 합병증 등의 발생에 주의를 기울여야 한다(Meltzer EO et al., 2005).

소아의 만성 비부비동염에서 비강 내 스테로이드의 효과에 대한 명백한 무작위 연구는 아직 없지만 비교적 안전하게 사용할 수 있고 성인에서는 효과를 보이므로 일차적으로 사용을 고려할 수 있다. 경구용 스테로이드 사용은 강력한 항염증 작용으로 도움이 될 수 있으나 부작용을 고려하여 기간 및 용량을 매우 신중하게 고려하여야 한다. 식염수 세척은 특별한 부작용을 일으키지 않으며 증상 호전을 보일 수 있는 보조적인 치료로 단독으로 혹은 항생제나 비강 스테로이드와 함께 시도해 볼 수 있다(Meltzer EO et al., 2005; Hsin CH et al., 2010; Williamson IG et al., 2007; Adam P et al., 1998).

2. 수술적 치료

만성 혹은 재발성 비부비동염 환아에서 아데노이드 비대증은 비폐색과 부비동 배액의 장애를 일으키고 세균총bacterial reservoir으로 작용하는 것으로 생각된다. 이에 소아에서 내시경 부비동수술이 보편화되기 전부터 만성 비부비동염의 수술적 치료로 아데노이드 절제술이 시행되어 왔다. 이전의 연구에서 아데노이드 절제술 단독으로 만성 혹은 재발성 비부비동염의 증상이 50~70%까지 경감되었다고 보고하였다.

성인에서 내시경 부비동수술이 보편화된 이후에 여러 연구에서 소아에서 약물치료에 반응이 없는 만성 혹은 재발성 비부비동염에서 내시경 부비동수술의 유용성에 대한 보고가 있었다. 1986년부터 1996년까지 내시경 부비동수술을 시행한 832명의 소아를 대상으로 한 메타분석에서 수술 후 평균 88.4퍼센트의 성공률을 보였다. 주요 합병증의 발생은 성인에서와 크게 차이가 없었다. 국내의 몇몇 연구에서도 소아 내시경 부비동수술의 성공률을 70~80%로 보고하였다(동, 2003; 송, 2006). 2004년에 Ramadan은 소아에서 내시경 부비동수술과 아데노이드 절제술을 평가하는 전향적 비무작위non-randomized 연구 결과를 발표하였다. 이 연구에서 환아의 나이, 천식, 흡연 노출 등의 위험 인자들의 다변량분석multivariate analysis 후에 천식이 없는 6세 이하의 환아에게는 아데노이드 절제술을, 천식이 있는 모든 연령의 환아나 CT에서 명백한 해부학적 변이가 있는 6세 이상의 환아에게는 비내시경수술을 추천하였다(Shin KS et al., 2008; Wood AJ et al., 2010).

소아 내시경 부비동수술의 술기는 성인에서와 큰 차이는 없으며 개구비도단위osteomeatal complex의 폐쇄를 없앰으로써, 전두동, 상악동, 사골동으로부터 점액섬모흐름mucociliary flow이 잘 이루어지게 하는 것이다. 이러한 폐쇄 부위의 제거는 배액을 개선시키고, 전두동, 상악동, 사골동의 정상적인 생리학적 기능을 정상화시킨다. 일반적으로 성인보다 보존적인 수술을 시행하며 전사골동과 상악동에 국한되는 경우가 많다. 성인에 비해 수술에 의한 지나친 해부학적 변형이 장기적으로 문제를 일으킬 수 있으며 수술 후 치료 과정 역시 어려움이 많아 이를 고려해야만 한다. 내시경 부비동수술 초기에 많이 언급되었던 소아의 얼굴뼈 성장과 내시경 부비동수술과의 연관성은 크게 연관이 없는 것으로 생각된다(송, 2006).

Parikh 등은 소아 만성 비부비동염에서 소아 내시경 부비동수술에서 네비게이션 시스템image guided surgery이 수술 합병증 발생률을 낮추는 데 도움이 된다고 보고하였으나 아직 명확한 통계가 부족하다.

최근 시행되고 있는 풍선 카테터 부비동 확장술balloon catheter sinuplasty은 비교적 보존적인 술식으로 소아에게 적용 가능할 것으로 생각되지만 아직까지는 소아를 대상으로 한 비내시경수술과 비교한 연구는 보고되지 않았다.

VI | 합병증

소아의 비부비동염은 성인에 비해 합병증의 발현 가능성이 높으며 주로 급성 세균성 비부비동염 혹은 만성, 재발성 비부비동염의 악화 시 안구 합병증이나 두개 내 합병증이 병발된다. 합병증이 의심될 경우에는 즉시 부비동 CT를 촬영하며 부비동 감염 후에 합병증으로 발생한 안와내, 두개 내 농양, 해면정맥동의 혈전증은 응급수술을 필요로 한다. 안와내 연조직염, 골수염, 뇌수막염은 일차적으로 세균 배양과 함께 즉시 정맥 내 항생제 투여가 필요하며 항생제 치료가 효과적이지 않을 때 수술적 치료가 필요할 수 있다. 합병증의 수술로는 일차적으로 비내시경수술이 고려되며 농양의 비강 내로의 배농과 해부학적 변이를 교정하는 것이 가능하다(Oxford LE et al., 2006; DeMuri GP et al., 2011).

참고문헌

1. 김종남. 소아부비동염. 대한비과학회편. 임상비과학. 일조각 1997; 288-294.
2. 대한비과학회. Treatment guidelines for rhinosinusitis. 2005;66-71.
3. 동헌종. 소아 만성 부비동염에서 내시경수술의 예후에 영향을 미치는 인자. Korean J Otolaryngol 2003;46:654-8.
4. 송형민. 소아 만성 비부비동염의 임상양상과 내시경수술성적. Korean J Otolaryngol 2006;49:168-73.
5. 정승원. 소아 만성 상악동염의 세균학적 고찰. Korean J Otolaryngol 2006;49:499-503.
6. Adam P, Stiffman M, Blake RL Jr. A clinical trial of hypertonic saline nasal spray in subjects with the common cold or rhinosinusitis. Arch Fam Med 1998;7:39-43.
7. American College of Radiology. Appropriateness criteria for sinonasal disease. 2009.
8. Berçin AS, Ural A, Kutluhan A, Yurttaş V. Relationship between sinusitis and adenoid size in pediatric age group. Ann Otol Rhinol Laryngol 2007;116:550-3.
9. Bothwell MR, Parsons DS, Talbot A, Barbero GJ, Wilder B. Outcome of reflux therapy on pediatric chronic sinusitis. Otolaryngol Head Neck Surg 1999;121:255-62.
10. Brook I. Microbiology and antimicrobial treatment of orbital and intracranial complications of sinusitis in children and their management. Int J Pediatr Otorhinolaryngol 2009;73:1183-6.
11. Chow AW, Benninger MS, Brook I, Brozek JL, Goldstein EJ, Hicks LA, et al. IDSA clinical practice guideline for acute bacterial rhinosinusitis in children and adults. Clin Infect Dis 2012;54:e72-e112.
12. DeMuri GP, Wald ER. Complications of acute bacterial sinusitis in children. Pediatr Infect Dis J 2011;30:701-2.
13. Dolor RJ, Witsell DL, Hellkamp AS, Williams JW, Jr, Califf RM, Simel DL. Comparison of cefuroxime with or without intranasal fluticasone for the treatment of rhinosinusitis. The CAFFS Trial: a randomized controlled trial. JAMA 2001;286:3097-105.
14. Fokkens WJ, Lund VJ, Mullol J, Bachert C, Alobid I, Baroody F, et al. EPOS 2012: European Position Paper on Rhinosinusitis and Nasal Polyps 2012. A summary for otorhinolaryngologists. Rhinology 2012;50:1-12.
15. Garbutt J, St Geme JW, III, May A, Storch GA, Shackelford PG. Developing communityspecific recommendations for first-line treatment of acute otitis media: is highdose amoxicillin necessary? Pediatrics 2004;114:342-7.
16. Hsin CH, Su MC, Tsao CH, et al. Bacteriology and antimicrobial susceptibility of pediatric chronic rhinosinusitis: a 6-year result

17. Hsin CH, Su MC, Tsao CH, Chuang CY, Liu CM. Bacteriology and antimicrobial susceptibility of pediatric chronic rhinosinusitis: a 6-year result of maxillary sinus punctures. Am J Otolaryngol 2010;31:145-9.
18. Kakish KS, Mahafza T, Batieha A, Ekteish F, Daoud A. Clinical sinusitis in children attending primary care centers. Pediatr Infect Dis J 2000;19:1071-4.
19. Kim HJ, Jung Cho M, Lee JW, Tae Kim Y, Kahng H, Sung Kim H, et al. The relationship between anatomic variations of paranasal sinuses and chronic sinusitis in children. Acta Otolaryngol 2006;126:1067-72.
20. Meltzer EO, Bachert C, Staudinger H. Treating acute rhinosinusitis: comparing efficacy and safety of mometasone furoate nasal spray, amoxicillin, and placebo. J Allergy Clin Immunol 2005;116:1289-95.
21. Oxford LE, McClay J. Medical and surgical management of subperiosteal orbital abscess secondary to acute sinusitis in children. Int J Pediatr Otorhinolaryngol 2006;70:1853-61.
22. Pappas DE, Hendley JO, Hayden FG, Winther B. Symptom profile of common colds in school-aged children. Pediatr Infect Dis J 2008;27:8-11.
23. Parsons DS, Wald ER. Otitis media and sinusitis: similar diseases. Otolaryngol Clin North Am 1996;29:11-25.
24. Pichichero ME. A review of evidence supporting the American Academy of Pediatrics recommendation for prescribing cephalosporin antibiotics for penicillinallergic patients. Pediatrics 2005;115:1048-57.
25. Pichichero ME, Casey JR. Safe use of selected cephalosporins in penicillinallergic patients: a meta-analysis. Otolaryngol Head Neck Surg 2007;136:340-7.
26. Shaikh N, Wald ER, Pi M. Decongestants, antihistamines and nasal irrigation for acute sinusitis in children. Cochrane Database Systematic Reviews 2014;10.
27. Shapiro GG, Rachelefsky GS. Introduction and definition of sinusitis. J Allergy Clin Immunol 1992;90:417-8.
28. Shin KS, Cho SH, Kim KR, et al. The role of adenoids in pediatric rhinosinusitis. Int J Pediatr Otorhinolaryngol 2008;72:1643-50.
29. Smith MJ. AAP technical report: evidence for the diagnosis and treatment of acute uncomplicated sinusitis in children: a systematic review. 2013, In press.
30. Sokol W. Epidemiology of sinusitis in the primary care setting: results from the 1999-2000 respiratory surveillance program. Am J Med 2001;111 Suppl 9A:19S-24S.
31. Triulzi F, Zirpoli S. Imaging techniques in the diagnosis and management of rhinosinusitis in children. Pediatr Allergy Immunol 2007;18:46-9.
32. Ueda D, Yoto Y. The ten-day mark as a practical diagnostic approach for acute paranasal sinusitis in children. Pediatr Infect Dis J 1996;15:576-9.
33. Wald ER. Acute otitis media and acute bacterial sinusitis. Clin Infect Dis 2011;52:S277-83.
34. Wald ER, Applegate KE, Bordley C, Darrow DH, Glode MP, Marcy SM, et al. Clinical practice guideline for the diagnosis and management of acute bacterial sinusitis in children aged 1 to 18 years. Pediatrics 2013;132:e262-80.
35. Wald ER, Nash D, Eickhoff J. Effectiveness of amoxicillin/clavulanate potassium in the treatment of acute bacterial sinusitis

in children. Pediatrics 2009;124:9-15.

36. Wald ER. Periorbital and orbital infections. Infect Dis Clin North Am 2007;21:393-408.

37. Willsamson IG, Rumsby K, Benge S, et al. Antibiotics and topi-cal nasal steroid for treatment of acute maxillary sinusitis: a randomized controlled trial. JAMA 2007;298:2487-96.

38. Wood AJ, Douglas RG. Pathogenesis and treatment of chronic rhinosinusitis. Postgrad Med J 2010;86:359-64.

CHAPTER

27

후각 및 미각장애

건국의대 이비인후과 **김진국**, 임대준이비인후과 **임대준**
서울의대 이비인후과 **홍승노**

> **CONTENTS**

Ⅰ. 후각장애
Ⅱ. 미각장애

HIGHLIGHTS 　》》》

- 후각장애는 전도성 후각장애, 감각신경성 후각장애, 두 가지의 혼합형으로 구분할 수 있음
- 후각장애는 비부비동 질환, 상기도 감염, 두부외상, 노화, 독성 물질의 노출 및 약제, 내분비 대사 이상, 신경퇴행성 질환, 신경과적 질환, 선천적 이상, 정신적 이상, 종양 등이 원인이 될 수 있음
- 비염, 급성 및 만성 비부비동염, 비용, 비중격 만곡증 등의 비부비동 질환은 전도성 후각장애의 가장 많은 원인 중에 하나임. 비부비동 염증성 질환의 경우 전도성 후각장애와 함께 후각 신경 점막의 염증에 의한 감각신경성 후각장애 역시 발생할 수 있음
- 급성 상기도 감염 후 후각장애는 후각장애의 흔한 원인이며 바이러스 침범에 의한 감각 신경성 후각장애로 예후는 좋지 않으며 회복된 경우의 대부분은 6개월 내에 후각이 호전되었음
- 두부 외상 후에 5~10% 환자에서 후각장애를 호소하고, 후각장애 환자의 15~20% 정도가 두부 외상에 의한 것으로 알려져 있음. 회복은 수상환자의 10% 미만으로 대개 좋지 않음
- 65세에서 80세의 고령에서는 반 이상에서 80세 이상에서는 75% 정도에서 후각 감퇴를 호소함
- 후각 이상의 치료에 대한 예후는 원인에 따라 차이가 있지만 감각신경성 후각장애보다는 전도성 장애가 더 좋은 예후를 보임
- 후각장애의 내과적 치료로는 경구용 스테로이드 요법이 전도성 후각장애와 특발성 후각장애에서 증상호전을 보일 수 있으며 국소용 스테로이드 등 기타 치료 방법을 시도해 볼 수 있음
- 미각의 기본이 되는 맛은 단맛, 짠맛, 신맛, 쓴맛, 감칠맛(umami) 5가지
- 미각장애의 원인은 후각장애, 약물의 영향, 구강 질환, 영양 결핍, 뇌신경 및 중추신경 병변, 내분비질환, 두부외상, 수술이나 처치에 의한 손상, 방사선치료 및 노화 등
- 미각장애의 치료는 원인 질환에 대한 치료가 시행되어야 하며 후각장애의 평가 및 치료가 고려되어야 함

Ⅰ│후각장애

코감기나 알레르기 비염 등으로 코가 막혀 본 사람이라면 일시적으로라도 후각장애를 경험해 보았을 것이다. 후각은 음식의 풍미를 느끼는 데 있어 미각보다도 훨씬 큰 역할을 하고 있어 후각장애가 있으면 식욕부터 없어지며 삶의 질에 끼치는 영향이 막대한 감각이다. 후각 이상은 전인구의 25%에서 이완되고(Croy, 2014) 후각을 완전히 소실한 사람이 대체적으로 전 인구의 약 5%로 추정되며, 후각 감퇴를 포함하면 약 16%, 50세 이상의 성인에서는 약 25%가 후각장애 환자로 추정된다(Murphy, 2002).

1. 후각장애의 분류

후각이 정상인 경우를 정상 후각normosmia이라고 하고 후각장애에서 후각기능이 완전히 상실된 상태를 후각 소실anosmia, 후각이 정상보다 감소된 상태를 후각감퇴 hyposmia, 존재하는 냄새에 대해 왜곡되게 느끼는 상태 를 착후각parosmia, 존재하지 않는 냄새를 느끼는 상태 를 환후각phantosmia 또는 olfactory hallucination, 후각이 정 상보다 증가된 상태를 후각과민hyperosmia이라고 한다 (Leopold, 2002). 또한 기류의 차단airflow blockage으로 인 하여 후각점막에 냄새odorant가 전달되지 못하여 생기는 후각장애를 전도성 후각장애conductive olfactory dysfunc-tion라고 하며, 후각점막의 손상이나 후각전달 신경계통 의 이상으로 인하여 생기는 후각장애를 감각신경성 후각 장애sensorineural olfactory dysfunction라고 한다(표 27-1).

2. 후각장애의 원인

1) 폐쇄성 비부비동 질환

비강과 부비동의 염증성 질환인 비염, 비부비동염, 비용 nasal polyp 등은 전도성 후각장애의 가장 많은 원인 중 에 하나이다 점막의 염증에 의한 후각부위의 폐쇄는 대 개 일시적이나, 만성화되면 지속적인 후각장애를 일으킨 다. 후각장애가 있는 환자의 약 7~56%를 차지하며 상기 도 감염 후 후각장애와 더불어 가장 많은 후각장애의 원 인을 차지한다(Nordin, 2008). 비강 내의 공기 흐름이 중 비갑개 하부의 내측과 전방부를 통해서 후구에 도달함 으로 냄새를 느끼게 되는데(Leopold, 1988) 이 부분이나 그 위 부분의 점막 부종이나, 비용nasal polyp, 종양, 해부 학적인 변형 등에 의해서 흡기류가 차단이 되면 후각 기 능의 저하 또는 소실이 유발된다(Apter, 1995). 비부비동

염증성 질환의 후각장애에 대한 기전은 비강의 흐름을 차단하고 후각원의 이동을 방해하는 전도성 후각장애와 후각 신경 점막의 염증에 의한 감각신경성 후각장애 등 의 복합적인 원인이다(Kern, 2004). 비강 내로 노출된 후 각수용체가 여러 외적인 요인과 염증반응에서 생성된 염증매개 물질에 취약하고(Raviv, 2004), 후각수용체 주 위의 점액환경의 변화에 의해서도 감각신경성 후각장애 가 유발될 수 있다(Robinson, 1998 ; Mann, 2004).

2) 상기도 감염

급성 상기도 감염 후 후각장애가 발생할 수 있는데 이 는 지속적인 후각장애의 흔한 원인이며(18~45% of the clinical population)(Nordin, 2008), 바이러스 침범에 의한 감각 신경성 후각장애로 Human rhinovirus, picorna-virus, parainfluenza virus type 2, human coronavirus, and Epstein-Barr virus 관련이 있다(Suzuki, 2007). 급 성 상기도 감염 시의 일시적인 후각장애는 비강 내 기 류 차단으로 발생하고 이는 비폐색이 해결되면 소실된 다. 상기도 감염이 소실되고도 후각장애가 남아있는 경 우는 바이러스에 의한 후각 상피 및 중추신경계인 후구 olfactory globe의 손상을 의심할 수 있다(Yamagishi, 1994 ; Rombaux, 2006). 40대 이상의 중년여성에서 더 많이 발 생하고 후열olfactory cleft의 생검에서 후각 수용체의 수 가 줄거나 결여됨이 관찰되고 후구의 부피 감소도 MRI 에서 관찰된다(Rombaux, 2006). 예후는 좋지 않으며, 이 완된 경우 1/3에서 후각 회복이 되는 것으로 알려져 있 으며(Hendriks, 1988), 회복된 경우의 대부분은 6개월 내 에 후각이 호전되었고(Hummel, 2000), 두부외상에 의한 후각 소실과 1년간의 비교에서는 더 좋은 후각 향상을 보였다(30% vs 10%).

| 표 27-1 후각장애의 흔한 원인들

분류	종류	해설
폐쇄성/전도성 원인	비중격 만곡	
	비용종증	
	비부비동, 두개저 종양	반전성 유두종, 수막종, 후각신경아세포종, 비부비동 미분화암종, 편평세포암종
	두경부 수술	기관절개술, 후두전적출술
감각신경성 원인	노화	다인자 요소
	감염 후(postinfectious)	
	신경퇴행성 질환	Parkinson병, Alzheimer병, 근위축측삭경화증(amyotrophic lateral sclerosis), Huntington병
	두부, 안면부 손상	
	선천성 이상	단독 후각상실(증), Kallmann 증후군
	독성물질	흡연, 코카인, 포름알데히드, 시아노아크릴레이트, 제초제, 살충제, 알코올, 벤젠, 황산, 카드뮴, 암모니아
	만성 비부비동염	전도성과 감각신경성의 복합적 과정으로 발생, 특히, 비용종(증)을 동반한 만성 비부비동염
	비부비동수술	비중격성형술, 내시경 부비동수술
복합적 원인	영양 결핍	
	신경정신학적(neuropsychiatric)	우울증, 정신분열증, 분열정동장애, 자폐(증), 양극성 장애, 신경성식욕부진, 발작장애, 두통 증후군
	약물	다양한 약제들이 포함되어 있음. 가장 흔한 예로 비강 내 글루콘산아연 점적, 항암제, 항항고혈압제(이뇨제, 안지오텐신전환효소억제제, 안지오텐신수용체차단제, 칼슘통로차단제), 항균제(macrolides, terbinafine, fluoroquinolones, protease inhibitors, penicillins, tetracyclines, nitroimidazoles), 항부정맥제, 항정신성 약제, 항우울제, 항경련제
	만성질환	신부전, 간부전(뇌병증과 연관되는 것으로 사료됨), 제2형 당뇨
	특발성	

3) 두부 외상

두부 외상 후에 5~10% 환자에서 후각장애를 호소하고, 후각장애 환자의 15~20% 정도가 두부 외상에 의한 것으로 알려져 있다(Zusho, 1982). 후각 소실의 정도는 두부 외상의 정도와 관련이 있으나 경미한 외상에도 후각 소실이 발생할 수 있다. 후각 소실이 후각 감퇴보다 더 흔하고, 전두부 외상에 의한 후각 이상이 가장 빈번하나 완전 후각 소실은 후두부 외상에서 더 흔히 발생한다(Henkin, 1976). 증상의 발현은 수상 후에 바로 발생하나 수상 후 수개월 후까지 알지 못할 수도 있다. 회복은 수상환자의 10% 미만으로 대개 좋지 않다. 두부 외상에 의한 후각 소실의 기전은 후사의 전단, 후구의 좌상 또는 전두엽 등의 중추 부위의 좌상을 생각할 수 있다(Reiter, 2004).

4) 노화

후각의 감퇴는 노령에서 흔하며, 65세에서 80세의 고령에서는 반 이상에서 80세 이상에서는 75% 정도에서 존재한다. 후각 인지와 역치 기능이 감소하게 되며, 여자에서 감소 경향이 덜 하다. 노령에서의 후각 감퇴는 삶의 질과 영양상태, 식욕과의 관계 등과 관련이 있고 생활 주변에서의 위험요소 등의 노출과도 관련이 있다(Doty, 2014). 연령과 관계된 후각 감퇴의 원인은 다양한데, 비점막의 변화, 비강질환의 증가, 바이러스와 여러 주변환경의 외상에 의한 후각 상피의 계속적인 손상(Watabe-Rudolph, 2011), 후각 점막의 대사 효소의 감소(Borders, 2007), 체판구cribriform plate foramina의 골화, 후각원에 대한 후각 신경 세포의 선택성의 상실, 신경 전달 물질의 변화와 신경변성 질환의 변종 단백의 신경계 침범 등이 원인이 될 수 있다. 후각의 감퇴는 치매와 관련해서도 증가하지만 노화 자체로도 발생한다.

5) 독성 물질의 노출 및 약제

여러 가지 독성물질이나 약물이 후각에 영향을 미칠 수 있다. 작업장에서의 유기 화합물, 비금속 무기 화합물 등의 노출, 중금속, 화학약품, 농약, 항생제 및 마취제를 비롯한 약품들이 후각 이상을 일으킨다. 후각 소실의 정도는 노출된 시간, 농도, 독성에 관계되며 예방하는 것이

중요하다(Corvin, 1995). 독성물질에 노출에 의한 후각 이상은 대개 영구적이다(Wrobel, 2004).

6) 내분비 대사 이상

당뇨병, 애디슨병Addison's disease 갑상선 기능저하증 등은 후각장애와 관련이 있다(Wrobel, 2004). 비타민 A의 결핍, 비타민 B_1의 결핍(Korsakoff 증후군), 요독증 등은 후각소실을 일으킬 수 있다. 당뇨병의 경우 노령화와 당뇨병 자체의 퇴행성 합병증에 의한 것이고, 만성 신부전 환자에서 보이는 후각장애는 후각 신경 세포의 재생능력이 투석으로 인한 영양분 손실로 저하되고, B_{12} 결핍으로 인한 신경 전달 속도 저하와 만성적 요독증에 의한 후각신경의 축삭 신경변형이나 탈수초화가 원인이 된다고 한다. 투석으로 후각을 회복할 수 있는지는 논란이 많고 신장이식으로 회복된다고 알려져 있다. 간경화증이 있는 환자에서도 후각 인지능력이 떨어지는데 이는 병의 정도와 관련이 있다.

7) 신경퇴행성 질환, 신경과적 질환

알츠하이머병, 파킨슨씨병, 다발성 경화증, 헌팅톤무도병 등의 질환에서 동반되어 발생한다. 알츠하이머병, 파킨슨씨병의 경우 신경학적인 증상에 앞서 후각장애가 발생하며 주로 중추성 후각장애다. 알츠하이머병의 경우 후구와 중추성 후각통로에 neurofibrillary tangle이나 neurotic plaque이 발견되고(Esiri, 1986), 이로 인해 후각 이상이 나타나는 것으로 알려져 있고 후각 인지와 감별능력이 저하한다(Morgan, 1995; Suzuki, 2004). 파킨슨씨병은 운동장애가 일어나기 수년 전에 후각장애가 빈번히 생기고(Berendse, 2006; Haehner, 2007), 운동장애

다음으로 흔한 증상이며 진단에 유용하다(Doty, 1989).

8) 선천성 이상

후각 소실과 관련성이 있는 선천성 기형은 Kallmann 증후군으로 X-chromosome-located KAL gene의 변형, 또는 불완전 표현형의 상염색체FGFR1 우성 변형에 의한 것으로 알려져 있으며 중요 발현 증상은 성기능 부전과 후각 소실이다. 이는 후구가 발생하지 않고 CT에서 사골의 변형이 관찰된다(Yousem, 1993). 후각 점막은 비정상적이나 존재하는 것으로 알려져 있다. 이외에도 신장이상, 잠복 고환, 전농 등도 발생한다.

9) 정신 질환

우울증, 양극성 장애, 환각 환자에서 후각장애가 있다(Buron, 2013). 그 정도는 심하지 않고 정신분열증 환자에서도 후각의 감지 인지 능력이 감소하고, 신체 악취증후군olfactory reference syndrome, ORS의 경우 냄새가 없거나 미미한 냄새에도 강박적으로 반응하여 향수 등을 비정상적으로 남용하게 된다.

10) 종양

비강 내 종양과 두개 내 종양이 후각에 영향을 미칠 수 있다. 반전성 유두종, 편평세포암, 후신경아세포종 등의 비강 내 종양은 전도성 후각장애를 유발하고 보통의 경우 반대쪽 후각이 정상이어서 후각장애를 인지 못하는 경우가 있다. 이 경우에 한쪽 비강의 후각 기능검사가 진단에 좋은 방법이다. 뇌수막종, 뇌하수체 조양, 후각

신경교종등의 두개내 종양은 후각 구조의 국소 변형에 의해 후각장애가 나타나고 측두엽의 종양 중 25%에서도 후각장애가 발생할 수 있다.

11) 의인성 원인

호흡 기류의 변화 또는 후각 신경 주위 부분의 변화에 의해 후각 기능이 변하는데, 비강 수술, 또는 비성형 수술로도 후각 기능에 이상이 생길 수 있다(Briner, 2003). 중비갑개와 비중격 사이의 수술 후 협착으로 후열까지 가는 기류의 차단으로 발생할 수 있고, 상·중비갑개의 과도한 절제, 후각 상피의 손상에 의해 유발될 수도 있다(Wrobel, 2004). 후두전척출술 후에도 비강기류의 소실로 후각 기능이 저하된다. 후구 주위의 두개 수술이나 두개저 수술 후에는 후각 소실이 자주 동반된다. 최근에는 후각 기능의 보전을 위한 수술 방법이 많이 개발되어 있다.

12) 특발성

광범위한 조사에도 불구하고 원인을 밝히지 못하는 경우가 있고 후각장애 환자의 약 30~40% 정도며(Wrobel, 2004), 주로 청장년층에서 다른 건강상태는 양호하면서 발생할 수 있다.

3. 후각장애의 진단

1) 병력청취

환자에 대한 자세한 병력청취는 후각장애의 원인을 판

별하는 데 매우 유용하므로 후각장애의 유형, 증상 시작의 양상, 기간 등을 조사해야 한다. 후각소실anosmia은 외상 후 후각장애가 많고, 후각감퇴hyposmia나 후각 소실anosmia은 바이러스 감염이나 비부비동 질환에 의한 후각장애에서 많이 관찰된다. 또한 후각 이상의 시작이 급성인 경우는 외상 후, 바이러스 감염 후에 생기는 경우가 많고, 점진적인 경우는 비부비동염 질환에 의한 것이 많으며 진행성인 경우는 종양을 의심할 수 있다. 또한 퇴행성 신경질환과 연관된 후각장애의 경우도 진행성이므로 환자의 인지 기능과 지각 기능을 조사해야 한다. 이 외에도 환자의 전반적인 현재 상태, 이전 수술력, 복용 약제여부와 종류, 동반 질환 등을 질문해야 한다(표 27-2).

2) 신체검사

신체검사는 철저한 두경부 및 뇌신경검사가 필요하며, 전비경과 비내시경을 이용하여 전도성 후각장애 와 감각신경성 후각장애를 구별하기 위해서 비강 내의 병변과 후열의 개방여부를 검사해야 한다. 또한 퇴행성 신경질환과 연관여부를 알기 위해 신경학적이 검사도 중요하다.

3) 후각검사

후각검사(그림 27-1)를 통하여 환자의 후각장애 정도를 평가할 수 있고, 처치 전후의 후각 기능의 변화 여부, 꾀병을 판단하는 데 도움이 될 수도 있다. 그러나 임상에서 실행하는 후각검사는 주관적이어서 환자가 후각검사 방법을 잘 이해하고 있으면 조작이 가능하여 꾀병을 감별하는 데는 한계가 있다.

후각검사는 정신물리학적 검사와 전기생리학적 검사로 나눌 수 있고, 정신물리학적인 검사가 임상에서 흔히 사용하는데 후각의 역치threshold, 인지identification, 식별discrimination 등을 측정하는 검사이다. 간단한 후각 선별검사로는 open alcohol pad test가 있는데 피검자

| 표 27-2 후각 소실 증상 발현 시기에 따른 주요 병인 |

급성 발생 및 선천적	점진적/지속적 증상 발현
바이러스 감염	비용종을 동반하는 만성 비부비동염 비용종을 동반하지 않는 만성 비부비동염
외상성 뇌 손상	알레르기 비염/비알레르기 비염
선천성 이상(Kallmann 증후군, Turner 증후군)	종양
의인성(두개저수술, 내시경 부비동수술)	독성물질, 화학물질(흡연)
기관절개술	노화
	퇴행성 신경질환(Alzheimer병, Parkinson병, 다발경화증)
	구조적 원인(아데노이드 비대, 비중격 만곡, 비강 내 이물)
	내분비 대사 이상(당뇨, 갑상선기능저하증)

가 눈을 감고 70% isopropyl alcohol pad와 코의 거리를 가까이 하면서 냄새를 맡게 되고, 냄새를 맡을 수 있는 거리 차이로 후각장애 정도를 짐작할 수 있다(Davidson, 1997).

역치검사threshold tests에서는 후각원odorant을 인지하는 가장 낮은 농도를 알아보는 데 pyridine, n-butyl alcoholl-butanol뿐 아니라 장미향이 나는 phenylethyl

alcohol도 널리 쓰인다. 빈 병과 후각원이 들어있는 병을 구분할 수 있는 가장 낮은 농도를 측정하는 것으로, 시간이 오래 걸리고, 환자가 평소에 친숙하거나 알고 있는 냄새를 주어야 하는 단점이 있다.

인지검사identification tests는 다양한 후각원을 정확하게 가려낼 수 있는지를 보는 검사이며 역치검사와 더불어 광범위하게 사용된다. 사용되는 후각원의 농도는 초

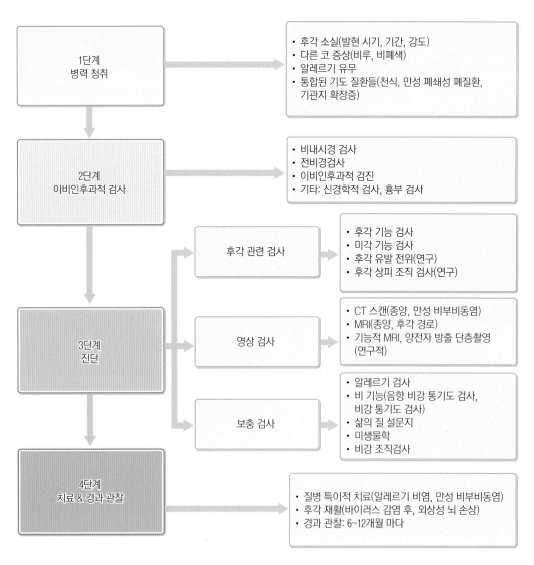

| 그림 27-1　후각 기능 이상 환자에서 4단계 관리법

역치농도supra threshold level이며 정상적인 인지기능이 있어야 가능하다. 그리고 각 문화권에 따른 친근한 향을 사용해야 좀 더 정확한 결과를 얻을 수 있다. 그래서 인지검사는 각 나라별로 개발되어 왔는데 미국에서는 흔히 University of Pennsylvania Smell Identification TestUPSIT와 이를 각 문화권에 친숙한 대표 항목을 선택한 CC-SITCross-Cultural Smell Identification Test가 있다. CCCRCConnecticut Chemosensory Clinical Research Center 검사는 부탄올을 이용한 역치검사와 10가지 냄새를 이용한 인지검사의 합산접수를 이용하여 후각을 측정하는 방법이다. 일본에서는 5가지의 냄새 물질의 감지역치와 인지역치를 구하는 T & T olfactometer를 개발하여 사용하고 있다. Sniffin' Sticks SS test는 유럽 특히 독일에서 널리 쓰이며 다양한 후각원을 가지는 펜들을 이용하여 역치, 인지, 식별검사를 통해 각 분야별 점수가 계산되고 정상치와 비교 가능하다. KVSSKorean Version of Sniffin' Sticks는 Sniffin' Sticks SS test 중 인지검사의 냄새를 한국인에게 친숙한 것으로 바꾼 것이다(그림 27-2).

전기생리학적 검사는 객관적인 검사방법으로 전기후각검사Electroolfactogram, EOG와 후각유발전위 검사olfactory evoked potential가 대표적인데, EOG는 후각 자극 후 후각상피에 위치한 미세전극의 전위변화를 측정하고(Hummel, 1996), 후각 유발 전위 검사는 후각 자극 후에 생긴 뇌파의 변화를 측정하는 방법으로 전위

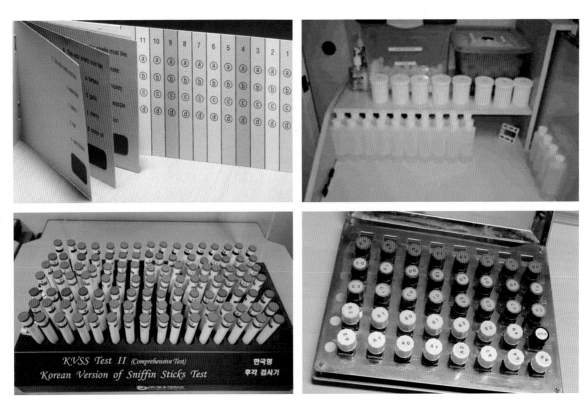

▌그림 27-2 정신물리학적 후각기능검사

University of Pennsylvania Smell Identification Test (UPSIT, 40 items), Connecticut Chemosensory Clinical Research Center Test (CCCRC, 10 items), Korean Version of Sniffin's stick test (KVSS, 16 items). T & T olfactometer (5 items)

의 amplitude와 latency변화에 따라서 후각 인지 경로의 이상 부위 또는 기류의 폐쇄 여부를 반영한다(Wrobel, 2004). 또한 후각 자극 후 나타나는 자장의 변화를 측정하는 뇌자기도검사magnetoencephalography, MEG도 사용되고 있다.

4) 방사선검사

후각장애의 원인이 전도성이라고 생각될 때는 OMU CT를 촬영하면 염증성 질환을 발견하는 데 도움이 되며 후열olfactory fissure을 정확히 파악할 수 있지만, 단순 부비동 방사선촬영은 사골동과 비강상부를 정확하게 나타내지 못하기 때문에 적합하지 않다. 후신경구수막종, 뇌하수체종양, 전두엽 신경교종, 전뇌동맥과 전뇌교통동맥의 동맥류, 전두개와의 병변 등 두개 내 병변을 발견하는 데 MRI가 도움이 된다. 후구는 Tl 강조 coronal MRI에서 쉽게 관찰되며 고해상도의 2 surface-coil MRI를 사용하면 Kallmann 증후군 환자에서 후구와 후삭olfactory tract이 없는 것을 확인할 수 있다. 두부 외상 환자들은 급성기에 영상의학적 검사를 하기 때문에 이를 리뷰함으로써 전두엽이나 후구에 손상이 있는지 알 수 있지만 축삭 손상 등은 현재 기술로 알아내기가 힘들다(Wrobel, 2004).

최근 많은 연구에서는 뇌혈류액 산소 농도변화의 신호를 사용하여 양전자방출단층촬영Positron Emitting Tomography, PET과 기능성 자기공명영상functional MRI, fMRI에 주목하고 있으며(Yousem, 2001), 일반 영상과 자극 후의 영상에서 뇌 혈액 흐름의 차이를 바탕으로 한다. PET는 방사성 물질이 필요하다는 단점이 있고, 공간 분해능은 3~6 mm까지지만, 활성화의 두 영역 사이의 구분은 10~12 mm로 제한된다. 또 60초에 걸쳐 데이터를 수집하기 때문에 짧은 신호를 놓칠 수 있다. fMRI는 PET와는 달리 방사능 위험이 없어 여러 번 검사를 할 수 있다는 장점이 있다. 시간 해상도 PET보다 우수하지만, 뼈와 공기 등 주변 물질에 의해 특정 지역에서 신호가 약해질 수 있다. 이러한 영상 기법들로 후각 처리가 일어나는 위치에 대해 더 자세히 알 수 있고, 삼차신경 및 변연계와의 밀접한 관련성까지 알 수 있지만 아직은 연구목적으로 많이 이용되고 있는 실정이다.

5) 추가적인 진단 방법

병력청취에서 의심되는 질환이 있을 때 혈액 검사를 통하여 갑상선 기능 저하증과 당뇨병, 비타민 · 아연 · 구리의 결핍이 있는 경우 드물게 후각장애와 미각장애를 유발할 수 있다. 후각 점막의 생검도 실시할 수 있지만 침습적이고 후각장애 증상을 악화시킬 수 있다.

4. 후각장애의 치료

후각 이상의 치료에 대한 예후는 원인에 따라 차이가 있지만 감각신경성 후각장애보다는 전도성 장애가 더 좋은 예후를 보인다. 후각 기능 검사만으로 감각신경성 후각장애와 전도성 후각장애를 명확히 구분하는 데 한계가 있으므로 병력과 신체검사 그리고 영상들을 이용한 다방면의 접근이 필요하다. 일반적으로는 잔존하는 후각 기능이 예후에 가장 중요한 인자로 알려져 있으며 이외에 성별, 나이, 흡연력, 착후각 유무 등이 예후에 영향을 미칠 수 있다. 불행히도 지금까지 근거위주의 치료 지침은 없는 실정이다(표 27-3).

표 27-3	후각장애의 원인 및 치료(Daramola et al.)

후각 소실의 원인	후각 소실의 치료
비부비동 질환 알레르기 비염 비알레르기 비염 비중격 만곡 비용종을 동반한 만성 비부비동질환	경구용 스테로이드(중증의 경우 단기사용) 또는 국소용 비강 스테로이드 탈감작법(면역치료) 수술적 치료(내시경 부비동수술)
바이러스 감염	효과적인 치료법 없음 자발 회복 기대 경구용 스테로이드 또는 국소용 비강 스테로이드(무작위 대조시험 시행하지 않음)
두부 외상	효과적인 치료법 없음 회복률은 낮으며, 18개월 이상의 장기간의 시간이 소요됨 위험요소에 대한 상담 및 적합한 보존적 치료 필요
독성 물질 흡연 산업 독성 물질	금연 추가적 독성 물질 노출 방지
약물 　국소 마취제(cocaine) 　항고혈압제(nifedipine) 　항균제(carbimazole, thiouracil) 　안지오텐신(carbinazole, thiouracil) 　항우울제(amitryptilline) 　면역억제제(methotrexate) 　안지오텐신전환효소 억제제	문제 약물의 투여 중단 문제 약물의 용량 변경 대체 약물의 사용

1) 내과적 치료

(1) 경구용 스테로이드 요법

경구용 스테로이드 제제가 전도성 후각장애와 특발성 후각장애에서 증상 호전에 영향을 줄 수 있으나 장기 사용에서의 근거는 부족하다. 위축되고 두꺼워진 점막에 유용하며, 비알레르기성 부비동 질환을 가진 환자에게 다량의 경구용 스테로이드를 단기간 사용하면 치료에 효과가 있으나, 상기도 감염에 의한 후각장애의 회복에는 큰 효과가 없다. 경구용 스테로이드 제제가 국소용 스테로이드 제제보다 더 효과적이나 그 이유에 대해서는 명확하지 않다. 사용된 국소 스테로이드 중 일부만이 후열에 도달한다는 한계와 염증반응이 후각 상피뿐 아니라 후구 또는 사상판에도 있을 수 있음을 고려해야 한다. 그러나 경구용 스테로이드제의 용량과 사용기간에 대한 표준화된 지침이 없다(Stevens, 2001). 나아가 장기간 복용 시에 여러 가지 부작용이 나타난다.

(2) 국소용 스테로이드 요법

비용종이 동반된 부비동 질환과 관련된 후각장애의 경우 8주에서 5개월간 장기간 국소용 스테로이드를 사용할 때 60~80%에서 증상이 개선되며, 비폐색이 있는 경우에는 국소용 스테로이드를 사용하기 전에 단기간 혈관수축제를 사용하는 것이 효과적이다. 그러나 장기간 사용에서 후각 소실이나 후각 감퇴의 확실한 호전은 근거가 부족하며, 국소 스테로이제에 대한 용법과 효능이 명확히 확립되지 않았다.

(3) 기타 치료법

비타민 A, 비타민 B, zinc sulfate, theophylline, sodium citrate buffer solution, minocycline 등의 후각 기능 개선에 대한 연구가 오래 전부터 시행됐으나 대조군 없이 시행된 연구가 대부분으로 자연 회복에 의한 호전과의 구분이 모호하며, 아직까지 치료 효과에 대한 근거가 부족하다.

(4) 착후각Parosmia의 치료

두부외상이나 상기도 감염 후에 잘 발생하며, 화학 물질 냄새나 썩는 냄새 등 불쾌한 냄새를 호소하는 수가 많다. 치료로는 우선 불안해하는 환자를 안심시키는 것이 중요하다. 간질, 편두통, 정신과적 혹은 대사 질환이 의심되면 해당과로 의뢰를 해야 한다. 착후각을 일으킬 수 있는 약물 사용을 중단해야 하며, 비강, 부비동, 치은, 편도선 감염, 중추신경계의 병변이 있는 경우에는 이들을 적절히 치료하는 것이 중요하다. 비공을 막았을 때 착후각이 호전된다면 시도해 볼 수 있는 가장 쉬운 방법은 환자의 머리를 앞으로 아래로 위치하게 한 후Mecca position 식염수를 비공에 넣어 후열을 차단하는 방법이다. 후각 점막에 코카인 염산염으로 신경을 마취시킴으로써 일시적으로 후각을 차단할 수도 있다. 약물치료로는 진정제나 항우울제, 항전간제 등이 사용되어 왔고, 최근에는 gabapentin, alpha-lipoic acid 등이 사용되고 있으나 아직 효과에 대한 과학적 데이터는 부족한 실정이다. 드물지만 2년 이상 증상이 심하고 편측성이며, 코카인으로 마취했을 때 증상 호전이 있다면 비내시경적으로 후각 상피를 제거하는 방법도 있다. 신경외과적으로는 개두술로 후구와 후각신경을 제거할 수도 있으나 양쪽 모두 시행하는 경우 후각을 영구히 상실하게 되고 뇌척수액 유출 및 뇌수막염 등 여러 가지 부작용을 감수해야 하는

단점이 있다.

2) 외과적 치료

비중격 수술, 하비갑개 수술, 내시경 부비동수술 등의 비강 내 수술적 치료의 목적은 비폐색을 해결하고 비용종 또는 염증성 비점막의 제거에 있다. 만성 비부비동염으로 인한 후각장애는 약물치료가 효과가 없을 때 내시경 부비동수술을 시행하는 것이 좋다. 국한성 사골동염에 의한 후각장애에 대하여 비내 사골동 절제술을 실시한 경우 80%에서 후각기능이 호전되고, 30세 이하의 환자들이 50세 이전의 환자들보다 수술 후 후각기능이 더욱 호전된다고 보고되었다. 비용을 동반한 부비동염 환자에서 부신피질 호르몬제제를 사용하여 후각이 회복되는 정도는 비용의 크기 감소에 비례한다. 비용종을 동반한 만성 비부비동염에서 내시경 부비동수술은 후각기능의 회복뿐 아니라 천식 같은 기도 반응성 질환에서 전신적 스테로이드의 사용을 감소시킬 수 있다. 비중격 만곡증에서 비강 상부의 통로를 충분히 유지하며, 후열에 반흔이 형성되지 않도록 주의하면서 비중격 성형술을 시행하였을 때 후각감퇴를 개선시킬 수 있다. 부비동 수술 후에 23%에서 후각 호전이 68%에서 증상변화 없었으며, 9%에서 후각의 감퇴를 보였고, 비중격 수술에서는 각각 13%, 81%, 7%의 결과를 보고하였다(Schriever, 2013).

3) 영양학적 치료

후각소실이나 후각감퇴를 가진 환자들은 음식의 풍미를 느끼는 능력이 감소되기 때문에 영양학적 치료가 필요할 수 있고 영양실조가 의심되면 혈액검사와 요검사 등

을 실시한다. Kallmann 증후군으로 인한 선천성 후각소실을 가진 환자는 음식의 온도를 조절하거나 다양한 질감의 음식으로 삼차신경을 자극하는 것이 좋다. 고혈압이나 당뇨병 환자에게는 짜거나 단 음식은 피하고 식초나 레몬 같은 신맛이 나는 음식을 이용하는 것이 좋다. 착후각을 가진 환자는 후각장애를 악화시키는 음식을 피해야 하며 방향성 음식을 피하고 차가운 음식을 섭취하는 것이 좋다.

4) 후각 훈련

후각 훈련olfactory training은 후각이 저하된 환자에게 반복적으로 후각소odorant에 후각 신경을 노출시켜 저하된 후각 기능을 회복하고자 하는 재활rehabilitation 치료법이다.

아직 명확한 생물학적 기전은 밝혀져 있지 않으나 신경가소성neuroplasticity을 기반으로 일정기간 지속적으로 후각소를 후각 신경에 노출시킬 경우 기능을 잃었거나 저하된 후각 신경이 회복 또는 재생되는 것으로 보이며 (Hummel, 2009), 이러한 효과는 말초 후각 신경뿐만 아니라 후각과 관련된 상위 중추 신경계에도 영향을 미치는 것으로 알려져 있다(Al, 2019).

후각훈련의 치료 효과는 상기도 감염 후post-infec-tious, 외상 후posttrauma, 특발성idiopathic 후각 장애 등의 비전도성non-conductive 감각신경성 후각저하sensori-neural olfactory loss 환자 및 Parkinson's disease 등의 일부 Neurodegenerative disease 환자에서 보고되었다(Pe-kala, 2016). sinonasal disease에 대한 효과는 아직 보고된 바가 없다. 최근 후각훈련의 효과와 관련하여 발표된 메타 연구에 따르면, 후각훈련은 후각의 역치threshold, 구별discrimination 그리고 인지identification에 개선을 가져 오는 것으로 보인다(Sorokowska, 2017).

최초에 Hummel이 제시한 후각훈련의 방법은 환자가 4가지 냄새를 가지고 하루에 2회씩 각 냄새를 10초이상 맡게 하는 훈련을 12주간 지속하면서 환자 본인이 느끼는 후각 변화를 기록하는 것이었다(Hummel, 2009). 4가지 냄새는 Henning이 제시한 냄새 프리즘Odor Prism의 6가지 분류(꽃향, 악취, 과일향, 매운향, 타는냄새, 수지향) 중 각 분류를 대표하는 4가지 냄새(rose, eucalyptus, lemon, cloves)로 구성되었다. 최근 후각소의 냄새의 개수, 노출되는 시간, 종류, 후각소의 농도 등의 후각훈련 방법의 변화를 주면서 추가적인 치료 효과를 얻으려는 시도가 있으나 아직 더 많은 연구가 필요한 실정이다.

후각훈련은 아직까지 후각저하에 대한 확실한 치료법이 없는 현실에서 다른 치료법에 비해 환자가 수행하기가 수월하며 의료 비용적인 측면에서 상대적으로 저렴하고 약물치료와 달리 후각훈련에 따른 심각한 합병증이 없는 장점을 가지고 있어 앞으로 후각저하 치료에 중요한 역할을 할 것으로 기대되고 있다.

II │ 미각장애

미각은 음식물의 섭취와 밀접한 관계를 맺고 있으며, 섭취하는 음식물의 종류, 영양 상태 및 건강 상태에 의해서도 많은 영향을 받는다. 적절한 에너지와 영양분의 섭취는 생존에 필수적인 요소이며, 사람의 미각은 공급 가능한 영양분과 에너지원의 탐색, 섭취 및 대사에 핵심적인 역할을 수행한다. 미각기능의 장애가 있는 경우에는 음식의 섭취에 흥미를 잃거나 기피하게 되어 식사량의 감소와 함께 영양장애가 초래될 수 있으며, 먹는 즐거움이 상실됨으로 인해 환자들이 심한 우울증과 식욕부진으로 고통을 받는 등 삶의 질에 있어서 중대한 결함이 발생된다. 미각의 기본이 되는 맛은 단맛, 짠맛, 신맛, 쓴맛과 감칠맛umami으로 다섯 가지이다. 감칠맛을 유발하는 물질은 monosodium glutamateMSG, disodium gluanylateGMP, disodium inosinateIMP가 있으며 이들은 육류, 어류, 치즈, 콩 등에 풍부하게 들어있다. 풍미flavor는 미각과 후각, 삼차신경감각의 조합에 의해 느껴지는 감각으로, 특히 음식의 온도나 질감, 매운맛과 같은 삼차신경의 자극은 음식을 먹는 과정에서 풍미를 느끼는 데 중요한 역할을 한다.

1. 미각장애의 분류

미각이 완전히 상실된 상태를 무미각증ageusia이라고 하고, 정상보다 감소된 상태를 미각감퇴hypogeusia, 미각이 정상보다 증가된 상태를 미각과민hypergeusia이라고 한다. 이상미각dysgeusia은 유쾌한 맛 자극을 불쾌하게 느끼는 것과 같이 미각이 정상과 다르게 느껴지는 상태를 말하며, 환상미각Phantogeusia은 미각 자극이 없는 상황에서 맛을 느끼는 경우를 말한다. 미각장애 중 가장 흔한 형태는 이상미각dysgeusia으로, 후각과 미각이상으로 병원을 찾는 환자의 34%에 달한다(Deems, 1991). 미각의 완전 소실은 매우 드문데 그 이유는 미각에 관여하는 뇌신경 VII, IX, X간의 상호작용이 있기 때문이다.

2. 미각장애의 원인

1) 후각장애

후각장애는 미각장애를 일으키는 가장 주된 원인이다. 후각장애로 인해 미각장애를 느끼는 이유는 이전에 느끼던 음식의 풍미flavor를 제대로 감지할 수 없기 때문이다. 이 경우 단맛, 짠맛, 신맛, 쓴맛과 감칠맛의 다섯 가지 미각은 유지되는 경우가 많다(Soter, 2008). Doty 등에 의하면 전체 화학감각장애 환자에서 미각 기능의 실질적이 감퇴가 있는 경우는 단지 소수에 불과하다고 하였고, 그보다는 후각장애와의 혼돈의 결과로 미각 이상을 호소하는 경우가 훨씬 많다고 하였다(Doty, 1991). 후각장애의 흔한 원인으로는 알레르기 비염, 만성부비동염과 상기도 감염 등이 있다. 임 등의 연구에 의하면 미각장애의 원인은 한 가지만 있었던 경우보다 두 가지 이상이 있었던 경우가 더 많았으며 이중 후각장애가 가장 많은 원인이었다(임, 2009).

2) 약물의 영향

약물 상호작용과 부작용 등으로 미각장애를 일으킬 수 있는 약물들은 200개 이상 보고되고 있는데(Doty, 2008), 그 중 대표적인 약물을 표 27-4에 정리하였다. 약물로 인한 미각장애의 발병률은 3~11% 정도로 보고되고 있다(Loesche, 1995). 이상미각이 가장 많은 형태이며, 과다하게 짜거나 쓰거나 달다거나 금속성 맛을 호소하기도 하며, 드물게 무미각증으로 나타날 때도 있다(Naik, 2010).

3) 구강질환

구강의 염증, 바이러스, 세균이나 진균의 감염은 혀의 유두나 맛봉오리를 파괴하여 미각장애를 일으킬 수 있으며, 구강의 화상이나 열상, 수술과 같은 외상에 의해서도 나타날 수 있다. 타액분비의 장애나 구강건조증은 타액에 의한 미각물질의 용해나 전달이 어려우므로 미각장애가 나타난다. 구강작열감증후군burning mouth syn-

| 표 27-4 미각장애를 일으킬 수 있는 약물 |

분류	약물
교감신경흥분제	Amphetamines, amrinone
구강청결제	Sodium lauryl sulfate, chlorhexidine digluconate mouthrinses
국소마취제	Benzocaine, procaine HCl (Novocain), lidocaine
근이완제와 항파킨슨제	Baclofen, chlormezanone, levodopa, pergolide mesylate, selegiline HCl
소염진통제	Allopurinol, auranofin, colchicine, dexamethasone, flunisolide, gold, hydrocortisone, levamisole, D-penicillamine, phenylbutazone, salicylates, 5-thiopyridoxine
이뇨제와 항고혈압제	Acetazolamide, amiloride and its analogues, amilodipine besylate, captopril, diazoxide, diltiazem, enala-pril, ethacrynic acid, felodipine, lisinopril, losartan potassium, nifedipine, propranolol, spironolactone
정신약제과 항간질제	Carbamazepine, lithium carbonate, phenytoin, psilocybin, triazolam, trifluoperazine
지질저하제	Cholestyramine, clofibrate, lovastatin
항갑상선제	Carbimazole, methimazole, methylthiouracil, propylthiouracil, thiouracil
항부정맥제	Propafenone HCl, tocainide HCl
항생제	Amphotericin B, ampicillin, bleomycin, cefamandole, ciprofloxacin HCl, doxycycline, ethambutol HCl, griseofulvin, lincomycin, lomefloxacin HCl, metronidazole, niridazole, ofloxacin, pentamidine, rifabutin, silver nitrate, sulfasalazine, tetracyclines, terbinafine HCl
항암제와 면역억제제	Azathioprine, bleomycin, carmustine, doxorubicin, 5-fluorouracil, methotrexate, vincristine sulfate
항응고제	Phenindione
항히스타민제	Chlorpheniramine maleate
혈관확장제	Bamifyline HCl, dipyridamole, nitroglycerin patch, oxyfedrine
혈당저하제	Glipizide, phenformin and derivatives
기타	Etidronate, germine monoacetate, idoxuridine, iron sorbitex, vitamin D

drome에서도 미각장애를 보이는 경우가 흔한데(Grush-ka, 2003), 쓴맛과 금속맛이 지속되기도 한다. 폐경기 여성에서 많이 나타나지만 호르몬 대체요법으로 치료되는 경우는 흔치 않다. 의치 또는 치아 교정기의 사용은 신맛과 쓴맛의 저하를 가져올 수 있으며, 과도한 혀의 칫솔질로도 미각이 무뎌질 수 있다.

4) 영양 결핍

영양 결핍은 거식증, 흡수 장해, 비뇨기의 손실 등에 의해 나타날 수 있는데, 아연, 구리, 니켈, 비타민(B_{12}, B_3) 등의 부족은 미각장애를 초래할 수 있다.

5) 뇌신경 및 중추신경 병변

안면신경마비는 미각-타액반사gustatory-salivary arc에 영향을 미칠 수 있으며, Ramsay-Hunt 증후군의 경우 바이러스에 의한 슬신경절geniculate ganglion의 손상으로 미각장애가 나타날 수 있다. 청신경종양acoustic neuroma, 뇌하수체종양pituitary tumors, 안면신경종양facial nerve neuromas에서도 미각장애를 보일 수 있다. 시상thalamus과 방선관corona radiata의 허혈성 병변은 반대측의 이상미각을 일으킬 수 있으며, 다발성 경화증multiple sclerosis 환자에서 편측미각소실hemiageusia이 보고되기도 하였다(Combarros, 2000).

6) 내분비질환

쇼그렌 증후군Sjögren syndrome, 당뇨병, 성선기능저하증hypogonadism은 미각저하를 일으킬 수 있다. 반면에 갑상선기능저하증이나 부신피질기능부전증adrenal cortical insufficiency에서는 미각과민이 나타난다. 또한 임신이나 생리에 의한 호르몬의 변화도 미각에 영향을 미칠 수 있다.

7) 두부외상

두부외상은 미각장애를 일으킬 수 있지만, 두부손상에 의한 후각장애에 비해 훨씬 적다. 내이를 침범한 측두골 골절은 고삭신경의 손상으로 일측성 미각장애나 타액 분비의 저하를 일으킬 수 있으며, 이개측두신경auriculo-temporal nerve의 손상은 미각자극에 의해 발작성 안면통이 나타나는 미각신경통gustatory neuralgia을 일으킬 수 있다(Scrivani, 1998).

8) 수술이나 처치에 의한 손상

편도선 절제술은 설인신경의 손상을 일으킬 수 있는데, 수술 중 설인신경이 눌리거나 늘어나는 직접적 손상이나, 열손상과 같은 간접적 손상으로 생길 수 있다. Heiser 등은 편도선 절제술 후 미각장애는 주로 미각감퇴나 이상미각의 형태로 나타나며, 전반적인 미각 기능은 술 후 2주째 상당히 저하되었다가 술 후 6개월째 술 전 수준으로 회복되었다고 하였다(Heiser, 2010). 부주의한 기관지내시경이나 후두내시경 후에도 설인신경의 손상이 발생할 수 있으며, 구개수구개성형술 후에 설신경lingual nerve의 손상을 보인 보고도 있다(Walker, 1996).

고실성형술, 유양동삭개술과 등골절제술은 고삭신경의 손상을 일으킬 수 있다. 고삭신경의 손상에도 미각장애는 20% 미만에서만 나타나는데 이는 대천추체신경과 이신경절, 슬신경절을 통한 대체 신경지배로 보상되기 때문이다. 고삭신경의 완전한 절단이 있는 경우에도 20%의 환자에서는 수개월 후 미각의 완전회복이 나타날 수 있다. 고삭신경은 미각뿐만 아니라 침샘으로 가는 부교감 신경을 포함하고 있어, 영구적인 구강건조증을 유발할 수 있으므로 가능하면 보존해야 한다.

후두 절제술 후에는 기류의 변화로 미각장애가 발생하며, 혀나 구강의 일부를 절제하면 맛봉오리의 감소로 미각장애가 나타난다. 위전절제술 후에는 vitamine B12 cyanocobalamin의 흡수 장애로 인한 악성 빈혈pernicious anemia로 혀의 유두가 소실되고 미각이 저하되는 헌터설염Hunter's glossitis이 생길 수 있다(Itoh, 2002). 위 우회로 수술을 받은 환자의 73%에서 미각의 변화를 보였다는 보고가 있다(Graham, 2014). 전신마취 후에 나타난 미각장애에 대한 보고도 있다(Mott, 1991).

9) 방사선치료

방사선치료는 구강 내 점막염을 일으키며, 맛봉오리의 미세섬모와 미각전달신경, 타액선의 손상을 유발하여 미각장애를 일으킬 수 있다. 타액선이 미각기관에 비해 방사선치료에 훨씬 손상되기 쉽다(Kuten, 1986). 인공타액이나 수분섭취로 불편감이 완화될 수는 있으나 뚜렷한 미각의 개선은 나타나지 않는다.

10) 노화

노화로 인한 미각장애은 후각장애만큼 뚜렷하지는 않다. 노인에서 미각장애는 이온 통로와 미각 수용체의 기능저하에 의해 나타나는데(Wylie, 2011), 젊은 성인에 비해 불안, 우울증, 영양실조 및 체중감소 등을 일으키기 쉽다.

11) 기타

흡연은 독소에 의한 직접적인 손상과 유리기free radical에 의한 이차적인 손상으로 미각감퇴나 이상미각을 보일 수 있다. 유전질환에 의해서도 미각장애가 나타날 수 있는데, 1형 가족성 자율신경이상증Type I familial dysautonomia, Riley-Day syndrome 환자는 맛봉오리가 없기 때문에 무미각증을 보인다. 후천성면역결핍증AIDS의 경우, 감칠맛과 신맛의 역치 상승을 보일 수 있다(Feng, 2014). 위식도 역류질환은 신맛을 느끼는 환상미각을 유발할 수 있으며(Cowart, 2011), 우울증의 경우에도 환상미각이 나타날 수 있다. 이밖에 원인을 알 수 없는 경우도 많이 있다.

3. 미각장애의 진단

1) 병력청취

미각장애가 있는 환자의 병력을 청취할 때에는 후각장애 여부를 반드시 물어봐야 한다. 과거나 현재 복용하고 있는 약물, 흡연, 타액 분비, 연하장애, 구강 내 통증, 연하통, 음식을 씹는 습관, 소화기능의 이상, 체중감소 등에 대해서도 자세히 물어봐야 한다. 중이 질환이나 수술 여부, 안면신경마비, 두부외상, 구강, 인두, 경부, 타액선 등에 대한 수술 여부, 최근에 걸린 상기도감염, 치과치료나 치아교정기의 사용 등 기존에 갖고 있었거나 치료받은 질병의 여부도 알아내야 한다. 또한 미각장애가 입안 전체에 있는지 혹은 특정 부위에 국한되어 나타나는지도 확인해야 한다.

2) 신체검사

자세한 구강검사를 통해 감염, 염증, 미란성, 궤양성, 종양성 혹은 위축성 병변의 여부, 혀의 유두의 변화, 주변 점막의 건조, 치아상태 등을 관찰한다. 비강, 인두, 후두에 대한 내시경검사 가 필요하며, 타액선을 촉진해서 이상 유무를 확인한다. 국소 병변이 없으면서 일측성 미각장애가 있는 경우는 청력검사와 함께 중이의 이상 유무를 확인해 본다.

3) 임상검사

세균성 또는 진균성 감염이 의심되는 경우 배양검사를 시행하며, 필요한 경우 버섯 유두와 성곽유두에 대한 조직검사를 할 수 있다. 내분비질환이나 영양결핍, 간,

신장질환이 의심되는 경우 적절한 혈액검사가 필요하다. 혀의 맛봉오리의 신경분포를 확인하는 검사로 혀에 Methylene blue를 발라볼 수 있다. 이때 미공에 염색이 남아있으면 정상적으로 신경이 분포되어 있는 것이고, 미공이 염색되지 않으면 신경의 단절을 의미한다. 이상미각의 원인이 혀 자체의 국소적인 원인인지 여부를 확인하는 방법으로 혀에 국소마취제를 발라볼 수 있다. 국소마취제에 의해 이상미각이 호전된다면 국소적 원인에 의한 것이며, 이상미각이 그대로이거나 심해지는 경우는 중추성 원인을 생각할 수 있다.

4) 영상진단

중추신경계 특히 뇌간, 시상, 뇌교의 병변 여부를 확인하기 위해, 필요한 경우 CT나 MRI를 촬영할 수 있다.

5) 미각기능검사

미각기능은 여러 신경들이 관여하며, 미각 수용체가 혀와 구강의 여러 부위에 다양하게 분포하고 있기 때문에 후각검사처럼 정확하게 평가하기 어렵다.

미각기능검사는 자극을 가하는 방법에 따라 화학미각검사법과 전기미각검사법의 두 가지가 있다. 미각용액을 이용하는 화학미각검사법은 보통 단맛은 자당sucrose, 짠맛은 소금, 신맛은 구연산, 쓴맛은 카페인 혹은 키니네 등으로 평가를 하게 된다. 각 물질은 여러 가지 농도로 사용하며 검사 전후에 탈이온화된 물로 입안을 깨끗이 헹궈서 다른 맛을 평가할 때 영향을 주지 않도록 한다.

미각기능의 평가에는 주로 다음과 같은 세 가지 방법이 사용되고 있는데, 어떤 미각물질이 증류수와 구별될 수 있는 최저농도를 측정하는 감지역치검사detection threshold와 어떤 미각물질이 나타내는 맛을 느낄 수 있는 최저농도를 측정하는 인지역치검사recognition threshold, 그리고 어떤 미각물질이 인지역치 이상의 초역치 농도에서 나타내는 맛의 강도를 측정하는 초역치미각강도검사suprathreshold taste intensity이다. 인지역치는 감지역치보다 항상 높게 나오지만 대부분의 경우에 있어서 이들 역치값과 초역치 미각강도 사이의 상관관계는 불량한 것으로 알려져 있다. 즉, 역치값이 비슷한 두 집단이 초역치 미각강도에서 큰 차이를 보이거나 그 반대로 역치값은 차이가 나지만 초역치 미각강도는 비슷한 수준을 보이는 경우가 있기 때문에 역치값으로 초역치 미각강도를 추정할 수는 없다(Bartoshuk, 1989). 일상생활에서 느끼는 미각은 매우 희석된 역치농도 수준의 자극에 의한 것이라기보다는 초역치농도 수준의 자극에 의한 것이기 때문에 환자들이 호소하는 미각상실은 초역치 미각강도의 변화와 더욱 밀접한 임상적 관련성을 가진다. 따라서 환자들이 호소하는 임상적인 미각상실을 보다 실제적으로 평가하기 위해서는 미각역치의 측정보다는 초역치 미각강도를 측정하는 것이 더 타당하다고 할 수 있다. 초역치 미각강도를 측정하기 위해 과거에는 역치 이상의 미각 농도에 대해 그 비율을 숫자로 표현하게 하는 방법이 쓰여 왔다. 그러나 이 방법은 개인간의 절대적인 비교를 할 수 없다는 문제점을 가지고 있어서 이의 해결을 위해 규모짝짓기법magnitude matching이 고안되었다. 규모짝짓기법은 초역치 미각강도의 측정에 있어서 개인간의 감각 인지 수준과 표현의 차이를 보정하기 위해서 두 가지 감각을 동시에 측정하는 방법으로, 김 등은 한 측정시기 동안에 미각기능과 청각기능을 동시에 평가하여 소리감지 강도를 기준으로 미각감지 강도를 표준화하였다(김, 2005).

Whole-mouth taste test는 미각용액을 입안 전체에 머금었다가 삼키거나 뱉는 방법으로 시행하며, spatial test는 미각용액을 적신 면봉을 이용해 혀와 구강점막의 각각 다른 부위에 묻히는 방법으로 각 부위의 미각 기능을 검사한다. 비슷한 방법으로 미각용액을 적신 여과지 tastant-saturated filter paper를 사용하는 방법과, 마른 미각자극물질dried tastant을 이용하는 맛 스트립taste strip이 사용되고 있다. 미각용액과 비교할 때 맛 스트립taste strip은 보관기간이 긴 장점이 있다(Landis, 2009).

전기미각검사법electrogustometry은 화학물질의 대신으로 전기자극을 사용한다. 즉 혀에 전기자극을 주어서 생기는 전기성 미각을 자극전류의 수치로서 측정하여 미각기능을 조사하는 장치이다. 재현성이 뛰어나고, 정량적 측정이 가능하며, 자극범위를 정확하게 조절할 수 있고, 검사시간이 짧은 장점이 있으나, 미각의 종류에 대한 구분과 미각 강도의 측정이 불분명하다는 단점이 있다(Murphy, 1995). 전기미각검사법은 양전류를 자극원으로 사용하기 때문에 양전류에 대해 민감한 반응을 보이는 신맛과 짠맛을 감지하는 미각세포로부터 낮은 전류에서도 강한 반응을 유도할 수 있는 반면, 단맛과 쓴맛을 감지하는 미각세포에 대해서는 양전류가 거의 반응을 나타내지 못하기 때문에 이러한 미각기능의 평가에는 적합하지 않다(Frank, 1991). 안면신경 마비의 부위진단 및 예후판정에도 사용되며, 방사선치료 시에 미각기능의 보존을 위한 모니터링으로 사용된다.

미각유발전위검사gustatory evoked potentials는 객관적 검사방법으로 주로 법의학적 검사에 이용되며(Hummel, 2010), 기능적 뇌자기공명영상을 이용한 연구도 보고되고 있다(Hummel, 2007).

4. 미각장애의 치료

미각장애의 치료는 원인을 철저히 조사하여 그에 맞는 치료를 시행하여야 한다. 비강질환으로 인한 후각장애가 원인인 경우 내과적 치료와 필요한 경우 수술적 치료를 시행하여야 한다. 약물에 의해 유발되는 미각의 변화는 약물 부작용 중 0.4% 정도로 보고된다(Tuccori, 2011). 이러한 미각장애는 주로 노인 환자에서 나타나는데, 11~33%의 노인환자에서 약물과 연관된 미각의 변화를 경험했다는 보고가 있다. 약물에 의한 미각장애는 원인 약물을 중단하면 회복된다. 기존 질환의 치료에 꼭 필요치 않은 약인 경우 끊든지, 같은 치료효과를 가진 다른 약으로 바꾸어 본다. 하지만 대사산물의 축적과 미각체계의 변화 등으로 정상이 되기까지는 몇 달이 걸릴 수 있다(Doty, 2008). 원인이 되는 약을 끊어도 증상의 호전이 즉시 나타나지 않고 수개월이 걸릴 수도 있다는 것을 반드시 알려주어야 한다. 영양결핍에 의한 미각장애는 부족한 성분을 보충하여야 하며, 내분비 장애로 인한 경우 호르몬의 투여로 치료할 수 있다. 방사선치료에 의해 발생한 미각장애의 경우 많은 환자에서 치료가 종료되고 수개월에서 1년 이내에 완전히 회복된다. 하지만 이들 중 일부는 수년이 지나도 미각이 회복되지 않을 수 있다(Ruo, 2006). 구강질환이 원인일 때는 적절한 염증치료가 필요하며 잘 맞지 않는 의치나 치아교정기는 치과와 협진하여 교정하거나 제거하여야 한다. 구강건조증의 경우 인공타액이나 침 분비 촉진제, 침샘 마사지가 도움이 될 수 있다. 외상이나 수술에 의해 발생한 경우에는 특별한 치료가 없지만, 시간이 지나면서 개선되기도 한다.

원인 불명의 또는 지속적인 미각장애의 경우 아연의 보충이 도움이 될 수 있다. zinc gluconate (50 mg, 하루 3회) 치료가 아연 결핍 환자뿐만 아니라 아연 결핍이 없는 미각장애 환자에서도 효과적이라는 보고가 있다(Heckmann, 2005). 아연의 보충은 아연 결핍이 없는 환자에서도 정상 맛봉오리 세포의 증식을 촉진시키는 것으로 여겨진다(Takaoka, 2010). Alpha-lipoic acid는 인체의 많은 세포질 대사 경로의 중요한 보조효소이며 항산화제로, 원인 불명의 미각장애의 치료에 사용되고 있다. Femiano 등의 연구에 의하면 alpha-lipoic acid (200 mg, 하루 3회) 투여로 91%의 원인불명의 이상미각 환자에서 증상의 개선이 있었으며, 46%에서는 완전회복이 되었다고 보고하였는데, 이상미각과 연관된 신경병변을 되돌리거나 경감시키는 것으로 추정하고 있다(Femiano, 2002). GABA 효능성 약물gamma-aminobutyric acid-ergic drug이 미각기능을 변화시키는 것으로 알려져 있는데 (Starostik, 2010), Clonazepam은 A형 GABA 수용체 길항제로 환상미각의 치료에 효과적이며, 구강 작열감 증후군burning mouth syndrome과 연관된 이상미각의 치료에 도움을 줄 수 있다(Grushka, 1998). 반복적 경두개 자기장 자극repetitive transcranial magnetic stimulation이 미각 장애의 치료에 제안되고 있는데 뚜렷한 임상적 근거는 없다(Henkin, 2011). 식사 전 얼음조각을 입에 물고 있는 것이 미각을 개선시키는 데 도움이 된다는 보고도 있다 (Fujiyama, 2010).

미각장애로 인해 음식섭취가 줄어 영양실조에 빠지는 환자의 경우, glutamate를 첨가하고, 요리 전 고기를 양념장에 재워두거나 저칼로리 감미료를 사용하는 등 음식의 풍미를 증가시키는 것으로 음식 섭취를 도울 수 있다. 환상미각이나 미각역치가 낮은 환자에서는 고기나 커피, 차 같은 씁쓸한 맛의 음식보다는 순한 풍미가 있는 닭고기나 유제품, 달걀이 섭취하기 수월하며, 식사 전 음식을 식히면 불쾌한 풍미나 냄새를 줄일 수 있다. Rehwaldt 등은 미각장애 환자들을 위한 자가치료법으로 조금씩 자주 먹을 것, 양념이나 조미료를 사용할 것, 더 많은 기름과 소스를 사용할 것, 담백한 음식을 먹을 것, 단맛을 추가할 것, 좀 더 끓여 먹을 것, 소금을 더 사용할 것, 먹기 전에 구강 관리를 할 것, 차가운 음식을 먹을 것, 소고기와 매운 음식을 피할 것 등을 제안하였다 (Rehwaldt, 2009).

참고문헌

1. 김선희, 허윤경, 최재갑. 청년한국인의 초역치 미각강도에 대한 성, 미각기호 및 흡연의 영향. 대한구강내과학회지 2005;30:149-62.
2. 임근혜, 신승헌, 예미경. 미각 장애 환자의 임상적 고찰. 대한이비인후과학회지 2009;52:413-8.
3. Al Aïn S, Poupon D, Hétu S, Mercier N, Steffener J, Frasnelli J. Smell training improves olfactory function and alters brain structure. Neuroimage 2019;189:45-54.
4. Apter AJ, Mott AE, Frank ME, Clive JM. Allergic rhinitis and olfactory loss. Ann Allergy Asthma Immunol 1995;75:311-6.
5. Bartoshuk L. Clinical evaluation of the sense of taste. Ear, Nose and Throat J 1989;68:331-7.
6. Borders AS, Hersh MA, Getchell ML, van Rooijen N, Cohen DA, Stromberg AJ, et al. Macrophage-mediated neuroprotection and neurogenesis in the olfactory epithelium. Physiol Genomics 2007;31:531-43.
7. Briner HR, Simmen D, Jones N. Impaired sense of small in patients with nasal surgery. Clin Otolaryngol 2003;28:417-9.
8. Buron E, Bulbena A. Olfaction in affective and anxiety disorders: a review of the literature. Psychopathology 2013;46:63-74.
9. Combarros O, Sanchez-Juan P, Berciano J, De Pablos C. Hemiageusia from an ipsilateral multiple sclerosis plaque at the midpontine tegmentum. J Neurol Neurosurg Psychiatry 2000;68:796.
10. Corvin J, Loury M, Gilbert AN. Workplace, age and sex as mediators of olfactory function:data from National Geographic Smell Survey. Gerontol SeriesB Psychol Sci Soc Sci 1995;50:179-86.
11. Cowart BJ. Taste dysfunction: A practical guide for oral medicine. Oral Dis 2011;17:2-6.
12. Croy I, Nordin S, Hummel T. Olfactory Disorders and Quality of Life-An Updated Review. Chem Senses 2014;39:185-94.
13. Davidson TM, Murphy C. Rapid clinical evaluation of anosmia: the alcohol sniff test. Arch Otolaryngol Head Neck Surg 1997;123:591-4.
14. Deems DA, Doty RL, Settle RG, Moore-Gillon V, Shaman P, Mester AF, et al. Smell and taste disorders: a study of 750 patients from the University of Pennsylvania Smell and Taste Center. Arch Otorhinolaryngol Head Neck Surg 1991;117:519-28.
15. Doty RL, Bartoshuk LM, Snow JB. Causes of olfactory and gustatory disorders. Smell and taste in health and disease. In: Getchell TV, Doty RL, Bartoshuk LM, Snow JB, editors. Smell and taste in health and disease. New York: Raven Press 1991:449-62.
16. Doty RL, Riklan M, Deems DA, Reynolds C, Stellar S. The olfactory and cognitive deficits of Parkinson's disease: evidence for independence. Ann Neurol 1989;25:166-71.
17. Doty RL, Shah M, Bromley SM. Drug induced taste disorders. Drug Saf 2008;31:199-215.
18. Doty RL. Kamath V. The influences of age on olfaction: a review. Front Psychol 2014;5:20.
19. Esiri MM, Pearson RC, Powell TP. The cortex of the primary auditory area in Alzheimer's disease. Brain Res 1986;366:385-7.
20. Femiano F, Scully C, Gombos F. Idiopathic dysgeusia; an open trial of alpha lipoic acid (ALA) therapy. Int J Oral Maxillofac Surg 2002;31:625-8.

21. Feng P, Huang L, Wang H. Taste bud homeostasis in health, disease, and aging. Chem Senses 2014;39:3-16.

22. Frank ME, Smith DV. Electrogustometry: A simple way to test taste. In: Getchell TV, Doty RL, Bartoshuk LM, editors. Smell and taste in health and disease. New York: Raven Press 1991;503-14.

23. Fujiyama R, Ishitobi S, Honda K, Okada Y, Oi K, Toda K. Ice cube stimulation helps to improve dysgeusia. Odontology 2010;98:82-4.

24. Graham L, Murty G, Bowrey DJ. Taste, smell and appetite change after Roux-en-Y gastric bypass surgery. Obes Surg 2014;24:1463-8.

25. Grushka M, Epstein J, Mott A. An open-label, dose escalation pilot study of the effect of clonazepam in burning mouth syndrome. Oral Surg Oral Med Oral Pathol Radiol Endod 1998;86:557-61.

26. Grushka M, Epstein JB, Gorsky M. Burning mouth syndrome and other oral sensory disorders: A unifying hypothesis. Pain Res Manag 2003;8:133-5.

27. Haehner A, Hummel T, Hummel C, Sommer U, Junghanns S, Reichmann H. Olfactory loss may be first sign of idiopathic Parkinson's disease. Mov Disord 2007;22:839-42.

28. Heckmann SM, Hujoel P, Habiger S, Friess W, Wichmann M, Heckmann JG, et al. Zinc gluconate in the treatment of dysgeusia- randomized clinical trial. J Dent Res 2005;84:35-8.

29. Heiser C, Landis BN, Giger R, Cao Van H, Guinand N, Hömann K, et al. Taste disturbance following tonsillectomy: a prospective study. Laryngoscope 2010;120:2119-24.

30. Hendriks AP. Olfactory dysfunction. Rhinology 1988;26:229-51.

31. Henkin RI, Potolicchio SJ Jr, Levy LM. Improvement in smell and taste dysfunction after repetitive transcranial magnetic stimulation. Am J Otolaryngol 2011;32:38-46.

32. Henkin RI, Schecter PJ, Friedewald WT, Demets DL, Raff M. A double-blind study of the effects of zinc sulfate on taste and smell dysfunction. Am J Med Sci 1976;272:285-99.

33. Hummel C, Frasnelli J, Gerber J, Hummel T. Cerebral processing of gustatory stimuli in patients with taste loss. Behav Brain Res 2007;185:59-64.

34. Hummel T, Genow A, Landis BN. Clinical assessment of human gustatory function using event related potentials. J Neurol Neurosurg Psychiatry 2010;81:459-64.

35. Hummel T, Knecht M, Kobal G. Electro-olfactogram in man. Soc Neurosci Abstr 1996;22:653.

36. Hummel T, Rissom K, Reden J, Hahner A, Weidenbecher M, Huttenbrink KB. Effects of olfactory training in patients with olfactory loss. Laryngoscope 2009;119:496-9.

37. Hummel T. Perspectives in olfactory loss following viral infections of the upper respiratory tract. Arch Otolaryngol Head Neck Surg 2000;126:802-3.

38. Itoh I, Ikui A, Ikeda M, Tomita H, Souhei E. Taste disorder involving Hunter's glossitis following total gastrectomy. Acta Oto-Laryngologica Suppl 2002;546:159-63.

39. Kern RC, Conley DB, Haines GK, 3rd, Robinson AM. Pathology of the olfactory mucosa: implications for the treatment of olfactory dysfunction. Laryngoscope 2004;114:279-85.

40. Kuten A, Ben-Aryeh H, Berdicevsky I, Ore L, Szargel R, Gutman D, et al. Oral side effects of head and neck irradiation: correlation between clinical manifestations and laboratory data. Int J Radiat Oncol Biol Phys 1986;12:401-5.

41. Landis BN, Welge-Luessen A, Bramerson A, Bende M, Mueller CA, Nordin S, et al. "Taste strips"-a rapid, lateralized gustatory bedside identification test based on impregnated filter papers. J Neurol 2009;266:242-48.

42. Leopold D. Distortion of olfactory perception: diagnosis and treatment. Chem Senses 2002;27:611-5.

43. Leopold DA. The relationship between nasal anatomy and human olfaction. Laryngoscope 1988;98:1232-8.

44. Loesche WJ, Bromberg J, Terpenning MS, Bretz WA, Dominguez BL, Grossman NS, et al. Xerostomia, xerogenic medications and food avoidances in selected geriatric groups. J Am Geriatr Soc 1995;43:401-7.

45. Mann NM, Lafreniere D. Anosmia and nasal sinus disease. Otolaryngol Clin North Am 2004;37:289-300.

46. Morgan CD, Nordin S, Murphy C. Odor identification as an early marker for Alzheimer's disease: impact of lexical functioning and detection sensitivity. J Clin Exp Neuropsychol 1995;17:793-803.

47. Mott AE, Leopold DA. Disorders in taste and smell. Otolaryngol Med Clin North Am 1991;75:1321-53.

48. Murphy C, Quinonez C, Nordin S. Reliability and validity of electrogustometry and its application to young elderly persons. Chem Senses 1995;20:499-503.

49. Murphy C, Schubert CR, Cruickshanks KJ, Klein BEK, Klein R, Nondahl DM. Prevalence of olfactory impairment in older adults. JAMA 2002;288:2307-12.

50. Naik BS, Shetty N, Maben EV. Drug-induced taste disorders. Eur J Intern Med 2010;21:240-3.

51. Nordin S, Bramerson A. Complaints of olfactorydisorders:epidemiology,assessment and clinical implications. Curr Opin Allergy Clin Immunol 2008;8:10-5.

52. Pekala K, Chandra RK, Turner JH. Efficacy of olfactory training in patients with olfactory loss: a systematic review and meta-analysis. Int Forum Allergy Rhinol 2016;6:299-307.

53. Raviv JR, Kern RC. Chronic sinusitis and olfactory dysfunction. Otolaryngol Clin North Am 2004;37:1143-57.

54. Rehwaldt M, Wickham R, Purl S, Tariman J, Blendowski C, Shott S, et al. Self-care strategies to cope with taste changes after chemotherapy. Oncol Nurs Forum 2009;36:47-5.

55. Reiter ER, DiNardo LJ, Costanzo RM. Effects of head injury on olfaction and taste. Otolaryngol Clin North Am 2004;37:1167-84.

56. Robinson AM, Kern RC, Foster JD, Fong KJ, Pitovski DZ. Expression of glucocorticoid receptor mRNA and protein in the olfactory mucosa: physiologic and pathophysiologic implications. Laryngoscope 1998;108:1238-42.

57. Rombaux P, Mouraux A, Bertrand B, Nicolas G, Duprez T, Hummel T. Olfactory function and olfactory bulb volume in patients with postinfectious olfactory loss. Laryngoscope 2006;116:436-9.

58. Ruo Redda MG, Allis S. Radiotherapy induced taste impairment. Cancer Treat Rev 2006;32:541-7.

59. Schriever VA, Gupta N, Pade J, Szewczynska M, Hummel T. Olfactory function following nasal surgery: a 1-year follow-up Eur Arch Otorhinolaryngol 2013;270:107-11.

60. Scrivani SJ, Keith DA, Kulich R, Mehta N, Maciewicz RJ. Posttraumatic gustatory neuralgia: a clinical model of trigeminal

neuropathic pain. J Orofac Pain 1998;12:287-92.

61. Shaikh N, Wald ER, Pi M. Decongestants, antihistamines and nasal irrigation for acute sinusitis in children. Cochrane Database Systematic Reviews 2014;10.

62. Sorokowska A, Drechsler E, Karwowski M, Hummel T. Effects of olfactory training: a meta-analysis. Rhinology 2017;55:17-26.

63. Soter A, Kim J, Jackman A, Tourbier I, Kaul A, Doty RL. Accuracy of reporting taste loss is poor. Laryngoscope 2008;118:611-22.

64. Starostik MR, Rebello MR, Cotter KA, Kullik A, Medler KF. Expression of GABAergic receptors in mouse taste receptor cells. PLoS One 2010;5:136-39.

65. Stevens MH. Steroid-dependent anosmia. Laryngoscope 2001;111:200-3.

66. Suzuki M, Saito K, Min WP, Vladau C, Toida K, Itoh H, et al. Identification of viruses in patients with postviral olfactory dysfunction. Laryngoscope 2007;117:272-7.

67. Suzuki Y, Yamamoto S, Umegaki H, Onishi J, Mogi N, Fujishiro H, et al. Smell identification test as an indicator for cognitive impairment. Int J Geriatr Psychiatry 2004;19:727-33.

68. Takaoka T, Sarukura N, Ueda C, Kitamura Y, Kalubi B, Toda N, et al. Effects of zinc supplementation on serum zinc concentration and ratio of apo/holoactivities of angiotensin converting enzyme in patients with taste impairment. Auris Nasus Larynx 2010;37:190-4.

69. Tuccori M, Lapi F, Testi A, Ruggiero E, Moretti U, Vannacci A, et al. Drug induced taste and smell alterations: a case/noncase evaluation of an italian database of spontaneous adverse drug reaction reporting. Drug Saf 2011;34:849-59.

70. Walker RP, Gopalsami C. Laser-assisted uvulopalatoplasty: postoperative complications. Laryngoscope 1996;106:834-8.

71. Watabe-Rudolph M, Begus-Nahrmann Y, Lechel A, Rolyan H, Scheithauer MO, Rettinger G, et al. Telomere shortening impairs regeneration of the olfactory epithelium in response to injury but not under homeostatic conditions. PLoS ONE 2011;6:e27801.

72. Wrobel BB, Leopold DA. Clinical assessment of patients with smell and taste disorders. Otolaryngol Clin N Am 2004;37:1127-42.

73. Wylie K, Nebauer M. The food here is tasteless! Food taste or tasteless food? Chemosensory loss and the politics of undernutrition. Collegian 2011;18:27-35.

74. Yamagishi M, Fujiwara M, Nakamura H. Olfactory mucosal findings and clinical course in patients with olfactory disorders following upper respiratory viral infection. Rhinology 1994;32:113-8.

75. Yousem DM, Oguz KK, Li C. Imaging of the olfactory system. Semin Ultrasound CT MR 2001;22:456-72.

76. Yousem DM, Turner WJ, Snyder PJ, Doty RL. Kallmann syndrome: MR evaluation of olfactory system. Am J Neuroradiol 1993;14:839-43.

77. Zusho H. Post-traumatic anosmia. Arch Otolaryngol 1982;108:90-2.

CHAPTER
28

비강과 부비동의 양성종양

부산의대 이비인후과 **노환중**, 부산의대 이비인후과 **조규섭**

> **CONTENTS**

Ⅰ. 상피성 종양
Ⅱ. 간엽성 종양
Ⅲ. 골성 양성종양

HIGHLIGHTS　　　　　　　　　　　　　　　　　　　　　　　　　　》》》

- 비부비동 양성종양은 조직학적으로 상피성, 간엽성, 골성으로 분류할 수 있으며 골종이 가장 흔하고, 반전성 유두종이 그 다음임
- 반전성 유두종은 병리조직학적으로 양성이지만 임상적으로 악성의 성상을 가지며 다중심 가능성과 불완전제거로 인한 재발의 가능성이 높고, 10% 내외의 악성 전환 가능성이 있음. 조직검사와 CT 등으로 비용종과 감별할 수 있고 치료는 수술적 완전 절제임
- 비인강 혈관섬유종은 풍부한 혈관망으로 구성된 양성종양으로 사춘기 남자에게 호발하며 전형적인 경우 조직검사 없이 혈관조영술과 영상소견으로 진단함
- 혈관종은 비중격이나 비전정에서 흔하며 특히 전방비중격 부위에서 호발함. 대부분 자연소실되므로 추적 관찰하면 되지만 10~20%는 적극적인 치료가 필요함
- 신경초종은 주로 비강과 사골동 부위에 발생하나 익구개와에도 발생할 수 있으며 주로 단발성이고 피막이 잘 형성되어 있으며 악성화되는 경우는 드묾
- 골종은 비부비동에서 가장 흔한 양성종양으로 약 95%가 전두사골 부위에서 발생하고 천천히 자라는 병변이므로 일반적으로 증상이 없는 한 경과 관찰하며, 증상이 있거나 주요 구조물 침범 소견이 있을 때는 수술적 완전 절제를 시행함
- 골화성 섬유종은 조직학적으로 섬유성 이형성증과 구별하기 어려우나 임상소견과 방사선학적 소견으로 감별하여야 하며 섬유성 이형성증은 단발성과 다발성으로 나뉨
- 골화성 섬유종의 치료는 증상이 있을 경우 수술적 완전 절제이고, 섬유성 이형성증은 완전한 수술적 제거가 불가능한 경우가 많아 부비동 폐쇄와 안면 기형의 교정에 초점을 맞춤

비부비동의 양성종양을 가진 환자들은 대부분 편측 코막힘을 주로 호소하게 되며 이러한 경우 내시경적, 영상의학적 그리고 조직학적 검사를 통해 정확한 진단이 이루어져야 한다. 양성종양의 조직학적 종류는 상피성, 간엽성, 골성 등으로 표 28-1과 같이 분류할 수 있다. 골종이 가장 흔한 양성종양이고 그 다음으로 반전성 유두종이 흔하지만 실제 치료를 요하는 경우는 반전성 유두종이 가장 흔하다. 비부비동의 양성종양은 코막힘 이외에 종양의 위치, 진행 정도, 병태생리 등에 따라 다양한 임상증상을 나타낼 수 있다.

┃┃ 상피성 종양

1. 유두종

유두종은 비강과 부비동의 편평상피 혹은 schneiderian 상피에서 발생하며 schneiderian 유두종은 균상 유두종 fungiform papilloma, 반전성 유두종inverted papilloma, 원통형 유두종cylindrical papilloma으로 분류된다.

표 28-1   비부비동에 발생하는 양성종양

상피성 종양
비전정 각화 유두종
비강의 유두종
  균상 유두종
  반전성 유두종
원통형 유두종
선종
소타액선 종양
  혼합종양
  호산성 세포종

간엽성 종양
혈관섬유종
혈관종
림프관종
신경종양
  신경초종
  신경섬유종
섬유종
지방종
연골종
과오종
수막종

골성 종양
골종
외골종
유골골종
거대세포종
골화성 섬유종
섬유성 이형성증
결합조직성 섬유종
연골점액유사 섬유종

1) 균상 유두종

외장성 유두종exophytic papilloma이라고 하며 비중격 전 방에 잘 생기고 보통 무증상이지만 자극에 의해 비출혈 을 유발할 수도 있다. 일반적으로 점막이 사마귀 모양 으로 융기되며 꽃양배추 cauliflower 모양을 가진 단단 한 모습으로 갈색 혹은 분홍색을 띤다. 조직학적인 소견 은 반전성 유두종과 반대로 상피의 바깥쪽으로 성장하 는 양상을 보이며 표면에 각질화의 소견은 관찰되지 않 는다. 악성 변이할 가능성은 거의 없는 것으로 생각되며

치료는 절제 후 기저부를 소작하여 재발을 방지한다.

2) 반전성 유두종

반전성 유두종은 비강과 부비동에 발생하는 종양 중 골 종 다음으로 가장 흔한 양성종양으로 전체 비강종양의 0.5~4%를 차지한다(Skolnik et al., 1966). 모든 연령층 에서 발생할 수 있으나 40~60대에 호발하고, 남자에서 2~3배 정도 높게 발병한다(Chang et al., 1998 ; Lawson et al., 1995). 주로 일측성으로 비강의 외측벽에서 발생하 여 중비도에서 흔히 발견되며 부비동이나 비인두 그리 고 비중격에서 발생하기도 한다. 양측성은 약 4.9%로 보 고된다(Krouse, 2001). 수양성 비루와 함께 편측 코막힘 이 가장 흔한 증상이며, 병변이 진행되어 안와 및 두개 저를 침범한 경우 유루증, 안구돌출, 복시 및 두통 등의 증상이 생길 수 있다.

반전성 유두종은 병리조직학적으로는 양성종양이나 임상적으로는 국소적 침습성으로 주위의 골조직을 파 괴할 수 있다는 점, 원발 부위의 다중심multicentricity 가 능성과 불완전 제거로 인해 재발할 가능성이 높다는 점, 약 10% 내외의 악성으로 전환 가능성 등과 같은 특징을 가진다(노 등, 2004 ; 박 등, 2010 ; Kim et al., 2012). 원인 은 미상이며 사람 유두종 바이러스human papilloma virus type 6, 11과 관련이 있다는 의견도 있으나 아직 이에 대 해서는 논란이 있다(Paul et al., 2015).

내시경적 소견으로는 표면이 불규칙하고 갈색 혹은 분홍색의 융모 같은 모양을 띠며 일반 비용종보다 혈관 이 풍부하게 분포한다(그림 28-1).

반전성 유두종 환자에서 비용종이 동반된 경우는 비 용종이 유두종 종괴를 둘러싸고 있는 경우가 많아 내시 경적으로 진단하기 힘든 경우도 있다. 진단은 병리조직 검사로 확진하며 상피층이 상피하 기질로 손가락 모양

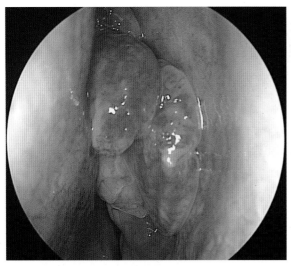

| 그림 28-1 반전성 유두종의 비내시경 소견
표면이 불규칙하며 갈색 혹은 분홍색의 융모 같은 모양을 띠며 일반 비용종보다 혈관이 풍부하게 분포한다.

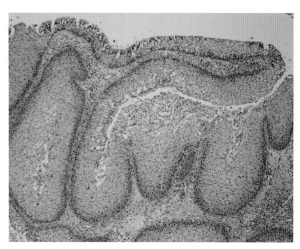

| 그림 28-2 반전성 유두종의 조직학적 소견
상피세포가 기질 안으로 손가락 모양으로 함입되며 기저막은 종양 세포의 침습 없이 잘 유지된다(H&E, X100).

으로 함입되는 것이 특징으로 기저막은 종양 세포의 침습 없이 잘 유지된다(그림 28-2).

　CT와 MRI 같은 방사선학적 검사는 원발부위와 침습 범위를 평가하여 치료방침을 세우는 데 도움이 된다. CT에서 반전성 유두종은 연조직 표면의 불규칙성으로 관찰되며 골변화가 발견되기도 하는데 가장 흔한 소견은 유두종 기시부위의 내부 혹은 외측에서 관찰되는 골비후이고(그림 28-3), 종양이 성장함에 따라 서서히 압력에 의한 골 재형성이 이루어지며 이는 상악동 내측벽과 지판lamina papyracea에서 가장 흔히 관찰된다(김 등, 2004; Dammann et al., 1999).

　반전성 유두종은 양성종양으로 골파괴 소견은 흔하지 않으며 직접적인 골 침습보다는 압박괴사를 유발한다. 그러므로 확연한 골파괴 소견이 있는 경우에는 편평세포 암종의 동반 가능성을 생각해야 한다. 국내 다기관 연구에 의하면 반전성 유두종에서 악성 발생 가능성은 동시성 synchronous으로 발생하는 경우가 3.3%, 속발성metachronous으로 발생하는 경우가 0.5%로 나타났다(Kim et al.,

2012). MRI는 종양과 염증성 점막 변화 및 이차적으로 생긴 점액저류를 감별하는 데 도움이 된다.

　치료는 수술로서 완전히 절제하는 것이며, 과거에는 내측상악동 절제술과 같은 외비접근법을 통한 광범위 근치술이 최선의 치료로 여겨져 왔으나, 최근에는 내시경을 이용한 절제가 주류를 이루고 있다(박 등, 2010).

　반전성 유두종의 병기 분류는 매우 다양하며, 아직 모든 술자에게 인정받는 병기가 없어, 현재까지도 새로운 병기 분류가 계속 제안되고 있는 실정이다. 비교적 많은 술자에게서 사용되고 있는 Krouse 병기 분류는 표 28-2와 같다.

　술 후 재발률은 수술방법에 따라 다양하게 보고되고 있으나 국내 다기관 연구에 의하면 약 15.7%로, 임상적 병기나 수술적 접근법에 의한 재발률 차이는 명확하지 않은 것으로 나타났다(Kim et al., 2012). 술 후 6개월 이내에 가장 많이 재발하나 3년 이상의 경과 관찰 중 재발 사례가 그 미만에 비해 유의미하게 높다는 보고도 있어 장기간의 추적 관찰이 필요하다(Kim et al., 2012; Waitz et al., 1992).

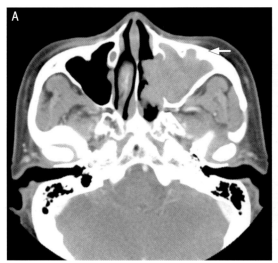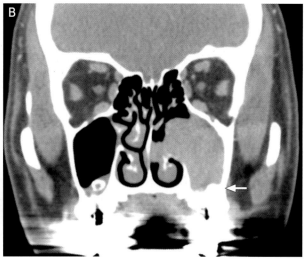

┃ 그림 28-3 반전성 유두종의 CT 소견
표면이 불규칙한 연조직 음영으로 보이며, 골 비후 소견(화살표)을 축면영상(**A**)과 관상영상(**B**)에서 확인할 수 있다.

┃ 표 28-2 반전성 유두종의 Krouse병기 분류

T1: 종양이 부비동으로의 확장 없이 완전히 비강에만 국한된
　　경우
T2: 종양이 개구비도복합체, 사골동 그리고/또는 상악동의 내
　　벽에 국한된 경우
T3: 종양이 상악동의 외벽, 하벽, 상벽, 전벽 또는 후벽, 접형동
　　그리고/또는 전두동을 침범한 경우
T4: 종양이 비강 및 부비동 밖으로 확장되어 안와, 두개 내 구획
　　또는 익돌상악공간과 같은 인접 구조물을 포함하는 경우와
　　악성종양과 연관된 경우

3) 원통형 유두종

종양성 유두종oncocytic papilloma이라고도 하며, 가장 드
문 형태이다. 거짓중층원주세포들로 이루어져 있으며 성
장 양상은 외장성 또는 반전성 유두종과 마찬가지로 상
피가 기질 내로 내번하는 형태로 다양할 수 있다. 하지
만 세포의 세포질이 풍부하고 세포 내에 풍부한 호산구
성 세포질을 가지고 있는 조직학적 특징을 가지고 있다.

악성 변이할 가능성은 없으며 치료는 반전성 유두종에
서와 동일하다.

2. 소타액선 종양

소타액선minor salivary gland은 비강과 부비동에도 존재
한다. 비강 내 소타액선에서 발생하는 종양은 드물지만,
50% 가량이 악성이다(Gluckman and Barrord, 1986). 가
장 흔한 양성종양은 다형성 선종pleomorphic adenoma이
며, 비중격에 발생하는 경우가 80%, 비측벽이나 비갑
개에서 발생하는 경우가 20%를 차지한다(Barry et al.,
1985). 치료는 충분한 변연을 확보한 외과적 절제가 원
칙이며, 비강 다형성 선종의 재발은 10% 이하로 다른 부
위의 재발률보다 적다(Compagno and Wong, 1977). 다른
양성종양으로 기저세포 선종basal cell adenoma, 타액선
호산성 과립세포종oncocytoma 등이 있고 흔히 이러한 종
양들은 발견되기 전에 상당한 크기에 도달하기도 한다.

II | 간엽성 종양

1. 혈관섬유종

비인강 혈관섬유종angiofibroma은 15세 전후의 남자에서 주로 생기며 비폐색과 간헐적인 다량 출혈을 특징으로 하는 고도로 혈관이 많은 종양이며 두경부 종양의 약 0.05~0.5% 미만으로 드문 질환이다(Waldman et al., 1981). 병리 조직학적으로 이 종양은 방추형 또는 성상의 섬유세포를 포함한 섬유 기질과 풍부한 혈관망으로 구성된 양성종양이다(그림 28-4). 혈관의 내피세포와 섬유기질 사이에 근육층이 없으므로 심한 출혈을 동반하게 된다. 비록 이 종양이 조직학적으로는 양성이고 림프전이도 볼 수 없으나 주위 조직의 침윤이 심하고 주요 혈관과 신경을 침범하므로 임상적으로는 치료가 상당히 어렵다.

　종양은 접구개공sphenopalatine foramen의 상연에서

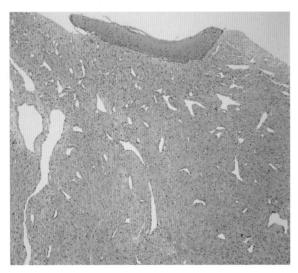

┃ 그림 28-4 비인강 혈관섬유종의 조직학적 소견
방추형 또는 성상의 섬유세포를 포함한 섬유 기질과 풍부한 혈관망으로 구성된다(H&E, X100).

기원하여 후비공, 익구개와pterygopalatine fossa, 측두하와infratemporal fossa로 확장되고, 안와나 두개 내로 침범하기도 한다(Neel HB et al., 1973). 대부분 진단 시점에 비강 외와 비인두로 파급되어 있는데, 앞쪽으로 자라면 상악동의 후벽을 침범하며, 외측으로 자라면 익구개와를 침범하고 접형골의 익상돌기를 미란시킬 수 있다. 비중격은 반대편으로 밀리게 되고 더욱 외측으로 자라면 측두하와를 침범하고 특징적인 협부의 융기를 나타낸다. 협골궁zygomatic arch 쪽으로 자라서 협골궁 위쪽의 종대를 나타낼 수도 있다. 익구개와로부터 상하 안와열로 자라기도 하며 접형골의 대익을 침식하거나 해면동 또는 인접 부위의 중두개와 내 경막까지 침범하기도 한다. 뒤쪽으로 자라서 접형동을 채우거나, 뇌하수체를 후상방으로 밀어내고 터키안을 채워 시력상실을 일으키기도 한다.

　종양의 주된 영양동맥은 외경동맥external carotid artery의 가지인 내상악동맥internal maxillary artery과 상행인두동맥ascending pharyngeal artery이며, 종양의 크기가 크거나 안와 혹은 두개 내로 침범한 경우 내경동맥internal carotid artery에서도 혈류를 공급받고 종양이 중간선을 넘어선 경우에는 반대쪽 혈관에서도 공급받을 수 있다.

　반복적인 비출혈과 일측성 코막힘이 가장 흔한 증상이며, 종양의 주위침범 정도에 따라 후각이상, 이충만감, 얼굴부종, 콧물, 얼굴 및 입천장의 변형, 협부의 통증 등이 나타날 수 있고, 상안와열을 통해 해면정맥동cavernous sinus을 침범하면 안구돌출이나 상안와열증후군의 징후가 나타나며 두개 내로 침범하면 뇌막자극 증상이 나타난다(노 등, 1998; 민 등, 1981).

　감별해야 할 질환으로는 상악동후비공비용, 악성종양 등을 들 수 있다. 감별은 환자의 연령과 성별, 비내시경소견, 방사선검사와 혈관조영술 등과 병리조직 검사의 결과로써 확진하게 된다. 혈관섬유종의 경우는 조직검사 시 심한 출혈을 초래하여 그 자체로 생명을 위협할

수 있으므로 전형적인 경우는 조직 검사 없이 혈관조영술과 영상소견으로 진단하는 것이 좋다.

혈관섬유종이 의심되는 환자를 진찰할 때는 반드시

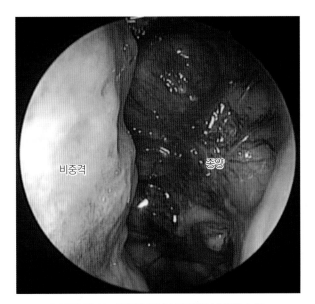

| **그림 28-5** 비인강 혈관섬유종의 내시경 소견
선홍색의 매끈한 표면을 가진 폴립모양의 종물이 관찰된다.

뇌신경에 대한 검사와 비내시경검사를 시행한다. 내시경 검사에서 선홍색의 매끈한 표면을 가진 폴립모양 종양을 관찰할 수 있다(그림 28-5). 이관기능장애로 인한 중이 삼출액이나 고막함몰이 있는지 이경검사로 확인한다.

방사선적 소견으로 하나 또는 여러 개의 부비동 내 혼탁화가 나타나고, 상악동 후벽이 활처럼 휘는 모습 Holman-Miller sign과 상안와열의 확대가 특징이다. 또한 상안와열 하외측 변연이 넓어지거나 접형골 대익의 침식, 비강내벽 혹은 경구개의 침식, 비중격의 전위 등이 있다. CT는 종양주위 골 변화를 보는 데 좋으며 특히 조영증강 영상에서는 종양의 혈관 분포상태 확인과 병기 결정을 위해 매우 중요하다(그림 28-6). MRI는 종양의 범위를 확인하는 데 좋으며, 술 후 잔존 종양과 재발을 진단하는 데 유용하다.

혈관조영술은 술 전 영양동맥을 확인하고 색전하여 술 중 출혈을 줄이는 데 도움을 줄 수 있으며 색전술 시행 후 24~48시간 이내에 수술하는 것이 출혈을 가장 최소화할 수 있고 색전물질에 의한 염증반응을 피하는 데

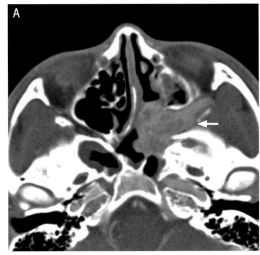
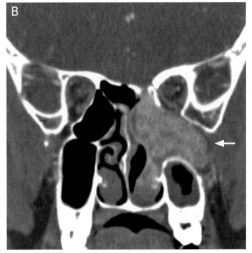

| **그림 28-6** 비인강 혈관섬유종의 CT 소견
비강과 비인두로 증식하고 좌측 익돌구개와를 확장시키고 있으며 상악동 후벽을 전방으로 전위시키고 있는 소견이 축면영상(**A**)과 관상영상(**B**)에서 관찰된다.

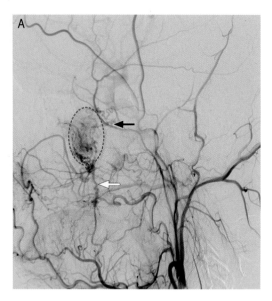
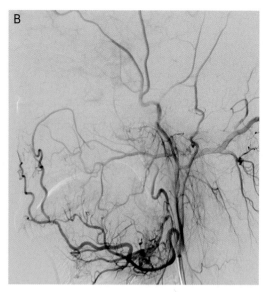

| 그림 28-7   비인강 혈관섬유종의 혈관조영술 소견

A. 안면동맥(흰색 화살표)과 중간뇌막동맥(검정색 화살표)을 통하여 종양 안에 혈액이 차는 모습이 관찰된다. **B.** 분포동맥의 색전술 후 혈류공급이 차단되었다.

좋다(그림 28-7).

혈관섬유종의 병기 분류는 **표 28-3**과 같이 다양하다. 치료는 수술적 완전절제가 원칙이며 안면중앙부 노출술midfacial degloving approach과 하측두와접근법infra-temporal fossa approach까지 다양한 접근법이 있으나 현재는 내시경적 접근법이 주로 사용되고 있다. 진행된 병변 또는 재발한 병변에 저용량의 방사선치료가 효과적이라는 보고도 있으며(McAfee et al., 2006), 최근 제한된 크기의 병변에 대해서는 감마나이프Gamma knife radiosur-gery나 사이버나이프Cyberknife 등을 이용하여 고식적인 방사선치료의 부작용을 줄이면서 효과적으로 종양 크기를 줄인 경우도 있다(Roche et al., 2007; Deguchi et al., 2002).

술 후 추적관찰은 주기적인 내시경적 검사와 영상학적 검사에 기초해 최소 3년은 시행되어야 한다. 왜냐하면 조영증강 CT나 MRI를 통해 조기 발견이 가능하지만 대부분의 잔존 병변은 점막하에서 서서히 자라기 때문

이다. 치료 후 재발률은 평균 30~46%로 접형동이나 해면정맥동 등을 침범한 경우 종양의 완전절제가 불가능한 것이 재발의 가장 큰 원인이다. 수술 시 최대한 출혈을 최소화하면서 세심하게 조작해 종양을 완전 제거하는 것이 재발을 줄이는 방법이다.

2. 혈관종

혈관종hemangioma의 50% 이상이 두경부 영역에서 발생하며 그 중 구순부, 혀 및 구강 안 점막부에 호발하고 비강에서의 발생은 드문 것으로 알려져 있다. 비강 혈관종은 비중격이나 비전정에서 발견된 경우가 가장 많으며 특히 혈관분포가 풍부한 Little 부위에 호발한다Myer and Gluckman, 1983; Wenig et al., 1995).

혈관종과 혈관기형은 혈관 생성단계 중 혼합 산소화 혈액을 가진 혈관들의 상호연결을 이루는 미분화 모세

| 표 28-3 혈관섬유종의 병기

Sessions 분류
I A: 비강과 비강인두에 국한
I B: 1개 이상의 부비동으로 침범
II A: 익구개와의 경미한 침범
II B: 익구개와의 완전한 침범이 있으면서 안와의 골벽 미란이
　　 있거나 없는 경우
II C: 측두하와의 침범이 있으면서 협부의 침범이 있거나 없는
　　 경우
III: 두개 내로의 확장

Kadish 분류
A: 비강에 국한된 경우
B: 부비동으로 확장된 경우
C: 비강과 부비동을 넘어서 침범한 경우

Biller 분류
T1: 비강과 부비동(접형동은 제외)의 침범이 있으면서 전두개와
　　 의 미란이 있거나 없는 경우
T2: 안와로 확장되어 있거나 전두개와로 돌출된 종양
T3: 뇌의 침범이 있으나 외과적 절제가 가능한 경우
T4: 절제할 수 없는 경우

UCLA 분류
T1: 비강과 부비동(접형동은 제외)의 침범이 있으면서 사골동
　　 상부는 침범하지 않은 경우
T2: 비강과 부비동(접형동 포함)의 침범이 있으면서 사상판으로
　　 의 확장이나 미란을 동반한 경우
T3: 안와 또는 전두개와로 확장된 경우
T4: 뇌를 침범한 경우

Fisch 분류
I: 골파괴 없이 비강과 비강인두에 국한
II: 골파괴와 함께 익돌와, 상악동, 사골동, 접형동으로 침범한
　 경우
III: 측두하와, 안와, 해면정맥동 안쪽의 터키안 주위로 침범한
　　 경우
IV: 해면정맥동, 시각신경교차 부위 또는 뇌하수체까지 침범한
　　 경우

혈관망기undifferentiated capillary network stage와 큰 동맥
분지들이 생성되고 동맥혈이 혈액 공간을 채우면 정맥
이 이의 배출을 담당하게 되는 망상기retiform stage의 여
러 단계에서 발달이 정지됨으로써 발생한다고 생각된다.
미분화 모세혈관망기에서 발달이 정지되면 모세혈관혈
관종이 된다. 해면상 혈관종은 초기 망상기의 잔유물이

며, 후기 망상기의 발달 정지는 동정맥기형, 포도주색 모
반port wine stain, 림프관종 등으로 나타난다.

임상증상은 비출혈과 서서히 진행하는 일측성 코막힘
이 가장 많고, 특별한 증상 없이 우연히 발견되는 경우도
있다. 진찰 시에 비강 내의 적색의 종물로 관찰되며 쉽
게 출혈하는 성질을 띤다. 종양의 범위를 결정하기 위해
CT, MRI, 혈관조영술, Technetium 스캔, 도플러 초음파
검사법 등을 사용한다(문 등, 2000). 감별을 요하는 질환
들로는 단순 육종, Kaposi 육종, 혈관 육종, 편평세포암
종, 비색소침착형 흑색종, 치성종, 림프종 등이 있다.

혈관종의 자연경과는 매우 빨리 자라고 반면에 느리
게 퇴행하는 양상을 보이는데, 50%의 환자가 5세까지
완전 퇴행을 보이고, 90%의 환자가 7세까지 완전 퇴행
을 보이며, 일부는 18세까지 지속적인 호전을 보인다. 급
속히 자라는 혈관종에서 자발적 궤양형성을 빈번히 관
찰할 수 있는데, 특히 근육-피부 접합부에 병변이 위치
하는 경우에 흔하다. 퇴행은 대체로 생후 9개월 경에 시
작하는데 특징적인 양상을 따른다. 먼저 성장속도가 느
려지고, 밝은 적색이었던 것이 짙은 색조를 띠게 된다.
다음에는 병변의 표면이 느슨해지고 표면 중앙부가 엷
어져 백색으로 된다. 이러한 과정은 중심부에서 바깥으
로 퍼져나가고 이와 함께 점차적인 병변의 연화와 깊이
의 감소가 함께 일어난다. 조직학적으로 퇴행은 섬유화
를 동반한다.

일반적인 치료는 조직학적 및 생리학적 특성을 고려
하여 결정하게 되며, 대부분은 자연적으로 소실되기 때
문에 추적관찰이 주된 요법이나 이 중 10~20%는 적극
적인 치료가 필요하다(Pitanguy et al., 1996). 비수술적 치
료 방법으로는 고용량의 스테로이드가 사용되며 종양이
커지는 것을 막는 데 효과가 있다고 알려져 있으나 주로
소아에서 효과가 좋으며 이에 반응이 없을 때는 수술치
료가 필요하다.

3. 소엽성 모세혈관종

일반적으로 화농성 육아종pyogenic granuloma으로 알려진 소엽성 모세혈관종lobular capillary hemangioma은 급속하게 성장하며 쉽게 출혈하는 경향을 가진 후천성 양성종양으로 대부분 피부와 구강 점막에 잘 발생하며 비강에서의 발생은 상대적으로 적다(el-Sayed and al-Serhani, 1997).

모든 연령층에서 발생가능하나 30대에 흔하며, 여성에서는 특히 가임 여성에 호발한다(Mills et al., 1980). 가임 여성에서 소엽성 모세혈관종이 나타나는 경우는 임신육아종으로 불리어지며 내분비장애에 의한 비후성 육아종으로 대개 임신 2개월에 발생하여 임신 말기에 소실된다고 알려져 있으며, 주로 비강이나 치은에 나타난다.

원인은 정확히 밝혀져 있지 않으나 외상설과 호르몬설 등으로 대별된다. 크기는 수 mm에서 수 cm로 다양하며 종양의 크기는 병의 이환 기간과 연관이 있으며, 증상으로 비강에서 발생한 경우 통증은 동반되지 않고 빠른 성장을 보이며 약간의 외상에도 쉽게 출혈하는 성향이 있다.

진단으로 임상적 양상과 CT소견 등은 특징적이지 않으며, 조직학적 소견으로 확진이 가능하다(Lance et al., 1992).

치료는 병변의 단순절제, 국소 소작, 전기 소작, 냉동요법, 레이저 치료 등이 있으며, 단순절제 후 기저부의 전기 소작 또는 약물 소작으로 대개 치유가 된다. 재발의 원인은 병변의 불완전한 절제이며 재발 시 재절제로 치유되는 경우가 많다(김 등, 1994).

4. 림프관종

림프액을 가지거나 가지지 않은 얇은 벽을 가진 림프성 혈관조직의 증식과 팽대로 관찰되는데, 유전적 경향은 없다. 50% 이상에서 태생기에 존재하고 90%는 2세 이내에 발현한다. 이는 혈관종과는 달리 퇴행하지 않고 환자가 성장함에 따라 동반하여 지속적으로 커지므로 악안면에 심한 변형을 초래할 수 있다.

5. 신경종양

신경종양neurogenic tumor은 중추신경 및 말초신경에서 드물게 발생하는 양성종양으로 Schwann 세포, 섬유아세포 및 신경외초에서 유래되며 비부비동에 발생하는 경우는 매우 드물다.

신경초종neurilemmoma은 주로 비강과 사골동 부위에 발생하나 익구개와에도 발생할 수 있으며 주로 단발성이고, 피막이 잘 형성되어 있고(그림 28-8, 28-9), 악성화되는 경우가 드물다. 출혈성 괴사나 낭성 변성 등의 퇴행성 변화를 잘 일으키고 신경을 압박해 동통을 유발하는 경우가 많은 편이다.

신경섬유종neurofibroma은 대부분 다발성 신경섬유종의 일부로서 발생하지만, 비부비동에 발생한 경우에는 거의 다 단일 병변으로 존재하며, 비부비동에 발생했을 때는 비강과 사골동의 동시 침범이 가장 흔하고 상악동, 접형동의 순으로 침범한다(Annio et al., 1991). 피막은 보통 없으며, 악성화되는 경우가 간혹 있고, 퇴행성 변화는 드물며 증상 없이 나타나는 경우가 많다. von Recklinghausen병과 동반되어 다발성으로 나타나기도 한다.

임상증상 및 징후는 침범하는 부위에 따라 다르며 지속적인 성장을 하면서 압력에 의해 주위 조직을 변형시키거나, 부비동 자연공을 막아서 이차적 증상을 일으킨다.

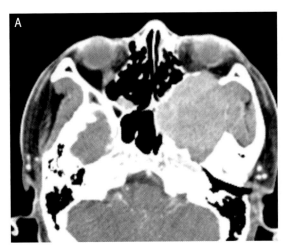
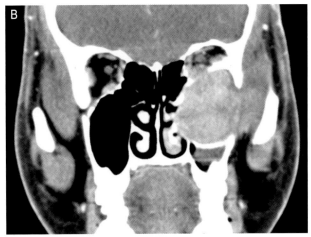

| 그림 28-8   익구개와 신경초종의 CT 소견

비교적 균질하게 조영 증강된 연조직의 종물이 축면영상(**A**)과 관상영상(**B**)에서 관찰된다.

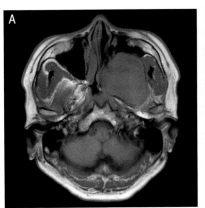
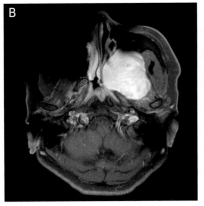
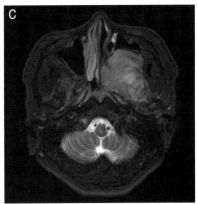

| 그림 28-9   익구개와 신경초종의 MRI 소견

T1 영상(**A**)에서 균질한 저신호강도와 T1 조영 증강 영상(**B**)에서 현저하게 조영 증강된 소견을 보이고 T2 영상(**C**)에서 불균질한 저신호강도를 보이는 종물이 관찰된다.

III | 골성 양성종양

1. 골종

골종osteoma은 비부비동에서 발생하는 가장 흔한 양성종양으로 약 95%가 전두사골 부위frontoethmoidal

region에서 발생하고 다음으로 상악동, 접형동 순으로 발생한다(Eller, 2006). 단순 촬영에서 발견되는 빈도는 0.25~1%이나(Vowles and Bleach, 1999), CT 촬영에서는 3%까지 보고된다(Naraghi and Kashifi, 2003; Osma et al., 2003).

발생 기전은 발달설, 외상설, 감염설로 크게 세 가지가 있으며, 조직학적으로는 치밀골형compact type, 해면골형spongiosum type, 혼합형mixed type으로 분류된다.

부비동 자연공과 떨어져 있는 경우에는 타 질환의 단순 촬영시 우연히 발견되는 수가 많고, 크기가 작을 때는 별다른 증상을 나타내지 않는다. 증상은 골종의 위치와 크기에 따라 다양하게 나타나는데 전두부 골종의 경우 환자의 약 60%가 지속적인 두통을 호소하며, 종양이 안구로 성장하면 복시, 유루, 얼굴 변형이 나타날 수 있고 종양이 두개 내로 성장하는 경우 경질막을 침범하여 수막염이나 기종pneumatocele, 뇌척수액 누출 등이 생길 수 있다. 또 종양이 부비동 자연공을 막으면 급성 혹은 만성 부비동염이나 점액낭종을 생성하는 경우가 발생하기도 한다.

내시경검사에서는 주로 병변이 깊이 위치해 있어 비강 내 소견은 정상으로 나오는 경우가 많으며, CT에서 우연히 발견되는 경우도 있다(그림 28-10).

골종은 천천히 자라는 병변이므로 일반적으로는 증상이 없는 한 경과 관찰하며, 증상이 있거나 주요 구조물 침범 소견이 있을 때는 수술적 완전 절제를 시행한다. 젊은 연령층에서는 완전히 제거하지 않을 경우 재발이 잘 되므로 유의하여야 한다. 특히 전두동에 발생한 골종의 경우 수술 시 경수막과 전두비관을 손상시킬 수 있으므로 세심한 주의가 필요하다.

2. 골화성 섬유종

골화성 섬유종ossifying fibroma은 경계가 뚜렷한 양성종양으로 국소적으로 주위 조직을 파괴하는 공격적인 성향이 있다. 약 75%가 하악골에서 발생하는데 하악골 이외에 발생하는 골화성 섬유종일수록 임상적으로 더 공격적이다.

조직학적으로 섬유성 이형성증fibrous dysplasia과 구별하기 어려우며, 아교질과 섬유모세포로 구성된 섬유기질

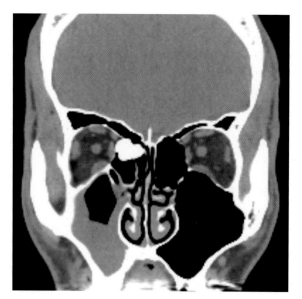

| 그림 28-10　골종의 CT 소견
우측 상악동의 점막부종을 동반환 환자에서 우측 사골동 부위에 골종이 관찰된다.

fibrous stroma 내에서 골모세포osteoblast 테두리를 가진 유골osteoid을 관찰할 수 있다(Tsai et al., 2003).

진단은 임상소견과 방사선학적 소견을 통해 하게 되며, 중심부가 방사선 투과성이고 달걀껍데기 같은 테두리를 가진 둥근 종괴로 나타난다(그림 28-11). 대개 무증상이며 크기가 커질 경우 안면의 변형으로 인해 발견되는 것이 보통이다. 일반적으로 여자에게 많고 20~30대 사이에 잘 발생한다. 치료는 증상이 있을 경우 수술적 완전 절제가 필요하다.

3. 섬유성 이형성증

섬유성 이형성증fibrous dysplasia은 정상적인 골조직이 아교질이나 섬유아세포 및 유골로 대치된 상태로 다양한 분포의 섬유조직과 해면골로 이루어져 있다.

발생부위에 따라 하나 이상의 뼈를 침범하는 다골

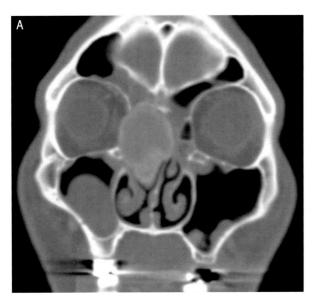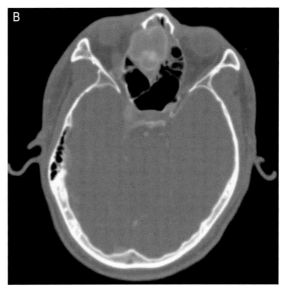

┃ 그림 28-11   골화성 섬유종의 CT 소견
중심부가 방사선 투과성이고 달걀껍데기 같은 테두리를 가진 둥근 종괴가 관상영상(**A**)과 축면영상(**B**)에서 나타난다.

성 섬유성 이형성증polyostotic fibrous dysplasia과 하나의 뼈에서만 발생하는 단골성 섬유성 이형성증monostotic fibrous dysplasia으로 구분된다. 다골성 섬유성 이형성증은 안면골과 두개골에 호발하고, McCune-Albright 증후군에서도 나타난다. 악성 변화는 매우 드문 편이나 다골성 섬유성 이형성증에서 0.5%, McCune-Albright 증후군에서 약 4%로 보고되고 있다(MacDonald-Jankowski, 2004). 단골성 섬유성 이형성증은 상악골과 하악골에 호발하며, 사춘기가 지나면서 뼈의 성장 종식과 함께 종괴의 발육도 정지한다. 병인에 대해서는 아직 확실히 밝혀진 바가 없으며, 발생 초기 간질에서 비롯된 일종의 과오종hamartoma으로 생각되고 있다. 유전은 되지 않으며 약 0.4%에서 육종변화가 일어날 수 있다.

CT 소견은 얇은 골막에 둘러싸인 간유리ground glass 모양으로 나타나며(**그림 28-12**), MRI에서는 T1 강조영상에서 중간정도, T2 강조영상에서 저강도 종물로 나타난다.

증상은 초기에는 특별한 것이 없으나 점차 커지면서 안면종창으로 인한 기형이 생기고, 그밖에 병적 골절, 뇌신경 마비, 두통, 비만증, 정신적 불안이 나타날 수 있다. 혈액 검사상 다골성 섬유성 이형성증의 경우 약 30%에서 alkaline phosphatase가 상승된다.

치료는 수술적 제거를 하는데, 병변이 상당히 진행되기까지 환자가 모르고 지내는 수가 많으므로, 완전한 수술적 제거가 불가능한 경우가 많다. 이러한 경우 수술은 부비동 폐쇄와 안면 기형의 교정에 초점을 맞추게 된다. 완전한 절제가 이루어지지 않은 경우에는 재발이 잦으므로 병변의 확장과 악성으로의 전환 유무를 확인하기 위해 정기적인 검진이 필요하다.

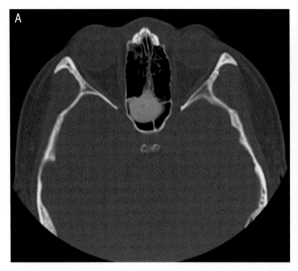 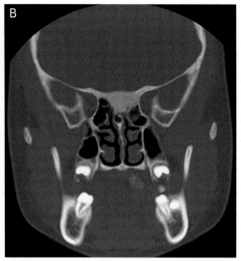

| 그림 28-12 섬유성 이형성증의 CT 소견
특징적인 간유리 모양의 종물이 축면영상(**A**)과 관상영상(**B**)의 접형동 부위에서 관찰된다.

참고문헌

1. 김나연, 최석민, 김중환, 오경균. 소엽성 모세관 혈관종(화농성 육아종). 한이인지 1994;37:1293-7.
2. 김상우, 정승규, 김효열, 동헌종. 반전성 유두종의 전산화 단층 촬영 소견. 한이인지 2004;47:983-7.
3. 노환중, 김기태, 이현순, 이상준, 전경명. 반전성 유두종의 수술접근 방법에 따른 임상적 분석. 한이인지 2004;47:645-9.
4. 노환중, 고의경, 왕수건, 전경명, 이상민. 유년성 혈관섬유종의 임상적 분석. 임상이비인후과 1998;9:83-9.
5. 문주환, 황동근, 김정수, 노호상, 이성은, 김상현 등. 성인에서 관찰되는 두경부 혈관종의 임상양상. 한이인지 2000;43:878-82.
6. 민양기, 김재희, 김이석. 비인강혈관섬유종의 임상적 고찰. 한이인지 1981;27:584-91.
7. 박영대, 윤빛나, 조규섭, 김용완, 노환중. 상악동에 발생한 반전성 유두종에서 종양 기원 부위에 따른 통합적 수술방법의 전략. 한이인지 2010;53:148-52.
8. Annio DJ, Domanowski GF, Vaugham CW. A rare cause of nasal obstruction:a solitary neurofibroma. Otolaryngol Head Neck Surg 1991;104:484-8.
9. Barry LW, James J, Sciubba. Pleomorphic adenoma of the nasal septum. Otolaryngol Head Neck Surg 1985;96:432-6.
10. Chang Y, Kim JH, Kim YJ. Inverted papilloma of the nose and paranasal sinuses:treatment outcomes of 76 cases. J Rhinol 1998;5:98-102.
11. Compagno J, Wong RT. Intranasal mixed tumors (pleomorphic Adenomas):a clinicopathologic study of the 40 cases. Am J Clin Path 1977;68:213-8.
12. Dammann F, Pereira P, Laniado M, Plinkert P, Lowenheim H,

Claussen CD. Inverted papilloma of the nasal cavity and the paranasal sinuses:using CT for primary diagnosis and follow-up. AJR Am J Roentgenol 1999;172:543-8.
13. Deguchi K, Fukuiwa T, Saito K, Kurono Y. Application of Cyberknife for the treatment of juvenile nasopharyngeal angiofibroma:a case report. Auris Nasus Larynx 2002;29:395-400.
14. Eller R SM. Common fibro-osseous lesions of the paranasal sinuses. Otolaryngol Clin North Am 2006;39:585-600.
15. el-Sayed Y, al-Serhani A. Lobular capillary hemangioma (pyogenic granuloma) of the nose. J Laryngol Otol 1997;111:941-5.
16. Gluckman JL, Barrord J. Nonsquamous cell tumors of the minor salivary glands. Otolaryngol Clin North Am 1986;19:497-505.
17. Kim DY, Hong SL, Lee CH, Jin HR, Kang JM, Lee BJ. Inverted papilloma of the nasal cavity and paranasal sinuses : A Korean multicenter study. Laryngoscope 2012;122:487-94.
18. Krouse JH. Endoscopic treatment of inverted papilloma : safety and efficacy. Am J Otolaryngol 2001;22:87-99.
19. Lance E, Schatz C, Nach R, Thomas P. Pyogenic granuloma gravidarum of nasal fossa:CT features. J Computer Assist Tomogr 1992;16:663-4.
20. Lawson W, Ho BT, Shaari CM, Biller HF. Inverted papilloma:a report of 112 cases. Laryngoscope 1995;105:252-8.
21. McAfee WJ, Morris CG, Amdur RJ, Werning JW, Mendenhall WM. Definitive radiotheraphy for juvenile nasopharyngeal angiofibroma. Am J Clin Oncol 2006;29:168-10.
22. MacDonald-Jankowski DS. Fibro-osseous lesions of the face and jaws. Clin Radiol 2004;59:11-25.
23. Mills SE, Cooper PH, Fechner RE. Lobular capillary hemangioma:The underlying lesion of pyogenic grnuloma. Am

J Surg Pathol 1980;4:471-9.

24. Myer CM 3rd, Gluckman JL. Hemangioma of the nasal septum. Ear Nose Throat J 1983;62:58-60.

25. Naraghi M, Kashifi A. Endonasal endoscopic resection of ethmoido-orbital osteoma compressing the optic nerve. Am J Otolaryngol 2003;24:408-12.

26. Neel HB, Whicker JH, Devine KD, Weiland LH. Juvenile angiofibroma. Review of 120 cases. Am J Surg 1973;126:547-56.

27. Nees Z, Szucs J, Racz T. Retrospective clinicopahtological study of juvenile nasopharyngeal angiofibroma un 20-year case load. Orv Hetil 1993;134:1695-8.

28. Osma U, Yaldiz M, Tekin M, Topcu I. Giant ethmoid osteoma with orbital extension presenting with epiphora. Rhinology 2003;41:122-4.

29. Paul WF, Bruce HH, Valerie JL, John KN, Mark AR, Kevin TR, et al. Cummings otolaryngology-head and neck surgery 6th ed. 2015;740-51.

30. Pitanguy I, Machado BH, Radwanski HN, Amorim NF. Surgical treatment of hemangiomas of the nose. Ann Plast Surg 1996;36:586-592;discussion 592-83.

31. Roche PH, Paris J, Regis J, Moulin G, Zanaret M, Thomassin JM, et al. Management of invasive juvenile nasopharyngeal angiofibromas: the role of a multimodality approach. Neurosurgery 2007;61:768-77.

32. Skolnik EM, Lowey A, Friedman JE. Inverted papilloma of the nasal cavity. Arch Otolaryngol 1966;84:61-7.

33. Tsai TL, Ho CY, Guo YC, Chen W, Lin CZ. Fibrous dysplasia of the ethmoid sinus. J Chin Med Assoc 2003;66:131-3.

34. Vowles RH, Bleach NR. Frontoethmoid osteoma. Am Otol Rhinol Laryngol 1999;108:522-4.

35. Waitz G, Wigand ME. Results of endoscopic sinus surgery for the treatment of inverted papillomas. Laryngoscope 1992;102:917-22.

36. Waldman SR, Levine HL, Astor F, Wood BG, Weinstein M, Tucker HM. Surgical experience with nasopharyngeal angiofibroma. Arch Otolaryngol 1981;107:677-82.

37. Wenig BL, Sciubba JJ, Cohen A, Abramson AL. Nasal septal hemangioma. Otolaryngo Head Neck Surg 1985;93:436-41.

CHAPTER

29

비강과 부비동의 악성종양 I

서울의대 이비인후과 **김현직**, 울산의대 이비인후과학교실 **유명상**

> **CONTENTS**

Ⅰ. 병태생리

Ⅱ. 진단

Ⅲ. 치료

Ⅳ. 분류

HIGHLIGHTS〉〉〉

- 상피성 종양이 비부비동 종양 중 가장 흔하며 상피성 종양 중에서 상악동과 비강에서 발생하는 편평세포암이 가장 흔함. 성인에서는 편평세포암이 가장 흔하지만, 소아의 경우 횡문근육종이 가장 흔함

- 비부비동암을 일으키는 위험인자는 복잡하고 다인성을 가지며 직업력이나 직업환경, 방사선의 노출력, 인간유두종 바이러스, 엡스타인바바이러스 등과 연관성이 있다고 알려져 있음

- 비부비동 악성종양에서 림프절 전이는 위치에 따라 안면, 이하부, 인후두림프절, 상부 심경부 림프절로 진행되며 임상적으로 경부 림프절 전이가 없는 경우 예방적 경부절제술은 추천되지 않음

- 비부비동 악성종양에서 수술 단독 치료는 하부 비강이나 비중격, 상악동을 침범하는 T1이나 T2 병기를 갖는 초기 저악성도 암에서 고려해 볼 수 있고 더 진행된 병변일 경우 방사선치료나 항암요법과 같은 보조 치료가 대부분 필요함

- 부비동 악성종양의 예후에는 원발부위와 조직병리 유형이 중요하며 양성 절제연, 두개 내 침범, 안구 침범, 익구개와 침범 등은 나쁜 예후와 관련이 있음

- 비부비동의 악성 흑색종은 비중격에 호발하며 조기에 혈행성 또는 림프절 침범을 하는 경향이 있으므로 진단할 때 이미 전이를 보이는 경우가 많고 수술 후에도 국소재발이 매우 흔함. 예후는 피부에 발생한 것에 비해 불량함

- 후각신경모세포종은 후각점막에서 발생하는 악성종양으로 면역조직화학검사로 확진하며 최근 항암화학요법, 수술, 방사선 치료를 병행한 다병용치료를 통해 5년 생존율이 꾸준히 증가하고 있음

- 비강과 부비동의 육종은 드물며, 위험요소로는 방사선 조사의 과거력, dioxin, polyvinyl chloride, alkylating agent 등 화학물질 노출력이다. 전체적으로 예후는 불량하며, 조직형, 악성분화도, 종물의 크기와 침범범위, 외과적 절제범위 등이 예후와 관련된 인자들임

- 비부비동에서 발생하는 비호지킨 림프절 외 림프종 중 한국은 자연세포독성 T세포 림프종이 가장 흔하며 비강, 구개, 부비동, 편도, 비인강 등에 호발함. 초기에는 비폐색과 악취성, 농성, 혈성 비루, 그리고 가피 형성 등으로 시작하여 조직파괴가 나타나며 치료는 방사선치료와 항암화학요법을 병행하여 생존율을 높이는 경향임

Ⅰ | 병태생리

1. 서론

비강과 부비동은 해부학적으로 복잡하며 안구와 뇌 등 주변에 중요한 구조물이 많아 수술과 수술 후 관리가 어렵고 수술 후에도 외적인 변형을 가져오기 쉬운 구조물이다. 그리고 해부학적으로 넓은 부위를 차지하고 있지는 않으나 조직학적으로는 다양한 종류의 종양이 발생할 수 있는 부위이다. 비부비동에서 발생한 악성종양은 원인, 역학, 임상적 유전적 특징 등이 후두나 인두, 구강에서 생기는 다른 두경부 종양과는 큰 차이가 있다. 따라서 비부비동 종양은 기타 두경부 종양과는 다른 특수

한 종양으로 이해되어야 한다. 최근 들어 비부비동 악성종양의 진단에 있어서 새로운 영상기법들이 소개되고 있고, 치료에 있어서도 새로운 방사선치료 기법이나 내시경수술이 널리 시행되는 등 많은 변화가 있어왔다.

2. 역학 및 원인

1) 역학

비강 및 부비동에서 발생하는 악성종양은 전신에서 발생하는 악성종양의 0.1~0.8%, 상부기도 및 소화관에서 발생하는 악성종양의 3%를 차지하는 비교적 드문 질환이다(Dulguerov et al., 2006; Muir et al., 1980). 상피성 종양이 비부비동에서 발생하는 종양 중에서 가장 흔하여 전체 비부비동 종양의 80% 이상을 차지하고 있다(Turner et al., 2012). 상피성 종양 중에서는 편평세포암squamous cell carcinoma이 가장 흔하고 주로 상악동과 비강에서 발생하며 선암adenocarcinoma은 대부분 사골동에서 발생한다. 성인에서는 편평세포암이 가장 흔하지만, 소아의 경우 횡문근육종rhabdomyosarcoma이 가장 흔한 비부비동 악성종양이다(Gotte et al., 2004; Harbo et al., 1997; Svane-Knudsen et al., 1998; Tufano et al., 1999). 이 밖에 유방이나 콩팥, 전립선 등에서 원발한 악성종양이 비강이나 부비동으로 전이되어 나타나는 경우도 있다(Austin et al., 1995; Puche-Sanz et al., 2012; Shome et al., 2007; Nicolai et al., 2011)(표 29-1, 29-2). 발생 부위는 상악동(50~70%)에서 주로 발생하고, 이외 비강(15~30%)이나 사골동(10~20%)에서 발생하며 접형동, 전두동 및 비전정에 발생하는 경우는 매우 드문 것으로 알려져 있다(Gotte et al., 2004). 발생 연령은 대부분 45세 이상에서 발생하나 30대에서 발생하기도 한다. 여자에 비해 남자에게서 2배 정도 더 호발하는 것으로 알려져

있으며 이는 환경이나 직업적인 요인과 관련이 있을 것으로 생각된다(Alvarez et al., 1995; Mann et al., 1983). 비부비동 악성종양은 미국 등 서구보다 동양이나 아프리카에서 많이 발생한다. 국내 통계에 의하면 비부비동 악성종양은 전체 암 발생의 0.1%를 차지하였고, 인구 10만 명당 발생률은 0.6건이었다. 남녀의 성비는 2:1로 남자에게서 더 많이 발생하였고 연령대별로는 70대가 25.6%로 가장 많고, 50대가 23.3%, 60대가 17.8%의 순이었다(보건복지부 중앙암등록본부 2014년 발표 자료).

2) 원인

비부비동암을 일으키는 위험인자는 단일 원인보다 매우 복잡하고 다인성이라 할 수 있다. 비강과 부비동에서 발생한 편평세포암과 선암은 니켈, 겨자 가스, 토로트라스트thorotrast, 이소프로필isopropyl oil, 크롬, 직물분진, 석면, 포름알데하이드 등에 노출되는 것과 관련 있음이 잘 알려져 있다(Luce et al., 2002; Lund et al., 2007; Roush et al., 1979). 특히 나무분진에 노출되는 것은 편평세포암과 선암의 발생위험을 각각 21배와 500배 이상 높이는 것으로 보고되었다(Klintenberg et al. 1984). 이러한 위험인자들은 가구나 신발, 가죽, 직물 등을 제조하는 공장에서 흔하게 노출될 수 있으므로 비부비동 악성종양이 의심되는 환자에게는 이와 관련된 직업력이나 작업환경 등을 확인하여야 한다. 이밖에 방사선은 비부비동을 포함한 두경부에서 발생하는 육종sarcoma의 중요한 위험인자이기도 하다(Patel et al., 1992). 최근에는 인간유두종 바이러스human papilloma virus, HPV와 엡스타인바바이러스Epstein-Barr Virus, EBV 감염이 부비동에서 발생한 반전성 유두종이 편평세포암으로 악성화하는 초기 단계에 관여하는 것으로 보고되었다(Syrjanen et al., 2003). 구인두에서 발생한 HPV연관 편평세포암과 마찬가지로, 비

| 표 29-1   부비동 악성종양의 WHO 분류

상피성 악성종양(Epithelial malignancies)
편평세포암(Squamous cell carcinoma)
림프상피암(Lymphoepithelial carcinoma)
미분화함(Sinonasal undifferentiated carcinoma)
선암(Adenocarcinoma)
　장형 선암(Intestinal-type adenocarcinoma)
　비장형 선암(Non-intestinal-type adenocarcinoma)
Salivary gland-type carcinomas
　선양낭성암(Adenoid cystic carcinoma)
　세엽세포암종(Acinic cell carcinoma)
　점액표피양 암종(Mucoepidermoid carcinoma)
　상피 근상피세포암종(Epithelial-myoepithelial carcinoma)
　비특이 투명세포암종(Clear cell carcinoma not otherwise specified)
　근상피세포암종(Myoepithelial carcinoma)
　다형선종유래암종(Carcinoma ex pleomorphic adenoma)
　다형성 저등급선암종(Polymorphous low-grade adenocarcinoma)
신경내분비종(Neuroendocrine tumors)

연조직 육종(Soft tissue malignancies)
섬유육종(Fibrosarcoma)
악성섬유조직구종(Malignant fibrous histiocytoma)
평활근육종(Leiomyosarcoma)
횡문근육종(Rhabdomyosarcoma)
맥관육종(Angiosarcoma)
악성말초신경초종양(Malignant peripheral nerve sheath tumor)

결합조직 육종(Connective tissue malignancies)
연골육종(Chondrosarcoma)
중간엽연골육종(Mesenchymal chondrosarcoma)
골육종(Osteosarcoma)
척삭종(Chordoma)

혈액림프계 악성종양(Hematolymphoid malignancies)
NK/T세포림프종(Extranodal natural killer/T-cell lymphoma)
광범위큰B세포림프종(Diffuse large B-cell lymphoma)
골수외 형질세포종(Extramedullary plasmacytoma)
골수성 육종(Extramedullary myeloid sarcoma)
랑게르한스 세포 조직구증(Langerhans cell histiocytosis)

신경외배엽 악성종양(Neuroectodermal malignancies)
유잉 육종(Ewing sarcoma)
원시성신경외배엽종양(Primitive neuroectodermal tumor)
후각신경아세포종(Olfactory neuroblastoma)
점막 악성흑색종(Mucosal malignant melanoma)

생식세포 악성종양(Germ cell malignancies)
악성 전이성 기형종(Teratoma with malignant transformation)
기형 암육종(Sinonasal teratocarcinosarcoma)

전이암(Metastatic carcinoma)

| 표 29-2   주요 비부비동 악성종양

조직 아형	전체 부비동 암에서 비율 (%)	5년 생존율 (%)
편평세포암	50	50
장형 선암	13	60
점막 흑색종	7	35
후각신경아세포종	7	70
선양낭성암	7	70
미분화암	3	35
기타	13	

부비동 종양에서도 HPV양성인 환자에서 치료 예후가 보다 좋은 것으로 알려져 있다(Alos et al., 2009). 일반적으로 흡연과 음주는 두경부암의 가장 흔한 위험인자로 알려져 있으나 비부비동 악성종양에서는 아직 명확한 상관관계가 밝혀지지는 않았다(Banuchi et al., 2015).

3. 비부비동 해부 및 종양의 진행경로

비강 및 부비동은 주로 얇은 뼈로 이루어진 구조물로 안구, 두개저, 안면부, 구개부 등 주변 구조물과 밀접하게 관련되어 있다. 부비동에서 발생한 악성종양은 자연공을 통하거나 종괴 자체의 압박에 의한 괴사, 직접적인 골 파괴 등을 통해 주변으로 진행할 수도 있다. 비부비동 악성종양 환자에서 적절한 검사와 치료를 위해서는 부비동과 주위 구조물과의 해부학적 관계와 비부비동에서 발생한 종양의 진행 양상을 이해하는 것이 필수적이라 하겠다(그림 29-1).

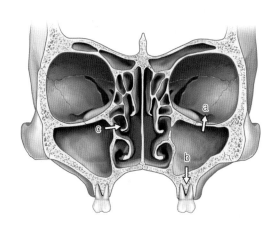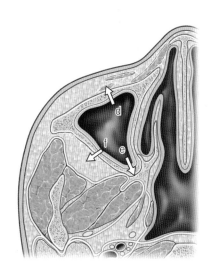

| 그림 29-1   비부비동 악성종양의 진행경로
a: 상방, b: 하방, c: 내측방, d: 전방, e: 후방, f: 외측방

1) 비강

사골동의 사판cribriform plate이 비강의 상부를 구성하며, 후각 신경 가지들이 사판의 구멍들을 통하여 비강 내부로 들어온다. 비강 종양은 이 구멍들을 통과하거나 신경조직을 따라 전두개와anterior cranial fossa로 파급될 수 있다.

 비강의 측벽은 상악동의 내벽과 사골동, 비갑개, 누골lacrimal bone과 내측익돌판medial pterygoid plate에 의해 구성된다. 비강에서 발생한 종양이 측면으로 진행하면 상악동, 사골동 그리고 지판lamina papyracea을 통해 안구까지 침범할 수 있다. 비강의 하부는 구강의 경구개hard palate로 이루어지며 종양이 하부쪽으로 진행하면 경구개를 침범하면서 구강에서 여러 증상을 유발할 수 있다. 그리고 비강은 전방으로는 외비공nares을 통해 외부와 후방으로는 후비공choana을 통해 비인두nasopharynx와 통하고 있다. 이관Eustachian tube이 후비공의 하측부에 개구하고 있으므로 비강 종양이 후방으로 진행하면 비

인두 및 이관 입구까지 침범할 수 있다.

2) 상악동

상악동은 내측으로는 비강, 상부로는 안와 및 사골동 일부, 하부로는 상악골의 치조돌기alveolar process, 전방으로는 안면 연조직, 후방으로는 익돌판pterygoid plate, 익구개와pterygopalatine fossa, 측두하와infratemporal fossa와 접해 있다. 상악동 악성종양 중에서 악성도가 낮은 종양은 우선 상악동 내부를 채운 다음, 주변의 골경계를 재형성remodeling시키면서 주위로 커져나가나, 악성도가 높은 종양은 직접 골파괴를 일으키면서 조기에 상악동을 넘어 구강, 협부, 안와, 비강과 같은 주변 구조물로 진행할 수 있다. 후방으로 진행 시에는 익구개와와 측두하와까지 침범하기도 한다. 이 부위들은 직접 전파나 혈행성 전파를 통해 상악동 악성종양이 두개 내로 전파되는 경로가 될 수 있다.

3) 사골동

사골동은 부비동 중에서도 가장 다양한 형태를 가지고 있다. 상부로는 전두개와frontal recess 바로 아래 위치하고, 외측으로는 지판을 통해 안와의 내벽과 근접하고 있으며 아래쪽으로 상악동의 상벽까지 닿아있기도 한다. 비강의 측벽과 중비갑개가 사골동의 내측 경계를 이루고 있다. 사골동의 상방에서 발생한 종양의 경우 사골와 fovea ethmoidalis 및 사판을 통해 쉽게 두개 내로 진행할 수 있다. 그리고 외측방의 지판은 매우 얇기 때문에 사골동 종양이 비교적 쉽게 안구 내로 전파되는 경로가 될 수 있다. 안와골막periorbita은 종양의 침범에 비교적 강하므로 종양이 초기에 안구실질 내로 진행하는 것을 억제하는 역할을 하기도 한다.

4) 접형동

접형동은 머리의 중앙에서 안장sella turcica의 전하방에 위치한다. 상부에는 시신경과 뇌하수체, 전방으로는 후사골동, 하방으로는 익돌관 신경vidian nerve, 비인두, 측방으로는 내경동맥과 해면정맥동cavernous sinus이 위치한다. 일반적으로 접형동은 해부학적 위치나 크기, 모양 등이 개인마다 차이가 크므로 이 부위를 침범하는 종양을 수술할 때에는 세심한 주의가 필요하다. 접형동의 골벽이 부분적으로 결손되어 시신경이나 내경동맥 일부가 접형동 내부로 직접 노출되어 있는 경우도 있다. 접협동 종양이 측방으로 진행하면 해면정맥동과 중두개와 middle cranial fossa를 침범하며, 전하방으로는 비인두로 진행할 수 있다.

5) 전두동

전두동은 부비동 중에서 악성종양의 발생이 가장 드물다. 개인마다 크기나 형태가 매우 다양하며 전방으로는 이마의 두피, 후방으로는 전두개와, 하방으로는 사골동 및 안와와 접하고 있다. 전방으로 진행하여 이마부위 피부를 침범하거나 후방으로 진행하면 전두개와, 하방으로는 사골동이나 안구 내로 진행할 수 있다.

6) 림프계

비부비동 악성종양은 발생부위에 따라 림프절 전이가 다르게 나타날 수 있다. 비전정 및 전비강에서 발생한 종양은 안면, 이하부, level I 림프절을 통해 심경부의 림프절superior deep cervical node로 전이되며, 후비강 및 부비동은 인후두림프절retropharyngeal node을 경유하여 상부 심경부 림프절로 전이된다.

부비동 악성종양에서 경부림프절 전이가 동반되는 경우는 상악동에서 3~20%로 드문 편이다(Shah et al., 2012). 따라서 임상적으로 경부림프절 전이가 없는 비부비동 악성종양에서 예방적 경부절제술은 일반적으로 추천되지 않는다. 하지만 상악동 기저부에서 발생한 악성종양이나 미분화암에서는 림프절 전이가 보다 흔하게 나타날 수 있으므로 주의하여야 한다(Tiwari et al., 2000).

4. 증상 및 이학적 소견

부비동에서 발생한 악성종양의 경우 초기에는 환자가 호소하는 증상이 없거나 비내시경검사에서도 특이 소견이 없는 경우가 있어 진단이 어려울 수 있다. 부비동 악성종양 환자들이 초기에 편측에 국한된 증상을 호소할 수 있지만 편측성 증상을 보이는 환자들에서도 실제 임상에서는 부비동염과 같은 염증성 질환이 원인인 경우가 많다. 진균 또는 세균성 감염이나 외상에 의한 이차 감염, 이물질, 그밖에 치성 종양이나 임플란트와 같은 치과 치료 후 발생한 부비동염 등과도 감별이 필요하다. 이밖에 비부비동 악성종양과 감별해야 하는 양성 질환들로는 비용nasal polyps, 낭종cyst, 반전성유두종inverted papillomas, 뇌류encephalocele, 섬유종fibroma, 비인두혈관섬유종juvenile nasopharyngeal angiofibroma 등이 있다. 이러한 양성 질환들은 때때로 악성종양과 구별이 어려운 경우가 있으므로 비부비동에서 악성종양을 초기에 진단하기 위해서는 무엇보다 임상적으로 의심하는 것이 가장 중요하다. 50세 이상이거나 증상이나 이학적 소견이 서서히 진행하는 경우, 그리고 이전 부비동염의 병력이 없는 경우에는 보다 적극적으로 추가적인 검사를 시행하는 것이 바람직하다.

비부비동 악성종양 환자들이 내원 당시 호소하는 증상들은 코막힘이 가장 흔하며 그 다음으로 국소통증, 비출혈, 안부종창, 비루, 유루증epiphora, 경구개 병변, 복시diplopia, 협부 감각이상, 시력저하, 경부종물, 안구돌출proptosis, 그리고 개구장애trismus 순으로 증상을 호소할 수 있다(Jackson et al., 1977). 많은 증상들이 비특이적이어서 종양을 의심하기 어려운 경우가 많은 반면, 어떤 증상들은 특징적이어서 종양의 크기와 진행 정도를 잘 보여줄 수도 있으므로 환자들이 호소하는 증상들을 주의 깊게 확인하여야 한다.

1) 비강

편측의 비폐색이나 비루를 호소하는 경우 항상 종양에 의한 가능성을 염두에 두어야 한다. 비루의 경우 점액성, 농성, 장액성 등 다양하게 나타날 수 있는데 이는 종양 자체에서 분비되거나 이차적인 부비동염에 의해 발생할 수 있다. 뇌척수액의 유출에 의한 비루는 종양의 두개 내로의 침범을 시사하며, 잦은 비출혈이 있을 때는 혈관성 종양이나 혈관 침범을 의심해야 한다.

비강에서 발생하거나 부비동에서 발생한 악성종양이 비강 내로 진행했을 때에는 비강내시경을 통해 종물을 직접 확인할 수 있다. 비강 내 종물은 표면이 괴사되어 있거나 가피가 형성되어 있는 경우가 많으나 병변의 진행 정도와 조직학적 유형에 따라 괴사 없이 매끈한 표면을 보이기도 한다. 상악동에서 발생한 종양의 경우 초기에는 비강 내 종물 소견보다는 상악동의 내측벽이 비강 내로 돌출되어 보이거나 이차적인 부비동염으로 인해 일측 자연공에서 농성 분비물이 관찰되기도 한다(그림 29-2). 비강 내 종양이 비용종과 동반되어 있는 경우 단순 비용종으로 오인할 수 있으므로 비용종이라도 편측에만 존재 시에는 세심한 주의가 필요하다. 편측에 국한된 종물의 경우에는 항상 종양의 가능성을 의심하고 조직검사나 영상학적 검사를 통해 확인하여야 한다.

2) 안와

안증상은 종양의 침범 정도에 따라 다양하게 나타날 수 있다. 비부비동 종양이 안구를 직접 침범할 경우, 안와 주위의 부종, 복시, 안구돌출, 시력감소 등의 증상이 나타난다. 종양이 두개 내로 진행하여 해면정맥동이나 시신경을 침범할 경우 시력감소와 외안근extraocular muscle의 마비가 동시에 발생할 수 있다. 종양이 접형동을 침범한 경우에는 안구 후방의 둔탁한 통증을 유발하며, 누관lacrimal duct을 침범할 경우에는 유루증이 나타날 수 있다. 종양이 안구를 침범할 때 안와륜orbital rim을 따라 진행하는 경우가 있으므로 안구침범이 의심될 때에는 안와륜을 꼼꼼히 촉진하여야 한다. 안구적출을 고려 시

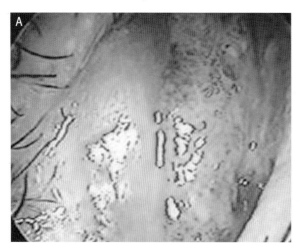
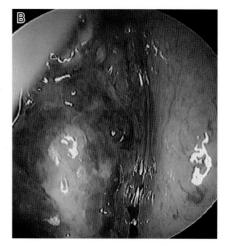

| 그림 29-2   우측 상악동에서 발생하여 우측 비강으로 진행한 편평세포암(A)과 뇌기저부에서 발생하여 사골동 및 좌측 비강으로 진행한 후각신경아세포종 (B)의 비내시경 소견

에는 정상측 시력을 미리 확인해 두어야 한다.

3) 안면

비부비동 악성종양은 외비나 협부의 부종을 유발하거나 삼차신경trigeminal nerve을 침범하여 안면의 통증이나 이상감각을 유발할 수 있다. 안와하신경infraorbital nerve 지배부위의 통증이나 이상감각이 있을 경우에는 상악동의 전벽이나 상벽을 침범한 종양임을 시사하며, 상악신경maxillary nerve 전 영역에서 이상감각을 보일 경우에는 두개저 침범을 의심할 수 있다.

4) 구강

상악동 종양이 하방으로 진행할 경우 경구개가 구강 내로 돌출되거나 경구개 점막에 궤양이나 종물이 직접 관찰되기도 한다. 특별한 원인 없이 치아가 흔들리거나 상부치조릉upper alveolar ridge이 확장된 소견을 보일 경우

상악동 종양이 경구개나 치조릉을 침범한 초기 증상일 수 있다. 발치 후에 구강상악동루oroantral fistula가 지속되는 경우에도 상악동 종양을 의심하여야 한다. 개구장애가 발생했을 때는 악성종양이 익돌근이나 하악신경까지 침범했음을 시사한다.

5) 비인두

종양이 비인두를 침범할 경우 이관을 막아 삼출성 중이염이나 청력저하 소견을 보일 수 있다. 따라서 비강이나 상악동 종양 환자에서는 비내시경을 통해 비인두를 함께 확인하여야 한다.

6) 두개저

전두개저까지 진행한 종양의 경우, 비강 상부, 안구, 부비동을 침범하여 비폐색, 비루, 비출혈, 후각장애, 시력저하, 안구돌출 등 다양한 증상이 나타날 수 있다. 중두

개저까지 진행하게 되면, 안와의 첨부, 비인두, 하측두와를 침범하면서 여러 증상과 징후를 나타내게 된다. 이 경우, 제3, 4, 6번 뇌신경의 침범을 통한 안구의 운동이상이나 제5번 뇌신경의 침범에 의한 안면의 감각이상이나 저작기능의 장애 등이 나타날 수 있다.

7) 경부

비부비동 악성종양의 경우 주로 인두후림프절을 걸쳐 상부 심경부 림프절로 전이된다. 인두후림프절은 촉진할 수 없는 부위이므로 침범여부를 확인하기 위해서는 영상학적 검사가 필요하지만 경부림프절에 전이된 경우에는 촉진을 통해 우선 확인해 볼 수 있다. 특히 구강 내로 진행된 부비동 악성종양에서는 경부전이 확률이 높아지므로 유의하여야 한다. 이밖에 이차암secondary malignancy이 동반되는 경우도 있으므로 이학적 검사 시에는 두경부 전 영역을 세밀하게 검사하여야 한다.

II | 진단

1. 임상병리 검사

전혈구 계산complete blood count과 적혈구 침강률erythrocyte sedimentation rate을 시행하여 부비동 염증성 질환의 동반 유무를 추정할 수 있다. 비강 내에 종물이나 가피가 형성되어 있는 경우에는 Wegener 육아종증Wegener's granulamatosis과 감별하기 위해 ANCAantineutrophil cytoplasmic antibody 검사를 시행하기도 한다. 다른 두경부암과 마찬가지로 비부비동암에서도 원격 전이여부를 평가하는 데 도움을 받기 위해 간효소 수치를 평가할 수도 있다.

2. 조직 생검

조직검사는 대부분의 비부비동 종물에서 치료 전에 시행하여야 할 필수적인 검사이다. 일반적으로 비강 내 종물의 경우 국소마취하에 외래에서 조직검사를 시행하는 경우가 많으나, 뇌류나 혈관성 종양이 의심될 경우에는 뇌척수액유출이나 심한 출혈의 가능성이 있으므로 조직검사 전에 영상검사를 통해 종물의 성상을 먼저 확인하는 것이 좋다. 특히 혈관성 종양이 의심될 경우에는 외래보다는 수술장에서 출혈에 대비한 상태에서 조직검사를 시행하는 것이 바람직하다. 환자에게 valsalva법을 시켰을 때 종양이 비강 내로 돌출되는 소견을 보일 경우에는 종양이 두개 내 또는 대혈관과 연관될 수 있음을 시사한다.

만약 종양이 부비동에 국한되어 존재하여 비강을 통한 직접적인 조직채취가 힘들 경우에는 해당 부위를 시험적으로 개방하여 조직을 채취하는 것을 고려해야 한다. 이때 조직검사로 인해 수술부위가 오염되거나 추후 완전절제에 방해가 되지 않도록 주의하여야 한다. 비내시경을 이용한 상악동절개술endoscopic maxillary antrostomy이나 접형동절개술sphenoidotomy은 병변의 불필요한 손상 없이 비교적 안전하게 자연공을 통하여 부비동 내의 병변으로 접근할 수 있다. Caldwell-Luc 절개를 통한 조직채취는 협부 연부조직을 오염시키거나 나중에 병변의 완전절제를 어렵게 할 수 있으므로 유의해야 한다. 이밖에 접형동 주변이나 상악동 후공간 등 접근하기 어려운 병변에서는 초음파나 CT를 이용한 세침검사를 고려해볼 수 있다.

영상검사 이전에 조직검사를 시행할 경우에는 조직

채취에 따른 영상의 변형을 최소화하기 위해 가능한 적은 양의 조직을 채취하는 것이 바람직하다. 이것이 힘들 경우에는 조직검사 전에 먼저 영상학적 검사를 시행하여 종양의 발생 부위와 분포 양상 등을 미리 확인하는 것이 좋다.

3. 영상진단

비부비동 악성종양의 진단에서 영상검사는 악성종양의 진행 범위를 정확히 파악하는 데 필수적인 검사이다. 비강과 부비동에서 흔히 시행되는 영상진단 검사에는 단순촬영x-ray, 전산화단층촬영CT, 자기공명영상촬영MRI, 혈관조영술angiography, 양전자방출단층촬영positron emission tomography, PET 등이 있으며 각각의 특성을 이해하고 이에 따라 필요한 검사를 단계적으로 시행하여야 한다.

비부비동의 영상학적 진단에서 기본 원칙은 양성종양은 주변 골조직을 재형성 또는 비후시키지만, 악성종양은 주변 골조직을 파괴하면서 성장한다는 것이다. 하지만 부비동 육종, 소타액선암, 골수외형질세포종, 대세포림프종, 후각신경아세포종, 혈관주위세포종hemangio-pericytomas과 같이 주변 골조직을 파괴하기보다는 재형성시키며 진행하는 악성종양도 있으므로 유의해야 한다 (Heidi et al., 2012).

1) 부비동 단순촬영 X-ray

비부비동 종양환자에서 단순비부비동 x-ray는 비부비동에서 발생한 종양을 진단하거나 종양의 범위를 파악하는 데에는 한계가 있다. 하지만 쉽게 시행할 수 있으며 편측성이거나 골침범 소견이 있을 때는 우선적으로 감별할 수 있는 방법이 될 수 있다. 편측에 국한된 혼탁음영 opacification, 종괴효과로 인한 상악동의 확장, 골파괴 등의 소견이 나타날 수 있다. 그러나 초기 악성종양의 경우 골조직의 변화가 크지 않아 단순촬영 상에서 정상으로 보일 수 있고, 양성 질환이나 염증성 질환과도 구분이 어려울 수 있으므로 주의하여야 한다. 부비동 X-ray 상에서 일측성 병변을 보이거나 일반적인 내과 치료에 반응하지 않을 경우에는 항상 악성종양의 가능성을 의심하고 CT나 MRI 같은 추가 검사를 시행하여야 한다.

2) 전산화단층촬영

CT는 골피질미란이나 골 파괴, 비후, 경화 그리고 골 재형성 같은 골조직의 변화들을 평가하는데 가장 우수한 영상검사로 비강이나 부비동의 악성종양이 의심되면 바로 시행하여야 하는 기본적인 검사라 할 수 있다. 부비동염 같은 염증성질환의 유무와 범위를 확인하기 위해서는 조영제 사용 없이 저용량의 방사선조사(20~40 mAs)만으로 충분하지만, 종양의 병기를 결정하거나 치료 전 종양의 정확한 크기와 범위를 확인하기 위해서는 보다 고용량의 방사선량(>50 mAs)과 조영제 사용이 필수적이다. 비부비동 종양환자의 CT에서 주의 깊게 관찰해야 하는 부위는 안와벽bony orbital walls, 사판, 사골와, 상악동후벽, 익구개와, 익돌판, 접형동, 그리고 전두동후벽 등이다.

CT는 비부비동 종양에서 양성과 악성을 구분하는 데 도움이 되며, 수술 전 계획과 수술 후 방사선치료 여부를 결정하는 데에도 필요하다. 비부비동 악성종양을 진단하는 데 있어 CT는 많은 장점을 가지고 있다. 첫째, 비강과 부비동은 경구개를 제외하고는 골조직에 골수성분이 많지 않으므로 골조직의 변화를 분석하는 데 MRI보다 효과적이다(Maroldi et al., 2012). 둘째, CT는 종양

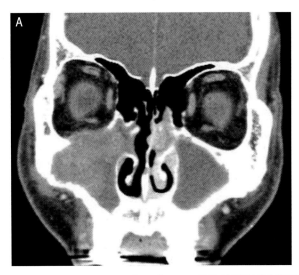 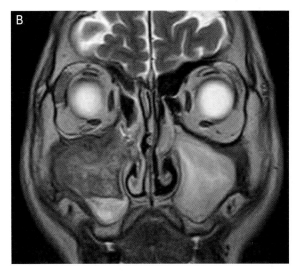

| 그림 29-3   우측 상악동 편평세포암 환자의 CT(**A**)와 MRI T2영상(**B**) 소견
CT 상에서는 우측 상악동에 불규칙하게 조영증강되는 종물이 안와하벽과 측면 상악골을 파괴하는 소견을 보이며 좌측 상악동에는 부비동염 소견을 보인다. 우측 상악동에서 종양과 이차적인 부비동염은 MRI의 T2강조영상에서 보다 확실하게 구분할 수 있다.

내부의 석회화나 연골, 골조직을 발견하는 데 효과적이므로 여러 종양들을 감별하는 데 도움을 줄 수 있다. 예를 들어, 후각신경아세포종은 CT상 종양 내에 석회화 침착물이 보이는 경우가 많으며, 연골육종이나 골육종은 종양 내에 각각 연골이나 골조직을 포함하고 있어 CT가 진단에 도움이 될 수 있다. 셋째, CT는 MRI에 비해 검사시간이 빠르고 검사 비용이 저렴하며 폐쇄공포증이 있는 환자들에게도 쉽게 사용할 수 있다. 이밖에 최근 널리 사용되는 다중채널 CTmulti-detector CT는 촬영 후 영상을 재구성하여 원하는 입체적인 삼차원3D 영상을 자유롭게 얻을 수 있고 비부비동 암환자에서 수술 후 생길 수 있는 안면부 결손의 재건을 계획하는 데 사용될 수 있다.

이러한 장점에도 불구하고 CT는 치아에 금속성 보철물이 있는 경우 영상이 왜곡되거나 영상의 질이 부정확해질 수 있는 단점이 있다. 이러한 경우에는 축상면이 관상면보다는 인공음영dental filling artifact을 줄이는 데 효과적이다. 또한 골변화를 정확하게 평가하기 위해서

가능한 1 mm 이하의 절편두께를 갖는 영상을 얻는 것이 바람직하다. 그리고 비강이나 부비동의 이차적인 염증이나 점막부종이 CT상에서 종양 자체와 구분이 어려운 경우가 있을 수 있음을 항상 유의해야 한다(Fatterpekar et al., 2008)(그림 29-3).

3) 자기공명영상

자기공명영상은 조영제 없이도 CT에 비해 체내 연부조직의 대조도가 뛰어나며 종양의 연조직 침범여부를 확인하고 종양과 부비동 내의 분비물, 염증성 점막 부종을 감별하는 데 유용하다. 그리고 치아와 보철의 영향을 덜 받는 장점이 있다. 비부비동 악성종양에서 두개 내 파급, 두개저 골수로의 침윤, 신경조직을 따라 파급되는 병변을 확인하기 위해서는 CT만으로는 한계가 있으며 MRI 검사가 필요한 경우가 많다. 따라서 MRI는 CT와 상호 보완적인 영상검사라 할 수 있다.

비부비동 종양환자에서 시행하는 MRI는 기본적으로 T2 강조영상과 조영증강 전후의 T1강조영상으로 얻은 축상면과 관상면 영상으로 이루어진다. 그리고 고신호 강도를 보이는 지방조직의 신호강도를 억제하여 병변의 대조도를 높이는 지방소거fat saturation T1영상도 흔하게 사용된다. 일반적으로 T1영상에서 지방조직은 밝게 보이며(고신호 강도) 물 성분이 많을수록 T1영상에서는 어둡게(저신호 강도) T2영상에서는 밝게 나타난다.

MRI의 이런 특성 때문에 대부분의 비부비동 종양은 T1영상에서는 저신호 강도나 중등도의 신호강도를 나타내고 T2영상에서는 중등도의 신호강도를 나타내게 된다. 하지만 일부 타액선 종양이나 신경초종, 반전성유두종 등은 수분 함량이 높아 T2영상에서 고신호 강도를 보일 수 있다.

MRI에서 비부비동 악성종양을 정확하게 평가하기 위해서는 보다 체계적인 접근이 필요하다. 먼저 조영 전 T1영상으로 종양의 전반적인 크기와 주변 연부조직으로의 침범을 평가한다. 이때 안와나 익구개와, 인두주위강 parapharyngeal space은 지방이 풍부하여 종양과 경계가 뚜렷이 나타나므로 종양의 침범여부를 확인하는 것이

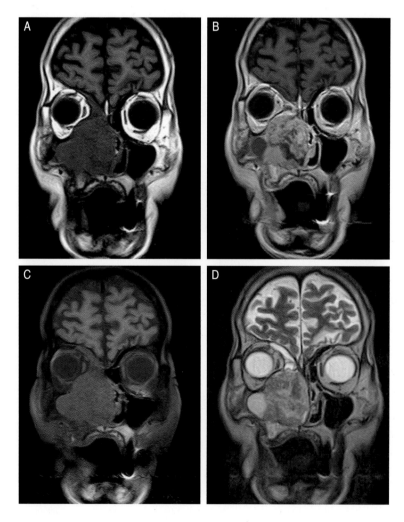

| 그림 29-4 우측 상악동과 비강을 침범한 편평세포암 환자의 MRI
A. 조영 전 T1. B. 조영 후 T1. C. 지방소거 T1. D. T2 강조영상

중요하다(Malempati et al., 2012). 조영 전 T1영상에서는 골피질은 검게 나타나고 골수조직은 고신호 강도를 보이므로 저신호 강도를 보이는 종양의 골 침범여부를 평가하기에도 유용하다. 다만 정상적인 부비동골벽은 너무 얇아서 MRI로 평가하는 데 제한이 있을 수도 있다. 다음으로 조영 후 T1영상을 통해 연부조직의 특성을 평가한다. 지방소거 T1영상은 지방조직을 어둡게 보여주기 때문에 두개저의 신경주위 침윤이나 익구개와 같이 신경조직이 많이 분포하는 곳의 침범 여부를 확인하기에 적합하다. 마지막으로 T2영상에서는 CT에서 구별이 힘들 수 있는 염증성 분비물들이나 용종양 점막polypoid mucosa 등과 종양을 구분한다. T2영상에서 이차적인 염증은 고신호 강도를 보이며 종양은 일반적으로 중등도의 신호강도를 보인다(그림 29-4).

4) 양전자방출단층촬영

양전자방출단층촬영PET이란 우리 몸의 신진대사에 이용되는 포도당과 유사한 물질(양전자를 방출하는 방사성 의약품18-fluorodeoxyglucose, 18-FDG)을 주사해 전신의 대사상태의 미세한 변화를 영상화시키는 검사이다. 병적 조직, 특히 암 조직에서는 주위 정상조직보다 더 높은 농도로 축적됨을 이용하여 뚜렷한 영상을 얻게 된다. 동반된 부비동염에 의해서도 18-FDG 섭취가 증가할 수 있고 해석에 혼돈을 줄 수 있으므로 비부비동 악성종양의 진단에 있어서는 CT나 MRI에 비해 그 역할이 제한적이라 할 수 있다. 하지만 부비동을 포함한 전신을 촬영할 수 있으므로 최근에는 치료 전 병기 결정을 위해 원격전이 여부를 확인하거나 치료 후 경과관찰에 흔히 이용되고 있다(그림 29-5).

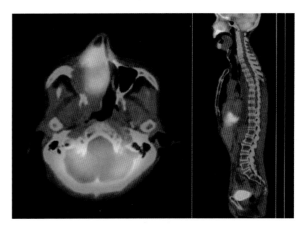

| 그림 29-5   비강과 상악동의 편평세포암 환자의 PET 소견

5) 혈관조영술

비부비동 악성종양에서 혈관조영술은 주로 CT상 조영제에 강하게 증강되는 병변에서 다른 혈관성 종양과 감별이 필요하거나 종양의 대혈관이나 해면정맥동 침윤이 의심될 때 선택적으로 시행할 수 있다. 종양이 내경동맥을 둘러싸고 있어 수술시 손상이나 내경동맥을 희생시킬 가능성이 있을 경우에는 수술 전에 내경동맥의 풍선폐쇄검사balloon occlusion test나 경두개 도플러transcranial doppler를 시행하여 편측 경동맥이 희생될 때 발생할 수 있는 뇌경색의 가능성을 미리 확인하여야 한다.

4. 병기

모든 악성종양에서 병기를 정확하게 분류하는 것은 적절한 치료방법을 결정하고 예후를 예측하기 위해서 매우 중요하다. 지금까지 많은 병기 분류법이 부비동 악성종양에서 사용되어 왔다. 역사적으로 Ohngren이 처음으로 내안각medial canthus에서 하악각mandibular angle을 잇는 가상의 선을 이용하여 부비동암의 예후를 예측하였

표 29-3 상악동과 사골동 악성종양의 병기(AJCC, 2010)
Tx	원발종양의 병기를 파악할 수 없는 경우
T0	원발종양이 없는 경우
Tis	상피내암

상악동암

T1	종양이 상악동 점막에 국한되어 있고 골의 미란이나 파괴가 없는 경우
T2	종양에 의한 골미란이나 파괴가 있는 경우로 경구개 또는 중비도 침범은 포함하며 상악동 후벽과 익돌판은 제외
T3	종양이 다음 구조물 중 어느 하나라도 침범한 경우: 상악동 후벽, 협부의 피하조직, 안와의 저부나 내벽, 익돌와 또는 사골동
T4a	종양이 다음 구조물 중 어느 하나라도 침범한 경우: 안와 전방, 협부피부, 익돌판, 하측두와, 사상판, 접형동 또는 전두동
T4b	종양이 다음 구조물 중 어느 하나라도 침범한 경우: 안와 첨부, 경막, 뇌실질, 중두개와, 삼차신경의 상악분지를 제외한 뇌신경, 비인두 또는 사대

비강 및 사골동암

T1	골침범 없이 하나의 아영역에 국한된 경우
T2	골침범여부에 상관없이, 둘 이상의 아영역을 침범한 경우나 비사골 복합체 안에서 주변조직으로 진행된 경우
T3	종양이 안와의 저부와 내벽, 상악동, 구개 또는 사상판을 침범한 경우
T4a	종양이 다음 구조물 중 어느 하나라도 침범한 경우: 안와 전방, 코와 협부의 피부, 전두개와의 최소침습, 익돌판, 접형동 또는 전두동
T4b	종양이 다음 구조물 중 어느 하나라도 침범한 경우: 안와첨부, 경막, 뇌실질, 중두개와, 삼차신경의 상악분지를 제외한 뇌신경, 비인두 또는 사대

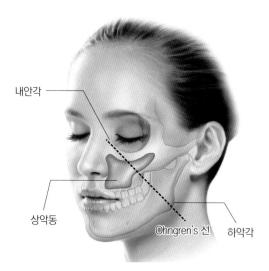

| 그림 29-6 Ohngren's 선과 상악골과의 관계

두동, 접협동에서 생긴 악성종양은 진행된 다음에 발견되거나 안구나 경동맥, 두개저 등 중요 구조물을 침범하는 경우가 많아 예후가 상대적으로 나쁘다(그림 29-6).

비부비동 악성종양에서 현재 가장 널리 사용되고 있는 병기 분류법은 TNM 분류법을 기초로 한 AJCCAmerican Joint Committee on Cancer 병기분류이다(표 29-3). AJCC병기는 상악동과 사골동 그리고 비강에서 T병기가 구분되어 있으며 전두동이나 접형동은 그 빈도가 낮아 따로 만들어져 있지는 않다. T병기는 종양의 크기보다는 주변 조직의 침범 여부와 중요 공간이나 구조물로의 파급여부가 중요하다. AJCC병기는 주로 편평세포암의 병기 결정에 유용하며, 비부비동 악성종양의 조직유형에 따라 다른 병기분류법이 이용되고 있다. 두개저와 두개 내 침범이 많은 후각신경아세포종olfactory neuroblastoma의 경우에는 Kadish분류법이 간편하고 예후를 예측하는 데 정확하여 널리 사용된다(Jethanamest et al., 2007; Levine et al., 1999; Morita et al., 1993)(표 29-4). 점막 흑색종mucosal melanoma의 경우에는 T3부터 시작되는 TNM 병기분류법이 이용된다(표

다(Ohngren, 1936). 종양이 이 선의 하방에 위치하면 종양이 비교적 초기에 발견되며 완전절제가 가능한 경우가 많아 예후가 양호하고, 상방에 위치하는 사골동이나 전

표 29-4 후각신경아세포종의 Kadish 병기	
Type	Extent
A	비강 내 국한된 종양
B	비강 내에 있는 종양이 주변 부비동을 침범한 경우
C	종양이 비강 내와 주변 부비동을 넘어 체판, 두개저, 안와 또는 두개 내로 전이된 경우
D	종양이 경부 또는 원격전이가 된 경우

표 29-5 점막 흑색종의 병기	
Primary Tumor	
T3	점막에 국한된 경우
T4a	종양이 심부 연조직, 연골, 뼈, 피부를 침범한 경우
T4b	종양이 뇌, 경막, 두개저, 하부 뇌신경, 저작근공간, 경동맥, 척추전공간, 종격구조를 침범한 경우
Lymph Nodes	
NX	국소적 림프절 전이를 평가할 수 없는 경우
N0	국소적 림프절 전이가 없는 경우
N1	국소적 림프절 전이가 있는 경우
Distant Metastasis	
M0	원격전이가 없는 경우
M1	원격전이가 있는 경우

29-5). 이밖에 횡문근육종rhabdomyosarcoma에서는 조직학적 분류와 치료 전 TNM분류, 그리고 수술 후 잔여 병변 유무 등 세 가지 항목을 포함하는 병기분류법이 주로 사용된다.

III | 치료

비강 및 부비동은 해부학적으로 중요한 주변 구조물들과 밀접하게 연관되어 있고 종양이 발생 시 주변으로 진행하는 경우가 많기 때문에 치료 역시 복잡한 경우가 많다. 따라서 여러 분야의 전문가들이 참여하는 다학적인 접근방법이 필요하다. 이비인후과뿐 아니라 신경외과, 성형외과, 방사선 종양학과, 종양내과, 치과의사가 함께 환자의 상태를 평가하고 치료계획을 수립하는 것이 필요하다.

비부비동 악성종양에서 치료의 기본 원칙은 다른 악성종양과 마찬가지로 종양을 충분한 절제연을 두고 외과적으로 완전 절제하고 필요하면 수술 후 방사선치료나 항암화학요법을 추가하는 것이다. 하지만 안면부라는 해부학적 특성상 수술이 환자의 기능이나 미용에 큰 영향을 미칠 수 있으므로 치료 방법의 결정에 있어서 환자의 삶의 질이나 환자의 전신상태와 심리 상태에 대한 신중한 고려가 필요하며 환자와 충분한 상의를 거친 후에 결정해야 한다. 그리고 항상 환자의 기능과 미용을 보존하려고 노력해야 한다. 하지만 환자에게 가장 중요한 것은 안전이며 이를 위해 가능하다면 병변을 완전하게 제거하는 데 최우선 목표를 두어야 하는 것 역시 간과해서는 안 된다.

1. 수술

비부비동 악성종양에서 수술 단독 치료는 하부 비강이나 비중격, 상악동을 침범하는 T1이나 T2병기를 갖는 초기 저악성도암에서 고려해 볼 수 있다. 더 진행된 병변일 경우 방사선치료나 항암요법과 같은 보조 치료가 대부분 필요하다고 할 수 있다. 수술 계획을 세울 때는 절제할 골조직과 연부조직의 범위를 정하고 절제부위가 잘 노출될 수 있는 접근방법을 결정한 다음, 기능과 미용을 고려한 절제부위의 재건과 재활 방법까지 염두에 두어야 한다. 이러한 개방형 수술에서는 치사율이 4.7%이며, 36.3%에서 수술 후 합병증이 발생하는 것으로 보고되었다(Ganly et al., 2005). 1990년대 이후에 내시경을 이용한 수술법이 소개되었는데 절개 없이 병변 부위를 확대상으로 관찰할 수 있고 수술 후 합병증을 최소화할 수 있는 장점을 가지고 있다. 이 때문에 내시경수술이 부비동이나 두개저에서 발생한 양성종양이나 저악성도 종양 등에서 시행되어 왔으며, 최근에는 그 적응증이 늘어나는 추세이다(Batra et al., 2005; Hanna et al., 2009; Lund et al., 2007; Nicolai et al., 2008; Stammberger et al., 1999; Thaler et al., 1999; Yuen et al., 1997). 내시경수술의 성공률을 높이기 위해서는 우선 적절한 환자를 선택하는 것이 중요하며 내시경 술기에 경험이 많은 술자에 의해 시행되어야 한다. 그리고 수술방법에 상관없이 종양을 완전히 절제하는 것이 가장 중요한 원칙임을 잊지 말아야 한다. 최근 연구에서는 방사선치료와 같은 적절한 보조요법과 병용한다면 부비동 악성종양에서 내시경수술로도 만족할 만한 치료 결과를 얻을 수 있다고 보고되었다(Guo et al., 2014; Shah et al., 1997).

수술의 금기는 상대적이라 할 수 있다. 일반적으로 원격전이가 있거나, 광범위한 뇌실질, 중두개저, 양측 시신경 침범이 있는 경우에는 수술이 불가능한 경우라 할 수 있다. 종양이 접협동을 지나 내경동맥이나 해면정맥동을 침범하거나 교근pterygoid musculature을 광범위하게 침범하는 경우에도 수술적 절제가 힘들다고 할 수 있다(Casiano et al., 2001). 이처럼 수술이 불가능한 환자에서 고식적 목적의 방사선치료나 항암화학요법이 차선책으로 시행될 수 있다.

2. 방사선치료

비부비동 악성종양은 일반적으로 방사선에 감수성이 있는 것으로 알려져 있지만 종양의 조직학적 유형과 성장속도에 따라 감수성이 차이가 있을 수 있다. 비부비동 악성종양에서 방사선치료는 그 역할에 따라 근치적curative 방사선치료와 보조적adjuvant 방사선치료, 고식적palliative 방사선치료로 나눌 수 있다.

근치적 방사선치료는 수술에 비해 합병증의 발생확률이 낮고 두경부의 미용이나 기능을 보존할 수 있다는 장점이 있다. 하지만 최근에는 국소 재발을 줄이고 환자의 예후를 향상시키기 위해 대부분 수술과 방사선치료를 병행하는 것을 추천하고 있다(Blanco et al., 2004; Ho et al., 2014; Hoppe et al., 2008; Jansen et al., 2000).

보조적 목적의 방사선치료는 수술 전이나 수술 후에 시행할 수 있다. 수술 전 방사선치료는 종양의 크기를 줄여 수술을 용이하게 하거나 안구 적출 가능성을 낮추는 장점이 있으나, 수술 시 안전한 절제연을 결정하기 힘들 수 있고 수술 후 상처 회복에 장애가 되는 단점도 가지고 있다. 이에 반해 수술 후 방사선치료는 수술 후 형성된 반흔조직 내에 산소 공급이 감소하면서 방사선치료 효과가 떨어질 수 있는 단점이 있다고 하겠다. 술후 방사선 조사는 경막 침윤 소견이 있거나 병변이 안구나 경동맥에 가까워 절제연이 양성이거나 암세포의 잔존 가능성이 있을 때, 그리고 후인두림프절과 같이 수술로는 접근하기 힘든 림프절에 전이가 있을 경우에 시행된다. 최근에는 국소재발을 낮추고 환자의 생존율을 높이기 위해 병변의 완전절제 후에 방사선치료를 시행하는 것을 추천하고 있다(Blanco et al., 2004; Ho et al., 2014; Hoppe et al., 2008; Jansen et al., 2000).

고식적 방사선치료는 병변이 너무 진행하여 수술이 불가능할 경우에 단순히 증상 완화를 목표로 시행할 수 있다. 통증이나 출혈, 궤양, 기도의 폐색 증상 등이 방사선치료로 완화될 수 있다.

방사선치료는 항상 합병증을 동반할 수 있다. 재발을 예방하기 위해 시행하는 일반적인 방사선량은 60~70 Gy로 이는 시신경(45 to 54 Gy)이나 척수(50 Gy) 조직이 견딜 수 있는 범위를 초과하게 된다. 따라서 35%의 환자에서 방사선치료 후에 시력관련 합병증을 호소한다고 알려져 있다(Ho et al., 2014). 최근 널리 사용되고 있는 강도변조 방사선치료Implementation of intensity-modulated radio- therapy, IMRT는 병변부위에만 방사선 조사량을 집중시키고 주변 정상조직은 보존하여 방사선으로 인한 합병증들을 최소화시킬 수 있으면서 예후에는 영향이 없어 현재 비부비동 악성종양의 표준 방사선치료로 여겨지고 있다. 이외에도 병변부위에만 보다 선택적으로 작용하는 양성자 치료proton beam therapy와 같은 최신 치료법들이 개발되어 임상에 적용중이나 그 효과 및 장기 결과에 대해서는 추가적인 연구가 필요하다(Laramore et al., 1993 ; Schulz et al., 2005).

3. 항암화학요법

항암화학요법은 두경부 영역에서는 진행된 편평세포암에서 널리 사용되고 있다. 하지만 비부비동 악성종양은 유병률이 낮고 종양의 종류가 다양하기 때문에 아직까지는 항암화학요법에 대한 임상연구가 부족한 실정이다. 일반적으로 비부비동 악성종양에서 항암요법은 방사선치료에 보조적인 역할을 해왔다.

항암화학요법은 적용방법에 따라 선행화학요법neo-adjuvant or induction chemotherapy, 동시화학방사선요법 concurrent chemoradiotherapy, 고식적 화학요법으로 나눌 수 있다. 최근에는 부비동의 해부와 풍부한 혈류공급을 이용한 혈관 내 항암화학요법intra-arterial chemotherapy이 부비동 악성종양에서 시도되고 있다(Michael et al., 2005 ;

Tokiya et al., 2002).

선행화학요법은 국소 진행암 환자에서 수술이나 방사선치료 전에 시행하는 화학요법으로 비부비동 악성종양에서는 수술이나 방사선치료 전에 종양의 크기를 줄이거나 안구침범 시에 안구 보존을 기대할 수 있다. 주로 편평세포암을 대상으로 한 연구들에 따르면 비부비동 악성종양 환자에서 선행화학요법이 국소재발을 낮추고 생존율을 향상시키는 결과를 보이며 화학요법에 대한 반응 정도가 환자의 생존율과 연관이 있음이 보고되었다(Alonso et al., 2011 ; Bjork et al., 1992 ; Cohen et al., 2014 ; Duprez et al., 2012 ; Haddad et al., 2013 ; Hanna et al., 2009 ; Lee et al., 1999 ; LoRusso et al., 1988 ; Posner et al., 2007 ; Vermorken et al., 2007). 동시화학방사선요법은 방사선치료와 항암제 투여를 동시에 진행하는 방법으로 비부비동 악성종양에서는 아직 대규모 연구가 부족하며 그 효과에 대해서도 논란이 많은 실정이다(Enepekides et al., 2005 ; Homma et al., 2009 ; Kang et al., 2012 ; Ohngren, 1983 ; Papadimitrakopoulou et al., 2003). 국소적으로 진행하거나 원격 전이된 환자에서 수술이나 방사선치료를 시행할 수 없는 경우에 종양의 진행을 늦추거나 환자의 증상을 경감시키는 고식적인 목적의 항암화학요법이 시행될 수 있다.

항암요법으로 인한 합병증에 대해서도 부비동 악성종양에서는 보고가 미흡한 실정이다. Platinum계열 약물의 가장 흔한 부작용은 이독성과 신경독성, 신독성 등이 있다. Fluorouracil은 흔히 오심 구토와 혈소판감소증 thrombocytopenia, 면역억제immunosuppression를 일으킬 수 있으며 Cetuximab은 많은 환자에서 일시적인 발진을 유발할 수 있는 것으로 알려져 있다.

4. 미래 발전방향

기술이 발전함에 따라 로봇수술이 부비동과 두개저수술의 새로운 돌파구가 될 수 있다. 부비동과 두개저에 적합하도록 기구들이 소형화되면 로봇수술은 보다 정교해지고 덜 침습적이며 한층 보편화될 수 있다. 방사선치료에서도 양성자나 light ions 방사선치료와 같은 보다 향상된 치료 기법들이 환자들의 합병증을 줄이고 삶의 질을 향상시키며 생존율 역시 증가시킬 수 있을 것으로 기대된다. 항암화학요법에서는 조직 유형과 개개인의 특성에 따른 맞춤 항암치료가 활성화되고 질환에 관여하는 유전자와 유전자산물에 선택적으로 작용하는 분자표적치료molecular targeted therapy가 일반화되면 비부비동 악성종양 치료에서도 큰 진전이 있을 것으로 보인다.

5. 예후

부비동 악성종양은 드물며 조직학적인 종류가 다양하기 때문에 예후를 일반화시키기는 어렵다. 여러 체계적 고찰에 따르면 부비동 악성종양 환자의 5년 생존율overall survival rate은 약 50%이다(Dulguerov et al., 2001; Shah, 2012). 이러한 생존율은 T1(94%)에서 T2(55%), T3(50%), T4(27%)에 비해 높다. 해부학적 병기 이외에도 병변의 원발부위가 예후에 중요하다. 비강이 원발부위인 경우(65%)가 사골동(50%)이나 상악동(45%)보다 예후가 좋으며, 상악동에서도 하부상악동이 상부상악동보다 좋은 예후를 보인다(Dulguerov et al., 2001; Roush, 1979).

종양의 조직병리 유형도 예후에 중요한데, 저악성도 후각신경아세포종이 가장 예후가 좋으며 악성흑색종과 미분화암이 가장 나쁜 예후를 보인다. 편평세포암이나 선암은 중간 정도의 예후를 나타낸다. 이 밖에도 양성 절제연positive margin, 두개 내 침범, 안구 침범, 익구개와 침범 등이 나쁜 예후와 관련되어 있는 것으로 알려져 있다(Bridger et al., 2000; Myers et al., 2002; Shah et al., 1997; Van et al., 1991).

비부비동 악성종양은 재발이 비교적 흔하여 51~61%의 환자에서 재발하는 것으로 보고되며, 국소 재발이 가장 흔하고 원격 전이는 17~25%에서 원격 전이가 함께 나타나기도 한다(Myers et al., 2002; Shah, 2012).

IV | 분류

1. 상피성 악성종양

비강 및 부비동 악성종양의 70% 이상이 상피에서 기원하며 상악동에서 발생하는 종양이 가장 흔하고 비강과 다른 부비동에서 발생하는 경우는 드물다(Blanco et al., 2004).

1) 편평상피암종

비강의 편평세포암종squamous cell carcinoma은 비강 측벽특히 비갑개에서 잘 발생하며 비중격, 비강저, 비전정 등에서 발생하는 것은 드물다. 병변이 작은 경우에는 수술이나 방사선치료만으로도 충분하지만 큰 경우에는 수술과 방사선치료를 병행하여 치료한다. 부비동에 비해 비교적 조기에 증상이 나타나고 발견도 빠르므로 치료성적이 좋다(Davison et al., 2015).

부비동의 편평세포암종은 70%가 상악동에서 발생하고 상악동 내로 먼저 종양이 자라나가며 사골동, 전두동, 접형동 및 주변 구조를 침범하며 진행한다. 예후는 종양의 범위와 발생장소에 좌우되지만 대부분 부비동 편평세포암종이 비강 내까지 진행 된 후 발견되기 때문에 예후가 불량하다.

2) 선암종

선암종adenocarcinoma은 비부비동 악성종양의 4~8%를 차지하며 사골동과 비강상부에서 주로 발생한다. 직업적으로 나무분진이나 가죽을 다루는 사람에서 잘 발생하는 것으로 알려져 있다. 편평세포암종과 마찬가지로 남성에 호발하며 50~60대에 주로 발생한다. 저악성low grade 선암종은 비강과 사골동에 주로 발생하여 접형동과 안와로 진행하는 경향이 있고 신경주위침윤perineural invasion과 전신전이가 드물지만 국소재발을 잘한다. 고악성high grade 선암종은 상악동의 하부에 발생하여 익상돌기로 진행하는 경향이 있으며, 경계가 불분명하고 1/3 정도에서 전신전이를 한다. 특히 조직학적으로 세포의 다형성pleomorphism이 현저하고 유사분열이 많은 특징을 보인다. 치료는 근치적 절제수술 후 방사선치료이다. 전체적인 임상적 특징은 선양낭성암종에 비해 전신전이가 드물지만 국소 침습성이 강해 국소재발이 흔하다. 조직학적 종류에 따라 차이가 있기는 하지만 저분화암종의 경우 5년 생존율이 20%를 넘지 못하고 고분화 암종은 상대적으로 예후가 좋다(Tufano et al., 1999).

3) 선양낭성암종

선양낭성암종adenoid cystic carcinoma은 발생빈도, 성별과 발생연령은 선암종과 비슷하고, 두경부에 발생한 선양낭성암의 20% 정도를 차지한다. 진단이 늦고 조기에 신경주위침윤을 하며 점막하 침범을 잘하기 때문에 다른 비강 및 부비동 암종에 비해 예후가 나쁘다. 상악동에 주로 발생하며 비출혈, 비폐색, 안와하신경 침범으로 인한 협부 지각둔화 등을 호소하게 된다. 조직학적 형태에 따라 고형성분solid component이 30% 미만인 저악성도와 30% 이상인 고악성도로 구분된다. 신경주위침윤, 혈관주위침윤, 골침습 등은 서로 비슷하나 국소재발과 전신전이의 발생률은 고악성도에서 더 높다. 신경주위침윤은 삼차신경의 상악 또는 하악분지를 따라 일어난다(Turner et al., 2012). 국소전이보다는 전신전이를 더 잘 일으키는 편이지만, 사망원인은 대개 국소재발로 인한 두개저 침범이다. 경과 자체가 서서히 진행되어 전신전이가 발생한 후에도 수년간 생존 가능하다. 치료는 근치적 절제수술 후 방사선치료이며 항암화학요법의 효과는 불확실하다.

4) 미분화암

미분화암undifferentiated carcinoma은 진행속도가 빨라 대부분 늦은 병기에서 발견된다. 치료는 항암화학요법cyclophosphamide, doxorubicin, vincristine, 방사선치료, 수술을 포함하는 3자 병합요법trimodal therapy을 추천한다. 두개 내 침범이 있으면 3자 요법에도 불구하고 예후가 불량하다.

5) 흑색종

전체 흑색종malignant melanoma의 20%가 두경부에 발생하고 이중 1~2%가 비부비동에서 발생하며 발견 시 대부분 종양이 진행된 경우가 많다. 비강에 주로 발생하며 비중격이 주된 호발 부위이고 그 외에 상악동, 사골동, 전두동, 중비갑개, 하비갑개에도 발생한다(LoRusso et al., 1988). 점막 내의 멜라닌세포에서 발생하며 3/4은 색소침착이 있어 비강 내에서 흑색의 종물이 관찰될 경우 의심할 수 있으나 색소침착이 없는 무색소형amelanotic도 발견된다. 피부에 침범하는 악성 흑색종처럼 침범 깊이에 따른 분류방법은 점막형 악성 흑색종에서는 별로 의미가 없다. 조기에 혈행성 또는 림프절 침범을 하는 경향이 있으므로 진단할 때 이미 전이를 보이는 경우가 많고 수술 후에도 국소재발이 매우 흔하다. 증상으로는 비출혈이 주로 나타나며 부비동에 발생한 것은 상당히 진행된 후에 발견되고 국소 및 전신전이가 잘 일어난다. 치료는 근치적 수술이지만 확실한 효과는 아직 검증되지 않고 있으며 술 후 방사선치료를 병용하기도 한다(LoRusso et al., 1988). 치료 후 어떤 경우에는 매우 빨리 진행되기도 하고 어떤 경우에는 오랫동안 잠복해 있기도 하지만 이에 대한 기전은 아직 알려져 있지 않다. 예후는 국소적으로 쉽게 재발하고 전신전이를 잘 일으키기 때문에 피부에 발생한 것에 비해 불량하다. 평균 생존기간은 2~3년 정도이며, 5년 생존율은 20~25% 정도이다(Parida et al., 2012).

6) 후각신경아세포종

후각신경아세포종olfactory neuroblastoma, esthesioneuroblastoma은 후각점막에서 발생하는 악성종양으로 10~20대와 50~60대에서 호발하며 남녀 성비는 비슷하다. 대부분 진행된 상태로 발견되고 혈관이 풍부한 비용 모양의 종괴가 비강 상부에서 관찰된다. 진단은 조직생검을 통해 이루어지나 조직학적으로 림프종, 미분화암, 흑색종, 육종 등과 구분이 잘 안 되어 면역조직화학검사로 확진한다. 서서히 진행하여 종양이 커지면 부비동, 안구, 두개 내로 진행하게 되므로 두개 내 진행 여부를 알기 위하여 CT나 MRI 검사가 필요하다. 예후는 조직학

적 분화도와 진단시 종양의 침범범위와 절제가능성 여부에 달려 있다. 20%에서 국소 또는 전신전이를 하므로 진찰 시에는 경부림프절과 폐 등 전이검사를 하여야 한다(Ikeda et al., 2005 ; Nishimura et al., 2009).

치료는 두개안면절제술과 술 후 원발부와 경부에 대한 방사선치료가 가장 일반적이었다. 그러나 최근에는 내시경수술과 술 후 방사선치료가 기존의 치료 성적과 비슷하다는 보고가 있으며(Bridger et al., 2000), 내시경 수술 후 감마나이프를 이용한 방사선조사도 두개안면절제술과 고전적인 방사선치료로 인한 합병증과 이환율을 줄일 수 있다는 보고가 있다(Van et al., 1991). 과거 절제할 수 없을 경우나 국소 재발을 보일 경우에 항암화학요법을 시도해왔다. 그러나 후각신경모세포종이 기본적으로 cisplatin을 사용한 화학요법에 반응을 보이는 것으로 알려지면서 여러 약제를 조합한 항암화학요법이 시도되어 그 효과가 증명되고 있다(Jethanamest et al., 2007 ; Nishimura et al., 2009). 최근에는 항암화학요법, 수술, 방사선치료를 병행한 다병용치료multidisciplinary treatment를 통해 5년 생존율이 꾸준히 증가하고 있고 특히 술 전 항암치료가 종양의 크기를 줄이는 데 효과적이어서 수술적 치료의 성공률을 증가시키고 있다(Ohngren, 1936).

2. 비상피성 악성종양

1) 육종

비강과 부비동 육종sarcoma은 드물어서 두경부 악성종양의 1%, 두경부 육종의 28%, 비부비동 악성종양의 15% 정도를 차지한다. 이 부위의 육종 발생에 있어 중요한 역학적 위험요소는 방사선조사의 과거력과 dioxin, polyvinyl chloride, alkylating agent 등 화학물질 노출력이다(Raney et al., 2001 ; Shah, 2012).

대부분 진행된 후에 발견되고, 국소재발률이 높아 두경부 육종 중에서도 비부비동에 발생한 경우는 예후가 매우 불량하다. 침윤성이 강하여 수술 중 육안으로 판단한 것보다 훨씬 더 진행되어 있을 수 있으므로 국소 재발률이 높다. 외과적 절제가 최선이고, 방사선치료와 항암화학요법은 보조적인 치료목적으로 시도하지만, 최근 연구결과들을 보면 술 전 항암요법, 술 전 방사선치료와 광범위 절제술을 병행하여 치료 성공률을 30%까지 증가시킬 수 있다(Maroldi et al., 2008).

비부비동 육종의 치료가 실패하는 경우는 근골격계에 발생하는 것과는 달리 원격전이의 빈도는 낮으나 국소재발이 높기 때문이다. 대개 지속적인 또는 재발된 종양의 두개 내 침범 때문에 사망한다. 전체적으로 예후는 불량하며, 조직형, 악성분화도, 종물의 크기와 침범범위, 외과적 절제범위 등이 예후와 관련된 인자들이다(Kim et al., 2010; Shah, 2012).

(1) 골육종

골육종osteosarcoma은 10~20대에 호발하며, 7~10%는 악골에 발생한다. 상악 골육종은 여자보다는 남자에 빈발하나 하악 골육종은 남녀 빈도차이가 없다(Abi et al., 2012). 발생 원인으로 방사선노출, 섬유성 이형성증, 외상, Paget병, Rb유전자 관련 소인 등이 인정되고 있다.

안면종창이 흔하고 간혹 비출혈, 윗입술의 감각이상 등을 호소한다. 장골에서 발생할 경우는 동통이 흔한 초기증상인 데 비하여 악골에서는 드물다. 초기에 치아가 흔들리는 증상이 나타나므로 최근에 치아를 발치한 경력이 있는 경우가 많고 치과에서 발견되어 의뢰되는 경우가 흔하다. 방사선검사에서 골파괴 소견과 함께 골용해성osteolytic 또는 골형성성osteoblastic 병소가 관찰되나, 영상진단으로는 골성 종양과 연부조직 종양을 구별하지 못하는 경우가 있다.

근치적 종양절제술이 최선이나 골육종은 광범위하게 주위조직으로 침습하므로 비부비동의 경우 광범위한 외과적 절제가 쉽지 않다. 대개 수술과 함께 방사선치료와 항암화학요법을 병용한다.

상악골보다는 하악골에 발생한 경우에 예후가 좋지만, 전체적으로 예후는 대단히 불량하다. 5년 생존율도 상악골과 하악골 각각 19~30%와 30~50%로 보고되어 있으며 전체적으로 15~20%이다.

(2) 연골육종

연골육종chondrosarcoma은 비부비동 비상피성 종양의 약 4%를 차지하며 3:2로 남자에 호발하고 주로 50대 이후에 발견된다. 천천히 성장하여 어느 정도의 크기가 될 때까지는 증상이 없는 경우가 많지만 증상이 나타날 경우는 주로 비폐색과 협부 종창을 호소하고 주변 조직으로 진행될 경우 여러 뇌신경 압박 증상이 나타난다. 양성 연골종benign chondroma이나 골육종osteosarcoma과의 감별이 중요하며, 실제로 분화가 잘 된 초기 연골육종일 경우는 종종 양성 연골종으로 진단이 내려지기도 한다(성 등, 1997).

방사선검사를 통해 인접 부비동이나 두개저로의 침범 여부를 판단하여야 하며 병리조직학적으로 분화도에 따라 Grade I(저등급 : 낮은 세포충실성, 대부분 연골모양 기질, 미세한 점액모양), Grade II(중간등급 : 증가된 세포충실성, 연골모양 기질은 거의 없으며, 괴사와 점액모양이 두드러진), Grade III(고등급 : 높은 세포충실성, 핵의 다형성, 연골모양 기질의 소실, 점액모양 내 간질의 존재), absent chondroid matrix, stroma present in myxoid)로 나누고 이 분화도는 전이율, 국소 침습성, 생존율과 잘 일치한다.

최선의 치료는 광범위한 종양절제이다. 방사선치료나 항암화학요법이 고식적 치료로서 사용되며, 특히 방사선치료는 수술 자체가 불가능할 경우에 추천된다. 원격 폐전이나 국소림프절 전이는 드물고, 국소재발할 경우 두개저 침범과 뇌막염 등으로 사망한다.

종양의 크기와 조직학적 분화도는 국소 침습정도, 전신전이, 생존율과 밀접한 관계가 있으며 5년 생존율은 20% 내외이다(Ganly et al., 2005; Ma et al., 2015).

(3) 횡문근육종

횡문근육종rhabdomyosarcoma은 연부조직 종양으로서 15세 미만의 소아에서 특히 호발하고 20세 이상인 경우는 15%에 불과하다. 초기의 미분화 근모세포에서 발생한다고 알려져 있으며, 근육분화의 여러 단계의 양상을 취하게 되는데 배상embryonal, 포상alveolar, 다형성 pleomorphic, 포도상botryoid과 혼합형으로 나누어진다. 포도상은 실제로는 배상으로서 단지 비인강의 넓은 공간에 돌출되어 성장하면서 포도송이 같은 모양을 하게 되므로 육안소견에 따라 포도상이라고 불린다. 배상형은 대개 15세 미만에서 발생하며, 두경부의 경우는 대부분 배상형이고 포도상이다. 포상형은 청춘기에 많고, 다형성형은 대개 고연령층들에서 발생한다(Syrjanen et al., 2003). 성인에서는 주로 사지나 몸체에 발생하고, 소아에서는 두경부 영역과 비뇨기계통에 발생한다. 횡문근육종은 연부조직종양의 8~19% 정도를 차지하고, 그 중 40% 정도가 두경부 영역에서 발생한다.

횡문근육종연구회Intergroup rhabdomyosarcoma study group; IRSG는 2001년에 횡문근육종의 Surgical-pathologic grouping system과 staging system을 새로 보고하였다 (Posner et al., 2007). Group I은 국한성 종양으로 종양이 완전절제 되었으며 절제연도 음성이고 국소 임파절 전이도 없는 경우이며, Group II는 국한성 종양으로 종양 절제 후 절제연이 양성이거나 국소 임파선 전이가 관찰되는 경우 아니면 두 가지 모두 보이는 경우일 때 분류된다. Group III는 국한성 종양이지만 불완전 절제 혹은 잔존 종양residual tumor이 관찰되는 경우이며 Group IV는 암의 원격 전이가 진단 시에 있는 경우로 나눈다. 종양의

staging은 원발 부위, 크기, 임파선 전이 여부, 전신전이 여부에 따라 네 단계로 나뉘고 grouping system과 조직형을 참고로 하여 치료 방침을 정할 수 있다.

두경부 영역의 횡문근 육종을 부수막형parameningeal, 비부수막 두경부형nonparameningeal head and neck, 안와형orbit의 세 가지 임상형으로 나누며, 이 중 안와형이 가장 흔하다. 이러한 임상형은 환자의 나이, 종양의 크기, 조직형 등과 더불어 예후인자로서 중요하다. 부수막형은 비인강, 부비동, 비강, 중이, 익구개와, 부인두공간 등에 발생하는 경우를 말하는데 해부학적으로 완전절제가 힘든 부위이며 특히 비부비동에 발생하는 경우는 다른 부위보다 생물학적 공격성이 강하고 전신 또는 국소 전이가 흔하다.

종양의 원발장소, 병리소견 및 종양이 진행된 단계에 따라 치료계획이 결정되지만, 비부비동의 경우 가능하면 근치적 외과적 절제술이 최선이며 항암약물치료와 방사선치료를 병용한다(Vermorken et al., 2007). 횡문근육종은 침습성이 강한 악성종양으로 재발 및 전이율이 높다. IRSG의 5차에 걸친 보고에 의하면 전체적인 생존율이 현재는 88%에 이를 정도로 상당히 호전되었으며, 이는 수술, 항암약물, 방사선치료를 병용한 병합요법의 향상에 기인한다(Posner et al., 2007). 안와형의 예후가 가장 좋으며, 비부비동에 발생한 부수막형은 생물학적 특성이 공격적이므로 예후가 불량하다. 종양을 완전 절제한 경우에는 80~90%가 장기생존하며, 조직학적으로는 포상형인 경우 예후가 가장 불량하다(Marta et al., 2014).

(4) 기타 육종들

섬유육종fibrosarcoma은 섬유아세포fibroblast에서 기원하여 주로 연부조직에서 발생하는 육종으로 비부비동의 경우는 매우 드물지만 고유비강, 상악동, 사골동에서 발생한다. 광범위 절제가 최선의 치료이다. 다른 연부조직의 육종에 비해서 천천히 성장하고, 주위조직 침윤이 적

고, 전이 빈도가 낮으므로 넓고 안전한 외과적 절제범위만 확보된다면 다른 육종에 비해 비교적 예후는 좋다. 술 전 조직검사에서 골육종 등 예후가 불량한 육종으로 잘못 진단되어 광범위 절제를 포기하는 수가 있으므로 정확한 병리조직학적 진단이 중요하다. 절제 후 재발한 경우나 수술이 불가능한 경우에는 방사선치료가 추천된다(Banuchi et al., 2015). 거대세포종양giant cell tumor은 측두골의 추체부, 접형골, 사골, 두정골과 같은 연골두개chondrocranium 내에서 발생하는 국소 침습력이 강한 종양으로서 20대와 30대에 호발한다. 치료는 외과적 제거이다.

신경원성육종neurogenic sarcoma은 신경섬유종증neurofibromatosis과 연관되어 발생하며, 국소침범과 원격전이가 흔하다. 일차 치료는 외과적 절제이며, 불완전하게 제거한 경우, 수술이 불가능한 경우, 그리고 재발한 경우에 방사선치료와 항암화학요법을 한다. 5년 생존율은 60% 정도이며, von Recklinghausen 증후군과 동반되면 예후가 더욱 불량하여 5년 생존율이 약 30%이다.

2) 악성 섬유성 조직구증

악성 섬유성 조직구증malignant fibrous histiocytoma은 두경부에서 발생하는 것은 3~5%로 드물지만 상악동, 사골동에서 호발하며 이 외에 두개안면골, 후두, 경부연조직 등에서 발생한다. 과거에는 악성섬유성 황색종malignant fibrous xanthoma, 섬유황색육종fibroxanthosarcoma 등으로 불려 왔으며, 동양인과 흑인보다 백인에서 주로 발생하고, 50~60대에 호발한다(Hoppe et al., 2008).

확진을 위해서는 조직 생검이 필요하지만 한정된 조직표본만으로는 진단하기가 어려워 중복 생검이 필요한 경우도 있다. 때로는 술 후 조직표본 전부를 사용하여 면역조직화학염색, 전자현미경소견, 조직배양 등을 통해

정확한 진단이 내려진다.

광범위한 국소적출술이 최선이며, 고식적 치료로서 방사선치료와 항암화학요법을 한다. 다른 악성 연부조직종양과 비교하여 국소재발률이 높고, 전신전이를 보여 예후가 극히 불량하다. 폐가 가장 흔한 원격전이 부위이다. 병리조직학적으로 유혈관종angiomatoid형과 점액성myxoid형이 가장 예후가 좋고, 거대세포giant cell형이 가장 불량하다.

3) 혈관주위세포종

혈관주위세포종hemangiopericytoma은 소혈관 주위에서 발견되는 Zimmerman의 혈관주위세포pericyte에서 발생하는 혈관성 악성종양으로서 모세혈관이 있는 부위라면 어디에서나 발생할 수 있다. 종물의 모양과 성장, 생물학적 특성이 일정하지 않고 다양한 변이형을 보이며 최소한 저등급의 악성종양으로 분류된다.

남성에 많고 평균 40대가 호발 연령층이다. 혈관주위세포종의 60%가 두경부에서 발행하지만 비부비동에서는 대단히 드물다(Hanna et al., 2011). 고유비강, 상악동, 사골동 등에 발생하는 것으로 보고되어 있으며, 비폐색과 비출혈이 흔한 증상이다. 종물의 생물학적 성격은 일정하지 않아서 천천히 커지는 탄력성의 종물에서부터 주위조직에 침습적이고 공격적인 종물까지 다양하다. 외관은 탄력적이고 연성의 회백색 종물 또는 황갈색의 용종 모양으로 양성 같고 혈관이 풍부하지 않은 것같이 보이지만 조직 생검할 때 출혈이 심할 수 있으므로 주의한다. 폐, 간, 골 등으로 원격전이가 10% 정도로 보고되고 있으며, 국소 림프절전이는 드물다.

치료는 국소 절제술이다. 방사선치료는 종물의 크기는 감소시키나 근치시키지 않는다. 절제 후 국소재발이 흔하고, 지연성 재발이 많다는 것이 특징이다.

4) 림프종

두경부의 비호지킨 림프종non-Hodgkin's lympoma, NHL은 흔히 경부 림프절을 침범하지만 약 10% 정도에서는 비림프절에도 침범한다(Hsu et al., 2014). 이 중 비부비동에서 발생하는 비호지킨 림프절외 림프종non-Hodgkin extranodal lymphoma은 백인의 경우 모든 림프종의 0.17%의 빈도로 알려져 있지만 한국인에서는 더 높은 빈도로 발생한다고 추측되며, 주침범부위는 상악동과 비강이다. 일반적으로 백인에서는 B세포 림프종이 흔하지만, 아시아인에서는 T세포 계열인 혈관중심성 림프종angiocentric lymphoma과 말초성 T세포 림프종peripheral T-cell lymphoma이 흔하다(Iguchi et al., 2002; Weymuller et al., 2010).

한국인의 비부비동 림프종의 대부분을 차지하는 혈관중심성 림프종은 자연세포독성 T세포 림프종NK/T-cell lymphoma으로서 그 명명 과정은 많은 과정을 거쳤다. 즉, 1930년대 이후 치사성 중심성 육아종lethal midline granuloma, 중심성 악성 망상증midline malignant reticulosis, Stewart 육아종granuloma 등으로 불리던 병변이 1966년 Eichel에 의해 비강이나 부비동의 상기도에 호발하고 진행성, 파괴적인 괴사를 특징으로 하는 림프망상계통의 질환이라는 의미에서 다형성세망증polymorphic reticulosis으로 통칭되었다(Kang et al., 2012). 1980년대 이후 면역조직화학 염색의 발달로 혈관중심성 림프종과 동일하다는 것이 밝혀짐으로써(Enepekides, 2005; Pfohler et al., 2015) 이전의 혼돈을 일으킨 질환들인 다형성세망증, 유림프종성 육아종lymphomatoid granulomatosis, 혈관중심성 림프종 등은 동일 계열로 다만 시기에 따라 표현양상이 다를 뿐 같은 질환군으로 간주하여, 혈관중심성 면역증식질환angiocentric immunoproliferative lesion; AIL으로 불리기도 하였다. 이후 면역조직화학기법의 발달로 자연세포독성 T세포 림프종임이 밝혀졌다.

T-세포 계열의 림프종은 남녀 성비가 5:1로 남성에게 호발하며 50대가 호발연령층이다(Klintenberg et al., 1984). 정확한 원인은 밝혀지지 않았으나, 보합결합반응in situ hybridization이나 면역조직화학 연구에 의하면 종양세포가 Epstein-Barr virusEBV의 유전체genome 또는 항원을 함유하고 있다는 것이 밝혀져서 EBV가 병인에 관여할 것이라 추측하고 있다(Cohen et al., 2014).

비강, 구개, 부비동, 편도, 비인강 등에 호발하며 초기에는 비폐색과 악취성, 농성, 혈성 비루, 그리고 가피 형성 등으로 시작하여 조직파괴가 나타난다. 병소는 빠르게 심부궤양을 형성하면서 부비동, 안와벽, 구개 등을 침범한다. 전신피로, 권태, 이행성 관절통, 야간발한과 같은 전신증상을 보이며 이것은 Wegener 육아종증 때보다 심한 경향이다. 가끔 국소병소의 빠른 궤양성 파괴와 괴사로 인해 고열과 패혈증을 볼 수 있다.

확진은 병리조직학적 검사이므로 임상증상 및 국소소견이 의심될 때에는 조직생검을 한다. 조직검사는 국소마취하에 수술실에서 시행하는 것이 권장되고 모든 침범부위에서 여러 조직표본을 채취하는데 이때 주의할 점은 비정형 세포들이 괴사부위에 흩어져 있어 만성 염증소견만을 보이는 경우가 많으므로 항상 가피 아래에 있는 조직을 채취하는 것이 중요하다. 조직생검 후 표본의 일부는 임상적으로 유사한 양상을 보이는 감염과 감별하기 위해 진균fungus과 항산균acid-fast organism 등을 위한 배양검사를 한다. 최근에는 면역조직화학법과 분자유전학적 기법이 발달하여 보다 정밀한 진단이 가능하므로 표본 일부를 향후 면역조직화학적 검사와 분자유전학적 검사를 위하여 −70℃에 즉시 얼려 보관하는 것이 권장된다(Klintenberg et al., 1984).

병리조직학적으로 다형성이며 비정형 세포들의 침윤과 괴사성 혈관의 침윤성 성장형태necrotizing angioinfiltrative growth pattern를 보인다. 침윤된 세포는 주로 비정형 T세포이고 그 외 형질세포, 소림프구, 조직구, 호산구 등으로 구성된다. 육아종이나 거대세포는 잘 관찰할 수가 없다. 이는 거대세포를 가진 괴사성 육아종necrotizing granuloma과 혈관염vasculitis의 병리적 특징을 가지는 Wegener 육아종증과는 구별되는 소견이다.

일단 확진되면 림프종에 대한 전이여부를 검사한 후 치료를 한다. 병소가 상기도에 국한되어 있고 전이가 없는 초기이면 해당부위의 방사선요법이 적절한 치료방법으로 사용되어 왔다. 대개 5,000 cGy 이상의 근치적 선량을 비강, 부비강, 구개 등의 원발부위와 주변부에 광범위하게 조사하며, 경부림프절 전이는 약 10%로 높지 않기 때문에 진단 당시 전이가 있을 때에만 조사부위에 경부림프절을 포함하는 것이 보통이다. 그러나 방사선치료의 효과가 상당히 좋음에도 불구하고, 높은 국소 제어 실패와 원격전이로 인하여 최근에는 치료 초기부터 방사선치료 단독보다는 방사선치료와 항암화학요법을 병행하여 생존율을 높이는 경향이다(Cumming's otolaryngology head and neck surgery: Saunders, 2015; Homma et al., 2009).

5) 전이암

다른 원발병소에서 비부비동으로 전이되는 경우는 1%에 불과하다. 비부비동으로 전이되는 원발종양은 주로 신장, 기관지, 유방 등이고 기타 비뇨생식, 위장관, 갑상선, 췌장, 부신, 피부 등에서 올 수 있으며 그 중 가장 대표적인 것이 신세포암이다. 전이된 종양은 상악동, 사골동, 전두동, 접형동 순으로 호발하고 그 외 비인두, 경구개 등에도 드물게 전이될 수 있다(노 등, 2010).

상악동으로 전이된 신세포암은 50대에서 호발하고, 여성보다는 남성에서 약간 더 발생하고, 고도의 혈관종양상으로서 비출혈을 야기하며 천천히 자라는 특징을 가지고 있다. 원발성 신세포암은 빈혈, 다혈구혈증, 유백혈병성 반응, 고혈압, 아밀로이드증amyloidosis, 다발성 신경염, 근염, 염분소실 증후군, 고칼슘증 및 부갑상선 기능항진증 등의 다양한 임상증상을 나타낼 수 있으나, 전이된 경우의 증상은 비부비동 자체의 국소증상이므로 병리조직학적 결과를 알 때까지 신장으로부터 전이된 것을 알지 못하는 수가 흔하다(Papadimitrakopoulou et al., 2003). 또한 비부비동에 원격 전이를 일으킨 신세포암은 국소적으로 천천히 자라므로 신장 적출 후 10년 이상 지나서 상악동에서 발견되는 경우도 있다. 비록 신세포암이 비부비동에 전이된 경우는 드물지만 고도의 혈관성 또는 박동성 종양이 의심될 때에는 전이된 신세포암을 한번쯤 고려하여야 하며 이 부위의 조직생검은 전신 마취하에서 수혈 준비를 한 후 실시하는 것이 좋다.

치료는 개인의 전신상태, 전이된 부위와 정도에 따라 다를 수 있으나 일반적으로 수술, 방사선치료, 화학요법, 호르몬치료, 동맥 내 항암제 주입 등이 있다. 전이된 부위의 수술이 가장 좋은 치료법으로서 단독 전이된 경우에 적용된다. 방사선치료는 신세포암의 경우 효과가 적기 때문에 1차적 치료법으로는 추천되지 않는다. 많은 항암약제들이 신세포암에 응용되고 있으나 별다른 효과를 거두지 못하고 있다. 호르몬요법은 진행된 신세포암일 경우 사용하기도 한다. 예후는 일반적으로 원발암에 비하여 좋지 않다. 그러나 상악동에만 국한되어 있을 때는 광범위하게 절제하여 생존율을 높일 수가 있다.

참고문헌

1. 노환중. 이비인후과 두경부외과학. 일조각 2010;1316-33.
2. 성명훈, 조재식, 노환중, 이철희. 비강 및 부비동 종양. 민양기 편. 임상비과학. 일조각 1997;459-506.
3. Abi-Fadel F, Smith PR, Ayaz A, sundaram K. Paranasal sinus involvement in metastatic carcinoma. J NeurolSurg Rep. 2012;73:57-9.
4. Alonso-Basanta M, Lustig RA, Kennedy DW. Proton beam therapy in skull base pathology. Otolaryngol Clin North Am 2011;44:1173-83.
5. Alos L, Moyano S, Nadal A, Alobid I, Blanch JL, Ayala E, et al.

Human papilloma- viruses are identified in a subgroup of sinonasal squamous cell carcinomas with favorable outcome. Cancer 2009;115:2701-9.

6. Alvarez I, Suarez C, Rodrigo JP, Nuñez F, Caminero MJ. Prognostic factors in paranasal sinus cancer. Am J Otolaryngol 1995;16:109-14.

7. Austin JR, Kershiznek MM, McGill D, Austin SG. Breast carcinoma metastatic to paranasal sinuses. Head Neck 1995;17:161-5.

8. Baddour HM, Jr., Fedewa SA, Chen AY. Five- and 10-Year Cause-Specific Survival Rates in Carcinoma of the Minor Salivary Gland. JAMA Otolaryngol Head Neck Surg 2016;142:67-73.

9. Banuchi V, Mallen J, Kraus D. Cancers of the nose, sinus, and skull base. Surg Oncol Clin N Am 2015;24:563-77.

10. Batra PS, Citardi MJ, Worley S, Lee J, Lanza DC. Resection of anterior skull base tumors: comparison of combined traditional endoscopic techniques. Am J Rhinol 2005;19:521-8.

11. Bercin S, Muderris T, Kiris M, Kanmaz A, Kandemir O. A rare sinonasal neoplasm: fibrosarcoma. Ear Nose Throat J. 2011;90:6-8.

12. Bjork-Eriksson T, Mercke C, Petruson B, Ekholm S. Potential impact on tumor control and organ preservation with cisplatin and 5FU for patients with advanced tumors of the paranasal sinuses and nasal fossa. A prospective pilot study. Cancer 1992;70:2615-20.

13. Blanco AI, Chao KS, Ozyigit G, Adli M, Thorstad WL, Simpson JR. Carcinoma of paranasal sinuses: long-term outcomes with radiotherapy. Int J Radiat Oncol Biol Phys 2004;59:51-8.

14. Bridger GP, Kwok B, Baldwin M, Smee RI. Craniofacial resection for paranasal sinus cancers. Head Neck 2000;22:772-80.

15. Casiano RR, Numa WA, Falquez AM. Endoscopic resection of esthesioneuroblastoma. Am J Rhinol 2001:15:271-9.

16. Cohen EE, Karrison TG, Kocherginsky M, Mueller J, Egan R, Huang CH, et al. Phase III randomized trial of induction chemotherapy in patients with N2 or N3 locally advanced head and neck cancer. J Clin Oncol 2014;32:2735-43.

17. Davison SP, Habermann TM, Strickler JG, DeRemee RA, Earle JD, McDonald TJ. Nasal and nasopharyngeal angiocentric T cell lymphomas. Laryngoscope 1996;106:139-43.

18. Dubal PM, Bhojwani A, Patel TD, Zuckerman O, Baredes S, Liu JK, et al. Squamous cell carcinoma of the maxillary sinus: A population-based analysis. Laryngoscope 2016;126:399-404.

19. Dulguerov P, Allal AS, Calcaterra TC. Esthesioneuroblastoma: a meta-analysis and review. Lancet Oncol 2001;2:683-90.

20. Dulguerov P, Allal AS. Nasal and paranasal sinus carcinoma: how can we continue to make progress? Curr Opin Otolaryngol Head Neck Surg 2006;14:67-72.

21. Dulguerov P, Jacobsen MS, Allal AS, Lehmann W, Calcaterra T. Nasal and paranasal sinus carcinoma: are we making progress? A series of 220 patients and a systematic review. Cancer 2001;92:3012-29.

22. Duprez F, Madani I, Morbeée L, Bonte K, Deron P, Domjaán V, et al. IMRT for sinonasal tumors minimizes severe late ocular toxicity and preserves disease control and survival. Int J Radiat Oncol Biol Phys 2012;83:252-9.

23. Enepekides DJ. Sinonasal undifferentiated carcinoma: an update. Curr Opin Otolaryngol Head Neck Surg 2005;13:222-5.

24. Fatterpekar GM, Delman BN, Som PM. Imaging the paranasal sinuses: where we are and where we are going. Anat Rec 2008;291:1564-72.

25. Ganly I, Patel SG, Singh B. Complications of craniofacial resection for malignant tumors of the skull base: report of an International Collaborative Study. Head Neck 2005;27:445-51.

26. Gotte K, Hormann K. Sinonasal malignancy: what's new? ORL J Otorhinolaryngol Relat Spec 2004;66:85-97.

27. Guo L, Liu J, Sun X, Wang D. Sinonasal tract chondrosarcoma: 18-year experience at a single institution. Auris Nasus Larynx 2014;41:290-3.

28. Haddad R, O'Neill A, Rabinowits G, Tishler R, Khuri F, Adkins D, et al. Induction chemotherapy followed by concurrent chemoradiotherapy (sequential chemoradiotherapy) versus concurrent chemoradiotherapy alone in locally advanced head and neck cancer (PARADIGM): a randomised phase 3 trial. Lancet Oncol 2013;14:257-64.

29. Hanna E, DeMonte F, Ibrahim S, Roberts D, Levine N, Kupferman M. Endoscopic resection of sinonasal cancers with and without craniotomy: oncologic results. Arch Otolaryngol Head Neck Surg 2009;135:1219-24.

30. Hanna EY, Cardenas AD, De Monte F, Roberts D, Kupferman M, Weber R, et al. Induction chemotherapy for advanced squamous cell carcinoma of the paranasal sinuses. Arch Otolaryngol Head Neck Surg 2011;137:78-81.

31. Harbo G, Grau C, Bundgaard T, Overgaard M, Elbrønd O, Søgaard H, et al. Cancer of the nasal cavity and paranasal sinuses. A clinico-pathological study of 277 patients. Acta Oncol 1997;36:45-50.

32. Harve S, Abd Alsamad I, Beautru R, Gaston A, Bedbeder P, Peynégre R, et al. Management of sinonasal hemangiopericytomas. Rhinology 1999;37:153-8.

33. Heidi BE. Imaging of sinonasal tumors. Caner Imaging 2012;12:136-52.

34. Ho AS, Kraus DH, Ganly I, Lee NY, Shah JP, Morris LG. Decision making in the management of recurrent head and neck cancer. Head Neck 2014;36:144-51.

35. Homma A, Oridate N, Szuki F, TakiS, Asano T, Yoshida D, et al. Superselective high dosecisplatin infusion with concomitant radiotherapy in patients with advanced cancer of the nasal cavity and paranasal sinuses : a single institution experience. Cancer 2009;115:4705-14.

36. Hoppe BS, Wolden SL, Zelefsky MJ, Mechalakos JG, Shah JP, Kraus DH, et al. Postoperative intensity-modulated radiation therapy for cancers of the paranasal sinuses, nasal cavity, and lacrimal glands: technique, early outcomes, and toxicity. Head Neck 2008;30:925-32.

37. Hsu YP, Chang PH, Lee TJ, hung LY, Huang CC. Extranodal natural killer/T-cell lymphoma nasal type: detection by computed tomography features. Laryngoscope 2014;124:2670-5.

38. Hyams VJ. Pathology of the nose and paranasal sinuses. In: English GE(ed). Otolaryngology, New York: Harper & Row Publishers, 1984.

39. Iguchi Y, Takahashi H, Yao K, Nakayama M, Nagai H, Okamoto M. Malignant fibrous histiocytoma of the nasal cavity and paranasal sinuses: review of the last 30 years. Acta Otolaryngol Suppl 2002;547:75-8.

40. Ikeda T, Kanaya T, Matsuda A, Motohashi K, Tanaka H, Kohno N, et al. Clinicopathologic study of non-Hodgkin Lymphoma in sinonasal and hard palate regions in 15 Japanese cases. ORL 2005;67:23-9.

41. Ishii Y, Yamanaka N, Ogawa K, Yoshida Y, Takami T, Matsuura A, et al. Nasal T-cell lymphoma as a type of so-called "lethal

midline granuloma". Cancer 1982;50:2336-44.

42. Jackson RT, Fitz-Hugh GS, Constable WC. Malignant neoplasms of the nasal cavities and paranasal sinuses: (a retrospective study). Laryngoscope 1977;87:726-36.

43. Jansen EP, Keus RB, Hilgers FJ, Haas RL, Tan IB, Bartelink H. Does the combination of radiotherapy and debulking surgery favor survival in paranasal sinus carcinoma? Int J Radiat Oncol Biol Phys 2000;48:27-35.

44. Jensen AD, Nikoghosyan AV, Ecker S, Ellerbrock M, Debus J, Munter MW, et al. Carbon ion therapy for advanced sinonasal malignancies: feasibility and acute toxicity. Radiother Oncol 2011;6:30-9.

45. Jethanamest D, Morris LG, Sikora AG, Kutler DI. Esthesioneuroblastoma: a population-based analysis of survival and prognostic factors. Arch Otolaryngol-Head Neck Surg 2007;133:276-80.

46. Kang JH, Cho SH, Kim JP, Kang KM, Cho KS, Kim W, et al. Treatment outcomes between concurrent chemoradiotherapy and combination of surgery, radiotherapy and/or chemotherapy in stage III and IV maxillary sinus cancer: multi-institutional retrospective analysis. J Oral MaxillofacSurg 2012;70:1717-23.

47. Kim DW, Jo YH, Kim JH, et al. Neoadjuvant etoposide, ifosfamide, and cisplatin for the treatment of olfactory neuroblastoma. Cancer 2004;101:2257-60.

48. Kim SJ, Oh SY, Hong JY, Chang MH, Lee DH, Hug J, et al. When do we need central nervous system prophylaxis in patients with extranodal NK/T-cell lymphoma, nasal type? Ann Oncol 2010;21:1058-63.

49. Klintenberg C, Olofsson J, Hellquist H, Sokjer H. Adenocarcinoma of the ethmoid sinuses. A review of 28 cases with special reference to wood dust exposure. Cancer 1984;54:482-8.

50. Koka V, Vericel R, Lartigau E, Lusinchi A, Schwaab G. Sarcomas of nasal cavity and paranasal sinuses: Chondrosarcoma, osteosarcoma and fibrosarcoma. J Laryngol Otol 1994;108:947-53.

51. Laramore GE, Krall JM, Griffin TW, Duncan W, Richter MP Saroja KR, et al. Neutron versus photon irradiation for unresectable salivary gland tumors: final report of an RTOG-MRC randomized clinical trial. Radiation Therapy Oncology Group. Medical Research Council. Int J Radiat Oncol Biol Phys 1993;27:235-40.

52. Lee MM, Vokes EE, Rosen A, Witt ME, Weichselbaum RR, Haraf DJ. Multimodality therapy in advanced paranasal sinus carcinoma: superior long-term results. Cancer J Sci Am 1999;5:219-23.

53. Levine PA, Gallagher R, Cantrell RW: Esthesioneuroblastoma: reflections of a 21-year experience. Laryngoscope 1999;109:1539-43.

54. LoRusso P, Tapazoglou E, Kish JA, Ensley JF, Cummings G, Kelly J, et al. Chemotherapy for paranasal sinus carcinoma: a 10-year experience at Wayne State University. Cancer 1988;62:1-5.

55. Luce D, Leclerc A, Begin D, Demers PA, Gerin M, Orlowski E, et al. Sinonasal cancer and occupational expo- sures: a pooled data analysis of 12 case-control studies. Cancer Causes Control 2002;13:147-57.

56. Lund VJ, Howard DJ, Wei WI. Endoscopic resection of malignant tumors of the nose and sinuses. Am J Rhinol 2007;21:89-94.

57. Lund VJ. Malignancy of the nose and sinuses: epidemiological and aetiological considerations. Rhinology 1991;29:57-68.

58. Lund VJ. Malignant melanoma of the nasal cavity and parana-

sal sinuses. Ear Nose Throat J 1993;72:285-90.

59. Ma X, Huang D, Zhao W, Sun L, Xiong Y, Jin M, et al. Clinical characteristics and prognosis of childhood rhabdomyosarcoma: a ten-year retrospective multicenter study. Int J Clin Exp Med 2015;8:17196-205.

60. Malempati S, Hawkins DS. Rhabdomyosarcoma: review of the Children's Oncology Group (COG) Soft-Tissue Sarcoma Committee experience and rationale for current COG studies. Pediatr Blood Cancer 2012; 59:5-10.

61. Mann W, Schuler-Voith C. Tumors of the paranasal sinuses and the nose—a retrospective study in 136 patients. Rhinology 1983;21:173-7.

62. Maroldi R, Ravanelli M, Borghesi A, Farina D. Paranasal sinus imaging. Eur J Radiol 2008;66:372-86.

63. Marta GN, Silva V, De Andrade Carvalho H, de Arruda FF, Hanna SA, Gadia R, et al. Intensity-modulated radiation therapy for head and neck cancer: systematic review and meta-analysis. Radiother Oncol 2014;110:9-15.

64. McKay SP, Gregoire L, Lonardo F, Reidy P, Mathoq RH, Lancaster WD et al. Human papillomavirus (HPV) transcripts in malignant in- verted papilloma are from integrated HPV DNA. Laryngoscope 2005;115:1428-31.

65. Michael II, L. Madison, Sorenson JM, Samant S, Robertson JH. "The treatment of advanced sinonasal malignancies with preoperative intra-arterial cisplatin and concurrent radiation." Journal of neuro-oncology 2005;72:67-75.

66. Mirghani H, Mortuaire G, Armas GL, Harti D, Auperin A, El Bedoui S, et al. Sinonasal cancer: Analysis of oncological failures in 156 consecutive cases. Head Neck 2014;36:667-74.

67. Muir CS, Nectoux J. Descriptive epidemiology of malignant neoplasms of nose, nasal cavities, middle ear and accessory sinuses. Clin Otolaryngol Allied Sci 1980;5:195-211.

68. Myers LL, Nussenbaum B, Bradford CR, Teknos TN, Esclamado RM, Wolf GT. Paranasal sinus malignancies: an 18-year single institution experience. Laryngoscope 2002;112:1964-9.

69. Nicolai P, Battaglia P, Bignami M, Bolzoni Villaret A, Delu G, Khrais T, et al. Endoscopic surgery for malignant tumors of the sinonasal tract and adjacent skull base: a 10-year experience. Am J Rhinol 2008;22:308-16.

70. Nicolai P, Villaret AB, Bottazzoli M, Rossi E, Valsecchi MG. Ethmoid adenocarcinoma--from craniofacial to endoscopic resections: a single-institution experience over 25 years. Otolaryngol Head Neck Surg 2011;145:330-7.

71. Nishimura G, Tsukuda M, Mikami Y, Matsuda H, Horiuchi C, Satake K, et al. The efficacy and safety of concurrent chemoradiotherapy for maxillary sinus squamous cell carcinoma patients. Auris Nasus Larynx 2009;36:547-54.

72. Ohngren G. Malignant Disease of the upper jaw:(Section of Laryngology and Section of Otology) Proc R Soc Med 1936;29:1497-514.

73. Olsen KD, Desanto LW. Olfactory neuroblastoma: Biologic and clinical behavior. Arch Otolaryngol 1983;109:767-802.

74. Ow TJ, Bell D, Kupferman ME, Demonte F, Hanna EY. Esthesioneuroblastoma. Neurosurg Clin N Am 2013;24:51-65.

75. Papadimitrakopoulou VA, Ginsberg LE, Garden AS, Kies MS, Glisson BS, Diaz EM Jr et al. Intraarterial cisplatin with intravenous paclitaxel and ifosfamide as an organ-preservation approach in patients with paranasal sinus carcinoma. Cancer 2003:98:2214-23.

76. Papadimitrakopoulou VA, Ginsberg LE, Garden AS, Kies MS, Glisson BS, Diaz EM Jr, et al. Intraarterial cisplatin with intravenous paclitaxel and ifosfamide as an organ-preservation approach in patients with paranasal sinus carcinoma. Cancer Rep 2003;98:2214-23.

77. Parida PK. Renal cell carcinoma metastatic to the sinonasal region: Three case reports with a review of the literature. Ear Nose Throat J 2012;91:E11-16.

78. Patel SG, See AC, Williamson PA, Archer DJ, Evans PH. Radiation induced sarcoma of the head and neck. Head Neck 1999;21:346-54.

79. Pföhler C, Vogt T, Müller CS. Malignant head and neck melanoma : Part 1: Diagnosis and histological particularities. HNO 2015;63:523-34.

80. Posner MR, Hershock DM, Blajman CR, Mickiewicz E, Winquist E, Gorbounova V, et al. Cisplatin and fluorouracil alone or with docetaxel in head and neck cancer. N Engl J Med 2007;357:1705-15.

81. Puche-Sanz I, Vazquez-Alonso F, Flores-Martin JF, Almonte-Fernandez H, Cozar-Olmo JM. Sphenoid sinus metastasis as the presenting manifestation of a prostatic adenocarcinoma: case report and overview of the literature. Case Rep Oncol Med 2012;819-09.

82. Raney RB, Maurer HM, Anderson JR, Andrassy RJ, Donaldson SS, Qualman SJ, et al. The Intergroup Rhabdomyosarcoma Study Group (IRSG): Major Lessons From the IRS-I Through IRS-IV Studies as Background for the Current IRS-V Treatment Protocols. Sarcoma 2001;5:9-15.

83. Roush GC. Epidemiology of cancer of the nose and paranasal sinuses: current concepts. Head Neck Surg 1979;2:3-11.

84. Schulz-Ertner D, Nikoghosyan A, Didinger B, Munter M, Jakel O, Karger CP, et al. Therapy strategies for locally advanced adenoid cystic carcinomas using modern radiation therapy techniques. Cancer 2005;104:338-44.

85. Sercarz JA, Mark RJ, Tran L, Storper I, Calcaterra TC. Sarcomas of the nasal cavity and paranasal sinuses. Ann Otol Rhinol Laryngol 1994;103:699-704.

86. Shah J. Shah's Head and Neck Surgery and Oncology. Philadelphia: Elsevier, 2012.

87. Shah JP, Kraus DH, Bilsky MH, Gutin PH, Harrison LH, Strong EW. Craniofacial resection for malignant tumors involving the anterior skull base. Arch Otolaryngol Head Neck Surg 1997;123:1312-7.

88. Shome D, Honavar SG, Gupta P, Vemuganti GK, Reddy PV. Metastasis to the eye and orbit from renal cell carcinoma-a report of three cases and review of literature. Surv Ophthalmol 2007;52:213-23.

89. Spiro JD, Soo KC, Spiro RH. Nonsquamous cell malignant neoplasms of the nasal cavities and paranasal sinuses. Head Neck 1995;17:114-8.

90. Stammberger H, Anderhuber W, Walch C, Papaefthymiou G. Possibilities and limitations of endoscopic management of nasal and paranasal sinus malignancies. Acta Otorhinolaryngol Belg 1999;53:199-205.

91. Svane-Knudsen V, Jorgensen KE, Hansen O, Lindgren A, Marker P. Cancer of the nasal cavity and paranasal sinuses: a series of 115 patients. Rhinology 1998;36:12-4.

92. Syrjanen KJ. HPV infections in benign and malignant sinonasal lesions. J Clin Pathol 2003;56:174-81.

93. Thaler ER, Kotapka M, Lanza DC, Kennedy DW. Endoscopically assisted anterior cranial skull base resection of sinonasal tumors. Am J Rhinol 1999;13:303-10.

94. Thompson CF, Kim BJ, Lai C, Grogan T, Elashoff D, St John MA, et al. Sinonasal rhabdomyosarcoma: prognostic factors and treatment outcomes. Int Forum Allergy Rhinol 2013;3:678-83.

95. Tiwari R, Hardillo JA, Mehta D, Slotman B, Tobi H, Croonenburg E, et al. Squamous cell carcinoma of maxillary sinus. Head Neck 2000;22:164-9.

96. Tokiya R, Imajo Y, Yoden E, Hiratsuka J, Kobatake M, Gyoten M, et al. A long-term survivor of leiomyosarcoma around the right side of the base of the skull: effective radiotherapy combined with intra-arterial chemotherapy. Int J Clin Oncol 2002;7:57-61.

97. Tufano RP, Mokadam NA, Montone KT, Weinstein GS, Chalian AA, Wolf PF, et al. Malignant tumors of the nose and paranasal sinuses: hospital of the University of Pennsylvania experience 1990-1997. Am J Rhinol 1999;13:117-23.

98. Turner JH, Reh DD. Incidence and survival in patients with sinonasal cancer: a historical analysis of population-based data. Head Neck 2012;34:877-85.

99. Turri-Zanoni M, Battaglia P, Lambertoni A, Giovannardi M, Schreiber A, Volpi L, et al. Treatment strategies for primary early-stage sinonasal adenocarcinoma: A retrospective bi-institutional case-control study. J Surg Oncol 2015;112:561-7.

100. Van Tuyl R, Gussack GS. Prognostic factors in craniofacial surgery. Laryngoscope 1991;101:240-4.

101. Vermorken JB, Remenar E, van Herpen C, Gorlia T, Mesia R, Degardin M, et al. Cisplatin, fluorouracil, and docetaxel in unresectable head and neck cancer. N Engl J Med 2007;357:1695-704.

102. Walch C, Stammberger H, Anderhuber W, Unger F, Kole W, Feichtinger K. The minimally invasive approach to olfactory neuroblastoma: combined endoscopic and stereotactic treatment. Laryngoscope 2000;110:635-40.

103. Weymuller Jr EA, Davis GE. Malignancies of the paranasal sinus. In: Cummings Otolaryngology head and neck surgery. 5th ed. Philadelphia. Mosby Elsevier 2010:1121-32.

비강과 부비동의 악성종양 II

충남의대 이비인후과 **김용민**, 충남의대 이비인후과 **나기상**

> **CONTENTS**

Ⅰ. 해부학적인 위치에 따른 치료

Ⅱ. 수술요법

HIGHLIGHTS　〉〉〉

- 비부비동 악성종양은 비강, 상악동, 사골동, 접형동, 전두동과 같이 해부학적 위치에 따라 다른 특징을 가짐
- 수술적 접근방법은 종양의 위치, 조직학적 특징, 술자의 경험에 따라 선택하게 되는데, 크게 개방적 접근법과 내시경적 접근법으로 분류함
- 개방적 접근법은 Caldwell-Luc 수술과 하부구조 상악절제술, 외측비절개, 내측 상악절제술, 상부구조상악절제술, 상악전적출술, 두개안면절제술이 있으며 병변에 대한 노출이 우수하고 광범위하게 일괄 제거가 가능한 반면, 일반적으로 수술부위가 안구, 뇌경막, 경동맥 등의 중요 구조물과 가깝기 때문에 절제연을 넉넉히 두고 수술하기 힘든 경우가 종종 있음
- 내시경적 접근법은 내시경 내측 상악 절제술, 내시경 경사상 두개저 절제, 익돌구개와 또는 하측두와 내 관상면 절제, 내시경적 비내 두개저 재건이 있음. 두개안면부 연부조직의 손상, 안면 골격의 파괴나 절단, 뇌 전두엽의 견인 등을 피할 수 있고, 고품질의 확대된 영상을 통해 종양의 경계를 확인하면서 수술할 수 있는 장점이 있지만 종양이 안면부 또는 안와의 연부조직을 침범한 경우, 구개를 침범한 경우, 전두동 전측부가 관련된 경우, 뇌경막이 침범된 경우 등에는 사용하기 힘듦
- 수술 후 남은 결손의 정도에 따라 유리 피판을 이용할 것인지 보철물을 사용한 재활을 할 것인지 결정해야 함
- 진행된 비부비동 악성종양은 안와침범, 경부전이, 익돌구개와 침범, 두개저 침범의 가능성이 있음을 고려해야 함
- 부비동 악성종양의 예후는 불량한 편이나 최종 생존률은 증가하는 경향이고, 치료 실패의 원인은 경부나 전신전이보다 국소재발이 가장 흔함

비부비동에 발생한 악성종양은 조기에는 증상이 없는 경우가 흔하고, 대부분 상당히 진행되고 난 후 진단된다. 따라서, 종양의 범위를 정확히 파악하기 힘들고 치료가 복잡하여 종양치료와 관련된 영상의학과, 종양내과, 치료방사선과, 구강외과, 성형외과 등 여러 과와 협진하여 치료하는 것이 바람직하다. 보편적인 치료원칙은 악성도가 낮은 종양에서는 이환율morbidity을 최소화하는 범위 내에서 수술적 절제를 시행하는 것이 좋고, 악성도가 높은 종양에서는 광범위한 수술적 절제 후 보조적인 방사선치료adjuvant radiation 또는 항암방사선치료chemoradiation를 병행해야 한다. 수술 전에 환자의 전신상태가 복잡한 수술을 견딜수 있을 것인가, 술후에 초래되는 외형적이고 기능적인 장애를 환자가 신체적 또는 심리적으로 극복하고 적응할 수 있을 것인가, 수술과 방사선 치료와 항암요법을 모두 시행할 수 있는 시설인가 등 모든 조건을 고려해서 치료방법을 선택하여야 한다.

I │ 해부학적인 위치에 따른 치료

1. 비강 악성 종양

편평상피암이 가장 흔한 악성종양이며 절반이상을 차지한다. 부비동에 발생한 경우보다 더 빨리 증상이 출현하기 때문에 일반적으로 예후가 좋다. 비전정에 발생한 종양의 경우 수술은 안면변형을 초래하므로 방사선 치료를 우선 선택하지만, 진행된 종양은 방사선 치료성적이 좋지 못하여 결국 고식수술palliative surgery이 필요한 경우가 많다. 비강저, 측벽, 비중격에 발생한 종양은 절제수술을 일차적으로 시행하며, 수술 후 조직검사상 절제연에서 종양세포가 양성일 경우에는 수술 후 방사선 치료를 병행한다. 부비동을 침범하였거나, 크기가 2 cm 이상이거나, 절제연이 양성인 종양의 경우 예후가 나쁘며 술 후 방사선치료를 해야만 한다. 5년 생존률이 60% 이상으로 알려져 있다.

2. 상악동 악성 종양

상악동은 비부비동 악성종양의 가장 흔한 원발부위이다. 상악동에 국한된 조기 편평상피암은 방사선 단독 또는 수술 단독으로 치료가 가능하지만, 대부분 발견 시 병기가 T3, T4이기 때문에 수술과 방사선치료 및 필요할 경우 항암요법까지 포함시키는 다병용요법multimodal treatment이 생존율을 향상시킨다. 생존율은 병기가 증가함에 따라 감소하고 따라서 성공적인 치료를 위해 종양의 완전절제가 필요하다. 5년 생존율은 40~50%로 알려져 있다.

상악암은 병기가 진행되고 나서 발견되는 경우가 많지만 경부 림프절 전이나 원격전이는 다른 두경부암에 비해 흔하지 않기 때문에 국소 종양의 억제가 치료의 성패를 좌우한다. 또한 발생부위의 해부학적 조건이 매우 복잡하고 안와나 두개저에 접하고 있기 때문에 다른 두경부 악성종양과는 달리 이론적으로 안전하고 충분하게 절제하는 것이 불가능한 경우가 많다. 뿐만 아니라 상악암은 그 치료부위가 안면이라는 미용상의 제약이 뒤따르고 시각, 미각, 후각 등의 중요한 감각기가 인접해 있으므로 이들의 기능에 중요한 영향을 미칠뿐만 아니라, 의사소통을 담당하는 언어의 구음기능에도 영향이 있기 때문에 이러한 점들을 감안하면 신체 타부위의 암종 치료보다도 형태와 기능을 보존하는 일이 중요하다. 그러나 기능과 형태의 보존도 중요한 문제이나 완전 치료를 목적으로 하는 이상은 다소의 기능과 형태에 영향을 미치더라도 적절한 술 전 치료를 시행한 후에 최소한의 수술상의 안전역을 설정하여 암종의 완전적출을 시행하도록 하는 것이 최선이다.

수술 전에 반드시 결정하여야 할 사항은 일괴로 적출하기 위해서 골조직과 연조직을 어디까지 절제할 것인가, 어떤 접근법으로 종양의 노출을 충분히 할 것인가, 악안면의 기능과 미용을 어떻게 보존할 것인가, 보철물prosthesis은 어떻게 부착할 것인가, 연조직 결손 등을 어떻게 복구할 것인가 등이다.

종양의 침범범위에 따라 다양한 수술 방법과 접근법이 이용될 수 있는데, 기본적인 수술방법은 부분 상악절제술partial maxillectomy과 상악전적출술total maxillectomy로 나눌 수 있다. 부분 상악절제술에는 내측 상악절제술medial maxillectomy, 상부구조 상악절제술suprastructure maxillectomy, 하부구조 상악절제술infrastructure maxillectomy 등이 포함된다. 이 모든 기본 술식에 종양의 침범정도에 따라 안구적출orbital exenteration, 측두하와 절제술infratemporal fossa dissection, 개두술craniotomy, 반대측 상악절제술contralateral maxillectomy 등이 추가될 수 있다.

3. 사골동 악성 종양

사골동에서 발생한 종양은 조기에 증상이 나타나고, 진단도 조기에 내려져 다른 부위에 발생한 종양에 비해 상대적으로 예후가 좋다. 편평세포암이 여전히 가장 흔하게 발생하지만 선암의 경우 다른 부위에 비해 사골동에서 더 흔하게 발생한다. 영상기술의 발달과 두개안면절제술에 의한 종양의 제거로 과거 절제가 불가능했던 종양의 예후가 향상되었다. T1 또는 T2의 작은 종양은 내시경절제를 고려해 볼 수 있다. 진행된 병기, 양성 절제연, 재발한 종양의 경우 방사선치료를 포함한 복합치료를 한다. 5년 생존율은 50~60%로 알려져 있다.

4. 접형동 악성종양

접형동에 일차적으로 발생하는 악성종양은 매우 드물어 전체 비부비동 악성종양의 1% 미만이다. 주변에 중요한 해부학적 구조물들이 위치하기 때문에 접형동에 발생한 종양을 일괴로 절제하는 것은 기술적으로 매우 어렵다. 따라서, 종양 전체를 육안적으로 제거하고 술 후 방사선치료를 하는 것이 일반적인 치료법이다. 종양의 일부분만 제거하여 부피를 줄이는 수술은 논란의 여지가 있지만 방사선치료 동안 넓게 열린 부비동의 입구를 통한 부비동의 배액과 괴사조직제거가 가능하게 한다. 5년 생존율은 5~25% 정도로 알려져 있다.

5. 전두동 악성종양

전두동에 발생한 종양은 접형동과 마찬가지로 매우 드물다. 하지만 접형동에 비해 수술적 절제가 더 용이하다. 이 부위에 발생한 종양은 사골동에 발생한 종양과 비슷

하게 치료한다.

Ⅱ | 수술요법

접근방법은 종양의 위치, 조직학적 특징, 술자의 경험에 따라 선택하게 되는데, 크게 개방적 접근법open approach과 내시경적 접근법endoscopic approach으로 분류한다. 개방적 접근법은 병변에 대한 노출이 우수하고 광범위하게 일괴 제거en bloc resection가 가능한 반면, 일반적으로 수술부위가 안구, 뇌경막, 경동맥 등의 중요 구조물과 가깝기 때문에 절제연을 넉넉히 두고 수술하기 힘든 경우가 종종 있다. 내시경적 접근법은 개방적 접근법 시 발생할 수 있는 두개안면부 연부조직의 손상, 안면 골격의 파괴나 절단, 뇌 전두엽의 견인 등을 피할 수 있고, 고품질의 확대된 영상을 통해 종양의 경계를 확인하면서 수술할 수 있는 장점이 있다. 하지만, 종양이 안면부 또는 안와의 연부조직을 침범한 경우, 구개를 침범한 경우, 전두동 전측부가 관련된 경우, 뇌경막이 침범된 경우 등에는 사용하기 힘들다. 접근방법에 상관없이 종양학적인 원칙을 지키면서 음성 절제연을 포함한 암종의 완전한 적출이 수술의 최종목적이다.

1. 개방적 접근법 Open approach

1) 수술 접근법

구순하 접근법sublabial approach은 상치조릉, 전비강, 상악동의 하부, 경구개와 같이 상악의 아래구조물에 국한된 종양의 경우에 시행한다. 상악동의 전측부로 확장된

병변 또한 이 접근법으로 수술이 가능하다. 동측의 치은 협 점막에 절개선을 가하는데 이때 절개선 아래에 여분의 조직을 남겨 놓아야 나중에 봉합하기 쉽다. 구순하 안면중심접근법degloving approach이 필요하면 절개선을 양쪽으로 가한다. 수술 전에 상악동이 개방될 것으로 예상할 경우 인공입천장닫개obturator를 미리 만들어 놓는다. 상치조릉에 국한된 병변은 치조절제alveolectomy를 하고 미리 만들어 놓은 틀니denture를 사용한다.

더 진행된 병변의 경우 추가적인 노출을 위한 안면절개선이 필요하다. 전형적인 외측비절개lateral rhinotomy 접근은 안와나 구개부위의 침범이 없는 병변에 적당하다. 절개선은 입술 위쪽의 philtrum에서 시작하여 비강의 바닥을 가로질러 비익을 돌아 내안각 위치까지 비측벽을 따라 가한다(그림 30-1A). 더 확장된 병변은 외측비절개선과 함께 추가적인 절개선이 필요하다. 안와 내측벽을 노출하기 위해서는 Lynch incision을 눈썹내측까지 위로 더 연장하면 내안각 인대와 누관으로 접근이 가능하다. 경구개 쪽으로 침범한 진행된 병변의 경우 상구순 분할upper lip split과 외측비절개선을 합한 Weber-Ferguson 접근법을 사용한다(그림 30-1B). 안와의 바닥으로 접근하기 위해서는 아래눈꺼풀주름선을 지나 외측으로 협골zygoma까지 연결하는 하안검절개subciliary incision를 외측비절개선에 90도로 연결한다(그림 30-1C).

2) 하부구조 상악절제술

하부구조 상악절제술inferior maxillectomy은 경구개의 일부 또는 전체를 제거하기 위한 수술이다. 이 수술은 경구개 종양이 상악동 내부로 침범하지 않았거나 최소한으로 침범한 경우 고려해볼 수 있다. 상악동 내 점막이 중요하게 침범이 되었다면 종양이 광범위하게 퍼져있을 수 있어서 절제연을 정하기 어렵기 때문에 이 수술의 금기이며 이러한 경우 상악 전절제술radical maxillectomy이 필요하다.

수술 방법

하부구조 상악절제술은 일측 또는 양측으로 가능하고,

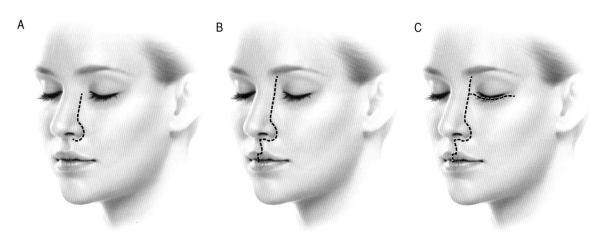

│ 그림 30-1 절개선의 종류
A. 외측비절개. **B.** Weber-Ferguson 절개. **C.** Weber-Ferguson 절개와 하안검절개

외측 비절개나 구순하 안면중심접근법degloving approach으로 가능하나 주로 구순하 안면중심접근법으로 시행한다. 상악의 전벽을 노출한 후 Caldwell-Luc 수술에서처럼 전벽을 개방한다. 전벽은 상악동 내부 전체가 관찰이 될 수 있을 정도로 크게 열어 상악동내부의 침범이 없음을 확인한다. 구개를 덮고 있는 점막에 절개선을 가한다(그림 30-2A). 연구개는 종양의 침범이 있을 때 2 cm의 안전역을 두고 같이 절제한다. 구개점막에 가한 절개선은 구치 후 삼각retromolar trigone을 돌아 치은협부절개선과 연결한다. 골 절단은 앞쪽은 정중선에서 치조능선alveolar ridge을 가로질러 시행하여 비강 바닥까지 전층 두께로 뒤 쪽으로 경구개-연구개 경계까지 연장한다. 구개의 골절단은 종양의 크기에 따라 반대측 비강바닥으로 시행할 수도 있고 동측의 비강바닥을 따라 시행할 수도 있다. 구개 골절단이 완성되면 이상구에서부터 치조능선을 따라 뒤쪽 끝까지 전벽 절단을 한다(그림 30-2B). 침범된 범위에 따라 비중격을 가로질러 반대측 이상구와 상악내벽medial wall이 포함되기도 한다. 다음으로 구개를 붙잡고 있는 수직구조물인 동측의 상악내벽, 비중격, 반대측 상악 내벽을 침범된 범위에 따라 골절도로 분리시킨다. 여기까지 진행하면 이제 구개조직이 붙어있는 부위는 후벽만 남게 된다. 후벽을 분리하기 위해서는 구개를 아래로 밀어서 후벽을 노출시키고 골절도로 절골하여 구개조직을 일괴로 제거한다. 절제 후 발생한 출혈은 클립이나 전기소작기로 지혈하고 노출된 상악동과 비강에 패킹을 한다. 미리 만들어 놓은 인공입천장닫개obturator를 이용하여 절개선을 봉합하고 수술을 마친다.

3) 내측 상악절제술

내측 상악절제술은 악성도가 낮은 종양이 비강의 측벽에서 발생한 경우에 시행하며, 안와, 전두개와, 상악외측벽 또는 치조 등이 침범되지 않을 때 시행한다. 접근 방법으로 외측비절개술, 구순하 안면중심접근법degloving approach, Denker 술식의 확장 등이 있다. 절제범위는 비강의 외측벽과 상악동의 내측 및 상벽과 사골동의 대부분이나 접형동까지 접근이 가능하다(그림 30-3). 일괴로 적출이 가능하며 미용면에서도 결과가 좋으나, 한계점은 후방과 상방 절제연이 불확실한 점인데 수술 도중 동결절편frozen section으로 확인해야 한다.

수술 방법

외측비절개선을 가한 후 협부피판cheek flap을 골막 아래로 들어 올려 하안와신경 주변과 상악동 전벽을 노출한다. 안와골막을 안와연orbital rim과 지판lamina papyracea으로부터 분리하며, 이때 내안각 인대를 찾아 절단하여 나중에 비골에 다시 고정하기 쉽게 표시를 해둔다. 누낭과 누관을 안와연으로부터 박리하여 절단한다. 안와막periorbita을 뒤쪽으로 더 박리하여 전, 후사골동맥을 찾아 결찰한다. 견치와 부위에 4 mm 절골도chisel 또는 burr를 이용하여 상악동 전벽을 개방하고 개방된 부위를 Kerrison rongeur를 이용하여 하안와신경 주변과 안와하연까지 더 넓힌다. 굴곡 절골도Curved osteotome를 이용하여 비강 바닥에 평행하게 상악동의 뒤쪽벽까지 상악동의 내벽을 절골한다. 비슷하게 위쪽에서 안와하벽을 후내측으로 자른다. 세 번째 절골은 상악골, 비골, 전두골의 안와면orbital surface에 가해 이들 골부로부터 안와지판을 외향골절시킨다. 제거될 골편을 잡고 흔들어서 후사골세포 부위를 골절시킨다. 마지막으로 choanae 근처에 부위의 부착부위를 Angled scissors로 자른 후 조직과 종양을 일괴로 적출한다. 비루관에 스텐트를 하고 내안각인대는 비골에 다시 봉합한다. 연부조직과 피부를 두 층으로 세밀하게 봉합한다.

상악동의 내벽과 하비갑개 부위에 국한된 종양에 대

A

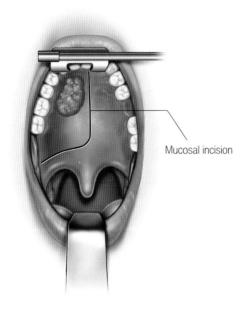

Mucosal incision

B

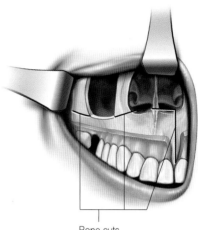

Bone cuts

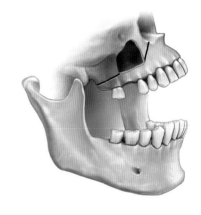

∣ 그림 30-2 하부구조 상악절제술

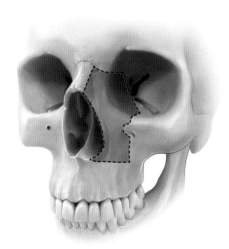

∣ 그림 30-3 내측 상악절제술(medial maxillectomy)

하여 중비도 아래부위만 제거하는 하부 내측 상악절제술inferior medial maxillectomy과 비루관을 보존하면서 그 윗부분을 제거하는 상부 내측 상악절제술superior medial maxillectomy로 변형하여 절제범위를 축소시킬 수도 있다.

4) 상부구조 상악절제술

악성 종양이 사골동, 안와, 상악동의 상부 등에서 발생하였을 경우에 시행하며 두개 내로 진행되었을 경우에는 두개술craniotomy을 병행하면 두개안면절제술craniofacial resection이 된다. 절제범위는 안와저부, 안와내용, 사골동, 상악동의 상부로 상악동 내벽, 하비갑개, 비루관, 구개를 보존할 수 있다(그림 30-4).

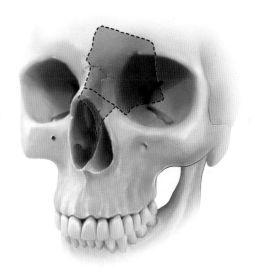

| 그림 30-4 상부구조 상악절제술(suprastructure maxillectomy)

5) 상악전적출술

상악암의 전형적인 수술방법으로서 종양의 범위를 잘 파악하고 안구보존 여부를 신중히 고려하여야 한다. 절제범위는 사골동, 경구개, 익상돌기와 익상근(상악후벽이 침범된 경우), 안와 내용물(안와침범의 경우) 등을 포함하여 상악을 일괴로 적출한다.

(1) 수술 전 처치

상악전적출을 시행할 때 절골이 일단 시작되면 종양을 포함한 상악골이 완전히 적출되기까지 출혈을 피할 수 없고, 상악적출의 마지막 단계에서는 내측상악동맥과 여러 분지들이 절단되어 급속하게 다량의 혈액손실이 발생할 수 있다. 따라서, 상악절제술이 계획된 모든 환자들은 수술 전에 이러한 수술의 특성을 잘 알고 있는 내과 전문의나, 마취과 의사가 적절한 술 전 평가를 해야 한다. 중대한 심장질환의 병력이 있는 환자는 심장초음파나 스트레스를 평가하기 위한 심장기능 검사가 필요하다. 시간이 오래 걸리는 수술이므로 환자의 폐 상태 또한 중요한데, 폐질환이 있거나 폐기능이 떨어져있는 환자는 수술 후 장기간 인공호흡장치mechanical ventilation가 필요한 경우도 있다. 따라서, 술 전에 폐기능 검사와 흉부 X-선 검사가 반드시 필요하다. 그 외, 혈액응고나 지혈에 문제가 없는지를 검사하고, 수혈 가능성에 대비한다. 전신 마취 후 일시적 검판봉합술tarsorrhapy을 하여 각막을 보호하고, 필요하면 수술 후의 피부이식이나 자유피판 등에 대한 준비도 한다.

(2) 수술 방법

안검하부에 횡절개를 포함한 Weber-Fergusson절개로 접근하며, 안와내용 적출을 동시에 시행할 경우에는 안검상부에 횡절개를 같이 시행한다(그림 30-5A). 하안검의 피부절개는 속눈썹선cliary line에서 3~4 mm 하연을 따라 외안검에서 내측으로 외측비절개lateral rhinotomy incision와 만나도록 연결한다. 하안검쪽 피부를 안륜근

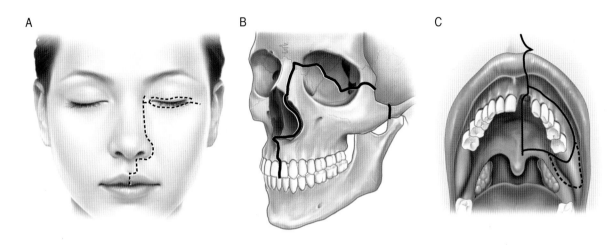

| 그림 30-5 상악전적출술(total maxillectomy)

으로부터 조심스럽게 박리하면서 상협부피판upper cheek flap을 들어올린다. 하안와연inferior orbital rim에 이르러서는 안와격막orbital septum에 절개를 가한 후 안와골막periorbital에 손상을 주지 않도록 조심스럽게 골막하 공간으로 박리한다. 안와골막이 손상을 받으면 지방이 밀려나와 수술시야를 가리게 되므로 조심해야 한다. 지방이 밀려나왔을 경우에는 전기소작한 후 안와골막을 봉합하면 된다. 안륜근과 안와내용물은 내하측에서 외측방향으로 박리하여 누낭lacrimal sac, 전, 후 사골동맥anterior and posterior ethmoidal arteries, 안와하열infraorbital fissure을 노출시킨다. 누낭과 누관을 박리하여 절단하고, 전, 후 사골동맥은 결찰하든지 소작한 후 절단한다. 치은협부절개gingivobuccal incision는 동측의 상악결절maxillary tuberosity까지 연장한다. 상협부피판upper cheek flap은 외안각lateral canthus을 지나서 몇 센티 더 외측으로 들어올리고, 협골 아래에 붙어 있는 교근masseter muscle을 절단한다.

절골은 이상와에서 비골과 상악골의 전두돌기를 가로질러 안와연을 향해 진동톱oscillating saw 혹은 절골도osteotome를 이용하여 비상악절골nasomaxillary osteotomy로 시작한다. 안와내벽은 이 절골선에 연장하여 안와지판을 따라 후사골동맥의 후방 3~4 mm까지 절단한다. 이때 전, 후 사골공anterior and posterior ethmoidal foramina은 사상판cribriform plate과 사골동 상벽ethmoid roof에 위치하므로 전, 후 사골공의 위쪽으로 절골하게 되면 뇌실질에 손상을 주거나 뇌척수액비루가 생기게 된다. 따라서 안와내벽의 절골 시에는 사골공의 아래쪽에서 시행해야 한다. 절골선의 뒤쪽은 안와하열과 연결한다. 협골주zygomatic buttress는 안와하열로 Gigli saw를 넣어 절단하거나 진동톱을 이용하여 절단한다(그림 30-5B). 경구개와 치조돌기를 절단할 때는 먼저 연구개와 경구개의 경계면을 따라 점막을 절개한다. 경구개 절단은 암종이 있는 쪽에 방정중paramedian 점막절개를 가하고 점막을 들어올린 후 Gigli saw를 코안에서 입안까지 관통시켜 정중선에서 절골하는 것이 좋은데 이는 남아 있는 점막이 잘라진 뼈의 표면을 덮어주게 되어 상처의 치유가 빠르며 추후 보철의 고정을 쉽게 할 수 있다는 장점이 있다. 가능한 한 경구개와 치아를 많이 보존하는 것이 좋은데 특히 상악 전부premaxillary segment를 보존하는 것이 보철물의 지지, 고정에 유리하며 견치canine teeth는 뿌리가 길고 골지지가 좋기 때문에 보존할 경우 매우 유용하다. 치조돌기의 절골 시에 남게 되는 제일 가장자리의 치아는 보철물 착용 시 힘을 가장 많이 받기 때문에 뼈에 단단히 박혀 있어야 하므로 가능한 한 멀리서 절단하는 것이 좋다. 따라서 절제범위에 포함되는 치아를 제거한 다음 제거한 치아의 socket을 지나도록 절단한다(그림 30-5C). 익돌판은 가장 마지막에 휘어진 절골도 curved osteotome를 사용하여 절골한다. 상악골의 후벽이 침범되지 않았을 때는 상악골의 후벽에서 익돌판을 분리하면 되는데 보통 두 가지의 방법이 있다. 하나는 외익돌판을 확인한 후 바깥쪽에서 안쪽으로 절골하는 방법이며 다른 하나는 익상돌기pterygoid hamulus를 촉진하여 위치를 파악한 후 아래에서 위쪽으로 절골하는 방법이다. 그러나 후자는 상악동 뒷벽을 남기게 되는 경우가 흔히 발생하게 되어 바람직하지 않다. 상악동의 후벽이 침범되었을 때는 익돌판을 주위 근육들로부터 박리한 후 익돌판을 포함하여 절제한다. 익돌판을 분리함으로써 시료는 위아래로 움직일 수 있게 되는데 이를 전하방으로 당겨 마지막으로 붙어있는 사골동부위의 점막과 익돌근을 굽은 가위heavy Mayo scissors로 절단하면 병변이 완전 적출된다. 익돌판절골 전에 상악동맥을 찾아 결찰하면 수술 시 출혈을 줄일 수 있으나 반드시 시행할 필요는 없으며 시료를 완전 적출한 후 상악동맥의 솟아오르는 동맥출혈을 보고 결찰해도 된다. 단, 다른 부위의 절골술이 완전하게 되지 않은 상태에서 성급하게 익돌판 절골을 시행하게 되면 불완전하였던 절골술을 다시 시행하느라 시간이 소모되어 그 동안 상악동맥에서 과다출혈이 생길 수 있으므로 주의해야 한다. 적출술 후 안면의 연조직을 포함한 모든 노출면raw surface은 부분층 피부이식을 하여 덮어준다. 피부이식을 하면 술 후 안면부의 수축을 최소화할 수 있으며, 보철물에 의한 마찰에도 더 잘 견디게 된다.

익돌판과 전체협골까지 절제범위에 포함한 경우를 근치적 상악절제술radical maxillectomy로 명명하기도 한다.

(3) 수술 후 관리

마취에서 깨어난 후 특별한 합병증이 없는 한 중환자 집중치료실intensive care unit 감시가 필요하지 않다. 하지만, 내과적으로 위험인자를 갖고 있는 환자라면 하루 정도 집중적인 감시가 필요하다. 수술 직후 혈색소치를 확인하여 수혈이 필요할지 여부를 결정하고, 반복적으로 후인두 부위를 확인하여 출혈여부를 확인한다. 수술 후 첫날은 출혈의 가능성이 있어 움직임을 엄격히 제한하고 다음 날부터는 무기폐, 폐렴, 심부정맥혈전 등의 합병증을 예방하기 위해 보행ambulation시키는 것이 좋다. 상악전적출술은 일반적으로 심한 통증을 유발하지 않지만 통증을 호소하면 진통제를 적절히 투여한다. 비강 패킹은 5~7일 유지하고 제거한다. 패킹을 제거 후 점액 정체에 의한 창상의 이차감염을 막기 위해, 비강이 완전히 점막으로 덮일 때까지 항생제를 충분히 사용한다. 보철물을 한 경우 구강섭취가 수술 다음 날부터 가능하지만 피판을 이용한 재건을 한 경우에는 수술 창상이 안정화 될 때까지 5~10일간 구강섭취를 제한해야 한다. 이 경우에는 영양공급관feeding tube을 사용한다. 상악전절제수술을 시행한 환자는 비강의 청소문제가 남는다. 패킹을 제거한 후 되도록 빨리 멸균 생리식염수로 하루에 2~3차례 이상 세척하도록 하고 주기적으로 내시경을 보면서 청소한다.

6) 두개안면절제술

종양이 사상판cribriform plate을 포함해서 전두개저를 침범한 경우 경안면절개transfacial incision만으로는 종양학적으로 완전한 절제연을 얻기 어렵다. 이러한 경우, 경안면절개와 함께 전두개와anterior cranial fossa에 대한 좋

A

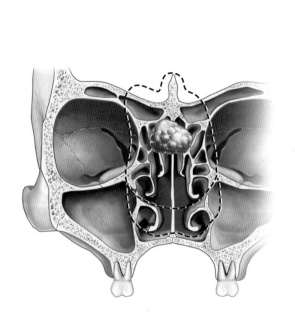

B

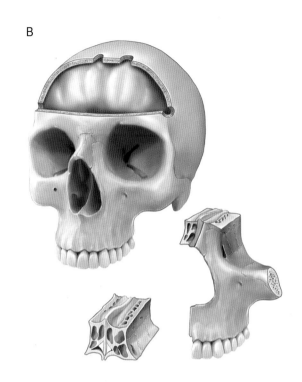

┊ **그림 30-6** 두개안면절제술(craniofacial resection)

은 시야를 확보할 수 있는 전두 개두술fronatal craniotomy
이 필요하다(그림 30-6). 개두술craniotomy을 통한 경두
개접근transcranial approach은 종양의 절제가능성respect-
ability을 정확하게 평가할 수 있고, 뇌와 같은 중요한 구
조물을 보호하고, 경막을 침범하였을 경우 절제 후 수선
이 가능하고, 두개저를 견고하게 재건할 수 있는 장점이
있다. 두개안면절제술craniofacial resection은 개두술을 종
양의 위치에 따라서 경안면절개transfacial incision나 내
시경접근법과 함께 같이 시행하여 최적화된 종양의 절
제가 가능하다. 전두 개두술 시 골피판의 재단은 종양의
침범범위에 따라 다르나, 여기에서는 전두동과 상안와연
superior orbital rim의 절제가 필요하지 않은 전형적인 두
개안면절제술에 대해 기술하고자 한다.

(1) 수술 전 처치

두개안면절제술이 결정이 되면 마취과에 미리 진료의뢰
를 해야 하고, 집중치료실intensive care unit 자리도 미리
예약해야 한다. 수혈을 위한 혈액을 준비시키는 것이 좋
다. 양측관상절개bicoroanal incision가 필요하므로 머리카
락을 미리 면도하고, 수술 중 비부비동과 두개강 사이의
교통이 발생하므로 수술 전에 반드시 광범위 항생제 투
여를 시작해야 한다. 또한, 수술 중 뇌의 압박과 견인을
최소화하기 위해 요추천자lumbar puncture를 시행하고
전신 스테로이드나 mannitol의 투여도 고려한다. 양 눈
에 일시적 검판봉합술tarsorrhapy을 하여 각막을 보호한
다. 필요하면 수술 후의 피부이식이나 자유피판 등에 대
한 준비도 한다.

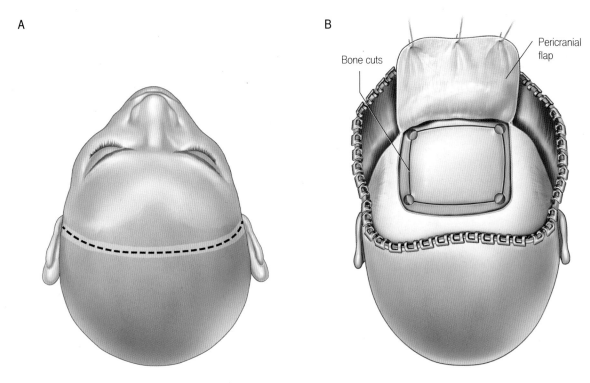

| 그림 30-7 전두 개두술(Frontal craniotomy)
전두골막 피판(pericranial flap)을 들어올린 후 개두술 후의 모습

(2) 수술 방법

양측관상절개bicoroanal incision는 한쪽 이주tragus에서 반대편 이주tragus까지 가하며 절개의 깊이는 모상건막galea aponeurotica 아래, 두개골막 바로 위까지이다(그림 30-7A). 뒤쪽 두피 피판은 뒤쪽으로 수 센티미터 더 들어올려 두개골막피판pericranial flap의 길이를 늘린다. 앞쪽 두피 피판은 모상건막과 두개골막 사이로 두개골막피판을 전두골에 남긴 채 들어올린다subgaleal plane. 두피의 양쪽 절개연에서 발생하는 출혈은 지혈용 클립Clip을 이용하여 지혈한다. 두개골막pericranium이 적절히 노출되면 넓게 절개를 가한 후 골막 거상기로 두개골막피판을 상안와능supraorbital ridge까지 앞쪽으로 들어올린다(그림 30-7B). 모상두개골막피판galeal pericranial flap은 피판을 피하조직과 모상건막 사이로 들어올리는데supra-

galeal plane, 이 경우 모상건막과 두개골막사이의 교통혈관perforator의 손상을 피하면서 두개골막피판보다 더 두꺼운 피판을 얻을 수 있다. 하지만, 위쪽 두피 피판의 혈액공급이 불안정해져 두피 피판의 원위부에 괴사의 위험이 있어 흔히 쓰이지는 않는다(Noone MC et al., 2002).

피판의 혈행은 상안와supraorbital 혈관과 상활차supratrochlear 혈관으로부터 공급받는다. 천측두동맥superficial temporal artery도 피판에 혈액을 공급해 주지만 피판을 거상할 때 양측에서 손상된다. 두개골막피판을 공급혈관의 손상 없이 완전하게 들어올리면 전두개저 재건을 위한 강력한 피판을 얻을 수 있다.

피판 거상 후 노출된 전두골에 개두기craniotome로 구멍을 내고 구멍 안쪽으로 돌아가면서 주변의 경막을 거상기elevator로 들어올린 후 측면절단 톱side-cutting saw

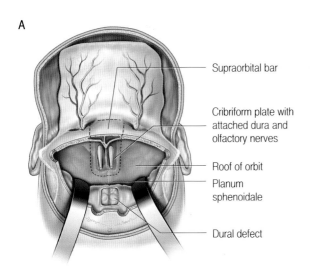

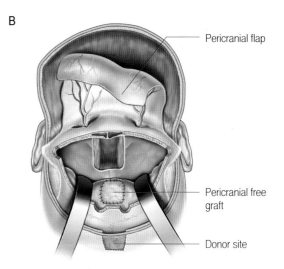

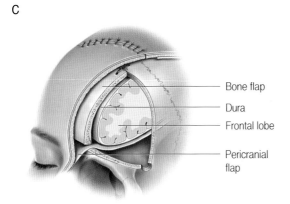

| 그림 30-8 두개 내 절제(intracranial dissection)와 전두 골막 피판에 의한 두개저 재건

으로 개두술craniotomy을 완성한다(그림 30-7B). 전두개와 접근 시 시야를 좋게 하기 위해 아래쪽은 상안와연supraorbital rim에 최대한 가까이에서 전두동의 전벽만 절단한다.

절골도로 전두동 격막을 골절시키면서 골피판을 들어올리면, 전두동과 전두엽을 덮고 있는 경막이 노출된다. 전두동 후벽은 두개강화cranialization를 위해 제거하면 전두엽이 전두동의 전벽까지 밀려 나오게 된다. 전두동 내부의 점막은 모두 제거하고, 노출된 비전두관을 확인하고 Gelfoam 등으로 막는다.

개두술을 끝내고 나면 경막을 전두와anterior cranial fossa 바닥으로부터 들어 올리면서 두개 내 절제를 시작한다(그림 30-8A). 이때 계관crista galli에 단단히 붙는 부위를 잘 박리하고 계관 자체는 rongeur로 제거한다. 종양이 비강쪽 두개저에 한정되어 있으면 경막 외 절제를 한다. 경막 외 절제는 거상기elevator로 경막을 전두개와의 뼈로부터 단순히 분리하면 되는데, 사상판 부위에서는 주의를 요한다. 사상판으로 들어가는 후각신경들을 소작하여 절단하고 후각신경을 따라 사상판으로 함입된 경막은 바로 봉합하여 뇌실질이 오염되는 것을 방지한다. 요추천자를 통해 약 15 ml의 뇌척수액을 제거하여 추가적인 뇌의 감압을 시도한다. 뇌 견인기를 시상정맥동sagittal sinus이 위치하는 정중앙에 위치시켜 전두엽을 견인하여 사상판 뒤쪽과 접형평면planum sphenoidale을 노출한다(그림 30-8A). 고속 드릴을 이용하여 전두와를 개방하는데 뒤쪽으로는 접형동, 앞쪽으로는 전두동, 외측으로는 안와 상벽을 필요한만큼 자른다(그림 30-8B).

종양이 두개저를 관통한 경우 경막의 침범이 반드시 동반되므로, 경막을 두개저에서 들어올릴 때 경막침범이 있는 부위 앞에서 절개선을 가해 경막 내부로 접근하여 침범된 부위를 같이 절제한다. 종양이 뇌실질을 침범한 경우 역시 침범된 뇌 조직을 같이 절제하여 경막조직과 함께 두개저에 달라붙은 채로 남겨둔다(그림 30-8A). 경막의 결손이 있는 경우 절골술을 시행하기 전에 재건한다. 결손이 크지 않은 경우 인조경막이나 대퇴근막fascia lata 등의 근막으로 재건하고, 결손부위가 큰 경우 미세혈관 유리피판을 사용하여 재건해 줄 수 있다(그림 30-8B).

개두술을 통해 종양의 위쪽 부착부위를 분리하였으면 이제는 경안면접근transfacial approach을 통해 종양의 아래쪽, 내측, 외측 부착부위를 분리한다. 안면절개는 보통 외측비절개에 Lynch 절개선을 추가하여 시행한다. 이때, 종양의 크기나 침범정도에 따라 반대측에 Lynch 절개선을 추가할 수 있다. 안와 내용물을 보존하면서 안와 내벽의 골막을 들어올리고, 내안각 인대는 찾아서 절개한 후 결찰해 놓아 나중에 비골에 고정할 때 쉽게 찾을 수 있게 한다. 누두와lacrimal fossa 부위에서는 누낭과 누관을 박리하여 절단하면 뒤쪽으로 안와 골막의 거상이 용이해진다. 안와막periorbital을 뒤쪽으로 더 박리하여 전, 후사골동맥을 찾아 결찰하든지 소작한 후 절단한다. 협부피판을 상악 전벽의 내측부위에서부터 들어올

려 하안와신경공infraorbital foramen 부위까지 들어 올린다. 상악동은 전벽의 하내측에 드릴로 뚫어 상악동 내부를 노출시킨다. 골절은 상악골의 비돌기nasal process, 누두와lacrimal fossa를 지나 지판의 앞쪽에까지 가한다. 상악동의 내벽을 절골도를 이용해서 앞에서 뒤쪽으로 비강 바닥을 따라 절골한다. 비중격도 앞쪽에서 뒤쪽으로 필요한 만큼 절단한다. 이때 비배부의 지지를 위해 비중격의 앞부분은 보존하는 것이 좋다. 손가락을 가이드 삼아 잘 보면서 사골기포와 뒤쪽 접형동의 나머지 부착부위를 절골도로 절골하여 궁극적으로 종양을 일괴로 적출한다. 종양의 침범 범위에 따라서 상악 전적출술, 안구적출술, 양측 사골동 절제술, 전두동절제술, 비절제술rhinectomy 등을 추가할 수 있다.

경막의 결손이 있는 경우 인조경막이나 fascia lata 등으로 재건하고, 두개골막피판을 전두개와의 뼈 결손부위를 덮는데 사용한다(그림 30-8C). 이때, 두개저골에 드릴로 구멍을 내어 피판을 빈틈 없이 봉합한다. 개두술한 부위를 플레이트를 이용하여 원래 위치에 고정한다. 내안각인대는 비골에 드릴로 구멍을 내어 제 위치에 다시 부착하고, 비루관의 비강내 절단부위는 관 내강을 찾아 스텐트를 삽입한다. 패킹을 시행하여 두개골막피판을 아래에서 지지한 후 두피와 안면부 절개선을 봉합하여 수술을 마친다.

(3) 수술 후 관리

수술이 완료되면 환자는 의식이 회복되고 상태가 안정되어 합병증의 발생 가능성이 충분히 감소되었다고 판단될 때까지 중환자실에서 관리를 받아야 한다. 수술 직후 하루 정도는 과환기hyperventilation의 공급 및 혈액과 분비물로부터 기도를 보호하고 충분한 산소포화도를 유지하기 위해 인공호흡기mechanical ventilation를 유지하는 것이 좋다. 환자의 상태가 특별한 이상이 없고 안정화가 되었다고 판단이 되면 의식을 회복시키기 위해 진

정제의 투여를 중지하고, 의식상태가 완전히 회복되었다면 인공호흡기를 제거한다. 만약 의식상태가 정상적이지 않거나 깨어나는 정도가 느리면 뇌의 부종을 의심해서 인공호흡기를 더 유지한다.

뇌부종은 장시간 또는 과도한 뇌의 견인이 필요했거나, 뇌실질의 제거 또는 광범위한 경막절제가 필요했던 경우 더 흔하고, 뇌부종이 발생하면 두개 내 압력intracranial pressure도 상승하게 된다. 대부분의 경우 뇌의 부종을 최소화하고 두개 내 압력intracranial pressure을 조절하기 위해 과환기, 요추 배액, 스테로이드제제나 mannitol의 전신투여 등의 치료를 한다. 요추 배액은 배출량이 정상화되어 뇌압상승의 우려가 없고 수술부위로의 뇌척수액 누출이 없을 것으로 판단되면 배액을 일단 정지시키고, 문제가 발생하지 않으면 이후 배액관을 제거한다.

경련seizure을 방지하기 위해 수술 전 또는 수술 중에 항경련제를 투여하는데, 수술 후에도 경련의 가능성이 사라질 때까지 수 주에서 수개월간 지속적으로 사용한다. 안정적인 혈압의 유지와 심장기능의 감시, 적절한 수액의 공급, 영양공급, 통증의 조절 등도 중요하므로 경험 있는 중환자실 팀에 의한 관리가 필요하다.

향후 신경학적 합병증이 발생했을 때에 대비하여 수술 후 1일째 CT를 반드시 찍어야 한다. 특히 환자가 깨어나는 것이 느린 경우, 의식상태가 갑자기 감소하는 경우 뇌압 상승을 의미하므로 응급으로 CT를 찍어야 한다. 그 외 뇌척수액 검사, 뇌파검사, MRI 등의 검사를 시행할 수 있다.

(4) 수술 후 합병증

두개안면절제술의 전체적인 합병증의 발생빈도는 약 25~63%에 이르며, 수술 전후perioperative 치사율은 1.3~7.7%로 보고된다. 사망에 이르는 주된 원인은 뇌와 연관된 합병증이다.

합병증은 크게 두개 내 합병증, 두개외 합병증으로 구분된다.

두개 내 합병증으로는 대뇌부종, 두개강 내 출혈, 뇌혈관질환cerebrovascular accident, 뇌척수액 유출, 기뇌증, 뇌막염, 뇌농양, 경련, 정신상태의 변화altered mental status 등이 있다. 뇌척수액누출은 가장 흔한 합병증의 하나로 많은 양의 누출이 있으면 즉시 다시 열어 누출부위를 찾아 봉합해주는 것이 좋다. 소량일 경우 요추배액lumbar drain을 통해 매일 150 mL 정도 배액시키며 관찰한다. 그러나 5일이 지나도 멈추지 않으면 재수술을 고려해야 한다. 기뇌증은 7%까지 보고된다. 기뇌증은 두개저 수술부위의 치유전에 기침, 코풀기, 재채기 등으로 유발되거나 두개저의 재건부위가 완전하게 봉합이 안된 상태에서 요추배액이 지속적으로 일어난 경우 두개저 부위를 통해 지속적인 공기의 유입이 일어나 발생한다. 갑작스런 의식변화가 생길 수 있고 CT를 찍어 확인한다. 치료로 바로 요추배액을 막고 공기의 유입을 막기 위해 비강에 패킹을 한다.

두개외 합병증으로는 골피판 감염, 안면연부조직과 경부조직 감염, 장액종seroma과 혈종hematoma, 창상열개와 같은 창상치유문제, 복시, 안와 혈종, 시신경병증, 감염, 유루증 등의 안와 합병증, 뇌신경 손상, 술 후 출혈, 미용적인 문제 등이 있다.

7) 재건과 재활

수술로써 완전하게 병변을 제거하는 것이 수술적 치료의 일차적인 목표이고, 수술 후에 남은 결손부위를 적절하게 재건하는 것은 성공적인 수술결과를 얻기 위해 매우 중요한 과정이다. 병변이 진행된 환자일수록 수술 후 겪게 되는 미용적, 정신적 외상이 크지만, 술 전에 계획을 잘 세워 재건을 하고, 삶의 질을 유지하기 위한 최적화된 기능적 재활로 이러한 충격들을 효과적으로 치료할 수 있다.

수술 후 남은 결손의 정도에 따라 수술 당시 유리 피판을 이용한 재건을 할 것인지 아니면 보철물을 사용한 재활을 할 것인지를 결정해야 한다. 구개 결손은 수술적 재건보다는 보철물obturator prosthesis을 넣는 것이 술후 추적관찰 시 직접 관찰할 수 있기 때문에 재발을 조기 발견할 수 있으며, 기능면에서도 우수하다. 2 cm 이하의 작은 결손은 피판을 이용하여 재건할 수도 있지만 그 이상의 경우에는 오히려 재건한 구개의 모양contour이 변형되고 혀가 움직일 수 있는 공간이 줄어들기 때문에 구음, 연하 장애를 초래할 수 있다. 특히 연구개의 경우 재건 조직은 신경조직이 없어 구개인두폐쇄velopharyngeal closure를 방해하므로 재건하지 않는다. 수술 직후에는 술 전에 치과 보철의와 상의를 통해 미리 제작해 둔 외과적 폐쇄장치surgical obturator를 사용한다. 창상 치유과정에서 생기는 창상 수축에 따라 쉽게 변형할 수 있는 임시 폐쇄 장치interim obturator를 사용하다가 창상치유가 끝나고 흉터 수축이 어느 정도 끝나는 술 후 4~6주 후에는 최종 보철물definite prosthesis을 만들어 사용하게 된다.

미세혈관 유리피판 재건은 보다 광범위한 종양의 절제가 필요한 복잡한 증례에서 유리한 치료방법으로 보고된다. 이것은 안면의 윤곽과 형태를 더 잘 유지하고, 안와저를 더 잘 지지하고, 치아임플란트를 수용하는 데 우수하며, 수술 후 방사선조사의 영향을 잘 견딘다는 보고도 있다. 술자의 선택, 편견을 고려해야 하겠지만 언어명료성과 술 후 연하기능이 구개결손의 크기가 광범위할 경우에는 피판에 의한 재건이 더 우수하다는 결과도 있다.

안와하벽을 제거한 경우 유경 측두근pedicled temporalis muscle이나 대퇴근막 자유피판free fascia lata graft으로 안와하벽을 보강하여 안구함몰의 발생을 예방한다. 두개안면절제술 후 생긴 두개저의 결손은 술 후 감염, 뇌척수액 유출, 기뇌 등의 위험이 있으므로 이를 예방하기 위한 두개저의 재건이 반드시 필요하다. 경막 봉합 후 두개골막 피판pericranial flap, 모상건막 피판galeal flap, 측두근 피판temporalis flap, 복직근 피판rectus abdominis flap, 광배근 피판latissimus dorsi flap 등으로 재건할 수 있다.

안면골격의 결손이 큰 경우에는 복합피판으로 재건할 수 있으며 복직근 유리 피판과 장골릉rectus abdiminis free flap with iliac crest, 광배근 피판과 늑골latissimus dorsi flap with rib, 견갑 근막 피판scapular fasciocutaneous flap 등을 사용할 수 있다.

2. 내시경적 접근법 Endoscopic approach

내시경을 이용한 비부비동 악성종양의 수술 역시 안전역을 설정하여 암종을 완전하게 적출하는 것이 첫 번째 목표이다. 따라서, 모든 환자에게 내시경 수술 중 깨끗한 절제연을 얻지 못할 경우 언제든지 개방적인 접근법으로 전환할 수 있음을 수술 전에 설명해야 한다.

내시경 비부비동 악성종양 수술 시 일괴 절제 개념이 아닌 분획절제segmental resection의 개념으로 수술한다. 수술은 아래와 앞쪽에서부터 뒤쪽과 위쪽으로 진행하는데, 일차적으로 비중격 하부와 비강저에서 음성 절제연을 얻고 다음 해부학적 분획인 비인강 또는 안와 하부에 이를 때까지 종양을 부분적으로 제거할 수 있다. 비인강 또는 안와 하부에서 다시 음성 절제연을 얻고 다음 분획까지 종양을 부분적으로 제거한다. 마지막 해부학적 분획은 두개저, 뇌경막, 뇌실질이다.

비부비강의 완전한 해부학적 이해와 내시경 수술경험, 수술 후 뇌경막 결손에 대한 술자의 재건능력 등이 내시경적 접근법 선택시 고려해야 할 사항이다. 안면부 연부조직 또는 피부의 침범, 전두동의 골 침범, 구개의 침범, 안와의 외측 경막의 침범, 뇌실질의 침범(>2 cm),

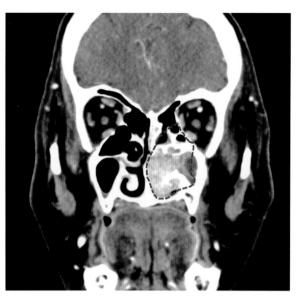

| 그림 30-9　편평세포암 환자에서 내시경적 내측 상악절제술 (partial or medial maxillectomy)

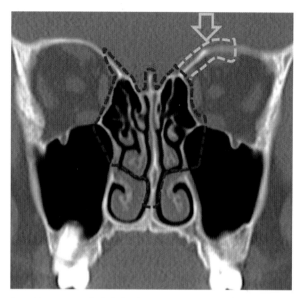

| 그림 30-10　내시경적 경사상판 두개저 절제(endoscopic transcribriform cranial base resection), 화살표는 비내 안와 절제(orbital extension)를 나타낸다.

내경동맥의 침범, 하악의 침범, 안와 침범, 동안근이나 시신경 침범, 해면동cavernous sinus의 침범 등이 있을 때 는 내시경적 비내접근법 금기이다.

　내시경 비부비동 악성종양의 수술은 환자 개개인의 상태와 종양의 특성 및 종양의 침범범위에 따라 다양 한 수술 방법이 있다. 기본적인 수술방법은 내시경적 부 분 또는 내측 상악절제술partial or medial maxillectomy, 내 시경적 경사상판 두개저 절제endoscopic transcribriform cranial base resection, 익돌구개 또는 하측두와 내 관상면 절제coronal plane resections into the pterygopalatine or infra-temporal fossa 등이 있다.

은 하비갑개 부착부와 구상돌기를 포함한 상악 내측벽 이 절제부위에 포함되며 안와 지판이 침범되었을 경우 안와지판을 절제부위에 포함한다(그림 30-9). 절제부의 뒤쪽 경계는 필요하면 비인강까지 포함할 수 있고 외측 연은 안와 하벽의 하안와신경을 넘지 않는다. 위쪽으로 는 음성 절제연을 얻고, 추적관찰 중 종양의 재발여부를 감시하기 위해 사골동을 두개저까지 제거하고 접형동과 전두동의 배액로를 개방한다. 중비갑개를 두개저와 안와 부착부를 포함하여 제거할 수 있다. 만약 상악동의 전벽 의 노출이 필요한 경우 Denker 확장을 할 수 있다.

1) 내시경적 부분 또는 내측 상악절제술

Partial or medial maxillectomy

내시경적 부분 상악절제술endoscopic partial maxillectomy

2) 내시경 경사상판 두개저 절제

Endoscopic transcribriform cranial base resection

내시경 경사상판 두개저 절제의 경계는 부분상악절제술, 하측으로 비중격 또는 비강저, 외측으로 안와지판 또는 안와 골막까지, 상측으로 전두개저 골부, 뇌경막, 뇌실질까지 포함한다(그림 30-10). 전두개와의 바닥을 따라 중비갑개, 사골동, 접형동, 전두동의 내용물들이 모두 제거되고 열리게 된다. 이 절제는 비중격 절제와 함께 양측으로 시행하며, 수술을 마치고 나면 한쪽 안와에서 반대편 안와까지 뒤쪽 접형동에서부터 Draf III 전두동 입구까지 하나의 공간으로 남게 된다.

두개저의 골부는 양측 비공으로 접근하여 드릴 또는 Kerrison rongeur로 제거하여 계관crista galli을 포함하여 경막으로부터 절제가 가능하다. 후각섬유들과 경막을 외측면을 따라 절개하고 대뇌겸falx cerebri까지 내측으로 절제하여 경막을 연다. 경막은 대뇌겸까지 위로 절제할 수 있고 필요하면 뒤쪽으로 접형동의 planum과 suprasellar cistern까지 절제할 수 있다. 후구olfactory bulbs도 절제할 수 있고, 뇌실질은 음성절제연clear margins까지 절제가 가능하다.

상부쪽으로 안와를 넘어 경막이 침범되면 안와를 감압시키고 밀어서 외측 안와의 천장부위로 접근이 가능하다(그림 30-10, 화살표). 뒤쪽으로는 시신경관이 안구의 움직임을 제한하므로 시신경관 외측으로 경막의 절제는 craniotomy가 필요하다. 경막을 절제하면 재건이 필요하다.

3) 익돌구개와 또는 하측두와 내 관상면 절제
Coronal plane resections into the pterygopalatine or infratemporal fossa

상악동과 사골동/두개저에 발생한 악성종양 모두 익돌구개와pterygopalatine fossa와 하측두와infratemporal fossa로 직접적 침범과 신경주위침범perineural invasion 둘 다 일어날 수 있다. 따라서, 내시경으로 종양의 일차 발생 장소를 절제한 다음 익돌구개와 하측두와로 절제하여

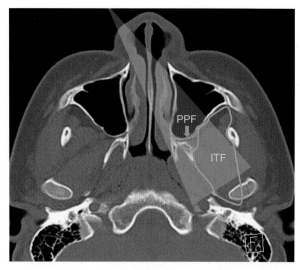

| 그림 30-11   경상악동 관상면 절제의 경계
PPF: pterygopalatine fossa (PPF), ITF: infratemporal fossa

종양의 음성 절제연을 얻는다(그림 30-11).

먼저 내측상악절제술을 시행하여 상악동의 내부를 노출하고, 추가적인 노출이 필요하면 posterior septectomy를 시행한다. 경상악동 통로transmaxillary corridor를 확보한 후 접형구개공을 찾아 접형구개동맥을 결찰하고, 점막은 내측 익상판medial pterygoid plate쪽으로 아래로 절제하고 이관융기torus tubarius와 이관의 앞쪽을 따라 pedicle로 남긴다. 내측에서 외측으로 상악동의 후벽을 모두 제거하여 익돌구개와를 연다. 익돌구개와를 덮고 있는 얇은 막을 절제하고 하행구개동맥descending palatine artery을 찾아 bipolar cautery로 소작한다. 구개동맥을 희생함으로써 하측두와의 외측으로 더 깊이 접근할 수 있다. Kerrison rongeurs와 고속드릴을 이용하여 구개골palatine bone의 안와돌기orbital process를 제거한다. 익돌구개와가 완전하게 움직이게 하기 위해 vidian nerve의 희생이 종종 필요하다. 그러면, 전체 익돌구개와가 움직여 절제가 가능하든지 또는 외측으로 밀어 하측두와 익상근으로의 접근이 용이할 수 있다. 하측

두와를 넓게 열기 위해서 바닥에서 천장까지 상악동의 후벽과 측벽을 완전히 제거한다(그림 30-11). 절제가 하측두와로 진행될수록 경동맥의 확인이 매우 중요하다.

4) 내시경적 비내 두개저 재건

완전히 종양을 적출한 후에는 치유를 촉진하고 수술 후 CSF leak과 두개강 내 감염을 방지하기 위해 효과적인 두개저 재건이 필요하며 nasoseptal flap이 일차적으로 많이 사용된다. Nasoseptal flap은 수술 후 뇌척수액 유출 발생률이 낮고, 전두개와 결손의 대부분을 덮을 수 있고, 내시경하 피판을 거상하므로 이차적인 공여부를 피할 수 있다는 장점이 있다. 하지만, 암이 비중격을 침범하였거나 이전 수술 또는 방사선치료로 혈관 공급이 손상되었을 경우는 nasoseptal flap 대신에 다른 혈관 피판을 사용하는 것이 좋다. 이차적으로 사용할 수 있는 피판에는 내시경하 pericranial flap, tunneled temporoparietal fascia flap, inferior turbinate flap, middle turbinate flap, anterior lateral nasal wall flap, palatal flap, occipital flap, facial artery buccinator flap, various tunneled free-flap 등이 있다.

5) 내시경수술의 결과

내시경 비내 악성종양 수술은 개방적 접근법에 비해 그 역사가 매우 짧지만, 내시경수술의 제한점으로 생각되어 온 두개저 재건기술은 지속적으로 발전하여 왔다. 몇몇의 대규모 연구에서 보고한 결과를 보면 내시경적 비내 접근법이 개방적 접근법에 비해 높은 생존율과 낮은 합병율을 보인다고 보고하고 있다. 하지만 내시경 비내 수술을 받은 환자는 상대적으로 병기와 조직학적 grade가 낮고 추적기간도 상대적으로 짧기 때문에 결과 해석에 주의를 기울여야 한다. 그럼에도 불구하고 최근 내시경 기술의 발전과 혈관피판 재건에 의한 낮은 합병증 발생율은 내시경 비내수술의 전망을 밝게 한다.

내시경 악성종양 수술 후 발생 가능한 합병증에는 유루증epiphora, 안와 합병증(복시, 안와혈종, 시력소실), 출혈, V2신경손상, 뇌척수액 비루, 감염, 후각기능소실, 비인강 또는 비전정의 반흔형성, stroke, 뇌막염, 비붕괴 nasal collapse, 안구건조, 구개신경 손상, 익상판 또는 익상근의 제거에 의한 개구장애, 이관기능장애, 경동맥 손상 등이 있다.

3. 방사선요법

1) 방사선 단독요법

하악과는 달리 상악은 방사선에 잘 견뎌서 방사선성 골괴사osteoradionecrosis는 잘 발생하지 않는다. 종양이 후방에 위치하거나 안면부 연조직 등을 침범하여 경부림프절 전이의 가능성이 높을 때에는 후인두림프절과 경부림프절을 포함하여 조사한다. 그러나 고전적 방사선치료는 부비동처럼 공기가 차 있는 공간에서는 충분한 조사량이 주어지는지 예측하기가 힘들며, 전방과 측방에서 나누어 조사한다 하여도 사골동과 상악동의 후방에는 충분한 양이 도달하지 못하면서 오히려 안구와 시신경에 합병증만 일으킨다. 최근에는 강도변조방사선치료를 함으로써 안구로 가는 방사선양은 줄이고 복잡한 침범을 보이는 경우에도 비교적 균일한 양의 방사선을 조사할 수 있게 되었다.

2) 수술과의 병합요법

술 전 조사는 종양을 축소하여 수술범위를 줄일 수 있으나, 수술 당시 안전한 절제연을 결정하기 힘들고 수술 후에는 '상처치유상 문제와 같은 술 후 합병증이 발생한다. 술 후 조사는 수술 후 암세포 잔존이 의심될 경우 시행하는데 수술로 치유된 반흔조직 내 산소량이 감소하게 되어 방사선치료 효과가 떨어지는 단점이 있다.

3) 고식적 방사선조사

너무 진행되어 수술이 불가능한 경우 또는 수술 후에 재발하였으나 수술이 불가능할 경우에 부득이하게 고식적 방사선치료palliative radiation therapy를 시행한다.

4. 항암화학요법

고식적인 목적이나 통증을 경감하기 위해 또는 종양 자체를 축소시키기 위해 시행한다. 수술을 거절하거나 수술을 견뎌낼 수 없는 상태, 그리고 수술이 불가능한 경우 방사선 치료와 병행하여 시행될 수 있다. 최근 꾸준히 치료 성적이 보고되고 있는 동시 화학방사선요법con-comitant chemoradiotherapy, CCRT은 국소적으로 광범위하게 진행된 종양에서도 합병증의 증가 없이 높은 국소 치료율이 보고되고 있어, 종양이 아주 크거나 수술이 불가능한 경우에는 두개안면절제술이나 고식적인 방사선치료보다 더 나은 국소치료성적과 낮은 이환율을 보일 것으로 기대된다.

천측두동맥superficial temporal artery 경유 동맥 내 항암제 국소주입요법과 방사선조사 그리고 상악 부분절제술partial maxillectomy을 주체로 하는 삼자병용치료 방법은 일본에서 주로 소개되어 발전되었다. 사용약제로 주로 5-FU가 많이 사용되고 있으며, 약물과 동시에 방사선조사를 시행하면서 매일 상악동의 개동open cavity부분을 통해 괴사조직을 청소하다가 적절한 시점에 축소수술decompression surgery을 시행하고 필요에 따라 방사선조사나 화학요법을 추가한다. 안구와 경구개는 보존하면서도 치료성적이 양호한 치료법으로 보고되었다.

5. 진행된 암의 치료

1) 안와 침범

비부비동 종양은 3가지 경로를 통해 안와로 침범한다. 첫째 안와의 하부나 내측 골벽으로 직접적인 침윤, 둘째 하안와신경 혈관속infraorbital neurovascular bundle 또는 사골신경혈관속을 통한 침습, 셋째 안와하열이나 비누루관과 같이 이미 형성된 경로 등을 통해서 안와로 침습된다. 과거의 상악암 수술은 기본적으로 안구적출과 함께 상악전적출술을 시행하였으나, 근래에는 상악절제술 시 가능한 한 안구를 선택적으로 보존하는 경향이다. 1970년대에는 안와골벽만 침범하여도 진행된 암으로 간주하여 안구적출의 적응증으로 생각하였으나, 1980년대부터는 안와골벽이 아니라 안와골막periorbita이 안구보존 여부를 결정짓는 주요 구조물이라 인지되었다. 이후에는 안와골막의 침범이 있더라도 광범위한 안와골막 침범만 없다면 안구보존을 할 수 있고, 안구적출을 한 경우와 비교해서 생존율과 국소재발에는 차이가 없다는 보고가 있다. 현재까지는 안와골막을 넘어서 안와지방orbital fat, 외안근extraocular muscle, 안와첨부orbital apex, 안검eyelid을 침범한 경우에 안구적출의 적응증으로 받아들여지고 있다. 술 전 CT촬영으로 안와골벽의 침습 정도를 파악하고, MRI촬영으로 안와골막과 이를 넘어선 안와내용물 침범 여부를 확인하면 수술계획을 수립하는데 도움이 된다. 특히 안와골막은 암의 침범에 대해 강한 방어구조물이므로 MRI촬영으로 안와골막의 침습 여부를 판단하는 데 도움을 줄 수 있다. 그러나 궁극적으로 안와침범 여부의 판단은 수술 중에 반드시 확인하여야 한다.

2) 경부전이

처음 진단 당시 경부림프절 전이의 빈도는 약 10% 정도이다. 치료 도중 또는 추적관찰 중 발견되는 것까지 합하면 경부전이는 5~44%까지 더 높아지고, 치료 후 처음 48개월 동안에 가장 흔하다. 치료 실패의 원인으로 경부림프절 전이가 국소 재발 다음으로 흔한 원인이나, 경부림프절 단독의 재발은 드물고 보통 원발부의 국소재발에 동반된다. 첫 진단 시 림프절 전이를 보일 경우 예후는 더욱 불량하지만 림프절 전이가 있더라도 원발부위에 대한 근치적 절제수술에 소극적일 필요는 없으며 경부곽청술과 함께 시행한다.

3) 익돌구개와 침범

비강과 부비동 악성 종양에 의한 익구개와pterygopalatine fossa 침범빈도는 10~20%로서 익돌구개와에 침범되었다면 국소재발의 가능성이 대단히 높다. 일반적으로 근치적 절제술과 방사선 치료의 병행요법이 추천된다.

4) 두개저 침범

두개저의 침범은 두개저 골벽으로의 직접 침윤이나 미

란, 사골판이나 안와상열과 같은 이미 형성된 경로, 제5번 뇌신경의 2, 3분지를 통해서 침범된다. 비부비동 종양의 두개저 침범 빈도는 약 15% 정도이고 상악동보다는 사골동, 전두동, 접형동에 종양이 있을 경우에 빈도가 높다. CT촬영과 MRI촬영으로 침범부위를 정확히 파악할 수 있고, 두개저 재건에 필요한 피판술이 발전되어 두개안면절제수술 자체의 이환율과 사망률이 많이 낮아졌으나, 전체적으로 질환으로 인한 생존율은 큰 차이를 보이지 않고 있다. 두개안면절제술의 절대적 금기는 내과적이나 영양적인 문제, 원격전이, 척추전근막preverte-bral fascia의 침범, 고악성도 종양의 해면정맥동 침범, 경동맥의 침범, 양측 시신경이나 시교차optic chiasm의 침범 등이 있는 경우이다. 상대적 금기는 경막의 침범, 선양낭성암종adenoid cystic carcinoma에 의한 두개 내 신경조직의 침범이 있는 경우이다.

6. 합병증

1) 수술

수술 합병증은 수술 전에 방사선조사 또는 항암방사선조사가 있었던 경우, 다른 동반된 내과 질환이 있는 경우 발생률이 증가한다. 상악절제술 중 비루관이 제거되거나 술 후 협착으로 인하여 유루증이 발생한다. 비루관이 제거된 경우에는 누낭비강문합술을 시행하여 술 후 유루증의 발생을 예방할 수 있으며 이때에는 12주 정도의 삽관이 필요하다. 외안근의 손상이나 외안근 포착en-trapment에 의한 복시가 발생할 수 있으며 외안근 포착의 경우는 외과적 유리술이 필요하다. 안구 조작이나 절골술로 인해 시신경이 압박을 받아 실명이 발생할 수 있으며 이때는 고용량 스테로이드요법과 함께 응급 안구감압술이 필요하다. 안와의 하부나 내측 골벽을 모두 제거하면 심각한 안구함몰enophthalmos, hypoophthalmos을 야기하므로 재건하여야 한다.

두개안면절제술 후 발생할 수 있는 중요한 합병증은 뇌막염, 뇌농양, 뇌척수액비루, 창상 출혈, 기뇌증 등이다.

2) 방사선치료

고전적 방사선 치료에 의한 합병증은 대단히 높다. 안구에 대한 침범이 없을 경우 안검, 결막, 누선, 각막, 각막과 수정체를 포함한 안구 전방구조물은 차폐가 가능하나 안구에 대한 침범이 있을 경우 안구 전체가 방사선 조사 영역에 포함된다. 전방구조물을 차폐한 경우에는 술 후 3~5년째 지연성으로 망막병증이나 시신경병증이 발생하게 되는데 이는 망막과 시신경 자체가 방사선에 저항성이 있으나 미세혈관은 저항성이 없기 때문이다. 안구전체가 방사선조사를 받은 경우에는 안구건조증으로 인한 각막염, 전안구염panophthalmitis, 실명이 1년 내에 발생하게 된다. 항암화학요법, 당뇨, 동맥경화가 있는 경우 방사선에 의한 합병증이 더 잘 발생한다. 합병증의 빈도는 총 방사선 조사량과 분할조사량에 비례한다. 3500 cGy 이하에서는 이런 합병증들이 드물게 일어나지만 6000~7000 cGy의 경우 50~65%, 8000 cGy의 경우에는 85% 이상에서 발생한다. 최근에는 강도변조방사선치료가 도입됨으로써 안구로 가는 방사선 양을 줄이고 비교적 균일한 양의 방사선을 조사할 수 있게 되어 기존의 고전적 방사선치료 후유증을 상당히 줄일 수 있게 되었다.

3) 창상

출혈, 감염, 피판 소실, 방사선골괴사 등의 합병증이 발생할 수 있다. 비강 내의 가피는 감염을 유발할 수 있으므로 제거가 필요하며 잦은 비강 내 생리식염수 세척을 통해 비강 위생을 유지할 수 있다. 봉와직염, 비강 내 감염 등이 정맥혈을 통해 역행성으로 파급되면 뇌막염이나 뇌농양이 발생한다. 피판 소실에 의해 뇌척수액유출, 긴장성 기뇌증, 뇌막염, 뇌농양 등의 뇌기저부의 합병증이 드물게 발생할 수 있다.

7. 예후

상악동 종양 자체가 발견이 늦고 진행이 빠르며 효과적인 치료법이 아직 확립되지 않은 관계로 예후는 불량한 편이다. 하지만 두개저 수술의 발전, 내시경의 도입, 병용항암요법의 발전 그리고 강도변조방사선치료와 같은 방사선조사기법의 발달에 힘입어 지난 40년간의 최종 생존율overall survival은 증가하고 있는 경향이다. 치료 실패 원인은 경부나 전신전이보다 국소재발이 가장 흔하다.

참고문헌

1. 노환중. 비강과 부비동의 악성종양. 이비인후과학 두경부외과학. 서울. 일조각 2009;1316-33.
2. 노환중. 비부비동 종양에 대한 내시경 수술의 응용. 임상이비인후과 1998;9:254-62.
3. 성명훈, 조재식, 노환중, 이철희. 비강 및 부비동 종양. 민양기 편. 임상비과학. 서울:일조각;1997. p.476-81.
4. 조재식, 이종원. 상악암에 대한 병용요법. 서울 심포지움 1995;5(II):353-71.
5. Batsakis JG. In Tumors of the head and neck. Baltimore: Williams & Wilkins Company 1979.
6. Bilsky MH, Kraus DH, Strong EW, et al. Extended anterior craniofacial resection for intracranial extension of malignant tumors. Am J Surg 1997;174:565-8.

7. Canto G, Solero CL, Mariani L, et al. Anterior craniofacial resection for malignant ethmoid tumors-A series of 91 patients. Head Neck 1999;21:185-91.

8. Carta F, Blancal JP, Verillaud B, Tran H, Sauvaget E, Kania R, et al. Surgical management of inverted papilloma: approaching a new standard for surgery. Head Neck 2013;35:1415-20.

9. Catalano PJ, Hecht CS, Biller HF, et al. Craniofacial resection. An analysis of 73 cases. Arch Otolaryngol Head Neck SUrg 1994;120:1203-8.

10. Choi KN, Rotman M, Aziz H, Sohn CK, Schulsinger A, Torres C, et al. Concomitant infusion cisplatin and hyperfractionated radiotherapy for locally advanced nasopharyngeal and paranasal sinus tumors. Int J Radiat Oncol Biol Phys 1997;39:823-9.

11. Cody DT II, Desanto LW. Neoplasm of the nasal cavity. In: Cummings CW, Fredrickson M, Harker LA, Krause CJ, Richardson, MA, Schulller DE(eds). Otolaryngology-Head and Neck Surgery, 3rd ed. St. Louis: Mosby Year Book 1998;883-901.

12. Dulguerov P, Jacobsen MS, Allal AS, LehmannW, Calcaterra T. Nasal and paranasal sinus carcinoma: Are we making progress? Cancer 2001;92:3012-29.

13. Genden EM, Okay D, Stepp MT, Rezaee RP, Mojica JS, Buchbinder D, et al. Comparison of functional and quality-of-life outcomes in patients with and without palatomaxillary reconstruction: a preliminary report. Arch Otolaryngol-Head Neck Surg 2003;129:775-80.

14. Hadad G, Bassagasteguy L, Carrau RL, Mataza JC, Kassam A, Snyderman CH, et al. A novel reconstructive technique after endoscopic expanded endonasal approaches: vascular pedicle nasoseptal flap. The Laryngoscope 2006;116:1882-6.

15. Hanna E, DeMonte F, Ibrahim S, Roberts D, Levine N, Kupferman M. Endoscopic resection of sinonasal cancers with and without craniotomy: oncologic results. Arch Otolaryngol-Head Neck Surg 2009;135:1219-24.

16. Harrison DF. Problems in surgical management of neoplasms arising in the paranasal sinuses. J Laryngol Otol 1976;90:69-74.

17. Ho AS, Zanation AM, Ganly I. Malignancies of paranasal sinus. In: Cummings Otolaryngology Head and Neck Surgery. 6th edition: Philadelphia: Saunders, an imprint of Elsevier 2015;1183-201.

18. Imola MJ, Schramm VL Jr. Orbital preservation in surgical management of sinonasal malignancy. Laryngoscope 2002;112:1357-65.

19. Irish J, Dasgupta R, Freeman J, et al. Outcome and analysis of the surgical management of esthesioneuroblastoma. J Otolaryngol 1997;26:1-7.

20. Kim HJ, HS Lee, Cho KS, Roh HJ. Periorbita: Computed tomography and magnetic resonance imaging findings, Am J Rhinol 2006;20:371-4.

21. Koch WM, Price JC. Maxillectomy. In: Johns ME, Price JC, Mattox DE, editors. Atlas of head and neck surgery. Philadelphia: B.C. Decker 1990;276-96.

22. Larson DL, Christ JE, Jesse RH. Preservation of the orbital contents in cancer of the maxillary sinus. Arch Otolaryngol 1982;108:370-2.

23. Lee JY, Ramakrishnan VR, Chiu AG, Palmer J, Gausas RE. Endoscopic endonasal surgical resection of tumors of the medial orbital apex and wall. Clin Neurol Neurosurg 2012;114:93-8.

24. Levine PA, Debo RF, Meredith SD, et al. Craniofacial resection at the University of Virginia (1976-1992): Survival analysis. Head Neck 1994;16:574-7.

25. Lund VJ, Howard DJ, Wei WI, et al. Craniofacial resection for tumors of the nasal cavity and paranasal sinuses-A 17-year experience. Head Neck 1998;20:97-105.

26. Lund VJ, Stammberger H, Nicolai P, Castelnuono P, Beal T, Beham A, et al. European position paper on endoscopic management of tumours of the nose, paranasal sinuses and skull base. Rhinol Suppl 2010;22:1-143.

27. Markt JC, Salinas TJ, Gay WD. Maxillofacial prosthetics for head and neck defects.In: Cummings CW, Flint PW, Harker LA, Haughey BH, Richardson MA, Robbins MA, Schuller DE, Thomas JR(eds). Otolaryngo-logy-Head and neck surgery, 4th ed. St. Louis: Mosby-Year Book 2005;1639-68.

28. McCutcheon IE, Blacklock JB, Weber RS, et al. Anterior transcranial resection of tumors of the paranasal sinuses: Surgical technique and results. Neurosurgery 1996;38:471-9.

29. Montgomery WW. Surgery of the maxillary sinus. In: Montgomery WW, editor. Surgery of the upper respiratory system. 2nd ed. Philadelphia: Lea & Febiger 1971;209-55.

30. Moreno MA, Skoracki RJ, Hanna EY, hanasono MM. Microvascular free flap reconstruction versus palatal obturation for maxillectomy defects. Head Neck 2010;32:860-8.

31. Myers EN, Carrau RL. Neoplasms of the nose and paranasal sinuses. In: Bailey BJ, Johnson JT, Kohut RI, Pillsbury III HC(eds). Head & neck surgery-otolaryngology. Philadelphia: J.B. Lippincott Company 1993;1091-109.

32. Nakissa N, Rubin P, Strohl R, Keys H. Ocular and orbital complications following radiation therapy of paranasal sinus malignancies and review of literature. Cancer 1983;51:980-6.

33. Nicolai P, Battaglia P, Bignami M, Bolzoni VA, Delu G, Lombaedi D, et al. Endoscopic surgery for malignant tumors of the sinonasal tract and adjacent skull base: a 10-year experience. Am J Rhinol 2008;22:308-16.

34. Nicolai P, Castelnuovo P, Lombardi D, Battaglia M, Bignami M, Pianta L, et al. Role of endoscopic surgery in the management of selected malignant epithelial neoplasms of the nasoethmoidal complex. Head Neck 2007;29:1075-82.

35. Noone MC, Osguthorpe JD, Patel S. Pericranial flap for closure of paramedian anterior skull base defects. Otolaryngol Head Neck Surg 2002;127:494-500.

36. Patel MR, Stadler ME, Snyderman CH, Carrau RL, Kassam AB, Germanwala AV, et al. How to choose? Endoscopic skull base reconstructive options and limitations. Skull Base 2010;20:397-404.

37. Patel MR, Taylor RJ, Hackman TG, Germanwala AV, Sasaki-Adams D, Ewend MG, et al. Beyond the nasoseptal flap: outcomes and pearls with secondary flaps in endoscopic endonasal skull base reconstruction. Laryngoscope 2014;124:846-52.

38. Perry C, Levine PA, Williamson BR, Cantrell RW. Preservation of the eye in paranasal sinus cancer surgery. Arch Otolaryngol Head Neck Surg 1988;114:632-4.

39. Prosser JD, Figueroa R, Carrau RI, Ong YK, Solares CA. Quantitative analysis of endoscopic endonasal approaches to the infratemporal fossa. Laryngoscope 2011;121:1601-5.

40. Rice D, Stanley R. Surgical therapy of nasal cavity, ethmoid sinus and maxillary sinus tumors. In: Thawley S, Panje W, Batsakis J, Lindberg R(eds). Comprehensive management of head and neck tumors, vol. 19, Philadelphia: WB Saunders, 1987;368-90.

41. Rogers SN, Lowe D, McNally D, Brown JS, Vaughan ED. Health-related quality of life after maxillectomy: a comparison between prosthetic obturation and free flap. J Oral Maxillofac Surg 2003;61:174-81.

42. Scott-McCary W, Levine PA, Cantrell RW. Preservation of the eye in the treatment of sinonasal malignancies with orbital invasion. A confirmation of the original treatise. Arch Otolaryngol Head Neck Surg 1996;122:657-9.

43. Shah J. Shah's Head and Neck Surgery and Oncology, 4th ed. Philadelphia: Elsevier 2012.

44. Shah JP, Kraus DH, Bilsky MH, et al. Craniofacial resection for malignant tumors involving the anterior skull base. Arch Otolaryngol Head Neck Surg 1997;123:1312-7.

45. Snyderman CH, Carrau RL, Kassam AB, Zanatin A, Prevedello D, Gardener P, et al. Endoscopic skull base surgery: principles of endonasal oncological surgery. J Surg Oncol 2008;97:658-64.

46. Tiwari R, van der Wal J, van der Waal I, Snow G. Studies of the anatomy and pathology of the orbit in carcinoma of the maxillary sinus and their impact on preservation of the eye in maxillectomy. Head Neck 1998;20:193-6.

47. Van Tuyl R, Gussack GS. Prognostic factors in craniofacial surgery. Laryngoscope 1991;101:240-4.

48. Weymuller EA, Gal TJ. Neoplasms.In: Cummings CW, Flint PW, Harker LA, Haughey BH, Richardson MA, Robbins MA, Schuller DE, Thomas JR(eds). Otolaryngo-logy-Head and neck surgery, 4th ed. St. Louis: Mosby-Year Book: 2005;1639-68.

49. Weymuller EA, Reardon EJ, Nash D. A comparision of treatment modalities In carcinoma of the maxillary antrum. Arch Otolaryngol Head Neck Surg 1980;106:625-9.

50. Weymuller EA. Neoplasms. In: Cummings CW, Fredrickson JM, Harker LA, Krause CJ, Schuller DE(eds). Otolaryngo-logy-Head and neck surgery, 2nded. St. Louis: Mosby-Year Book 1993;941-54.

51. Zimmer LA, Carrau RJ. Neoplasms of the nose and paranasal sinuses. In: Bailey BJ(ed). Head and Neck Surgery-Oto-laryngology, 5th ed. Philadelphia: Lippincott Williams&. WJ.lkins 2014;2044-62.

치성 질환

경북의대 이비인후과 **김정수**, 한양의대 이비인후과 **정진혁**

> **CONTENTS**

Ⅰ. 치아의 발생과 구조

Ⅱ. 치성 질환의 종류

Ⅲ. 임플란트 관련 비과 질환

HIGHLIGHTS ›››

- 치아는 치판기, 치순기, 성장기와 벨모양기의 발생단계 후 연립, 치근 형성을 거쳐 맹출됨
- 일반적으로 치아의 개수는 흔히 사랑니라고 부르는 최후방의 치아인 제3 대구치를 포함하면 총 32개이고 그것을 빼면 28개가 일반적임
- 비과와 연관된 치아는 주로 상악 구치부로 일반적으로 하악이나 상악 전치부에 비해 골질이 불량하고 상악동의 함기화 및 치조제의 골 흡수로 인해 골량이 부족한 경우가 많기 때문임
- 치성 상악동염을 일으키는 균주는 *Streptococci*, *Bacteroides*, *Proteus*, *Coliform bacilli*으로 치성감염을 일으키는 구강 균주와 거의 동일하며, 대부분 호기성과 혐기성의 혼합감염임
- 치성 부비동염의 치료는 전통적인 부비동염 치료에 잘 반응하지 않으므로 원인이 되는 치아에 대해 치과적인 치료와 더불어 부비동염에 대한 내과적, 수술적 치료를 함께 고려해야 함
- 구강 상악동 누공의 치료는 누공의 크기에 따라 달라지며 부비동염이 동반된 경우에는 자연히 막힐 가능성이 낮으므로 내시경 부비동수술이나 경우에 따라 Caldwell-Luc 접근법, 국소피판을 이용한 재건술도 필요함
- 치성낭은 자각증상이 별로 없어 크기가 커진 후 우연히 발견되며 파노라마 영상과 CT를 통해 진단 및 종양과 감별이 가능하다. 치성낭의 치료 원칙은 외과적 수술이며 낭의 일부를 제거하여 배액하는 조대술과 낭 전적출술로 나눔
- 임플란트와 관련된 비과 질환으로는 급성 상악동염, 이식물의 전위, 구강상악동루, 협부 장액종, 골 균열이 있으며 적절한 약물치료와 필요에 따라 이식물의 제거가 필요할 수 있음

치성 질환은 비부비동염과 심경부 감염의 중요한 원인이 될 수 있어 이비인후과 의사로서 기본적인 병태생리 및 해부를 잘 이해해야 한다.

치성 질환은 크게 염증성 질환과 종양성 질환으로 나눌 수 있다. 염증성 치성 질환은 치아의 염증으로 인해 안면 및 비부비동으로 파급된 질환으로 치성 감염odontogenic infection이라고 하고 치성 상악동염은 비교적 흔히 볼 수 있고 최근에는 임플란트 이식으로 인한 상악동염도 잘 생겨 이에 대한 관심이 필요하다. 종양성 질환은 양성 혹은 악성을 말하는 것으로 양성종양은 다시 치성낭과 양성 치성 종양으로 분류할 수 있는데 염증 때문에 이차적으로 생긴 것이 아니라면 대부분의 치성낭과 종양은 치아의 발생 과정과 관련된다. 또한 대부분의 치성 질환은 악성화하지 않는 양성 병변이지만 극히 드물게 악성종양이 나타나기도 하므로 조직검사가 필요한 경우도 있다.

Ⅰ | 치아의 발생과 구조

1. 치아의 발생

치아는 치판기dental lamina stage, 치순기bud stage, 성장기cap stage와 벨모양기bell stage의 발생단계를 거쳐 연립apposition, 치근root 형성을 거쳐 맹출된다(Bath-Balogh and Fehrenbach, 2011)(그림 31-1).

태생 6주경 원시 하악 내에 상대적으로 두꺼워진 구강 상피조직인 치판dental lamina과 그 주위의 외간엽조직ectomesenchyme으로 구성된 꽃순 같은bud-like 구조물인 치순bud을 형성한다. 이 치판으로부터 미래의 치열궁dental arch이 발생하게 된다. 태생 8주 초기에 치판에서 치순으로 대규모 분화가 일어나서 상악 및 하악의 치열궁에는 10개의 치순이 발생한다.

성장기cap stage는 태생 9~10주에 나타나며, 치순의

끊임없는 증식이 이루어지는데 각각의 치순은 부분마다 다른 성장이 일어나며 이를 통해 덮개 같은 구조물인 법랑기관enamel organ을 형성하게 된다. 법랑기관은 외배엽 기원이며, 치아 외층을 덮는 법랑질enamel을 생성한다. 법랑기관의 덮개 안쪽에 위치한 외간엽조직은 치간유두라고 하며, 출생 후 치아 내부에서 상아질dentin과 치수dental pulp를 생성한다. 법랑기관의 덮개 바깥쪽에 위치한 외간엽조직은 치낭이라고 부르며, 미래에 백악질cementum, 치주인대periodontal ligament, 치조골alveolar bone을 형성한다.

벨모양기Bell stage는 태생 11~12주에 나타나며 내측 법랑상피세포는 법랑모세포ameloblast로 분화하여 법랑질을 분비하게 되며, 치간유두는 치아모세포odontoblast로 분화하여 상아질을 분비하게 된다. 이 시기에 치판이 분산되면서 때때로 잔류조직이 남게 되며, 이 세포들을 Serres 잔류조직rests of Serres이라 한다(안, 2009).

연립기Apposition는 치아 발생의 마지막 단계로, 법랑

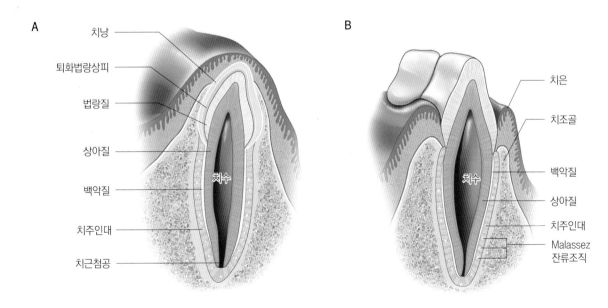

| 그림 31-1 맹출 전(**A**)과 맹출 후(**B**)의 치아 구조

모세포에서 분비된 법랑질로 치관이 만들어지고, 치아모세포에서 분비된 상아질로 치근이 만들어진다. 치낭은 치아가 맹출되기 전까지 퇴화법랑상피reduced enamel epithelium와 닿아 있다가, 치아가 맹출되면 치낭은 퇴화되며, 퇴화법랑상피는 법랑질과 치조골의 경계에 약간의 잔류 조직으로 남을 수 있다.

치근의 형성root formation은 치아 맹출 후 수 년에 걸쳐 완성되며 치주인대 속의 상피세포막은 발생과정에서 간혹 잔류조직을 남기게 되는데, 이를 Malassez 잔류조직rests of Malassez이라고 한다(안, 2009; Bath-Balogh and Fehrenbach, 2011). 일반적으로 Malassez 잔류조직은 염증성 치성 낭종의 기원이 되는 경우가 흔하며, Serres 잔류조직, 법랑기관, 퇴화법랑상피는 종양의 기원으로 알려져 있다. 치근 상아질의 외측 표면에 존재하는 백악질은 치낭의 외간엽 조직세포들이 분화한 백악모세포cementoblast에 의해 분비된다.

2. 치아의 구조

1) 치아의 해부

치아의 경조직에는 법랑질과 상아질이 있다. 치관dental crown을 이루는 법랑질은 수산화인회석으로 이루어져 있으며, 무색 반투명 하지만, 상아질의 색이 투시되어 황색으로 보일 수 있다. 상아질은 치아의 구성 조직 중 가장 많은 부분을 차지하며, 치조골 내에 위치한 치근을 이루는 구성성분이다. 상아질의 내측에는 치수가 있으며, 상아질의 외측은 백악질로 덮여 있고, 백악질을 감싼 치주인대는 치조골과 연결되어 있다. 상아질이 노출되면 통증을 유발한다.

치수는 치아 중심부에 위치한 연조직으로, 신경, 혈관, 림프관이 존재하며, 치근첨공foramen apicis dentis을 통해 치아 밖으로 연결된다(그림 31-1).

2) 치아의 분류

일반적으로 치아의 개수는 흔히 사랑니라고 부르는 최후방의 치아인 제3 대구치를 포함하면 총 32개이고 그것을 빼면 28개가 일반적이다.

상악과 하악 그리고 중앙을 기준으로 좌우가 대칭으로 4부분으로 나누어 각 부분마다 8개의 치아를 중앙부터 바깥쪽으로 중절치central incisor, 측절치lateral incisor, 견치(canine, 송곳니), 제1 소구치1st premolar, 제2 소구치2nd premolar, 제1 대구치1st molar, 제2 대구치2nd molar, 제3 대구치3rd molar(사랑니)라고 부른다. 또한 치과에서는 이를 두 자리 숫자로 부르는데 첫 번째 숫자는 우측 상악부터 시계방향으로 1, 2, 3, 4로 붙여 우측 상악 1, 좌측 상악 2, 좌측 하악 3, 좌측 상악 4로 표시하고 두 번째 자리는 중심선에서부터 멀어지는 쪽으로 1~8을 붙이게 된다(그림 31-2).

비과와 연관된 치아는 주로 상악의 치아로 상악의 치아는 매립되어 있는 상악의 부위에 따라 상악 전치부와 상악 구치부로 구분할 수 있다. 앞니에 해당하는 상악 전치부는 상악전돌기premaxillary process의 치조골dental alveolus상에 치아가 심겨 있으며, 양 측절치 사이의 상부에는 비강 혹은 이상구가 존재한다(그림 31-3). 상악 구치부는 일반적으로 하악이나 상악 전치부에 비해 골질이 불량하고 상악동의 함기화 및 치조제alveolar ridge의 골 흡수로 인해 골량이 부족한 경우가 많다.

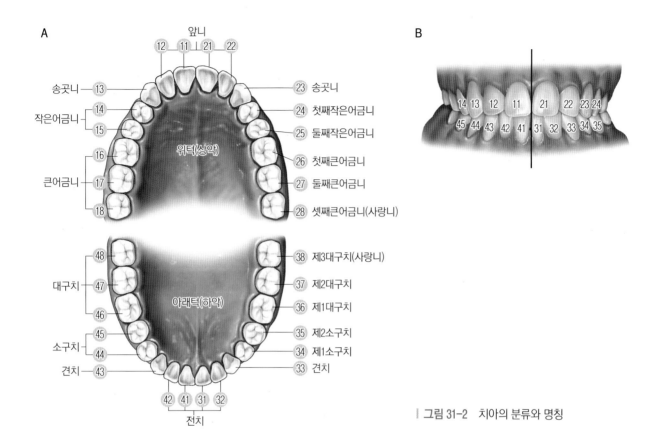

A

앞니

12 11 | 21 22

송곳니 — 13　　　　　　　　　　　　　　　　　　 23 송곳니

작은어금니 14　　　　　　　　　　　　　　　　　 24 첫째작은어금니

15　　　　　　　　　　　　　　　　　 25 둘째작은어금니

위턱(상악)

16　　　　　　　　　　　　　　　　 26 첫째큰어금니

큰어금니 17　　　　　　　　　　　　　　　 27 둘째큰어금니

18　　　　　　　　　　　　　　　 28 셋째큰어금니(사랑니)

48　　　　　　　　　　　　　　　 38 제3대구치(사랑니)

대구치 47　　　　　　　　　　　　　 37 제2대구치

46　　　　　　　　　　　　 36 제1대구치

아래턱(하악)

45　　　　　　　　　　　　 35 제2소구치

소구치 44　　　　　　　　　　 34 제1소구치

견치 43　　　　　　　　　 33 견치

42 41 31 32

전치

B

14 13 12 11 | 21 22 23 24
45 44 43 42 41 | 31 32 33 34 35

| 그림 31-2　치아의 분류와 명칭

II | 치성 질환의 종류

1. 치성 감염증

1) 치성 상악동염

전체 부비동염 중에서 치성 원인의 비율은 약 10~12%로 알려져 있다(Mehra and Murad, 2004). 상악동은 해부학적으로 치아와 근접하기 때문에 치과적인 원인으로 부비동염이 파급되는 주된 병소이다. 상악동과 치근 사이의 거리는 아주 얇지만 단단한 피질골로 구분되어 있어 일반적으로 치성 감염이 부비동으로 쉽게 파급되지 않는다.

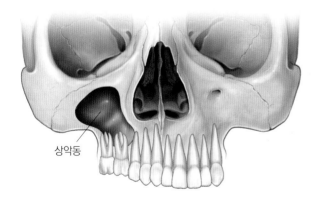

상악동

| 그림 31-3　상악 치아와 비강 및 상악동과의 관계

581

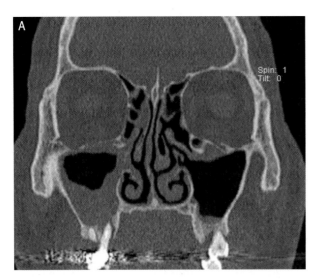
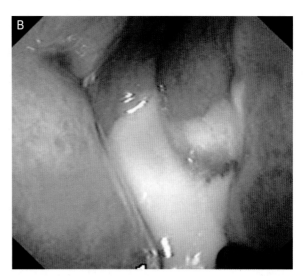

▌ 그림 31-4　치성 상악동염의 CT영상(A) 및 우측 비강의 비내시경 소견(B)

　　치성 상악동염을 일으키는 균주는 *Streptococci, Bacteroides, Proteus, Coliform bacilli*로 치성감염을 일으키는 구강 균주와 거의 동일하며, 대부분 호기성과 혐기성의 혼합감염이다.

　　대부분의 상악치 감염은 충치에서 비롯되는데, 처음에는 치아의 가장 외곽층인 법랑질에서 감염이 시작되어 중간층인 상아질을 지나 치수에 이른다. 일단 감염이 치수에 이르면 치수 내 조직은 괴사하고 농을 형성한다(그림 31-4). 치아는 치근에 의해 보호되어 있어 감염을 효과적으로 치료하기 힘들고, 염증 산물인 라이소좀 효소lysosomal enzyme에 의해 골 흡수가 일어난다. 치아 감염이 제대로 치료되지 않으면, 치근 첨공을 통해 치조골이 천공되어 확산되는데, 상악의 경우 얇은 협부 치조골을 뚫고 협부의 연조직으로 감염이 진행되고, 상악대구치, 측절치의 감염은 골막하로 진행되어 경구개로 확산될 수 있으며, 이러한 감염은 부비동을 통하여 안와까지 파급될 수 있다.

　　상악치의 발치나 치수 치료 같은 침습적인 시술은 이러한 과정이 없이도 치성 감염이 부비동으로 쉽게 파급되는 경로를 제공할 수 있으며, 최근에는 임플란트 시술 과정에서 의인성으로 발생하는 경우가 늘고 있다. 제2 대구치가 상악동 바닥에 가장 근접한 치아이지만, 제1 대구치의 발치가 가장 많이 행해지기 때문에, 발치에 의한 치성 부비동염은 제1 대구치로 인해 가장 흔하게 일어나는 것으로 알려져 있다(강 등, 1990). 또한 대구치 염증이 오래 방치된 경우 인접한 치조골의 흡수가 진행되어 골 두께가 얇아지고 발치 후 쉽게 골절되어 구강상악동누공oroantral fistula의 원인이 될 수 있다. 이외에도 치근첨부 농양, 부비동점막을 손상시키는 치주질환, 부비동 내 이물 등이 치성 상악동염의 원인으로 알려져 있다(Mehra and Murad, 2004). 상악동 저부의 골 조직은 상대적으로 두꺼워 치아 감염이 직접 전파되는 경우는 드물지만 상악골의 측벽은 쉽게 파괴되어 대부분의 치성 감염이 연조직이나 근막감염의 형태로 나타난다.

　　치아 감염이 심해져 부비동으로 침범하면, 염증과 농양 등으로 인한 압력이 상악동 내로 개방되면서 치아 통증이 일시적으로 호전되는 듯한 느낌을 받을 수 있으나, 이후 치성 상악동염이 진행됨으로써 빠르게 악화될 수

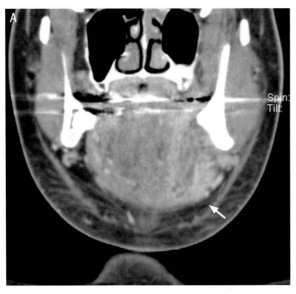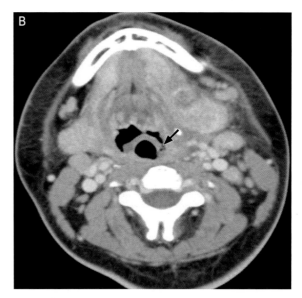

| 그림 31-5 　구강저봉와직염 환자의 CT 영상
좌측 하악 제2 대구치에서 기원한 봉와직염으로 인해 구강저 종창(**A**) 및 상기도의 변위(**B**)가 관찰되고 있다.

있다(안, 2009). 골수염, 안와봉와직염, 해면정맥동 혈전증, 뇌수막염, 경막하 농양, 뇌농양 등의 합병증도 드물게 발생하며, 이러한 합병증으로 사망하는 사례도 보고되어 있다(장 등, 2010).

　치성 부비동염의 치료는 전통적인 부비동염 치료에 잘 반응하지 않는다. 그러므로 원인이 되는 치아에 대해 치과적인 치료와 더불어 부비동염에 대한 내과적, 수술적 치료를 함께 고려해야 한다(Ferguson, 2014). 부비동염의 혼합감염을 염두에 두고 혐기성 세균까지 효과가 있는 광범위 항생제를 투여하며, 보존적 치료로 치과적인 문제가 해결된 후에도 상악동염이 남아있으면, 만성 치성 상악동염으로 전환될 가능성이 크고, 이런 경우 대부분 수술적 치료가 필요하다. 수술에는 상악동 내 점막 병변 상태, 원인 치아의 위치, 구강상악동 누공 유무를 고려하여 내시경 부비동수술, 상악동 근본수술, 구강상악동누공 폐쇄술 등을 시행할 수 있다.

상악동 내 이물로 인한 부비동염의 경우에는 영상학적으로 위치와 크기를 확인한 뒤 내시경 부비동수술이나 Caldwell-Luc 접근법을 통해 제거한다(Ferguson, 2014).

2) 구강저 봉와직염

구강저 봉와직염Ludwig's angina은 설하공간, 악하공간 등을 포함하는 양측 구개저의 종창과 혀의 상방 및 후방 전위로 인하여 구강과 상기도의 폐쇄를 일으키는 응급질환이다. 기도폐쇄는 매우 위험하고 치명적일 수 있기 때문에 즉각적인 기도 확보를 필요로 한다. 대부분 경구강 기도삽관은 어렵거나 불가능하기 때문에 신속한 기관절개술을 통해 기도를 유지하거나 비인두 내시경하 경비강 기도삽관도 시도해 볼 수 있다(DeAngelis et al., 2014).

　구강저 봉와직염 환자 중 약 70%는 치성 감염이 원인이며, 하악골의 제2 대구치가 가장 흔한 원인 치아이며, 제3대구치도 흔하다. 치성 감염 외의 원인으로는 하악골 절, 설소대 피어싱, 경정맥 주사, 방사선 치료 후, 종양, 타석증 등이 있다. 구강저 봉와직염을 일으키는 원인균 은 대부분 복합 감염이며, 대부분 *Streptococcus*를 포함 하고, *Staphylococcus, Fusobacterium, Bacteroides*도 흔 하다. 면역 억제 환자에서는 *Pseudomonas, E.coli, Candida, Clostridium* 같은 비전형적인 원인균이 발견될 수 있다(Costain and Marrie, 2011).

진단은 임상양상에 기초하며, CT나 MRI와 같은 영 상검사는 감염 병소의 위치와 범위를 확인하는 데 도움 을 줄 수 있다(Costain and Marrie, 2011). 대부분 심한 봉 와직염 양상을 띠지만, 화농되어 농양을 형성하는 경우 도 있다(그림 31-5).

치료의 가장 중요한 점은 기도확보이며, 호흡곤란이 나 청색증이 나타나기 전에 기관절개술을 통하여 안전 하게 기도를 확보하는 것이 필요하다. 그람양성, 그람음 성 및 혐기성 균에도 효과가 있는 광범위 항생제를 투여 한다. 스테로이드 사용에 대해서는 논란이 있지만, 초기 에 항생제와 함께 투여하면 종창과 개구장애를 줄이는 데 효과가 있다(DeAngelis et al., 2014). 보통 극심한 봉와 직염 양상을 띠지만 화농낭을 형성하여 절개 및 배농을 해야 하는 경우도 있다.

3) 구강상악동 누공

구강상악동 누공은 상악동과 구강 사이의 치조돌기를 통하여 비정상적으로 연결되어 상피화된 구멍을 통칭하 며, 대부분 발치 후에 발생한다. 상악 치아와 상악동의 기저부가 밀접한 경우 발생하기 때문에, 피질골이 가장 얇은 제1 대구치, 제2 대구치의 발치 후에 가장 많이 보 고되고 있다. 발치 시에 치아와 상악동의 경계를 이루는

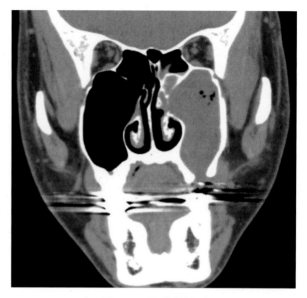

| 그림 31-6 구강상악동 누공
좌측 대구치 발치 후 발생한 상악동염과 구강상악동 누공

얇은 점막 조직이 손상될 수 있으며, 단기간 내에 치유 되지 않으면 누공으로 남게 된다(그림 31-6). 발치 외에 도 Caldwell-Luc 접근법, 치아의 염증으로 인한 치아조 직의 괴사, 치성낭이나 종양에 의한 파괴 때문에 발생하 기도 한다.

상악의 발치 부위에서 찝찔한 액이 흘러나오는 증상 을 호소하는 경우 구강상악동 누공을 의심할 수 있다. 상악동 분비물이 구강 내로 배출되어 짠맛을 느끼고, 코 를 풀거나 valsalva법을 시행하면 분비물의 양이 늘어 난다. 식사 시에는 음식 등의 이물이 누공을 통해 상악 동으로 들어가 반복적인 상악동염을 일으킬 수 있다(안, 2009). 임상적으로 의심되는 환자에서 누공에서 배출되 는 분비물을 직접 관찰하여 누공의 위치를 확인하거나 소식자로 구강상악동 누공을 확인할 수도 있다. 때로는 육아조직이 누공의 주위에서 발견되므로 누공의 위치를 확인하는 데 도움이 되기도 한다.

구강상악동 누공이 발생한 경우, 부비동염이 없고 누 공 크기가 2 mm 이하라면 저절로 막힐 가능성이 높

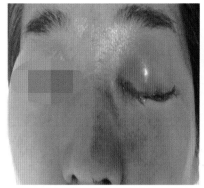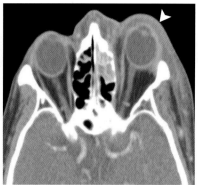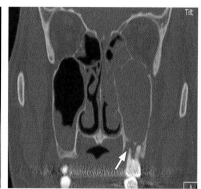

┃ 그림 31-7　치성 부비동염으로 인한 안와 감염 환자의 사진과 CT 영상

좌측 안와주위염(흰색 화살표 머리)이 관찰되며, 감염의 기원이 되는 좌측 상악 제2 대구치의 치근첨농양(흰색 화살표)을 보인다.

다. 4~5 mm까지도 자발적 폐쇄가 이루어질 수 있으므로 보존적 치료를 한다. 절개부위를 봉합하거나 거즈나 Gelform으로 발치 부위를 패킹하고 2~3주 정도 관찰한다(안, 2009). 재채기를 할 때 입을 벌리고 하고 빨대를 사용하지 않고 코를 풀지 않도록 주의하여야 한다.

부비동염이 동반된 경우에는 자연히 막힐 가능성이 낮으므로 수술적 치료가 필요하다(김 등, 2009). 비내접근을 통한 내시경 부비동수술이 일반적이며, 상악동 내 이소성 치아가 있는 경우에는 Caldwell-Luc 접근법을 시행한다(안, 2009). 누공에 대해서는 국소피판을 사용하여 재건한다. 주로 협피판buccal flap 혹은 구개점막피판palatal flap을 사용하며, 전진, 회전, 도상피판island flap 등의 방법으로 크기와 부위에 맞게 응용할 수 있다. 누공이 큰 경우에는 복합피판을 사용하는 것이 유용한데 먼저 누공 주위의 점막에 환상circumferential으로 피판을 만들어 누공을 일차적으로 막은 후 구개피판으로 다시 누공을 막아 결국 이중 피판으로 누공을 막는 방법이다(Quayle, 1981). 구강상악동 누공의 치료를 위한 조직이식에는 골조직을 사용할 수 있는데 장골릉 등에서 채취할 수 있고 인공물로는 금, Polymethylmethacrylate, Hydroxyapatite 등을 사용하며 생물학적 재료인 교원질, 섬유소 등을 이용하여 누공을 막을 수 있다(안, 2009; Zide, 1992).

4) 기타감염

(1) 안와감염

항생제의 발달로 치성 기원의 안와감염은 드물게 보고되고 있으나, 안와주위염, 안와봉와직염, 골막하 농양, 안와농양, 안구후부 농양, 해면정맥동 혈전증, 경막하농양과 같은 넓은 범위의 합병증을 초래할 수 있다(진 등, 2011)(그림 31-7). 치성 감염의 안와 침범은 다양한 경로를 통해 이루어진다. 첫째로, 상악 치아의 감염이 협측 치조골을 뚫고 확산되어 상악 후방의 연조직을 따라 익구개와pterygopalatine fossa와 측두하부를 지나 하안와열을 통과하여 안와부에 도달할 수 있다(Allan et al., 1991). 하안와열은 대부분 근막과 평활근으로 닫혀있지만, 가끔 외측면이 열려 감염의 확산을 용이하게 한다. 두 번째로, 상악 앞쪽 치아의 염증은 혈전성 정맥염을 일으켜 전안면정맥, 안각정맥angular ophthalmic vein을 따라 주행하여 상안정맥과 하안정맥을 통해 안와로 파급될 수 있다.

세 번째로, 상악 대구치의 감염으로 인한 상악동염이 안와하관을 통해 안와하부로 직접 확산되거나, 사골동으로 전파된 염증이 지판을 통과하여 안와 내측에 농양을 형성할 수 있다(진 등, 2011). 이외에도 림프선을 통한 간접 전파도 가능하다.

부비동염으로 인한 안구감염 시 반드시 치통을 포함한 치과적 과거력을 잘 살펴야 하며 안와부 감염이 발생하면 적절한 항생제 사용과 함께 외과적 처치가 필요하다. 다른 치성 감염과 마찬가지로 혼합 감염이 흔하여 광범위 항생제 및 병용 투여가 요구되며, 농양이 발생하였을 경우에는 농양의 위치에 따라 내시경 부비동수술, 외부 사골동 절제술 혹은 전두동 절제술, 하안검 절개, 상안검 절개 등을 통해 적절히 배농한다(진 등, 2011).

(2) 골수염

악골의 골수염은 치성감염에 의한 원인이 가장 흔하며, 국소방사선요법, 복합골절, 전신질환, 면역저하상태, 종양의 2차 감염 등에 의해서 발생할 수 있다. 하악골이 상악골에 비해 6배 정도 호발하는데, 하악골의 피질골의 두께가 두껍고, 혈액공급이 단조롭기 때문이다(강 등, 2004). CT에서 골파괴 소견을 관찰할 수 있으며, 골주사, PET 등이 진단에 도움을 줄 수 있다. 주 증상은 통증이며 방사선검사에서 불규칙한 골용해 소견이 나타나고 부골의 형성도 나타난다. 치료에는 내과적, 외과적 치료를 병행하며, 일반적인 치료방법으로 균배양과 항생제 감수성 결과에 의한 적절한 항생제 정맥 투여, 절개 배농, 원인치아 치료, 부골 절제술, 피질골 절제술, 이물질과 괴사조직을 제거하는 것이며, 고압산소요법도 주요한 치료법이 되고 있다. 기저 질환과의 관련성이 있는 경우 이를 함께 치료한다.

(3) 괴사성 근막염

괴사성 근막염necrotizing fasciitis은 혐기성 세균에 의한 봉와직염이나 괴사성 병변으로 나타나며 이런 대부분의 괴사성 감염은 하악골 골절과 같은 심한 외상 후에 발생하지만 치성 감염으로 인해 오기도 한다.

두경부 영역의 심한 괴사성 가스 형성 감염들은 여러 경부 공간을 침범하고 진행이 매우 빠르며 피부 변색, 괴사성, 액화성 병변 및 피하조직의 염발음이 생긴다. 방사선 촬영에서 심부조직과 내장 공간 내에 가스와 화농뿐만 아니라 피하기종 소견이 보인다(그림 31-8). 치료로 항생제 정맥주사와 근막절제술, 병변의 광범위한 박리가 필요하다.

5) 치성 감염의 약물치료

치성 감염의 치료는 적절한 항생제 사용과 배농이다. 감염의 원인이 되는 치아가 있으면 발치하거나 치근 치료를 해야 한다. 치성 부비동염을 일으키는 원인균은 구강세균총에서 기원한다. 대부분 호기성과 혐기성의 혼합감염이며, *Streptococci, Bacteriodes, Veillonella, Corynebacterium, Fusobacterium, Eikenella* 등이 주된 원인균들이다. 약물치료에 앞서 원인이 되는 치아를 치료해야만 부비동염의 재발을 방지할 수 있다(Mehra and Murad, 2004). 약물치료로는 3~4주간 경구 항생제를 복용하며, 경구 비충혈제거제를 항생제와 더불어 사용하거나, 2~3일 정도 국소 비충혈제거제와 함께 비액 또는 식염수 스프레이를 사용할 수 있다(Brook, 2006).

호기성과 혐기성 균주에 모두 항균력을 지닌 항생제의 선택이 무엇보다 중요하다. 페니실린은 혐기성 및 호기성 균주에 대한 항균력이 있어 치성감염의 가장 효과적인 항생제이지만, beta-lactamase를 분비하는 혐기성 그람음성 구균이 늘어남에 따라 그 효용도가 떨어지고 있어 clindamycin, cefoxitin, carbapenem을 사용하기도 한다. 페니실린 과민반응이 있는 환자에게는 cefaclor,

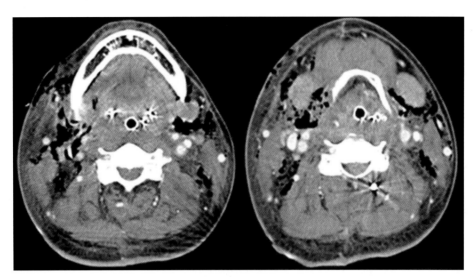

┃ **그림 31-8** 괴사성 근막염의 CT 영상(축상면)
여러 경부 공간을 침범한 피하기종 소견이 관찰된다.

trimethoprim-sulfamethoxazole, clindamycin을 사용한다. 혐기성 및 특별한 streptococci에 대해 metronidazole을 사용하기도 하나, *Propionibacterium, Eubacterium, Actinomyces*는 현재 metronidazole에 내성을 갖고 있다(Brook, 2006 ; Mehra and Murad, 2004).

2. 치성 낭종

악안면골의 낭을 분류하는 방법은 여러 가지지만, 원인별로 분류하고 있는 WHO의 기준에 따라 다음과 같이 구분된다(Kramer et al., 1992)(표 31-1).

치성낭은 동통 등의 자각증상이 별로 없어 치과나 이비인후과에서 우연히 발견되거나, 안면이 변형될 정도로 커진 경우에 발견된다. 연조직 내에 위치한 낭으로 촉진하면 가동성이 있고 아주 부드럽게 만져질 수 있으며 이차 감염이 되면 낭 내의 액체가 화농화하여 자연 배농되기도 한다. 보통 방사선검사에서 치성낭은 주위 조직과 뚜렷한 경계를 가지고 있는 병변으로 관찰되며 파노

┃ **표 31-1** 악안면골에 발생하는 낭의 분류

상피성낭
　발육성낭(developmental cyst)
　　치성낭(odontogenic cyst)
　　　유아의 치은낭(gingival cyst of infants, Epstein's pearls)
　　　치성각화낭(odontogenic keratocyst)
　　　함치성낭(dentigerous cyst, follicular cyst)
　　　맹출성낭(eruption cyst)
　　　측방 치주낭(lateral periodontal cyst)
　　　석회화 치성낭(calcifying odontogenic cyst)
　　　성인의 치은낭(gingival cyst of adults)
　　비치성낭
　　　비구개관낭(nasopalatine duct cyst, incisive canal cyst)
　　　비순낭(nasolabial cyst, nasoalveolar cyst)
　　　구상상악낭(globulomaxillary cyst)
　　　정중구개낭(median palatal cyst)
　염증성낭
　　치근낭(radicular cyst)
　　치근단(apical), 측방(lateral), 잔류(residual)
　　치아주변낭(paradental cyst)

비상피성낭
　원발성 골낭(idiopathic bone cyst)
　　단순성(simple), 외상성(traumatic or hemorrhagic)
　동맥류성 골낭(aneurysmal bone cyst)

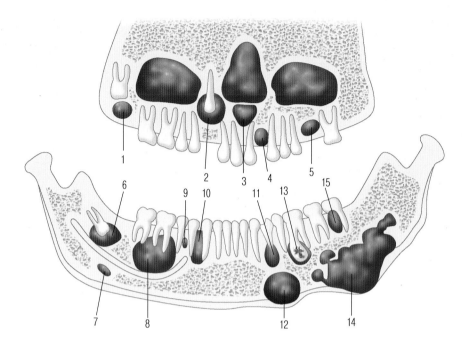

| 그림 31-9　치성낭과 치성 종양의 호발 부위

1. 복합치아종(compound odontoma). 2. 선양치성 종양(adenomatoid odontogenic tumor), 함치성낭(dentigerouscyst), 치성각화낭(odontogenic keratocyst), 법랑모세포성 섬유종(ameloblastic fibroma). 3. 비구개관낭(nasopalatine duct cyst). 4. 복잡치아종(complex odontoma). 5. 치근낭(residual cyst), 치성각화낭. 6. 함치성낭, 치성각화낭, 법랑모세포종(ameloblastoma), 법랑모세포성 섬유종. 7. 동맥류성 골낭(aneurysmal bone cyst). 8. 외상성 골낭(traumatic bone cyst), 치성각화낭. 9. 측방치주낭(lateral periodontal cyst), 치성각화낭. 10. 치주염(periodontitis), 치성각화낭, 악성종양. 11. 치근낭. 12. 골화성 섬유종(ossigying fibroma), 석회화 상피성 치성 종양(calcifying odotogenic cyst). 13. 백악아세포종(cementoblastoma). 14. 법랑모세포종, 치성각화낭, 치성점액종(odontogenic myxoma), 섬유성 이형성증(fibrous dysplasia). 15. 치아주변낭(paradental cyst), 치성각화낭

라마 영상에서 잘 볼 수 있다. CT촬영을 이용하면 위치를 정확하게 확인할 수 있고 주위 조직과의 관련성을 확인할 수 있으며 종양과 감별할 수 있는 정보를 준다(그림 31-9). 흡입천자를 하면 엷은 갈색의 액체가 나오나 이차감염이 발생하면 화농성 고름이 흡인되기도 한다.

　치성낭의 치료 원칙은 외과적 수술이며 낭의 일부를 제거하여 배액하는 조대술marsupialization과 낭 전적출술enucleation로 나눈다. 조대술은 치성각화낭 등 악성종양으로 변환이 가능한 치성낭에는 사용할 수 없다. 전적출술을 시행한 경우 치성낭이 제거되면 악골 내에 빈공간이 생기나 일정기간 후에 재충전되면서 사라진다. 그러나 낭이 제거된 빈 공간을 방치하는 것보다 혈괴, 지방조직, 근육조직, 교원질, 자가골편 등의 충전물을 넣어 골성 조직의 신속한 충전을 유도하기도 한다.

　치성낭의 크기가 너무 크면 악골의 피질골이 약해져 약간의 외상에도 악골 골절이 일어날 수 있고 상악동으로 자라면 상악동 골벽의 미란이 있을 수도 있고 이소성 치아가 있으면 향후 치성 상악동염의 가능성이 있으므로 주의하여 추적 관찰해야 한다. 치성낭이 클 때나 이차 감염으로 염증이 주위 조직으로 파급되면 구강 내 혹은 외부로 누공이 형성될 수 있고 팽창이 진행하면 주위에 분포한 감각신경에 영향을 주어 감각 이상을 초래할 수 있다.

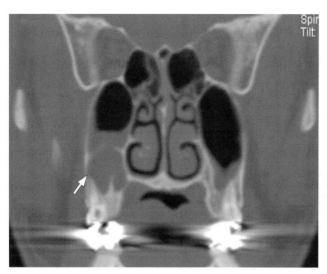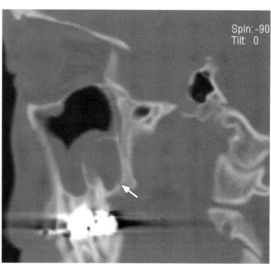

| 그림 31-10   국소 염증을 동반한 치근낭(화살표)의 CT 영상(관상면, 시상면)

1) 치근낭

치근낭radicular (periapical) cyst은 염증성 치성낭의 하나로 모든 치성낭 중 65%를 차지하는 가장 흔한 낭종 형태로 다양한 연령층에서 발생할 수 있으나, 유치보다는 영구치에 잘 생긴다. Malassez 잔류조직에서 기원하며 염증성 병변과 관련된다. 대개 무증상이나 일부 환자에서 국소적 불편감을 호소하기도 하며 급성 염증이 합병되면 증상이 악화된다. 낭이 커지면서 피질조직으로 확장되어 천공될 수 있으면 비전정nasal vestibule이나 구개에 종창이 생길 수 있다. 상악동 골벽을 팽창시키거나 얇게 만드는 염증성 낭으로, 치근첨부에 비교적 경계가 명확한 방사선 투과성 병변으로 보이며, 염증의 양상에 따라 여러 가지 모양을 갖는다(그림 31-10). 치근이 살아있지 않은 감염된 치아의 첨부에서 시작되기 때문에 외상, 충치, 치주공간 확장 등의 병력이 선행하는 경우가 많다. 치아의 치근치료 또는 발치가 요구되며 치아의 치료만으로도 적절히 치료될 수 있지만, 6개월 이상의 치과적 치료에도 방사선 투과성의 낭이 지속된다면 치근낭

적출술을 시행해야 하고 드물게 편평세포암종이 발생할 수 있어 조직학적 검사가 필요하다(안, 2009; Flint et al., 2010; Mehra and Murad, 2004).

2) 함치성낭(여포성 낭)

함치성(여포성)낭dentigerous cyst (follicular cyst)은 발육성 치성낭의 일종으로 치성낭 중 24%를 차지하는 두 번째로 흔한 낭이며 주로 10대에서 30대에서 호발한다. 미맹출치아, 발육중인 치아, 치아종 등과 연관이 있으며, 퇴화법랑상피와 치조 사이에 액체가 고이며 형성된다. 제3대구치, 상악 송곳니에 매복치가 흔하므로, 이곳에서 가장 많이 발생하지만, 어떤 매복치라도 함치성낭이 발생할 가능성이 있고, 매복치가 오래될수록 함치성낭의 발생 가능성이 높다. 영상학적 검사에서 경화성 경계를 갖는 방사선 투과성 단방성 낭포가 관찰된다(그림 31-11). 대부분 무증상이지만, 크기가 큰 경우 치아의 편위, 골흡수, 골염 등을 일으킬 수 있다. 낭 적출술과 함께 발치

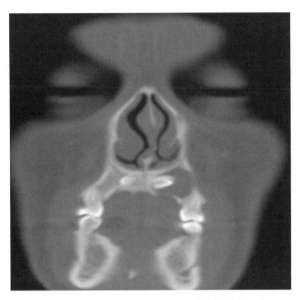

| 그림 31-11   좌측 상악골에 발생한 함치성낭

로 대부분 쉽게 치료할 수 있으나, 큰 낭종의 경우 감압술 이후 2차적으로 적출술을 시행한다. 종양으로의 이행이 일어날 수 있으며 법랑모세포종, 편평세포암종, 점액표피암종의 발생이 보고되었다.

3) 치성각화낭

치성각화낭[odontogenic keratocyst(치성각화낭 종양, keratocystic odontogenic tumor)]은 발육성 치성낭의 일종으로 1956년 Philipsen에 의해 처음 기술된 이래로 병태생리, 임상양상, 치료 및 분류에 대한 끊임없는 논쟁이 있으며, 가장 큰 이견은 낭종으로 분류할 것인지, 종양으로 분류할 것인지에 대한 것이다. 최근 WHO는 종양적 성질을 강조하기 위해 keratocystic odontogenic tumor로 명명하였다(Flint et al., 2010). 치판의 잔류조직으로부터 기원하는 치성낭으로, 치과 방사선검사에서 우연히 발견되는 경우가 많으며, 약 절반에서 매복치와 관련있

다. 주로 하악 제3 대구치에서 호발하며, 10~20대에서 가장 많이 발생하나 모든 연령대에서 생길 수 있다.

크기가 큰 경우 통증, 종창, 안면부 비대칭, 개구장애와 같은 증상을 보일 수 있다. 치성각화낭은 조직학적 특징에 따라 세 가지 아형이 있으며, Parakeratin 아형이 가장 흔하다. 국소 골파괴 성향이 강하기 때문에 상악골을 파괴하며 상악동 내로 쉽게 파급된다(Mehra and Murad, 2004). 치성각화낭의 치료에 대해서도 이견이 많은데, 단순 낭 적출술만으로는 재발이 매우 흔하며, 재발을 막기 위해 광범위 절제술을 시행하여 심각한 합병증이 남게 되었다는 문헌 보고가 많다. 과거 단순 낭 적출술만으로 치료했을 때에는 재발율이 62.5%에 달하였으나, 최근 낭 적출술과 주의 깊은 소파술을 통해 재발율이 많이 낮아졌으며, 10% 정도로 보고되고 있다. 재발의 원인으로는 자낭daughter cyst 또는 위성낭satellite cyst의 형성, 불완전한 제거, 낭의 교원질분해효소 분비, 치판잔류조직 존재, prostaglandin으로 인한 골 흡수, 세포 분열 활동 증가 등을 들 수 있다. 재발율을 줄이기 위해 Carnoy 용액을 이용한 화학요법이나 냉동요법을 시도하기도 하지만, 효용성에 대한 논란이 있다(Flint et al., 2010). 재발은 대부분 5년 이내에 발생하기 때문에 수술 후 5년 이상 면밀하게 관찰해야 한다(Williams and Connor, 1994). 특히 법랑모세포종, 편평세포암종, 점액상피양암 등으로 변화되는 경향이 있으므로 수술 후 재발 여부와 악성종양으로의 변화 가능성을 고려하여 세밀한 경과 관찰을 해야 한다.

4) 비구개관낭

비구개관낭nasopalatine duct cyst, incisive canal cyst은 발육성 비치성낭으로 전 인구의 1%에서 발견되는 흔한 발육성 낭이다. 비구개관 내에 남아 있는 발생학적 상피의

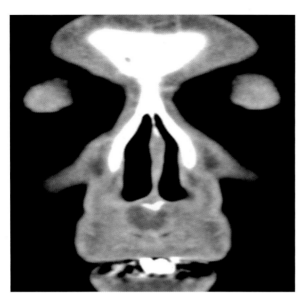

그림 31-12　비구개관낭의 CT 영상

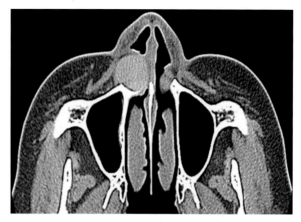

그림 31-13　비순낭의 CT 소견

잔류조직이 기원이라고 생각된다. 보통 40~60대에 나타나고 드물게 10대에서 발생한다(Swanson et al., 1991). 치아 끝 방사선 사진에서 상악 앞니 사이에 명확한 심장 모양의 투과성을 보인다(그림 31-12).

5) 비순낭

비순낭nasolabial cyst은 발육성 비치성낭으로 비공의 외측 부위에 발생하는 낭으로 치조골에 미란성 병변을 일으킨다(그림 31-13). 비루관nasolacrimal duct의 잔류조직이 기원이라고 생각되며 다양한 연령층에서 나타나나 40대와 50대에서 호발하고 여자에서 더 많다. 이차 감염이 있거나 미용적으로 문제가 될 때 절제술을 시행하며 구순하 절개를 이용하여 절제가 가능하며 비강으로 많이 돌출된 경우 내시경조대술을 시행하기도 한다.

3. 치성 종양

WHO 분류법에 따라 분류하면 악안면골 종양은 치성 종양과 비치성 종양으로 크게 나누고 치성 종양은 다시 양성과 악성으로 분류하며, 양성종양은 기원 세포에 따라 상피성, 간엽조직성 그리고 혼합성 종양으로 분류하고 그 외 기원이 불분명한 종양으로 나눈다(표 31-2, 31-3).

치성 종양의 진단을 위해서는 크기 및 크기 증가 여부, 색깔, 표면 상태, 경도, 가동성, 주변 조직과의 경계, 동통, 감각 이상, 발견 시기, 침윤 및 골파괴 소견 등의 임상증상 외에 치과 진료 병력의 조사가 필요하다. 치성 종양의 위치는 제1 대구치의 설측 등의 형식으로 정상 치아와 비교하여 기술한다. 단순 방사선 검사만으로 치성 종양을 감별하기 힘들기 때문에, CT 또는 MRI와 같은 영상학적 검사를 고려하며, 흡인세포검사가 진단에 도움을 줄 수 있다.

치성 종양은 수술을 통한 완전 절제가 치료 원칙이지

표 31-2　치성 종양의 분류
상피성 치성 종양(epithelial odontogenic tumor)
법랑모세포종(ameloblastoma)
석회화 상피성 치성 종양(calcifying epithelial odontogenic
tumor, Pindborg tumor)
편평상피성 치성 종양(squamous odontogenic tumor)
혼합성 치성 종양(mixed odontogenic tumor)
법랑모세포성 섬유종(ameloblastic fibroma)
선양치성 종양(adenomatoid odontogenic tumor)
법랑모세포성 섬유치아종(ameloblastic fibroodontoma)
법랑모세포성 치아종(ameloblastic odontoma)
치아종(odontoma)
복합치아종(compound-composite odontoma)
복잡치아종(complex odontoma)
간엽조직성 치성 종양(mesenchymal odontogenic tumor)
치성섬유종(odontogenic fibroma)
치성점액종(odontogenic myxoma)
양성 백악아세포종(benign cementoblastoma)
기원 불명 종양(tumor of unknown origin)
유아기 흑색 신경외배엽성 종양(melanotic neuroectodermal
tumor of infancy)
악성 치성 종양(malignant odontogenic tumors)
악성 법랑모세포종(malignant ameloblastoma)
일차성 골내암종(primary intraosseous carcinoma)
법랑모세포성 섬유육종(ameloblastic fibrosarcoma)

표 31-3　비치성 종양의 분류
상피성 비치성 종양
유두종(papilloma)
모반(nevus)
간엽조직성 비치성 종양
골종(osteoma)
연골종(chondroma)
섬유종(fibroma)
골화성 섬유종(ossifying fibroma)
대식세포육아종(giant cell granuloma)
중심성 대식세포육아종(central giant cell granuloma)
주변성 대식세포육아종(peripheral giant cell granuloma)
기타 종양성 병변
섬유이형성증(fibrous dysplasia)
백악골 이형성증(cement-osseous dysplasia)
가족성 섬유성 이형성증
(familial fibrous dysplasia of the jaws, cherubism)
혈관종(hemangioma)
전이성 종양 및 골육종

만, 치성 종양의 특성 및 해부학적 위치에 따라 보존적 수술을 고려할 수 있다. 보존적 수술법으로 치료할 수 있는 치성 종양은 치아종, 법랑모세포성 섬유종, 법랑모세포성 섬유치아종, 백악아세포종 등이다. 악성종양의 경우에는 절제술 후 항암제 투여 또는 방사선치료를 고려한다.

흔히 볼 수 있는 치성 종양에 대해 간단히 소개한다.

1) 법랑모세포종

법랑모세포종ameloblastoma은 상피성 치성 종양으로 모든 치성 종양 중 약 10%를 차지하는 비교적 흔한 종양이다. 치판 잔류조직, 퇴화법랑상피, Malassez 잔류조직, 구강점막상피의 기저세포층 등에서 기원하며, 병리조직학적으로 양성이나 주변 조직을 침윤하는 공격적인 성질을 가지고 있으며, 드물게 악성화가 이루어진다.

모든 연령에서 나타날 수 있지만 30대와 40대에 흔하고 특징적으로 영상학적으로 커다란 확대 방사선 투과성의 다방성 낭종 병변이 비누거품 모양으로 관찰된다. 영상의학적으로 단낭성unicystic으로 나타날 수도 있어서 치성낭과 구별하기 어려우므로 정확한 감별이 필요하다(그림 31-14). 단낭성 법랑모세포종은 더 일찍 발생하는 경향이 있어서 대개 20~30대에 발생한다. 법랑모세포종의 80% 이상이 하악에 발생하고 특히 후방 부위에서 발생이 흔하며 20%만 상악에 나타나며 17%는 매복치아와 관련해서 발생한다. 특이한 증상은 없으나 종양이 커지면서 치아 등에 감각 이상이 발생할 수 있으며 외관상 종창이 나타날 수 있다.

법랑모세포종은 비록 양성종양이지만 재발률이 높고 극히 드물지만 악성종양으로 변화될 수 있으므로 절제연을 충분히 확보하여 주위 골의 일부를 포함하는 근치적 절제술을 시행한다. 광범위한 종양절제술과 주위 절제술

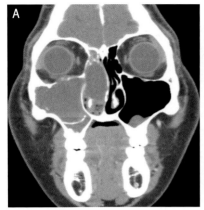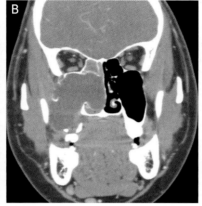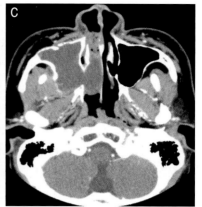

| 그림 31-14 범랑모세포종의 CT 소견
영상의학적으로 치성낭과 구분이 거의 어렵기 때문에 조직검사로 확인해야 한다.

로 인해 심각한 외형 변형이 예상되는 경우는 보존적 종양 제거술을 시행할 수 있지만 자주 추적관찰하여 재발을 조기에 발견하도록 노력해야 한다(Gardner, 1996).

2) 치아종

치아종odontoma은 가장 흔하게 진단되는 치성 종양이며, 법랑모세포에서부터 기원한 과오종으로 생각된다. 형태에 따라 복합compound 치아종과 복잡complex 치아종으로 나뉘는데, 법랑질과 상아질이 침착되어 정상 치아와 같은 형태로 형성되는 것을 복합 치아종이라 하고, 치아 조직이 불완전하고 불규칙하게 형성된 것을 복잡 치아종이라 하며, 복합 치아종이 복잡 치아종에 비해 흔하다. 치아종은 모든 부위에서 발견될 수 있지만, 복합 치아종은 상악 전치에서 주로 호발하고, 복잡 치아종은 하악 구치부에서 호발한다. 치아종은 모든 연령에서 발병할 수 있지만, 대부분 20대 전에 치과 방사선 검사 시 우연히 발견된다. 대부분 작고 증상이 없지만, 미맹출 치아와 관련이 있기 때문에 영구치 맹출 지연의 원인 검

사 도중 발견되기도 한다(김 등, 2012). 치아종의 치료는 보존적 적출술이며, 주변 조직과 너무 가깝지 않은 작은 치아종은 쉽게 제거할 수 있으며(Boffano et al., 2012), 자발적 맹출을 돕기 위해 공간 유지장치나 견인장치가 필요할 수 있다.

3) 석회화 상피성 치성 종양

석회화 상피성 치성 종양calcifying epithelial odontogenic tumor, Pindborg tumor은 국소적, 공격적 성격을 지니는 양성 치성 종양으로, 하악에 발생하는 치성 종양 중 약 1%를 차지한다. 1955년 Pindborg 처음 보고되어 Pindborg 종양으로 불리기도 한다. 조직학적으로 편평상피의 증식, 석회화, 아밀로이드 침전물 등이 특징적으로 관찰되는 양성종양이지만, 때때로 국소적으로 주위조직을 파괴하며 서서히 크기가 증가한다(김 등, 2011). 상피성 내에서 보이는 동심성 석회화는 Liesegang rings라고 불리며, 진단에 도움을 준다. 주로 하악 구치부에 호발하며, 대부분 미맹출된 영구치와 관련되어 있다. 치료는 적

출술이나 소파술 같은 외과적 절제술을 원칙으로 하며, 재발 병소에 대해서는 방사선치료를 시행하기도 한다(김 등, 2011).

III | 임플란트 관련 비과 질환

1. 치아 임플란트의 개요

치아 임플란트는 소실된 치아의 기능을 회복시키기 위해 인체에 무해한 금속을 치조골에 삽입하는 시술이다. 치아 임플란트는 자연치아에 해당하는 인공치근fixture, 치아 모양의 최종 보철물인 인공치관crown, 인공치근과 인공치관 사이를 연결해주는 지주대 역할을 하는 지주대abutment의 세 부분으로 구성되어 있다(그림 31-15).

상악 구치부는 골질이 불량하고, 골량도 부족한 경우가 많기 때문에 임플란트의 성공률이 낮은 부위로 알려져 있다. 상악동 저부의 높이에 비해 임플란트 길이가 긴 경우, 상악동 내로 돌출되어 점막을 손상시킬 수 있기 때문에 상악동 거상술 및 골 이식을 시행하여 골량을 증가시킨 후 임플란트를 식립하는 술식이 주로 사용되고 있다. 특히 상악동 구치부 잔존 치조골이 10 mm 이하인 경우 상악동 거상술의 적응이 된다(정 등, 2008). 임플란트의 식립은 골 이식의 초기 고정이 안정적이면 동시에 시행되기도 하고, 골 이식이 안정된 이후에 이차로 식립되기도 한다(팽, 2015). 상악동저 보강술의 시행이 증가하면서, 출혈, 술 후 상악동염, 이식물의 감염, 창상 열개, 구강상악동루 등의 합병증도 증가하고 있다(팽, 2015). 하악골 골절, 대량 출혈, 지방 색전증 등 심각한 합병증들도 보고된 사례가 있는데, 상악골의 해부학적 특징에 대한 이해부족, 시술 과정의 미숙함 등을 원인으로 생각할 수 있다(김 등, 2003). 이중 상악동염은 상악동 거상술을 시행한 환자의 8~20%에서 발생하며, 만성 부비동염 병력이 있는 환자의 경우에는 50%에서 술 후 상악동염이 발생하므로, 상악동 거상술을 시행하기 전에 부비동염을 치료하는 것이 권장된다(팽, 2015).

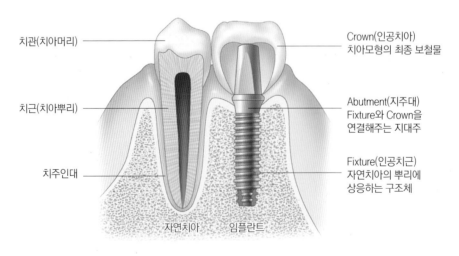

치관(치아머리)
치근(치아뿌리)
치주인대
자연치아

Crown(인공치아)
치아모형의 최종 보철물

Abutment(지주대)
Fixture와 Crown을
연결해주는 지대주

Fixture(인공치근)
자연치아의 뿌리에
상응하는 구조체

임플란트

| 그림 31-15 치아 임플란트의 구조

상악동 거상술은 크게 lateral approach와 transalveolar approach로 나눌 수 있는데, 술자에 따른 선호도의 차이가 있고, 적응증을 달리하기 때문에 직접적으로 두 술식을 비교하기는 어렵다(팽, 2015).

2. 치아 임플란트 시술 전 부비동 평가

치아 임플란트 시술 전 이비인후과 의사가 가장 먼저 평가해야 할 곳은 상악동이다. 치과에서 주로 찍는 파노라마 방사선 사진은 상악동의 하벽과 후외측벽의 파괴 시 CT와의 높은 일치도를 보여 진단에 도움을 줄 수 있지만, 내벽 파괴, 연조직 병변 등에서는 안면 해부 구조물들이 중첩되어 나타나므로 실제 상악동의 구조가 그대로 보여지지 않기 때문에 정확한 판독에 어려움이 있다. 파노라마 사진을 판독할 때에는 상악동의 후벽에서부터 하벽과 내측벽을 따라가는 것이 좋으며, 상악동 혼탁, 공기액체층, 점막 비후, 낭종, 비용 등의 부비동염을 의심할 만한 소견이 있는지 확인한다. 상악동저에 격벽이나 골융기가 존재하는 경우, 상악동저에 골이식을 시행할 때 점막 손상을 유발시켜 상악동염의 발병률을 높인다. 임플란트용 상악 CT는 상악골 하부에 국한되어 치아 주변의 점막 변화는 알 수 있지만, 상악동 자연공 주변 상태를 알 수 없는 단점이 있다.

치과에서 임플란트 시술 전 촬영한 방사선검사에 부비동 이상 소견이 보여 의뢰된 환자들이 이비인후과에

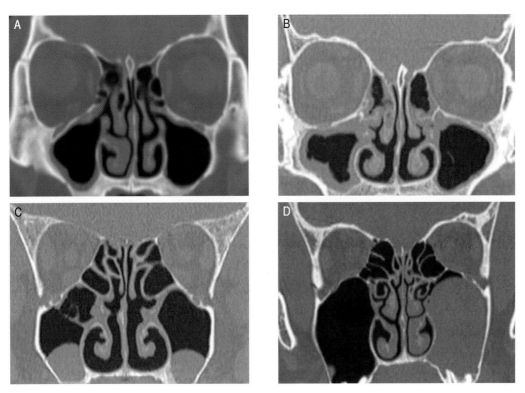

| 그림 31-16 임플란트 시술 전 부비동 CT를 통한 부비동의 평가
A. 중비도에 이상 소견이 없는 단순 점막 비후. B. 상악동 자연공 주변이 점막 부종으로 폐쇄. C. 크기가 작은 낭종. D. 크기가 큰 낭종

종종 방문한다. 보통 치과에서 시행한 파노라마 영상이나 임플란트용 상악 CT는 위에서 설명한 이유로 판독능이 다소 떨어지기 때문에, 정확한 상악동 병변을 평가하기 위해서는 환자의 병력, 비내시경을 통한 비강 및 중비도 진찰, 부비동 CT가 필요하다. 부비동 CT에서 상악동 자연공 부위의 상태를 확인하여 시술에 따른 합병증 가능성을 판단하도록 한다. 다음은 부비동 CT에서 볼 수 있는 소견에 따른 적절한 치료들이다(정 등, 2008)(그림 31-16).

1) 점막부종

치과에서 시행한 방사선 검사에서 상악동 점막의 전반적인 부종이 관찰되는 경우 약물치료 후 부비동 CT로 재평가 한다. 급성 감염의 소견이 없는 단순 점막 비후 소견인 경우 중비도에 이상소견이 없다면 상악 임플란트 시술 및 상악동저 거상술을 바로 시행할 수 있지만, 상악동 자연공 주변이 점막 부종으로 폐쇄되어 있는 경우에는 이에 대한 치료가 필요하다.

2) 낭종

상악동 내에 낭종이 발견되었을 때, 크기가 10~15 mm 이하의 작은 낭종은 수술적 제거 또는 약물치료의 대상이 아니며, 별다른 조치 없이 상악 임플란트 시술 및 상악동저 거상술을 진행할 수 있다. 크기가 큰 낭종의 경우 상악동저 거상술을 시행하면 상방으로 밀려 올라가 상악동 자연공을 막을 수 있으므로, 내시경 부비동수술을 통한 제거가 선행되어야 한다.

3) 급성 부비동염

병력과 비내시경 소견상 농성 비루가 있고, 방사선 소견상 공기액체층 air-fluid level 또는 상악동 완전 혼탁과 같은 급성 부비동염이 강력히 의심될 때에는 적절한 항생제와 비충혈제거제 등으로 충분히 치료한 뒤 시술한다.

4) 만성 부비동염

비내시경에서 비용이나 해부학적 이상 소견이 관찰되고, 방사선검사에서 혼탁과 함께 중비도 및 상악동 자연공 병변이 관찰될 때에는 내시경 부비동수술을 시행하여 만성 염증이 가라앉은 뒤에 시술하는 것을 권한다.

5) 부비동 악성종양

방사선 소견상 일측성 혼탁과 함께 주변 골파괴가 관찰되는 경우, 악성종양을 염두에 두고, 조직검사를 포함한 추가 검사를 시행하여 악성종양의 진단과 치료에 집중해야 한다. 이 경우 임플란트 시술은 권장되지 않는다.

3. 임플란트와 관련된 비과 합병증

1) 급성 상악동염

건강한 환자일 경우, 수술 중에 생기는 2 mm 이내의 상악동막의 천공은 수술 후 상악동염의 발생으로 이어지지는 않지만, 크게 천공된 경우 골편이 상악동 안으로 퍼지게 되어 상악동염을 일으킬 가능성이 높아지게 된다(그림 31-17). 수술 후 상악동염의 또 다른 원인으로

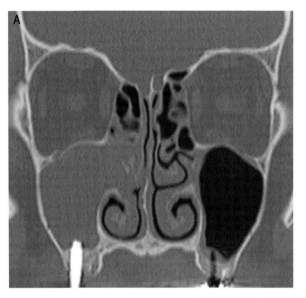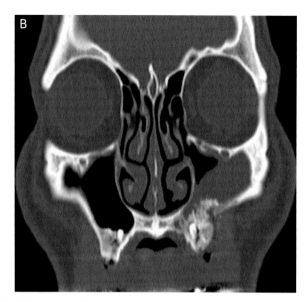

┃ **그림 31-17** 임플란트와 관련된 급성 상악동염
A. 임플란트 상악동 내 노출로 인한 급성 상악동염. **B.** 상악동 거상술 후 이식한 골에 의한 상악동염

는 수술 후 상악동 점막의 부종으로 상악동 자연공 부위의 폐쇄가 일어난 경우, 상악동의 부피감소로 인한 공기 흐름의 감소, 상악동 점막의 손상으로 인한 점막 수송능의 저하, 임플란트의 상악동 내 노출로 인한 이물작용 등을 들 수 있다.

　상악동 거상술 후 상악동염이 발생하였다면, 상태를 정확하게 평가하여 치료 계획을 세우는 것이 중요하다. 발병 시점, 상악동 자연공의 개통patency 여부, 상악동 내에 감염원으로 작용하는 이식재의 유무, 감염원으로 작용하는 이식재가 있는 경우 고정되어 있는지, 유리되어 있는지 여부, 구강 내로 농의 발생 유무 등을 고려해야 한다.

　자연공의 개통을 유지하는 것은 상악동을 건강한 상태로 유지하는 데 매우 중요한 부분이라고 할 수 있다. 염증성 부종으로 인하여 일시적으로 자연공이 폐쇄되었다 하더라도 감염원을 제거하고 상악동의 염증상태가 감소할 경우 다시 회복될 수 있으므로, 자연공 개통

의 회복이 가능한 가역적인 상태인지를 판단하는 것이 중요하다. 일단 상악동염이 상악동 거상술 후의 부종과 이에 따른 상악동 자연공의 일시적 폐쇄로 인한 것이라고 판단되면, 1~2주간의 항생제 및 비충혈제거제 등의 약물 투여를 통해 처치할 수 있다(팽, 2015). 상악동 거상술 후 합병증으로 발생한 상악동염을 경구 항생제만으로 치료했다는 보고가 있으며, 생리 식염수로 비강을 세척하는 것이 도움이 된다고 알려져 있다. 하지만, 보존적 치료에도 불구하고 증상이 호전되지 않는다면, 감염된 조직과 이식물을 제거하고 부비동 환기를 위해 내시경 부비동수술을 시행한 후, 항생제 및 스테로이드 비강 분무제를 사용하는 것이 권장된다. 이러한 치료로 호전되는 경우 임플란트를 유지할 수 있다. 그러나 이러한 치료로도 부비동염이 호전되지 않고 임플란트가 불안정하다면 식립한 임플란트를 제거해야 한다(장 등, 2010; Kayabasoglu et al., 2014)(그림 31-18).

2) 이식물의 전위

상악동 골량이 부족한 환자에게 무리한 치아 임플란트 시술을 행할 경우 이식물이 상악동 내로 밀려 들어가 빠질 수 있다(그림 31-19). 인공치근이 상악동 점막을 손상시키고 상악동 내로 전위된 경우 이물 반응을 일으키고, 점막섬모 수송능을 방해하여 부비동염을 초래할 수 있기 때문에 반드시 제거해야 한다. 또한 임플란트가 불안정하거나 동요도를 보인다면 제거를 고려한다(이 등, 2007).

치과에서는 전위된 이식물의 제거를 위해 치아와 dental socket을 통해 접근하는 방법이나, 견치와를 통해 접근하는 방법을 사용한다. 그러나 이 경우 시야의 제한, 부비동에 대한 해부학적 이해 부족, 추가 절개로 인한 또 다른 합병증을 야기할 수 있다. 그러나 이비인후과(의사)에게 익숙한 내시경 부비동수술을 시행하면 비강을 통해 이식물을 제거할 수 있다. 내시경 부비동수술은 이물 제거뿐 아니라 내시경을 통한 상악동 점막 상태와 염증 여부 파악, 동반된 타 부비동에 대한 평가 및 수술적 치료가 가능하다는 장점이 있다. 또한, 내시경 부비동수술을 통해 상악동을 크게 열어 이물로 인한 상악동 점막의 부종 및 염증 소견을 빠르게 호전시킬 수 있다. 만일, 이식물이 완전 전위되어 상악동 내에 유리된 상태로 있지 않고, 일부 고정된 경우에는 견치와 접근법을 시행해

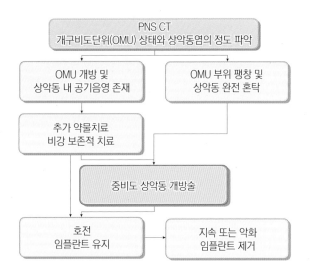

그림 31-18 임플란트로 인한 급성 상악동염의 치료

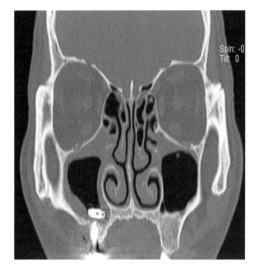
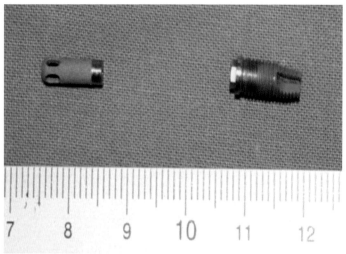

그림 31-19 이식물의 전위와 제거한 이식물

야 한다(정 등, 2008).

3) 구강상악동루

구강과 상악동 간의 비정상적인 연결은 상악 대구치의 발치 후에 호발하고, 임플란트 시술과 관련된 발생 빈도는 적은 편이지만 임플란트 초기 고정에 실패하여 제거하는 경우, 상악동 내로 임플란트가 전위되는 경우, 급성 상악동염이 적절히 치료되지 않은 경우, 만성 상악동염으로 진행된 경우에는 구강상악동루가 발생할 수 있다. 성공적인 폐쇄를 위해서는 상악동 내의 병소를 제거하는 것이 기본이 되며, 크기가 작은 경우 보존적 치료로 호전되는 경우가 많으나 크기가 크거나 오래된 구강상악동루는 수술적 치료가 필요하다.

4) 협부 장액종

협부 장액종buccal seroma은 상악동 거상술 후에 발생할 수 있으며, 협측 절개부위에 생긴 사강이 원인이 된다. 진찰소견에서 적색의 종창, 촉진 시 파동감fluctuation이 느껴지며, 흡입천자하여 확인한 뒤, 즉시 절개배농하고 항생제 투여를 시작한다. 감염이 시작되고, 적절히 치료되지 않은 경우 이식골의 흡수 및 고정체의 상실을 유발할 수 있다. 조영증강 CT가 진단에 도움을 줄 수 있다(정 등, 2008).

5) 골 균열

임플란트 시술 중에 치조를 통해 상악골을 드릴링할 때 피질골이 부서지며 치조골의 균열이 생길 수 있다. 상부

치조골의 두께가 얇은 경우, 구멍을 충분히 넓게 뚫지 않고 구멍보다 지름이 큰 고정체의 매식을 시도할 시 균열fissure이 생길 수 있다. 균열이 발생하면 천공과 열개를 통해 감염이 유발될 수 있으며, 임플란트의 동요가 생기고, 초기 고정이 어려워져 실패할 가능성이 높다. 초기 고정에 실패한 임플란트는 제거해야 하며 골유합이 이루어질 때까지 적절한 감염 예방이 필요하다(정 등, 2008).

참고문헌

1. 강문정, 이동근, 임창준. 치성 상악동염에 관한 임상적 연구. 대한구강악안면외과학회지 1990;16:123-9.
2. 강희제, 이정훈, 김용덕, 변준호, 신상훈, 김욱규 등. 치성감염으로 발생한 상악동염을 동반한 관골의 골수염-증례보고. 대한구강악안면외과학회지 2004;30:251-4.
3. 김수영, 최남기, 김선미. 복합 치아종의 보존적 외과적 적출: 증례보고. 대한소아치과학회지 2012;39:97-102.
4. 김영호, 문정환, 권재환, 조중환. 인공치아 이식 후 발생한 급성 편측성 상악동염 1예. 대한이비인후과학회지 2003;46:886-9.
5. 김주환, 김성원, 조진희, 강준명, 김병국, 김지홍 등. 치성 부비동염의 임상 양상: 병인과 치료에 대한 고찰. 대한이비인후과학회지 2009;52:585-90.
6. 김중민, 장현석, 임재석, 전상호, 박정균, 주현중 등. 구개에 발생한 석회화 상피성 치성 종양: 증례보고. 대한구강악안면외과학회지 2011;37:77-80.
7. 안병훈. 치성 질환. 대한이비인후과학회, 이비인후과학 두경부외과학 2009;1263-83.
8. 이현진, 여덕성, 임소연, 안경미, 손동석. 임플란트 수술 시의 합병증 : 증례 보고. 대한구강악안면외과학회지 2007;33:173-80.
9. 장은석, 이주상, 김용현, 김시환. 상악동저 보강술 후 발생한 상악동염 1예. 대한이비인후과학회지 2010;53:310-2.
10. 정진혁, 김기태, 정승규. 치아 임플란트에서 이비인후과의 역할. 대한비과학회지 2008;15:83-91.
11. 진수영, 김수관, 문성용, 오지수, 김문섭, 박진주 등. 증례보고: 상악 대구치 치성감염으로 인한 안와농양: 증례보고. 대한악안면성형재건외과학회지 2011;33:449-53.
12. 팽준영. 임플란트 및 골이식술과 관련된 세균감염. 대한치의학회지 2015;53:298-306.
13. Allan BP, Egbert MA, Myall RW. Orbital abscess of odontogenic origin. Case report and review of the literature. Int J Oral Maxillofac Surg 1991;20:268-70.
14. Bath-Balogh M, Fehrenbach MJ. Tooth development and eruption. Illlustrated Dental Embryology, Histology, and Anatomy, 3rd ed, Elsevier Saunders 2011;49-76.
15. Boffano P, Zavattero E, Roccia F, Gallesio C. Complex and compound odontomas. J Craniofac Surg 2012;23:685-8.
16. Brook I. Sinusitis of odontogenic origin. Otolaryngol Head Neck Surg 2006;135:349-55.
17. Costain N, Marrie TJ. Ludwig's Angina. Am J Med 2011;124:115-7.

18. DeAngelis AF, Barrowman RA, Harrod R, Nastri AL. Review article: Maxillofacial emergencies: oral pain and odontogenic infections. Emerg Med Australas 2014;26:336-42.

19. Ferguson M. Rhinosinusitis in oral medicine and dentistry. Aust Dent J 2014;59:289-95.

20. Flint PW, Haughey BH, Niparko JK, Lund VJ, Richardson MA, Robbins KT et al. Cummings Otolaryngology - Head and Neck Surgery: Head and Neck Surgery, 3-Volume Set. Elsevier Health Sciences, 2010;1259-78.

21. Gardner DG. Some current concepts on the pathology of ameloblastomas. Oral Surg Oral Med Oral Pathol Oral Radiol Endod 1996;82:660-9.

22. Kayabasoglu G, Nacar A, Altundag A, Cayonu M, Muhtarogullari M, Cingi C. A retrospective analysis of the relationship between rhinosinusitis and sinus lift dental implantation. Head

Face Med 2014;10:53.

23. Kramer IRH, Pindborg JJ, Shear M. Histological Typing of Odontogenic Tumours. Springer-Verlag Berlin Heidelberg 1992.

24. Mehra P, Murad H. Maxillary sinus disease of odontogenic origin. Otolaryngol Clin North Am 2004;37:347-64.

25. Quayle AA. A double flap technique for the closure of oro-nasal and oro-antral fistulae. Br J Oral Surg 1981;19:132-7.

26. Swanson KS, Kaugars GE, Gunsolley JC. Nasopalatine duct cyst: an analysis of 334 cases. J Oral Maxillofac Surg 1991;49:268-71.

27. Williams TP, Connor FA, Jr. Surgical management of the odontogenic keratocyst: aggressive approach. J Oral Maxillofac Surg 1994;52:964-6.

28. Zide MF, Karas ND. Hydroxylapatite block closure of oroantral fistulas: report of cases. J Oral Maxillofac Surg 1992;50:71-5.

두개저 질환의 진단과 치료, 뇌하수체종양의 수술

가톨릭의대 이비인후과 **강준명**, 가톨릭의대 이비인후과 **조진희**

> CONTENTS

Ⅰ. 두개저 해부학
Ⅱ. 두개저의 병변
Ⅲ. 전두개저 수술
Ⅳ. 뇌하수체종양의 수술
Ⅴ. 익구개와 병변

HIGHLIGHTS ⟩⟩⟩

- 두개저는 두개골 밑 부분을 일컬으며 전두골, 접형골, 측두골, 후두골 및 사대로 구성되며 상부의 두개와에 따라서 전두개저, 중두개저, 후두개저의 세 부분으로 나눔

- 전두개저를 침범하는 종양은 대부분이 두개외성으로 발생하며 병리학적으로 양성과 악성으로 구분할 수 있음

- 대부분의 두개저 병변을 치료하기 위한 접근법은 두개내 및 두개외 방법을 병용하며 전두개저 병변에서 가장 일반적으로 사용되는 방법은 경안면의 여러 노출 형태(경비강, 경상악골, 또는 경안와)와 전두 개두술을 결합하여 시행함. 또한 전두개저, 해면 정맥동, 사대 및 측두하와의 종괴에 대해서 광범위한 얼굴 절개와 얼굴골 분리를 포함하는 얼굴 전위 접근 방식도 소개되고 있음

- 두개저 병변에 대한 수술적 접근법을 시행할 때의 네 가지 원칙: 첫째, 충분한 병변의 노출을 시행할 수 있는 접근법을 시행. 둘째, 병변 주변의 중요한 구조물을 보호할 수 있도록 설계. 셋째, 병변을 제거한 후에는 뇌두개골과 안면두개골 사이에 중요한 장벽이 충분하게 재건되도록 설계. 넷째, 기능적이고 심미적 재건을 고려해야 하며, 이를 위해서 얼굴의 심미적 단위를 고려하여 피부의 주름선 내에서 피부 절개를 도안해야 함

- 내시경적 두개저 재건에 비중격 피판이 가장 효과적으로 이용되고 있는 재건방법으로 알려짐

- 뇌하수체종양은 주로 국소적인 압박으로 인해 증상이 발생하며 종양이 상방으로 커져서 양이측반맹과 시야장애가 오게 되거나 측방으로 커져서 해면정맥동으로 침범으로 인한 뇌신경 제3, 4, 6번을 압박할 수 있음

- 뇌하수체선종은 중두개저 중앙구조에 속하며 터키안에 발생하는 대표적인 병변으로 터키안으로의 접근방법 중 두개외·경막외 접근법인 경접형동 접근법이 다른 접근법에 비해 쉽고 안전하므로 가장 흔히 사용되는 방법임

- 익구개와는 상악동의 후방에 존재하는 중요한 구역으로 익돌판의 전방, 구개골의 외측, 중두개저의 하부에 위치함. 익구개와를 통해서 측두하와와 연결되고 접형구개공을 통해서 후방 비강, 하안와열을 통해서 안와와 연결되고 구개공을 통해서 구개와 연결되기 때문에 두경부부터 구개저까지의 염증성이나 종양성 병변이 전파될 수 있는 중요한 길목임

두개저는 해부학적으로 매우 복잡하며, 생명을 유지하기 위한 필수 기관들이 복잡한 관계를 가지고 있다. 이 부위에 생긴 병변을 치료하기 위해서는 수술 술기에 대한 철저한 수련과 최신 장비의 능숙한 사용을 필수로 하며 최근 영상학적 진단 기술, 내시경과 같은 의료 장비의 발달로 부비동을 넘어서 두개저 질환의 수술적 접근 및 재건을 위한 술기가 비약적으로 발전해 왔다.

이 장에서는 비과 영역에서 실제 시행되고 있는 두개저 부위(전두개저anterior skull base, 중두개저의 중앙 구획 central skull base, 익구개와pterygopalatine fossa)에 대한 내시경 및 외측 접근법, 수술 전후 관리에 대해서 소개하고자 한다.

I | 두개저 해부학

두개저는 두개골 밑 부분을 일컬으며 전두골frontal bone, 접형골sphenoid bone, 측두골temporal bone, 후두골occipital bone 및 사대clivus로 구성되며 상부의 두개와cranial fossae에 따라서 전두개저, 중두개저, 후두개저의 세 부분으로 나뉜다. 임상적으로는 뇌두개골neurocranium과 안면두개골viscerocranium이 접하는 부분인 전두개저와 중두개저를 일컫는다. 특히 전두개저와 중두개저는 안구, 비강기도, 부비동 등과 해부학적인 상관 관계를 공유하기 때문에 유사한 병리학적인 경과에 의해서 영향을 받게 된다. 후두개저는 임상적으로는 별개의 병변으로 간주가 되고 신경외과적인 접근법이 빈번하게 사용되기 때문에 이비인후과적으로는 전두개저와 중두개저의 해부학의 지식의 숙지가 중요하다.

전두개저의 전방경계는 전두동과 안와상절흔supra-orbital notch을 포함하는 전두골로 임상적으로 안와상절흔은 상안와신경혈관다발neurovascular bundle이 지나가는데 전두개저 결손을 재건 시에 필요한 두개골막peri-cranium과 모상건막galea aponeurotica의 혈액을 공급하기 때문에 중요하다. 두개 내측의 전두개와anterior cranial fossa의 가장 앞쪽에는 상시상정맥동superior sagittal sinus이 시작되는 맹공foramen cecum이 있으며 뒤이어 계관crista galli이 위로 튀어나와 있다. 계관은 사상판cribriform plate 앞쪽의 중앙부에서 기원하는데 대뇌겸falx cerebri의 앞쪽 끝이 부착되어 있고 이 부위의 뇌막은 특히 얇아서 박리할 때 찢어지기 쉬우므로 각별한 주의를 필요로 한다. 후방경계는 전두개저 및 중두개저를 나누는 접형골 소익sphenoid lesser wing 및 전상돌기anterior clinoid process이며 전상돌기 사이와 약간 아래쪽으로는 시신경관optic canal과 내경동맥internal carotid artery이 지나간다 (그림 32-1).

안와orbital cavity는 두개저 수술 시에 도움이 되는 여

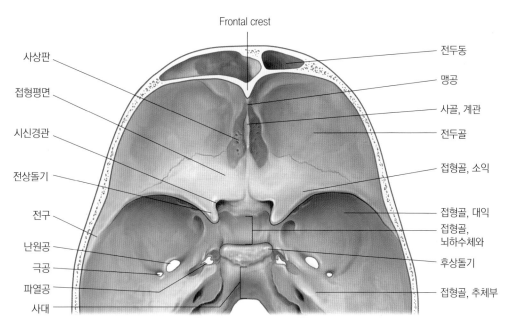

| 그림 32-1   전두개저의 두개내측에서 관찰되는 해부학적 지표

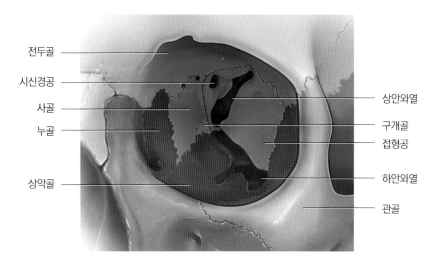

전두골 ——— 상안와열

시신경공 ———

사골 ———

누골 ——— 구개골

접형공

상악골 ——— 하안와열

관골

| 그림 32-2   좌측 안와 골격의 중요한 해부학적 지표

러 가지 해부학적 지표를 포함하는데 상안와열superior orbital fissure은 동안신경oculomotor, 활차신경trochlear, 삼차신경의 안구 분지ophthalmic branch, 외전 신경abducens nerves, 뇌신경III, IV, V1, 및 VI과 안정맥ophthalmic vein 이 지나게 되고 하안와열inferior orbital fissure은 상악 신경V2을 포함한다. 또한 상안와열과 시신경관을 통하여 중두개저와 교통하고 있고 하안와열을 통하여 익구개와 pterygopalatine fossa와 연결된다. 하안와열의 측면은 측 안구절골술lateral orbital osteotomy의 중요한 지표가 된다. 전사골 동맥관과 후사골 동맥관은 사골 천장ethmoid roof 과 전두개와의 바닥 높이를 알 수 있게 하는 중요한 지 표인 전사골 봉합선frontoethmoid suture line의 위치를 확 인할 수 있게 해주어 임상적으로 매우 중요하다(Kazak et al., 2015)(그림 32-2).

중두개저로 수술적인 접근 시에 측두하와infratemporal fossa를 통한 접근이 임상적으로 종종 사용된다. 이와 같은 경우에는 저작근(측두근temporalis, 저작근masseter, 내외익상근medial and lateral pterygoids)의 혈류를 공급하 는 외경 동맥의 분지를 보존하는 것이 중요한데 이는 측

두근 등이 재건을 위한 피판으로 사용될 수 있기 때문이 다. 또한 내외익상근이 기시하는 외측익상판lateral pterygoid plate은 수술 중에 촉지를 통해서 해부학적인 지표 로 사용이 가능하며 대익의 내측으로 박리를 통해서 쉽 게 노출이 가능하고 전산화 단층 촬영등과 같은 영상학 적 검사에서 쉽게 확인이 가능하기 때문에 유용한 해부 학적인 지표로 사용이 가능하다. 이와 같은 외측익상판 의 전방부에는 정원공V2, foramen rotundum, 후방부에는 난원공V3, foramen ovale이 존재하기 때문에 삼차신경의 상악신경과 하악신경의 위치를 확인하기 위한 지표로도 사용이 가능하다. 난원공의 직후방에서 확인이 가능한 극공foramen spinosum은 후방부의 중요한 해부학적인 지 표인 접형골의 극spine of the sphenoid을 찾을 수 있게 해 준다(그림 32-3).

접형골의 극은 과상와condylar fossa의 내측에 존재하 며 촉지하거나 방사선학적으로 확인이 가능한데 내경동 맥관carotid canal의 외측에 위치하기 때문에 술자가 경부 의 내경동맥의 가장 높게 위치하는 부분을 찾고자 할 때 유용하게 사용될 수 있다.

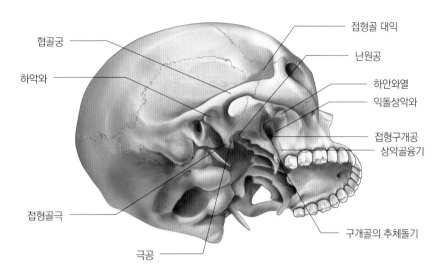

협골궁

하악와

접형골극

극공

접형골 대익

난원공

하안와열

익돌상악와

접형구개공

상악골융기

구개골의 추체돌기

│ 그림 32-3   접형골의 익상돌기 측면에서 보이는 중요한 해부학적 지표

뇌하수체pituitary gland가 놓여 있는 터키안sellar turcia은 접형동의 후상벽을 이루는 구조물로서 앞으로 시신경교차부와는 안결절이 경계를 이루고 뒤로는 안배dorsum sellae가 경계가 된다. 안결절은 양측 시신경관 하부에서 시작하여 시신경교차부 뒤쪽으로 튀어나온 작은 융기를 일컬으며 안배가 옆으로 뻗어 후상돌기posterior clinoid process가 된다. 이 터키안은 움푹파인 경우 보다 많은 경우에 약간 들어간 형태를 취하고 있으며 양 옆으로 서서히 낮아지며 중두개와로 이어진다.

이 터키안에 위치하는 뇌하수체는 안장가로막diaphragm sellae을 통하여 가는 줄기로 시상thalamus과 연결되어 있다. 뇌하수체는 안장가로막 주위를 제외하고는 주위 뇌막과 단단히 붙어 있으므로 이 부분의 뇌막 절개 시 주의하여야 한다. 뇌하수체 양 옆으로는 해면정맥동cavernous sinus이 있으며 이들은 뇌하수체 주위로 전, 후 해면정맥동간 정맥동을 통하여 복잡하게 연결되어 있어 뇌하수체 주위는 정맥동으로 둘러싸여 있는 셈이다(그림 32-4).

Ⅱ │ 두개저의 병변

전두개저를 침범하는 종양은 대부분이 두개외성extracranial으로 발생하며 병리학적으로 양성과 악성으로 구분할 수 있다. 양성 질환으로는 두개외성인 반전성유두종inverted papilloma, 혈관종angiofibroma, 타액선종양salivary gland tumor, 부신경절종paraganglioma, 점액류mucocele, 진주종cholesteatoma 등이 있으며, 두개내성intracranial으로는 뇌하수체선종pituitary adenoma, 두개인두종craniopharyngioma, 수막종meningioma, 신경초종schwannoma, 골화섬유종ossifying fibroma, 동맥류aneurysm, 동정맥 기형arteriovenous malformation 등이 있고, 두개저에서 시발하는 섬유이형성증fibrous dysplasia, 골종osteoma, 골아세포종osteoblastoma, 척삭종chordoma 등이 있다. 악성 종양은 두개외성인 편평세포암종squamous cell carcinoma, 선양낭성암종adenoid cystic carcinoma, 횡문근육종rhabdomyosarcoma, 혈관주위세포암hemangiopericytoma 등이 있으며, 두개내성으로는 감각신경아세포종esthesioneuro-

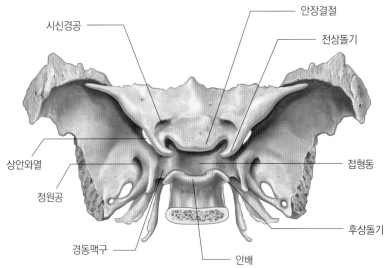

안장결절

전상돌기

시신경공

상안와열

정원공

접형동

경동맥구

안배

후상돌기

| 그림 32-4   접형동 주변 두개저 해부

blastoma, 악성 신경초종malignant schwannoma 등이 있다. 또한 두개저에서 시발하는 연골육종chondrosarcoma, 골육종osteogenic sarcoma 등이 있으며 유방, 폐, 전립선으로부터의 전이성 암이 있다.

한 진행을 보이는 특정 악성종양인 경우 금기이며 환자와 관련된 금기 요소로는 수술에 대한 이해나 동기가 없고 내과적인 금기사항이 있는 경우이다.

III | 전두개저 수술

2. 수술 전 검사

1) 전산화단층촬영과 자기공명영상

1. 수술 시에 고려해야 할 사항

악성종양과 관련해서 두개저 수술의 금기로 고려해야 할 사항은 해부학적 요소, 종양, 환자 요소로 나누어 볼 수 있다(Donald, 2007). 해부학적으로 절대 금기인 경우는 뇌간brainstem, 소뇌cerebellum, 상시상정맥동superior sagittal sinus, 양측 내경동맥, 양측 해면정맥동, 그리고 중요한 연결 정맥에 침범했을 때이다. 종양 요소로는 원발전이가 있는 경우나 전형적으로 치료와 관계없이 급격

고해상도 조영증강 전산화단층촬영과 gadolinium증강 자기공명영상은 전두개저와 중두개저에 발생한 두개저 종양의 위치와 침범 범위를 확인하고, 절제 가능한지 여부를 판단하며, 조직생검의 가능성 및 경로를 판단하거나 절제 시 수술 방법의 계획을 세우는 등 두개저 종양의 진단에 필수적인 검사법이다(Kirsch, 2014).

전산화단층촬영은 골침식bone erosion, 종양의 범위, 종양의 혈관분포상태를 확인하는 데 유용하며 자기공명영상은 종양의 연부조직으로의 침윤이나 대혈관의 왜곡distortion 또는 경막dura의 침범을 확인하는 데 우수하

다. 이와 같이 전산화단층촬영과 자기공명영상은 상호 보완적인 역할을 하기 때문에 두개저 종양에서 전산화단층촬영과 자기공명영상 모두를 시행하는 경우가 많다 (Prevedello, 2014). 또한 자기공명영상과 전산화단층촬영은 삼차원적 재구성이 가능하여 두개저 종양 환자에서 병변과 정상 구조물간의 관계를 이해하는 데 도움을 얻을 수 있는 등 두개저 종양의 진단에 매우 유용한 검사법이다.

2) 혈관조영술

혈관조영술angiography은 두개저 종양의 혈관분포 상태를 확인할 수 있으며 내경동맥을 비롯한 주요혈관의 침범여부를 판단하는 자료를 제공하여 이들 환자의 치료계획을 세우는 데 필수적이다(Bi et al., 2015). 또한 수술 전 혈관조영술은 혈관종양을 선택적으로 색전화embolization하여 수술 중 출혈을 감소시킬 수 있는 장점이 있다. 그러나, 뇌혈관 조영술 단독으로는 circle of Willis나 다른 곁순환에 대해 충분한 생리학적 정보를 얻지는 못한다. 보다 자세한 생리학적 정보를 얻으려면, 대뇌 혈류 연구가 이루어져야 한다. CT-angiography, MR-angiography, 삼차원 재건 기술은 기존의 영상검사 및 혈관조영술 방법에 비해 상대적으로 비침습적인 검사법이다. 그러나 이러한 검사들은 수술 전 정밀 검사 및 보조적 과정으로 시행될 수 있는 풍선폐색balloon occlusion과 색전술embolization을 포함한 중재 기술과 통합하여 시행할 수 없다는 단점이 있다.

3) 뇌혈류 검사

두개저 종양이 내경동맥을 침범하였거나 또는 내경동맥에 밀접해 있어 수술 중 내경동맥을 다치거나 희생시킬 가능성이 있을 때는 뇌혈류 검사가 필수적이다. 뇌혈관 검사는 병변 측의 경동맥 절제 후 반대측으로부터 병변 측의 뇌로 적절한 혈액공급이 이루어지는지를 검사하여 수술 후 심각한 신경학적 장애가 발생할 가능성이 있는지 여부를 판단하는 검사법이다. 뇌혈관 검사에는 일시적 풍선폐색검사temporary balloon occlusion test와 xenon 증강전산화단층촬영xenon-enhanced computed tomography이 있다.

4) 조직검사

두개저 종양의 많은 예에서 수술 전 조직진단이 불가능한 예가 많다. 그러나 종양이 비강, 부비동, 중이, 유양동, 구강, 인두 등에 존재하면 통상적인 방법으로 생검을 실시할 수 있다. 또한 생검이 가능하지 않더라도 측두하와 내의 종양인 경우 선택적으로 CT-유도 하 생검을 고려해 볼 수 있다. 조직학적 기준에 기초하여 원격전이로 인한 전이성 병변이거나 림프종lymphoma과 같이 내과적인 치료 방법에 반응이 좋은 경우에는 근치적 수술은 하지 않는다.

3. 마취방법

마취방법은 두개저 수술의 결과를 결정하는 중요한 역할을 하며 뇌혈류가 임계 수준 아래로 상당시간 떨어지지 않게 하기 위한 혈역학적 유지가 핵심요소이다. 그러므로 동맥압, 중심 정맥압, 심장기능, 소변배출량에 대한 모니터링은 가장 중요하다. 대뇌 피질 기능을 평가하기 위한 somatosensory evoked potentials과 운동 뇌신경 기능을 평가하기 위한 EMG를 포함하는 전기생리적 모니터링electrophysiologic monitoring은 신경보존을 이루는 데 중요한 또 다른 핵심요소이다. 마취제의 적절한 선택 및 근육차단제의 제한적 사용은 이러한 모니터링의 신뢰성을 높여준다. 두개 내 수술의 흔한 문제인 뇌부종은 수술 중 crystalloid 수액보다는 알부민, 혈청과 같은 colloids를 사용하여 최소화할 수 있으며, 조절된 과환기controlled hyperventilation를 함으로써 이산화탄소 분압PCO_2을 감소시켜 뇌혈관 수축 및 두개 내 부피를 감소시킨다. 이를 위해서는 일반적으로 PCO_2는 25 mmHg와 30 mmHg 사이로 조절하는 것이 적절하다. 뇌부종을 줄이는 데 도움이 되는 또 다른 방법은 뇌척수액을 제거하기 위해 수술 전 요추천자 거치lumbar drain를 하는 것이다. 요추천자는 수술 후에도 중요하게 작용하는데 단기간 뇌척수액 감소는 뇌척수액 누공CSF fistula의 가능성을 줄일 수 있기 때문이다. 대뇌부종은 스테로이드와 이뇨제의 시기 적절한 사용으로 줄일 수 있으며 이는 종양으로 인해 수술 전에도 뇌부종이 있었던 경우에 특히 더 도움이 된다. 혈액 손실을 보충하기 위해 혈액제제의 투여 시에 이후 희석성 혈소판 감소증dilutional thrombocytopenia 및 다른 응고장애가 발생할 수 있다. 이러한 문제는 신선동결혈장의 형태로 응고인자를 보충하고 적혈구 수혈에 비례하여 혈소판을 보충함으로써 성공적으로 해결할 수 있다.

4. 수술 접근법 및 계획

대부분의 두개저 병변을 치료하기 위한 접근법은 두개 내 및 두개외 방법을 병용하여 시행한다. 전두개저 병변에서는, 가장 일반적으로 사용되는 방법은 경안면transfacial의 여러 노출 형태[경비강transnasal, 경상악골transmaxillary, 또는 경안와transorbital]와 전두 개두술frontal craniotomy을 결합하여 시행한다. 가장 일반적으

로, 신경외과와 이비인후과 팀이 위에서 양전두 개두술 bifrontal craniotomy과 아래에서 경안면 접근를 통하여 수술을 시행하게 된다. 경안면 접근 방식은 종종 안면 피부 절개나 안면골 절골술이 필요하며 외측비절개lateral rhinotomy, 안면중앙 접근법midfacial degloving 등 병변의 위치와 술자의 선호도에 따라 다양한 접근법이 시행되고 있다. 또한 전두개저, 해면 정맥동, 사대clivus 및 측두하와의 종괴에 대해서 광범위한 얼굴 절개와 얼굴골 분리를 포함하는 얼굴 전위 접근 방식facial translocation approach도 소개되고 있다(Janecka et al., 1990).

최근에는 부비동 내시경 관련 수술 술기가 발달하면서 기존의 개방 수술 술기들을 대체하고 있으며 두개저 수술에서도 사용이 되면서 수술현미경 시야에서 보기 어려웠던 병변들을 보다 쉽게 보고 접근할 수 있게 됨으로써 기존의 수술현미경을 이용한 미세 수술 기법을 보완하거나 효율성을 증가시켜 안면 절제의 필요성을 감소시키고 있다. 특히 전두개저를 침범한 병변에 대해서 양전두 개두술에 보조로 사용되어 사골동, 접형동 등을 포함한 전부비동으로의 수술 시야를 넓힐 수 있다(Abuzayed et al., 2010).

비중격 피판nasal septal flaps과 두개골막 피판pericranial flap은 전두개저 재건을 통해 수술 후 뇌척수액 누출 및 수막염과 같은 합병증의 가능성을 감소시키기 위한 혈관 피판으로 사용된다. 내시경수술 후 광범위한 결손이 발생한 경우에는 양측의 비중격 피판과 같은 혈관 피판과 비혈관 조직nonvascularized tissue을 함께 이식하여 사용할 수 있다(Munich et al., 2013).

두개저 병변에 대한 수술적 접근법을 시행할 때는 다음과 같은 네 가지 원칙을 고려해야 한다. 첫째, 충분한 병변의 노출을 시행할 수 있는 접근법을 시행해야 한다. 둘째, 병변 주변의 중요한 구조물을 보호할 수 있도록 설계되어야 한다. 일반적으로 병변 자체의 경계보다는 크게 시야를 확보하도록 접근하는 방법이 비록 수술

시간을 증가시킬 수는 있지만 직접적인 병변을 확인하면서 주변의 관심 구조물을 식별 및 보호함으로써 수술 후의 합병증 발생 빈도를 줄이기 위해서 사용된다. 셋째, 병변을 제거한 후에는 뇌두개골과 안면두개골 사이에 중요한 장벽이 충분하게 재건되도록 설계되어야 한다. 특히 경막dura과 바로 아래 연부 조직과 같은 장벽은 일반적으로 내경동맥과 두개강 내 구조물을 아래의 비강, 부비동, 이관 및 측두골 내 공기를 포함하는 공간으로의 노출을 효과적으로 막을 수 있다. 그러므로 접근법을 시행할 때는 재건을 위해서 사용될 수 있는 주변의 조직(측두근, 모상건막, 두개골막)에 대한 혈관 주행에 대해서 고려해야 한다. 일반적으로 재건 시에는 주변의 국소 혈관 피판이 선호가 되나 2 cm 미만의 작은 결손의 경우에는 혈행 조직이 필요하지는 않다(Weber et al., 2007). 넷째, 기능적이고 심미적 재건을 고려해야 하며, 이를 위해서 얼굴의 심미적 단위를 고려하여 피부의 주름선 내에서 피부 절개를 도안해야 한다. 연부 조직 봉합 시에는 안면 성형 수술의 원칙을 따라야 한다. 질병의 치료를 위해서 미용적으로 중요한 부분이 제거가 되는 경우에도 뼈 이식 및 연부 조직 피판을 사용하거나 이물 재료alloplastic material 또는 보철 재료를 사용한 후 수술적인 봉합을 통해서 만족스러운 미용적인 결과를 얻을 수 있다(Lauritzen et al., 1986).

5. 두개안면절제술

두개안면절제술craniofacial resection, CFR은 전두개저 수술의 대표적인 수술으로 주변 조직의 중요한 신경과 혈관을 보존하면서 전두개저를 침범한 종양의 일괴en bloc 제거가 가능한 술식이다. 안와종양을 제거하기 위해서 두개를 통한 접근 방법과 안면을 통한 접근방법을 1941년 Dandy가 처음 시도하였고, 그 후 1963년 Ketcham 등이

비부비동 종양 환자 17례에서 두개안면절제술의 치료결과를 보고한 이후 이 술식은 전두개저와 부비동을 침범한 병변의 근치적 수술법으로 사용되어 왔다(Ketcham et al., 1966). 병변 부위를 충분히 노출해 수술시야와 충분한 절제변연을 확보하여 과거보다 향상된 치료결과를 얻을 수 있었으나, 뇌척수액 비루, 뇌막염, 경막외 농양, 전두골 이식편의 골수염 등 수술과 연관된 합병증도 적지 않았다. 1981년 두개골막 피판이 소개되면서 안면부와 두개저의 경계를 분리하여 뇌척수액 누출을 막고 두개 내 감염의 위험을 줄여 술 후 합병증을 획기적으로 줄일 수 있게 되었고(Johns et al., 1981), 그 외에 마취를 포함한 수술 전후 환자 처치의 발전, 광범위 항생제의 개발, 국소피판 및 유리피판을 이용한 다양한 두개저 결손부위 재건방법이 이용되면서 현재 두개안면절제술은 이환율과 사망률이 적은 비교적 안전한 수술로 인식되고 있다(McCutcheon et al., 1996).

1) 적응증

두개안면절제술은 전두개저를 침범한 병변을 두개와 안면을 통해 동시에 접근하여 병변을 일괴en bloc로 제거하는 술식이다. 현재 이 수술은 주로 전두개저를 침범한 종양에 주로 적용된다. 종양은 두개저 골벽으로 직접 침윤하거나 미란에 의해, 또는 사골판이나 안와상열 같은 이미 형성된 두개의 경로 또는 제5번 뇌신경의 2, 3분지를 통해서 두개저에 침범한다. 또한 드물기는 하지만 외상성 병변이나 뇌혈관 질환, 뇌척수액 누출, 혈관성 병변, 선천성 기형의 치료 등에도 광범위하게 응용된다.

두개안면절제술의 금기에 대해서는 논란이 있으나 수술을 받을 수 없는 내과적 문제가 있는 경우, 원격전이, 척추전근막prevertebral fascia의 침범, 해면 정맥동의 침범, 우회 순환이 없는 경동맥의 침범, 양측 시신경이나

시교차의 침범 등이 있는 경우에는 대체로 수술을 하지 않는다(Cusimano et al., 1995).

2) 술식

두개안면절제술의 핵심 술식은 적절한 노출, 최소한의 뇌 견인, 뇌압의 감소, 뇌막의 완전한 봉합, 두개저의 적절한 복원이며 이를 위해서 술식에 대한 정확한 이해가 필요하다. 먼저 경두개 접근으로 종양을 절제한 후 경안면 접근으로 종양의 절제를 완성한다. 이는 후각로olfactory tract를 포함한 뇌경막의 일부를 제거할 때 비강과 뇌실질의 교통을 통한 세균감염을 방지하기 위해서이다.

(1) 개두술

개두술craniotomy의 크기는 개인별 해부학적 변이, 특히 전두동의 모양, 종양의 크기, 종양의 침범 범위에 맞추어서 변형시킬 수 있으며 눈썹을 따라 절개하여 접근하는 방식과 이마쪽 모발경계선의 2~3 mm 후방에서 관상면 방향bicoronal으로 절개하는 방식이 있다. 일반적으로 관상두피절개가 안신경ophthalmic nerve의 분지인 상활차신경supratrochlear nerve과 상안와신경supraorbital nerve을 보존할 수 있고 두개골막 피판을 이용할 수 있다는 장점 때문에 우선적으로 선호된다. 관상두피절개는 양측의 이륜helix보다 약간 앞으로 위치하게 하여 천측두동맥superficial temporal artery의 앞쪽 가지가 손상되지 않고, 충분한 길이의 두개골막 피판을 취할 수 있도록 고안한다.

두피절개 후 전두부 피판을 만들 때는 골막과 모상건막galea aponeurotica 사이인 모하면subgaleal plane으로 박리한다(deFries et al., 1988). 이 때 되도록 모하면 아래에 있는 골막periosteum과 성긴 결합조직층loose connective tissue layer이 두껍게 남을 수 있게 박리한다. 중앙부위는 미간glabella 바로 아래까지 박리하고 측면부위는 안와

가장자리에서 1~1.5 cm 상부까지만 박리해야 전두근frontalis muscle을 지배하는 안면신경의 분지를 손상시키지 않고 보존할 수 있다. 전두부 피판은 상활차동맥, 상안와동맥 및 천측두동맥의 분지로부터 혈류를 공급받는다(그림 32-5). 두피의 양측 절개연에서의 출혈을 지혈할 때는 지혈용 클립을 이용한다.

전두골을 여는 방법은 병변의 위치와 크기에 따라 달라지는데 일반적으로는 전두동을 관통하고 상안와연을 포함하는 낮은 개두술low craniotomy과 상안와연 위를 절개하는 높은 개두술high craniotomy이 있다. 전두골 피판은 두개골막 피판을 먼저 만들어 하방으로 젖혀놓은 뒤, 떼어내고자 하는 전두골 범위의 외연 몇 부위에 burr hole을 뚫고 연결시켜 만든다(그림 32-6).

전두동의 후벽을 모두 제거하고 비강으로의 통로를 봉쇄하여 전두동의 점막을 완전히 제거함으로써 두개화cranialization하게 된다. 전두동의 후벽은 정중선의 양쪽부터 경막과 분리하기 시작해 Kerrison 골겸자로 제거해 나간다(그림 32-7). 그 뒤 계관crista galli 외측에서 전두개와의 바닥과 경막을 분리해간다. 계관 자체는 드릴이나 골겸자로 부러뜨려 절제한다. 양측 후구olfactory bulb는 사상판에서 분리하게 되므로 술 후 환자는 필연적으로 냄새를 맡을 수 없게 된다. 경막의 박리는 후방으로는 사상판의 후외측의 전접형봉합선frontosphenoid suture 근처에서 후사골 동맥을 확인하고 결찰하게 되면 시신경교차까지 시행할 수 있으며 외측방으로의 박리 범위는 제거할 병변의 위치와 크기에 따라 결정한다(그림 32-8).

종괴가 사골동 전체를 침범한 경우에는 경두개접근으로 절골기osteotome를 사용하여 사골복합체ethmoid complex를 분리한다. 측방은 견인기retractor로 안구를 보호하며 안와의 상부를 통해 지판lamina papyracea의 외측으로 절골한다. 후방의 절골은 후사골동의 후방 경계부분인 전접형봉합선에 시행을 하며 이때 후사골동맥 대

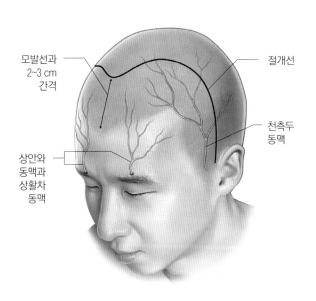

│ **그림 32-5** 전두부 관상피판의 절개선과 혈류공급

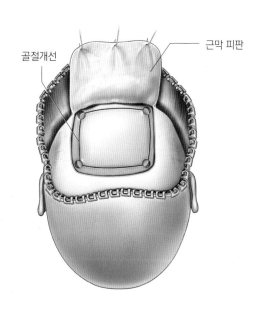

│ **그림 32-6** 개두술
두개골막 피판을 들어올린 후 burr hole을 뚫고 연결시킨다.

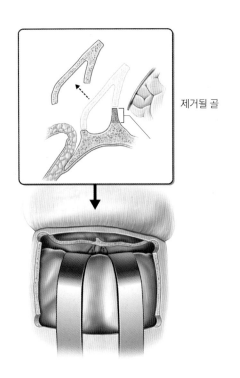

│ **그림 32-7** 전두동 노출
전두골 피판 후 남은 전두동 후벽을 제거한다.

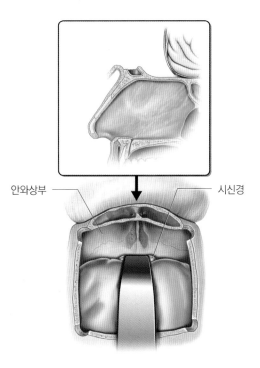

│ **그림 32-8** 사상판의 노출
경막 박리 후 전두개저의 바닥 및 시신경이 관찰된다.

략 5~7 mm 후내측에 위치하는 안신경의 손상을 주의
하면서 후사골동맥을 결찰하고 안와내부에서 확인할 수
있는 전사골동맥도 확인하여 결찰한다. 아래 경계로는
지판과 안와저부의 경계부에서 절골한다. 후방 비중격
의 골부는 곡선형 절골기를 이용하고 전방 비중격 부분
은 가위heavy scissors를 이용하여 분리한다. 후방의 절골
을 접형평면planum sphenoidale에 시행한 경우에는 접형
동 내부로 진입하게 되며 이 경우에는 접형동의 앞쪽 벽
을 포함하도록 접형동의 바닥까지 제거하는 것이 필요
하다. 전방으로 절골 시에는 전두동의 아래쪽을 통해서
시행하여 비강으로 진입하도록 시행한다. 전두개저의 전
방부의 절골은 경안면접근으로 톱이나 절골도를 이용하
고, 후방의 절골은 경두개접근으로 절골도를 이용하는
것이 용이하다.

(2) 안면부 접근법

경두개 접근과 함께 시행하는 경우에는 두개 내 병변에
대한 관련 술기, 뇌내 및 경막 내 경계의 평가, 전두개저
경막 재건의 모든 술기를 마친 후에 안면의 병변에 대해
서 안면부 접근법을 시행한다. 제거할 부분의 범위나 절
개부위 등은 병변의 특성, 위치와 크기에 따라 결정하는
데 외측 비절개 접근법lateral rhinotomy approach, 구순하
안면중앙 접근법midfacial degloving approach, Le Fort 1형
절골 접근법, 상악골 회전 접근법maxillary swing approach
등 다양한 경안면 접근법들을 응용할 수 있다.

① 외측 비절개 접근법

내측상악절제술medial maxillectomy 및 연장에 유용한 접
근법으로, 주병변이 위치한 쪽 외측 비절개가 기본적
으로 사용되며 사골동에 접근할 수 있도록 절개선을 눈
썹으로 연장하거나, 반대측은 비외 사골절제술 절개ex-
ternal ethmoidectomy incision, Lynch incision를 함께 사용하
며 근치적 상악절제술radical maxillectomy이 필요한 경우

Weber-Fergusson 절개를 한다(그림 32-9). 대부분의 종
양에서는 사상판을 포함한 양측 사골동의 일괴 절제가
필요하며, 종양의 침범정도에 따라 상악골과 주변 조직
의 절제가 포함된다(그림 32-9).

피부절개 후 골막을 들어올려 상악골과 안와의 내측
과 하부를 노출시킨다. 이 과정에서 내안각인대medial
canthal ligament가 전누선융기anterior lacrimal crest의 기시
하는 부분에 봉합사를 이용하여 표식 후 절개를 하면 수
술 후 봉합 시에 올바른 위치로 용이하게 할 수 있다. 전
누선융기는 Kerrison 골겸자를 이용하여 제거하면 누
낭lacrima sac을 노출시키는 데 용이하며 누낭은 비루관
nasolacrimal duct과 누낭의 경계부위에서 절단하고 넓게
연다. 안와골막을 견인하며 전사골동맥과 후사골동맥
은 전기소작하거나 clip으로 결찰한다. 지판과 안와골막
을 잘 관찰하여 종양의 침범 유무를 관찰하여야 하며 안
구적출술이 필요한 경우 피부절개를 외측으로 연결하여
안검을 포함하여 절개한다. 뇌를 견인하여 두개저를 노
출시키고 안와골막을 견인하여 안구를 잘 보호하며 사
상판이나 사골와를 따라 두개저의 측방과 전방의 절골
을 시행한다.

피부봉합시 내안각인대를 확인하여 안와 내측에 위
치하도록 해야 하며 상하안검의 누소관canaliculi에 스텐
트stent를 삽입하여 협착을 방지하기도 한다.

② 구순하 안면중앙 접근법

구순하 안면중앙 접근법midfacial degloving approach의
장점은 피부절개가 필요 없다는 점과 별도의 절개 없이
양측 상악골에 동시에 접근할 수 있다는 점이다(Price,
1986). 양측 구순하 치은절개를 중앙에서 연결하고 골막
을 박리하여 상악골을 노출한다. 구순하로 이상구를 완
전히 노출시키기 위해서는 비주와 비중격연골 사이에
관통 절개, 양측 상하외연골 사이에 연골간 절개, 양측
비전정외측 및 바닥에 비전정 절개를 하여 이 절개들이

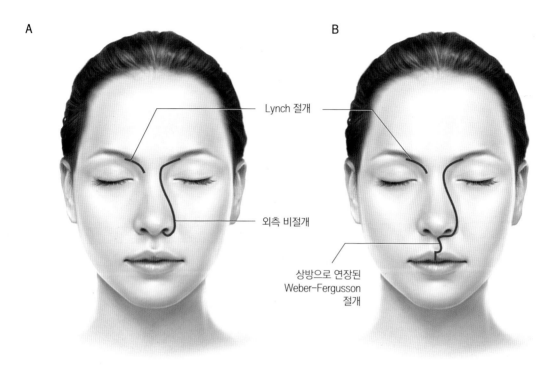

| 그림 32-9   두개안면절제술에서의 안면부 절개선
A. 사골 전절제술에 필요한 절개선. **B.** 사골 및 상악골 전 적출술에 필요한 절개선

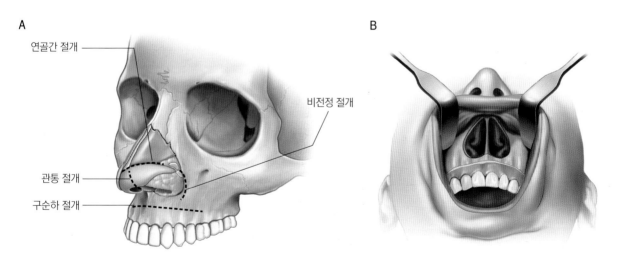

| 그림 32-10   구순하 안면중앙접근법
A. 절개선. **B.** 이상구를 노출시킨 모습

양측 비공에서 각기 모두 원형으로 연결되어야 한다(그림 32-10). 골부에 대한 이후의 접근범위는 외측 비절개 접근법에서와 유사하며 병변의 정도에 따라 정해진다.

③ Le Fort 1형 절골 접근법

구순하 안면중앙 접근법을 응용한 방법으로서 중앙구조로 좀 더 넓게 접근하기 위한 방법이다. 6 cm 길이의 구순하절개를 시행하고 골막 및 비강점막을 박리한 후 이상구의 양측으로 톱이나 절골기를 이용하여 Le Fort I 골절을 상악골의 후방까지 완전히 넣는다. 비중격과 비강외벽도 마찬가지로 분리한다. 곡선형 절골기로 익돌판과 상악골후벽을 분리한 후 개구기를 넣어 구개를 하방

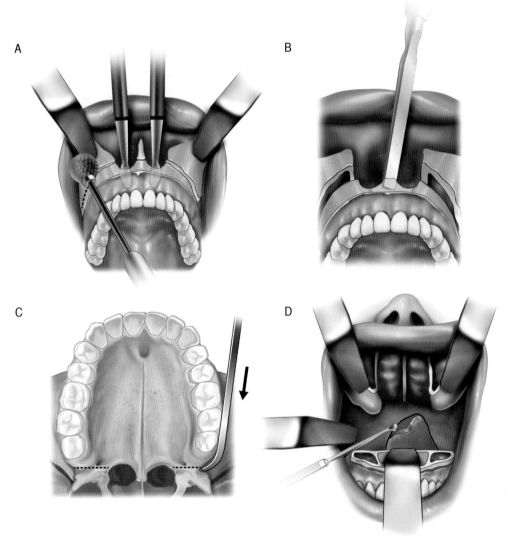

| 그림 32-11   Le Fort I형 절골 접근법

A. 골막과 비강 점막을 박리한 후 이상구의 양측으로 회전톱을 이용하여 Le Fort I 절골을 상악골의 후방까지 넣는다. B. 비중격과 비강외벽을 절골기로 분리한다. C. 곡선형 절골기로 익돌판과 상악골후벽을 분리한다(하방에서 본 그림). D. 개구기를 넣어 구개를 하방으로 벌리고 비인강후벽에 대해 조작을 시도한다.

으로 벌린다(Bell, 1975)**(그림 32-11)**. 최근에 널리 쓰이는 응용형은 서골vomer과 하비갑개를 제거하며 양측 비강 외벽과 잔존 비중격을 외측으로 밀어내어 더 넓은 시야를 확보하는 방식이다. 상하로는 접형동 및 터키안부터 사대, 비인, 제1 경추atlas까지 접근할 수 있으며 외측으로는 양측 상악동까지 폭넓게 접근할 수 있다(Brown,

1989).

④ 상악골 회전 접근법

상악골을 대구개혈관을 중심으로 회전시켜 비인두, 측두하와, 접형동과 익돌판 주위의 두개저에 접근하는 방법이다. 이 방법은 앞쪽으로부터 넓은 시야를 제공하며 미용

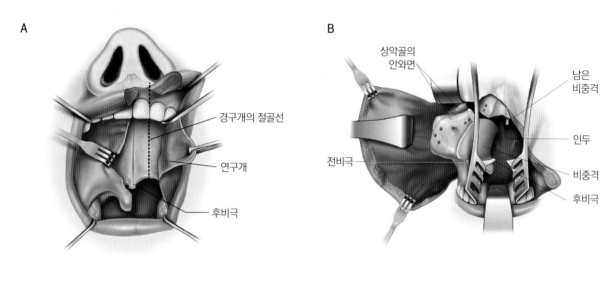

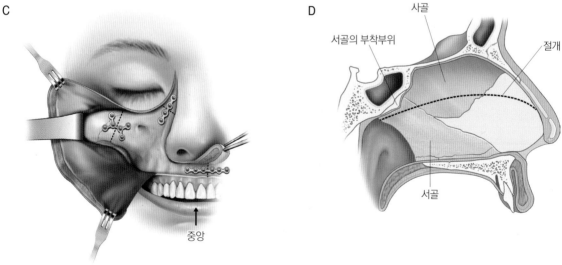

┃ 그림 32-12 상악골 회전 접근법

A. 안면피판을 박리한 후 절골할 부위를 도안한다. B. 비중격을 회전시키기 위해 비중격 상부를 자른다. C. 구개골을 절결하여 반대쪽의 비강저를 분리시킨다. D. 상악골을 회전시킨 후 비인구와 익돌상악열구(pterygomaxillary fissure)를 노출시킨다.

적 결과가 좋고 상대적으로 기능적 장애를 최소화하는 장점이 있으나 하안와신경 및 턱관절에 손상을 줄 수 있다.

Weber-Ferguson 절개 후 골막을 박리하고 하안와신경을 절단하면서 상악골을 노출시킨다. 비골과의 경계, 정중성, 익돌판, 상악골의 내벽 및 전벽 상부, 협골을 자르면 비인두를 비롯한 중앙구획으로 접근할 수 있다. 동측의 비강저에 절골술을 시행할 수도 있지만 반대쪽까지의 시야확보를 위해 상악골 회전에 비중격을 포함시키는 경우에는 비중격을 자르고 반대쪽의 비강저에 절골을 시행한다(Schuller et al., 1992)(그림 32-12).

(3) 전두개저의 절제 및 수술 부위의 복원

전두개와를 이루는 뼈를 절제할 때는 안면부 혹은 두개 내에서 절제하되 두개 쪽에서 경막을 견인한 상태에서 절단면을 확실히 확인해야 한다. 일차 봉합이 불가능할 정도로 경막손상이 크면 두개골막pericranium이나 측두근막temporalis fascia, 대퇴근막fascia lata, 또는 상품화된 동종경막lyophilized homograft dura이나 소의 심내막bovine pericardium을 이용해서 봉합한다. 그 뒤 두개골막 피판pericranial flap 또는 건막-두개골막 복합 피판compound galeal-pericranial flap을 경막과 두개저 사이에 넣어준다(그림 32-13).

두개골막 피판은 얻기가 쉽고 크기도 커 가장 흔히 사용되는 유용한 피판으로 전두개저의 뇌경막과 전두개저의 결손부위의 사이에 위치하여 뇌척수액 누출을 막고 비강으로부터의 세균감염을 방지하며, 이를 통해 두개저 결손부위가 비강점막으로 덮이게 되어 피부이식이 필요없게 되는 장점이 있다. 현재는 두개안면절제술에서 필수적인 복원술식으로 사용되고 있다. 두개저에 고정할 때는 가능한 두개저 결손부위의 후방보다 더 깊숙이 위치하여 결손부위를 충분히 덮을 수 있도록 해야하며 이의 고정을 위해 조직 접착제를 사용하거나 두개골막 피판의 끝을 접형평면planum sphenoidale의 뇌경막과 봉합하기도 한다(Scher and Cantrell, 1992).

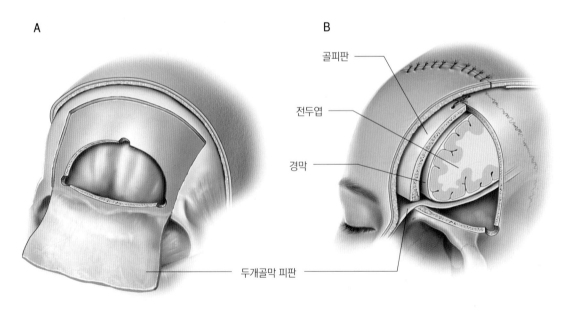

A

B

골피판

전두엽

경막

두개골막 피판

두개골막 피판

| 그림 32-13   두개골막 피판
A. 두개골막 피판의 디자인. **B.** 두개골막 피판을 이용한 두개저 복원의 단면

전두골 피판은 내측의 전두동 점막을 모두 제거한 후 원위치에 덮고 강선이나 miniplate로 고정한다.

3) 수술 전후 관리

(1) 수술 중 뇌 견인이나 압박에 대비한 보호조치

수술 시야를 확보하기 위한 뇌의 견인은 뇌출혈, 뇌부종, 두개내압 상승과 그로 인한 뇌경색, 대뇌피질의 자극에 의한 경련발작 등의 문제를 야기할 수 있다. 술 후 뇌부종이나 두개내압 상승을 막기 위해서는 뇌척수액의 요추배액이 필수적이며 요추배액은 마취 직후 요추 내의 뇌척수강으로 삽관하여 시행한다(Leonetti et al., 1989). 그 외에도 스테로이드와 삼투성 이뇨제, 과환기hyperventilation가 필요하다(Leonetti et al., 1989). 수술 후 발생할 수 있는 경련 발작을 방지하기 위해서 항경련제의 사전 투여도 필수적이다.

(2) 경막의 보호 및 뇌막염의 예방

두개저 경막의 손상은 뇌척수액 누출과 직결되므로 경막이 다치지 않도록 조심해야 한다. 드릴을 쓰는 경우, 뼈를 제거할 때, 정맥동 주변을 박리할 때, 노인 환자나 술 전 방사선치료를 받은 사람 등에서는 경막 손상의 위험이 높으므로 특히 주의해야 한다(Leonetti et al., 1989). 또한 비강, 부비동, 유양동 등을 경유하여 두개 기저부를 수술하는 경우에는 수술 전부터 뇌-혈관 장벽을 투과하는 항생제를 투여한다(Leonetti et al., 1989).

(3) 혈관 손상 시의 뇌경색 예방

수술 중 손상된 뇌혈관의 영역에 측부순환을 통해 혈류를 공급할 수 있도록 혈압을 일정 수준 이상으로 유지하고 뇌혈류를 증가시키는 조치들을 취해야 한다. 체온을 30℃로 낮게 유지하며, 고용량의 barbiturate를 사용하여 뇌의 대사 요구량을 낮추고 필요하면 heparin을 투여한다(Leonetti et al., 1989). 그 후 손상받은 혈관을 직접 재건하거나 두개외의 동맥으로부터 우회되도록 한다.

(4) 수술 중의 전기생리적 감시

수술 중 중추신경 또는 뇌신경의 기능에 대한 전기생리적 감시수단으로는 뇌파EEG, 체성감각유발전위somatosensory evoked potential; SSEP, 뇌간청성유발전위brainstem auditory evoked potential; BAEP, 시성유발전위visual evoked potential; VEP, 뇌신경의 지배를 받는 근육에 대한 근전도EMG 등이 이용된다(Carozzo et al., 2013). 대표적인 예로 중두개저에 대한 외측접근술의 경우 안면신경을 감시하기 위해 안면근육의 근전도 측정이 필수적이다(Fukuda et al., 2011).

(5) 술후 처치

모든 환자는 수술이 완료되면 의식이 회복되고 상태가 안정될 때까지 중환자실에서 관리를 받아야 한다. 통상적으로 환자의 EKG, 산소 포화도, 혈압 등을 지속적으로 체크하고 특별한 경우 Swan-Ganz 카테터나 c-line을 사용하여 환자의 심혈관계 모니터링을 하고 체액평형을 유지시킨다. 이러한 척도들은 환자의 혈장량, 심박출량, 두개 내 혈류량 등을 적절히 유지하는 데 굉장히 중요한 수치들이다. 수술 중에는 수액과 전해질 균형을 유지하기가 매우 복잡하기 때문에 수술 후 혈액 화학적 척도들Hg, Hematocrit, platelets, prothrombin partial thromboplastin times, Na, K, Ca, Mg, P, serum osmolality을 면밀히 모니터링하는 것이 필요하다. 혈장성분은 적절히 보충해 주어야 산소공급을 유지하고 응고장애 예방을 할 수 있다. 전해질 균형은 특히 중요한데 혼동, 불안, 혼미 혹은 간질 등을 일으킬 수도 있고 이것이 수술로 인한 변화로 오인될 수 있기 때문이다.

개두술을 시행한 대부분의 경우에서 수술 후 1일째

에 CT를 찍는데 추후에 신경학적 합병증이 발생할 경우 시행한 검사와 비교를 위한 기본 검사의 역할을 하게 된다. 약물치료는 합병증 예방에 중요한 역할을 한다. 항생제는 수술 전, 수술 후 24~48시간 동안 통상적으로 사용하며 제산제 또한 적절한 구강식이가 진행될 때까지 투여한다. 항전간제는 전두엽, 측두엽쪽 처치를 했을 경우에는 간질 예방을 위해 투여를 하며 일단 투여를 시작하면 혈중 농도를 확인하면서 술후 6~12개월은 사용해야 한다(Kraus et al., 2005). 요추 배액은 배출량이 정상화되어 뇌압상승의 우려가 없고 수술부위로의 뇌척수액 누출이 없을 것으로 판단되면 배액을 일단 정지시키고, 문제가 발생하지 않으면 이후 배액관을 제거한다(Ramakrishnan and Waziri, 2013). 진통제는 대부분의 경우 의식 수준과 호흡노력에 가역적으로 작용하기 때문에 신중히 사용하도록 제한되어 있다. 강한 마약진정제나 벤조디아제핀계 등의 약물은 반응 예측이 어렵고 사용 후 신경학적 평가를 제대로 하기 어려워서 사용하지 않는다. 심부정맥혈전증, 폐색전증 등을 예방하기 위해 수술 중·후에 압박스타킹을 사용하며 수술 후 가능한 빨리 거동을 시작한다.

4) 내시경 두개저 접근법

(1) 내시경 두개저 접근법의 적응증

내시경수술은 초기에는 부비동염 같은 염증성 질환에 주로 쓰였지만 점점 그 적응증이 확대되고 있으며(Rice, 2001) 밝고 넓은 시야로 인해 정확한 수술을 가능하게 하고, 비외접근법에 비해 출혈, 점액종, 신경통, 유루 등의 수술 합병증이 적다. 내시경 두개저 접근법은 병변부위에 따라 다양한 방법들이 있으며(표 32-1) 종양을 재발 없이 성공적으로 치료하기 위해서는 병변의 위치나 의심되는 병리학적 특징에 따라 적절히 선택하는 것이

표 32-1 내시경 두개저 접근법의 종류

경비강 Transnasal
경사골동 Transethmoidal
경비중격 Transseptal
경접형골면 Tranplanum
경접형동-경익상돌기 Transsphenoidal-transpterygoid
경접형동-경사대 Transsphenoidal-transclival
경비강-경인두 Transnasal-transpharyngeal
복합 Combined

가장 중요하다.

적응증으로 비강, 후와olfactory groove, 인두, 사골 지붕ethmoid roof(전두개저), 안와 및 안와 첨부, 접형동과 터키안 및 측터키안parasellar, 사대clivus, 해면 정맥동, 시신경교차optic chiasm, 익구개와pterygopalatine 및 측두하와, 부인두 공간parapharyngeal space, 두개 경추 접합부craniocervical junction, 추체 정점petrous apex 및 경정맥공jugular foramen 등에 발생한 병변이며 이와 같은 병변에 대해서 내시경을 통한 접근을 시행할 수 있다(Kassam et al., 2005a). 즉 전두동에서 2번 경추 및 경정맥공에서 터키안까지의 두개저의 중앙 구획에 대한 접근이 가능하다(Kassam et al., 2005b).

(2) 내시경 전두개저 접근법

내시경의 역할은 크게 세 가지로 나눌 수 있는데 첫째, 일반적인 개두술 후 내시경은 비강쪽 절제연을 확인하는 용도로 사용하며 절골도의 방향과 범위를 정하는 데 도움이 된다. 이 때 내시경을 이용하여 실제 종양을 절제하지는 않는다(Thaler et al., 1999). 둘째, 일부 경우에는 내시경적 접근법만으로도 비강과 두개저의 종양을 모두 절제할 수 있다(내시경 두개안면 절제술)(Casiano et al., 2001). 마지막으로는 고식적 CFR의 안면 접근법 대신 내시경을 이용하여 비강 쪽의 종양을 제거할 수 있다(내시경 보조endoscopic assisted 두개안면 절제술)(Yuen et al., 1997). 좁은 의미의 최소침습적 CFR은 안면절개 대

신 내시경을 이용하는 수술을 지칭한다.

① 내시경 두개안면 절제술

적응증으로는 비강 및 부비동의 종양으로 광범위한 안와, 두개 내, 상악골의 측부, 구개골의 침범이 없는 경우에 시도해볼 수 있으며 상황에 따라 외부접근법을 병용할 수 있어야 하므로 이에 대한 수술 전 동의가 필요하다. 일반적으로 종양의 위치와 범위에 따라 절삭기 microdebrider를 이용하여 종양용적축소tumor debulking를 우선 시행한다. 이 때 종양 점막부착부위와 시작부위 epicenter는 보존하도록 해야 한다. 대개 이 과정에서 중비갑개와 상비갑개가 제거되며 종양이 침범되지 않았더라도 시야확보를 위해 제거되는 경우도 많다. 종양의 시작부위가 확인되면 주변 중요 부위의 조직(안와골막, 상악동 측방부위, 구개, 익구개와, 비인두)에 대해 동결절편을 보내 절제범위를 확인해야 한다.

비강 내 시야가 확보되면 넓게 상악동 개방술을 시행하고 점막을 완전히 제거하면서 사골동 절제술을 시행한다. 하비갑개와 상악동의 내측벽에 침범이 의심되는 경우 내시경 내측 상악 절제술을 추가 시행한다. 접형동의 전벽을 제거하여 확장한 후 점막을 제거하고 접형동 지붕에서부터 앞쪽으로 사골와까지 주의 깊게 관찰하여 골의 침식 등이 있는지 관찰한다. 앞쪽에서 전두와를 확인하고 확장한 후 반대측의 사골접형동절제술을 시행하고 전두동 개구부를 개방한다. 전두동 개구부의 내측과 앞쪽을 확장하여 결과적으로 내시경 Lothrop 수술modified Lothrop procedure을 하게 되고 이 부위가 절제의 앞쪽 경계가 되며 측면 경계는 지판이나 안와골막이 된다. 드릴을 이용하여 전두개저골의 경계부위를 얇게 만든 후 남아있는 골 부분을 조심스럽게 경막과 분리시킨다. 전후사골동맥을 지혈한 후 경막을 절개하는데 사골와에서 시작해서 앞쪽으로 전두동 후벽쪽으로 진행한다. 경막절개 후 절제조직을 비인두쪽 하후방으로 견인

한 후 두개 내 혈관과 대뇌피질을 관찰한다. 절제조직을 계관Crista galli과 대뇌겸falx cerebri과 분리해야 하는데 계관은 curette이나 드릴로 얇게 한 후 골절시키고 대뇌겸은 계관위에서 양측으로 절개하여 절제조직을 뒤쪽으로 분리해나간다. 접형골평면planum sphenoidale 위의 경막에 마지막 절개를 한 후 절제조직을 비인두로 떨어뜨린다(Wood et al., 2012).

② 내시경 보조 두개안면 절제술

내시경 안면 절제술로는 가능하지 않는 경우로서, 안와 중앙지붕부위midorbital roof 경막 침범과 안와 내 침범, 전두동 전벽과 측면 침범, 전두동 후벽의 광범위한 침범, 종양이 시신경관의 상측 측면에 위치하거나 경동맥의 측면에 위치해 있는 경우이다. 최소침습적 CFR에서는 일반적인 개두술과 내시경적 절제술을 병행하게 된다. 종양뿐 아니라 주변과 모서리 부분까지 확인할 수 있으므로 수술 중 종양을 박리하고 제거할 때, 특히 골절골을 시행할 때 큰 도움을 얻을 수 있어 현재 새로운 전두개저 수술방법으로 많이 이용되고 있다(Rawal et al., 2012).

(3) 내시경 전두개저 접근법에서의 두개저 재건

최근에는 전두개저 및 중앙두개저의 결손을 내시경하에 재건하는 시도가 활발히 진행되고 있다(Dave et al., 2007). 내시경적 두개저 재건에 가장 흔히 사용되는 방법에는 여러 가지 자가이식 조직과 부수적인 인공재료들이 사용되고 있으나 그 중에서 비중격 피판nasoseptal flap이 두개저 재건술에 가장 효과적으로 이용되고 있는 재건방법으로 알려져 있다(Hadad et al., 2006).

비중격 피판을 이용한 재건술은 2006년 처음 시도되었으며 비강 내에서 만들 수 있는 비점막 혈행피판으로 비중격의 연골막, 골막을 포함하며 접형구개동맥spheno-palatine artery의 후방분지로부터 혈액 공급을 받는 피판

이다(Hadad et al., 2006). 비중격 피판은 피부절개를 피할 수 있고 내시경 시야에서 이용할 수 있는 장점이 있다. 또한 왕성한 혈관분포와 25 cm² 크기의 넓은 면적의 피판을 만들 수 있고 회전이 가능한 장점이 있어서 큰 두개저 결손에도 유용하게 사용할 수 있다(Clavenna et al., 2015). 이와 같은 장점을 통해서 큰 결손이나 높은 유속의 뇌척수액 유출, 사대결손, 수술 후 방사선치료가 계획되어 있는 경우가 좋은 적응이 될 수 있다(Soudry et al., 2014).

예상되는 결손의 크기 및 모양에 따라 피판의 크기와 절개연 등을 미리 결정한 후 디자인 한다. 비강 내에 혈관수축제를 국소도포하여 비강내의 공간을 넓히고 접형동 자연공을 확인하기 위해 중비갑개와 상비갑개를 외향골절시켜 준다. 비중격과 접형동 전벽이 완전히 노출되면, Bovie나 cold knife를 이용하여 피판의 절개를 시행한다. 먼저 하방절개를 비강저를 따라 시행하고 상방

절개는 두개저에서 1.0~2.0 cm 하방에서 시행한다(El-Sayed et al., 2008). 전방 절개는 비중격의 전단부에서 1.0~1.5 cm 떨어져서 평행하는 상하 절개선을 연결하고 접형동 자연개구부를 확인하면서 비중격 피판을 접형동 전벽에서부터 박리하고 접형구개공까지 충분히 진행하면 긴 비중격피판을 얻을 수 있다(Kassam et al., 2008)(그림 32-14).

내시경하에서 관찰되는 두개저 결손을 여러 가지 이식편과 비중격 피판 이용하여 재건하게 되는데 피판이 말려서 혈관경이 손상되지 않도록 surgicel을 이용하여 피판의 경계부위를 눌러주며 gelform을 이용하여 전체적으로 피판을 눌러준 후 Merocel 등을 이용해 패킹을 한다. 비중격에는 실리콘시트를 넣고 2~3주간 유치하게 된다. 비중격 피판의 실패로 인해 뇌척수액 유출이 발생하는 제일 많은 원인은 결손에 비해 피판이 지나치게 작은 경우이다(Pinheiro-Neto and Snyderman, 2013). 비

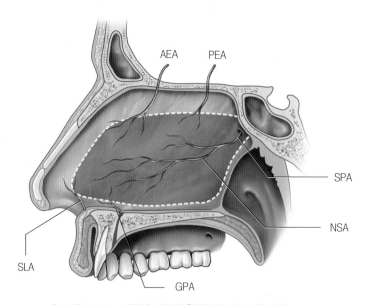

┃ 그림 32-14 비중격 피판의 혈액 공급 및 도안 방법

수평 절개는 두개저에서 1~1.5 cm 아래와 비강저를 따라 시행을 하고 비중격의 전단부에서 1.0~1.5 cm 떨어져서 두 수평절개가 연결되게 수직 절개를 시행한다. AEA: 전사골동맥(anterior ethmoidal artery), PEA: 후사골 동맥(posterior ethmoidal artery), SPA: 접형구개동맥(sphenopalatine artery), NSA: 비중격 동맥(nasoseptal artery), GPA: 대구개 동맥(greater palatine artery), SLA: 상순 동맥(superior labial artery)

중격 자체에 생길 수 있는 합병증으로는 지속적인 딱지 생성이나 비중격천공이 생길 수 있다(de Almeida et al., 2011).

IV | 뇌하수체종양의 수술

뇌하수체종양pituitary tumor에 대한 수술은 20세기 초까지도 개두술을 통한 경전두골 접근법으로 이루어졌으나 1910년 Halstead가 구순하 경접형동 접근법sublabial transphenoidal approach을 제안한 후 Cushing에 의해서 수술기법이 더 발달하여 환자의 이환율이 적고 비교적 안전하고 간단한 방법인 경접형동 접근법이 현재 뇌하수체종양의 일차적인 수술방법으로 주로 사용되고 있다. 또한 1970년 이후 내시경의 발달과 함께 내시경을 통한 경비강 경접형동 접근법이 최근 시행 빈도가 증가하고 있다(Lanzino and Laws, 2001).

1. 수술 적응증

뇌하수체종양은 주로 국소적인 압박으로 인해 증상이 발생하게 되며 종양이 상방으로 커져서 양이측반맹bitemporal hemianopsia과 시야장애가 오게 되거나 측방으로 커져서 해면정맥동으로의 침범으로 뇌신경 제 3, 4, 6번을 압박하는 경우 등에서 완전제거가 어려운 경우에도 종양의 일부를 제거하여 그 크기를 줄여줌으로써 종양으로 인한 국소적인 영향을 호전시키기 위해 시행한다.

2. 수술의 금기증

비강, 부비동 염증이 있는 경우는 시행하지 않은 것이 안전하여 이 경우에는 우선 이에 대한 치료가 필요하다. 내경동맥이 접형동 내측으로 위치하여 접근을 방해하는 경우, 뇌하수체 쪽보다는 주로 터키안상부로 병변이 커진 경우, 섬유화, 칼슘침착 등으로 병변이 단단할 것으로 예상되고 특히 중요 구조물과 유착되어 제거하기 어려운 경우, 전방·외측방·후방으로 병변이 확장된 경우 등에는 적용하기 어렵다. 갑개형conchal type 접형동은 드릴로 갈아내면 터키안에 접근할 수 있다.

3. 수술 전 검사

1) 병력 청취 및 이학적 검사

환자의 평가에 있어 가장 중요한 사항으로 비강 수술 혹은 비손상의 과거력, 만성 비부비동염의 유무, 두통, 비폐색, 비루, 출혈, 비중격 천공 등 지속적인 비강 내의 질환 및 치과적인 질환의 유무를 파악하는 것이 중요하다(Wilson, 1990). 수술 전 환자의 이학적 검사 시 비중격의 해부학적 구조 및 비부비동의 염증 소견의 유무를 관찰하는 것이 중요하다.

2) 내과적인 검사

모든 뇌하수체 호르몬에 대해서 검사가 필요하며 가끔 경구 혹은 경정맥 당부하검사, 혈청 성장호르몬 및 인슐린의 측정이 필요하다. 혈청 전해질은 특히 쿠싱병Cushing's disease에서 칼륨이 낮아 전신마취의 위험이 증가할 수 있으므로 검사하여야 한다. 수혈을 준비하는 것이 안전한데 이는 수술 중 큰 혈관으로부터의 출혈에 대비하기 위함이다(Yeboah and Tucci, 1996).

3) 방사선학적 검사

전산화 단층촬영검사는 접형동의 해부학적 구조 및 종양의 범위를 평가하는 데 유용하다. 특히 종양의 상방으로의 범위는 경비중격접형동 접근법이 적절한지를 평가하는 데 유용하다. 자기공명영상검사는 종양 자체뿐만 아니라 정상 뇌하수체, 시신경교차 및 경동맥과 종양의 관계를 평가하는 데 유용하다. 특히 tumor rim이 있거나 측방확장이 있는 공터키안증후군empty sellar syndrome의 경우에는 전산화 단층촬영보다 훨씬 우수한 영상을 제공한다.

4. 수술과 관련된 약물 처치

수술 전 환자의 혈청 호르몬치를 참고로 수술 중 약물 투여와 수술 후 약물 투여 여부에 대한 예측이 가능하다. 수술 후 뇌하수체-부신피질계가 장애를 받을 수 있으므로 수술 중에 그리고 수술 후에 스테로이드를 투여할 수 있다. 일시적인 요붕증diabetes insipidus은 환자의 30~50%에서 나타나며 desmopressin으로 치료한다. 또한 예방적인 항생제의 사용은 수술 후 감염 위험도를 줄일 수 있다. 수술 후 3~4일이 경과하면 뇌하수체 호르몬에 대한 검사를 시행하여 적절한 약물을 투여해야 한다.

5. 수술 방법

뇌하수체선종은 중두개저 중앙구조에 속하며 터키안

sella turcica에 발생하는 대표적인 병변으로 터키안으로의 접근방법은 다양한 방법이 있다(표 32-1). 이 중 두개외·경막외 접근법인 경접형동 접근법transsphenoidal approach이 다른 접근법에 비해 쉽고 안전하므로 터키안 병변에 대해 가장 흔히 사용되는 방법이다(Midha et al., 1991). 경접형동 접근법에는 비중격의 점막을 박리하여 접형동으로 접근하는 경비중격 접근법transseptal approach과 비중격을 경유하지 않고 내시경을 이용하여 비강에서 직접 접형동으로 접근하는 방법이 있다.

1) 경비중격 접근법

경비주 접근법transcolumellar approach과 구순하 접근법sublabial approach이 있다(그림 32-15). 경비주 접근법은 외비성형술 절개를 이용하여 비익연골의 내측각 사이를 벌리거나 내측각 하부를 분리하여 비주피판columellar flap을 젖히고 비중격점막과 비강저점막이 연결되도록 박리해 나가는 방법이다. 구순하 접근법은 양측 견치 사이에 해당하는 상악의 치은에 절개를 하고 상방으로 박리하여 이상구를 노출시킨 뒤 점막과 골격을 분리해가는 방법이다. 혹자는 일측의 비공에서 비중격 연골의 전단부에 반관통절개hemitransfixion incision를 하여 비점막 피판을 먼저 박리한 후 구순하절개를 하고 접근하기도 한다.

이후의 과정은 두 가지 방법이 동일하다. 비중격점막의 박리는 Cottle이나 Freer 거상기elevator를 사용하여 비중격성형술에서와 같은 요령으로 진행한다. 한쪽 점막의 박리가 완료되면 비중격 사각연골을 하방 및 후방의 뼈와 분리하고 박리한 쪽의 반대편으로 밀어낸다. 후방에 있는 비중격 골부인 사골수직판이나 서골vomer은 접형동의 전벽이 노출되도록 필요한 부분만큼 잘라내며 가급적 크게 떼어내는 것이 좋다. 수술부위를 닫을 때

A

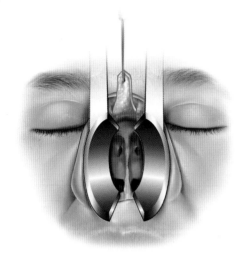

B

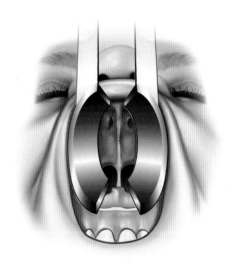

| 그림 32-15　경비중격 경접형동 접근법
A. 경비주 접근법. **B.** 구순하 접근법

이를 두개저 결손 부위 재건에 사용할 수 있다.

　전벽에 붙은 양측 비중격점막을 외측으로 밀면서 접형동의 양측 자연공을 노출시킨 후 Hardy 견인기retractor를 장착한다. Kerrison 골겸자를 사용해 중앙 쪽부터 자연공을 확장하기 시작해서 주변으로 진행하여 전벽을 떼어낸다(그림 32-16). 접형동 내에서 작업할 때는 시신경과 내경동맥에 주의를 기울여야 하며, 견인기는 접형동 내부까지 밀어 넣지 않도록 한다. 접형동의 후벽은 바로 터키안으로 후벽을 제거하면 종양을 확인할 수 있고 종양을 제거한 후에는 비중격에서 얻은 골편을 알맞게 잘라서 터키안 위치에 놓고 적당한 크기의 지방조직을 접형동에 채워 넣고 조직 접착제tissue glue를 뿌린 뒤 Hardy 견인기를 빼고 절개부위 봉합과 패킹으로 수술을 종료한다.

(1) 수술의 장점 및 단점
경비중격 접근법에서는 구순하접근법, 경비주접근법

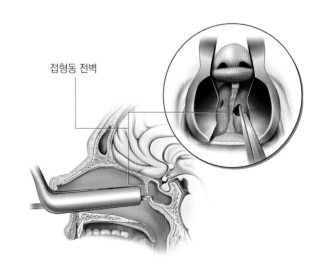

접형동 전벽

| 그림 32-16　접형동 전벽의 제거
Hardy 견인기를 장착한 후 자연공에서부터 접형동 전벽을 제거한다.

623

을 이용하여 비중격에 점막하 통로를 만들기 때문에 직접 정중선으로 접근하여 주위 구조물을 손상 없이 터키안으로 접근하는 장점이 있으나 코끝이 쳐지거나 비중격천공, 안비 등이 생길 가능성이 높다(Woollons et al., 2000). 비중격천공의 빈도는 7.5~15%로 보고되고 있고 안비는 3~4.7%에 달한다(Peters and Zitsch, 1988). 비중격천공은 재수술 시 이를 어렵게 한다. 수술 후 비중격을 고정시키고 출혈을 막기 위해서 양측 비강을 패킹하기 때문에 환자가 불편감을 느낀다. 또한 구순하접근법은 외부에 반흔이 남지 않으나 출혈이 많고 상치아의 무감각증, 수술 후 틀니 착용의 어려움 등의 단점이 있다. 경비주접근법은 구순하접근법의 단점을 피할 수 있으나 외부에 반흔이 남게 되고 비익연골의 박리가 요구되어 시간이 많이 걸리고 비익연골의 재건이 필요하다(Koltai et al., 1994).

(2) 합병증

① 비중격점막의 손상

수술 중의 비중격점막이 찢어지면 점막피판에 긴장이 떨어져서 병변 부위의 노출이 어렵게 되며, 천공부위의 가장자리에서 출혈이 쉽게 일어나서 수술의 진행을 어렵게 만든다. 또한 Hardy 견인기의 삽입이 어려워지고 삽입으로 인해서 천공은 더 커질 수 있다(Gammert, 1990). 양측 비중격점막의 동일부분에 천공이 있을 때는 비중격 천공의 위험이 있다. 수술 중에 점막의 손상이 발생하는 경우에는 점막을 봉합하거나 양측 점막 사이에 연골이나 골조직을 끼워주는 것이 비중격천공을 예방하는 데 도움을 준다(Kern, 1981).

② 뇌척수액 비루와 관련된 합병증

만약 뇌척수액 비루가 의심되는 경우에는 즉시 재개방을 시행하여 이식을 시행하는 것이 좋다. 보존적인 처치

로 막히지 않을 때 수술을 시행하는데 이미 비중격의 점막피판이 단단히 붙어 있어 재수술이 어렵다(Rabadan et al., 2009).

③ 기타 비과적 합병증

비첨만곡tip deviation, 안비, 비주의 변형 등 외형상의 변화가 올 수 있다(Gammert, 1990). 수술 후 비출혈이 나타나면 대부분의 경우 패킹으로 해결이 가능하다(Koltai et al., 1994). 비건조감 및 가피의 형성은 가장 흔한 합병증의 하나이며 이는 직접적인 점막의 손상 및 패킹과 관련이 있고, 수술 후 뇌하수체 호르몬의 변화와 방사선치료도 일부 관여한다. 특히 구순하접근법에서는 일부의 환자에서 전비극을 제거한 경우 이차적으로 비주 퇴축columellar retraction이 생길 수 있다(Wilson, 1990).

2) 내시경적 접근법

수술현미경은 입체적인 삼차원 시야를 제공한다는 장점이 있으나 견인기 사이의 부위에 한정되는 단점이 있고 렌즈와 광원이 수술부위 밖에 위치하므로 시야의 범위가 좁고 절개의 깊은 면은 더욱 원뿔모양이 된다(Nasseri et al., 1998). 이에 반하여 내시경을 이용한 수술은 기존의 현미경을 이용한 뇌하수체종양 절제술에 비해 내시경 방향의 움직임에 따라 수술 시야가 넓어지고 30°와 70°의 내시경을 이용하면 정중선에서 외측 또는 상부에 위한 구조물을 정확히 파악할 수 있어서 종양의 범위가 터키안 주변까지 포함하고 있는 경우에도 종양의 경계를 확인하면서 시신경과 내경동맥 등의 중요 구조물을 잘 관찰할 수 있어서 손상을 줄일 수 있다는 장점이 있다(de Divitiis et al., 2002). 또한 비내 구조물에 최소한의 손상만을 주므로 코막힘, 수술 후 통증, 이관장애가 줄어 환자의 불편과 입원일수를 단축시킬 수 있고 특히 소아를

수술할 때 큰 장점이 된다(Alfieri and Jho, 2001). 그리고 경비중격 접근법으로 수술 후 재발한 예에서도 술 후 반흔과 유착으로 변화된 구조를 피할 수 있다는 장점이 있으며 외래에서 경과 관찰 시에도 접형동 내를 직접 관찰할 수 있어 접형동 내의 병변이나 합병증을 조기에 알 수 있다. 최근에는 실시간으로 Neuronavigation을 같이 사용하므로 수술의 범위를 넓힐 수 있다는 장점이 있다 (Sethi and Pillay, 1995).

(1) 경비강 내시경수술

주로 비강이 넓은 쪽으로 접근하며 비갑개의 조작, 필요에 따라 양측 비중격 피판의 도안, 후비중격 절제술, 넓은 접형동 자연공의 확장술을 시행한다. 접형동을 쉽게 노출시키고 넓은 시야를 확보하기 위해서 하비갑개와 중비갑개를 외측으로 밀거나 중비갑개의 일부를 제거할 수도 있다. 비중격 피판은 접형동 자연공의 8~9 mm 아래를 지나는 접형구개동맥의 후방분지로부터 혈액 공급을 받기 때문에 접형동 자연공 아래 부분에서 주의 깊게 절개를 하고 후각점막의 보존을 위해서 상비갑개의 하연을 따라 비중격의 후방에서 2 cm 정도의 크기로 Bovie나 cold knife를 이용하여 피판의 절개를 시행한다. 수술 중에 손상을 예방하기 위해서 Cottonoid를 사용하여 비인강의 아래방향에 위치시킨다. 상비갑개의 내측에서 접형동의 자연공을 확인한 후 절단겸자 혹은 드릴을 사용하여 내측 하방으로 넓혀간다. 자연공은 접형동 전벽의 상방에 위치하므로 반드시 아래쪽으로 넓히고 일단 접형동의 내부가 확인되면 punch나 절단 겸자로 접형동의 전벽을 가능한 모두 제거한다. 후비중격절제술은 backbiting 겸자를 이용하여 전방으로 약 15~20 mm 정도 시행하며 너무 상방으로 시행하면 후각저하의 위험이 있고 너무 전방으로 시행하면 외비 형태의 변화를 초래하기 때문에 주의해야 한다. 터키안의 뼈는 드릴을 이용하여 제거하고 microdebrider를 사용하여 골편

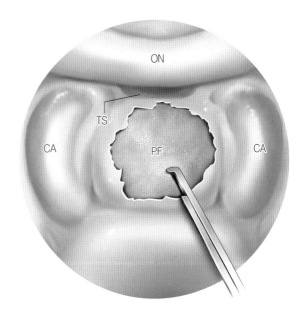

| 그림 32-17   내시경적 경접형동 접근법
TS: 말안장결절(Tuberculum sella), ON: 시신경(optoc nerve), CA: 경동맥(carotid artery), PF: 뇌하수체와(pituitary fossa)

을 제거한 후 punch를 사용해 터키안뼈를 충분히 제거하여 경막을 노출시킨다(그림 32-17). 신경외과에서 종괴를 제거한 후에는 터키안 및 접형동 부위는 surgicel을 삽입하고 gelform과 복부 지방으로 채우며 조직접착제를 사용하여 보강한다. 경우에 따라서는 골이식편으로 터키안을 보강하고 뇌척수액 비루가 의심될 때는 2일 내지 3일간 지주막하 배액을 시행한다.

(2) 경비중격 내시경수술

일측 비강쪽에서 비중격의 전단부에 반관통절개를 넣고 cottle knife를 사용하여 비중격연골로부터 연골막의 우측을 들어올린다. 전방터널과 하방터널을 만들고 서로 연결시킨 후에 비중격의 연골부위를 전비극, 전상악골 premaxillar, 상악릉 및 사골수직판으로부터 분리한 후 반대측 비강쪽으로 밀어젖힌다. 장비경long nasal speculum을 골성 비중격을 사이에 두고 삽입 후 피판을 뒤쪽으로 들어올려 접형동의 전벽을 노출시킨 후 비중격의 골부

를 제거한다. 제거한 골성 비중격의 일부는 터키안의 하벽을 재건하는 데 쓰기 위해서 보관한다. Self-retaining speculum을 정중앙에 위치시키고 골겸자를 사용하여 접형동의 전벽 및 접형동 사이 중격을 제거한다. 대부분의 경우에 0° 비내시경을 사용하여 접형동의 내부를 관찰하는 데 충분하지만 간혹 접형동의 측면을 확인하기 위해서 30° 내시경이 필요한 경우도 있다. 내시경하에서 접형동 내부의 점막을 조심스럽게 제거하고 후벽의 터키안 부근의 뼈는 겸자나 신경 훅nerve hook을 사용하여 제거가 가능하나 간혹 드릴이 필요한 경우도 있다. 뇌막이 노출되어 십자 혹은 횡으로 절개를 한 후에는 가장자리 면을 소작하는데 이는 경막 퇴축dural retraction 및 경막층의 분리를 막기 위해서이다. 종양이 제거된 후에는 충분한 지혈을 하고 터키안 하벽은 미리 채취한 뼈조각을 사용해서 재건한다. 수술 후 2일째에 패킹을 제거하며, 4일째 뇌하수체 호르몬치에 대한 검사를 시행한다.

경비강접근법에서는 비강 내에 존재하는 병원균에 노출될 위험이 보다 많고, 심한 비중격만곡증이 있는 경우에는 접근에 용이하지 않다. 비중격을 경유하는 내시경 뇌하수체수술은 감염의 위험이 적고 병변 부위로 보다 직접적으로 접근할 수 있고 self-retaining speculum의 도움으로 조작이 보다 간편하지만 비중격수술과 관련된 합병증이 나타날 수 있다.

V │ 익구개와 병변

익구개와pterygopalatine fossa는 상악동의 후방에 존재하는 중요한 구역으로 익돌판pterygoid plate의 전방, 구개골palatine bone의 외측, 중두개저의 하부에 위치한다 (Erdogan et al., 2003). 익구개와를 통해서 측두하와와 연결되고 접형구개공sphenopalatine foramen을 통해서 후방비강, 하안와열을 통해서 안와와 연결되고 구개공palatine foramen을 통해서 구개와 연결되기 때문에 두경부부터 구개저까지의 염증성이나 종양성 병변이 전파될 수 있는 중요한 길목이다(Hwang et al., 2011).

1. 증상과 이학적인 검사

대부분의 환자들의 경우에는 초기에는 증상이 거의 없기 때문에 진단이 늦게 되는 경우가 많으며 대부분의 증상은 주로 비부비동 증상, 코막힘, 콧물, 코피, 안면 통증과 관련되서 나타나게 된다. 일측 안면의 감각 저하, 특히 입술 상부나 경구개에서 나타나는 경우는 상악신경이 양성 병변에 의해서 눌리거나 악성 병변이 침윤하는 경우에 발생한다(He et al., 2015).

의심되는 환자에서는 비강, 안구, 구강, 안면형태에 대한 자세한 진찰이 필요하며 비내시경은 비부비동, 두개저 병변에 대한 평가 시에 가장 훌륭한 진단 단계로 고려된다. 내시경을 이용해서 비강, 비인두, 두개저에 대한 진찰을 통해서 이 부분의 조직의 이상 소견을 확인할 수 있다. 두개저 종양에 대해서 진찰 시에는 뇌신경검사가 필수적이며 특히 상악신경의 기능에 대한 평가가 중요하다. 두개저 악성 병변의 경부 림프절 전이 확인을 위해서 경부에 대한 진찰이 필요하다(Suh et al., 2011).

2. 술 전 검사

술 전에 내시경, 방사선학적인 검사를 통해서 질병의 크기, 위치, 침범 범위에 대해서 정확한 평가가 가능하며 진단이 가능할 수도 있다. 또한 영상을 통해서 수술에 영향을 주는 비강 내 해부학적인 특징을 확인할 수 있다. 게다가 방사선학적 지표인 익돌관신경vidian nerve, 상악신경과 그의 최종분지인 하안와신경, 접형구개공, 익돌판의 함기화 확인을 통해서 적절한 수술창 계획 및 수술 후 합병증을 줄이는 데 유용하다. 일반적으로 골격 및 종양 연부 조직의 특성 등을 확인하기 위해서 CT와 MRI를 동시에 시행하게 된다(Hwang et al., 2011a).

종양의 특성을 인지하는 것은 적절한 수술적인 술기에 대한 계획을 세우는 데 필수적이며 대부분의 경우는 임상적, 영상학적 검사를 통해서 진단할 수 있으며 조직검사는 근치적 절제 위한 수술 중에 시행하게 된다. 조직검사는 악성병변이 의심되나 불분명한 진단이 되는 특정 경우에 수술 전 검사로 시행이 유용할 수 있다.

3. 외부 접근법

익구개와에 대한 전통적인 외부접근법은 아래쪽, 앞쪽, 측면 접근법이 있다. 아래쪽에서 접근하는 방법으로는 경구개transpalatal, 경인두transpharyngeal를 통한 방법이 있으며, 앞쪽에서의 접근방법으로는 외측 비절개 접근법, 구순하 안면중앙 접근법으로 내측 상악골을 통해 익구개와에 접근할 수 있다. 또한 다양한 측두하와 접근법의 변형으로 측면에서 접근할 수 있다. 이 곳에서 발생하거나 침범한 병변에 대한 접근이 어렵기 때문에 치료 시에 해부학적, 수술적 문제를 일으킬 수 있으며 전통적인 외부 접근법은 익구개와로 직접 접근이 가능하나 안면부종, 통증, 하안와신경 손상, 구강상악동 누공 oroantral fistula, 만성 부비동염과 같은 수술 후의 합병증을 유발하게 된다. 최근에는 내시경하 비강 내 접근법이 널리 시행되면서 이와 같은 합병증의 발생이 줄게 되었다(Fortes et al., 2008).

4. 내시경하 비강 내 접근법

1) 수술 적응증 및 금기증

익구개와를 침범한 모든 병변이 적응증이 될 수 있으며 내시경하 경비강 경상악동 접근법은 질병의 침범 범위나 술자에 경험에 따라 사용될 수 있다. 병변의 조직 검사 혹은 근치적 절제를 위해서 시행이 가능하며 림프증식성 질환, 중배엽성 종양mesenchymal tumor(예를 들어 육종)이 의심되는 경우에는 정확한 진단으로 내과적인 치료의 방법을 결정하기 위한 조직 생검 목적하에 시행하며 섬유-골성 병변, 혈관섬유종, 신경초종schwannoma, 반전성 유두종, 해면상 혈관종, 악성종양 중의 특정한 경우(편평상피암, 선상피암, 선양낭성암)에는 병변의 근치적 절제를 위해서 사용한다.

내시경적 접근법의 금기는 주로 익구개 주위로 침범 정도에 따르며 경비강접근법으로 접근이 어렵고 외부접근법이 필요한 병변이나 내경동맥을 감싸는 부인두강으로의 침범, 연구개 경구개의 침범, 해면정맥동의 침범, 안구로의 과도한 침범과 같은 근치적인 절제를 할 수 없는 중요한 구조물을 침범한 경우에는 시행할 수 없다. 또한 술자의 경험이 부족한 경우에도 금기이며 심한 심혈관질환이나 말기 신장-호흡기 질환으로 수술로 이득이 없는 경우에도 금기이다.

2) 술식

(1) 비부비동 창의 노출
비부비동에서 기원하는 종양이 익구개와를 침범하는 경우, 비강을 채우는 병변을 우선 제거해야 내시경 및 기구를 움직일 수 있는 공간을 확보할 수 있다. 특정한 경우에는 후비중격 절제술이 두 명의 술자가 양측 비공을

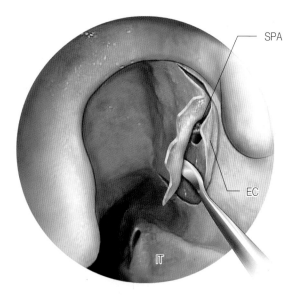

│ 그림 32-18 좌측 접형구개공과 접형구개동맥

사골계관(crista ethmoidalis, EC) 뒤에서 접형구개동맥(SPA)의 확인이
가능하며 소작을 시행한 후 사골계관을 제거하고 접형구개공을 넓힌다.
IT: inferior turbinate

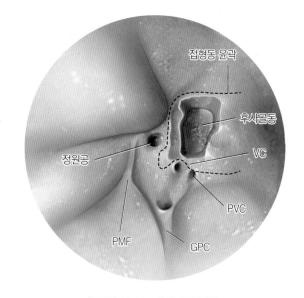

│ 그림 32-19   우측 익구개와

익구개와의 내측벽과 상악동 후벽이 제거된 후의 익구개와의 중요 구
조물. VC: 익돌관(Vidian canal), PVC: 구개골초돌관(Palatovaginal
canal), GPC: 대구개관(Greater palatine canal), PMC: 익돌상악열구
(Pterygomaxillary fissure)

통한 동시 접근법을 위해서 시행될 수 있다.

and Goyal, 2007)(그림 32-19).

(2) 수술적 접근을 위한 해부학적 지표의 확인

후각점막 보호를 위해서 상비갑개, 중비갑개는 하부만
제거하며 전사골동절제술, 넓은 상악공 개창술, 접형동
개창술을 시행한다. 구개골의 사골계관crista ethmoida-
lis 뒤에서 접형구개동맥의 확인이 가능하며 소작을 시
행한 후에는 접형구개공을 노출시킨다(Robinson and
Wormald, 2006)(그림 32-18). 접형구개공과 하안와 신경
의 돌출된 주행 경로는 상악동 내부의 상부를 따라 확인
이 가능하며 익구개와 내의 중요한 신경구조물을 찾기
위한 수술적인 지표로 사용된다. 익돌관신경과 상악신경
은 익구개신경절과 함께 접형구개공을 통과하는 수평면
의 상부에 위치하며 대구개신경과 소구개 신경은 하부
에 위치한다. 익구개와 내의 모든 중요한 신경구조물은
하안와 신경을 지나는 수직면의 내측에 위치한다(Isaacs

(3) 익구개와로의 접근을 위한 수술창의 개구

병변의 위치나 범위에 따라 수술적 접근을 조절하게 되
며 접형구개공을 통과하는 수평면의 상부에 병변이 위
치하는 경우는 구개골의 안와돌기와 접형돌기orbital and
sphenoidal processes를 드릴로 제거하고 하비갑개의 연
결부를 보존하면서 넓은 상악동 개창술을 통해 하안와
신경의 내측, 상악동 후벽의 상부를 제거하는 데 충분
하다. 반면에 수평면의 하부로 침범한 경우에는 구개골
의 수직판vertical plate을 드릴로 제거하고 하비갑개의 후
방 1/2 부분과 상악동의 내측벽의 후방부분까지 함께 제
거하여 수술창을 확장해야 한다. Kerrison 골겸자 등으
로 내측에서 외측방향으로 상악동의 후벽을 필요한 만
큼 제거한다. 이 과정에서는 후벽의 골막을 보존하는 것
이 중요한데 'periosteal bag'으로 둘러싸인 익구개와 내

용물을 상외측으로 이동시킴으로 내측의 익돌관신경과 상외측의 상악신경을 쉽게 확인하고 익돌판의 기저부를 노출시킬수 있다.

(4) 익구개와 내에서의 종양의 박리

후벽의 골막을 절개하면 내상악동맥과 분지들을 둘러싸는 섬유지방조직을 확인하게 된다. 하행 구개동맥descending palatine artery, 익돌동맥vidian artery, 구개골초돌동맥palatovaginal artery은 확인하고 필요한 경우에는 소작을 시행한다. 혈관망vascular network 뒤에 신경 구조물을 노출시키게 된다. 익구개와 내의 신경망(익돌관신경, 하안와신경과 상악신경, 대소구개신경)에서 종양을 조심스럽게 박리를 하며 수술 후의 관련 합병증을 예방하기 위해서 종양과 육안상 떨어져 있다면 가능한 한 보존해야 한다. 지방조직을 제거하면 내익상근medial pterygoid muscle이 외익상판측lateral pterygoid plate에 붙는 부분을 확인할 수 있으며 수술 시야를 넓히기 위해서 필요한 경우는 내돌근을 내측 부착 부위에서 절단할 수 있다.

모든 경우에서 수술적 경계는 동결절편frozen section을 하면서 종양의 침범 여부를 확인해야 하며 조직의 경계에서 종양이 없음을 확인하거나 중요한 구조물을 침범하여 더 이상 종양이 절제할 수 없을 때까지 수술을 진행한다.

5. 합병증

수술 중의 출혈은 수술 시야를 방해해서 신경손상과 같은 합병증을 유발할 수 있기 때문에 종양제거 시에 주의 깊게 혈관 박리를 시행하고 필요한 경우에는 미리 소작술이나 클립을 사용하여 출혈을 예방할 수 있다. 수술중의 신경의 손상은 신경자체의 직접적인 손상 혹은 공급혈관의 손상으로 발생하게 되며 일시적 혹은 영구적인 손상이 발생 가능하다. 상악신경과 그의 분지, 구개 신경의 손상으로 안면, 경구개의 감각저하가 발생할 수 있으며 익돌관신경이 손상받으면 안구건조증이 발생한다(Li et al., 2009). 드물지만 상행성 뇌수막염, 부비동 및 안구 구조물의 감염, 수술창의 협착으로 인한 코막힘이 발생하게 된다.

참고문헌

1. Abuzayed B, Tanriover N, Gazioglu N, Sanus GZ, Ozlen F, Biceroglu H, et al. Endoscopic endonasal anatomy and approaches to the anterior skull base: a neurosurgeon's viewpoint. J Craniofac Surg 2010;21:529-37.

2. Alfieri A, Jho HD. Endoscopic endonasal cavernous sinus surgery: an anatomic study. Neurosurgery 2001;48:827-36; discussion 36-7.

3. Bell WH. Le Forte I osteotomy for correction of maxillary deformities. J Oral Surg 1975;33:412-26.

4. Bi WL, Brown PA, Abolfotoh M, Al-Mefty O, Mukundan S, Jr., Dunn IF. Utility of dynamic computed tomography angiography in the preoperative evaluation of skull base tumors. J Neurosurg 2015;123:1-8.

5. Brown DH. The Le Fort I maxillary osteotomy approach to surgery of the skull base. J Otolaryngol 1989;18:289-92.

6. Carozzo S, Schardt D, Narici L, Combs SE, Debus J, Sannita WG. Electrophysiological monitoring in patients with tumors of the skull base treated by carbon-12 radiation therapy. Int J Radiat Oncol Biol Phys 2013;85:978-83.

7. Casiano RR, Numa WA, Falquez AM. Endoscopic resection of esthesioneuroblastoma. Am J Rhinol 2001;15:271-9.

8. Clavenna MJ, Turner JH, Chandra RK. Pedicled flaps in endoscopic skull base reconstruction: review of current techniques. Curr Opin Otolaryngol Head Neck Surg 2015;23:71-7.

9. Cusimano MD, Sekhar LN, Sen CN, Pomonis S, Wright DC, Biglan AW, et al. The results of surgery for benign tumors of the cavernous sinus. Neurosurgery 1995;37:1-9; discussion -10.

10. Dave SP, Bared A, Casiano RR. Surgical outcomes and safety of transnasal endoscopic resection for anterior skull tumors. Otolaryngol Head Neck Surg 2007;136:920-7.

11. De Almeida JR, Snyderman CH, Gardner PA, Carrau RL, Vescan AD. Nasal morbidity following endoscopic skull base surgery: a prospective cohort study. Head Neck 2011;33:547-51.

12. De Divitiis E, Cappabianca P, Cavallo LM. Endoscopic transsphenoidal approach: adaptability of the procedure to different sellar lesions. Neurosurgery 2002;51:699-705; discussion -7.

13. Defries HO, Deeb ZE, Hudkins CP. A transfacial approach to the nasal-paranasal cavities and anterior skull base. Arch Otolaryngol Head Neck Surg 1988;114:766-9.

14. Donald PJ. Skull base surgery for malignancy: when not to operate. Eur Arch Otorhinolaryngol 2007;264:713-7.

15. El-Sayed IH, Roediger FC, Goldberg AN, Parsa AT, Mcdermott MW. Endoscopic reconstruction of skull base defects with the nasal septal flap. Skull Base 2008;18:385-94.

16. Erdogan N, Unur E, Baykara M. CT anatomy of pterygopalatine fossa and its communications: a pictorial review. Comput Med Imaging Graph 2003;27:481-7.

17. Fortes FS, Sennes LU, Carrau RL, Brito R, Ribas GC, Yasuda A, et al. Endoscopic anatomy of the pterygopalatine fossa and the transpterygoid approach: development of a surgical instruction model. Laryngoscope 2008;118:44-9.

18. Fukuda M, Oishi M, Hiraishi T, Saito A, Fujii Y. Intraoperative facial nerve motor evoked potential monitoring during skull base surgery predicts long-term facial nerve function outcomes. Neurol Res 2011;33:578-82.

19. Gammert C. Rhinosurgical experience with the transseptal-transsphenoidal hypophysectomy: technique and long-term results. Laryngoscope 1990;100:286-9.

20. Hadad G, Bassagasteguy L, Carrau RL, Mataza JC, Kassam A, Snyderman CH, et al. A novel reconstructive technique after endoscopic expanded endonasal approaches: vascular pedicle nasoseptal flap. Laryngoscope 2006;116:1882-6.

21. He Y, Yang H, Sun J, Zhang C, Zhu H, Liu Z. Prognostic factors in pterygopalatine and infratemporal fossa malignant tumours: A single institution experience. J Craniomaxillofac Surg 2015;43:537-44.

22. Hwang SH, Joo YH, Seo JH, Kim SW, Cho JH, Kang JM. Three-dimensional computed tomography analysis to help define an endoscopic endonasal approach of the pterygopalatine fossa. Am J Rhinol Allergy 2011a;25:346-50.

23. Hwang SH, Seo JH, Joo YH, Kim BG, Cho JH, Kang JM. An anatomic study using three-dimensional reconstruction for pterygopalatine fossa infiltration via the greater palatine canal. Clin Anat 2011b;24:576-82.

24. Isaacs SJ, Goyal P. Endoscopic anatomy of the pterygopalatine fossa. Am J Rhinol 2007;21:644-7.

25. Janecka IP, Sen CN, Sekhar LN, Arriaga M. Facial translocation: a new approach to the cranial base. Otolaryngol Head Neck Surg 1990;103:413-9.

26. Johns ME, Winn HR, Mclean WC, Cantrell RW. Pericranial flap for the closure of defects of craniofacial resection. Laryngoscope 1981;91:952-9.

27. Kassam A, Snyderman CH, Mintz A, Gardner P, Carrau RL. Expanded endonasal approach: the rostrocaudal axis. Part I. Crista galli to the sella turcica. Neurosurg Focus 2005a;19:E3.

28. Kassam A, Snyderman CH, Mintz A, Gardner P, Carrau RL. Expanded endonasal approach: the rostrocaudal axis. Part II. Posterior clinoids to the foramen magnum. Neurosurg Focus 2005b;19:E4.

29. Kassam AB, Thomas A, Carrau RL, Snyderman CH, Vescan A, Prevedello D, et al. Endoscopic reconstruction of the cranial base using a pedicled nasoseptal flap. Neurosurgery 2008;63:ONS44-52; discussion ONS-3.

30. Kazak Z, Celik S, Ozer MA, Govsa F. Three-dimensional evaluation of the danger zone of ethmoidal foramens on the fronto-ethmoidal suture line on the medial orbital wall. Surg Radiol Anat 2015;37:935-40.

31. Kern EB. Grand rounds: transnasal pituitary surgery. Arch Otolaryngol 1981;107:183-90.

32. Ketcham AS, Hoye RC, Van Buren JM, Johnson RH, Smith RR. Complications of intracranial facial resection for tumors of the paranasal sinuses. Am J Surg 1966;112:591-6.

33. Kirsch CF. Advances in magnetic resonance imaging of the skull base. Int Arch Otorhinolaryngol 2014;18:S127-35.

34. Koltai PJ, Goufman DB, Parnes SM, Steiniger JR. Transsphenoidal hypophysectomy through the external rhinoplasty approach. Otolaryngol Head Neck Surg 1994;111:197-200.

35. Kraus DH, Gonen M, Mener D, Brown AE, Bilsky MH, Shah JP. A standardized regimen of antibiotics prevents infectious complications in skull base surgery. Laryngoscope 2005;115:1347-57.

36. Lanzino G, Laws ER, Jr. Pioneers in the development of transsphenoidal surgery: Theodor Kocher, Oskar Hirsch, and Norman Dott. J Neurosurg 2001;95:1097-103.

37. Lauritzen C, Vallfors B, Lilja J. Facial disassembly for tumor resection. Scand J Plast Reconstr Surg 1986;20:201-6.

38. Leonetti JP, Smith PG, Grubb RL. Management of neurovascular complications in extended skull base surgery. Laryngoscope 1989;99:492-6.

39. Li J, Xu X, Wang J, Jing X, Guo Q, Qiu Y. Endoscopic study for the pterygopalatine fossa anatomy: via the middle nasal meatus-sphenopalatine foramen approach. J Craniofac Surg 2009;20:944-7.

40. Mccutcheon IE, Blacklock JB, Weber RS, Demonte F, Moser RP, Byers M, et al. Anterior transcranial (craniofacial) resection of tumors of the paranasal sinuses: surgical technique and results. Neurosurgery 1996;38:471-9; discussion 9-80.

41. Midha R, Jay V, Smyth HS. Transsphenoidal management of Rathke's cleft cysts. A clinicopathological review of 10 cases. Surg Neurol 1991;35:446-54.

42. Munich SA, Fenstermaker RA, Fabiano AJ, Rigual NR. Cranial base repair with combined vascularized nasal septal flap and autologous tissue graft following expanded endonasal endoscopic neurosurgery. J Neurol Surg A Cent Eur Neurosurg 2013;74:101-8.

43. Nasseri SS, Mccaffrey TV, Kasperbauer JL, Atkinson JL. A combined, minimally invasive transnasal approach to the sella turcica. Am J Rhinol 1998;12:409-16.

44. Peters GE, Zitsch RP. Columellar flap for transseptal transsphenoidal hypophysectomy. Laryngoscope 1988;98:897-9.

45. Pinheiro-Neto CD, Snyderman CH. Nasoseptal flap. Adv Otorhinolaryngol 2013;74:42-55.

46. Prevedello LM. Advances in computed tomography evaluation of skull base diseases. Int Arch Otorhinolaryngol 2014;18:S123-6.

47. Price JC. The midfacial degloving approach to the central skull-base. Ear Nose Throat J 1986;65:174-80.

48. Rabadan AT, Hernandez D, Ruggeri CS. Pituitary tumors: our experience in the prevention of postoperative cerebrospinal fluid leaks after transsphenoidal surgery. J Neurooncol 2009;93:127-31.

49. Ramakrishnan VR, Waziri A. Postoperative care following skull base reconstruction. Adv Otorhinolaryngol 2013;74:1:38-47.

50. Rawal RB, Gore MR, Harvey RJ, Zanation AM. Evidence-based practice: endoscopic skull base resection for malignancy. Otolaryngol Clin North Am 2012;45:1127-42.

51. Rice DH. Endonasal approaches for sinonasal and nasopharyngeal tumors. Otolaryngol Clin North Am 2001;34:1087-93, viii.

52. Robinson SR, Wormald PJ. Endoscopic vidian neurectomy. Am J Rhinol 2006;20:197-202.

53. Scher RL, Cantrell RW. Anterior skull base reconstruction with the pericranial flap after craniofacial resection. Ear Nose Throat J 1992;71:210-2, 5-7.

54. Schuller DE, Goodman JH, Brown BL, Frank JE, Ervin-Miller KJ. Maxillary removal and reinsertion for improved access to anterior cranial base tumors. Laryngoscope 1992;102:203-12.

55. Sethi DS, Pillay PK. Endoscopic management of lesions of the sella turcica. J Laryngol Otol 1995;109:956-62.

56. Soudry E, Turner JH, Nayak JV, Hwang PH. Endoscopic reconstruction of surgically created skull base defects: a systematic review. Otolaryngol Head Neck Surg 2014;150:730-8.

57. Suh JD, Ramakrishnan VR, Zhang PJ, Wu AW, Wang MB, Palmer JN, et al. Diagnosis and endoscopic management of sinonasal schwannomas. ORL J Otorhinolaryngol Relat Spec 2011;73:308-12.

58. Thaler ER, Kotapka M, Lanza DC, Kennedy DW. Endoscopically assisted anterior cranial skull base resection of sinonasal tumors. Am J Rhinol 1999;13:303-10.

59. Weber SM, Kim JH, Wax MK. Role of free tissue transfer in skull base reconstruction. Otolaryngol Head Neck Surg 2007;136:914-9.

60. Wilson CB. Role of surgery in the management of pituitary tumors. Neurosurg Clin N Am 1990;1:139-59.

61. Wood JW, Eloy JA, Vivero RJ, Sargi Z, Civantos FJ, Weed DT, et al. Efficacy of transnasal endoscopic resection for malignant anterior skull-base tumors. Int Forum Allergy Rhinol 2012;2:487-95.

62. Woollons AC, Balakrishnan V, Hunn MK, Rajapaske YR. Complications of trans-sphenoidal surgery: the Wellington experience. Aust N Z J Surg 2000;70:405-8.

63. Yeboah AS, Tucci JR. Recurrence of Cushing's disease 10 years after transsphenoidal adenomectomy: report of a case. Endocr Pract 1996;2:176-8.

64. Yuen AP, Fung CF, Hung KN. Endoscopic cranionasal resection of anterior skull base tumor. Am J Otolaryngol 1997;18:431-3.

CHAPTER
33

악안면 외상

서울의대 이비인후과 **원태빈**, 닥터진이비인후과 **진홍률**

> **CONTENTS**

Ⅰ. 골절에 대한 기초 지식

Ⅱ. 안면외상 치료의 기본 지식

Ⅲ. 전두동 골절

Ⅳ. 비골 골절

Ⅴ. 비전두사골복합체 골절

Ⅵ. 협골 골절

Ⅶ. 안와외향 골절

Ⅷ. 상악골 골절

Ⅸ. 소아의 안면부 외상

- 골절은 형태나 원인에 따라 단순골절, 개방골절, 약목골절, 분쇄골절, 복잡골절, 감입골절, 직접/간접골절, 그리고 병적골절 등으로 분류함
- 안면골절은 위치에 따라 얼굴의 상부(전두골, 측두골, 전두동, 안와상연), 중간부(비골, 협골, 안와, 상악골), 하부(하악골)의 골절로 나누는데 비골 골절이 가장 많고 그 다음으로 하악골 골절, 협골 골절 등의 순서임
- 안면외상환자가 사망하는 가장 큰 원인은 두부 외상, 기도폐쇄로 인한 환기 장애, 흉곽 내 혈관손상 등 심한 출혈로 인한 쇼크 등임
- 외상으로 인한 안면골골절의 대부분은 안면부의 중 1/3과 하 1/3에서 일어나고 상 1/3에 골절이 일어나는 경우는 비교적 드물어 전두동골절은 전체 안면골골절의 5~15%에 해당함
- 비골 골절의 흔한 소견과 증상은 외비의 변형, 부종과 통증, 반상출혈, 열상, 비출혈 등임
- 비골 골절에서 소아는 3~7일 이내에 그리고 성인에서는 5~10일 이내에 정복하는 것이 일반적임. 비골 골절의 합병증은 비중격 혈종, 비배부 혈종, 감염, 코의 변형임
- 협골궁골절(zygomatic arch fracture)은 기저영상(submentovertex view)이나 협골궁영상(zygomatic arch view)으로도 쉽게 진단됨
- 안와의 외향골절이 발생하는 기전은 첫째, 직경이 안구보다 큰 볼록한 물체가 안구를 가격해 안구를 뒤로 밀면 갑작스런 안구내 압력의 증가로 얇은 안와의 벽에 압력이 전해진다는 hydraulic theory와 둘째는 buckling theory로 충격 순간에 안와연이 골절없이 뒤틀리면 원위부인 안와저에 충격에 의한 골절이 일어난다는 것임
- 상악골 골절의 Le Fort I형 골절은 치조제(alveolar ridge)의 바로 윗 부분에서 상악골과 비중격을 가로지르는 수평방향의 골절로서 익돌판(pterygoid plate)은 골절에 포함되지 않고, Le Fort II형 골절은 추체형(pyramidal) 골절로 골절이 비부를 가로지른 후 상악골을 따라 아래로 가파르게 경사를 이루면서 상악골의 하부벽을 침범하고 익돌판의 골절로도 이어짐. 가장 심한 형태인 Le Fort III형 골절은 상악골과 비부가 두개저로부터 분리되는 것으로 두개안면분리(craniofacial dysjunction)라고도 함

I | 골절에 대한 기초 지식

1. 골절의 분류

골절은 형태나 원인에 따라 단순골절, 개방골절, 약목골절, 분쇄골절, 복잡골절, 감입골절, 직접/간접골절, 그리고 병적골절 등으로 분류한다(표 33-1).

2. 골절의 치유과정

골절의 치유는 손상된 골이 원래의 크기와 형태로 점진적으로 회복되도록 골의 재형성이 가속화되는 상태이다. 골절의 치유에는 골부 자체 이외에 세 가지의 다른 조직인 골외막periosteum, 골내막endosteum 그리고 혈종이 관여한다. 골외막은 두 층이 있다. 외측은 섬유층fibrous layer으로서 피질골로 혈관을 연결시켜 피질골의 외측 25%에 혈류를 공급한다. 내측은 형성층cambium layer으로서 대개 하나의 세포층을 넘지 않으며 골절이 되면 활성화되어 골절부위의 끝을 연결하고 둘러싸는 느슨한 골조직을 형성한다. 이러한 새로운 골막성 골을 가골cal-lus이라 한다. 골내막은 골외막의 형성층과 비슷한, 뼛속의 수질관을 덮는 하나의 세포층으로 가골의 중요한 근원이며 골절부위를 채워 골유합bony union을 얻게 한다. 파열된 혈관과 연조직의 출혈에 의해 골절부와 그 주위에 혈종이 형성되며 이것은 혈관, 섬유아세포fibroblast, 연골아세포chondroblast에 의해 빠르게 침습되고 곧 기질화되어 육아형태의 조직으로 된다.

조직형태학적으로 골치유는 세 가지의 중복되는 단계인 염증단계, 회복단계 그리고 재형성단계를 거친다. 염증단계는 통증으로 골주변의 근육을 잘 움직이지 않게 되고 또한 부종은 일종의 부목splint 기능을 하게 되어 골절의 부동화immobilizaition에 도움을 준다. 염증반응은 일반적으로 혈관의 확장, 골절 주위 연조직의 충혈, 염증세포의 침습 그리고 비특이적인 삼출물의 생성으로 이루어진다. 골절 주위 연조직과 골절 말단부위에서는 염증단계의 후반에 단세포와 파골세포osteoclast에 의해서 능동적인 탐식작용과 용해가 일어난다. 회복단계는 수상 후 1~2일 내에 시작되어 재형성단계까지 이어지며 중요한 것은 조골세포osteoblast의 증식이다. 비전위골절 nondisplaced fracture의 경우 주로 골내막에 의해 골치유가 일어나지만 전위골절의 경우는 초기에 골외막조직이 주로 관여하다가 이후 바뀌어 골내막이 골치유의 주된 작용을 하게 된다. 수일 내에 가골이 형성되며 연골세포 무리와 골유기기질이 육아조직 내에서 형성된다. 대개 골막 부위에서 초기골이 형성되어 가골의 테를 이룬 후 조골세포에 의해 골유기기질의 형성과 골내막성 골

표 33-1 골절의 유형에 따른 분류	
단순골절(simple)	외부와 교통하지 않는 하나의 골절선으로 구성된 골절
개방골절(compound, open)	외부와 교통하는 골절
약목골절(greenstick)	주로 소아에서 발생하며 골연속성의 불완전한 손상으로 골의 완전한 단절 없이 변형만을 유발
분쇄골절(comminuted)	골절부위의 골절편이 여러 조각인 것
복잡골절(complex, complicated)	골절주위의 혈관, 신경, 또는 관절의 손상을 동반한 것
감입골절(telescoped, impacted)	한 골편이 다른 골편에 깊고 단단하게 들어박힌 골절
직접/간접골절(direct /indirect)	직접 – 손상이 가해진 부위의 골절 간접 – 손상이 가해진 곳에서 떨어진 부위에 생긴 골절
병적골절 (pathologic)	병변에 의해 약해진 골에서 정상적 동작중에 저절로 발생하거나, 또는 가벼운 손상에 의해 발생하는 골절

화가 진행된다. 그리고 무기질이 충분히 침착되어 가골에 의해 골절부위가 연결되고 단단하게 되어 임상적 치유를 이루는데 임상적 치유란 골절부위를 조작 시 움직임이 없는 것을 말하며 바로 이 시기가 재형성단계의 시작이다. 이 단계에서 기계적 자극에 반응하여 가골과 골이 재형성되고 정상적인 모양과 강도를 되찾는다.

3. 플레이트를 이용한 골절의 고정

안면골절의 고정에 철사결박대신 티타늄을 포함한 금속 플레이트가 선호된다. 플레이트는 생산업체마다 분류 체계가 다르지만 흔히 compression plate, miniplate, low profile plate, microplate 등의 체계로 나뉘어지며 각기 다양한 크기와 모양이 있는데 miniplate가 가장 많이 쓰인다. 나사는 길이와 직경이 다양하다. 플레이트가 골면의 굴곡에 잘 맞게 하기 위하여 플레이트를 정확하게 구부리는 것이 필수적이다. 플레이트를 잘못 맞추면 골절편이 원위치로 복구되지 않는다. 골에 구멍을 뚫을 때는 드릴을 낮은 속도로 넣었다 뺐다 하면서 천천히 홈을 뚫고, 지속적으로 세척을 해야 후에 골의 화상으로 인한 골괴사나 나사의 헐거워짐을 방지할 수 있다. 계측기로 구멍의 길이를 잰 후 나사에 새겨진 숫자 길이를 보고 나사를 선택한다. 보통 나사의 직경은 2.0 mm인데 같은 구멍에 재삽입할 경우는 2.4 mm 응급나사를 사용한다. 안와하연, 비골의 분쇄골절 등 비교적 골이 약한 부위는 miniplate보다는 철사고정이나 low profile plate 혹은 microplate를 이용하는 것이 좋다. Low profile plate나 microplate는 짧은 나사를 쓰며, 가볍고, 피부 밑으로 거의 만져지지 않는다. 플레이트고정의 주요 장점은 한 곳을 고정함으로써 단단한 안정성을 얻는다는 것이다. 단점은 플레이트를 정확한 모양으로 잘 구부리는 데 요구되는 정밀성과 술 후에 통증을 느끼거나 플레이트를 느

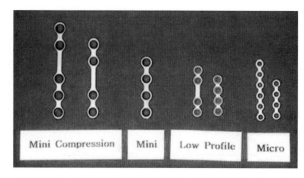

┃ 그림 33-1   안면골절에서 사용되는 각종 플레이트의 종류

낄 수 있다는 것이다. 대부분 플레이트를 제거할 필요가 없지만 환자가 원할 경우나 소아의 경우에는 3~6개월 후에 플레이트를 제거하기도 한다. 최근에는 제거할 필요가 없는 중합체polymer를 이용한 흡수 가능한 플레이트가 사용되기도 한다(Olson, 1992)(그림 33-1).

Ⅱ ┃ 안면외상 치료의 기본 지식

안면골절은 위치에 따라 얼굴의 상부(전두골, 측두골, 전두동, 안와상연), 중간부(비골, 협골, 안와, 상악골), 하부(하악골)의 골절로 나누는데(Schultz ,1988) 비골 골절이 가장 많고 그 다음으로 하악골 골절, 협골 골절 등의 순이다. 원인의 대부분은 교통 사고, 폭력 사고, 추락 사고 등이며, 최근에는 CT 등 진단방법의 발달로 인하여 안와 골절의 진단 빈도가 증가 추세에 있다. 안면 외상은 이비인후과, 성형외과, 안과, 구강외과 등 여러 과에서 다루는데 각 과가 긴밀한 협조체계를 이루어 효율적이고도 체계적인 진료를 하도록 하는 것이 중요하다. 안면 외상에 동반된 두부 외상, 흉부 손상, 복부 손상 등을 적절히 치료하기 위해서는 그에 관련된 과와 팀을 이루어

| 표 33-2 Glasgow Coma Scale

개안	구두반응	운동반응
4 자발개안 3 목소리에 반응 2 통증자극에 반응 1 자극에 개안하지 못함	5 적절한 구두반응 4 혼동된 구두반응 3 부적절한 단어 2 뜻 없는 소리 1 구두 반응 없음	6 명령에 따름 5 통증부위를 파악함 4 통증자극에 움츠림 3 굴근 반응 2 신근 반응 1 운동반응 없음

접근하는 것 또한 중요하다.

1. 안면외상의 초기 처치

안면외상환자가 사망하는 가장 큰 원인은 두부 외상, 기도폐쇄로 인한 환기 장애, 흉곽 내 혈관손상 등 심한 출혈로 인한 쇽 등이다. 따라서 안면외상을 평가하기 이전에 환자전체의 상태를 먼저 살펴 중요한 순서에 따라서 환자를 평가하고 치료하여야 한다(Leigh, 1994). 안면외상환자는 기도 확보, 지혈, 쇽의 처치, 동반손상의 평가 및 처치, 안면외상의 평가 및 처치의 순서에 따라 치료하여야 한다.

1) 기도 확보

안면외상환자의 경우 반복와위semi-prone position가 혈액, 타액, 뇌척수액의 배출을 용이하게 하고, 입술이나 협부 연조직에 의한 기도 폐쇄를 예방함으로써 기도 유지를 용이하게 한다. 수평위supine position는 경부 손상과 같은 어쩔 수 없는 상황이 아니면 피해야 한다. 탈구된 치아나 골편, 의치 조각, 음식물, 담배 등 이물질을 주의 깊게 관찰하고 제거하는 것이 기도확보에 중요하다. 기도 폐쇄를 확인할 수 있는 가장 중요한 방법은 청진이다.

Le Fort III 골절, 하악골 골절 또는 후두 및 인두 골절, 흉부 및 두부 골절 등을 보이는 환자에서는 기도 유지의 필요성이 특히 크다(Taicher, 1996). 불안정한 양측성 하악골 골절에서는 혀 전체가 후방으로 편위될 수 있으므로 턱을 손으로 전방 견인시키는 것이 기도확보를 위해 중요하다. 구강기도유지기oral airway가 사용될 수 있으나 의식이 있는 환자에서는 너무 깊이 삽입되어서는 안 되며 불안정한 하악골 골절 시에는 비인두튜브nasopharyngeal tube가 더 좋다. 비인두튜브는 인두벽으로부터 연구개를 전방으로 들어올림으로써 기도를 확보하는 역할을 한다. 총상에 의해 턱이 심하게 파괴된 경우에는 설겸자tongue forceps나 towel clip을 이용하거나 혀의 후방에서 수평 봉합하여 혀를 전방 견인해 주는 것이 중요하다. Le Fort 골절에서는 상악골과 부착된 연구개가 후하방으로 심하게 전위되어 비인두를 폐쇄시킬 수 있으므로 비인두튜브나 기관절개술을 통한 기도확보가 필요하다.

의식이 있는 환자에서는 diazepam, propofol, 근이완제 등을 이용해 마취한 후 삽관하는 것이 좋다. 환자의 머리는 기관이 구인두를 향해 하방으로 경사지도록 충분히 낮추어 구토나 갑작스런 심한 출혈로 인한 혈액의 흡입을 예방할 수 있게 해야 한다. 대부분의 경우 응급상황에서는 구강을 통한 삽관을 먼저 시도한 후 수술 시기에 맞추어 다시 비강을 통한 삽관을 시행하는 것이 바람직하다.

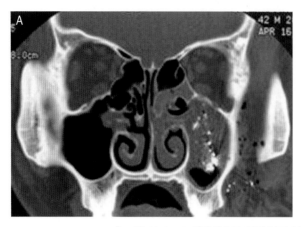

| 그림 33-2 **A.** 산탄총으로 인한 안면 이물의 컴퓨터단층촬영 사진, **B.** 제거한 납탄환

기도의 유지가 아주 응급한 상황이어서 윤상갑상막절개술cricothyroidotomy을 시행해야 할 상황이 아니라면 기관절개술이 적절하다. 안면 외상 환자의 경우 지속적인 종창으로 인해 수술 시까지는 물론 수술 후에도 오랫동안 기도를 확보해야 하기 때문에 기관 내 삽관을 유지하기보다는 조기에 기관절개술을 시행하는 것이 바람직하다. 환자가 두부 외상 후 반의식 또는 무의식 상태이거나, 심한 손상 및 다발성 골절로 인하여 여러 번의 전신 마취가 필요한 경우, 지속적인 간헐적양압환기intermittent positive pressure ventilation; IPPV가 필요한 경우, 기존에 있던 폐질환이나 이차 감염으로 인한 가래가 문제가 될 때 등에도 기관절개술이 필요하다(Astrachan, 1988). 기관절개술 시행 직후 비위관nasogastric tube을 삽입하여 장폐색 등 위장관의 상태를 파악하고 제산제와 적절한 영양 공급이 가능하도록 한다.

2) 지혈

안면부의 심한 열상에 의한 다량의 출혈은 상대적으로 드물다. 일반적으로 비출혈은 자연적으로 멈추지만 경우에 따라서는 패킹이 필요할 수 있다. 구개부 혈관 손상에 의한 심한 출혈은 혈관, 골막, 골에 이르도록 깊게 봉합하여 지혈할 수 있으며, 실패한다면 구개공을 폐쇄하거나 외경동맥을 결찰하여 출혈을 막는 방법도 있다. 후비공패킹으로도 조절되지 않는 비출혈은 사골동맥, 내상악동맥, 내경동맥 등의 결찰이 필요할 수도 있다.

3) 쇽의 처치

안면외상에 동반된 다발성골절, 흉곽 내 혈관손상이나 복부출혈 등 심한 출혈에 의해 쇽을 일으킬 수 있으므로 항상 주의해야 한다. 사지가 차고 호흡수가 증가하며, 빈맥과 저혈압, 동공 확대 등이 나타나면 쇽을 의심해야 한다. 초기 처치는 수액 공급, 혈색소 수치, 헤마토크리트 측정, 수혈에 필요한 교차시험을 위한 혈액 채취이다. 다발성 골절의 경우는 다량의 내출혈 가능성이 있음을 항상 인지하고 있어야 한다. 다량의 수혈 후에도 활력징후의 향상이 없을 때에는 계속적인 내출혈이 있음을 의미한다.

위와 같은 출혈에 의한 쇽 이외에도 사고에 의한 스

트레스 또는 출혈성 저혈압의 결과로 급성 심근경색증이 유발될 수도 있다. 심인성 속은 낮은 경정맥압이나 중심정맥압, 심전도 등으로 감별할 수 있다.

장폐색과 함께 복부 내 손상이 있을 때 초기에 세균의 내독소endotoxin가 위장관을 통해 흡수될 수 있으므로 만약 출혈이나 심인성 요인이 없는 상태에서 계속되는 속 상태를 보인다면 내독성 속인지 의심해야 한다. 위장관 외상이 있을 때는 일단 그람음성균에 작용하는 항생제를 예방적으로 먼저 사용해야 하고 그람음성 내독소 혈증이 확인되면 항내독소 항체를 즉시 정맥투여해야한다. 과량의 스테로이드 사용으로 내독성 속을 치료하는 방법은 최근에는 추천되지 않는다.

4) 동반손상의 평가 및 처치

안면외상은 흔히 두부 외상을 동반하므로 두피의 타박상, 열상, 두개골의 골절을 살펴보아야 한다. 환자의 의식상태, 활력징후의 변화, 동공의 반응성, 사지의 운동성 등을 관찰하여 두부손상의 정도를 판단할 수 있다. 의식의 평가에는 보통 Glasgow Coma Scale(표 33-2)이 이용된다. 동공의 산대는 눈에 대한 직접적 손상, 시신경 손상, 동안신경oculomotor nerve 압박 등에 의해 초래된다. 두부 손상 환자에서 동공이 산대되어 있고 양측이 동일하게 동공반사 반응 정도가 떨어진다면 압박성 두개내혈종intracranial hematoma을 의심할 수 있고, 일측의 동공만이 산대되어 있고 불빛에 반응을 보이지 않으면 시신경 손상을 의심할 수 있다. 산대된 동공이 직접적으로 또는 교감성으로 반응을 보이지 않는다면 동안신경의 손상일 가능성이 크고, 만약 산대된 동공이 교감성으로 반응을 보인다면 시신경 손상일 가능성이 크다. 많은 경우에 CT로 두개내혈종, 초기 대뇌 손상, 뇌압 상승의 상대적 위험성 등을 평가하여 응급 수술의 필요성 유무를 결정할 수 있다. 두개내혈종은 두부 손상의 초기 합병증으로서 두부 손상으로 입원한 전체 환자의 약 3% 또는 무의식 상태인 환자의 약 40%에서 관찰된다(Mendelow, 1983). 이외에도 귀를 통한 출혈이 있으면 측두골 골절을, 뇌척수액이 귀나 코를 통해 유출될 때는 두개저의 골절과 뇌경막의 열상을 의심할 수 있다.

의식이 있는 환자에서 경부 통증과 경직이 있으면 척추손상을 의심해야 하고 경추부에 대한 방사선 촬영이 필요하다. 척추 손상의 악화를 막기 위해서 척추의 굴신을 절대 금지시키고 항상 환자 몸을 일직선상에 유지한 채 이동해야 한다. 경부 골절이나 탈골을 임상적으로 찾아내기는 매우 힘들지만 환자 몸을 한 쪽으로 돌려 척추의 형태를 관찰하고 극돌기spinous process를 촉진하여 흉부에 척추후만증kyphosis, 극돌기의 계단식 형태 등이 나타날 때는 흉부 척추 손상의 가능성이 매우 크다.

이외에도 사지 골절, 복부손상 등 안면외상에 동반될 수 있는 모든 손상에 대한 적절한 평가와 처치가 이루어져야 한다. 이를 위해서는 정확한 병력청취를 통해 손상받은 시간, 장소, 종류 등에 대해서도 알아야 하고 알콜과 약물의 복용여부도 알아야 한다.

5) 안면외상의 평가와 처치

응급상황이 끝나고 환자가 안정되면 안면외상에 대해 평가하고 처치를 한다. 눈으로 관찰하고, 손으로 직접 만져보며, 방사선학적 소견을 모두 종합하여 정확한 진단을 내리고 이에 따른 적절한 치료를 해야 한다.

2. 연조직 손상의 처치

안면 외상에서 발생하는 연조직 손상은 몇 가지 종류로 나누어 볼 수 있다. 개방성 상처에는 찰과상, 절상, 열상, 자창puncture injury, 견열avulsion 등이 있고 폐쇄성 상처에는 좌상contusion이 포함된다(Celin, 1997; Schultz, 1988). 이외에도 이물질에 의한 문신, 잔류 이물retained foreign body 등이 있을 수 있다. 상처의 치료 원칙은 지혈, 이물질의 제거, 괴사 조직의 절제, 정확한 해부학적 위치로의 복원, 사강dead space의 제거와 적절한 봉합으로 요약할 수 있다(Celin, 1997; Schultz, 1988). 이와 같은 원칙에 의거하여 손상의 종류에 따른 치료의 방법을 정하고, 동시에 상처가 발생한 얼굴 각 부위의 특성을 고려하여 기능적인 면과 미용적인 면을 모두 만족시킬 수 있도록 노력하여야 한다.

좌상은 둔상blunt trauma에 의한 타박상으로서, 피부의 심각한 손상은 드물고 대개 소독과 관찰만으로 충분히 치료된다. 대부분의 안면부 좌상은 저절로 자연치유 되지만 피막화encapsulated된 좌상이나 혈종이 동반된 경우 수술적 치료를 요한다. 찰과상은 비자극성 비누나 항균성 용제로 무균적으로 소독한 후 hydrocolloid dressing Duoderm®으로 습윤상태를 유지시키는 것이 좋다. 절상은 칼에 베인 것과 같이 경계가 깨끗한 상처를 말하고 열상은 불규칙적인 상처를 말한다. 괴사 조직은 가능한 보존적으로 제거하고 상처의 모서리는 보존적으로 절제하여 수직의 피부 모서리를 만들어 봉합하여 반흔 형성을 최소화 한다. 안면은 혈관 공급이 풍부하여 보통 4~6일 후에, 눈꺼풀같이 피부가 얇은 경우는 3~4일 후에 봉합을 제거할 수 있고 귀에서 연골을 봉합한 경우에는 10~14일간 남겨 두는 것이 좋다(Celin, 1997; Schultz, 1988). 자창은 안면부에서는 드물지만 작은 상처라도 심부 조직의 손상을 의미할 수 있어 주의하여야 한다. 이물질은 감염이나 반흔 그리고 색소화를 방지하기 위하여 제거하여야 한다. 이하선과 전이개 부위의 관통손상 후에는 동정맥간 누공이 발생할 수 있다. 모든 연조직 손상 중 가장 보기 흉한 손상 중 하나가 견열 손상이다. 만약 견열 손상에 의해 생긴 피판이 작고 뺨이나 앞이마 등 적당한 위치에 있다면 단순히 타원형으로 절제한 후 층별로 단순 봉합하면 되나, 피판이 크고 얼굴 형태에 영향을 미치는 경우는 재건을 위해서는 좀 더 보존적인 접근이 필요하다. 견열 손상에 의한 결손은 반흔에 의한 자연치유보다는 인접조직끼리 일차 봉합하거나 피판 혹은 조직이식을 하여 덮어주어야 한다(Davidson, 1993). 사고로 인한 문신은 적절히 처치하지 않으면 영구적이고 보기 흉한 색으로 피부에 남는다. 진피 내에 함입된 소량의 입자는 12~24시간 내에 조직에 고정되기 때문에 즉시 제거하여야 하며, 적절한 마취하에 단단한 무균솔과 비눗물로 강하게 문지르면 대부분의 문신을 이루는 이물질들을 제거할 수 있다. 총기류나 폭발물의 파편들은 대개 깨끗하게 들어가 안면부 깊이 위치하기 때문에 만약 조직 반응이 적다면 그냥 두는 것이 오히려 손상을 줄이는 방법이다(그림 33-2). 그러나 유리나 장신구용 금속, 나무 파편, 치아 조각 등은 반드시 제거해야 된다. 치아 등 구강에서 유래된 이물질을 제거하는 데 실패하면 심한 봉소염cellulitis이나 농양을 형성할 수도 있다.

III | 전두동 골절

외상으로 인한 안면골골절의 대부분은 안면부의 중 1/3과 하 1/3에서 일어나고 상 1/3에 골절이 일어나는 경우는 비교적 드물어 전두동골절은 전체 안면골골절의 5~15%에 불과하다(Donald, 1986; Luce, 1987; Peterson,

1992). 전두동은 형태가 궁arch 모양이고 전벽이 두꺼워 골절에는 매우 강한 편이어서 골절은 심한 외력이 작용할 때 발생한다. 하악골골절에는 685~1,799 뉴톤이 필요한데 반해 전두동골절은 1,000~6,494 뉴톤이 필요하다고 한다(Hampson, 1995). 전벽 골절이 후벽 골절보다 흔하고, 대개 비안와골절naso-orbital fracture을 동반한다. 주로 외상이 원인이고 그 중 교통사고가 가장 흔하다.

1. 병태생리

전두동은 구조가 복잡하고 모양이 불규칙하며 출생 당시에는 없고 8세 때부터 X-선상에 나타나기 시작하며 12세 이후에 성인의 크기로 된다. 인구의 10% 정도에서는 전두동이 한쪽 편에만 있고 4%에서는 전두동이 없다(Hollinshead, 1982; Rohlich, 1992). 전두동은 비전두관nasofrontal duct을 통해 중비도로 배액된다.

전두동의 점막은 다른 부비동과 비교했을 때 독특한 특징을 갖고 있다. 외상을 당했을 때 낭종을 형성하는 경향이 있으며 시간이 지나면서 낭종은 감염이 되어 점농액류mucopyocele를 형성하고 전두골의 골수염을 일으킬 수 있으며 더 심한 경우 두개내 감염을 일으킬 수 있다.

점액류mucocele의 발생기전에 대해서는 아직 논란이 많이 있다. 한 가지 기전은 골절이 비전두관을 가로질러 관의 협착이 발생되고, 동내의 분비액이 저류되어 발생한다는 것이다. 또 다른 설명은 부러진 골편이 함몰되면서 골편 사이에 점막이 끼이게 되는데 이러한 점막 자체에 대한 손상으로 낭종을 형성하는 경향이 있는 비정상적인 점막이 생긴다는 것이다(Donald, 1996). 손상 받은 전두동점막은 현저하게 두꺼워지고 점막하에는 풍부한 염증세포와 함께 섬유화가 진행된다. 또한 내강세포luminal cell들은 섬모가 소실되고 때로 골화가 일어나기도 한다. 점액류나 점농액류에 의한 골 미란은 낭종의 동벽에 대한 압력효과나 파골세포osteoclast의 골흡수작용에 의한 것으로 생각된다. 파골세포의 골흡수작용은 압력이 올라감에 따라 유도되는 것으로 보인다(Donald, 1996).

전두동의 내면에 있는 많은 혈관공vascular foramina; foramen of Breschet을 통해 동점막의 상피하부로부터 정맥이 지주막하공간subarachinoidal space으로 들어가는데 이 혈관들이 전두동에서 지주막하공간으로 염증을 파급되게 하는 역할을 한다. 이러한 Breschet 혈관공 부위에 점막이 겹쳐지므로 전두동을 패쇄obliteration할 때는 점막박리 후 전두동 내벽을 드릴로 갈아내야 점막이 완전히 제거된다.

2. 분류

손상부위와 정도에 따라 전두동골절은 전벽골절, 후벽골절, 비전두관골절nasofrontal duct fracture, 관통골절through-and-through fracture로 분류할 수 있지만 어느 한 부분이 단독으로 오는 경우는 드물다(Donald, 1996)(그림 33-3). 여기에 기저부floor와 모서리corner의 골절을 추가하기도 한다. 전벽골절이 가장 흔한데 이는 가격 시에 힘을 받는 제일 앞 구조물이기 때문이다. 전벽의 전위되지 않은 골절은 종종 선상linear이며 주위의 두개골골절과 연결되어 있고, 전위된 골절은 골절편이 전두동내강으로 튀어나올 수 있다. 단순골절은 온전한 피하조직 밑에 생기지만 복잡골절은 열상이 있으면서 골절이 보일 수 있다. 후벽의 선상골절은 드물고 전위골절의 경우는 뇌척수액 유출과 동반될 수 있다. 비전두관골절은 방사선학적으로 발견하기 매우 어렵고 간혹 기저부골절과 연결될 수 있다. 관통골절은 가장 파괴적인 손상으로 이마의 피부는 찢어지고 전벽과 후벽의 골절이 함께 있으며 보통 전위되어 있고 분쇄골절이다. 또한 전두엽의 경막이 손상되고 전두엽이 좌상을 받는다. 기저부골절에서

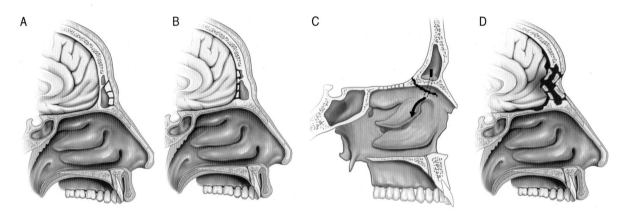

| 그림 33-3   전두동골절의 분류
A. 전벽골절. B. 후벽골절. C. 비전두관골절. D. 전후벽골절

는 골절편이 전두동 안으로 혹은 사골동이나 안와 내로 전위되기도 한다. 모서리골절은 대개는 인접한 두개골골절과 연결되어 동의 모서리를 지나가며 대개는 전위되지 않고 자체로는 해가 없다.

3. 임상소견과 진단

많은 환자들이 사고 후에 의식소실이 있으며 때로 사고에 대한 기억을 못하는 경우도 있다. 전두부의 압통, 무감각, 비출혈, 뇌척수액 비루 등이 생길 수 있고 전두개저 골절로 후각소실이 발생할 수 있다. 종종 전두부위의 압통이 유일한 증상이지만, 압통은 혼수상태의 환자에서는 진단에 도움이 되지 않고 비전두관만 골절된 경우에는 압통이 없는 경우가 많다. 전벽골절만 있는 환자는 다른 부위 골절보다 손상 정도가 덜하며 의식소실이 없는 경우가 많다. 전두동전벽의 함몰이나 계단상변형step deformity 등은 처음에는 혈종이나 부종 때문에 나타나지 않을 수 있으나 촉지가 가능하다. 이마의 피부가 찢어지면서 골편이 튀어나오거나 뇌척수액 혹은 뇌실질이 나오면 관통골절이 명백하다. 대량의 출혈은 뇌손상과 함

께 관통골절에서 볼 수 있고 특히 상시상정맥동superior sagittal sinus이 잘렸을 경우 생긴다.

전두동의 골절은 종종 뇌손상과 같이 발생하기 때문에 두부의 CT촬영이 필요하고 이 때 두부내손상과 함께 전두동의 골절을 간과하지 않도록 주의하여야 한다. 전두동 골절이 의심되면 골절의 복잡성과 정도를 잘 보기 위해 1~2 mm 간격의 세밀한 CT촬영이 필요하다 (Olson, 1992).

단순영상으로는 두개골 전후영상과 사면영상에서 전두동에 골절선과 혼탁이 있으면 전두동골절을 진단할 수 있고, 전두동 내에 기수면air-fluid level이 있고 두개강 내에 기뇌pneumocephalus가 있으면 전두동골절을 의심할 수가 있으며, 최근에는 대부분 축면axial CT로 손상을 정확히 볼 수 있다(그림 33-4). MRI는 골절의 진단에는 큰 도움이 되지 않는다.

4. 치료

전두동이 골절되면 전두동이 감염의 근원이 되어 뇌막염, 경막염, 경막 내 또는 경막외농양, 전두골 골수염 등

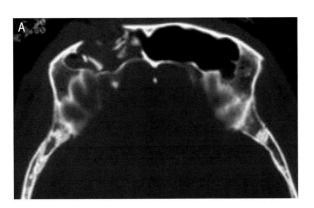
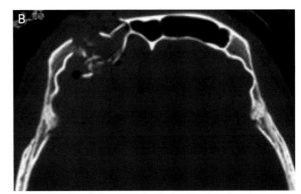

| 그림 33-4 전두동의 전벽골절(**A**)과 관통골절(**B**)의 CT 소견

| 표 33-3 전두동 골절에서 수술의 적응증

- 전두동전벽에 함몰골절이 있는 경우
- 방사선 소견상 비전두관에 골절이 있는 경우
- 비전두관이 폐쇄되어 있는 경우
- 전두동후벽골절로 인해 경막이 찢어져 있는 경우
- 지속되는 뇌척수액 유출
- 동 내에 기수면이 보이거나 두개강에 기뇌가 있어 진찰수술 (exploration)이 필요한 경우

을 일으킬 수 있으므로 예방적 항생제 투여가 필요하다 (Duvall, 1987). 그러나 항생제를 투여해도 뇌막염의 발 생빈도를 줄일 수는 없으며 오히려 정상세균총을 억제 하여 그람음성균을 우세하게 만들기 때문에 사용하지 않는 것이 좋다는 견해도 있다(Peterson, 1992). 전두동 골절의 수술 적응증은 표와 같다(표 33-3).

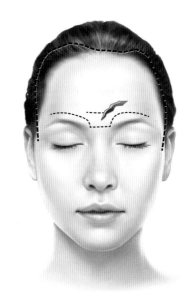

| 그림 33-5 전두동골절에서 골절부위로 접근하기 위한 피부 절개의 방법들
관상절개는 두발선 2~3 cm 위에서 완만한 S 커브를 그리면서 넣는다.

1) 전벽골절의 치료

전위되지 않은 선상골절은 관찰만 해도 무방하다. 전위 골절displaced fracture은 수술하지 않을 경우 전두부가 함 몰되고 점액류가 형성될 수 있기 때문에 수술하여야 한 다. 전두부에 열상이 있다면 열상을 이마의 주름에 따

라 연장하거나 나비절개butterfly incision 또는 관상절개 coronal incision로 골절부위에 접근할 수 있다(그림 33- 5). 골편이 노출되면 골편에 붙은 골막을 최대한 보존하 면서 피부갈고리skin hook나 작은 골갈고리bone hook로 골편을 잡아 올려 정복한다. 정복한 후 고정할 필요가 없는 경우도 있지만 다시 전위될 가능성이 있거나 함몰

643

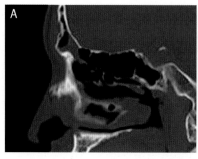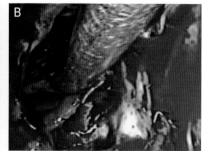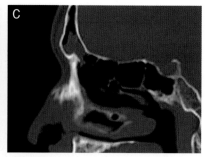

| 그림 33-6 전두동 전벽 골절을 내시경을 이용하여 정복한 증례
A. 수술 전 CT에서 전두동 전벽의 골절이 확인된다. B. 내시경으로 전두동을 개방한 후 전두동 전벽을 정복하고 있다. C. 수술 후 촬영한 CT에서 전두동 전벽이 효과적으로 정복된 것을 확인할 수 있다.

골절이 있는 경우, 비전두관의 손상이 의심되는 경우에는 Lynch 절개를 통해서 전두동을 열어 비전두관과 전두동전벽을 직접 조사하는 것이 바람직하다. 정복된 골절편이 고정되지 않으면 gelfoam을 전두동 내에 충전하여 골절편이 함몰되지 않도록 받쳐 주기도 한다(Duvall, 1987). 대부분의 경우에는 골편을 잡고 골절면 주위의 점막을 제거하고, 점막을 제거한 부위의 뼈를 1~2 mm 두께로 cutting burr를 이용하여 갈아낸다. 골편을 제자리에 놓고 철사나 플레이트로 고정시킨다. 비전두관 부위와 동 내에 충전은 하지 않고, 상처를 봉합한다. 환자는 6주간 엎드려 자지 않도록 하고, 수술부위의 외상은 피해야 한다. 소실된 골편으로 인한 전두동전벽의 결함이 크면 두개골이식편calvarial bone graft이나 장골이식편iliac bone graft으로 재건하여 준다. 그러나 이를 위해서는 관상절개를 하여 골절부위를 노출시켜야 한다.

최근 전벽에 국한된 일부 전두동골절의 정복을 위하여 외부 절개를 피할 수 있는 최소침습적 방법인 경비강 내시경 정복술이 시도되고 있다. 방법은 내시경 부비동 수술과 마찬가지로 내시경으로 전두동을 노출시킨 후, 전두동 큐렛과 같은 휜 기구를 이용하거나 도뇨관의 풍선을 이용하여 전벽을 정복한다(그림 33-6). 골절의 위치가 전두동의 내측에 위치하며, 전두동 입구가 넓고, 가능한 수상 후 빠른 시기에 시행하는 것을 권하고 있다(Strong, 2009; Shumrick, 2007).

2) 후벽골절의 치료

전위되지 않은 선상골절은 관찰만 해도 무방하다는 주장도 있으나, 경미한 전위와 선상골절을 방사선학적으로 구별하는 것은 CT로도 쉽지 않다. 그러나 전위된 골절을 놓쳤을 때 뇌농양이나 뇌막염 등의 심각한 합병증이 올 수 있음을 고려하면 후벽골절이 모서리골절과 연관된 경우를 제외하고는 모든 후벽골절은 수술하는 것이 좋다(Donald, 1986). 후벽골절 치료에 대한 의견은 아직도 치료자에 따라 논란이 있다.

치료는 골성형피판osteoplastic flap을 이용한 전두동폐쇄술이다. 이마 모발선 후방 2~3 cm에 관상절개를 가한 다음 모상건막하면subgaleal plane에서 피판을 들어 얼굴 쪽으로 젖힌다. 이때 피판에 들어있는 신경과 혈관을 손상하지 않도록 조심한다. 전두동전벽의 골성형피판을 만들고 미리 준비한 Caldwell 영상의 필름 주형template을 이용해 동의 윤곽을 메틸렌블루methylene blue로 표시한다. 윤곽을 따라 드릴로 구멍을 뚫을 때 burr의 진행방

A   B

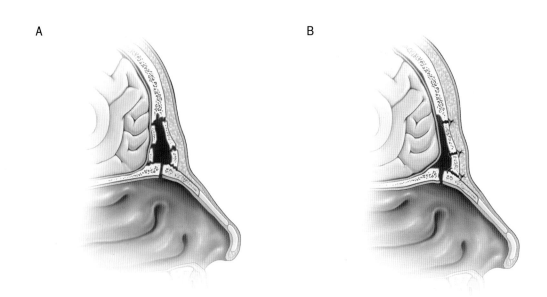

| 그림 33-7 전두동의 두개화의 모식도

향이 동내로 경사지도록 주의를 기울여야 한다. 이것은 드릴이 두개강 내로 뚫고 들어가는 것을 피하고 나중에 골판이 동내로 빠지는 것을 막기 위함이다. 이때 비근점 nasion 가까이에서는 절골하지 말고 골판이 전두골에 일부 붙어있도록 두었다가 2 mm 절골도로 골판을 부러뜨려 전방으로 젖혀 약목골절greenstick fracture이 되게 하면 전두동전벽의 분쇄를 막을 수 있다. 일단 동이 열리면 후벽의 골절 정도를 알 수 있다. 만약 뇌척수액 유출이 명확하면 주위의 골편을 제거하고 경막이 찢어진 틈을 확인한다. 찢어진 경막은 봉합을 하는데 만약 열상이 복잡하거나 봉합의 효과가 의심되면 측두근막이나 대퇴근막fascia lata으로 이식한다. 이식편은 손상부위 후벽과 경막 사이를 박리한 다음 그 사이에 밀어 넣는다. 모든 전위된 골편은 제위치에 놓고 동 내부는 박리하여 점막을 벗긴다. 모든 전두동점막을 없애기 위해 cutting burr를 사용하여 내측의 뼈를 1~2 mm 정도 갈아내고 전두동중격은 완전히 절제한다. 그 다음에 비전두관을 두개 골이식편이나 측두근의 일부로 막아준다. 느슨하고 붙어

있지 않은 후벽의 골편은 제거한다. 경미한 양의 골소실이 있을 때는 지방충전이 가장 좋은 치료 선택이다. 만약 25% 이상의 후벽이 소실되었다면 동충전을 위한 다른 방법을 고려해야 한다. 상당량의 골이 소실되었을 경우 지방으로 충전시키면 이식지방의 흡수로 인해 재상피화, 감염, 점액류가 생길 수 있다(Donald, 1986). 이런 경우 유경두개골막pedicled pericranium이나 장골의 해면골이식편cancellous bone chip으로 막는 것이 효과적인 방법이다. 전두동후벽에 골결손이 있을 때는 골이식을 해줄 필요 없이 그냥 전술한 바와 같이 다른 조직으로 전두동을 완전히 메워버리면 되지만, 전두개와의 바닥에 골결손이 있을 때는 반드시 골이식을 해 준 다음에 전두동을 메워야 한다. 전두동후벽에 심한 함몰분쇄골절이 있을 때는 전두동을 통해 두개내조직이 오염될 수 있고 경막열상을 통해 뇌척수액이 계속 유출될 수 있으므로 응급수술을 요한다. 전두동후벽골절이 경막 및 뇌실질손상을 동반하고 있는 경우에는 전두동후벽과 그 점막, 그리고 생존할 수 없는 뇌조직을 전부 제거하고, 전술한 바와 같

이 비전두관을 막아준 다음 전두동을 두개화cranialization하는 방법을 선택할 수 있다(그림 33-7).

3) 비전두관골절의 치료

비전두관의 단독골절이 가장 진단하기 어려우며 동의 혼탁이 때로는 유일한 방사선학적 소견이다. 전두동천공술frontal sinus trephination을 한 후에 따뜻한 생리식염수로 세척한 다음 에피네프린 용액을 주입하면 동을 깨끗이 하고 점막을 수축시킬 수 있다. 그런 다음 관의 개방성은 동내강으로 메틸렌블루의 주입 후 비강으로 나오는 것을 확인하여 알 수 있다. 동내에 조영제를 주입한 후 비강으로 나오는 것을 방사선검사로 확인하는 것도 개방성을 확인하는 방법이다. 관의 골절을 효과적으로 치료하지 않으면 후에 점액류가 생긴다. 순수한 비전두관골절은 진단을 위해 사용된 구멍을 좀 더 넓히고 동중격을 제거하여 건측의 관을 통해 환측이 배액될 수 있도록 하여 치료하는데, 이 술식은 골성형피판을 통해 할 수도 있다. 또 다른 방법으로 작은 카테터를 비전두관을 통해 코쪽으로 삽입해서 적어도 2주간 유지한 후 제거할 수도 있다.

대부분의 전두동골절은 양측의 비전두관을 가로지르므로 보통은 골성형피판을 통해 지방충전을 한다. 전두동저부를 Lynch형으로 절제하고 Sewell-Boyden피판으로 관을 재건하는 방법도 있다. 이 방법은 점막을 보호하여 협착을 방지한다고 알려져 있다.

4) 관통골절의 치료

가장 심한 손상으로 손상 당시 의식을 잃는 경우가 많고,

대부분은 다발성 외상을 입는데 10% 정도가 다발성 외상이나 뇌좌상으로 사망한다(Wallis, 1988). 뇌내손상이 심각하기 때문에 실제로 모든 환자는 전두개두술frontal craniotomy을 시행 받는다.

과거에는 Riedel형의 전두동절제술이 사용되었으나 전두엽이 쉽게 손상받을 수 있고 미용적 결함이 남아 정상적 두개골의 모양을 회복하기 위해서 8~14개월 후에 2차 수술이 필요하다는 단점이 있었다. 근래에 두개골절에서 복잡골절부위의 골편을 씻어 원위치시키거나 뇌중심부손상의 치료적 접근을 위해 사용했던 골판을 다시 원위치시켜도 뇌농양, 뇌막염 또는 골수염 등이 발생하지 않는다는 것이 확인되었고, 이러한 토대 위에 두개화를 시행한다. 두개골 골편들을 손상받은 부위에서 떼어낸 다음 더러운 오물을 제거하고 전두동전벽의 골은 점막을 벗기고 드릴로 내면을 갈아낸다. 이 골편들은 수술의 마지막 단계에 다시 사용할 때까지 Povidon iodine용액에 담구어 둔다. 전두동의 후벽과 모든 점막은 cutting burr로 주의하여 제거한다. 경우에 따라서는 후벽의 골편을 전벽을 재건하기 위한 이식편으로 사용할 수도 있다. 비전두관점막은 내전시키고 깔때기 모양의 개구부는 polishing burr로 가볍게 갈아낸 다음 두개골이식편이나 측두근 또는 근막의 이식편으로 채운다. 이 시점에서 골편을 생리식염수로 씻은 다음 전두개골의 연속성을 복원시킨다. 골은 철사나 플레이트 등으로 고정시키고 두피는 차례로 봉합한다. 술 후 수일에서 수주가 경과하면서 경막과 이식된 경막은 팽창하여 넓어진 전두개와를 채우게 되는데, 이는 최초의 손상에 의한 뇌부종으로 매우 빠를 수도 있다. 골편이 전벽재건에 적당치 않으면 두개골이식편을 사용한다.

때때로 사골판cribriform plate과 사골와fovea ethmoidalis의 손상과 함께 안면부 골절이 생길 수 있다. 이럴 때 두개골막피판pericranial flap으로 강화하면 봉합이 더욱

단단해지고 혈관이 있는 조직이기 때문에 상처의 치유가 촉진된다. 전두와의 사강은 없애야 한다. 간혹 뇌실질을 많이 절제했을 경우 이러한 사강이 채워지지 않는 경우가 있는데 이 때는 두개골막피판 사이에 지방이식을 하여 이러한 공간을 메울 수 있다. 두개화는 매우 효과적이고 안전한 치료방법으로서 합병증은 드물며, 전두골을 재건하고 전두엽을 보호할 수 있음이 입증되었다.

5. 합병증

1) 전두동염

항생제와 경구적 또는 국소적 점막수축제로 치료한다. 감염이 지속적이면 전두동저를 천공기로 구멍을 뚫거나 내시경비내수술로 비전두관을 열어 배액 해주어야 한다. 자주 재발하면 전두동을 열어 조사해 볼 필요가 있다.

2) 뇌척수액 비루

전두동골절과 경막열상을 치료한 후에도 뇌척수액 비루가 있으면 뇌막염을 예방하기 위해 항생제를 투여와 함께 보존적 치료를 2~3주간 시도하고 뇌척수액 비루가 계속되면 외과적 수술이 필요하다.

3) 기뇌

전두동, 사골전방부, 사골판에 골절이 있을 때 흔히 볼수 있다. 감염의 위험성이 높다.

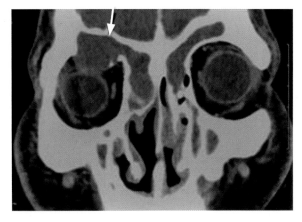

┃ 그림 33-8   합병증으로 발생한 우측 전두동의 점액류(화살표)

4) 점액류

전두동골절이 있었던 환자의 4~6%에서 점액류를 볼 수 있다(Bordley, 1973; Evans, 1981; Wallis, 1988; Wilson, 1988)(그림 33-8). 비전두관의 폐쇄로 인해 발생하며 손상된 지 수개월 내지는 수년 후에 생긴다. 점액류가 세균으로 감염되면 점농액류가 된다. 주로 일측성으로 발생하나 여러 부비동에 다발성으로 발생하기도 한다. 점액류 또는 점농액류를 예방하려면 수술할 때 골표면을 burr로 갈아 점막을 철저히 제거해야 한다.

5) 이마의 함몰변형

골절을 올바르게 정복하지 못했거나 전두동전벽의 골판이 흡수되어 변형이 생긴다. 함몰변형이 생겼으면 6~12개월 후에 두개골이나 장골에서 채취한 이식편으로 골이식을 해서 복원해 준다. 때로는 methyl methacrylate나 실리콘고무 등 인공성형물질로 윤곽을 매끈하게 해주기도 한다.

6) 동반된 타 부위 골절에 의한 합병증

주로 안와주위부의 골절로 인한 외상성 시신경병증이나 복시 등의 합병증이 있다. 특히 심한 두부손상과 동반된 전두동골절의 경우 환자의 의식소실로 인하여 눈에 대한 진찰이 지연되거나 정확하지 않은 경우가 많고 골절의 치료가 늦어지기 때문에 이러한 합병증의 발생이 생길 가능성이 높다. 안과, 신경외과 등과 협진하여 조기에 적극적인 치료를 시작하는 것이 이러한 합병증의 발생을 줄일 수 있다.

IV | 비골 골절

비골 골절은 안면골격의 골부 손상 중 가장 흔하다. 남자가 여자보다 훨씬 많고 젊은 층에서 폭력사고로 인하여 많이 발생한다.

1. 병태생리

외비는 얼굴의 중심부에 돌출해 있고 비사골복합체naso-ethmoidal complex는 다른 안면 골격보다 약하여 비교적 작은 힘에 의해서도 쉽게 골절된다. 비골의 밀도, 충격의 위치, 방향, 그리고 강도가 상호 연관됨으로써 골절의 유형과 범위는 다양하게 나타난다. 일반적으로 더 젊은 환자일수록 더 큰 조각으로 골절되어 탈구되기 쉬운 반면에, 나이든 환자일수록 분쇄골절이 되기 쉽다. 비골 골절의 약 80%는 하부 삼분의 일과 중간 이분의 일 지점사이에 있는 두터운 근위부와 얇은 원위부 사이에서 발생하는데 대부분은 측면 충격에 의해서 발생하며 이때 동

측의 비골, 상악골의 비돌기부위, 그리고 다양한 정도의 이상구pyriform aperture의 가장자리에 함몰이 발생한다. 충격이 약하면 비중격골절 없이 한쪽 비골만 골절되고 반면에 충격이 큰 경우는 동측 비골의 내측 전위와 반대측 비골의 외측 전위를 야기하고 비중격 또한 탈구되거나 골절된다.

외비의 연골구조물은 탄력성이 있고 골 구조와 느슨하게 연결되어 있기 때문에 충격 에너지의 상당량을 흡수하고 흩어지게 한다. 결과적으로 탈구, 전위, 혹은 견열손상avulsion injury이 순수 골절보다 더 흔하고, 측면으로 손상받을 때가 전면부와 하부로 손상을 받을 때보다 쉽게 골절된다. 비중격은 연골과 사골, 서골vomer의 두 뼈가 견고한 골연골 접합부를 이루어 비부 외상 시 골절 또는 탈구가 빈발한다. 비중격에서 골절이 흔히 일어나는 부위는 배부dorsum이며 비중격연골-상악능maxillary crest의 연결부위의 골절-탈구도 흔하다. 흔히 골절선이 수직으로는 비중격의 미단부caudal portion로 향하고 수평으로는 더 후방으로 향한다(Krause, 1984).

2. 분류

비골 골절의 분류에는 비피라미드nasal pyramid에 가해지는 다양한 힘의 정도와 방향에 기초한 분류나(Courtiss, 1978; Harrison, 1979) 중앙부위로부터의 비피라미드의 편위deviation를 강조하여 치료 결과의 임상적 예측지표로 삼는 분류 등(Murray, 1980) 여러 가지가 있다. 대개 비골 골절은 측면으로의 가격에 의한 편측의 함몰골절, 더 큰 힘에 의해서 비중격이 동반 골절 혹은 탈구되고 반대쪽 비골도 휘는 골절, 전방 가격에 의한 함몰, 분쇄골절의 네 가지로 나눈다(그림 33-9). 비중격 손상은 탈구, 골절, 골절-탈구로 분류하는 것이 임상에서는 더 유용하다(Holt, 1978). 또한 비골 골절은 흔히 다른 안면

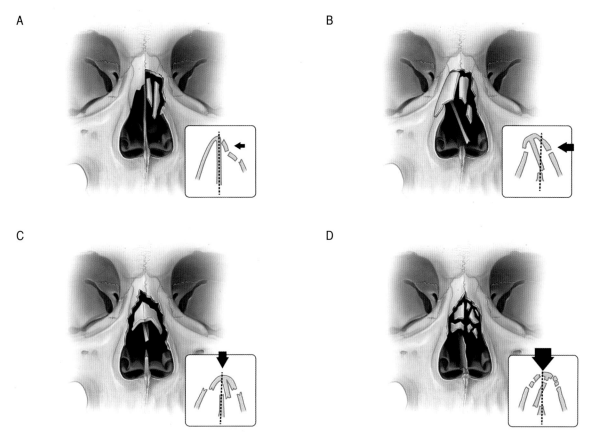

| 그림 33-9 비골 골절의 분류
A. 측방 가격에 의한 비골 함몰. **B.** 측방 가격에 의한 비골 및 비중격의 동반 골절. **C.** 전방 가격에 의한 함몰. **D.** 분쇄골절로 흔히 분류한다.

골 손상에 동반되는데 전두골, 사골, 그리고 누골을 포함하는 안면중앙부손상이나 상악골절과 흔히 동반된다 (Mathog, 1984).

3. 임상소견과 진단

외비의 변형, 부종과 통증, 반상출혈, 열상, 비출혈 등이 흔한 소견과 증상이다(그림 33-10). 손상의 원인은 자세히 물어보아야 하며 과거 코를 다친적이 있는지도 알아야 한다. 환자들은 종종 수상 전부터 코의 변형을 갖고 있는 경우가 있어 손상 전의 코의 모양과 기능을 가능한 확인하여야 한다. 알레르기 비염, 부비동염, 전신질환 등에 대한 병력과 함께 과거에 비중격이나 코에 대한 수술 여부도 알아야 한다.

비부 외상에 이차적으로 생긴 점막종창, 혈액과 분비물의 저류, 혹은 내부의 이상 때문에 무후각증 혹은 후각감퇴가 있을 수도 있지만 사골판의 손상이 동반되었는지에 대해서도 확인해야 한다. 안와나 그 주위에 골절이 있으면 시력의 변화, 주시 제한, 복시, 국소 감각소실이나 감각저하, 혹은 유루증epiphora이 있을 수도 있다. 상악골의 손상이 같이 있으면 부정교합malocclusion이나

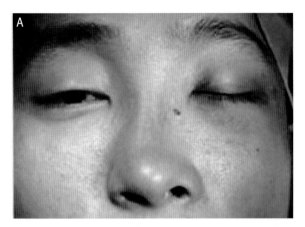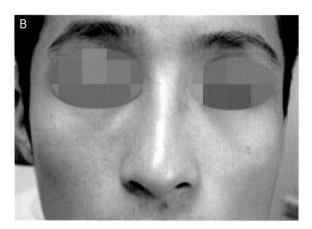

| 그림 33-10   **A.** 골절 정복 전. **B.** 정복 후

협부의 감각이상이 동반될 수 있다.

종창이 심하면 2~3일 기다려 종창이 감소된 후 다시 자세한 검사를 시행하여야 한다. 유동성, 염발음crepitance, 그리고 특정부위의 압통을 검사하기 위해서 부드럽게 비골을 촉진해야 한다. 골절부위에 계단변형이 있으면 골절을 진단할 수 있다. 상악골의 전두돌기와 인접해 있는 안와연orbital rim의 기형과 염발음도 촉진하여야 한다.

외비뿐만이 아니라 비강도 잘 살펴보아야 한다. 특히 약목골절이 흔히 발생하는 소아들에서는 외부 변형이 거의 없을지라도 내부 이상이 있을 수 있다. 비내검사에서 상외측연골 혹은 하외측연골의 비정상적 위치, 불안정, 혹은 비정상적 움직임은 avulsion을 암시한다. 코피가 나면 지혈 후에 비내검사를 시행한다. 비중격의 색깔 변화, 전위, 그리고 비정상적 종창을 관찰한다. 비중격 혈종이 의심되면 직접 흡인하거나 점막 절개를 하여 조사하여야 한다. 정상인의 적어도 48%에서 비중격만곡이 존재하기 때문에(Illum, 1983) 비중격이 비정상적인 위치에 있다고 해서 비중격이 골절되거나 전위된 것은 아니다. 손가락이나 면봉으로 비중격의 움직임을 직접 확인하는 것이 유용하다. 비중격의 전위는 성인에서는 최근 골절의 증거가 아닐 수도 있지만 반면에 소아에서는 비정상적인 것으로 간주된다(Olsen, 1980). 구순하 접근 sublabial approach을 통해 전비극anterior nasal spine의 촉진도 행해져야 한다.

일상적인 비골 골절에서 단순방사선학적 검사는 가양성 또는 가음성으로 해석되는 비율이 높고 치료에 관해서는 예측성이 없기 때문에 큰 도움이 되지 않는다는 의견이 많다(Clayton, 1986; de Lacey, 1977). 이는 정중비봉합midline nasal suture, 비상악봉합nasomaxillary suture, 그리고 비벽nasal wall의 발생학적 이상 등이 골절로 오인되기 때문이다. 비골 골절의 치료는 방사선학적 평가보다는 임상적인 미용과 기능의 평가가 더 정확한 경우가 많다. 동반된 안면중앙부 손상이 의심되거나 확진을 원할 경우에는 CT가 도움이 된다(그림 33-11). 초음파를 이용한 골절의 진단과 평가도 가능하다. 소아의 경우 손상의 대부분이 비부 구조의 2/3인 연골성 골격에서 발생하고, 방사선학적 검사에서 잘 보이지 않기 때문에 소아의 비골 골절의 방사선학적 검사는 어른에서보다 더욱 유용성이 작다.

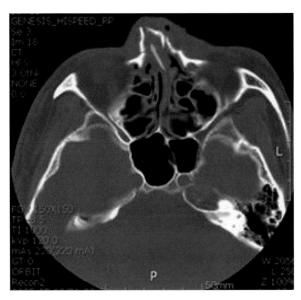

| 그림 33-11 Axial CT에서 비골 골절과 비중격골절이 관찰된다.

4. 치료

1) 기본원칙

코와 주변부위 연조직 종창이 경미한 환자에서는 조기 정복을 행할 수 있다. 종창이 심하면 가라앉기를 기다려 평가를 정확히 하고 아직 골부의 가동성이 있을 때 정복의 시기를 선택한다. 소아는 3~7일 이내에 그리고 성인에서는 5~10일 이내에 정복하는 것이 일반적이다. 젊고 건강한 환자는 정복 후 일반적으로 2~3주간 관찰하여야 한다.

일반적으로 비관혈적으로 정복과 고정이 되지만 분쇄골절, 양쪽 골절, 골절편이 꽉 끼어있는 골절, 비중격의 뚜렷한 전위 혹은 비관혈적 정복으로 만족스럽게 정복이 되지 않을 경우는 관혈적으로 정복한다. 소아의 비골 골절은 거의 모두 비관혈적 정복으로 치료될 수 있지만 간혹 심한 기형 혹은 현저한 비폐색을 교정하기 어려울 때 비중격과 비골의 보존적 관혈적 정복이 사용될 수 있다.

점막 혹은 피부의 열상이 동반되면 이차적인 세균감염을 막기 위해 예방적 항생제를 쓰는 것이 좋다. 이외에 충혈완화제, 생리식염수 세척 등이 유용하기도 하다.

2) 마취

성인의 단순 비골 골절은 일반적으로 국소마취로 치료할 수 있다. 수술 전에 진정제를 투여하고, 수술 중에도 정맥으로 투약을 하는 것이 도움이 된다. 소아의 경우 전신마취가 더 좋다. 표면마취는 일반적으로 비강 내의 표면마취 후에 비골 피라미드의 외비측(비배부)와 비강측(비강측벽), 비중격의 윗부분에 침윤마취를 시행하면 통증 없이 정복이 가능하다. 전신마취로 수술할 때에도 시야를 확보하고 출혈의 조절을 위해 비강 내 표면마취를 하는 것이 좋다.

3) 정복과 고정

골절을 정복하기 위해서는 골절을 일으킨 힘의 반대방향으로 힘을 가하는 것이 필요하다. 일반적으로 전방, 외측으로 힘을 가하여야 하며, 다른 한 손으로는 바깥쪽에 압력을 가하면서 조절하여 적절한 위치로 골절편을 재위치시킨다. 첨부 골절과 격리된 비골 골절은 이 방법으로 쉽게 조절된다. 흔히 함몰된 비골 골절의 반대측은 외측으로 전위되는데 이런 경우 함몰된 쪽을 먼저 올린 다음 배부 삼각체를 정중부로 이동시켜야 한다. 보통 비골 비피라미드의 골절을 먼저 정복하고 다음에 비중격을 정복한다. 편측의 단순 함몰 골절은 Boies 기자로 정

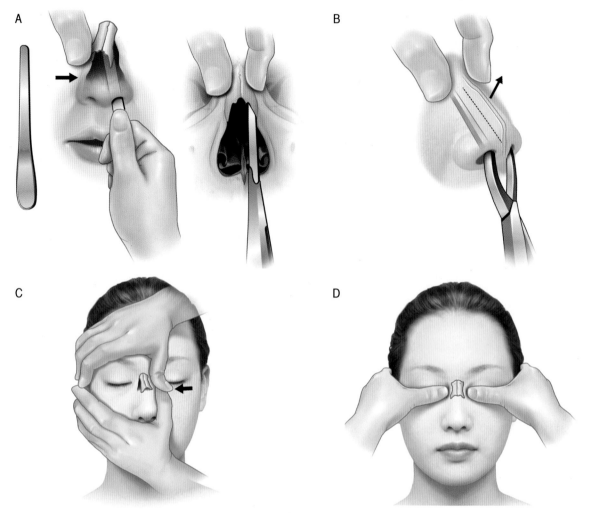

| 그림 33-12   **A.** 비골의 폐쇄성 정복술(Boies elevator)을 이용한 비골 정복. **B.** Asch 겸자를 이용한 비중격 골절의 정복. **C, D.** 비골의 도수 정복법

복하며 탈구된 중격은 Asch 겸자 등을 이용해 간단하게 정복할 수 있다(그림 33-12). 심하게 분쇄되어 불안정한 골절은 내부 부목(항생제를 묻힌 거즈나 Merocel® 조각)과 외부 부목이 필요하다. 술 후 내부 충전을 너무 과도하게 하여 비배부가 넓어지지 않도록 주의하여야 한다. 비관혈적 정복의 성공률은 60~90%까지 다양한데, 실패하는 이유는 C자 모양의 비중격 골절이 적절히 정복되지

않을 경우 비중격과 연결된 비골의 골절편들이 적절히 정복되지 않고 다시 전위가 발생하기 때문이다(Murray, 1980). 관혈적 정복을 위한 접근은 개방성 골절의 경우 상처 자체 혹은 비내 절개술을 통해 가능하고, 직접적인 접근이 필요한 비개방성 비골 골절일 때는 비전두각에 H형 절개를 하여 전체를 적절하게 노출시킨다.

5. 합병증

1) 비중격 혈종

모든 연령군에서 발생할 수 있지만 소아에서 흔한데 이는 소아의 부드러운 연골이 더 심한 손상을 야기하기 때문이다(Hinderer, 1976). 비중격혈종은 코의 통증이 지속되거나 중격의 과도한 종창소견이 있을 때 의심하며 절개 배농하고 배액관을 거치하거나 압박하여 재발을 방지하여야 한다. 항생제 사용은 감염을 방지하기 위해 필수적이다. 혈종이 배액되지 않으면 압력과 혈액 공급의 감소로 연골은 허혈성 괴사를 일으킬 수 있고 감염이 더 잘 일어날 수 있다. 이러한 연골의 손실은 3~4일 내에 발생할 수 있어 비주 수축이나 안비saddle nose를 일으킬 수 있다.

2) 비배부 혈종

혈종이 콧등에 발생한 경우는 상외측연골이 비골로부터 파열되어 발생한다(Hinderer, 1976). 연골의 압력 괴사가 발생할 수 있기 때문에 즉시 혈종을 외부 혹은 내부 절개를 통해 제거하고 감염 예방을 위해 항생제를 사용해야 한다.

3) 감염

비록 외상 후에 감염은 드물지만 혈종이 있으면 감염이 되기 쉽다. 적절한 배액이 중요하고 충전은 가능하면 적게 사용해야 한다. 비골 정복 후에 충전재를 비강 내에 오랜 기간 방치할 경우 감염으로 인한 쇽septic shock이 올 수 있으므로 비강을 충전한 경우 반드시 2~3일 내로 제거하는 것을 잊지 말아야 한다.

4) 코의 변형

비골절의 비관혈적 정복 후에도 변형이 남거나 비폐색이 지속되면 관혈적 정복을 가능한 빨리 시행하여야 한다. 골절 조각들은 조심스럽게 움직여서 적절하게 정복하고 제 위치에 고정하여야 한다. 보존적 수술과 함께 조직의 제거를 최소화하는 것이 코의 발육에 지장을 주지 않는 방법이다. 코의 외상 후에 생기는 각종 외비나 비중격의 변형, 비내 유착이나 반흔 등은 종창이 사라지고 뼈가 안정되는 시기를 기다려 손상 후 3~6개월에 수술하는 것이 좋다. 소아는 중대한 기형 혹은 기능장애가 존재하여 조기에 수술하여야 하는 경우를 제외하고는 재수술은 안면 성장이 거의 완성되는 15~16세까지 연기하는 것이 좋다.

V | 비전두사골복합체 골절

비전두사골복합체골절nasofrontoethmoid complex fracture은 안면골절 중에서 미용적으로나 기능적으로 만족할 만한 복원을 이루기가 가장 어려운 골절이다. 대부분 심한 외상이 원인이며 심각한 미용적, 기능적인 손상을 유발한다. 증상과 징후가 특이하며 진단은 임상적으로 쉽게 이루어진다. 수상 후 가능하면 조기에 수술하는 것이 지연된 경우보다 성공적이지만, 완벽한 결과를 얻기는 쉽지 않다. 비함몰, 내안각 격리, 유루, 복시와 같은 합병증이 흔히 남는다.

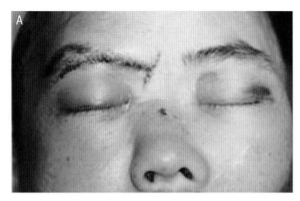
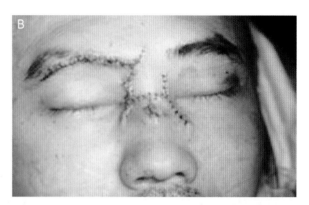

┃ 그림 33-13 비사골복합체골절 환자의 수술 전후의 모습

A. 양안각사이가 함몰되어 있고 비첨이 위를 향하는 특징적인 접시안면변형(dish-face deformity) 모습을 하고 있다. **B.** 수술 후에는 탈구된 안각이 복원되고 눈 사이의 함몰, 코의 함몰도 교정된 것을 볼 수 있다.

1. 병태생리

전두방향으로 심한 손상을 받아서 발생하며 충격으로 인해 비골이 골절되고 사골동복합체로 밀려들어와서 전두골의 비돌기 밑에 끼이게 된다. 간혹은 전두동의 전벽이 동시에 골절되어 뒤쪽으로 밀리기도 한다. 지판과 누골도 자주 골절되며 이런 경우 내안각건은 찢어지거나 더 흔하게는 내안각건에 부착된 안륜근에 의해 건이 부착되었던 골편이 외측으로 당겨진다. Lockwood 인대의 지지가 소실되어 안구가 하방으로 전위된다. 내안각이 절단되거나 누소관acrimal canaliculus이 손상되는 경우도 있다. 보다 내측 손상인 경우에는 누낭이 손상되거나 심지어는 누관이 절단될 수 있다. 안륜근의 장력에 의해 유지되던 안구에 대한 긴장이 안각건의 견열牽裂, avulsion에 의해 풀리면서 누점이 누호lacus lacrimalis에서 멀어지게 된다. 이 경우 눈을 깜박일 때 유루가 생긴다. 전두개저까지 골절되었을 가능성이 있으면 사판cribriform plate이나 사골와fovea ethmoidalis로부터 뇌척수액의 누출이 있는지 잘 살펴보아야 한다.

2. 임상소견과 진단

이들 환자는 대부분 의식소실기간이 있으며 두부손상을 포함한 다발적인 손상이 흔하다. 응급처치에 대한 일반적인 주의와 복부, 흉부나 중추신경계의 치명적인 손상 여부를 확인해야 하고 안면골절에 대한 처치 이전에 뇌단층촬영과 경추촬영이 선행되어야 한다.

환자들은 보통 안면중심부 동통, 비출혈, 비폐색, 비변형 등을 호소한다. 만약 누선분비계의 손상이 있으면 유루 증상이 있을 수 있으며, 내안각건의 적출이 있으면 유루는 거의 발생한다. 만약 하직근inferior rectus muscle이나 하사근inferior oblique muscle이 손상되었다면 복시를 보일 수 있다. 안와 주변부 손상 환자의 약 10%에서 직접적인 충격 또는 골편에 의해 안구파열, 망막박리, 초자체출혈, 수정체 탈구 등의 안구손상이 발생한다.

코는 특징적으로 비첨은 하늘을 향해 비정상적으로 기울어지고, 코는 짧아지며, 비배는 내려앉아 안각사이에서 납작해지는 돼지코pig snout변형 또는 접시안면변형dish-face deformity을 보인다. 이는 비록 안각격리증telecanthus은 보이지 않아도 양안 사이가 납작해진 모습을 보이며 어느 정도 안각이 탈구된 모습을 보인다(그림

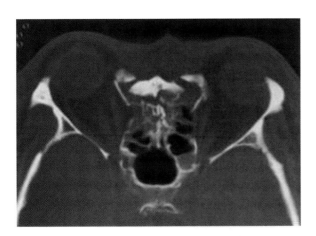

| 그림 33-14   비사골골절의 CT소견.
비골이 사골동 내로 포개어지면서 뒤로 밀린 모습이 잘 관찰된다.

에서 비골이 후방으로 밀리면서 사골동 내로 포개어지 거나 전두골 밑에 끼이게 되는 특징적인 소견을 보인다 (그림 33-14). 간혹 안와내벽이 포개진 골편으로 인해서 두껍게 보이는 경우도 있고 지판은 으깨어지고 사골동 은 막히고 전두동은 혼탁해진다. 때때로 안와 내나 심지 어는 두개 내에서 공기음영이 관찰된다(Delbalso, 1990). 관상면 영상에서 누낭릉lacrimal crest이 탈구된 경우가 있 으며, 때로는 심하게 부서져서 인지할 수 없는 경우도 있다.

3. 치료

33-13). 비출혈이 있을 수 있으며 뇌척수액 비루의 존 재를 확인하기 위한 검사를 시행한다.

내안각건이 건열되면 내안각이 무디게 되며 외측으 로 전위되면서 아래쪽을 향하게 된다. 안륜근이 안구를 뒤쪽으로 당기는 효과가 풀리면서 약간의 안구돌출이 발생한다. 손상받은 안구의 내·외안각사이의 거리는 건 측 안구보다 짧아지며 양안사이의 거리는 건측 안구의 폭보다 길어진다. 내안각 파열의 흔한 소견은 활시위 징 후bow string sign의 소실이다. 내안각 부위를 촉진해보면 정상적인 내안각건은 활시위처럼 팽팽하게 느껴지지만 내안각건이 파열되면 활시위 효과는 없고 부드럽게 느 껴진다. 유루는 흔한 증상인데 누호의 기능이상이나 누 소관계canalicular system나 누낭의 손상에 의해 발생한다. 누점의 뒤집힘과 Horner씨 근육의 고정 소실로 인한 누 선 펌프 계통의 기능이상으로 인해서 눈물이 많이 흐른 다. 간혹 안와내벽 또는 안와상벽을 포함한 골절로 인해 안구가 포착entrapment되면 하방이나 외측주시에서 복 시가 발생하기도 한다.

비전두사골복합체 골절은 간혹 심한 안면부 종창 등 에 의해 가려지기도 하지만 비교적 쉽게 진단된다. CT

초기치료가 지연된 경우보다 훨씬 효과적이므로 수상 후에 가능한 한 빨리 복구 해주어야 한다. 접근은 양측 에 외부사골절제술 절개를 이용하고 필요하면 비근점을 가로질러 양측 절개선을 연결하는 수평절개open-sky inci-sion를 더한다(Converse, 1970)(그림 33-15). 안와골막을 후사골동맥posterior ethmoidal artery 위치까지 들어올린 후 직접 관찰하면서 갈고리를 후사골동맥 앞의 골절된 사골복합체에 위치시켜 하방에서 전방으로 당김으로써 정복한다. 갈고리로 당기면서 골절위치에서 절골도를 사 용하여 지레의 작용으로 들어올리면 매복된 골편을 쉽 게 정복할 수 있다.

조각난 비배의 골편을 부착시키기 위해 가는 철사나 microplate를 사용하여 안전하게 고정할 수 있다. 심하 게 분쇄되어 비배를 안정되게 복구하기 어려운 경우에 는 두개골편calvarial bone을 비배에 위치하여 miniplate 로 전두골에 고정시키기도 한다. 함몰된 비배를 고정시 키는 또 다른 방법으로 halo 보조기brace로 외부고정을 이용할 수도 있지만 플레이트 등보다 견고한 고정방법 이 발전함에 따라 이러한 방법은 거의 이용되지 않는다.

내안각건이 손상된 경우 전위된 내안각건을 찾아 반

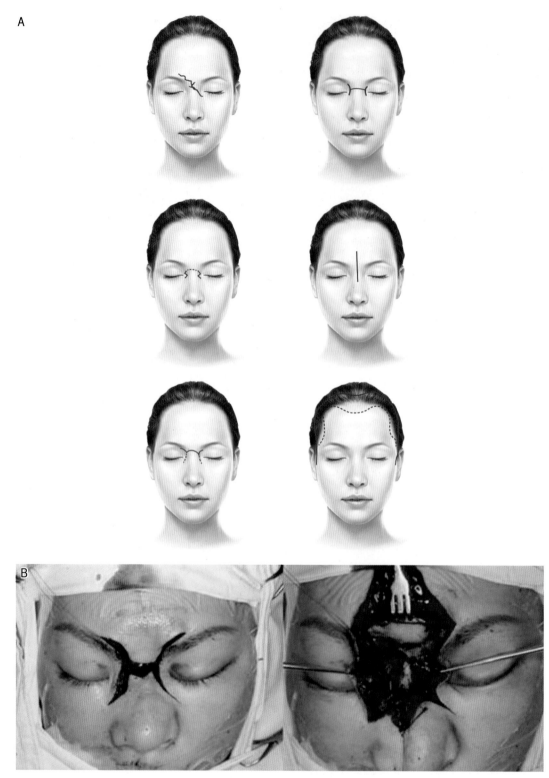

│ 그림 33-15 비사골골절의 정복을 위한 각종 절개 방법들(**A**)과 실제 수술에서 절개를 넣고 골절 부위를 노출시킨 모습(**B**)

드시 복원해 주어야 한다. 내안각건은 피하 구조물이므로 이를 찾기 위하여 깊게 박리하는 것은 필요치 않고 내안각건과 유사한 섬유조직을 찾아 견인하여 보는 것이 좋은 방법이다. 내안각건에 부착된 누골의 일부는 내안각건을 찾을 때나 그 해부학적 관계의 복구에 도움을 준다. 내안각건의 정복은 약간 과도하게 하는 것이 좋다. 주의할 점은 내안각건이나 내안각건을 고정할 부위가 철사로 인해 손상받지 않도록 하는 것이다. 인대에 부착되어 있는 잔여 골을 이용하여 고정위치에서 최대한의 안정을 유지하도록 한다. 일단 내안각건을 규명한 다음에는 드릴로 후누낭릉의 뒤쪽, 누선와lacrimal fossa의 위쪽에 구멍을 만든다. 고정 철사를 확실히 지지하기 위해 구멍사이의 거리는 되도록 멀리하고 약간 과도하게 교정하여야 더 좋은 결과를 얻는다. 주로 29~30 gauge 철사나 3-0 nylon을 이용하여 고정한다. 흔히 내안각건의 지지대 역할을 하는 안와내벽이 조각나거나 없는 경우가 있는데 이러한 경우에는 건에 철사를 통과시키고 누골을 붙여서 반대편 외측 비벽에 고정시킨다. 반대편에 Lynch 절개를 가한 다음 내안각건과 그 상부를 노출시키고 건 위쪽 골에 두 개의 구멍을 만들어 파열된 건의 철사를 비내로 통과시킨 후에 이 구멍을 통해 고정한다.

양측의 내안각건이 동시에 손상받았을 경우 곡선의 Keith 침이나 3-0 nylon의 바늘을 사용하여 양측의 내안각건을 서로 엮어주는 방법을 사용하기도 한다. 이 경우 투과침이나 바늘이 전두개와로 관통하지 않도록 주의를 요한다. 이 술식을 시행하기 전에 Caldwell 영상을 주의 깊게 검토하여 사상판과 안와내벽과의 관계를 확인하는 것이 필수적이다. 일반적으로 동공을 연결하는 수평선이 사상판의 높이다.

내안각이 심하게 손상받는 경우 누선계통의 이상을 동반하는 경우가 흔하다. 두 개의 누소관 중 적어도 하나가 정상이라면 누낭비강문합술dacryocystorhinostomy을 시행하여 비루관을 우회하여 눈물의 배출구를 만들어주면 된다. 만약 누낭이 심하게 손상이 된 경우에는 Quickert 튜브를 누점을 통하여 비강으로 넣어 서로 엮은 다음 적어도 3주 동안 유치하면 된다.

VI | 협골 골절

협골의 골절은 기능상, 미용상의 문제를 초래하기 때문에 수술적 정복과 고정을 요하는 경우가 많다. 또한 조그마한 비대칭도 쉽게 눈에 띄이기 때문에 정확한 정복이 요구된다. 원인은 교통사고가 가장 많고 최근에는 폭력사고에 의한 손상이 증가 추세에 있다. 뇌손상이나 경추골절은 안면부 외상환자에서 항상 고려해야 하지만 협골 골절의 경우에는 상악골골절의 경우처럼 흔하지는 않다.

1. 병태생리

협골체부는 가장 두텁고 강한 뼈이고 안와판은 가늘고 충격에 약하다. 협골은 인접한 상악골과 함께 안면골의 구조와 힘을 유지하는 버팀벽 역할을 하여 충격이 가해졌을 때 저항하는 힘이 된다. 협골궁은 교근, 측두근 등에 의해 싸여져 있어 쿠션역할을 하고 있지만 협골궁과 피부사이에는 연조직층이 얇다. 협골 각 부위의 두께에 따라 골절을 유발하는 데 필요한 힘의 정도가 다른데, 체부는 489~2,401 뉴톤, 궁은 890~1,779 뉴톤이 필요하다(Hampson, 1995).

표 33-4 협골 골절의 Zingg 분류

유형(Type)	
A	불완전골절
A1	협골궁 단독 골절
A2	안와벽 외측 골절
A3	안와하연 골절
B	완전단골편골절
C	다골편 골절

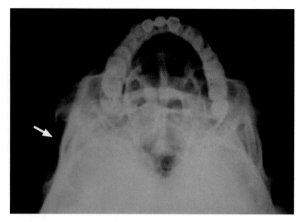

| 그림 33-16 기저영상에서 우측 협골궁골절의 확인(화살표)

2. 분류

협골 골절의 분류는 증상 및 징후를 예견하는 데 도움이 될 뿐 아니라 교정을 위한 수술계획을 세우는 데도 도움을 준다. CT 소견을 기초로 한 Zingg의 분류는 비교적 간단하고 유용하다(Zingg, 1992)(표 33-4). 이 분류에서 특징적인 점은 종래에 삼각골절tripod fracture이라고 하였던 것을 안와판과 접형골 대익 사이의 골절선을 포함하는 사각골절tetrapod fracture이라고 칭한 것이다. 여기서는 혼란을 막기 위해 종래의 삼각골절이란 용어를 그대로 쓰기로 한다.

3. 임상소견

협골 골절은 다른 안면골의 골절과 동반되는 경우가 많은데 상악골의 골절과 동반된 경우가 가장 흔하다. 상악골골절은 전형적인 Le Fort 골절의 형태를 취하지 않는 경우가 많다. 협골 골절은 전위가 없어 증상이 거의 없는 경우도 있고, 심하게 전위되거나 복잡골절의 형태로 주위 구조물들의 기능장애를 유발해 여러 증상을 나타내기도 한다.

1) 협골궁 골절

협골궁골절zygomatic arch fracture은 보통 협골측두봉합선이나 그 전후의 두 곳에서 생겨 골절편이 내측으로 전위되면서 V자 모양의 함몰을 유발한다(그림 33-16). 내측으로 전이된 골절편은 하악의 근돌기를 압박하고 궁에서 기시하는 교근이 입을 벌릴 때 부러진 골편을 당기므로 개구장애trismus와 함께 통증을 유발한다. 비록 초기에 함몰된 부위가 혈종으로 채워지지만 촉지해보면 쉽게 알 수 있고 혈종이 흡수되고 나면 쉽게 눈으로 확인된다. 기저영상Submentovertex view이나 협골궁영상zygomatic arch view으로도 쉽게 진단되며 하악의 근돌기와의 관계도 쉽게 알 수 있다.

2) 삼각골절

삼각골절tripod fracture은 협골이 안면골로부터 완전히 분리되는 완전 단골편 협골 골절complete monofragment zygomatic fracture을 의미하며 협골 골절 중 가장 흔하다. 안와외연, 안와하연, 그리고 궁의 골절이 특징적이며 안

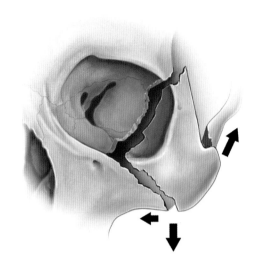

| 그림 33-17 좌측 협골의 삼각골절에서 흔히 볼 수 있는 협골의 전위방향

와하연에서 상악동의 전외벽으로, 하측두와, 그리고 안와의 하벽, 외벽으로 골절선이 지나간다. 보통 골절편은 하방, 내측, 그리고 후방으로 전위되며 종종 내회전이 같이 있다(그림 33-17). 삼각골절에서는 항상 안와저의 골절이 같이 있는데 단순히 금이 간 경우부터 상악 안으로 골절편이 전위되는 분쇄골절까지 다양하다. 분쇄와 전이의 정도에 따라 안구내용물이 탈출되면서 연조직이 끼이는지의 여부가 결정된다. 골절선이 안와하공을 지나면서 안와하신경의 손상으로 협부, 상구순부, 비외측의 감각마비를 초래하기도 한다.

안증상은 삼각골절에서 흔히 특징적으로 동반되는 것으로 손상으로 인하여 시력장애를 초래하기도 한다. 안구손상은 안구 전방이나 후방의 손상과 함께 초자체, 맥락막, 망막, 공막, 시신경 등의 손상이 동반되기도 한다. Lockwood 인대가 외측안와결절에 부착해 있으므로 골절된 협골이 아래로 전위되면서 안구가 딸려 내려가 전방주시 때 복시를 유발하게 되는데 이러한 시축visual axis의 변화를 머리를 기울임으로 보상하려고 한다. 수상 직후 안구혈종이나 부종에 의해서도 복시가 발생할 수 있지만 이는 일시적이고 보통 24시간 이내에 좋아진다. 복시의 또 다른 원인은 안와내용물이 깨진 안와저를 통해 상악동 내로 탈출하는 것인데 이에 대해서는 안와 외향 골절 부분에서 기술한다. 공막하출혈subscleral hemorrhage은 흔한데 이는 단지 안구 내의 손상을 의미한다. 안구함몰은 초기에는 안구주위의 부종 때문에 잘 모르지만 부종이 가라앉으면서 분명해지는데 상검판주름이 깊어지고 안구가 뒤로 밀려 보인다. 안구가 아래로 전위되면 안검열의 반몽골로이드 경사도 같이 보이게 되고 하방골편에 붙은 안와격막orbital septum이 당겨지면서 공막으로부터 안검판이 당겨져 안검외반ectropion이 발생하기도 한다(Williams, 1994).

전위된 삼각골절에서는 대부분 협골융기malar eminence부위가 편평해지는데 수술적 정복을 하는 가장 큰 이유가 여기에 있다. 드물게는 본체가 수직축에서 내전위를 하여 오히려 협골융기부위가 더 올라가는 경우도 있다. 협골융기부위의 편평함을 관찰하는 가장 좋은 방법은 머리를 뒤로 젖히고 협골융기부를 눈썹 정도에 수평하게 맞춘 후 손으로 융기부를 눌러 연조직의 부종에 의한 효과를 차단하면서 관찰하는 것이다. 또한 협골전두봉합선, 협골상악봉합선 부위나 안와하연의 계단상 변형이 촉지된다(Knight, 1961).

비출혈은 상악동점막이 찢어진 경우에 발생할 수 있지만 양은 많지 않고 피하기종도 생길 수 있다. 개구장애는 흔히 발생하나 일시적인 경우가 많고 협골궁의 전위가 심할 경우는 지속된다. 구강 내 검사에서 염발음, 전위, 그리고 치은협구gingivobuccal sulcus의 반상출혈ecchymosis이 관찰된다. 손가락을 치은협구를 따라 위쪽, 외측으로 넣어 협골궁의 내면을 만질 수 있고 압통이나 전위를 쉽게 알 수 있다. 안와하신경부위의 감각이상은 바늘로 찔러 보거나 만져봄으로써 알 수 있다. 수상부위 측의 상악치아의 감각이상을 호소하기도 하지만 이는 일시적이다.

3) 다골편 협골 골절

협골에 강한 힘이 가해질 때 체부와 궁을 포함하여 골절편이 여러 조각나는 것을 말한다. 증상은 삼각골절과 유사하며 협부가 심하게 주저앉는다. 다골편골절의 유무는 방사선 사진을 신중하게 살펴보아야 진단할 수 있으며 CT로 정확히 진단할 수 있다.

4. 검사

1) 방사선 검사

표준 부비동영상인 Waters 영상, Caldwell 영상, 측영상 lateral view, 기저영상submentovertex view만으로도 삼각골절은 충분히 진단할 수 있고 협골궁촬영법으로 궁의 골절 유무를 쉽게 알 수 있다. 하지만 최근에는 CT나 이를 삼차원적으로 재구성한 영상들이 많이 쓰이고 있으며(그림 33-18), CT의 축상면axial view에서 협골의 전위

정도를 알 수 있고 안와저의 골절 여부는 관상면coronal view에서 잘 볼 수 있다.

2) 안과적 검사

대부분의 협골 골절에서는 수술 전 안과적인 검사가 필수적이다. 안과적 증상이 없을 때라도 자세히 검사해보면 손상이 발견되는 수가 있다. 간혹 방사선학적 검사상 안와첨부의 골절이 발견되기도 하는데 골절을 정복할 때 시신경 손상여부에 주의해야 한다. 안구손상이 있을 때는 안과와 상의해서 수술시기를 결정해야 한다.

5. 치료

1) 협골궁골절

협골궁골절은 전신 또는 국소마취하에 비관혈적 정복으

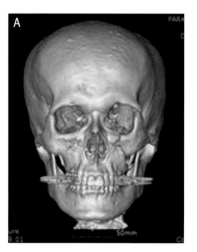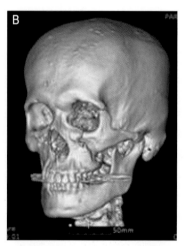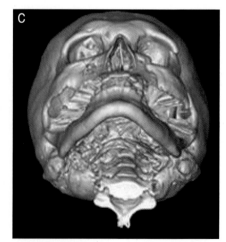

| 그림 33-18   협골 골절의 CT를 3차원적으로 재구성한 3D-CT 사진
좌측 협골 골절을 다양한 각도에서 확인할 수 있다. A. 정면 모습. B. 3/4 측면모습. C. 기저영상

로 치료한다. 여러 방법 중 Gillies 방법이 가장 많이 이용된다(McLoughlin, 1994)**(그림 33-19)**. 두발선으로부터 약 2~3 cm 상방 측두 두피에 1.5~2 cm 길이를 절개한다. 피부절개 후 측두근막의 심층deep layer을 찾은 다음 그 아래를 통해 협골궁으로 접근한다. 함몰된 궁골절편 아래로 골막기자periosteal elevator로 터널을 만든 후 Boies 기자나 Cottle 기자를 넣은 후 궁을 원래 위치로 정복시킨다. 이 때 기자의 압력이 지지하고 있는 두개골에 지렛점으로 작용하게 되면 두개골절을 유발할 수 있으므로 주의해야 한다. 함몰된 궁골절편을 복원시키기 위해서는 강한 힘이 필요하다. 골절편들이 꽉 끼어 있거나, 수상 후 7~10일 이상 수술적 치료가 지연된 경우는 정복이 어렵다. Rowe-Killey 겸자는 상당한 힘을 가할 수 있으며, 골화된 경우를 제외하면 거의 정복시킬 수 있다. 일단 골절편이 정복되면 측두근과 교근 그리고 주위의 연조직이 부목 역할을 하기 때문에 대개는 더 이상의 부목이나 골절고정은 필요치 않으나, 정복이 올바로 유지되지 않는 경우도 있다. 이런 경우 항생제연고를 묻

힌 배액관drain을 삽입하거나 Foley 카테터를 삽입 후 팽창시켜 정복을 유지시키고 1주일 정도 후에 제거하는 방법을 쓰기도 한다(Randall, 1996). 또 다른 방법으로 이개 전방부위에 자상절개stab incision를 가한 후 J자 모양의 갈고리기자hook elevator를 골절편 밑에 넣어 정복시키는 방법도 있다.

수술 후 일단 상처봉합이 이루어지면 정복된 궁이 환자가 부주의로 건드리거나 침대에서 떨어져 재전위되는 것을 방지하기 위해 구부러진 수지부목을 대거나 경고의 의미에서 종이컵을 변형하여 붙여주기도 한다.

2) 삼각골절

삼각골절에서 안와저나 안와하연의 골절이 심하지 않고 정복 후 골절의 안정성이 유지된다면 비관혈적 정복을 한다. 비관혈적 정복의 방법은 골절의 모양이나 정복에 필요한 힘의 방향에 따라 달라진다. 구강 내로 접근하거

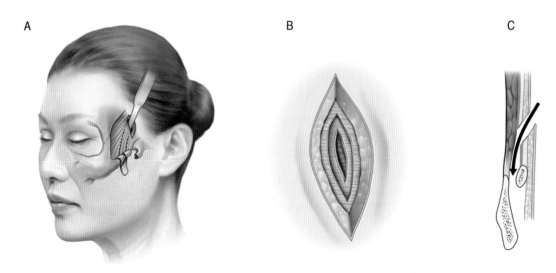

┃ **그림 33-19** Gillies 방법을 이용한 협골궁골절의 정복

A, B. 두발선 위에 비스듬히 작은 절개를 넣고 심층측두근막과 측두근 사이로 박리하여 협골궁의 밑으로 도달한다. C. 기자가 협골궁의 골절부위 밑에 위치한 모습이다.

A

B

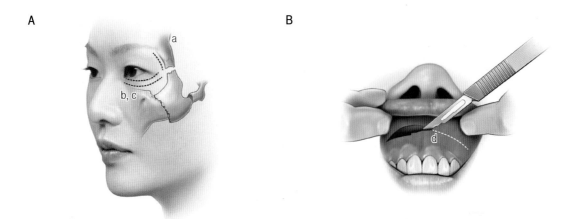

| 그림 33-20   협골 골절부위에서 협골전두부위(a) 안와하연(b, c)과 협골상악부위(d)에 접근하기 위한 절개방법들

나 이개 전방부위로 접근하여 갈고리를 이용하여 골절편을 정복시킬 수도 있다.

골절편이 불안정하면 관혈적 정복을 통해 골절 부위를 티타늄 플레이트를 이용하여 고정한다. 부러진 세 부분을 모두 고정하지 않고 협골전두부위에 더하여 협골상악부위나 안와하연의 두 곳 중 한 곳만을 고정하여도 골절편의 안정을 유지할 수 있다. 협골전두봉합부위는 외측안모절개lateral eyebrow incision를 약 1.5 cm 길이로 눈썹의 모낭 방향으로 비스듬하게 절개하여 안와외연의 전장을 노출시켜 골편의 전위를 확인한다. 안와하연 부위는 하안검의 경피절개나 결막하절개를 통하여 노출시키고(그림 33-20), 협골상악부위 구순하 절개를 통하여 노출시킨다. 모든 골절 부위가 노출되면 협골전두부위, 안와하연, 협골상악부위의 세 지점이 삼차원적으로 정확히 맞도록 골편을 정복한다. CT 소견에서 안와판과 접형골대익봉합부위의 전위가 심할 경우는 안와외측벽을 박리한 후 이 부위의 정확한 정복 여부도 확인한다. 골절이 일단 정복되면 전두골에 플레이트를 느슨하게 고정을 한 후 협골 골절편의 정복을 다시 한번 확인하고 완전히 고정한다(그림 33-21). 대부분의 경우 가장 힘을 받는 부위인 협골전두부위와 협골상악부위를 miniplate

로 고정하는 것만으로도 충분하고 필요하면 추가적으로 협골상악부위를 고정한다. 마지막으로 협골궁의 골절을 정복하고 수지부목finger splint을 골절주위에 설치한다.

3) 다골편골절

다골편골절은 삼각골절과 매우 유사하지만 심각한 협부함몰을 동반하기 때문에 반드시 수술적 정복을 한 후 고정한다. 협골전두봉합부, 안와판과 접형골대익이 만나는 부위, 안와하연, 안와저, 협골상악부벽 등을 전부 확인한 후 삼차원적으로 정확하게 정복하여야 한다. 이 중 협골전두봉합부와 안와판과 접형골대익이 만나는 부위를 정확히 맞추어 주는 것이 정복에 필수적이다. 동반된 안와저의 골절은 삼각골절과 마찬가지로 복원한다. 만약 분쇄골절이 심하면 골이식을 시행한다. 정복이 이루어지면 완전히 고정하기 전에 각 골절편들의 경계가 잘 맞는지 확인한다. 삼각골절에서처럼 한두 지점만 고정하는 것은 효과적이지 못하다. 이러한 유형의 골절에는 협골전두부위와 협골상악부위, 그리고 종종 협골융기부위에 miniplate를 이용해서 고정해주어야 한다. 마지막으

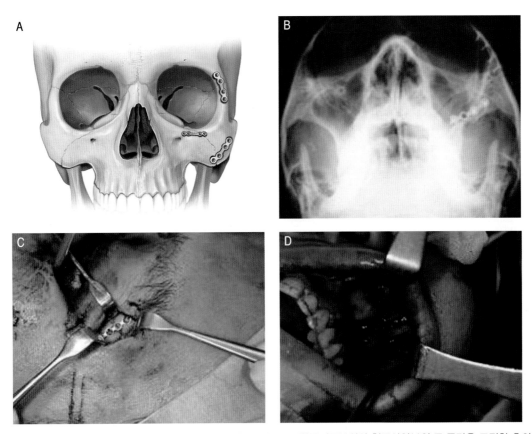

▎그림 33-21 **A.** 협골의 삼각골절에서 세 부위를 모두 고정한 모식도. **B.** 협골전두부위와 협골상악부위 두 곳만을 고정한 후의 영상사진. 수술 사진에서 협골전두부위(**C**)와 협골상악부(**D**)에 플레이트를 고정한 모습이 관찰된다.

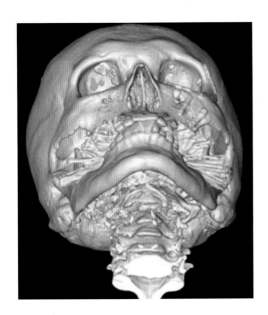

▎그림 33-22 협골의 다골편골절에서 여러 부위를 miniplate를 이용하여 고정한 모습

로 안와저와 협골궁의 골절유무를 살핀 다음 골절이 있으면 정복, 고정한다(그림 33-22).

4) 오래된 골절의 처치

수상 후 10~14일이 경과되면 골절은 자연 치유되기 시작한다. 이후에는 Rowe-Killey 겸자로 최대한 압력을 가해도 골절의 정복은 어렵거나 불가능하다. 6~12개월이나 그 이상된 골절은 섬유조직의 골화와 연조직의 수축 등으로 인해 기형을 남긴다. 이러한 환자 중 많은 경우가 안구주위 지방이 흡수되고 상악동으로 안와조직이 돌출되어 안구함몰을 갖고 있다. 수상부위는 함몰되고 넓어지거나 과증식된 상흔scar으로 덮이게 된다. 이러한 지연된 골절의 치유에는 골절의 주위를 절골기osteotome로 재골절시켜서 골절편을 느슨하게 하거나(Bernstein, 1970), 이식편을 이용해 결손 공간을 메우는 등의 작업이 필요하다(Byrd, 1992).

6. 합병증

1) 안구병변

협골 골절의 가장 심각한 합병증은 안기능의 장애이다. 실명은 손상과 동시에, 또는 골절을 정복하는 동안에도 일어날 수 있지만 후자의 경우는 매우 드물다. 치료 중에 일어나는 실명은 이전에 진단되지 않은 안구 내 병변이 있었거나 골절된 골단편이 시신경을 압박함으로써 일어날 수 있다. 그러므로 수술 전 안과적 검진이 필수적이며 방사선학적 검사를 통해 안와첨부 근처의 골절 유무를 살펴보아야 한다. 안와첨부의 골절이 의심될 경우 이미 실명된 상태가 아니라면 협골 골절의 정복을 시

도해서는 안 되며 이식물의 삽입조차도 위험할 수 있다. 만약 CT상 골단편에 의한 시신경 압박이 보이고 시력이 점차 저하된다면 스테로이드 치료나 관찰보다는 감압술을 시행하는 것이 좋다(Donald, 1995).

수술적 정복 후 안구후 혈종retrobulbar hemorrhage이 초래될 수 있으므로 술 후 초기에는 각별한 주의가 필요하다. 안구돌출exophthalmos, 통증, 안검하수, 안구내압 증가, 특히 시력저하는 중요한 징후이며 심하면 실명된다. 안구 내 혈관과 전·후사골혈관의 출혈은 시신경을 압박할 수 있으며, 이때는 수액을 제한하고 상악동이나 사골동을 통해 즉시 안와 감압을 해야 한다.

협골 골절 치료 후에 지속적인 복시가 남는 경우도 있다. 수술 후 기본 주시방향에서 복시는 드물지만 극단적인 주시, 특히 상방주시에서는 비교적 흔하다. 이 방향만의 복시라면 생활에 큰 불편은 없으며 환자가 모르고 지나치기도 한다. 하직근과 하경사근이 2개월 이상 끼어있으면 영구히 복시를 유발할 가능성이 높다(Harley, 1975). 직접적인 안근외상을 입은 경우에는 안근균형수술을 반드시 고려하여야 한다.

안구함몰은 대부분 협골, 안와저나 안와내벽의 골절을 정복하지 않거나 부적절하게 한 경우에 안구용적의 변화로 발생한다. 지방조직의 흡수로 인하여 영구적인 안구함몰이 발생되는 경우는 드물다. 만약 골절을 정복하지 않고 그냥 두어 안구용적이 증가된 경우에는 골절개를 가하여 안구용적을 줄일 수 있다. 이 경우 골절을 정복할 때 안와하벽으로의 탈출이 심하더라도 술 후 호전되는 경우가 많다. 지방조직 흡수에 의한 안구함몰은 교정이 어려운 경우이다. 유리구glass bead 등의 삽입을 통한 수술적 교정은 실명의 위험이 있기 때문에 시력을 상실한 경우에 제한적으로 이용된다. 외측 또는 상·하측벽을 통한 골절개와 골이식술이 기술된 바 있지만 가장 일반적인 방법은 두개골이식편을 안와외측벽에 삽입하는 것이다. 안와골을 세편절제strip resection하여 안구

용적을 줄이는 방법도 있다.

2) 안와하신경의 이상증상

협골 골절 환자의 80% 이상에서 안와하신경의 지각이상
이 동반되고 그 대부분이 감각감퇴의 형태로 나타난다
(Taicher, 1957). 안와하신경은 골절선이 안와하열, 안와
하관, 안와하공을 통과하는 경우에 손상을 받게 되지만
심한 좌상 등에 의해서도 손상받는다. 감각의 회복정도
는 신경손상의 기전, 수상 후 수술까지의 시간, 치료방법
등 여러 가지 요소에 의해 좌우된다. 수술 후 호전을 보
이는 경우가 많지만 지속적인 무감각이나 감각저하 또
는 지속적인 신경통이 동반되기도 한다. 수술방법에 따
른 신경증상의 호전 정도는 보고자마다 차이가 있으나
miniplate를 이용한 고정법이 좀 더 나은 결과를 보인다
고도 한다. 신경통은 비록 빈도는 드물지만 치료가 매우
어려우며, 외과적 감압술이 보고된 적이 있지만 효과를
정확히 예측할 수 없고 신경절제법도 일부에서만 효과
가 있다.

3) 안검외반

안검외반은 치료하지 않은 골절인 경우 탈출된 안와내
용물이 하안검에서 끌어당길 때 생긴다. 골절의 치료 후
에는 안와하절개로 안와하연과 피부절개부위의 상처가
섬유성으로 유착함으로써 생긴다. 이러한 현상은 상부
상악골이나 안검주위 연부조직절개를 할 때 사다리 모
양으로 절개를 하지 않으면 발생하는데 안와하주름절개
infraorbital crease incision보다는 첩모하절개subciliary inci-
sion를 가할 때 더 많이 생긴다(Ellis, 1996). 중증의 안구
함몰이 생기지 않았다면 안와내용물의 수축으로 생기는

안검외반은 골절치료에 의해 회복될 수 있다. 안와하절
개에 의한 대부분의 안검외반은 부종이 흡수되고 반흔
이 성숙되는 등 창상이 치유되면서 회복된다. 반흔을 마
사지하면 회복이 빠르다. 안검외반이 회복되지 않을 경
우에는 반흔제거술이 필요하다. 연조직이 안와격막이나
안와연에 유착된 부위를 절개하여 유착을 풀어준 다음
각층을 차례로 봉합한다. 이때 재발을 방지하기 위해 사
다리 모양으로 절개한다. 드물게 상안검이나 이개 후부
위로부터 전층피부이식술full-thickness skin graft이 필요할
수 있다.

4) 안검부종

하안검부종은 안와하주름절개를 눈의 전장에 걸쳐서
할 때 생긴다. 이는 안검의 림프배액이 차단되거나 trap
door모양으로 생긴 상처의 반흔구축scar contracture 때문
이다. 마사지하면 없어지지만 부종이 남을 때는 Z성형술
을 해서 상처의 선의 방향을 바꾸고 반흔구축의 요소를
줄인다.

5) 근돌기 강직

협골궁 정복이 적절치 않으면 하악골의 근돌기coronoid
process가 궁에 끼일 뿐 아니라 섬유성 내지 섬유골성 강
직이 발생할 수 있다. 개구장애가 생겨 음식물 섭취가
힘들고 통증이 유발된다. 근돌기가 끼어있기만 하다면
협골궁절골술이 도움이 될 수 있다. Gillies 절개술을 약
간 연장하고 측두근막하로 절골기를 넣어 협골궁을 절
골하고 기자elevator로 부러진 협골궁을 외측으로 들어
올린다. 연조직의 섬유화가 심하면 골절편을 거상하기
위해 박리를 해야 한다. 협골궁이 정복되었으면 배액관,

iodofor ^{nu-gauze}, Foley 카테터 등을 삽입하고 10~14일 후에 제거한다. 근돌기가 협골궁에 붙어 강직이 발생한 경우에는 직접 강직 부위를 노출시켜 절골하는 것이 필요하다.

VII | 안와외향 골절

안와외향 골절orbital blow-out fracture은 안와벽이 안와로부터 외측으로 골절, 전위되는 것을 말하며 안와저orbital floor와 안와내벽에서 흔하다(그림 33-23). 때로 안와벽이 안와의 내측으로 전위되는 경우가 있는데 이것은 안와내향 골절orbital blow-in fracture이라고 한다. 안와외향 골절은 안와연 등 안와주위부의 골절과 안와외향 골절이 연결되어 있는 비순수외향골절impure blow-out fracture과 다른 골절과 연결 없이 발생하는 순수외향골절pure blow-out fracture로 나누기도 한다.

1. 병태생리

안와의 외향골절은 주로 안와저와 안와내벽에서 발생한다. 안와내벽의 두께(0.5 mm)는 안와저의 두께(1 mm)에 비해 더 얇지만 안와내벽은 사골동의 격벽에 의해 지지를 받는 반면에 안와저는 지지를 하는 구조물이 없고, 안와하구infraorbital groove와 안와하관infraorbital canal에 의해 안와저의 중앙에 틈이 생겨 더욱 약하게 하기 때문에 네 개의 벽 중에 가장 약하다. 외측벽은 가장 두껍기 때문에 외향골절이 드물고, 상벽 또한 견고하기 때문에 전두동이 커서 상벽이 얇은 경우에만 외향골절이 일어날 수 있다.

안와의 외향골절이 발생하는 기전에는 두 가지가 있다. 첫째는 직경이 안구보다 큰 볼록한 물체가 안구를 가격해 안구를 뒤로 밀면 갑작스런 안구 내 압력의 증가로 얇은 안와의 벽에 압력이 전해진다는 hydraulic theory이다. 둘째는 buckling theory로 충격순간에 안와연이 골절없이 뒤틀리면 원위부인 안와저에 충격에 의한 골절이 일어난다는 것이다. 실제로 수상 당시 눈이 보호된 상태로 가격을 당했거나 안구의 측면에 가격을 당한 경우

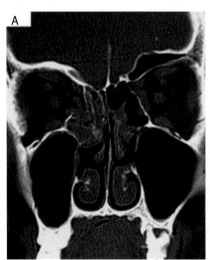
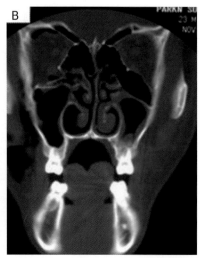

| 그림 33-23
안와골절의 관상면 CT 소견
A. 우측 안와내벽의 외향골절. B. 우측 안와저의 외향골절

에는 후자의 설명이 타당하다. 연구에 따르면 안와저의 골절 원인은 주로 bucking theory를, 안와내벽의 골절은 hydraulic theory를 따른다고 한다(Austermann, 1977). 일반적으로 안와외향 골절은 위에서 언급한 두 가지 기전이 복합적으로, 또는 또 다른 알려지지 않은 기전이 부가되어 발생하는 것으로 생각된다.

2. 임상소견과 진단

증상과 징후는 골절부위에 따라 다르다. 부종이나 반상출혈 같은 연조직손상은 거의 대부분에서 나타나고 이러한 연조직손상이 심할수록 골절의 가능성은 증가한다. 안와하신경의 손상이 종종 동반된다. 감각감퇴hypes-thesia의 정도는 다양하여 일시적인 입술과 치아의 감각감퇴부터 지배영역 전체의 감각소실anesthesia까지 나타날 수 있다. 가끔 감각감퇴가 있지만 CT에서 안와저 골절이 없는 경우가 있는데, 이것은 안와하공에 직접 손상을 받아 안와하신경 자체의 손상이 발생한 것으로 생각된다.

안구운동의 제한, 복시, 또는 안구운동 시 통증 등의 증상이 흔히 발생한다(그림 33-24). 이러한 장애는 기계적인 제한, 신경손상, 근육손상 등이 복합적으로 작용해 발생한다. 안구주위 조직이 포착entrapment되면 안구운동이 제한받는다. 포착이 아니어도 안구운동 시 안구가 돌면서 주위 조직이 골절편 등에 찔리게 되면 강직stiffness이 발생하여 안구운동을 방해한다. 근육이 포착된 것을 진단하는 좋은 방법은 견인검사forced duction test

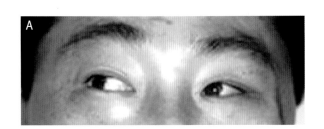
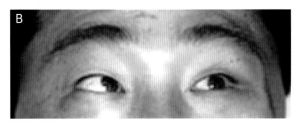

| 그림 33-24　안와내벽골절로 인한 좌측 안구운동(외전)의 제한

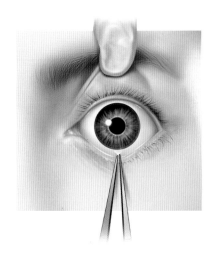
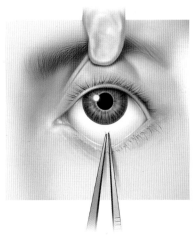

| 그림 33-25　안구운동의 장애를 진단하기 위한 견인검사

이다(그림 33-25). 이는 국소마취제를 하결막에 점적한 후 미세한 겸자forceps로 결막을 통해 하직근을 바로잡거나 각막윤부의 공막을 잡고 눈을 위로 당겨본다. 정상안과 비교하여 위로 당겨지지 않거나 저항이 심하면 양성으로 심한 근육포착을 의미한다. 조직의 포착은 외향골절의 크기가 작거나 중간 정도인 경우에 많이 발생하며, 범위가 넓은 골절에서는 포착이 드물고 안구운동의 제한도 흔치 않다. 안와지방을 둘러싸고 있는 섬유격막은 외안근이나 근간격막에 붙어 있기 때문에 이들이 골절선에 끼어 있거나 골절부위에 노출되면서 유착이 발생하면 외안근 운동의 장애가 발생할 수 있다. 실제로 외안근 자체가 포착되는 경우는 드물다. 포착 초기에는 안구운동 시 통증이 있지만 대개 수일 후 저절로 사라진다.

외향골절의 hydraulic theory에서 안와벽에 압력을 직접적으로 가하여 골절이 발생하도록 하는 부위는 흔히 안구 내직근이다. 이러한 골절이 발생할 정도의 외력이 근육에 가해지면 최소한 일시적인 근병변이 생겨 근육의 기능부전이 일어난다. 수상 후에 발생하는 근육내 혈종이나 부종은 이러한 근병변의 결과이다. 안구직근의 신경지배는 근추체muscle cone 안에서, 그리고, 근육의 후방 1/3에서 일어나기 때문에 운동신경의 손상은 매우 드물게 나타난다. 골절편이 근간격막의 후방을 찌르게 될 때 신경손상이 가능하다.

피하기종이나 안와기종은 안와내벽 골절을 시사한다. 안와하부에는 많은 양의 지방이 있기 때문에 안와저 골절 시 골절부위에 마개역할을 하여 상악동에서 안와 내로 들어가는 공기의 양을 최소화한다. 그러나 안와내벽과 내직근 사이에는 지방이 적어 골절부위가 열려 있고 따라서 공기가 사골동을 통해 안와로 많이 들어가게 된다. 대개 피하기종은 환자가 심하게 코를 푼 후 발생하는데, 환자가 안와골절이 있는 줄 모르고 지내다가 수상 후 수일 후에 코를 푼 후 안와종창이나 피하기종이 발생하여 알게 되는 경우가 드물지 않다. 또한 드물게는 아주 크고 잘 발달된 전두동에서 골절이 있는 경우에도 이러한 안와기종이나 피하기종이 발생할 수 있다.

비출혈은 안와내벽 골절에서 발생가능하고, 안와저 골절에서는 상악동에 피가 고이게 된다. 또한 전사골동맥이 손상되면 심한 비출혈이 발생할 수 있다. 골안와bony orbit의 크기가 증가하거나 안와조직이 부비동으로 탈출하여 골안와와 안와조직의 용적비가 변하면 안구가 후방으로 이동하는 안구함몰이나 하방으로 이동하는 안구저위hypo-ophthalmos가 발생하는데, 대부분에서는 초기 수상 후 부종이나 혈종 등에 의해 가려져 있다가 이들이 소실되면서 뚜렷하게 관찰되는 경우가 많다.

손상된 안와에 대한 방사선 촬영은 안와골절의 확진, 골절의 정확한 부위와 크기, 골절편 이탈의 정도, 안와조직의 탈출 정도, 그리고 포착유무를 판단하기 위해 필요하다. 단순 방사선 영상은 안와외향 골절의 증거가 거의 없는 환자들에서 선별검사로서 어느 정도 가치가 있을 수 있지만 안와외향 골절의 크기와 전위의 정도는 확실히 알 수 없다(Iinuma, 1994). CT가 가장 중요하고 정확한 진단방법으로서 골절의 유무와 전위의 정도를 확인할 수 있을 뿐 아니라, 외안근의 포착, 또는 근육주위 조직의 포착에 의한 외안근의 전위 등을 알 수 있다. MRI는 시신경이나 안와혈종을 확인할 목적이 아니면 촬영하지 않는다.

수상초기에는 전체적인 안구에 대한 검사를 시행한다. 약 10~30%의 환자에서 각종 안구손상이 동반된다. 안와는 두개저의 구조물이기 때문에 안와손상을 입은 모든 환자에서 신경학적 검사를 시행한다. 안와에 대한 검사는 전술했던 안와벽 골절에 따른 증상과 증후를 찾는 것이다. 이와 더불어 시력, 양측 동공의 비대칭 유무, 동공반사, 시야도 검사한다. 연조직 손상의 유무를 파악하고 안와연에 대한 촉지와 안구돌출계측을 시행한다.

3. 치료

1) 보존적 치료

코를 풀지 않게 하고 수상 후 2~3일간 얼음찜질을 한다. 환자에게 금기사항이 없다면 경구 프레드니손을 1 mg/kg/일의 용량으로 1주간 투여하는 것도 안구의 부종을 줄여 안구함몰이나 지속적인 주시장애注視障碍, gaze disturbance로 인해 수술 필요 여부를 빨리 알 수 있게 해주고 장기적인 안구운동장애를 줄여주는 데 도움이 된다(Kulwin, 1995). 많은 수의 안와외향 골절 환자들은 보존적 치료만으로 회복이 된다.

2) 수술의 적응증

다음의 네 가지 경우는 수술의 적응증이다. 첫째, 급격한 안구 함몰이 발생한 경우이다. 일반적으로 3 mm 이상의 안구함몰은 미용학적으로 문제가 있다고 간주되어 수술의 적응이 된다(Dulley, 1970). 둘째, 근육이나 안구조직의 포착이 확실한 경우이다. 견인검사에 양성이고 CT에서 골절편에 조직이 끼어있으면 수술의 적응이 된다. 셋째, 수상 후 2주 이상 지속되는 복시가 있거나 새로운 복시가 발생할 경우이다. 안와외향 골절에서 발생하는 연조직의 탈출, 외안근의 좌상, 안운동신경의 마비 등으로 인해서도 안구운동의 장애와 복시가 생길 수 있는데, 많은 경우 수상 후 1~2주 정도 지나면 증상이 호전된다. 넷째, CT에서 골절이 광범위할 경우이다. 골절이 광범위할 경우 안구 함몰이 발생할 확률이 높다. 안와내벽의 단독외향골절 환자를 대상으로 CT에서 골절부위의 면적과 탈출된 안와내조직의 용적을 측정하여 안구함몰의 정도와 비교한 결과 골절부위의 면적이 1.9 cm^2 이상이거나 탈출된 안와내조직의 용적이 0.9 cm^3 이상인 경우

는 2 mm 이상의 유의한 안구함몰이 유발된다고 한다(진 등, 1998).

위의 네 가지 중 둘째의 경우를 제외하고는 대개의 경우는 견인검사결과와 안구운동장애 여부를 긴밀히 관찰하면서 수상 후 1~2주 기다린 후에 수술의 여부를 결정하는 것이 합리적인 방법이다. 부종이 빠지면서 함몰이나 복시 등이 명백해지고 골절편 또한 이 때까지는 유합되지 않고 조작이 가능하므로 수술을 이 때 시행하여도 예후에 큰 차이가 없다. 예외는 특히 좁은 안와저 골절의 틈새로 하직근이 포착되어 strangulation을 유발하는 경우이며 이 때는 조기에 수술을 하는 것이 추가적인 근육의 손상을 방지할 수 있다.

3) 안와저 골절의 수술

안와외향 골절의 수술목적은 골절부위로부터 안와조직을 빼내고, 골절부위와 안와조직사이의 유착부위를 제거하며 동시에 재유착을 방지하고, 안와벽을 원래의 위치로 재건하여 늘어났던 안와의 골용적을 원래의 크기로 감소시키는 것이다. 안와저의 골절부위로 접근하는 방법은 크게 눈 주위의 절개를 통한 접근과 상악동으로 접근하는 두 가지 방법이 있다.

안와하연의 노출을 위한 눈 주위의 절개로는 첩모하절개subciliary incision, 안검성형술절개blepharoplasty incision, 안와하주름절개 또는 경결막절개 등이 있다(그림 33-26). 안검성형술절개는 일시적이기는 하나 안검외반이 자주 발생하고, 안와하주름절개는 안와연까지 도달하기 위해 만들어지는 근피판이 길어 술 후 하안검 부종이 발생할 수 있다. 경결막절개는 안와하연으로 직접 접근하여 안와격막을 통한 절개를 피하고 술 후 안검외번을 예방할 수 있지만 내측 안와저에 대한 노출이 제한된다. 안와하 절개 시에는 사다리 모양으로 절개를 하는

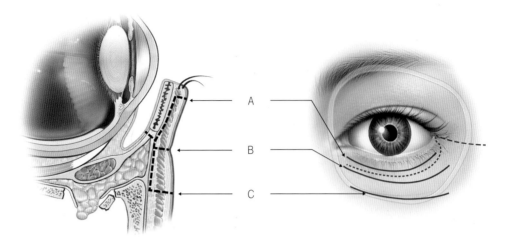

| 그림 33-26   안와저로 접근하기 위한 다양한 절개 방법들
A. 첩모하절개(subciliary incision). **B.** 안검성형술절개(blepharoplasty incision). **C.** 안와하주름절개 또는 경결막절개

것이 중요하다. 이는 피부절개선이 안와격막이나 상악동의 골막에 유착되어 안검외반이 발생하는 것을 방지하기 위함이다. 가능하면 골절부위 위에 절개선을 만들도록 해야 하고 하안검의 전장에 걸쳐 길다란 절개를 가하여 종종 안검부종을 일으키는 뚜껑문변형trapdoor deformity이 발생하지 않도록 주의해야 한다(Mathog, 1991).

준비는 양안이 모두 노출되게 하여 견인검사나 양측의 비교를 할 수 있게 해야 한다. 견인검사는 절개를 하기 전에 시행하고, 수술 중에도 시행하여 포착된 조직이 유리되었는지 확인한다. 안와골막을 절개한 후 골막기자periosteal elevator로 안와저를 따라 골막을 들어올린다. 전형적인 안와저골절은 안와연으로부터 5~10 mm 후방의 안와하신경혈관다발의 내측 혹은 외측에서 발견된다. 골절부위의 내·외측을 박리하면서 조심스럽게 골절부위에서 안구조직을 빼내는데 순응성malleable 견인기로 안구조직을 견인하면서 시야를 확보한다. 안구조직을 견인할 때는 안구의 허혈을 방지하기 위해 수 분마다 견인을 풀어주어야 한다(Mathog, 1991). 만약 안구조직이 골절부위에 꽉 끼어있다면 Kerrison 골겸자rongeur로 골

절부위를 넓혀 안구조직의 유리를 쉽게 해준다. 오랜 시간이 경과한 골절에서는 상악동점막과 안구조직이 서로 유착되어 안와하신경을 구분하는 것이 어렵기 때문에 인접조직으로부터 이 신경을 유리시키기 위해서는 아주 세밀하게 박리를 해야 한다.

이 수술단계를 마치면 안구조직을 골절부위로부터 완전히 분리하여 안와내용물을 골절면 위로 완전히 들어올려 골절부위 전체를 직접 관찰할 수 있게 되고 견인검사로 확인할 수 있다. 이후에는 골절부위 위로 안와저를 재건하여 안구조직을 지지하도록 한다. 안와 내 삽입물은 자가이식물, 동종이식편, 이물성형물 등 다양하게 사용할 수 있다. Medpor®는 안와저의 모양에 잘 부합되고 지지기능을 충분히 할 수 있으며 감염율이나 탈출률extrusion rate이 매우 낮다. 안구조직의 유착이 예상될 때는 silastic sheet를 같이 사용한다. 삽입물로 결손된 안와저를 덮는데 안와하열에 끼지 않도록 하고 안와연 뒤에 위치하게 하며 삽입물이 앞쪽으로 이동되지 않도록 크기를 잘 맞추어야 한다. 삽입물을 삽입한 후에는 견인검사를 시행한다. 안와저에 대한 조작 때문에 부종

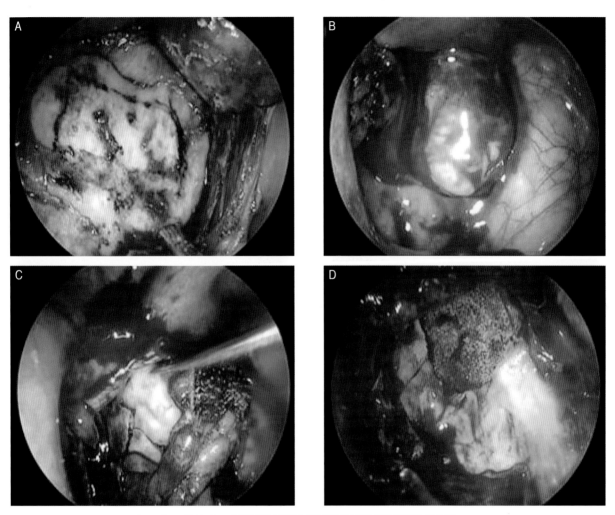

| 그림 33-27   안와저의 골절을 정복하기 위한 비상악동창 접근법

A. 협부의 점막 절개를 통한 상악 전벽의 노출하고 전벽 채취부위를 표시한 모습. **B.** 상악동 내로 안와저의 골절부위를 통해 안구조직이 돌출된 것이 관찰된다. **C.** 점막을 박리하고 난 후 안와저가 여러 조각으로 골절된 것이 잘 관찰된다. **D.** Medpor®를 이용하여 안와저의 결손부위를 재건한 모습이다.

이 남아 있어서 가끔 반대쪽에 비해 견인검사 시 약간의 제한이 있을 수 있지만 양측이 비교적 대칭적이어야 한다. 만약 제한이 있다면 삽입물의 변연부를 잘 관찰하여 골절부위 전체를 덮고 있는지, 골절부위와 삽입물 사이에 조직이 끼어있지 않은지 확인해야 한다. 거의 대부분의 안와저 골절에서 삽입물의 고정은 필요 없다. 삽입물의 위치가 안정적으로 되기 위해서는 골절부위 전체를 덮을 수 있을 정도로 크면서 동시에 앞으로 이동되지 않

을 정도로 작아야 한다. 안와연이 삽입물의 전방이동을 막아주는 역할을 한다. 삽입물이 안와저에 잘 위치하고 견인검사가 만족스러우면 안와골막을 안와연의 골막에 5-0 Vicryl을 이용하여 봉합한다. 상악골의 전면부에 있는 골막에 봉합하는 것은 불가능하기 때문에 골막의 끝 바로 위에 있는 안륜근에 봉합한다. 안와골막을 봉합한 후 다시 견인검사를 시행한다. 만약 제한이 있다면 봉합부위를 다시 풀고 삽입물의 위치를 다시 확인한다. 안와

하연의 골절이 있으면 고정이 필요한데 골편의 분쇄가 심하거나 골소실이 있다면 miniplate를 쓰기보다는 두께가 얇고 작은 microplate나 low profile plate를 쓰는 것이 좋다.

경피적접근법을 시행했을 때는 근피판을 안와격막 위로 잘 펴주고 피부만 6-0봉합을 시행한다. 층에 따른 봉합은 필요가 없는데, 이것은 안륜근층이 수축하는 경향이 생기도록 하여 술 후 하안검이 당겨질 수 있기 때문이다. 경결막접근법을 시행했다면 6-0 vicryl로 결막을 검판의 아래 변연부에 봉합한다. 수축근들을 분리해서 봉합하려고 노력할 필요는 없다. 이것들은 결막에 단단히 붙어있기 때문에 결막봉합으로 충분히 제 위치로 돌아간다. 외안각인대의 하각은 5-0 vicryl로 봉합하고, 상·하안검의 회색선gray line을 전후방향으로 안각이 잘 정렬되도록 하면서 6-0 mild chromic으로 봉합한다. 외안각절개 부위도 6-0 mild chromic으로 봉합한다.

안와저의 골절을 정복하기 위한 또 다른 접근법은 비상악동창을 통해 상악동으로 접근하는 방법이다. 협부의 점막절개를 통해 상악동 전벽을 노출하고 창을 만든 다음 내시경으로 안와저의 골절을 밑에서 관찰하면서 골절을 정복하고 밑에서 골편이나 Medpor®로 결손부위를 메꾸어준다(그림 33-27). 먼저 골절 부위 상악동의 점막을 박리한 다음 상악동으로 빠진 안구조직을 거즈 등으로 안구 내로 정복하고 골절의 범위를 확인한다. 골절 부위는 상악동 창을 만들 때 채취한 상악동 전벽이나 Medpor® 등을 이용하여 안구조직이 빠져나오지 않게 안정적으로 세 방향 이상에서 받쳐주어야 한다. 이후 패킹이나 Foley 카테타를 삽입하여 일시적으로 정복, 고정된 골절부위를 받쳐준다.

어떠한 접근법으로 수술하든지 수술 직후 항생제와 스테로이드를 투여하고 얼음찜질과 45~60°의 두부 거상을 한다. 안와출혈의 조기발견을 위해 반상출혈이나 안구전방돌출의 증가 여부, 시력의 변화나 동공의 크기변화 등을 2시간마다 관찰한다. 술 후 2주간 코를 풀지 않도록 한다.

4) 안와내벽골절의 수술

안와내벽골절의 경우는 골절의 정도가 심하고 조직이 골절부위로 심하게 튀어나온 경우, 4주 이상의 오래된 골절, 안와저와 연결되어 같이 골절된 경우 등을 제외하고는 비내시경적으로 비내정복술을 시행한다(그림 33-28). 경피적 접근법은 내안각에 절개를 넣고 안와내벽을 노출하는 것이고 비내 접근법은 내시경을 이용하여 사골동을 통해 안와내벽으로 접근하는 것이다. 경피적 접근법은 얼굴에 절개상처가 남는다는 단점이 있지만 시야확보, 안구조직의 조작, 이식물의 삽입 등에는 유리하다. 얼굴의 절개상처를 줄이기 위해 결막의 절개를 통해 내벽으로 접근하기도 한다. 최근에는 광범위한 내벽의 골절도 내시경을 이용하여 비내로 정복하고 골편이나 인공이식물로 내벽을 복원하는 방법을 많이 쓰고 있다.

4. 합병증

술 후 초기에는 부종과 안와조직에 대한 조작 때문에 복시가 더 악화될 수 있다. 안구운동은 술 후 첫 7~10일 사이에 개선된다. 그러나 20~40%의 환자에서 복시가 남게 되는데, 이것은 수상초기에 발생한 안구직근의 손상에 따른 섬유화나 신경손상의 결과이다. 장기적으로 복시가 심한 경우에는 외안근에 대한 수술이 필요하다. 안와하부의 감각저하는 대개 수술 직후 호전되지만 안와하신경에 유착이 심한 오래된 골절의 경우는 악화될 수도 있다. 감각은 신경이 정상이라면 회복되지만 수개월이 걸릴 수도 있다. 술 후 계속적인 안구함몰이 있을

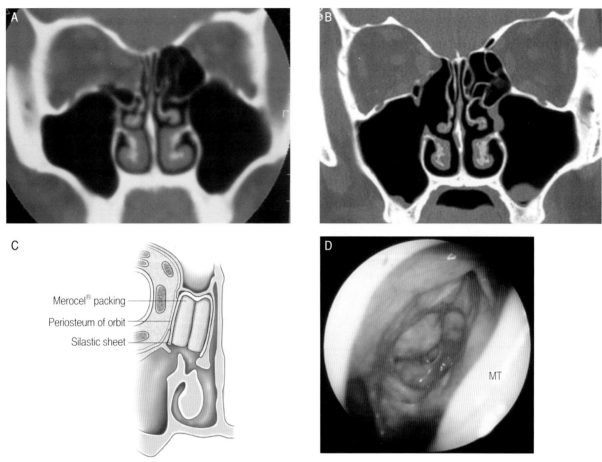

│ 그림 33-28   안와내벽골절에서 비내시경적 비내정복술을 시행하기 전(**A**)과 시행하고 난 후(**B**)의 CT 소견과 수술의 모식도(**C**), 그리고 술 후 내시경 소견(**D**)

수 있는데, 이것은 지방위축, 불완전하게 환원된 포착조직, 또는 잘못 맞추어진 안와저 때문에 발생한 안와용적의 증가 때문이다. 이런 경우는 재수술을 하여 안와용적을 정상화시키거나 안와 내에 Medpor® 등을 삽입하여 안와용적을 줄여주기도 한다. 수술 후 일시적으로 생기는 안검외반은 마사지로 대부분 호전된다. 하지만 계속되는 안검외반은 재수술하여 골막에 유착된 외안근을 풀어주고 수술 후에는 하안검을 견인하여 재발을 방지하여야 한다.

VIII │ 상악골 골절

안면중앙부위에 골절이 발생하려면 상당히 큰 외력이 작용하여야 하기 때문에 이러한 환자는 대개 심한 손상을 입은 경우가 많고 흔히 두부손상 등 다른 부위의 손상이 동반된다.

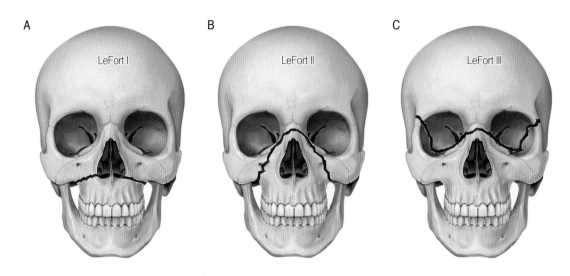

| 그림 33-29   상악골절의 Le Fort 분류
A. Le Fort I형 골절. **B.** Le Fort II형 골절. **C.** Le Fort III형 골절

1. 분류

Le Fort는 사체모델을 통한 연구에서 상악골절을 세 가지 기본 유형으로 나누었다(Le Fort, 1901)(그림 33-29). Le Fort I형 골절은 치조제alveolar ridge의 바로 윗 부분에서 상악골과 비중격을 가로지르는 수평방향의 골절로서 익돌판pterygoid plate은 골절에 포함되지 않는다. Le Fort II형 골절은 추체형pyramidal 골절인데 골절이 비부를 가로지른 후 상악골을 따라 아래로 가파르게 경사를 이루면서 상악골의 하부벽을 침범하고 익돌판의 골절로도 이어지는 것이다. 가장 심한 형태인 Le Fort III형 골절은 상악골과 비부가 두개저로부터 분리되는 것으로 두개안면분리craniofacial dysjunction라고도 한다. 이 골절은 비골, 비중격, 양측 안와의 내벽, 외벽, 하벽, 협골궁, 익돌판, 그리고 하측두와로 이어지며, 안구, 누액계, 그리고 내안각인대 손상이 종종 동반된다. 편측 또는 양측의 협골이 안면골에서 분리되는 것도 자주 관찰된다.

상악골의 골절은 대개 양측성이지만 골절의 유형이 좌우 대칭인 경우는 많지 않으며 전형적인 LeFort 형태를 보이는 경우는 많지 않다. 드물게는 편측상악골절hemimaxillary fracture이 발생한다. 이러한 골절에서는 대개 협골과 상악골은 같이 붙어있으면서 나머지 안면골과 분리되는 경우가 많다.

2. 병태생리

상악골은 두 개의 강한 골구조물인 두개저와 하악골 사이에 위치한다. 비록 상악골은 치조제 이외에는 얇은 골로 이루어져 있지만 궁형구조와 연속적인 버팀벽으로 인해 그 강성을 유지하고 있다(DoBrul, 1988). 안면골의 중간 1/3을 지지하는 연속적인 버팀구조물들은 주위에 있는 두꺼운 골로 이루어진다. 첫 번째 버팀구조물은 앞쪽에서 이상능pyriform ridge의 단단한 뼈 위에 있는 치조제에서 우선 시작되어 위로 안와내연을 따라 연장되면서 외측으로는 안와하연으로 갈라진다. 두 번째는 외측

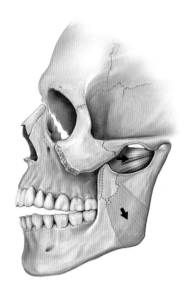

▌ 그림 33-30   내익돌근에 의해 상악골절편이 후하방으로 전위
되는 모습

치조제에서 위쪽의 협골융기로 굽어지는데 이것은 안와 하연의 외측부위로 연장된다. 마지막으로 치조제의 후부 와 상악융기maxillary tuberosity에서 시작되어 상악의 후 벽을 따라 위쪽으로 이어진다. 익돌판은 두개저의 접형 골저basisphenoid와 단단한 상악조면에 붙어서 공중에 떠있는 버팀구조를 이루고 있다. 골절이 되면 익돌판에 부착된 내익돌근medial pterygoid muscle에 의해 상악골절 편이 후하방으로 전위된다(그림 33-30). 상악골은 안와 저의 많은 부분을 구성하기 때문에 상악골의 윗 부분에 골절이 발생하면 안와저의 심한 분쇄골절이 동반되는 경우가 흔하다. 골절이 안와첨부나 시신경관까지 이어 지면 시력저하나 실명이 발생할 수 있다. Le Fort II형과 III형 골절에서는 비골의 복합 또는 분쇄골절과 비중격 의 골절, 전위가 동반되어 비배부가 흔히 전위된다. 드물 게 경구개가 분리되거나 편측의 구개골절palatine fracture 이 있을 수 있는데 대개 비강저로 이어지며 이러한 수 직방향으로의 구개골절은 특히 안정성을 유지시키는 데 어려움이 있다. 또한 Le Fort II형, 그리고 특히 III형 골

절에서는 골절선이 사골을 지나가는데 이 골절선이 두 개저까지 올라가서 뇌척수액의 유출이 있을 수 있으며 실제로 Le Fort II형과 III형 골절의 25% 이상에서 발생 한다고 한다(Morgan, 1972). Le Fort III형 골절에서 협 골은 골절편의 한 부분을 이루는데 가끔 협골이 상악골 과의 부착부위에서 단절되는 수도 있다. 이렇게 되면 협 골의 삼각골절에 따른 모든 증상이 나타날 수 있다.

3. 임상소견과 진단

골절된 상악이 내익돌근의 작용에 의해 후하방으로 전 위되면서 기도 폐색이 발생할 수 있고, 인두나 구개부위 의 혈종, 부종, 좌상, 또는 부러진 의치나 치아 때문에 호 흡곤란을 일으킬 수 있다. 하악골절이 동반된 경우 더욱 기도폐색을 악화시킬 수 있기 때문에 특히 혼수 상태의 환자 등에서는 구강기도를 유지하는 것이 중요하다. 의 식이 있는 환자는 안면부 중앙에 전체적인 통증을 호소 한다. Le Fort II형과 III형 골절환자와 협골의 골절이 동 반된 환자는 안와하신경이 지배하는 안면부위의 감각저 하를 호소한다. 개구장애나 교합 시의 통증이 흔하다. 환 자는 저작 시에 경구개가 아래로 움직이는 것을 느낄 수 있다. 부정교합malocclusion은 골절된 상악골이 내익돌 근에 의해 후하방의 하악각쪽으로 전위되기 때문에 대 구치가 미리 맞닿아 전방개방교합anterior open bite의 형 태로 나타난다. 내익돌근에 의한 전위작용은 치아에 미 치는 영향 외에도 안면부위의 길이를 연장하는데horse-face, 수상초기에는 심한 안면부 부종 때문에 뚜렷이 나 타나지 않다가 부종이 가라앉으면서 확연해지고, 안면부 를 납작하게dish-face 보이도록 한다. 그리고 수상초기에 는 골절로 인한 부종이 심하여 얼굴의 외형변화를 알아 볼 수 없을 정도가 되는 것도purple pumpkin face Le Fort 골절의 특징적인 소견이다.

Le Fort 골절의 특유한 징후는 floating palate로서 Le Fort I형 골절은 엄지손가락을 치조제의 앞부분과 전비극에, 그리고 다른 손가락을 경구개에 놓아 상악골을 쥔 후 반대쪽 손의 손가락으로 상악골의 아래 부분을 촉지함으로써 상악골의 움직임을 알 수 있다. 비배부나 안와내연을 촉지할 때 가동성이 있다면 Le Fort II형 골절을 의미한다. Le Fort III형 골절에서는 안와외연골절 혹은 분리된 협골 골절이 동반되어 있다면 안와하연에서 가동성이 느껴지고, 협골 골절이 동반된 경우에는 협골궁의 소실과 협골전두봉합부위의 계단모양을 확인할 수 있다. 상악골절은 타 부위의 골절이 동반되는 경우가 흔하다. 커다란 치조-치아 분절골절segmental fracture은 때로는 Le Fort I형 골절로 혼동될 수 있기 때문에 구개의 가동성을 검사할 때는 전비극을 반드시 쥐어야 하고 경구개도 잘 잡도록 하여야 한다.

골절이 비배부와 비중격을 거쳐 넘어가기 때문에 비출혈이 흔하다. 코, 안면 손상, 그리고 구강 점막손상 부위로부터 경도의 출혈이 있는 것이 대부분이지만 드물게 다량의 출혈이 있을 수 있다. 이러한 다량의 출혈은 편측 또는 양측 하행구개동맥이나 내악동맥internal max-illary artery에서 발생한다. 아주 드물게는 골절이 접형동저나 접형동의 외측벽을 침범하면서 내경동맥이 찢어질 수 있는데 진단과 치료가 어렵고 사망률이 높다.

방사선학적 진단은 대부분 CT로 한다. 골절부위, 전위정도, 분쇄의 정도, 그리고 인접한 두개저나 하악골의 골절도 잘 나타나며 시신경관에 대한 골절 여부도 잘 알수 있다.

4. 치료

수상초기에는 기도확보와 비강, 구강출혈의 지혈이 중요하다. 기도확보를 위해서는 윤상갑상막절개술, 기관내삽관, 또는 기관절개술이 필요할 수 있다. 대부분의 Le Fort 골절에서 기관절개술이 일시적으로 필요하다. 다량의 비출혈은 응급상황에서는 강도 높은 비내 충전이 유일한 치료수단이며, 만약 일시적으로 조절이 되면 침습적 혈관조영술이나 경비중격 경로나 외측 측두와-중두와하 접근법을 통한 혈관을 결찰하여야 한다.

두개 내 손상, 흉부 및 복부 손상 등이 있어 안면골절의 정복을 미루고 동반손상에 대한 수술적 치료를 먼저하게 될 경우라도 안면열상을 봉합하고, arch bar와 고무밴드 등을 이용한 악간고정으로 수상 전의 교합을 맞추어 주어야 한다. 동반된 손상의 치료와 환자의 안정화를 위해서 2주 정도는 수술을 연기 할 수 있는데 이 기간동안 종창이 가라앉으면 안면의 변형을 정확하게 교정하는 데 도움이 된다. 또한, 그 동안 수상 전의 안면부 사진과 치과기록을 얻어 수상 전 교합과 외형을 회복하는데 도움이 되도록 한다.

상악골 골절의 치료에 있어서 중요한 것은 적절한 기능과 외양을 복원하는 것이다. 기능적인 측면에서 가장 중요한 것은 치열궁dental arch을 원래대로 환원시켜 수상 전의 교합을 얻는 것과 안구함몰이나 외안근의 기능부전이 생기지 않도록 수상 전의 안와내 용적을 유지시키는 것이다. 미용적인 측면에서 가장 중요한 것은 안면골의 수직높이를 재건하고 상악골의 후전retrusion을 막아 안면이 편평해지는 것을 막는 일이다. 또한 안와연이 원래의 대칭성과 외양이 되도록 재건하고 코가 가능한 원래의 융기를 되찾고 똑바르도록 해주며 흔히 동반되는 편측 혹은 양측의 내안각인대손상을 잘 교정하여 주는 것이 중요하다.

수술은 플레이트와 나사를 이용한 고정이 기본이다. 접근은 관상피판bicoronal scalp flap, 외측안모절개 등의 안면부의 작은 절개, 혹은 구강 내 절개를 통해 이루어진다. 이러한 절개를 통하여 골절부위를 확인한 다음 골절의 정복을 시행한다. Rowe-Killey 겸자를 이용해 강하

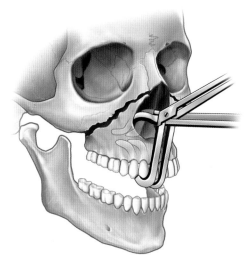

| 그림 33-31   겸자를 이용하여 상악골절을 정복하는 모습

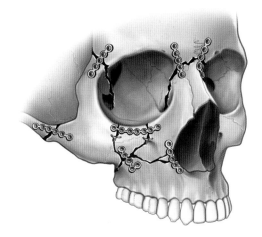

| 그림 33-32   여러 형태의 Le Fort형 골절에서 플레이트를 고정하는 위치
플레이트는 두개골을 지지하는 상악의 버팀벽(buttress)을 따라 고정한다.

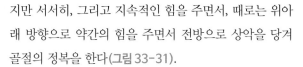

지만 서서히, 그리고 지속적인 힘을 주면서, 때로는 위아래 방향으로 약간의 힘을 주면서 전방으로 상악을 당겨 골절의 정복을 한다(그림 33-31).

거의 모든 Le Fort III형 골절과 협골 골절이 동반된 모든 II형 골절에서는 협골전두부위와 안와저를 확인해야 한다. 수술 전에 안와첨orbital apex의 골절 유무를 방사선검사로 주의 깊게 확인해야 하고, Le Fort II형과 III형 골절은 반드시 안과의 자문을 구해야 한다. 수술 전에 발견하지 못한 안와 내 골절 혹은 이상이 있으면 수술 후 병변이 악화되어 실명하는 경우가 있기 때문이다.

이와 같이 협골전두부위와 안와연에 대한 정복, 고정을 시행하고 비골 골절이 있으면 비골정복을 시행한 후 상악에 대한 고정을 시행하게 된다. Le Fort I형 골절에서는 플레이트를 치조제와 이상구의 가장자리 사이에, II형 골절에서는 치조돌기와 협골의 아래면 사이에, 그리고 III형 골절에서는 치조제와 익돌판에 인접한 상악 후벽 사이에 고정한다(그림 33-32). 안면의 수직적인 높이가 단단하게 고정되기 때문에 대개 술 후 1주에 악간고정을 제거할 수 있다. 복잡한 Le Fort 골절의 경우 어떤

골편은 microplate로 고정하기에도 너무 작아 철사결박과 플레이트 고정이 모두 필요한 경우도 있다. 플레이트를 이용하면 현수철사는 대부분의 경우 필요없다.

IX | 소아의 안면부 외상

1. 서론

소아의 안면부 외상은 성인에 비해 빈도가 적어 안면부 골절의 5~15%만을 차지하며 특히 5세 이하에서는 발생률이 훨씬 적고(Koltai, 1995; McGraw, 1990; Posnick, 1993) 사춘기가 되어서야 비로소 성인의 빈도에 이르게 된다. 학령기 이전에는 부모의 보호, 두개골과 안면골 크기의 차이, 부비동의 미발달, 충격에 대한 완충 역할을 하는 두꺼운 연조직 등으로 인해 성인에 비해 안면골 골절의 빈도가 적다. 소아에서도 성인과 마찬가지로 비골

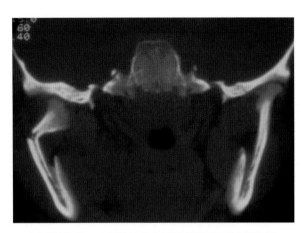

| 그림 33-33   소아에서 우측 하악 관절돌기의 약목골절

과 하악골 골절이 대부분을 차지한다. 소아의 골조직은 골절되는 경우보다는 약목골절greenstick fracure이나 골봉합선이 벌어지는 경우가 더 많다(그림 33-33). 골막은 골생성 잠재력이 강하고 안면골에는 혈액 공급이 풍부하여 골절된 지 7일이 지나면 이미 골절단에 가골callus이 형성되어 골절 부위를 정확하게 정복하기가 어렵게 되며, 보통 2~3주 내에 조기 유합이 이루어진다. 그러므로 소아의 안면골 골절은 조기에 정확하게 진단하여 처치하지 않으면 나중에는 치료하기가 어렵게 된다. 소아의 안면골은 지속적으로 성장하고 있기 때문에 골절로 인해 야기된 약간의 변형은 저절로 교정되는 수가 있으나 비골, 상악골, 하악골 관절돌기 등에 생긴 골절은 손상 직후의 적절한 치료에도 불구하고 그 부위에 성장 장애가 올 수 있다.

소아의 상악골과 하악골에는 영구치가 묻혀있으며, 특히 6~12세까지의 혼합유치기mixed dentition period에는 맹출된 유치와 치조골 내에 있는 영구치소포permanent teeth follicle가 공존한다. 그러므로 이 시기에 상악골과 하악골이 골절되면 영구치도 함께 손상될 수 있으며 궁상바, 부목, 치간철사결박 등을 장착하기가 곤란하다. 유치의 맹출 시기를 잘 이해하고 있어야 소아에게 구강

내 장치를 장착할 수 있다.

2. 치료

치료 원칙은 성인과 동일하지만 소아 골절의 특징들로 인하여 성인의 치료 방법과는 차이가 있다. 소아는 연조직 상처의 치유 과정이 성인과는 달라 심하게 과증식된 흉터가 남을 수 있으나 시간이 지날수록 흉터의 성상이 대개 부드러워지고 색깔도 정상 피부색으로 많이 바뀌어 표시가 덜 나게 된다.

소아는 성인처럼 악간고정을 잘 견디지 못 한다. 그러나 소아 하악골절의 치료속도는 빠르며 가벼운 부전교합은 성장함에 따라 보상이 되므로 소아의 하악골골절은 가능한 한 비관혈적인 방법으로 치료하여야 한다. 골절 후 3-4일이 지나면 벌써 골절편들이 유합하므로 조속히 치조에 부목을 대고 하악주위 철사결박을 하거나 단악고정을 하여 골절 부위를 고정시켜 주는 것이 중요하다(Holt, 1978). 상악골의 골절은 소아에서는 드물다(Thaller, 1992). 골절의 전위가 미세하다면 보존적으로 치료하지만 전위가 심한 모든 골절은 가능한 손상 후 바로 정복해야 한다. 소아의 상악골과 하악골에는 많은 치아가 발달하고 있으므로 플레이트나 철사결박 등에 의한 관혈적 정복이 필요한 경우에는 반드시 파노라마영상을 촬영하여 아직 맹출되지 않은 영구치의 위치를 확인하여야 한다. 맹출 전에는 하부 견치가 매우 깊숙이 놓여있다는 것을 명심하여 하악골의 하부 경계 근처에서 고정을 하여야 한다. 소아의 안면 중앙부 골절은 안면 중앙부의 발육부전, 교합부전, 관절강직 등의 잠재적 원인이 될 수 있다.

소아의 비골 골절은 연조직에 비해 비골이 적어 진단하기가 어렵고 곡비, 안비, 사비 같은 후유증이 발생할 수 있다. 성인에서의 비중격 만곡과 극돌기spine 형성은

소아기의 비골 외상이 원인이 되기도 한다. 나이와 상관없이 눈으로 관찰할 수 있는 비배부의 변형은 가능한 비내로 정복한다. 비중격은 변형이나 전위가 심해 코막힘을 유발할 가능성이 있는 경우에는 보존적 비중격성형술을 한다.

전위된 협골 골절은 소아에서는 드물며 8세 이전에서는 거의 일어나지 않는다. 안와저 골절에서 수술적 치료를 고려할 때 11세 이전의 소아는 영구치 치아아tooth bud의 손상이 일어날 수 있으므로 상악동을 통한 접근보다는 안와하 절개를 통한 관혈적 정복이 좋다.

참고문헌

1. 진홍률, 신시옥, 추무진 등. 안와내벽의 단독외향골절에서 골절정도와 안구함몰정도와의 관계. 대한이비인후과학회지 1998;41:595-599.
2. Astrachan DI, Kirchner JC, Goodwin WJ Jr. Prolonged intubation vs tracheotomy complications, practical psychological considerations. Laryngoscope 1988;98:1165-9.
3. Austermann KH, Toye A. Diagnosis and primary management of traumatic telecanchus. Fortschr Kiefel Gesichtschir 1977;22:53-6.
4. Bernstein L. Delayed management of facial fractures. Laryngoscope 1970;80:1323-41.
5. Bordley JE, Bosley WR. Mucocele of the frontal sinus: causes and treatment. Ann Otol 1973;82:696.
6. Byrd HS, Hobar PC: Optimizing the management of secondary zygomatic fracture deformities. Clinics in plastic surgery 1992;19:259-73.
7. Celin SE: Facial trauma: Evaluation and treatment of soft tissue injuries, In Myers EN: Operative otolaryngology and head and neck surgery, Philadelphia:WB Saunders 1997.
8. Clayton MI, Lesser THJ. The role of radiography in the management of nasal fractures, J Laryngol Otol 1986;100:797.
9. Converse JM, Hogan VM. Open-sky approach for reduction of naso-orbital fractures. Plast Reconstr Surg 1970;46:396.
10. Courtiss EH. Septorhinoplasty of the traumatically deformed nose, Ann Plast Surg 1978;5:443.
11. Davidson TM. Lacerations and scar revision, In: Cummings CW. Otolaryngology-Head and Neck Surgery. 2nd ed. St Louis: Mosby 1993.
12. de Lacey GJ, Wignall BK, Hussain S, Reidy JR. The radiology of nasal injuries: problems of interpretation and clinical relevance. Br J Radiol 1977;50:412-4.
13. Delbalso AM, Hall RE, Margarone JE. Radiographic evaluation of maxillofacial trauma. In: Delbalso AM, ed. Maxillofacial imaging. Philadelphia: Saunders 1990;37.
14. DoBrul EL. Sicher's oral anatomy. 8th ed. St Louis: CV Mosby 1988;54-60.
15. Donald PJ, Ettin M. The safety of frontal sinus fat obliteration when sinus walls are missing. Laryngoscope 1986;96:190-3.
16. Donald PJ. Fracture of the zygoma. In: Donald PJ, Gluckman JL, Rice Dh, editors: The sinuses. New York : Raven Press 1995;313-341.
17. Dulley B, Fells P. Long-term follow up of orbital blowout fracture with or without surgery. Mod Probl Ophthalmol 1970;19:467-70.
18. Duvall AJ 3rd, Porto DP, Lyons D, Boies LR Jr. Frontal sinus fractures. Arch Otolaryngol Head Neck Surg 1987;113:933-5.
19. Ellis E, Kittedumkerng W. Analysis of treatment for isolated zygomaticomaxillary complex fractures. J Oral Maxillofac Surg 1996;54:386-400.
20. Evans C. Aetiology in the treatment of fronto-ethmoidal mucocele. J Laryngol 1981;95:361.
21. Hampson D. Facial injury : a review of biomechanical studies and test procedures for facial injury assessment. J Biomechanics 1995;28:1-7.
22. Harley RD. Surgical management of persistent diplopia in blow out fractures of the orbit. Ann Ophthalmol 1975;7:1621.
23. Harrison DH. Nasal injuries: their pathogenesis and treatment. Br J Plast Surg 1979;32:57.
24. Hinderer KH. Nasal problems in children. Pediatr Ann 1976;5:499.
25. Hollinshead WH. The head and neck. 3rd ed. Philadelphia : Harper & Row 1982.
26. Holt GR. Immediate open reduction of nasal septal injuries, Ear Nose Throat J 1978;57:345.
27. Iinuma T, Hirota Y, Ishio K.Orbital wall fracture; conventional view and CT. Rhinology 1994;32:81-3.
28. Illum P, Kristensen S, Jorgensen K, Brahe Pedersen C: Role of fixation in the treatment of nasal fractures. Clin Otolaryngol 1983;8:191-5.
29. Knight JS, Noth JF. The classification of malar fractures : an analysis of displacement as a guide to treatment. Br J Plast Surg 1961;13:325-39.
30. Koltai PJ, Amjad I, Meyer D, Feustel PJ. Orbital fractures in children. Arch Otolaryngol Head Neck Surg 1995;121:1375-9.
31. Krause C. Nasal fractures: evaluation and repair, In Mathog RH (ed): Maxillofacial trauma, Baltimore, Williams & Wilkins 1984.
32. Kulwin DR, Kersten RC. Orbital blow-out fracture. In: Donald PJ, Gluckman JC, Rice DH, editors: The sinuses. New York: Raven Press 1995;341-53.
33. Le Fort R. Experimental study of fractures of the upper jaw: I, II. Rev Chir Paris 1901;23:208-360.
34. Le Fort R. Experimental study of fractures of the upper jaw: I, III. Rev Chir Paris 1901;23:479.
35. Leigh J, Deil-Dwyer G, Rowe NL. Primary care, In: Williams JL, ed. Rowe and William's Maxillofacial Injuries. 2nd ed. New York:Churchill Livingston 1994;65-92.
36. Luce EA. Frontal sinus fractures : guidelines to management. Plast Reconstr Surg 1987;80:500-7.
37. Mathog RH. Management of orbital blow-out fractures. Otolaryngol Clin North Am 1991;24:79-91.
38. Mathog RH. Post-traumatic telecanthus. In:Mathog RH, ed. Maxillofacial trauma. Baltimore: Williams & Wilkins 1984.

39. McGraw BL, Cole RR. Pdeiatric maxillofacial trauma: age-related variations in injury. Arch Otolaryngol Head Neck Surg 1990;116:41.

40. McLoughlin P, Gilhooly M, Woog G. The management of zygomatic complex fractures-results of survey. Br J Oral Maxillofacial Surg 1994;32:284-8.

41. Mendelow AD, Teasdale GM. Pathophysiology of head injuries. Br J Surg 1983;70:641-50.

42. Morgan GDG, Madan OK, Bergerat JPC. Fractures of the middle third of the face: a review of 300 cases. Br J Plast surg 1972;25:147.

43. Murray JAM, Maran AGD. The treatment of nasal injuries by manipulation, J Laryngol Otol 1980;94:1405.

44. Nadell J, Kline DG. Primary reconstruction of depressed frontal skull fractures including those involving the sinus, orbit, and cribriform plate. J Neurosurg 1974;41:200-7.

45. Olsen KD, Carpenter RJ, Kern E. Nasal septal injury in children, Arch Otolaryngol 1980;106:317.

46. Olson EM, Wright DL, Hoffman HT, Hoyt DB, Tien RD. Frontal sinus fractures: evaluation of CT scans in 132 patients. Am J Neuroradiol 1992;13:897-902.

47. Peterson LJ, Indresano AT, Marciani RD. Principles of oral and maxillofacial surgery. Philadelphia. Lippincott 1992:407-591.

48. Pietrzak WS, Verstynen ML, Sarver DR. Bioabsorbable fixation devices: status for the craniomaxillofacial surgeon. J Craniofac Surg 1997;8:92-5.

49. Posnick JC, Wells M, Pron GE. Pediatric facial fracturs : evolving patterns of treatment. J Oral Maxillofac Surg 1993;51:836-44.

50. Randall DA, Berstein PE. Epistaxis balloon catheter stabilization of zygomatic arch fractures. Ann Otol Rhinol Laryngol 1996;105:68-9.

51. Rohlich RJ, Hollier LH. Management of frontal sinus fractures: changing concepts. Clinics in plastic surgery 1992;19:219-32.

52. Schultz RC. Morphological and anatomical classification of injury, In Facial injuries, Chicago: Year Book Medical Publishers, 1988.

53. Schultz RC. Treatment of soft tissue injuries, In Facial injuries, Chicago, Year Book Medical Publishers, 1988.

54. Shumrick KA. Endoscopic management of frontal sinus fractures. Otolaryngol Clin North Am 2007;40:329-36.

55. Strong EB. Endoscopic repair of anterior table frontal sinus fractures. Facial Plast Surg 2009;25:43-8.

56. Taicher S, Ardekian L, Samet N, Shoshani Y, Kaffe I. Recovery of the infraorbital nerve after zygomatic complex fractures: a preliminary study of different treatment methods. Int J Oral Maxillofac Surg 1993;22:339-41.

57. Taicher S, Givol N, Peleg M, Ardekian L. Changing indications for tracheostomy in maxillofacial trauma. J Oral Maxillofac Surg 1996;54:292-5.

58. Thaller SR, Huang V. Midface fractures in the pediatric population. Ann Plasr Surg 1992;29:348-52.

59. Wallis A, Donald PJ: Frontal sinus fractures: a review of 72 cases. Laryngoscope 1988;98:593-8.

60. Williams JL. Rowe and Williams' maxillofacial injuries. 2nd ed. Edinburgh, Churchill Livingstone 1994; 387-403, 475-590.

61. Wilson BC, Davidson B, Corey JP, Haydon RC 3rd. Comparison of complication following frontal sinus fractures managed with exploration with or without obliteration over 10 years. Laryngoscope 1988;98:516-20.

62. Zingg M, Laedrach K, Chen J, Chowdhury K, Vuillemin T, Sutter F, Raveh J. Classification and treatment of zygomatic fracture: a review of 1025 cases. J Oral Maxillofac Surg 1992;50:778-90.

CHAPTER

34

코성형술

꽃보다이비인후과 **강일규**, 홍기수이비인후과 **권장우**
연세 원주의대 이비인후과학교실 **박동준**

> **CONTENTS**

Ⅰ. 서론
Ⅱ. 해부학적 구조
Ⅲ. 절개방법
Ⅳ. 수술방법

Ⅰ | 서론

1. 환자상담

환자의 기능적, 미용적인 문제가 무엇인지 충분히 경청하는 것이 중요하다. 성공적인 수술 결과를 얻기 위해서는 얼굴의 연조직뿐 아니라 골격 및 치아 구조에 대한 분석을 통하여 해당 전문가와 방침을 상의하는 것도 중요하다. 수술적으로 시행이 가능하고 미적으로 치료가 가능한 결손이 있어야 하며, 성형 수술에 대한 욕구가 합리적인지, 이러한 욕구가 주위 인물이 아니라 본인이 원하는지도 고려해 보아야 한다. 이와 함께 수술을 받으려는 동기, 기대, 심리적인 상태를 파악하여, 동기가 미흡하거나 비현실적인 기대를 하는 환자는 수술을 시행하지 않는 것이 좋다.

2. 안면의 계측학적 분석

수술 전 성별, 인종, 나이, 인구학적 요인들을 포함한 얼굴 전체적인 분석은 객관적 계측에 의해 완벽하게 분석할 수는 없다. 얼굴의 전체적인 윤곽은 이를 구성하는 각각의 구조가 가지는 형태, 크기, 비율, 위치 등의 모든 요소에 의해 복합적으로 결정되기 때문이다.

코의 구조를 분석하고 술식을 계획하려면 코 외에도 미용에 관련된 다른 주요 부분인 이마, 눈, 입술, 턱의 모양을 고려하면서 얼굴을 전체적인 면에서 이해하여야 한다.

1) 정면 Frontal view

가장 흔히 쓰이고 보편화된 방법은 3분법이다(그림 34-1). 안면은 대략 3등분 할 수 있는데, 상부 1/3은 모발선 **hairline**에서 비근부**nasal root**까지, 중간부 1/3은 비근부에서 비첨부**nasal tip**까지, 하부 1/3은 비첨부에서 턱**chin**까지이다. 3분법에서 주의할 점은 모발선이 개인에 따라 달라 나이와 성별을 고려하여야 한다는 것이다. 외비성형술과 관련된 부위는 중간부 1/3이지만 다른 안면부, 특히 하부 1/3과 연계하여 술식을 고려해야 한다. 얼굴 하부 1/3은 입중간점**stomion**을 중심으로 1:2의 비율로 다시 나뉘어진다. 내측안각거리**intercanthal distance**는 안구의 폭과 같으며, 또한 비폭과도 일치한다.

2) 측면 Lateral view

외이도상연에서 안와하연을 잇는 선인**Frankfort plane**을 수평으로 위치시키고 분석한다. 비전두각**nasofrontal angle**은 이마의 하부와 nasal dorsum이 이루는 각을 말하며 서양인의 경우 150도, 동양인의 경우 125~135도 정도로 인종에 따라 다르며, procerus muscle의 두께에 영향을 받기도 한다. 비순각**nasolabial angle**은 columella의 기저부**subnasale**와 upper lip이 이루는 각이며 서양

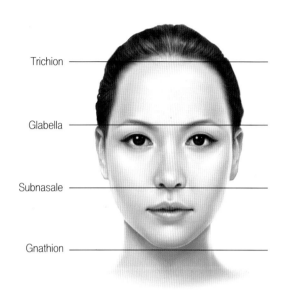

| 그림 34-1　3분법에 의한 안면의 구분

인 남자의 경우 80~90도, 여성의 경우 90~110도가 적당하며, 동양인의 경우 각도가 더 큰 것으로 알려져 있다(그림 34-2). 비첨심 nasal tip depth의 2/3는 입술선보다 전방에, 1/3은 후방에 있는 것이 이상적이다. 상순과 하순은 동일선상에 있으며, 턱끝은 입술보다 앞으로 돌출되지 않아야 한다. 비배부**nasal dorsum**의 측면은 완전히 똑바른 것이 아니라, 비골의 말단부에서 약간의 비혹**nasal hump**이 있고 비익연골**alar cartilage**의 상부에서는 약간의 함몰**supratip depression**이 있다.

3) 기저면

기저면**basal view**은 이등변삼각형의 형태이며, 삼각형의 높이와 아래 부분은 인종과 성별, 나이에 따라 달라진다. 상방 1/3에는 비소엽**lobule**, 하방 2/3에는 외비공**nostril**이 위치한다(그림 34-3).

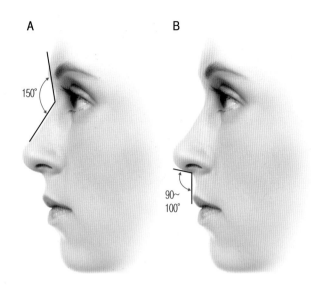

┃ 그림 34-2　**A.** 비전두각(nasofrontal angle),
　　　　　　　　B. 비순각(nasolabial angle)

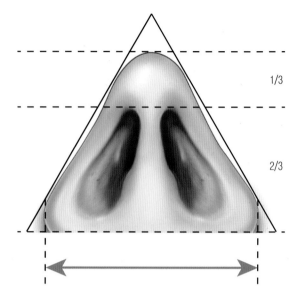

┃ 그림 34-3　비소엽의 삼각 모양(triangular shape of the lobule)

4) 사면

사면oblique view은 코의 전체적인 윤곽을 잘 보여주며 골부 및 연골부의 비대칭부위나 불규칙한 부위가 있는지 살피는데 매우 중요하다.

3. 사진촬영

정확한 영상정보는 환자의 진료를 비롯하여 발생 가능한 의료 분쟁에도 큰 도움을 줄 수 있다. 따라서 사진의 기본 원리 및 활용에 대하여 제대로 이해하고 정확히 촬영하는 것이 필요하다. 사진을 통하여 환자가 무엇을 원하는지 파악할 수 있고, 수술 시 코가 어떻게 변화될 것인가를 의사가 환자와 함께 논의할 수 있으며, 수술 결과의 평가와 함께 교육자료로도 사용된다. 사진은 적어도 다음과 같이 6장을 촬영하며, 수술 전, 수술 직후, 수

술 후 1개월 그리고 그 후에도 가능한 대로 계속해서 찍도록 한다. 이때 배경은 청색이나 녹색이 좋다.

1) 정면사진

정면 사진은 표준 두위가 원칙이다. 안와하연infraorbital rim과 이주tragus의 상연을 잇는 Frankfort line이 카메라의 렌즈면과 수직을 이루도록 하는 표준두위를 사용하는 것이 원칙이다. 카메라를 정면으로 보는 상태로 양안 eyeline이 수평인 상태에서 촬영한다(그림 34-4).

2) 측면사진(양측)

귀가 보이는 상태에서 Frankfort plane이 수평이 되게 촬영한다. 측면사진에서는 반대측 안면이 나와서는 안된

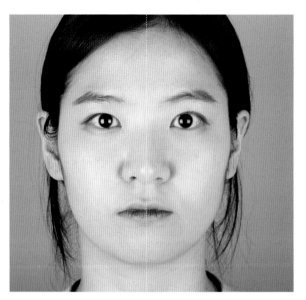

| 그림 34-4 정면사진

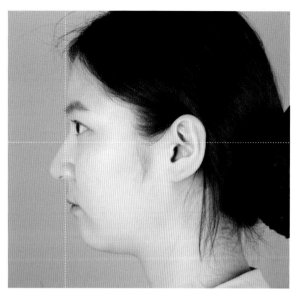

| 그림 34-5 측면사진

다(그림 34-5).

3) 사면사진(양측)

표준두위를 유지한 상태에서 얼굴을 45도 돌려서 촬영하며 코의 전체적인 모양에 비대칭이 있는지 관찰할 수 있다. 정면사진이나 측면사진에서 볼 수 없는 nasal dorsum의 변형과 nasal tip을 보는 데 도움이 된다(그림 34-6).

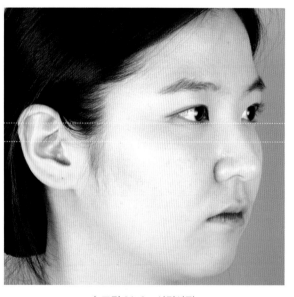

| 그림 34-6 사면사진

4) 기저사진

코의 columella 등의 비저 구조를 표현하기 위한 사진으로, 비첨nasal tip이 비익에 양측 눈썹을 연결한 선과 양측 medial canthus를 연결한 선의 중앙에 위치하도록 위치를 잡는다(그림 34-7).

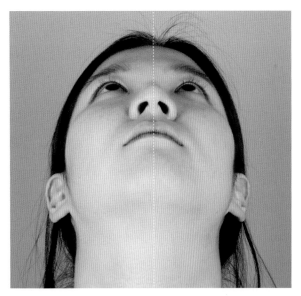

| 그림 34-7 기저사진

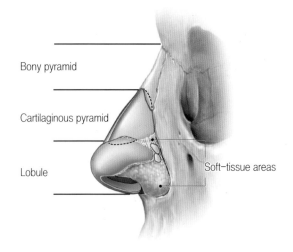

| 그림 34-8 외비를 구성하는 4부분
골부, 연골부, 이소엽, 그리고 연조직 부분

4. 환자진찰

일단 사진으로 환자의 미용상 문제를 알 수 있으나, 코의 외부와 내부를 시진inspection과 함께 촉진을 시행함으로써 구조와 문제점을 충분히 파악하여 어떤 방법으로 수술할 것인가 계획을 세운다.

1) 외비시진

외비는 골부, 연골부, 비소엽lobule 그리고 연조직부분으로 나뉘는데(그림 34-8), 외비시진 시 우선 안면부 전체에 대한 코의 균형을 살피고, 안면부에 비대칭인 부분이 있는지 살펴본다. 경우에 따라 환자 자신도 비대칭인 부위가 있는지 모르고 있다가 수술을 시행한 후에 깨닫는 경우도 있다. 매우 두꺼운 피부를 갖고 있는 환자가 있고 서양인과 같이 얇은 피부를 갖고 있는 환자도 있다. 두꺼운 경우는 얇은 피부에 비해 수술 후 부종과 피하 흉터

형성이 심한 경향이 있고, 피부가 얇은 경우는 연골이나 골부의 미묘한 울퉁불퉁함도 모두 드러날 수 있어 피부의 두께나 탄력 등의 상태를 파악하는 것이 필요하다. 코의 형태 중 길이 및 돌출정도, 비첨의 모양, 비주, 입술-비첨-비주 복합부위, 비배부, 비근radix nasi 등의 구조에 특별히 관심을 가지고 시진하도록 한다.

2) 외비촉진

촉진을 시행함으로써 더 많은 중요한 정보를 얻을 수 있다. 두 손가락을 이용하여 피부의 탄력 정도를 알 수 있는데, 코의 돌출 정도를 많이 축소시키고자 할 경우 피부의 수축 정도가 특히 중요하다. 비교nasal bridge를 촉진하여 불규칙한 부위가 있는지, 비골의 길이가 어느 정도인지 알 수 있다. 비첨 수술 시 비첨 지지 정도에 따라 절개방법 등 다양한 술식이 고려되어야 한다. 비첨 지지 정도를 검사하는 방법으로는 비첨을 눌렀다가 곧 뗌으로써 비첨의 탄력도를 알 수 있다. 비익연골을 촉진하여

형태, 크기, 탄력도를 알 수 있는데, 탄력도가 적을 경우 연골제거를 과도하게 하지 않도록 주의하여야 한다.

3) 비강시진

수술 전에 비강내 시진을 통하여 비중격의 만곡이 있는지, 하비갑개 점막의 상태가 어떠한지 살펴보아야 하고 기도적절성을 평가해야 한다. 외비공의 탄력이 약하거나 내측비판internal nasal valve에 장애가 있을 때 흡기 시 비익함몰alar collapse이 초래될 수 있으므로, 이러한 현상이 있는지 살펴본다. 또한 비판부위에 협착이 있을 때 흡기를 더 세게 하게 된다. 이러한 현상이 있는 경우 비익부 내 이식편삽입alar graft, 비판의 수술, 하비익 연골을 상향회전시키는 술식 등을 고려할 수 있다. 비전정nasal vestibule의 피부가 정상인지의 여부와 하비익연골의 외측각lateral crura의 돌출 여부를 살핀다. 비중격만곡증, 상하비익연골의 만곡, 외상이나 기존 수술에 의한 상흔 등이 있어 내측비판에 협착이 생긴 경우 호흡장애가 초래될 수 있다.

4) 비강촉진

비전정을 촉진함으로써 비중격연골 미측연caudal edge의 만곡 여부와, 내측각medial crus의 크기, 전비극anterior nasal spine의 크기와 위치를 느껴볼 수 있다. 수술의 기왕력이 있는 환자에서는 기구를 이용하여 비중격을 촉진하여 보면, 연골이 어느 정도 남아 있는지 파악할 수도 있다. 뺨을 외측으로 당기면서 흡기를 시켜보는 cottle 검사를 시행함으로써 내측비판에서 호흡의 장애가 초래되는지 검사할 수 있는데 이때 흡기의 호전이 있으면 양성 반응이다.

II | 해부학적 구조

1. 연조직 Soft tissue

일반적으로, 동양인의 코는 넓은 콧등, 펑퍼짐하며 두꺼운 코끝의 피부, 두꺼운 피부밑 조직, 펑퍼짐한 콧구멍, 얇고 약한 연골, 그리고 함몰된 코기둥 등으로 특징지어진다. 두꺼운 피부의 경우 얇은 피부에 비하여 수술 후 부종과 피부 밑 흉터 형성이 심하고, 수술 후 피부의 정착이 늦게 일어나지만, 수술 후 미세한 불규칙함과 비대칭이 어느 정도 가려질 수 있다는 장점이 있다. 피부를 포함한 연조직의 두께는 사람마다 차이가 있으나, 비배부와 측면의 연조직은 대개 얇고 골부나 연골부에 비교적 느슨하게 부착되어 있다. 반면에 비골과 전두골이 인접한 부위와 비익연골부위에서는 훨씬 더 두껍고 단단히 부착되어 있다. 콧등의 연조직은 비근점nasion에서 가장 두껍고 코뼈점rhinion에서 가장 얇으므로 코혹을 제거하는 매부리코의 교정 시 이를 고려해야 한다(그림 34-9). 수술을 계획할 때 피부의 탄력도와 연조직의 두께를 세심히 감안하여야 한다. 너무 피부에 가깝게 박리를 할 경우 상흔 형성으로 인하여 피부의 위축이나 수축이 초래될 수 있으며, 때로는 피부에 손상을 주어 변색될 수 있다.

2. 골부 Bony pyramid

정중시상면midsagittal plane에서 비근의 가장 움푹 들어간 곳이 비근점nasion이다. 골부의 가장 아래 부위를 코뼈점rhinion 혹은 K area라고 한다. 골부는 코뼈와 전두골의 nasal spine, 그리고 두개의 상악골의 전두돌기 frontal process of the maxilla로 이루어지며, 전두골과 맞닿

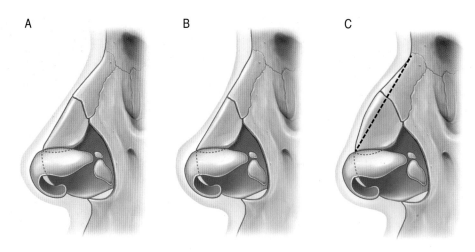

| 그림 34-9   사람마다, 그리고 코의 부위에 따른 피부와 피하조직의 두께가 다양함. 보통 비공점(rhinion)에서 얇고 비근점(nasion)과 비첨상부(supratip)에서 두꺼움

아 frontonasal suture를 형성한다. 골부를 따라 위에서 반쯤 내려왔을 때 골부의 lateral margin은 상악골 전두돌기frontal process of the maxilla와 만나 frontomaxillary suture를 형성한다. 골부는 코의 상부 1/3의 폭을 결정하며, 상비익연골upper lateral nasal cartilage과 부분적으로 겹쳐있는데 중앙부보다 외측에서 더 많이 겹쳐있다. 골부의 하연에서 전비극anterior nasal spine까지를 이상구pyriform aperture라고 한다(그림 34-10).

3. 연골부 Cartilaginous pyramid

코의 하부 2/3는 연골부이다. 연골부는 비중격가쪽코연골septolateral cartilage와 1~3개의 덧연골accessory cartilage로 이루어진다. 비중격가쪽코연골septolateral cartilage는 전비극anterior nasal spine과 상악전구골premaxilla로 이루어져 비강 내를 둘로 나누는 비중격연골cartilaginous septum과, dorsal과 가측 벽에 두 개의 삼각연골triangular cartilage로 구성된다(그림 34-11). 상비익연골은 앞에서

볼 때 삼각형이며 코뼈와 단단히 접합하고 있어 그 부위를 코초석keystone area이라 하며 상비익연골, 코뼈, 비중격의 연골부분, 벌집뼈의 수직판 등으로 구성된다. 코초석 부위는 콧등의 지지에 중요한 역할을 하며 매부리코 환자에서 코혹의 제거 시 코초석 부위의 연속성을 잘 유지해야 안장코의 발생을 예방할 수 있다. 상비익연골은 코뼈와 접합부위에서는 Y형태, 아래로는 I 형태이며 수술 시 Y자 연결부위를 절개하는 것이 연골의 손상이 없게 하는 데 도움이 된다. 하비익연골은 코끝의 지지에 중요한 역할을 하며 이 구조는 비중격의 지지를 받지 못해 여러 개의 연조직에 의해 지탱된다. 하비익연골은 외측으로 결체조직에 의해 이상와piriform fossa에 부착되어 있는데 수술이나 외상으로 인해 손상을 받게 되면 미용문제 및 기증장애가 초래될 수 있다. 상비익연골이 하비익연골과 부착되면서 겹친 부위를 scroll region이라 하며, 이는 비첨을 유지하는 첫 번째 주요 역할을 한다. 연골간절개intercartilaginous incision 시 이 지지구조가 약해져 비첨하수tip ptosis가 초래될 수 있으므로 주의해야 한다. 상비익연골과 비중격 연골의 관계는 임상적으로 매

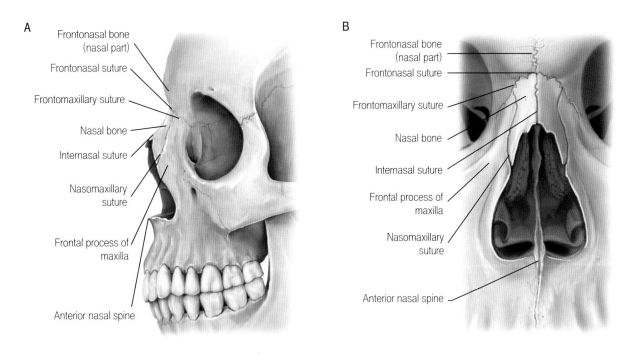

A
Frontonasal bone (nasal part)
Frontonasal suture
Frontomaxillary suture
Nasal bone
Internasal suture
Nasomaxillary suture
Frontal process of maxilla
Anterior nasal spine

B
Frontonasal bone (nasal part)
Frontonasal suture
Frontomaxillary suture
Nasal bone
Internasal suture
Frontal process of maxilla
Nasomaxillary suture
Anterior nasal spine

| 그림 34-10 　골부(bony pyramid)

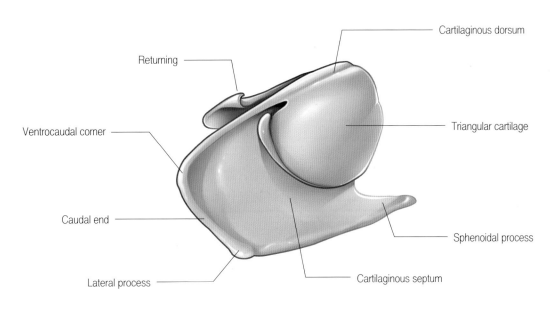

Returning
Cartilaginous dorsum
Ventrocaudal corner
Triangular cartilage
Caudal end
Sphenoidal process
Lateral process
Cartilaginous septum

| 그림 34-11 　비중격가쪽코연골(septolateral cartilage)

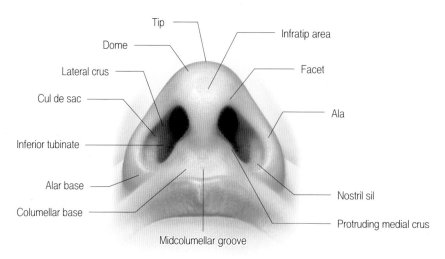

Tip
Dome
Lateral crus
Cul de sac
Inferior tubinate
Alar base
Columellar base
Midcolumellar groove
Infratip area
Facet
Ala
Nostril sil
Protruding medial crus

| 그림 34-12   비소엽(lobule)의 기저면(basal view)

우 중요한데 이 부위를 비판부위라고 하며, 정상적으로 10~15도의 각도를 이룬다. 이곳에서부터 비전정의 편평상피가 비점막의 호흡상피로 이행한다.

4. 비소엽

비소엽nasal lobule은 코의 아래쪽 1/3를 말한다. 코기둥, 콧구멍, 비전정vestibule, 콧방울아래alar base, 막성 비중격 및 하비익연골로 구성된다. 비첨nasal tip은 두개의 dome으로 형성되어 있는데, interdomal connective-tissue fiber와 그를 덮고 있는 피부이다. 비첨nasal tip은 비소엽lobule이 가장 전방으로 돌출된 부위이다. 비첨의 바로 윗부분은 비첨상부supratip, 바로 밑부분은 비첨하부infratip라 한다. 콧방울ala은 가쪽다리lateral crus와 그 위를 덮는 근육과 피부로 이루어진다. 콧방울의 caudal margin을 alar rim이라 하는데 코기둥columella과 콧구멍아래점nostril sill과 함께 콧구멍nostril을 구성한다(그림 34-12, 34-13). 하비익연골은 외비공을 감싸며 내측각 및 외측각 사이의 작은 삼각형 부위를 형성하는데, 이를 연삼각부soft triangle of converse라 한다. 연삼각은 코의 바깥피부가 비전정의 안쪽피부로 이행되는 부위로서 피부밑조직 없이 피부끼리만 접하고 있는 매우 예민한 부위이다. 따라서 이 부위의 부주의한 절개 시 수술 후 변형을 초래할 수 있으므로 주의해야 한다. 내측각발판medial footplate과 비중격연골의 미측연caudal edge이 부착된 부위가 비첨의 두 번째 주요 지지구조이다. 비주와 상순upper lip 사이는 비순각으로, 이 각이 둔각일 경우 비첨이 상향회전된 인상을, 예각일 경우엔 하향회전된 인상을 줄 수 있다. 외측으로는 외측각이 이상와에 섬유지방조직으로 연결되어 있어 경첩부hinge area로 불리는데, 여기에 작은 종자연골sesamoid cartilage이 있다. 하비익연골의 가장 돌출된 부위는 비첨정점dome으로 내측각과 외측각의 이행부위에 해당된다. 내측각 및 외측각의 크기, 형태, 탄성이 비첨의 세 번째 주요 지지기전이다. 이 밖에 비첨의 부수적인 지지기전에는 피부와 양측 비첨정점 사이를 연결해주는 인대suspensory ligament, 비중격의 연골부와 막성부membranous part, 경첩부, 그리고 전비극 등의 요인들이 있다.

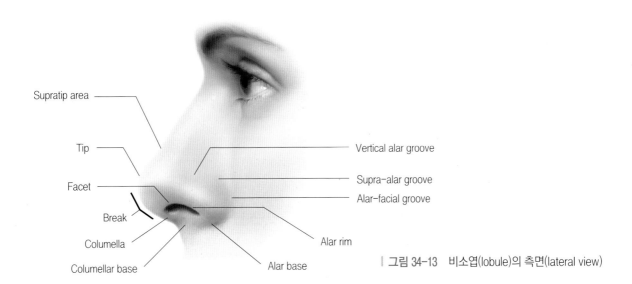

그림 34-13 비소엽(lobule)의 측면(lateral view)

Supratip area

Tip

Facet

Break

Columella

Columellar base

Vertical alar groove

Supra-alar groove

Alar-facial groove

Alar rim

Alar base

5. 비중격

비중격은 코기둥과 비중격연골, 벌집뼈의 수직판, 보습뼈로 이루어져 있으며 서로 단단하게 접합하고 있다. 비중격 연골의 두측연cephalic edge은 비골봉합의 하연과 연결되어 있다. 전방으로는 비익연골 직상방인 비첨상부까지 비중격연골이 위치하게 된다. 미측으로는 비익연골의 내측각과 비중격막성부membranous septum의 얇은 막으로 연결되어 있으며, 전하방으로는 전비극과 접해 있다. T자형의 모양을 이루게 되는 비중격연골과 외측비연골은 성장하면서 이를 감싸고 있는 두개골의 골부에 압력을 가하며 밀게 되는데, 외상이나 수술에 의해 연골이 손상받으면 코의 발달이 저하되어 안비saddle nose가 초래되기도 한다.

III | 절개방법

1. 연골간절개

연골간절개intercartilaginous incision는 상비익연골과 하비익연골 사이에 있는 비전정 피부vestibular skin에 절개를 말한다(그림 34-14). 하비익연골을 손가락으로 누르면서 기구를 이용하여 젖히게 되면 비전정에서 두연골이 접하는 선이 보이게 되는데, 이곳에 절개를 하는 방법이다. 연골간 절개는 상비익연골 및 뼈의 콧등dorsum, 뼈천장bony vault, 그리고 valve로의 접근 및 조작을 가능하게 한다. 또한 비익연절개marginal incision와 함께 시행하면 하비익연골도 접근이 가능하다.

2. 비익연절개 Marginal incision

비익연절개marginal incision (infracartilaginous incision)는

691

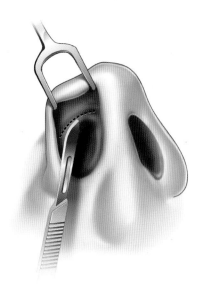

| 그림 34-14 연골간절개(intercartilaginous incision)

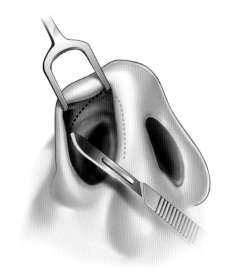

| 그림 34-15 비익연절개(marginal incision)

가측다리lateral crus의 caudal margin, dome과 안쪽다리의 코소엽 연골medial crus of lobular cartilage까지의 절개를 말한다. 또한 이 절개는 marginal incision이라고도 불린다. 이 절개를 통하여 비소엽연골lobular cartilage과 연골천장cartilaginous vault으로의 접근이 가능하다(그림 34-15).

　　내측각과 외측각이 만나는 곳에서 외측각이 바깥쪽에서 끝나는 곳까지, 비익연골의 하연을 따라서 절개를 한다. 실제로 외측각의 미측은 외비공의 가장 외측연edge까지 위치하지 않는데, 이곳은 외비의 피부와 비전정의 피부가 서로 접하여 있는 부위로 절개를 피해야 하는 부위이다. 이 절개법은 external approach에서 많이 쓰이며 또한 비소엽연골lobular cartilage을 조작하는 luxation cartilage delivery technique에도 쓰일 수 있다.

3. 연골절개

연골절개intra or trans cartilaginous incision는 비전정 피부 vestibular skin와 코소엽 연골lobular cartilage의 가쪽다리 lateral crus에 가해지는 절개이다(그림 34-16).

　　연골간절개에 대체되는 방법으로, 하비익연골의 외측각에서 비첨정점까지 제거하고자 하는 만큼 연골에 직접 절개한다. 이 절개를 통하여 코소엽 연골lobular cartilage에 접근이 가능하며, 가쪽다리lateral crus와 dome의 교정이 가능하다.

4. 반관통절개 Hemitransfixion incision

Caudal septal incision CSI이라고도 불린다. 중격막cartilaginous septum의 caudal margin에 평행하게, 2 mm 윗쪽으로 절개가 들어간다(그림 34-17). 비중격연골과 비익연골 내측각의 후연posterior edge 사이에 편측에만 절

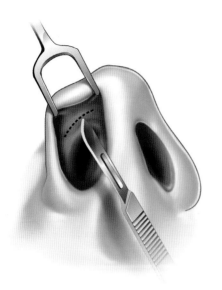

| 그림 34-16   연골절개(intra or trans cartilaginous incision)

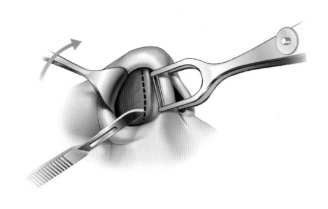

| 그림 34-17   반관통절개(hemitransfixion incision)

개하며 비중격수술 시 흔히 사용한다.

　이 절개법을 통하여 비중격septum, 상악전구골pre-maxilla과 전비극anterior nasal spine, 콧등nasal dorsum, 코기둥columella, 그리고 비강내 바닥floor of the nasal cavity로 접근이 가능하다.

5. 관통절개

관통절개transfixion incision는 코중격연골부cartilaginous septum의 caudal end 바로 앞쪽, 막코중격membranous septum을 통한 절개법이다(그림 34-18). 예전에는 양쪽의 연골간 절개intercartilaginous incision와 함께 사용되었다. 그 결과 비소엽lobule이 연골천장cartilaginous vault과 분리되고, 이를 통해 비중격septum과 whole pyramid로의 접근이 가능하였다. 하지만 단점(비중격 막membranous septum과 코기둥columella의 수축이 발생하고, droop-

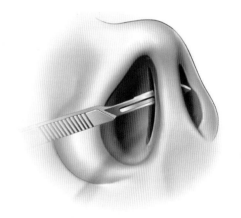

| 그림 34-18   관통절개(transfixion incision)

ing tip이 발생) 때문에 반관통 절개hemitransfixion나 양측의 연골간절개intercartilaginous incision로 대체되었다. 최근에는 sublabial incision과 함께 사용하여 비강, 부비동, 상악, 전두개골저에 접근할 때 사용된다.

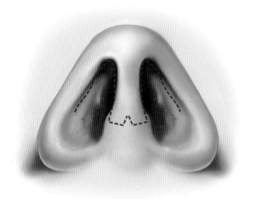

| 그림 34-19 정중비주절개(midcolumellar incision)

반관통 절개와 동일하나 양측에 절개를 하므로 내측각과 비중격 연골이 분리된다. 연골절개나 연골간 절개와 연결시킬 경우 비첨이 하향회전된다.

6. 정중비주절개 Midcolumellar incision

개방성 접근법open approach을 위한 방법으로 코기둥columella의 base에서 1/3위치에서 reversed-V shaped incision 을 만들어 비주 중간부에 역 'V'자 모양의 절개를 하고, 관통절개와 연결시켜 시행한 후 양측에 연골절개나 비익연절개를 동시에 가하게 된다. 절개된 비주의 피부를 거상하게 되면 외비의 구조를 노출시킬 수 있다(그림 34-19). 이 절개를 통하여 비소엽 연골lobular cartilage, 연골 콧등cartilaginous dorsum, 앞코중격anterior septum에 넓고 직접적으로 접근할 수 있다.

1. 사비교정술 Corrective rhinoplasty

사비deviated nose, twisted nose, scoliotic nose란 코가 지지골격의 소실없이 안면의 정중앙 수직선으로부터 벗어난 상태를 말한다.

1) 분류

사비는 만곡 부위에 따라, 만곡의 모양에 따라 각각 분류할 수 있다. 만곡 부위에 따른 분류는 골성 및 연골성 비배의 모양은 곧지만 한쪽으로 편위된 경우, 골성비배는 똑바르지만 연골성 비배는 만곡된 경우, 골성비배의 만곡으로 이차적으로 연골성 비배의 만곡이 동반된 경우, 미측 비중격이나 전비중격각의 편위로 인해 비첨이 만곡된 경우로 나눌 수 있다(그림 34-20). 또한 만곡의 모양에 따라 C형, 골원개는 한쪽으로 밀려있고 연골원개는 반대쪽으로 밀려있으며 다시 미측 비중격이 반대쪽으로 밀려있는 S형, 전체적으로 한쪽으로 비뚤어져 있는 사형oblique type, straight line으로 나눌 수 있다(그림 34-21).

2) 원인

두개골과 안면골의 발육부전, 출생 시의 손상, 하비갑개나 중비갑개의 비후, 비용, 이물에 의한 압박, 수술 후유증, 감염 등이 있으며 이 중 외상의 병력이 가장 흔한 원인이다.

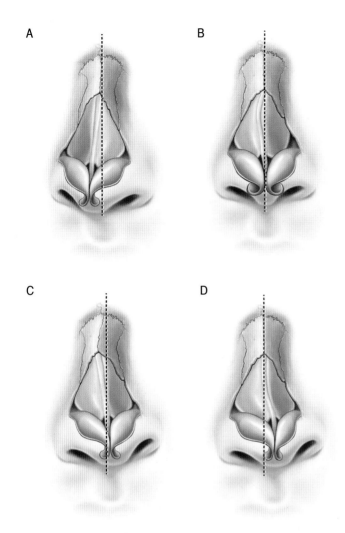

그림 34-20   사비(deviated nose)의 분류
A. 골성 및 연골성 비배의 모양은 곧으나 우측으로 일직선의 편위가 관찰된다. **B.** 골성비배는 곧지만 연골성 비배의 만곡이 관찰된다. **C.** 골성비배의 만곡과 이차적 연골성 비배의 만곡이 관찰된다. **D.** 미측비중격 탈구와 편위로 비첨의 만곡이 관찰된다.

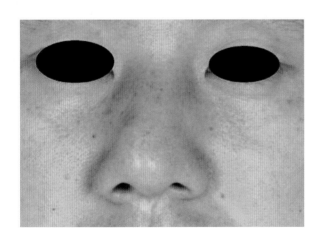

그림 34-21   S형 사비

3) 수술적 처치

만곡의 부위에 따라 수술 방법이 달라진다. 비외접근법은 충분한 시야를 확보할 수 있어 변형부위의 관찰이 용이하고 수술적 조작을 하기 쉽다. 또한 지혈을 쉽게 할 수 있으며 만곡을 일으키는 외부의 구조물을 쉽게 박리하여 분리시킬 수 있다는 장점이 있다. 하지만 광범위한 박리 이후에 연조직의 반흔과 구축이 추후 코의 외형에 영향을 줄 수 있으므로 단순한 변형만 있는 환자에게서는 비내접근법endonasal approach을 시행할 수 있다.

(1) 연골성 사비의 교정법

경한 만곡은 flaring suture나 편측 spreader graft로 해결 가능하며 심한 경우에는 양측 spreader graft나 비중격 만곡의 교정을 할 수 있다.

① Spreader 이식

상비익연골과 비중격연골접합부에 절개를 시행하며 비중격의 점막성 연골막mucoperichondrium을 비중격으로부터 박리하여 점막성 연골막하 터널을 만든다. 이후 비배부에 있는 연조직을 제거한 후 연골막하 터널을 통하여 이식편을 삽입한다. 이식편의 크기는 상황에 맞추어 결정하지만 보통 길이 6~12 mm, 높이 3~5 mm, 두께 2~4 mm 범위 내에서 결정된다. 이식편으로는 비중격연골이 가장 이상적이며 이개연골, 늑연골, 골편 등을 사용할 수 있다.

② 편측 spreader 이식

경도의 C형 변형 시에는 내려앉은 부위에 편측 spreader 이식방법을 사용할 수 있다. 편측으로 비중격의 배측과 외측비연골 사이에 이식편을 삽입하는 방법으로, 오목한 부위의 비내점막 위로 이식편을 위치시킨다(그림 34-22).

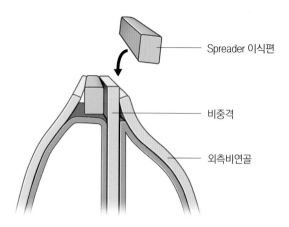

| 그림 34-22 편측 펼침이식(spreader graft)

비내점막이 손상되어 천공이 발생한 경우에는 이식물이 비강 내로 돌출될 수 있으므로 이식편을 위치시키기 전에 반드시 봉합해야 한다. 삽입된 이식편은 비중격의 미측에서 양측 외측비연골과 함께 5-0 PDS 등으로 수평석상봉합horizontal mattress suture을 한다.

③ 양측 spreader 이식

변형이 심한 경우에는 양측 spreader 이식법을 사용한다. 이식편을 채취한 후 양측 외측비연골과 비중격의 배측면 사이에 삽입할 수 있는 적당한 크기로 조각한다. 오목한 면에 위치시키는 이식편은 볼록한 부위에 위치시키는 이식편보다 두껍고 크게 해야 한다. 삽입된 이식편의 위쪽은 비골nasal bone의 점막하포켓submucosal pocket에 위치시켜 고정한다. 이식편을 양쪽에 삽입한 후 비중격의 배측면을 따라 외측비연골의 내측과 이식편에 5-0 PDS 등으로 수평석상봉합horizontal mattress suture을 한다. 이때 실의 매듭은 가능한 양측으로 만들고 양측을 동일한 힘으로 당겨 편위를 방지한다. 이식편이 단단하게 고정되어 있는지 촉진한 후 피부절개 및 점막절개를 봉합한다(그림 34-23).

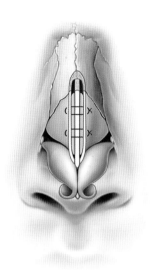
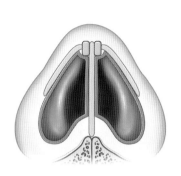

┃ **그림 34-23** 양측 펼침이식(spreader graft)

(2) 골성 사비

골성 사비가 있는 경우에는 절골술osteotomy을 시행하여 bony pyramid를 정중앙으로 이동시켜 교정한다.

① 내측절골술

만곡이 심하여 비강 가벽을 움직일 필요가 있을 때, 비배부가 넓어 좁혀줄 필요가 있을 때 사용된다. 내측절골술이 계획되면 일반적으로 외측절골술보다 먼저 시행하나 경우에 따라서 외측절골술을 먼저 시행할 수도 있다. 비중격과 상외비연골upper lateral cartilage 사이로 절골도osteotome를 삽입하여 정중앙선에서 약간 떨어져 시작하고 정중선에 대해 15~20° 경사지게 절골을 시행하며, 비근부 근처에서 외측으로 절골선을 만들어 후에 외측절골선과 만나게 한다(그림 34-24). 절골이 충분하지 않아 외측절골선과 연결되지 않을 경우 불완전굴곡골절 greenstick fracture이 일어나며 추후 재발이 발생할 수 있다. 상방으로 비근을 넘어서게 되면 골이 너무 두꺼워 골절술이 제대로 되지 않으므로 비근 위로는 절골술을 시행하지 않으나 만곡이 비근부에서 발생한 경우에는

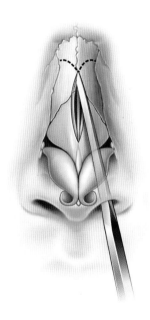

┃ **그림 34-24** 내측절골술

내측 및 외측절골술을 완전히 시행한 후 다시 비근부에서 내측절골술을 진행하여 비골과 정중앙쪽으로 사골수직판을 골절시킬 수 있다.

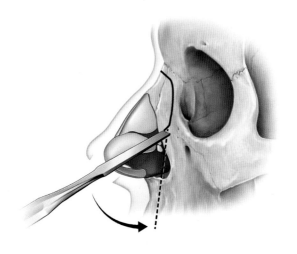

| 그림 34-25 외측절골술

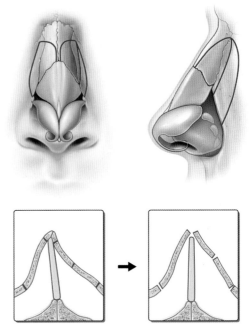

| 그림 34-26 내·외측절골술 및 중간 절골술의 연결

② 외측절골술

선형법linear technique endonasal approach과 관통법perforating technique percutaneous approach 두 가지 방법이 있다. 선형법은 비안면고랑nasal facial groove을 따라 뼈를 절골하는 방법이다. 하비갑개가 비강의 외측벽에 부착하는 부위인 이상구연pyriform aperture edge에서 시작한다. 점막성 골막mucoperiosteum에 약간의 절개를 한 후 골막 거상기로 점막성 골막을 들어올려 터널을 만들고 이 터널을 통하여 절골도를 삽입한 후 상악골 전두돌기의 외측면 기저부를 따라 상방으로 올라가면서 절골을 시행한다(그림 34-25). 상방으로 갈수록 절골되는 측방으로 향하면서 진행하다가 비근부와 안와 근처에서는 내측안각의 약 3 mm 아래로 절골하여 내상방으로 방향을 바꾸며 내측절골선과 연결시켜야 한다(그림 34-26). 절골은 medial canthus부위에서 마치며 안와부근에서 너무 외측으로 절골하면 누관 및 내측안검 인대손상을 가져올 수 있고, 너무 내측으로 절골하면 계단모양의 절골선이 나타날 수 있다. 외측과 내측절골술을 완전히 시행한 후 양손의 엄지와 검지로 코의 골격에 압력을 가하여 불완전골절을 완전히 골절시켜준다. 절골술의 시작점과 끝나는 위치에 따라 low-to-low, low-to-high 등으로 구분하며 low-to-low 방법으로 시행한 경우 내측절골부위와 연결하는 추가적인 골절술이 필요할 수 있다.

③ 중간절골술

중간절골술은 내측절골술과 외측절골술 사이에 시행할 수 있으며 다음과 같은 상황에서 시행된다. (1) 비배부가 심하게 넓고 높이가 적절할 경우에 비배부를 좁혀주거나, (2) 양측의 길이가 크게 차이나는 사비의 경우, (3) 심하게 돌출된 코를 바르게 펴줄 때 사용된다(그림 34-27). 일반적으로 내측절골술, 중간절골술, 외측절골술 순으로 시행한다.

(3) 비첨의 편위

비첨의 편위만으로도 사비가 발생할 수 있으며(그림 34-28) 전비중격각이 비배부의 편위에 크게 작용한다. 전비중격각을 교정하는 방법은 여러 가지가 있다. 단순히 오목한 부위의 연골막을 들어올려 부착하는 힘을 줄이거나 오목한 부위에 절개를 가해 내부의 장력을 줄이는 방법으로 교정할 수 있다. 골절 부위에만 국한되어 미측비중격의 편위가 있는 경우에는 골절선을 제거하고 비중격을 재위치시킨 후 봉합하여 고정하는 방법을 사용할 수 있다.

4) 술 후 처치

비패킹은 비중격 피판의 압박을 유지하고 비출혈을 최소화할 수 있도록 치밀하게 하는 것이 원칙이며 코의 변형을 초래하지 않는 범위 내에서 시행하고 24~48시간 후 제거한다. 절골술 시행 후 비강 내 과도한 패킹은 비골을 넓게 할 수 있음을 유의한다. 술 후 외부 압력에 의한 변형 및 이식편의 탈출을 방지하고 연조직 아래의 사강을 없애 혈종을 예방하기 위해 종이 반창고를 붙여주고 부목을 시행한다. 종이 반창고를 이용하여 부목을 고정하고 약 5~7일간 유지시킨다(그림 34-29). 그러나 최근에는 피부색깔의 변화나 부종의 정도 혹은 술 후 교정된 상태를 자세히 관찰하기 위해 부목을 사용하지 않는 경우도 있다.

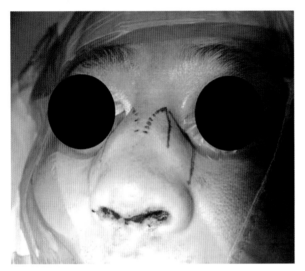

┃ 그림 34-27   비골이 심하게 넓은 경우 중간절골술을 추가하여 시행하면 효과적이다.

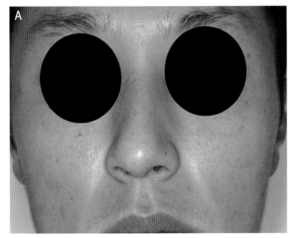
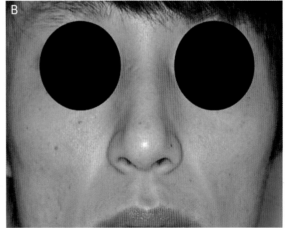

┃ 그림 34-28   비첨부위 편위로 인한 사비(**A**)비중격교정술과 사비교정술 후 모습(**B**)

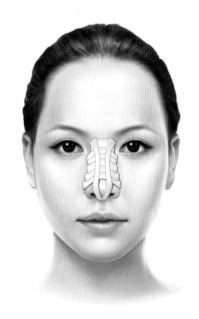

| 그림 34-29 술후 고정

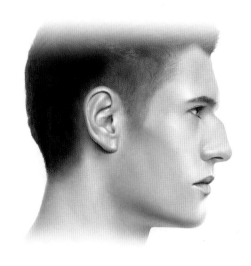

| 그림 34-30 비혹(hump nose)

환자는 병상 머리 쪽을 들어올려 주고semi-Fowler posi-tion, 안와 주위를 얼음찜질하여 안와 주위의 부종과 반상출혈을 줄일 수 있다. 약제로는 스테로이드나 이뇨제를 사용하여 부종을 감소시켜 준다. 비내 가피 형성을 최소화하기 위해 가습기, 식염수 분무, 연고 등을 사용할 수 있으며 음식은 저작 시 코 주위에 있는 연조직의 운동을 감소시키기 위해 연식soft diet을 수일간 준다. 또한 이식편의 감염을 방지하기 위해 항생제는 7일간 투여하고 피부 및 비점막 봉합은 술 후 5일에 제거한다. 술 후 2주간은 격렬한 움직임을 피하고 6주간은 스포츠 활동을 피한다.

2. 비혹제거술 Hump reduction

Dorsal hump reduction은 서양인들에게는 매우 흔한 수술이다(그림 34-30). 한국인들에게는 상대적으로

hump nose의 비율이 낮긴 하지만 근래 들어 신체발육의 서양화, 외상의 합병증 등으로 환자들이 증가하고 있다. Hump nose를 교정하기 위해 nasal dorsum을 조작함에 있어, 불균등한 절제로 인한 dorsal irregularity가 나타날 수 있는 것은 물론, hump를 충분히 절제하지 못하면 residual hump가 문제가 될 수 있으며 지나친 절제를 시행하면 internal nasal valve의 협착 등이 발생할 수 있다. 이렇듯 nasal dorsum의 조작은 해부학적인 변화뿐 아니라 비강의 기능에도 영향을 미치므로 술자는 충분한 해부학적인 지식과 함께 수술적인 경험을 함께 갖추어야 한다.

1) 비혹의 해부학적 구조

Nasal dorsum의 피부는 위치에 따라 다른 두께로 이루어져 있다. Rhinion에서 가장 얇고 그보다 cephalic 부

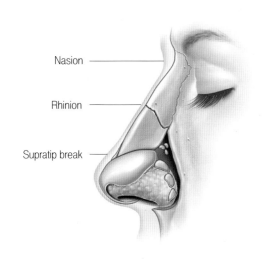

Nasion

Rhinion

Supratip break

┃ 그림 34-31   비배(nasal dorsum)의 피부는 두부(cephalic) 위치에서는 더 얇고, 비첨상부(supratip)와 비첨(tip) 부분에서는 더 두껍다. 전체적으로 비공점(rhinion) 부분에서 가장 얇다.

분에서는 조금 더 두껍고 supratip과 nasal tip으로 향할수록 두꺼워지는 경향을 보인다. 따라서 반듯하게 보이는 dorsum은 사실 rhinion에서 약간 융기되어 있으며 이러한 골격구조를 이해하는 것은 이상적인 nasal dorsum의 형태를 결정하는 데 중요하다. 즉 hump nose 교정 시, 피부 아래에 위치한 골부, 연골부를 일직선으로 만들면 술 후에 rhinion 부위가 낮아보일 수 있으므로 주의를 요한다(그림 34-31).

Nasal dorsum은 nasal bone과 upper lateral cartilage, cartilaginous septum으로 구성되는데, 비골은 maxilla의 frontal process와 측방으로 suture line을 형성한다. 비골의 caudal end는 upper lateral cartilage와 단단히 접하고 있으며 2~7 mm 정도 겹쳐져 있다. 또한 비중격 연골과 upper lateral cartilage는 분리되어 있지 않고 cartilaginous dorsum를 형성하며 하나의 single unit을 형성하는데 이는 두 연골이 발생학적으로 공통 기원에서 유래하였기 때문이다.

이러한 비골과 upper lateral cartilage, 비중격 연골

의 해부학적 형태 및 물리학적 결합은 nasal dorsum의 구조에서 가장 중요한 역할을 하며 이 부분을 keystone area라고 한다. nasal dorsum의 구조를 형성하고 안정성을 유지하는 데 있어 매우 중요한 역할을 하는 부분이며, 특히 hump를 제거하거나 medial osteotomy를 시행함에 있어 이 부분의 손상이 오지 않게 주의하여야 한다.

Nasal hump는 비근점과 비첨을 연장한 가상선보다 돌출된 부분을 일컫는데 hump nose의 형태 및 크기는 매우 다양하며 이를 명확히 하는 것은 수술의 계획 및 시행에 매우 중요하다. 흔히 연골성, 골성, 복합성 hump로 나누기도 하며 saddle nose deformity로 골부가 hump처럼 보이는 pseudohump도 있다.

2) 비혹의 원인

유전적인 요인과 외상이 원인으로 알려져 있으나 대부분 명확한 원인은 알려져 있지 않다. 코의 성장에서 소아기의 코높이는 주로 비골에 의존한다. 사춘기 직전부터 사춘기 동안에 코는 급격하게 변하는데 이는 주로 코 윤곽을 따라서 일어나는 흡수absorption와 침착deposition과, 상악골의 전방돌출에 의한 것이다. 그 다음, 코높이는 상악골의 전두돌기의 영향을 주로 받게되며, 비배에서 일어나는 변화는 특징적인 비봉으로서 비근에서 골 흡수가 일어나지만 rhinion에서는 골이 침착되어서 생긴다. 코의 성장은 비중격연골의 성장과 외측비연골이 통합하면서 결정되는데 한부분의 손상은 전체 코의 구조와 비배부 성장에 영향을 줄 수 있다.

3) 환자평가

가장 중요한 것은 술자가 환자 개개인에게 적합한 술식

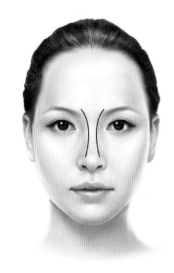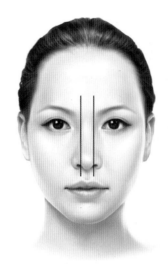

그림 34-32　정면사진에서 이상적인 비배선
(aesthetic line of nasal dorsum)

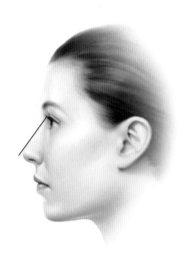

그림 34-33　측면사진에 이상적인 비배선
(aesthetic line of nasal dorsum)

을 적용하는가 하는 것이다. 이를 위해서 술자는 환자의 나이, 성별, 인종뿐 아니라 해부학적 변형 및 환자가 원하는 수술 결과를 모두 고려하여야 한다. 앞에서 보았을 때 dorsum의 외관은 일차적으로 dorsal aesthetic line에 의하여 결정되고, 이러한 line은 dorsal hump reduction 수술을 할 때 적절히 보존되어야 한다. Nasal dorsum의

aesthetic line은 supraorbital ridge에서 시작하여 내측으로 glabella 부위를 지나고, medial canthus의 위치에서 완만하게 꺾여 tip-defining point로 연결된다. Nasal dorsum의 aesthetic line의 폭은 interphiltral distance 혹은 tip-defining point의 폭과 비슷하고, bony dorsum의 폭은 alar base폭의 약 80% 가량인 것이 이상적이다

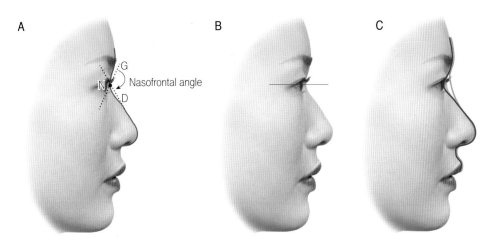

| 그림 34-34   비전두각(nasofrontal angle)의 위치와 임상적 중요성

(그림 34-32).

측면에서 보았을 때 여성에서의 dorsal line은 naso-frontal angle과 tip을 연결하는 선보다 약간 낮게 위치되는 오목한 형태를 갖는 것이 바람직하다. 남성에서는 약간 높게 위치되어야 한다(그림 34-33). 서양에서 nasofrontal angle은 남성에서 130도, 여성에서 134도 정도가 이상적으로 알려져 있다(그림 34-34).

측면사진에서 가장 중요하게 보아야 할 점은 nasal dorsum의 형태 및 특징이며, hump가 존재한다면 이것이 골성인지 연골성인지, 복합적인 문제인지를 확인해야 하며 nasal tip의 projection 및 rotation도 함께 평가해야 한다. 비근부위와 비등부위가 낮아 rhinion부위가 도드라져 보이는 pseudohump의 형태인지 확인해야 한다.

4) 수술방법

일반적으로 크기가 작고 단순한 hump nose가 있을 때는 endonasal approach가 선호되며 rasping만으로 해결되는 경우가 많다(그림 34-35). 하지만 더욱 복잡한

| 그림 34-35   작은 비혹(hump)의 경우 줄(rasp)을 이용하여 제거하는 것만으로 충분한 효과를 얻을 수 있다. 줄로 갈아냄(rasping)과 비첨수술 시행 전(**A**) 후(**B**) 모습

hump의 제거가 필요할 때는 external approach가 용이하다(그림 34-36).

Upper lateral cartilage와 비중격의 분리를 시행한다. 대개의 경우 blade를 이용하여 cartilaginous hump를 한번에 제거하지만 hump nose의 정도가 심하여 cartilaginous hump를 제거한 후 비강 내부가 노출될 가능

| 그림 34-36 Rubin 골도(osteotome)을 이용하여 골성 비혹 (hump) 제거 및 비첨성형술 시행 전(A)과 후(B)의 모습

성이 높은 경우 upper lateral cartilage를 비중격으로부터 분리한다. 분리 후 cartilaginous hump의 절제를 시행하는데 중심부의 비중격 부분의 hump를 먼저 날카로운 칼날을 이용하여 절제하는데 이때 한 번에 절제하는 것 보다 점진적으로 절제의 양을 증가시키도록 한다. 이후 upper lateral cartilage를 조작하게 되며 이때 연골의 절제를 최소화하는 것이 이후 발생할 수 있는 inverted v-deformity나 불규칙한 dorsum을 예방할 수 있는 방법이다. Cartilaginous hump를 절제한 이후 비골의

caudal part에 접근하게 되는데 가능하면 en-bloc 형태로 bony-hump를 절제하는 것이 좋다. 특이 3 mm 이상의 비교적 큰 hump의 경우에는 osteotome을 이용하여 제거하게 되고 이후 남는 골성 hump는 rasp를 이용하여 조금씩 제거하고 촉지하여 overcorrection을 예방한다. Isolated hump가 있을 때는 cartilaginous hump는 blade로 깎은 다음에 osteotomy 없이 rasping하는 것이 더 쉬운 방법이다. Hump 절제를 시행할 때마다 직접 촉진을 시행하여야 하며 이후 필요에 따라 osteotomy, suture technique, spreader graft 등을 보조적으로 시행하게 된다.

Dorsal hump reduction에서 hump를 제거하면 open roof deformity가 생기고 이것의 교정에 osteotomy가 필요하다. Medial osteotomy는 적당한 높이에서 back fracture가 되는 것을 유도하기 위해 시행하며 제거된 hump의 양이 적을 때, 또는 코의 측벽이 두껍고 강할 때 필요하다(그림 34-37).

하지만 osteotomy는 코성형술식 중에서 가장 침습적이며 직접시야하에서 시행되지 않으므로 술자의 경험과 기술에 의존하여 시행하게 된다. 일반적으로 수술 중 발생하는 부종이나 출혈을 최소화하기 위해 osteotomy는 수술의 마지막에 시행하는 것이 좋다고 알려져 있으나 경우에 따라 수술 중간에 하기도 한다.

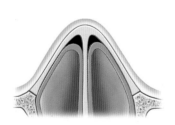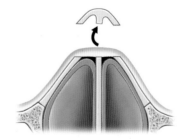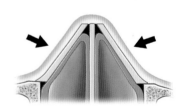

| 그림 34-37 비혹(hump) 제거 후 열린지붕변형(open roof deformity)을 교정하기 위해 내측절골술(medial osteotomy) 시행

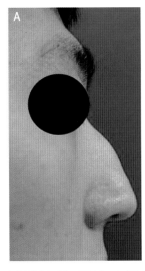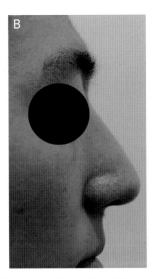

| **그림 34-38** 비혹(hump)을 제거하여도 비근부위와 비첨이 낮은 경우는 미용적 효과를 얻기 힘들다. 이러한 경우는 비근부위와 비첨부위 융비술을 함께 시행하여 미용적 개선을 얻을 수 있다. A. 시술 전. B. 시술 후

비첨부위와 비근부위가 낮아 hump처럼 보이는 pseudohump의 경우 hump 절제술보다는 비첨부위와 비근부에 융비술을 시행하여 교정할 수 있으며 hump를 제거하여도 비첨이나 비등이 낮은 경우 미용적 효과를 얻기 힘든 경우가 많다. 이러한 경우는 비첨성형술과 융비술 등을 함께하면 좋은 결과를 얻을 수 있다(그림 34-38).

5) 합병증

Hump reduction 후 올 수 있는 대표적인 합병증으로는 undercorrection, overcorrection, inverted-V deformity, dorsal irregularity 등이 있다. 가장 흔히 발생할 수 있는 합병증이 undercorrection이며 제거해야 할 hump의 양을 적절히 파악하지 못하여 발생하는 것이 가장 많다. 또한 동반되어 시행되는 dorsal augmentation과 tip surgery가 부적절하게 행해지는 것도 원인

이 될 수 있다. 반면 hump를 지나치게 절제하면 오히려 saddle nose가 발생할 수 있고, 심한 경우는 inverted-V deformity까지도 올 수 있다. 또한 open roof deformity를 교정하기 위해 osteotomy를 시행한 경우 internal nasal valve의 협착이나 deviated nose 등의 문제도 발생할 수 있다.

Inverted-V deformity는 upper lateral cartilage가 구성하는 cartilaginous dorsum과 bony dorsum이 분리되면서 생기는 shadow 형태의 변형을 일컫는다. Hump를 과도하게 절제하면 비골과 upper lateral cartilage의 결합의 약화를 초래하게 되고 upper lateral cartilage가 하내방으로 전위되면서 inverted-V deformity가 올 수 있다. 이러한 변형을 방지하기 위해서 upper lateral cartilage의 transverse component를 보존하고, 필요시 spreader graft나 auto-spreader graft를 적용한다.

수술 중에는 rasping 후에 모든 뼈조각들을 irrigation을 통하여 제거해야 하며 얇은 피부를 가진 환자에서는 수술 후 표면의 불규칙함이 나타날 수 있으며 spreader graft나 골절면이 dorsum에서 노출되는 경우도 종종 발생한다. Gore-tex, fascia 등으로 덮어줌으로써 예방할 수 있다. 또한 polly beak deformity도 수술 후에 흔히 발생되는 합병증이다.

6) 문제점

술 후 만족할만한 결과를 얻지 못하는 이유는 여러 가지가 있다. 환자들은 불충분한 절제의 결과를 과다한 절제보다는 더 쉽게 받아들이는 경향이 있다. 또한 불충분한 절제의 해결을 위한 재수술도 과다한 절제로 인한 재수술 보다는 쉽게 시행할 수 있다. 이렇듯 과다한 절제에 의하여 전체 코가 주저앉은 결과가 나타나면 미용적으로 더 흉할 뿐 아니라 코의 재건을 위한 재수술이 어려

워진다. 그러므로 dorsal hump reduction 수술 시에는 보전적인 자세가 요구된다.

3. 융비술

서양인과는 달리 동양인의 코는 넓고, 상대적으로 평평한 비배dorsum가 특징이고, alar flaring과 columellar retraction를 동반한 wide lobule을 보인다. 개인 간 격차가 크지만 대체적으로 lobular skin이 두껍고 많은 양의 피하 fibrofatty 조직을 지니고 있으며 대개 tip projection은 되어있지 않다. Augmentation의 미용적 목표는 강하고 부드러운 비배가 비근nasion에서 오똑한 origin을 만들면서 nasal profile에서 어색하지 않은 모양을 만드는 것이다. 이상적으로, lobule은 부드럽고 섬세해야 되고, 확실한 columellar show와 oblique anteroposterior 모양을 갖추어야 한다. 환자의 측면상을 관찰할 때, 적절한 nasofrontal angle과 nasofacial angle을 갖는 것은 멋있는 코가 갖추어야 할 중요한 조건 중 하나이다. 다양

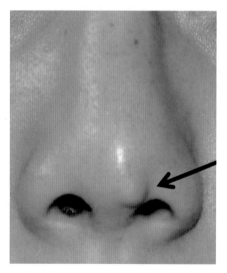

| 그림 34-39 Silicone implant가 아래로 이동해 돌출되어 있다.

한 재료들이 augmentation에 사용되어 왔지만 아직까지 완전히 적합한 이상적인 물질은 알려져 있지 않다. 가장 이상적인 물질로는 autologous cartilage 및 autologous bone이지만 충분한 양을 채취하기가 어렵고 연골 채취를 위해 부가적인 수술이 필요하며 흡수가 된다는 단점이 있다. Alloplastic implant로 Gore-Tex와 silicone이 가장 많이 dorsal augmentation에 이용되고 있다.

1) 재료

재료는 크게 자가조직autologous tissue과 인공삽입물implant이 있다. 일반적으로 자가조직이 더 좋다고 알려져 있으나, 피부와 피하조직이 두껍고, 연골이 작고 약한 동양인 코의 특성 때문에 인공삽입물도 선택적으로 잘 사용한다면 좋은 효과를 거둘 수 있다.

(1) Silicone

안정된 구조로 조직반응을 적게 일으키고 조작이 편하며 어느 정도 안전성이 확보되어 있다는 점에서 오랫동안 사용되고 있는 보편적인 alloplastic implant이지만 implant주위로 섬유조직으로 된 capsule을 형성하여 implant가 비치거나 삐뚤어질 수 있으며 언제든지 감염 또는 extrusion 위험이 있다(그림 34-39). 또 주변 결합조직이 silicone 내로 자라 들어가지 못해 움직일 수 있다는 단점이 있다. 따라서 silicone implant를 사용할 때는 비골의 골막하로 박리하여 이식물을 위치시킨다.

(2) Gore-tex

Silicone 다음으로 가장 많이 사용되고 있는 alloplastic implant로 조직반응을 적게 일으키며, 부드러운 촉감으로(그림 34-40) 환자에게 부자연스러움이 적고, silicone에 비해 extrusion할 위험이 적다. 또 pore 내로 결합 조

│ 그림 34-40　고어텍스(Gore-tex)

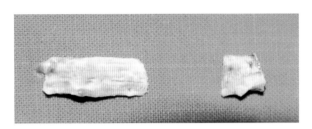

│ 그림 34-41　고어텍스(Gore-tex)는 제거가 잘 되지 않아 부분적으로 남아있을 수 있다. 사진은 1년 넘도록 염증을 유발한 Gore-tex를 전산화단층촬영을 통해 확인 후 제거한 모습이다.

직이 자라 들어가 삽입 후 안정감이 높고 피막을 형성하지 않아 silicone에 비해 드러남이 적다. 하지만 가격이 비싸고, silicone에 비해 제거가 어려우며(그림 34-41), 끝 부분이 구겨지는 경우가 있다는 단점이 있다. 지연성 감염이 발생할 수 있으므로 Gore-tex 삽입 전 항생제 용액이 Gore-tex 안으로 들어가도록 담가두는 것이 좋으며 시술 후 피부를 통한 고정은 감염을 유발할 수 있으므로 시행하지 않는 것이 좋다.

(3) 자가조직 Autologous tissue

Autologous tissue로는 septal cartilage, conchal cartilage, costal cartilage, dermis-fat 등이 있다. Septal cartilage는 septal deviation과 같은 기능적인 면의 개선 수술을 함께 할 수 있고, 수술시야에서 쉽게 접근하여 채취할 수 있으며 다양한 용도로 사용이 가능하고 흡수율이 낮고 변형이 잘 되지 않지만, 많은 augmentation

이 필요한 경우에는 부족한 경우가 많으며 saddle nose가 발생할 수 있다는 단점이 있다.

Conchal cartilage는 비교적 많은 양의 채취가 가능하고 Composite graft로 이용이 가능하나 바가지 모양을 하고 있어 straight 모양이 필요한 부위에서는 사용이 불편하며 비배nasal dorsum에 사용하기 어렵다. 또 채취 시 수술시야가 달라 불편하며 채취 부위의 변형 및 감각이상이 생길 수 있고 nasal tip 부위 외 사용 시 가공이 어렵다는 단점이 있다.

Costal cartilage는 많은 양을 채취할 수 있고 다양하게 가공하기가 편리하며 생존율이 높고 흡수율이 비교적 적다. 기존의 수술 시 사용한 artificial implant의 염증 반응이나 구축 등이 발생한 경우에 사용할 수 있으며 염증에 강하고 흡수율이 비교적 적다. 하지만 수술 후 휘어짐이 가장 큰 문제이며 채취, 가공하는 데 시간이 걸린다는 단점이 있다.

Dermis-fat은 채취하기 쉽고 다양하게 활용할 수 있으며 생존율이 높고 흡수율이 적지만 서혜부나 둔부에서 채취 시 수술시야가 달라 수술 및 수술 후 상처 소독 등이 불편하며 흡수율을 예측하기 힘들다는 단점이 있다.

2) 수술방법

비배와 비근 사이의 정중선에서 골막 하부층을 찾아

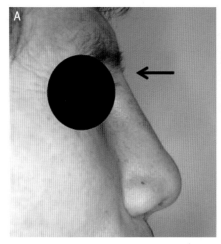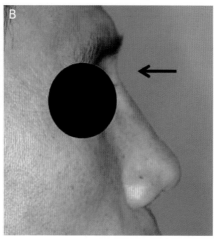

그림 34-42 비근점 위 부위까지 과도한 이식물을 삽입하여 사자코(lion nose) 형태를 초래(A), 이식물을 제거하고 근막을 이용하여 정확한 부위에 이식물을 위치하게 한 후의 모습(B)이다.

Joseph 거상기로써 작은 터널을 만든 다음, 수용부를 박리하되, 광범위한 외측 박리를 피한다. Aufricht견인기를 사용하여 비배 피부를 올린다음, 조각된 이식물을 넣는다. 이때 이식물의 위아래 끝단이 정중선에서 벗어나지 않는지 잘 확인한다. 정중선에 맞추기 위해 이식물에 부착된 봉합침을 비배피부 아래로 넣어서 비근점을 통하여 밖으로 빼냄으로써 바로 보면서 이식물을 수용부로 인도한 뒤 봉합사를 당겨서 이식물을 제자리에 위치시키기도 한다. 이식물의 위치는 위쪽에서는 비근점 또는 올리고자 하는 부위부터 아래쪽으로는 상외측비연골에 위치하게 하며 비첨부까지 확장되어서는 안 된다. 비첨부까지 alloplatic material로 융비술을 시행하는 경우, 이탈, 감염, 시간이 지남에 따라 비첨부의 caudal rotation, 미용적 불균형을 초래할 수 있다(그림 34-42).

　절개방법에는 여러 가지 방법이 있지만 궁극적으로 절개방법의 선택은 삽입물을 정확히 포켓에 넣을 수 있고 거상된 피판이 긴장 없이 제 위치에 올 수 있어야 한다. 삽입물이 작은 경우에는 연골간절개, 연골절개 혹은 비익연절개 등과 같은 비내접근법, 삽입물이 크거나 좀 더 정확한 포켓을 만들기 위해서는 정중비주절개 같은 개방성 접근법이 좋다. 절개창 피부는 삽입물 변위와 혈종을 예방하기 위하여 비첨부와 비배부를 반창고로 고정한다.

　Gore-tex sheet는 경도가 약하고 부드럽기 때문에 silicone과는 달리 삽입 시 접히지 않게 주의해야 한다. 특히 비내접근법 시에는 삽입공간이 적어 접히기 쉬우며 코안의 피부와 닿아 감염의 위험이 있으므로 주의한다. 또 비강 내 삽입하는 방법은 크게 두 가지로 나누어 볼 수 있는데 수술자의 취향에 맞게 어느 방법을 선택하더라도 큰 문제는 없다. 다만 삽입 후에 항상 비배를 손가락으로 만져 보면서 접힌 곳이 없는가를 확인하고 elevator를 이용하여 바로 펴주는 것을 잊지 말아야 한다(그림 34-43).

4. 비첨성형술 Nasal tip surgery

1) 해부학(비첨의 지지구조)

비첨성형술을 시행하기에 앞서 해부학적으로 반드시 인지하고 있어야 할 세 개의 각crus을 정확히 이해하는 것이 매우 중요하다. 비익연골alar cartilage은 내측 각medial

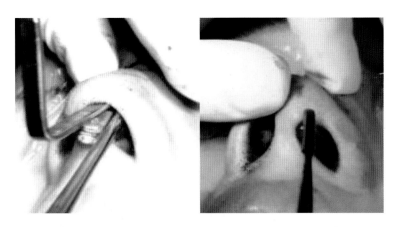

| 그림 34-43　비내접근법을 통한 고어텍스
(Gore-tex) sheet 삽입
삽입 후에 비배를 손가락으로 촉지하여 접힌 곳이 없
는가를 확인한다.

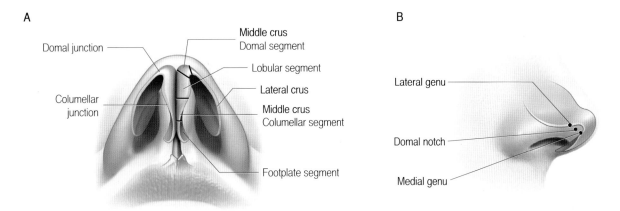

A

Domal junction

Columellar
junction

Middle crus
Domal segment

Lobular segment

Lateral crus

Middle crus
Columellar segment

Footplate segment

B

Lateral genu

Domal notch

Medial genu

| 그림 34-44　비익연골은 내측각(medial crus), 중간각(middle crus), 그리고 외측각(lateral crus) 세 가지로 구성되어 있으며, 이러한
모든 각은 미학적으로 중요한 뚜렷한 접합부를 가진 두 개의 분절(segment)로 구성되어 있다.

crus, 중간각middle crus, 그리고 외측각lateral crus 세 가지
로 구성되어 있으며, 이러한 모든 각은 미학적으로 중요
한 뚜렷한 접합부를 가진 두 개의 분절segment로 구성되
어 있다(그림 34-44). 이들은 피부 및 연조직에 둘러싸
여 두께를 형성하는데, 이에 따라 비첨부의 최종형태가
결정되어진다. 이렇게 연결된 지지구조를 외측각 복합
체라 하며 비중격과는 현수인대를 통하여 연결되고 외
측 비연골과 이상구는 직접 또는 섬유조직에 의해 연결
되어 보강되어진다. 내측각은 비주columella의 주된 성

분으로 탄성결합조직에 의해 비중격 미측연과 연결되
어 있는데 이는 비첨융기에 직접 관여하며 비첨이 내려
앉는 상태를 방지한다. 아울러 비주는 미측의 족판분절
footplate segment과 두측의 비주분절columellar segment로
세분된다. 비첨 지지구조의 강도는 비첨성형술에 중요한
요소가 되는데 이는 술 전 비첨의 탄성력으로 짐작할 수
있는데 비첨부를 강하게 눌러서 회복되는 정도와 저항
력으로 평가하여 탄성력이 약한 경우 비첨 지지구조의
과다한 절제를 피해야 하며 때로는 보강이 필요하다.

2) 기본개념

비첨수술은 비성형술에서 개인의견과 수술법이 가장 다양한 분야이다. 달리 말해 하나의 객관적인 이론이나 술기보다는 여러 경험과 아이디어에 의해 새로운 술식을 개발할 수 있는 미지의 분야이기도 하다. 그러나 기본원리 및 생리학적인 측면을 너무 자의적으로 만들어도 바람직하지 못한데 이와 같은 실수를 가능한 한 배제하기 위해서는 해부학적anatomy, 미학aesthetics, 그리고 분석analysis의 상호관계에 대한 깊은 토론 및 연구가 필요하다. 총 여섯 가지의 비첨 특징 즉, 용적volume, 폭width, 뚜렷한 윤곽definition, 돌출projection, 회전rotation, 그리고 위치position는 아래 구조인 해부학과 바깥의 표현인 표면 미학과 관계가 있다(그림 34-45).

(1) 용적 Volume

Lateral crus의 크기, 길이, 폭, 모양과 관련이 있다.

(2) 폭 Width

Interdomal distance와 tip 연부 조직의 두께, tip cartilage의 volume과 bulkiness와 관련된 것으로, 정면 사진에서 두개의 tip defining point사이의 거리를 나타낸다.

(3) 뚜렷한 윤곽 Definition

Nasal tip의 detail, refinement, angularity의 정도를 나타내는 것으로 인접한 domal segment와 오목한 lateral crus의 관계에 의해 결정된다.

(4) 돌출 Projection

Tip의 높이를 표현하는 것으로 alar crease에 접한 verti-

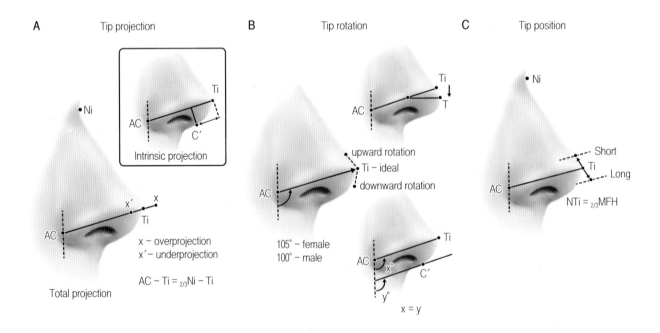

┃ 그림 34-45 비첨 특징 중 용적(volume), 폭(width), 뚜렷한 윤곽(definition), 돌출(projection), 회전(rotation), 그리고 위치(position)는 표면 미학과 관계가 있다.

cal facial plane에서 tip까지의 거리이다. 이상적인 돌출은 dorsal length 2/3이며 이상적인 dorsal length는 midface의 height의 2/3로 인정된다.

(5) 회전 Rotation

Tip이 들려있는지, 아니면 아래로 처져있는지를 표현하는 용어로 tip angle로서 쉽게 정의되는데, alar crease에 접한 vertical facial plane과 tip 연결선의 각도로써 계측한다.

(6) 위치 Position

Dorsal line을 따라 tip이 위치하는 것을 말한다(그림 34-46).

Anderson은 비첨성형술의 기본원리를 삼각이론으로 설명하였는데 내측각과 양쪽 외측각을 세 개의 다리로 보고 하나의 다리를 자르면 그 방향으로 비첨의 회전이 일어난다는 것이다. 하부 쪽 다리를 절제 시 비첨은 저하되고 후방 이동할 것이며, 상부다리의 절제 시 비첨융기가 증가하고 비첨이 두측방향으로 회전하게 될 것이다. 만약 하부쪽 다리를 plumping graft로 연장시킬 경우 비첨은 상방향으로 향할 것이며, 여기에 상부 다리의 절제를 더하면 이런 비첨융기와 회전을 더욱 증가시킬 것이다. 많은 요인들이 작용하지만 삼각이론은 기본적인 비첨성형의 원리를 이해하는 데 도움이 될 뿐 절대적인 이론은 아니며 특히 연골의 강도가 약하고 fibrofatty층이 두꺼운 동양인에게서는 단지 참고만 하는 것이 좋을 듯하다. 아울러 비첨성형술에는 많은 술식이 있어 단독으로 사용하기보다 다양한 술식을 동시에 사용함으로써 최적의 비첨성형술을 시행할 수 있다. 또한 사용 되어지는 재료에 대한 충분한 이해와 여러 수술적 technique을 익히고 발전시키는 것이 중요하다.

3) 목적

일반적으로 처지거나 낮은 비첨보다는 오뚝하고 약간 들려진 코가 자신감 있고 아름다워 보인다. 또한 tip surgery 시행 시 tip support가 손상되지 않도록 해야 하며, 수술 후 손상이 되었다면 적절한 복원을 통해 support를 교정해야 한다. 따라서 support를 교정해주거나, 비첨을 올리고 들어주거나, 뭉툭한 코의 미용 등을 위해서 행해지며, 주로 비익연골에 대한 해부학적 특성을 바탕으로 정교하게 계획하여 시행해야 한다.

4) 수술적 접근방법

비첨성형술을 위한 접근방법은 외비변형의 종류, 수술의의 경험 및 선호도에 따라 결정된다. 일반적으로 심한 변형이 없어 많은 교정을 필요로 하지 않는 환자들에게 이루어지는 endonasal (closed) approach와 심한 변형이 있거나 두꺼운 피부로 인해 교정이 많이 필요한 환자에게 사용되는 external (open) approach로 나누어 진다. 그러나 어떠한 deformity에 특정 approach를 사용해야 한다는 원칙은 없으며 술자의 경험과 기술에 따라 안정적으로 tip deformity를 해결 가능한 가장 간단한 approach를 사용하는 것이 좋다.

(1) Closed approach

Nondelivery approach transcartilaginous, retrograde eversion와 cartilage delivery technique, marginal incision을 이용한 wide exposure 등이 포함된다(그림 34-47).

① Nondelivery technique
(cartilage splitting technique)
Nondelivery 기법은 비내접근법의 하나로 비익연골에

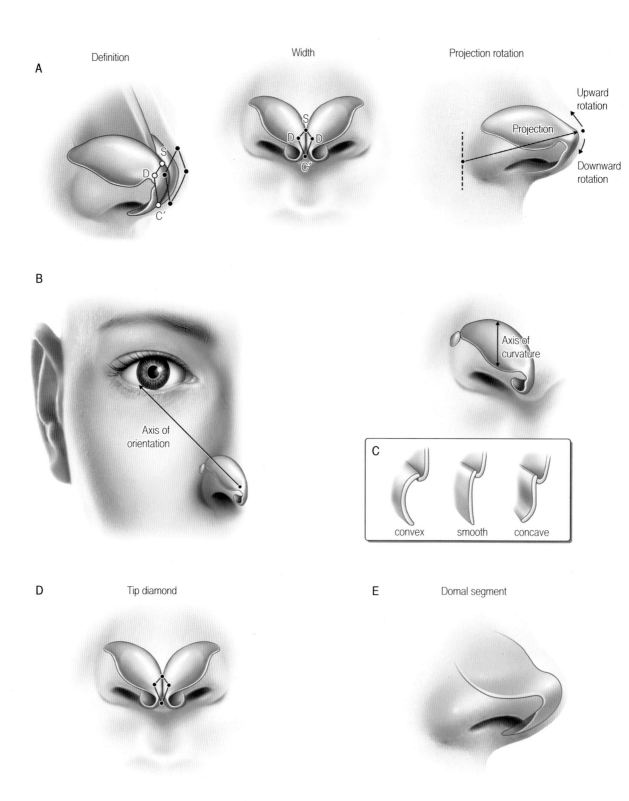

| 그림 34-46   비첨의 뚜렷한 윤곽(definition), 폭(width), 돌출(projection), 회전(rotation) 등을 보여준다.

| 그림 34-47 비내접근법(closed approach)
Nondelivery 접근법과 연골 delivery 기법(cartilage delivery technique), 경계절개(marginal incision)를 이용한 광범위 노출(wide exposure) 등이 포함된다.

대한 연골간절개만으로 비익연골을 그 자리에 둔 채로 조작하는 것을 말한다. 비교적 간단하지만 시야가 좋지 않으므로 대칭성을 유지하며 조작을 한다는 것이 어렵다. 따라서 이러한 비익연골의 조작은 가벼운 정도의 변형이 있는 비첨성형술에만 사용할 수 있다.

(2) Open approach

Marginal incision과 transcolumellar incision을 연결하고 flap을 들어올리는 접근법으로 수술 시야가 넓어 연골간의 관계파악 및 tip deformity의 평가를 하는데에 장점을 가지고 있다. 그러나 transcolumellar incision으로 scar가 생길 수 있고, tip 부위의 dissection에 의하여 2차적으로 부종 및 위축이 나타날 가능성이 있으며 수술 시간이 길고 술 중 변화를 정확히 평가하기 어렵다는 단점이 있다.

5) 비첨성형을 위한 술식

(1) 비첨성형술을 위한 비첨의 조작방법

비첨성형을 위하여 행해지는 여러 가지 술식의 목적과 예측되는 결과를 완전히 이해하여야 다양한 외비변형에 접했을 때 이를 극복할 수 있다. 비첨성형술은 여러 가지 목적이 있으나 기본적인 목적은 크게 비첨융기와 비첨회전이라고 말할 수 있다. 비첨성형을 위하여 이용되어지는 기본 술식들은 다음과 같다.

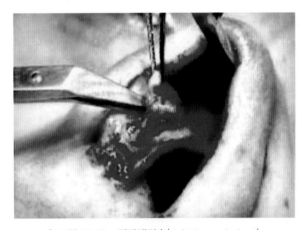

| 그림 34-48 지방제거술(defatting technique)
하외측연골(lower lateral cartilage) 위의 피판(flap)을 들 때 적당량의 섬유지방조직(fibrofatty tissue)을 붙인 상태에서 박리하고 후에 하외측연골의 연골막 위쪽으로(supraperichondrial plane) 박리(dissection)하여 과다한 연조직을 제거하는 방법

① Defatting

External approach로 환자의 tip을 노출시킨 뒤 피부 flap을 박리할 때 lower lateral cartilage위의 flap을 들 때 적당량의 fibrofatty tissue를 붙인 상태에서 박리하고(그림 34-48), 후에 lower lateral cartilage의 supraperichondrial dissection을 시행하는 방법으로 defatting 할 수 있다(그림 34-49). 그러나 이 술식은 심각한 피부 결손의 가능성이 있으므로 매우 조심스럽게 행해져야 한다. 또한 본 술식이 요구되는 환자들은 bulbous nose를 지니고 있는 상태로 대부분에서 lower lateral cartilage 의 발달이 매우 빈약하기 때문에 transdomal suture, interdomal suture, columellar strut, onlay grafting 등을 추가하여 tip projection을 개선시켜야 한다.

② 연골절제 Cartilage excision

i) 비익연골의 외측각 두측부절제

Cephalic resection of alar cartilage

상방향 회전의 가장 기본적인 방법으로 비익연골의 상측을 절제함으로써 상방향 억제의 가장 큰 요소인 외측비연골과의 부착을 끊어 상흔조직의 수축에 의하여 장기적으로 상방향 회전을 유도하게 된다. 그러나 조직의 수축에 의한 회전 정도를 예측하기 어렵고 동양인에서 실제로 발생하는지 검증된

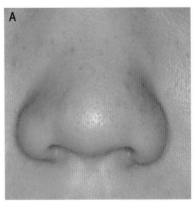
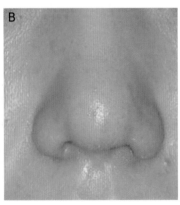

| 그림 34-49 지방제거(defatting) 후 비첨성형술을 함께 시행하여 뭉툭코(bulbous nose)의 교정과 함께 코폭이 줄어든 모습이다.
A. 수술 전. **B.** 수술 후

바는 없으므로 이를 과신하는 것은 바람직하지 않다. 오히려 일정량 연골 절제 후 이를 원하는 위치에 봉합하여 고정하는 방법을 더 많이 사용하는 추세이다. 이론상 많이 절제할수록 커다란 회전을 얻을 수 있으나 너무 많이 절제하면 지지구조의 소실로 비강이나 비첨모양의 변화와 비폐색 등이 올 수 있으므로 5~10 mm의 비익연골은 남겨두어야 한다. 비익연골의 연속성은 유지되므로 이러한 방법을 complete strip technique이라고 한다.

ii) 비익연골의 내측각 overlay Medial crural overlay

Tip의 비대칭이 있거나 overprojection이 있을 시 medial crus를 vestibular skin으로부터 분리하여 incision을 행하고 원하는 만큼 중첩시키는 방법으로 이는 한쪽만 행하는 것도 가능하다.

iii) 비익연골의 외측각 overlay Lateral crural overlay

Alar cartilage의 비대칭이 있거나 tip ptosis가 있을 때 lateral crus를 내측 점막으로부터 박리 후 특정부분에 incision을 가하고 중첩시키는 방법이다(그림 34-50).

③ 봉합술기 Suture technique

i) 비첨정점 봉합술 Transdomal suture

가장 보편적으로 사용되는 봉합술로 tip의 width가 넓은 환자에서 이를 줄이기 위해 사용된다. 필요한 경우 양측 dome에 각각 다른 width와 형태의 봉합을 시행하여 symmetry를 형성해줄 수 있으나 지나치게 조이게 되면 tip이 과도하게 뾰족해질 수 있어 주의해야 한다. 주로 연골의 심한 비대칭, 과도하게 회전된 nasal tip, 좁고 쉽게 휘어지는 lower lateral

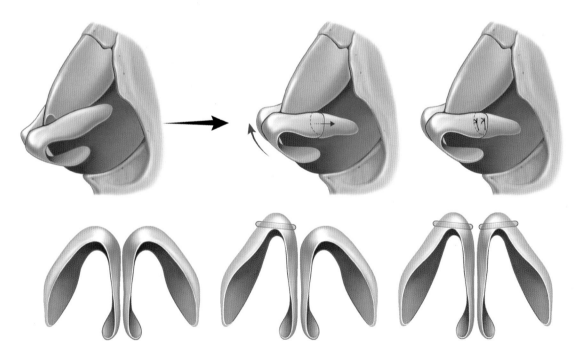

| 그림 **34-50** 비익연골의 외측각 overlay
비익연골의 비대칭이 있거나 비첨 처짐(tip ptosis)이 있을 때 외측각을 내측 점막으로부터 박리 후 특정부분에 절개를 가하고 중첩시킨 후 봉합을 시행하여 교정하는 방법

cartilage를 보이는 경우에는 시술하지 않는 것이 좋다.

ii) 비익연골간 봉합술 Interdomal suture

Middle crus에서 interdomal area에 단순수직단속봉합을 행하는 것으로 봉합사를 조일수록 inter-domal 간격이 좁아지므로 적당한 조임을 통해 자연스러운 벌어짐을 잃지 않도록 해야 한다(그림 34-51).

iii) 외측각 steal 봉합술 Lateral crural steal suture

많은 정도의 tip projection이 필요할 때 cartilage 아래쪽의 vestibular skin을 연골과 박리한 후 봉합

을 크게 떠서 인접하는 연골부분이 많아지도록 하는 봉합술이다. 먼저 lateral crus를 middle crus의 lobular segment에 봉합을 한 후 tip을 가로질러 반대측으로 horizontal mattress봉합으로 시행한다. 이는 tip projection과 rotation을 개선시키는 효과가 있다(그림 34-52).

iv) 각간봉합술 Intercrural suture

이 봉합술은 tip support가 약하거나 넓은 collumellar strut, middle crura 사이의 큰 angle의 벌어짐이 있는 환자에게 유용한 방법으로써 medial crura에서 dome사이에 simple vertical interrupted suture를 위치시키는 것으로 행해질 수 있다(그

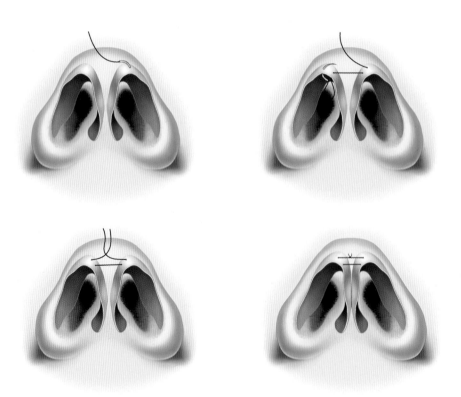

| 그림 34-51 비익연골간 봉합술

중간각(middle crus)에서 비익연골부위(interdormal area)에 단순수직단속봉합을 시행하여 비익연골간(interdormal) 간격이 좁아지도록 하는 술식

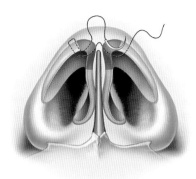 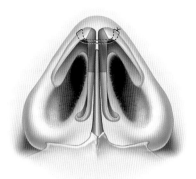

▎ 그림 34-52 외측각 steal 봉합술

외측각(lateral crus)을 중간각(middle crus)의 비소엽부위(lobular segment)에 봉합을 한 후 비첨(tip)을 가로질러 반대측으로 수평 매트리스 (horizontal mattress) 봉합으로 시행한다. 이는 비첨 융기(tip projection)와 회전(rotation)을 개선시키는 효과가 있다.

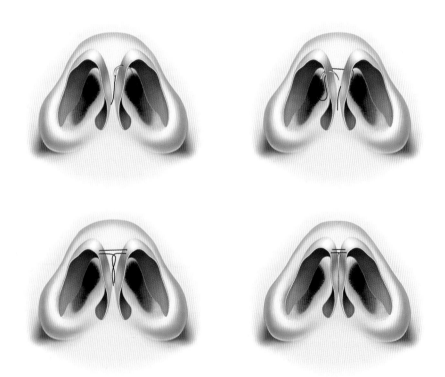

▎ 그림 34-53 각간봉합술(intercrural suture)

내측각(medial crura)에서 둥근천장(dome) 사이에 단순수직단속봉합(simple vertical interrupted suture)을 위치시켜 중간각(middle crura) 사이 의 큰 각도(angle)의 폭을 줄일 수 있다.

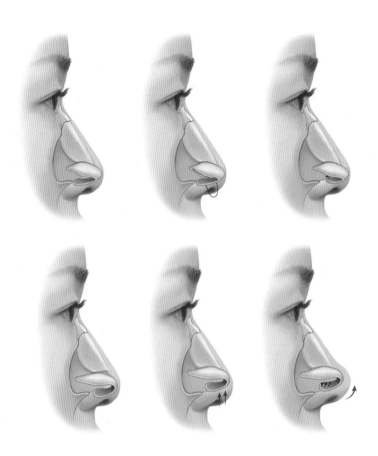

| 그림 34-54 내측각-중격 봉합술(medial crural-septal suture)

내측각발판(medial crural foot plate)을 지나 비중격(septum)의 앞쪽미부 비중격(anterocaudal septum)을 관통하여 연결하는 술식으로 비첨 융기(tip projection)가 증가하고 두측 회전(cephalic rotation)이 되며 비주(columella)와 비공(nostil)이 연장된다.

림 34-53).

v) 내측각-중격 봉합술 Medial crural-septal suture

주로 underprojected tip과 short columella를 가진 환자에게 유용한 방법으로써 5-0 Nylon suture로 medial crural foot plate를 지나 gentle하게 tie한 뒤 같은 바늘로 septum의 anterocaudal septum을 관통하여 연결하는 것이다. Tip projection이 증가하고 cephalic tip rotation이 되며 columella와 nostril이 연장된다(그림 34-54).

vi) 외측각 spanning 봉합술

Lateral crura spanning suture

Lateral crus의 모양, 특히나 볼록함을 줄이기 위해 고안된 방법으로써 봉합 needle을 양측 lateral crus를 가로질러서 위치시킨 후 수평석상봉합술을 행하고 점층적으로 조여서 행할 수 있다. 이 수술은 대단히 강력한 봉합술로 alar base의 margin에 notching을 남길 수 있으므로 주의해야 한다(그림 34-55).

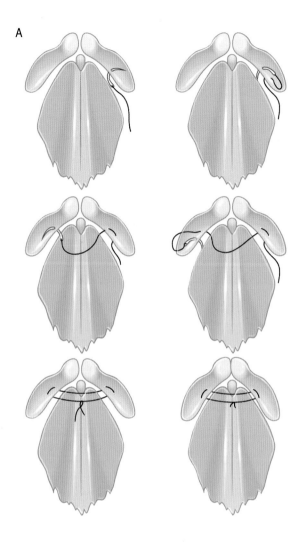

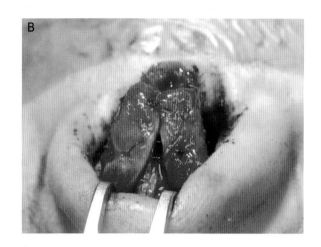

그림 34-55 하외측연골(lower lateral cartilage) 두측 절제(cephalic resection)과 외측각 spanning 봉합(lateral crural spanning suture)를 시행한 모습

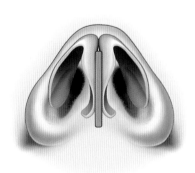

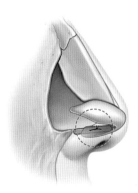

그림 34-56 비주 지주(columellar strut)
비주 지주는 비축주부위에 수직절개나 비외접 근법을 이용하여 내측각 사이에 삽입한다. 비주 지주의 봉합 전 25 gauge 바늘로 정확한 위치에 고정 후 봉합하여 대칭성을 유지하게 한다.

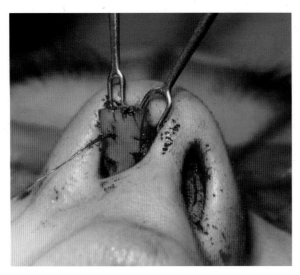

그림 34-57   비내접근법으로 방패이식(shield graft)을 시행하는 모습

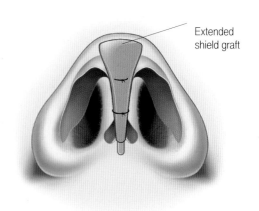

Extended
shield graft

그림 34-58   확장 방패 이식술(Extended shield graft)
비첨 지지(tip support)와 비첨 윤곽(tip definition)을 개선시키는
효과가 있다.

④ 비첨 연골이식술 Cartilage graft on the tip

i)   비주 지주 Columellar strut

비주 지주는 비축주부위에 수직절개나 비외접근법을 이용하여 내측각 사이에 삽입한다. 전비극에 직접 닿지 않아도 상당한 비첨 융기 효과를 나타내며, 특히 더 높은 비첨융기를 얻기 위해 이 지주 위에 shield나 onlay이식 등을 할 경우 단단한 버팀목으로 작용할 수 있다. 비중격연골이 가장 좋은 재료이나 늑연골이나 이개연골도 사용될 수 있다. 강력한 비첨융기를 원할 때는 폭 3~5 mm로 전비극에서부터 받쳐주고 봉합한다. 비주 지주의 봉합 전 25 gauge 바늘로 정확한 위치에 고정 후 봉합하여 대칭성을 유지하게 한다(그림 34-56).

ii)   Shield 이식술 Shield graft

가장 흔하게 사용되어지는 비첨융기술의 하나이다. Shield를 만들기 위해 비중격연골이 가장 좋은 재료이나 다른 연골을 사용할 수 있다. 은행잎 모양으로 조각하여 양쪽 끝이 비첨 한정점을 나타낼 수 있도록 상부는 6~8 mm 정도의 축을 갖는 것이 좋다(그림 34-57). 경계부위는 경사지게 하여 술 후 부드러운 선을 갖도록 한다. 길이가 길면 비첨융기는 물론 코 전체의 길이를 늘릴 수 있으며 길이가 짧은 경우 비첨융기와 함께 뒤로 젖혀질 가능성이 있으므로 비첨의 상방향 회전이 커질 수 있다. 수술 전의 비첨보다 1~3 mm 올려줄 수 있는데 더 높여야 되거나 연골이 약한 경우 뒤쪽에 연골 조각으로 보강해 주는 것이 필요하다.

iii)   확장 Shield 이식술 Extended shield graft

전방으로는 dome 위로 돌출되고 아래쪽으로는 medial crural footplate 근처까지 연장되는 긴 graft로써 tip support와 tip definition을 개선시키는 효과가 있다(그림 34-58).

iv)   Tip onlay graft

Tip의 dome에 수평으로 놓여지는 한 겹 또는 여러 겹의 graft로써 graft의 폭이 높이보다 큰 hori-

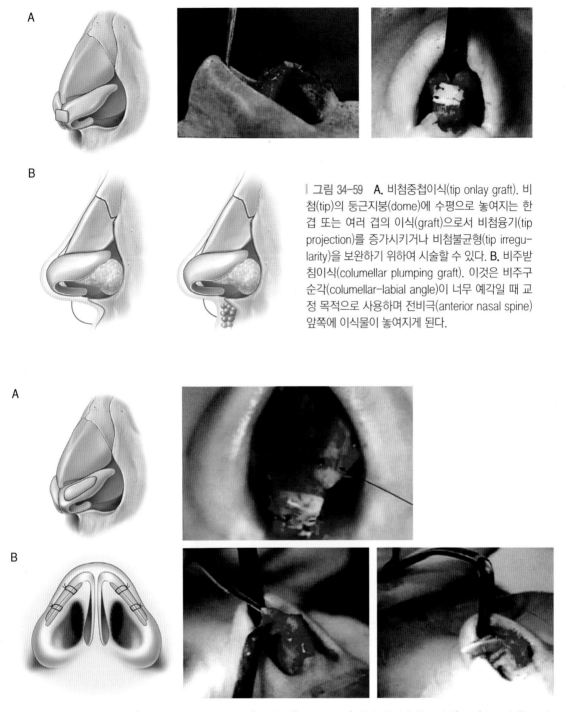

그림 34-59 **A.** 비첨중첩이식(tip onlay graft). 비첨(tip)의 둥근지붕(dome)에 수평으로 놓여지는 한 겹 또는 여러 겹의 이식(graft)으로서 비첨융기(tip projection)를 증가시키거나 비첨불균형(tip irregularity)을 보완하기 위하여 시술할 수 있다. **B.** 비주받침이식(columellar plumping graft). 이것은 비주구순각(columellar-labial angle)이 너무 예각일 때 교정 목적으로 사용하며 전비극(anterior nasal spine) 앞쪽에 이식물이 놓여지게 된다.

그림 34-60 **A.** 외측각중첩이식(lateral crural onlay graft). 외측각(lateral crus) 위에 위치시키는 이식(graft)으로써 한 쪽의 오목(concavity)이 비대칭이 심한 경우 사용할 수 있고, 비익 윤곽 비대칭(alar contour irregularity)을 교정하기 위하여 사용한다. **B.** 외측각 지주이식(lateral crural strut graft). 외측각(lateral crus) 아랫면을 박리하여 비전정 피부(vestibular skin)와 외측각(lateral crus) 사이의 공간(pocket)을 만들고 이곳에 이식(graft)을 위치시키는 방법으로써 비익수축(alar retraction), 비익연함몰(alar rim collapse) 등의 교정에서 사용할 수 있다.

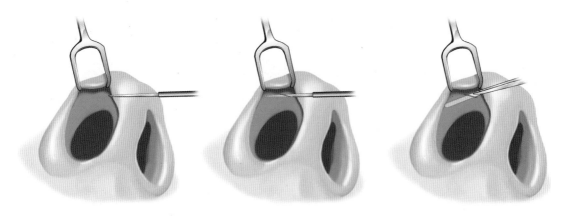

┃그림 34-61 비익연이식(Alar rim graft)
비익연(Alar rim)과 평행하게 피하공간(subcutaenous pocket)을 만들어 이식물을 위치시키는 방법이다.

zontal graft로 이해하면 된다. 이 방법을 적당한 tip support를 갖고 있고 어느 정도 projection을 보이는 환자에서 tip projection을 증가시키거나 tip irregularity를 보완하기 위하여 시술할 수 있다. 아울러 이는 tip projection, narrowing 그리고 definition을 개선시킨다(그림 34-59).

v) Columellar plumping graft

이것은 columellar-labial angle이 너무 예각일 때 교정할 목적으로 사용되는 것으로 anterior nasal spine 앞쪽에 놓여지게 된다. Crushed cartilage를 이용하여 시술할 수도 있다(그림 34-59).

vi) Lateral crural onlay graft

Lateral crus위에 위치시키는 graft로써 한쪽의 concavity가 비대칭이 심한 경우 사용할 수 있고, alar contour irregularity를 교정하기 위하여 사용한다. 또한 이를 통해 external valve의 장애 개선효과도 가지고 있다(그림 34-60).

vii) Lateral crural strut graft

Lateral crus 아랫면을 박리하여 vestibular skin과 lateral crus 사이의 pocket을 만들고 이곳에 graft를 위치시키는 방법으로서 alar retraction, alar rim collapse 등의 교정에서 사용할 수 있다(그림 34-60).

viii) Alar rim graft

Alar rim과 평행하게 subcutaneous pocket을 만들어 이식물을 위치시키는 방법이다(그림 34-61).

⑤ Septal extension graft

Short nose교정이나, columellar strut graft를 이용하여 projection의 증가를 이루고자 할 때 생기는 제한점을 극복하기 위해 septum에 겹치게 이식물을 위치하여 interdomal space에서 anterior septal angle을 더 extension시키는 방법이다. 이는 약한 alar cartilage와 두꺼운 피부 등의 특성으로 인해 상대적으로 많은 양의 tip projection 증가가 필요한 한국인에게 유용하며 nasal tip, position, rotation, shape도 개선 가능하여 많이 사용되고 있다.

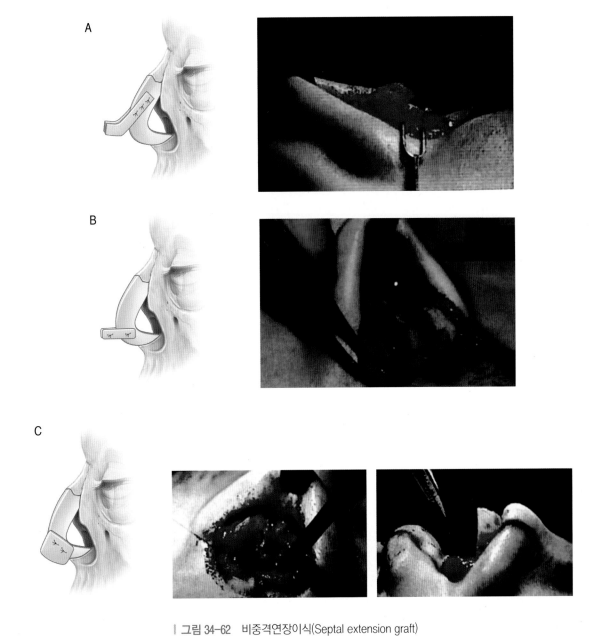

| 그림 34-62   비중격연장이식(Septal extension graft)

Spreader graft 형태를 띠는 type I **(A)**와 버팀목이식(batten graft) 형태의 type II **(B)** 그리고 버팀목이식(batten graft)을 크게 만들어 비중격 미부(caudal septum)를 지지하는 type III **(C)**의 형태가 있다.

i) **Extended spreader graft type**

주로 코 길이의 연장 또는 tip의 derotation을 위해 사용된다.

ii) **Batten type**

tip projection과 rotation을 조절하는 형태이다.

iii) **Caudal extension type**

Retracted columella, acute nasolabial angle을 교정하는 데 유용하다(그림 34-62).

⑥ **기타 비첨의 교정**

일명 주먹코라 불리는 bulbous tip이나 boxy tip의 교정은 여러 비첨성형술의 조합에 의하여 교정한다. 비첨 한 정점을 만들기 위해서는 shield의 폭을 6~8 mm로 조절하며 비첨정점 봉합 시 너무 앞쪽에서 하지 말아야 한다. 왜냐하면 너무 앞쪽에서 봉합 시 양쪽 비익연골의 첨부가 모아져 정상적인 2개의 점이 하나로 보일 수 있기 때문이다. 비순각이 작고 비주가 처진 것을 교정하기 위하여 전비극이나 전상악골 부위에 plumping graft를 하거나 비중격미측연 절제 혹은 내측각의 하부를 절제한다.

⑦ **비첨성형술의 합병증**

i) Open approach를 위해 사용한 transcolumellar incision의 scar가 눈에 띄게 형성될 수 있다.

ii) Tip이 한쪽으로 전위되거나 기저에서 보았을 때 양측 nostril이 비대칭인 경우가 발생할 수 있다.

iii) Tip의 피부가 얇은 경우 이식한 연골의 윤곽이 드러 나는 경우가 발생할 수 있다.

iv) 수술 후 장기간 관찰 시 tip graft가 흡수되거나 suture가 느슨해져 시간이 지남에 따라 수술 초기에 얻었던 projection이 저하될 수 있다.

v) Tip graft로 자가연골을 이식물로 사용할 경우 infection은 드물게 나타나나 tip graft로 너무 많은 연골이 사용되거나 특히 costal cartilage를 이용하여 tip graft를 만들었을 때 나타날 수 있다.

vi) Lower lateral cartilage의 lateral crus의 cephalic resection은 tip refinement를 위해 흔히 행해지는데 부적당하게 연골이 남겨지면 시간이 지나면서 수축력이 작용하여 alar retraction을 유발할 수 있다.

vii) Supratip area의 postoperative fullness인 polly-beak deformity가 생길 수 있다.

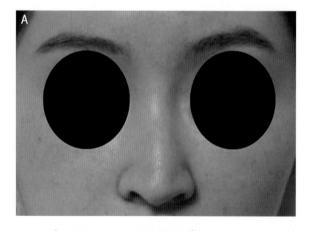 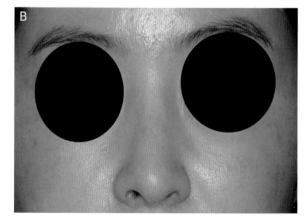

┃ **그림 34-63** 비중격연장이식(Septal extension graft)을 이용하여 비첨 두측 회전(tip cephalic rotation)과 비첨 확장 (tip augmentation)을 동시에 시행할 수 있다. **A.** 전. **B.** 후

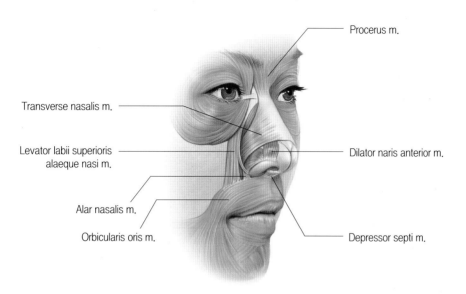

Procerus m.

Transverse nasalis m.

Levator labii superioris
alaeque nasi m.

Alar nasalis m.

Orbicularis oris m.

Dilator naris anterior m.

Depressor septi m.

┃ 그림 34-64 코 주변 근육들

5. 비익저부절제술 Alar base resection

1) 비익저부 해부학 Alar base anatomy

코의 기저부의 중심부는 cartilage, skin, ligament 등으로 이루어져 있고, 기저부의 lateral 부분은 skin, liga-ment, connective tissue, muscle, mucosa로 이루어져 있는 복잡하고 중요한 구조물이다. 특히나 alar lobule 은 코의 가장 아래 부분으로써 다른 부위에 비하여 풍부한 혈액공급을 받고 있다. 코의 기저부는 alar base를 통해 형태와 폭을 결정하게 되는데, 코 호흡 통로에서 중요한 역할을 하는 external nasal valve인 nostril을 포함하고 있어, 호흡기능에 지장을 주지 않도록 술 전에 정교한 계획이 필요하다. 더불어 alar base의 미학을 신중히 분석해야 하는 부분은 네 가지이다. 비익장개alar flare 와 비익폭alar width, 비주columella, 비주-상구순각colu-mella labial angle, 그리고 비공nostril이 그것이다. 비익장개와 비익폭의 측정을 하는데, 비익폭은 alar crease부

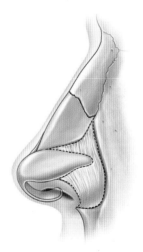

┃ 그림 34-65 이상 인대(pyriform ligament)
위로는 비골(nasal bone) 아래로는 anterior nasal spine까지 연결되어 있다. 점선은 이 근막망(fascial network)을 표시한다.

위에서 측정하고 비익장개는 비익의 가장 넓은 부위에서 측정하는데 대개는 alar crease 3~4 mm 위 부위이다. 미학적으로, 비익저는 내안각간격intercanthal width보다 더 좁고, nostril은 타원형의 형태 그리고 tip lobule

| 그림 34-66   비익장개(alar flaring)가 있었으나(**A**) 비중격연장이식(septal extension graft)을 이용한 비첨 수술 후 코높이가 높아지며 비익저절제술 없이 alar flaring이 호전되었다(**B**).

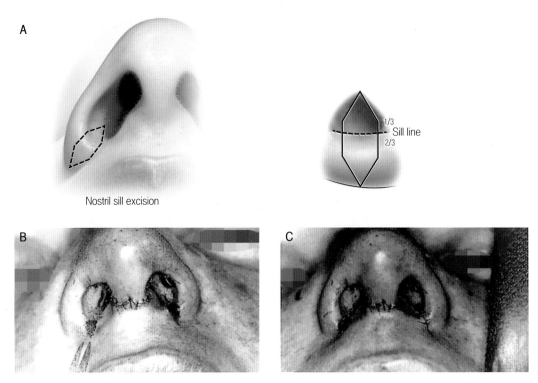

Nostril sill excision

| 그림 34-67   비공상 절제술
콧구멍의 크기를 줄이기 위한 비공상 절제술(nostril sill excision) 도안모습(**A**)과 수술 전(**B**), 후(**C**) 모습

의 폭은 alar base 폭의 75%를 넘지 않는 것이 이상적이다. Alar base의 muscle은 layer에 따라 나뉘어질 수 있는데, deep layer에는 dilator naris, depressor septi nasi, myrtiformes가 있고, Superficial layer에는 levator labii superioris alaeque nasi, levator labii superioris,

superficial orbicularis oris가 있다(그림 34-64). 또 다른 주요 해부학적 구조로 alar lobule의 구조를 지탱하는 근간으로 생각되는 pyriform ligament가 있다(그림 34-65).

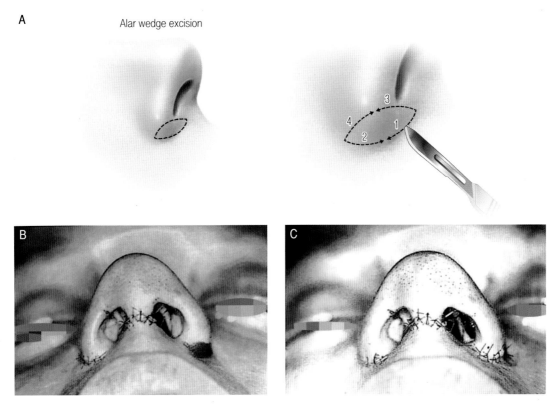

A Alar wedge excision

┃ 그림 34-68　쐐기형비익절제술
비익장개(alar flare)를 교정하기 위한 술식으로 쐐기모양의 도안(**A**)과 수술 전(**B**), 후(**C**) 모습

2) 비익저부절제술

비익저부절제술Alar base resection은 Alar lobule이 코의 돌출이나 길이에 비해 상대적으로 큰 특징을 가지는 동양인이나 흑인에게 많이 적용되는 술식으로 코 하부가 지나치게 펑퍼짐하거나 비공nostril, naris이 너무 큰 경우 이를 좁게 하는 술식이다. 비익저부절제술은 보존적으로 시행되어야 하는데 너무 많이 연조직을 제거하면 다시 회복시킬 수 없는 상흔을 남기는 경우가 많다. Alar flaring이나 비폭이 넓은 경우도 수술 시 tip surgery 후 이러한 문제가 해결될 수 있으므로 비익저부절제술은 수술 마지막에 평가 후 시행하는 것이 좋다(그림 34-66).

비익저부절제술은 여타의 코성형술에 비해 기술적

인 측면에서 잘 알려져 있지 않은 편으로 술자에게 많은 경험과 숙련도가 필요하다. 크게 세 가지 종류로 단순화할 수 있는데, 콧구멍의 크기를 줄이기 위한 비공상절제술nostril sill excision(그림 34-67), alar flare를 교정하기 위한 쐐기형비익절제술alar wedge excision(그림 34-68), 그리고 비공상 및 쐐기형비익 동시절제술combined nostril sill/alar wedge excision.

비공상절제술은(그림 34-67A) 쐐기 모양으로 피부를 절제하고 양측 끝을 외번시켜 nylon 6-0로 봉합을 시행한다. 쐐기형비익절제술은 alar crease보다 1 mm 두측 부위 약 2~4 mm 정도의 피부를 절제하고 nylon 6-0로 봉합을 시행하는데 절개선이 높게 위치하면 상흔이 눈에 띈다.

이러한 수술은 기저변형술의 90% 이상을 포함하며, 비교적 쉽게 그리고 안전하게 행해질 수 있다. 앞서 말한 몇 가지 기법의 요점은 다음과 같다.

① 술 전에 적응증과 수술의 종류를 결정한다.

② 술 전에 비익주름을 표시하고, 모든 비익절개선을 주름보다 1 mm 두측에서 한다.

③ 모든 내비절개선을 기저변형술 시행 전에 봉합한다.

④ 모든 절제량을 국소마취 시행 전에 측경기caliper로 신중하게 계측한다.

⑤ 양측에 비슷한 술식을 수술한다. 단, 비대칭을 조정하기 위해서는 절제선의 크기만을 조절한다.

⑥ 항상 새 15번 blade를 사용하고 단구겸자skin hook의 견인 아래에서 모든 절개를 한다.

⑦ 절개선은 외번을eversion 확실하게 한다.

⑧ 피부는 6-0 나일론사로써 깊지 않게 단속봉합을 한다.

⑨ 환자는 술 후 1주일에 발사할 때까지 봉합을 세심하고 깨끗이 유지하여야 한다. 비익저부교정 시 주의할 점은 비공의 sill부위 절개 시 일정한 크기로 비공의 연속성이 잘 유지되도록 해야 한다는 것이다. 비익쪽이 비공쪽보다는 더 많이 절제되는 것이 좋다. 그렇지 않은 경우에 물방울모양 nostril이나, 많은 절제로 인한 술 후의 비첨 저하 등을 야기할 수 있으므로 주의하여야 한다. 절제 후 5-0 나일론으로 봉합하며 5일 후 봉합사를 제거한다. 본 수술의 적응증에 해당될 시 비익저부절제술은 서양인보다 동양인에게 더 좋은 결과가 나타나는데, 특히 비측부위를 광범위하게 절제하거나 alar crease의 posterior area를 길게 절제할 경우에 더 좋은 효과가 나오게 된다.

참고문헌

1. 대한안면성형재건학회. 얼굴 성형 재건. 군자출판사 2014.
2. 박인용, 윤주헌, 이정권, 정인혁. 코 임상해부학. 아카데미아 2001.
3. 백석인, 정동학, 민양기. 외비성형술. 임상비과학. 대한비과학회 편. 일조각 1997.
4. 장용주, 박찬흠, 구태우. Practical Rhinoplasty. 군자출판사 2005.
5. 진홍률. 한국인의 코성형술-수술기법과 증례 중심의 접근. 일조각 2013.
6. Egbert H. Huizing. Functional Reconstructive Nasal Surgery. Thieme 2003.
7. Hans Behrbohm. Essential of Septorhinoplasty 1st edition. Thieme 2004.
8. Ira D. Papel. Facial plastic and reconstructive surgery. Thieme 2009.
9. John A. McCurdy, Jr. Cosmetic Surgery of the Asian Face. Thieme 2005.
10. Rollin K. Daniel. Rhinoplasty ? An Atlas of Surgical Techniques. Springer 2002.

2차 코성형술

가톨릭의대 이비인후과 **김성원**, 울산의대 이비인후과 **장용주**

> CONTENTS

Ⅰ. 재수술의 원인

Ⅱ. 수술 전 준비사항 및 유의사항

Ⅲ. 재수술 시 사용 가능한 자가 조직

Ⅳ. 원인에 따른 2차 코성형술

Ⅴ. 성공적인 2차 코성형술을 위한 10가지 핵심 개념들

Ⅵ. 코성형 재수술 합병증

Ⅶ. 부작용들의 예방 및 관리

Ⅷ. 수술 후 관리

Ⅸ. 결론

HIGHLIGHTS 〉〉〉

- 코성형술은 여러 성형수술 중 재수술의 가능성이 가장 높은 수술로, 수술을 통하여 3차원적인 입체구조를 변화시킨다는 점, 그리고 이러한 변화가 코의 호흡기능에 밀접하게 연관되어 있다는 점 등에 기인함

- 재수술 시 사용 가능한 자가 조직은 비중격연골이 코의 구조적 재건에 사용하기에 부족한 경우가 많아 추가적인 이개연골, 늑연골, 또는 동종 유래 연골의 사용 필요성이 증가함

- 재수술의 가장 흔한 첫째 이유로는 콧등에 위치된 이식물이 휘어 보이거나 위치를 벗어나 있거나 너무 드러나 보이는 경우, 또한 이식물과 관계된 염증과 감염임

- 성공적인 2차 코성형술을 위한 10가지 핵심 개념

  1. 휘어진 코(deviated nose)의 2차 코성형술에서, 중격 연골 L-strut의 교정 및 강화가 성공의 열쇠임

  2. 휘어진 코, 안장코(saddle) 또는 짧은 코의 2차 코성형술에서 중격 재건을 위하여 늑연골 사용하는 것이 대부분의 환자에서 가장 적절함

  3. 실리콘 이식의 부작용으로 발생하는 짧은 코의 치료에서는 연장펼침이식(extended spreader graft), 콧등 융기술(dorsal augmentation) 및 코끝수술 이 가장 중요함

  4. 짧은 코를 교정하는데 있어서, 피부와 연조직이 정상적인 상태와 탄력성을 상실했을 경우, 코 길이 확장은 단계적으로 실시되어야 함

  5. 감염 징후를 보이는 콧등 이식물들은 가능한 빨리 제거되어야 하며, 생체조직 이식물들을 이용하여 콧등 재융기술을 시행할 수 있음

  6. 생체조직 이식물들을 이용한 콧등 융기술의 미용적 부작용들은 Gore-Tex® 또는 실리콘과 같은 무생물재료 이식물들을 사용한 교정 융기로 관리될 수 있음

  7. 이차 코성형수술들에서 발견되는 불균일한 코끝 높이와 코(콧구멍) 비대칭은 외측각 버팀목 이식(lateral crural strut graft), 외측각 중첩 이식(lateral crural onlay graft) 또는 이개연골 복합이식을 사용하여 관리될 수 있음

  8. 이차 사례들에서의 가벼운 안장코 변형은 연골막이 부착된 주사위상 이개연골(diced conchal cartilage with perichondrial attachment)을 이용하여 치료될 수 있음

  9. 부족하게 교정된 아시아인의 돌출 코 교정 수술에 있어서, 보다 균형 잡힌 측면 모습을 위해서 콧등을 낮추는 것보다 코끝 높이를 늘리는 것이 훨씬 더 중요함

  10. 코끝 이식물이 드러나 보이는 경우는 아시아인들에서의 코끝 이식 수술의 가장 흔한 부작용들 중 하나이며, 이것은 변연 절개를 통한 다듬질로 교정될 수 있음

코성형술은 여러 성형수술 중 재수술의 가능성이 가장 높은 수술이다. 그 이유는 수술을 통하여 3차원적인 입체구조를 변화시킨다는 점, 그리고 이러한 변화가 코의 호흡기능에 밀접하게 연관되어 있다는 점 등에 기인한다. 2차 코성형술revision rhinoplasty은 일차수술 합병증에 대한 수술 또는 환자의 미용적 불만족에 대한 수술 모두를 포함한다. 2차 코성형술이 필요한 경우는 5.3~18% 정도로 보고되어 대개 10% 내외로 알려져 있으며, 이는 흉터 문제로 인한 가벼운 시술들을 포함한 수치다. 2차 코성형수술은 기술적으로 일차 수술에 비하여 매우 어렵다. 2차 코성형술에서는 일부 조직과 지지구조의 결손은 물론 비중격이나 이개연골 등 2차 코성형술을 위하여 필요한 이식물이 이전에 이미 사용되어 가슴연골과 같은 추가적인 연골의 채취가 필요한 경우가 흔하다. 더욱 더 어려운 문제는 2차 코성형술 또한 추가적인 재수술의 가능성이 비교적 높다는 사실로 환자와 코성형수술의사 모두는 이러한 어려움들에 대한 이해를 가지고 있어야 한다.

I | 재수술의 원인

재수술의 원인이 교정이 필요한 명확한 미관적 변형일 수 있지만 많은 경우, 그러한 변형과 미관적 목표가 매우 애매하며 다른 환자들이라면 교정을 하지 않을 수도 있는 것들이다. 따라서 2차 코성형술을 원하는 환자들은 보다 민감하고 집착하는 성격이며, 심리적으로 취약하다는 것이 일반적으로 일치된 의견이다. 수술 전 상담 동안, 코성형수술의사는 환자가 지나치게 불안해하며 지극히 사소한 세부 사항들에 주의를 기울이는지 여부를 체크해야 한다. 그러한 경우, 코성형수술의사는 교정 수술

시행 결정을 하는 데 지극히 주의해야 한다. 환자가 수술 후 더 심한 불만을 가질 가능성이 있음을 미리 인지하는 것이 매우 중요하며, 그와 같은 환자들에 대한 수술 시행 여부를 심각하게 재고해야 한다.

II | 수술 전 준비사항 및 유의사항

콧등 융기술dorsal augmentation 교정의 경우, 이전 수술에서 어떤 종류의 이식물이 사용되있는지를 아는 것이 중요하다. 예를 들어, 실리콘 silicone 이식물은 코 안 접근을 통해 쉽게 제거될 수 있지만 Gore-Tex®는 주위 연조직에 약간 더 유착되어서 제거하기가 더 어렵다. 근막으로 싸여진 연골과 같은 생체 조직은 제거하기가 더욱 어려운데 이는 주위 조직과 결합하기 때문이다. 대부분의 환자들은 그들의 콧등에 어떤 재료가 사용되었는지를 알고 있는 경우가 많지만, 그것이 틀릴 수도 있고 심지어 전혀 모르는 경우도 있다. 따라서 때로 이전 이식물에 관한 정보를 얻기 위해 CT 스캔을 할 필요가 있다(그림 35-1). 또한 교정 코성형술에서 사용 가능한 비중격연골의 가용성을 아는 것이 매우 중요하다. 비중격연골이 이전 코성형술에서 사용되었으면, 코성형수술의사는 귀나 또는 가슴에서 추가적인 연골 이식물 적출을 위한 준비를 해야 한다. 비강을 검사할 때, 면봉으로 중격 점막층에 가볍게 대보면 비중격연골이 있는지 여부에 대한 중요한 정보를 얻을 수 있다. 면봉으로 단단함이 전혀 느껴지지 않을 경우나 비중격이 가벼운 접촉으로 쉽게 움직일 경우 비중격연골이 없는 것으로 가정할 수 있다. 노인들에게서 늑연골의 사용은 골화 때문에 어려울 수 있다. 연골 골화의 정도는 일반적으로 환자의 나이와 상관이 있다고 하지만 때로는 젊은 환자에서도 심

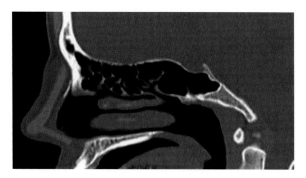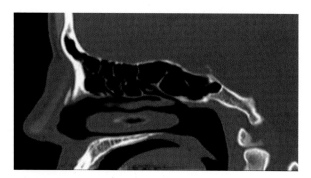

| 그림 35-1 코성형재수술을 위하여 방문한 환자의 CT 소견
이전에 삽입된 silicone implant가 뚜렷히 보인다.

한 골화를 보이는 경우가 있음을 사전에 고려하여야 한다. 따라서 이전의 골화 정도를 확인하는 것이 필수적이다. CT는 어느 정도의 정보를 줄 수 있지만, 비용이 들며 비록 적은 양이지만 방사선과 관련된 위험을 내포하고 있다. 연골 골화 정도의 평가는 흉부 절개를 하기 전에 수술실에서 할 수도 있다. 코성형수술의사는 피부를 통해 연골을 찔러 바늘 통과에 대한 저항이 있는지 여부를 판단할 수 있다. 이 때 늑연골을 넘어서 흉막을 손상시키지 않도록 주의해야 한다. 마지막으로, 2차 코성형술 특히 짧은 코 교정에서, 코의 형태를 제외하고 가장 중요한 것은 피부-연조직의 신축성 및 특성이다. 짧은 코가 이전에 시행한 실리콘 코성형술의 부작용인 경우, 이러한 환자들의 코 연조직은 자주 심하게 비후하고 딱딱한 양상을 보인다. 이러한 피부 상태는 주의 깊은 검사와 촉진을 통해 판단되어야 한다.

III | 재수술 시 사용 가능한 자가 조직

대부분의 휘어진 코deviated nose 교정 사례들에서, 비중격연골nasal septal cartilage이 코의 구조적 재건에 사용하기에 부족한 경우가 많다. 따라서, 추가적인 이개연골, 늑연골, 또는 동종 유래 연골의 사용 필요성이 증가하고 있다. 코의 재발성 휨recurrent deviation을 예방하기 위해서, 중격연골 절개를 최소화하여 크고 강한 L자형 구조물을 남기고자 노력해야 한다. 이것은 L자형 구조물이 약할 경우 치료 동안 쉽게 휘어지며 따라서 콧등 연골부위의 재발성 휨을 초래할 수 있기 때문이다.

IV | 원인에 따른 2차 코성형술

재수술의 가장 흔한 이유로는 첫째 콧등에 위치된 이식물이 휘어 보이거나 위치를 벗어나 있거나 너무 드러나 보이는 경우, 또한 이식물과 관계된 염증과 감염이다. 이전에 삽입된 이식물에 의한 피막 형성capsule formation과 반흔 조직scar tissue의 구축contracture에 의한 짧은 코변형short nose deformity은 매우 흔함과 동시에 치료가 어려운 변형이다. 실리콘의 경우 드물지만 광범위하게 두꺼운 캡슐이 형성되거나 캡슐의 구축으로 인한 외비 변

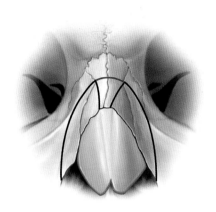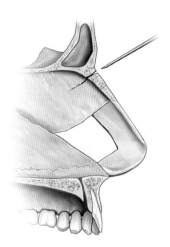

┃ 그림 35-2 경피적 비근부 절골술
골부의 축이 휘어진 환자에서 이를 시행하면 효과적으로 휨이 교정된다.

형이 발생할 수 있으며, 주원인으로는 주변조직의 세균 감염을 의심해볼 수 있다. 피부 긴장이 심한 경우에도 감염 또는 이식물의 탈출 위험이 있다. 고어텍스의 경우 0.5~30 μm의 미세기공을 가지고 있어 세균 침투는 가능하나, 대식 세포는 침투할 수 없어 감염에 취약하고, 이식물을 제거하여야 할 때 연조직과의 박리가 잘 되지 않아서 연조직의 소실 가능성도 있다. 연조직과의 유착은 Medpor나 Mersilene mesh를 사용한 경우에도 재수술 시에 문제가 될 수 있다. 휨 또는 휨의 불완전한 교정도 재수술의 흔한 원인이다. 매부리코hump에 대한 일차 수술 후 콧등의 불균일irregularity 또는 볼록함convexity이 남아있는 것도 중요한 원인이다. 아울러 코끝 이식물이 드러나 보이거나 과다 돌출된 경우, 또는 수술 직후에 높아 보이던 코끝이 시간 경과함과 동시에 높이가 저하되고 뭉툭해 보이는 것(homologous costal cartilage, homologous fascia, alloderm 등) 등이다.

1. 이전 코성형술 이후 휨이 남아있거나 재발한 경우

휨의 재발 원인에 대한 정확한 진단이 필수적으로, 부위가 골인지 연골인지 또는 이 둘이 함께 존재하는지 여부를 확인해야 한다. 원인 부위를 찾은 후 휨의 교정 및 강화를 위한 완전한 교정 시술들이 시행되어야 한다. 이것은 대개 개방형 코성형술open rhinoplasty 접근 방법을 통해 실시된다. 콧등의 부분적인 오목concavity이 있을 때 코가 휘어 보이게 할 수 있고 이러한 문제는 비내접근법을 이용한 camouflage graft 삽입으로 간단히 해결될 수도 있다. 골성 축의 휨은 내측, 외측 및 경피적 비근부 절골술root osteotomies의 결합을 통해 교정될 수 있다. 휘어진 코를 교정함에 있어서, 내측 절골술medial osteotomy은 비스듬한 방향으로 시행되며, 외측 절골술로 연결된다. 이 경우, 삼각형 모양의 뼈조각(골성 중격)이 비골의 중앙부에 남아있게 될 것이다. 이 접합점에서, 이 골성 중격이 한쪽으로 휜 상태로 교정하지 않은 채 버려두면, 코의 전체 축이 중앙으로 재위치될 수 없다. 그와 같

은 상황에서, 경피적 비근부 절골술percutaneous root os-
teotomies이 시행되는데, 이때 골성 중격을 가운데로 옮
길 수 있다. 이 골절술은 날카로운 2 mm 골절단기를 이
용하여 내안각 사이 부위 높이에서 실시된다. 2 mm 골
절단기로 중앙선 골성 부분의 뿌리를 향하여 부분적인
골절을 만든 다음, 이 부분을 자유롭게 조작할 수 있게
한다(그림 35-2).

2. 콧등의 불균일 또는 볼록함이 남아있는 경우

콧등 볼록함의 불충분한 교정은 매부리코hump 제거술
의 가장 흔한 부작용이다. 매부리코 교정 후, 대개 여분
의 피부-연조직이 발생하는데, 이로 인해 연조직의 pol-
lybeak 변형이 생겨날 수도 있다. 매부리코 제거 후 콧
등 높이의 감소가 코끝 연장tip projection을 통한 코끝 높
이의 증가로 보상된 경우, 여분의 피부로 인해 볼록함이
남아있는 문제를 예방할 수 있다.

3. 코끝 이식물이 보이거나 과다돌출된 경우

연골 코끝 이식술은 코끝의 윤곽과 돌출을 극적으로 개
선할 수 있는 효과적인 기법이다. 하지만 코끝 이식술은
코끝 이식물이 보일 수 있다는 내재적 위험을 갖고 있으
며, 이 위험은 특히 피부가 얇거나 중간 두께의 사람들에
게서 높다. 따라서, 그와 같은 피부 특성을 가진 환자들
에서, 코끝 개선은 봉합 기법이나 septal extension graft
와 같은 invisible graft technique을 사용하여 실시해야
한다. 코끝 이식물의 가장자리는 매우 신중하게 경사지
게 하여 이식물 가장자리가 날카로운 부분이 없이 부드
럽고 둥글게 되어야 한다. 코끝 이식물 주위에 분쇄 연골

을 삽입하는 것 또한 유용한 보조 수단이다. 코끝에 너무
많은 이식물을 쌓는 것은, 바람직하지 못한 코끝 과다 돌
출을 초래하여 코 윤곽의 불균형을 가져올 수 있다.

V | 성공적인 2차 코성형술을 위한 10가지 핵심 개념들

1. 비중격연골 L-strut의 교정 및 강화

휘어진 코deviated nose의 교정 후 생기는 재발성 휨recur-
rent deviation 또는 잔류성 휨의 가장 흔한 이유는 휜 연
골성 콧등인데, 이것은 대부분 비중격연골의 L-strut가
변형되었거나 약화되어서 생기며 이를 교정 및 강화 하
는 것이 재수술 성공의 열쇠이다.

1) 비중격 교정을 위한 중격 뼈의 이용

휘어진 코를 위한 비중격성형술을 실시할 경우, 사각 연
골의 중심부, 벌집뼈의 수직판, 보습뼈의 부분들을 적출
해야 한다. 중격 교정을 위해 적출된 중격 뼈를 사용하면
코성형의가 추가적인 연골 적출을 할 필요성을 줄일 것
이다. 가위와 이과용 드릴을 이용하여, 적출된 뼈를 적절
한 크기와 모양으로 만든다. 작은 burr를 이용하여 여러
개의 구멍들을 (가능한 많이) 만드는데, 이것들은 봉합을
용이하게 한다(그림 35-3). 저자는 뼈 이식물을 L자형
구조물에 고정시키기 위해서 5-0 PDS을 이용하여 누빔
quilting mattress 봉합 또는 관통through and through 봉합
을 시행한다. 이것은 이 이식물을 L-strut의 끝 또는 등
부분의 한쪽 또는 양쪽에 고정시킨다.

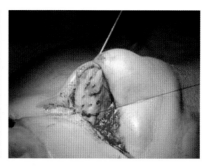

▎그림 35-3　중격 고정에 뼈를 사용할 경우, 작은 burr를 이용하여 가능한 많은 구멍을 만드는 것이 바람직한데 이것은 봉합을 용이하게 한다.

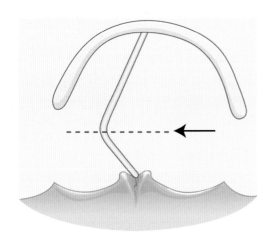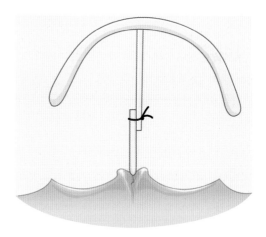

▎그림 35-4　L-strut의 절단 및 봉합 기술에서, 코끝(nasal tip) L-strut의 볼록한 대부분을 절개하고, 포개어 봉합할 수 있다. 절개를 한 후, 앞쪽을 뒤쪽 부분과 포개고 3~4 바늘로 고정시킨다.

2) 비중격의 절제 및 봉합 기술

비중격이 전후 방향으로 휜 경우, C형의 볼록함 또는 예각 형성이 간혹 관찰될 수 있다. 이러한 변형들을 교정하기 위해서, 코끝nasal tip L-strut 중격의 볼록한 부분 대부분을 절제하고 겹쳐서 봉합할 수 있다cutting and suture technique. 절개를 한 후, 앞쪽 비중격을 뒤쪽 비중격과 포갠 다음, 3~4 바늘로 봉합한다(그림 35-4). 절제한 연골들을 포갤 때 코성형의는 비중격의 새로운 높이가 그 원래의 높이보다 낮지 않도록 주의해야 한다. 새로 구축된 비중격의 안정성에 문제가 있을 경우, 추가적인 지지를 위해 연골 또는 뼈로 된 중격 배튼batten 이식물을 오목한 쪽에 위치시켜야 한다.

2. 휘어진 코, 안장코 또는 짧은 코의 2차 코성형술

중격연골 구조의 재건은 코성형의들에게 가장 어려운 시술들 중 하나이다. 대부분의 경우, 특히 2차 코성형술에서 재건을 위해 쓸 중격 연골이 충분하지 않다. 남아 있는 L-strut가 매우 약하고 얇은 경우, 강하고 두꺼운 늑연골을 이용하여 코끝 및 등의 지지대를 강화시킬 수 있다. 저자는 중격 재건 또는 코끝 수술을 위해 늑연골을 자주 사용한다. 적출한 늑연골을 절단함에 있어서, 연골을 길고 얇은 띠 모양으로 자르기 위해 피부이식 시 사용되는 dermatome blade 절제용 날을 사용한다. 이것은 중격 재건을 위해 배튼 이식물 또는 펼침 이식물 spreader grafts로 사용된다.

3. 실리콘 이식의 부작용으로 발생하는 짧은 코의 치료

짧은 코 문제는 일반적으로 실리콘 이식물 또는 근막 이식물을 사용한 코성형술의 장기적 부작용 또는 일차 코성형술에서의 과도한 비중격 조작으로 인한 코 지지구조의 붕괴로 인해 발생한다. 성공적인 짧은 코 교정은 비강의 내부 프레임워크(안벽)와 외부 연조직 덮개를 확장함으로써 달성될 수 있다. 이 수술은 코 길이의 실제 길이 연장과 동시에 코가 길어 보이는 착시를 일으키는 것을 목표로 한다. 짧은 코는 중심부 및 측면부의 연장펼침이식extended spreader graft, 코 길이를 늘리기 위한 코끝 이식술tip grafting, 및 콧등융기술dorsal augmentation의 외과적 원칙들에 따라서 교정되어야 한다(그림 35-5).

1) 내부 프레임워크의 연장

저자의 경험에 따르면, 자가 또는 동종 유래 늑연골을 이용한 비중격의 재건과 연장 펼침 이식물extended spreader grafts의 사용한 경우 보다 나은 결과를 얻은 경우가 있었다. 사용할 수 있는 몇 가지 방법들이 있다.

① 등쪽 지주의 양쪽에 연장 펼침 이식물들을 위치시키고, 이 펼침 이식물들 사이에 코끝 연장 이식물caudal extension graft을 위치시킨다. 코끝 이식물은 이 콧등 이식물들 사이에 끼이며 비중격과 끝이 맞물리는 방식으로 위치하게 된다. 이식물은 코 프레임워크의 중앙에 놓인다. 결과적으로 원래 비중격에 대해 더 끝쪽에 놓이게 되며, 이식물의 뒤쪽 부분은 안쪽 비강 가시nasal spine에 고정되거나 또는 봉합 고정 없이 그냥 배치된다. 이 방법이 저자들이 가장 선호하는 기법이다(그림 35-6).

② 코끝 구조물의 한쪽 면에 배튼 이식물을 그리고 콧등 구조물dorsal strut의 다른 쪽에 연장 펼침 이식물을 위치시킨다. 이 기법에서는 연장 펼침 이식물을 끝쪽으로 더 확장시킨다. 이 전형적인 방법에 더하여, 다양한 변화들을 활용할 수 있다. 양측 연장 펼침 이식물들과 틈막이 이식물들을 기존의 L-strut의 양쪽에 봉합할 수 있다. 특정 기법의 선택은 이식을 위해 가용한 연골의 양과 질 그리고 수술 동안 남아 있는 L-strut의 상태를 고려해야 한다.

③ 코끝 구조물의 한쪽 면에 틈막이 이식물을, 그리고 콧등 구조물의 다른 쪽에 연장 펼침 이식물을 위치시킨다. 이 기법에서는 연장 펼침 이식물을 끝쪽으로 더 확장시킨다. 이 방법에 더하여, 다양한 변형들을 활용할 수 있다. 양측 연장 펼침 이식물들과 틈막이 이식물들은 기존의 L자형 구조물의 양쪽에 봉합될 수 있다. 특정 기법의 선택은 이식을 위해 가용한

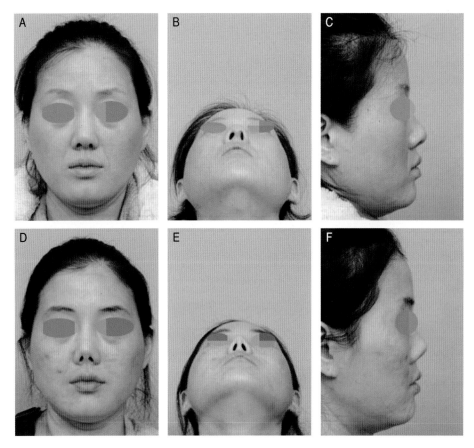

그림 35-5 중앙 및 측면부의 연장, 연장을 목적으로 한 코끝(nasal tip) 이식술, 및 콧등 융기술(dorsal augmentation)로 치료되는 일반적인 짧은 코 환자
A, B, C. 수술 전. **D, E, F.** 수술 후

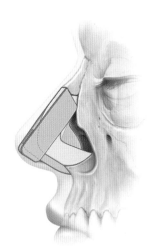

그림 35-6 콧등 구조물(dorsal strut) 양 쪽에 놓인 연장 펼침 이식물들(extended spreader grafts)과 그것들 사이에 있는 코끝 연장 이식물(caudal extension graft). 이 코끝(nasal tip) 이식물은 콧등 이식물들 사이에 끼이며 비중격과 끝이 맞물리도록 (end-to-end manner) 위치시킨다.

연골의 양과 질 그리고 수술 동안 남아 있는 L-strut 의 상태를 고려해야 한다.

2) 콧등 융기술

콧등이 오목하게 보일 때 코가 더 짧게 보인다. 따라서, 콧등 융기술은 콧등의 오목함을 교정하여 코를 길게 보이게 하는 중요한 외과적 시술이다. 콧등은 코성형의가 가장 편안하게 느껴지는 임플란트를 이용하여 융기시켜야 한다. 콧등 융기술은 경비주절개transcolumellar incision를 긴장 없이 봉합할 수 있는 범위 내에서 시행한다. 많은 환자들이 실리콘 부작용으로 인한 짧은 코를 갖고 있기 때문에, 실리콘 임플란트 제거 및 다른 재료의 삽입이 필요하다. 이러한 목적으로, 저자들은 늑연골 또는 연골을 포함한 가공된 대퇴근막을 콧등 이식물로 사용하기를 선호한다. 환자가 심각한 임플란트 관련 감염을 경험한 적이 없을 경우 Gore-Tex®도 사용할 수 있다.

3) 코끝 수술

코끝 회전derotation을 위한 최선의 외과적 기법은 다층 코끝 이식술multilayer tip grafting이다. 이 술식을 시행함에 있어서, 첫째 연골성 방패 이식물shield graft 층을 돔 위에 올려놓고 고정시킨다. 그런 다음 추가적인 방패 이식물 층들을 첫째 층 위에 올려놓는다. 적용되는 이식물 층들의 수는 길이 연장 및 돌출의 필요한 정도에 따라 달라지며, 수술 중에 결정된다(그림 35-7).

4. 교정피부와 연조직이 정상적인 상태와 탄력성을 상실한 짧은 코의 교정

짧은 코를 교정함에 있어서 수술 성공 여부를 결정하는 가장 중요한 요인은 피부, 연조직의 상태이다. 연장펼침이식, 코끝 이식술 및 콧등 융기술을 통해 코의 골격을 연장시킬 수 있다. 하지만, 반복적인 염증과 위축으로 인해 포개진 피부가 심각하게 비대해지고 그것의 정상적인 탄력성을 잃게 되면, 길어진 코의 골격을 적절하

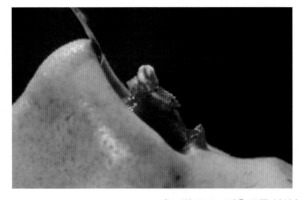
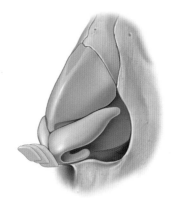

| 그림 35-7   다층 코끝 이식술(multilayer tip grafting technique)
이 시술을 할 경우, 첫째 연골성 방패 이식물(shield graft) 층은 돔 위에 놓이며 5-0 PDS로 고정된다. 그런 다음 추가적인 방패 이식물(shield graft) 층들이 첫째 층 위에 놓인다. 필요할 경우 추가적인 이식물 층들이 적용될 수 있다.

게 피부로 다시 덮을 수 없게 된다. 경비주절개선에 긴장이 너무 심할 경우, 대형 참사를 일으킬 수 있는 경비주 손상 가능성이 매우 높아진다. 봉합 접근에 문제가 있을 경우, 중심부의 길이를 줄이거나 코끝 이식물들을 제거하여 보다 용이하고 긴장이 없는 봉합을 해야 한다. 절개 부분이 완전히 회복된 후 나중에 이차 코끝 이식술 또는 콧등 융기술을 시행할 수 있다.

5. 감염 징후를 보이는 콧등 이식물 처리와 재건

일반적인 감염 징후들로는 절개 부위 주변의 부종, 홍반, 분비물, 동통, 육아조직 형성 등이 있다. 일단 현저한 감염 징후가 있으면, 코성형수술의사는 주저하지 말고 콧등 이식물을 제거해야 한다. 비내 절개를 통한 임플란트 또는 이식물의 제거는 다량의 창상 세척이 따르며 이는 대개 극적인 개선을 가져온다. 감염된 임플란트의 제거 후, 코성형의는 콧등의 형태를 평가할 수 있다. 대개 콧등 이식물의 제거가 콧등의 높이를 상당하게 저하시키지는 않는다. 특히 실리콘 이식 코에서 이러한 특징을 볼 수 있는데, 이 경우 임플란트 주위에 풍부하게 형성된 캡슐이 임플란트 제거 후에도 어느 정도의 콧등 높이를 유지할 수 있게 해준다. 하지만, 임플란트 제거 후 콧등 높이 손실이 상당할 경우, 나중에 늑연골, 진피 지방, 근막으로 쌓인 주사위상 연골fascia wrapped diced cartilage과 같은 생체 이식물들을 이용한, 그리고 근막과 분쇄 연골의 결합 사용으로 2차 콧등 융기술을 시행할 수 있다. 2차 융기의 시점은 매우 중요하며 어려운 결정이다. 이것은 염증이 완전히 통제된 후 그리고 피부 수축이 너무 많이 일어나기 전에 실시해야 한다.

6. 생체조직 이식물들을 이용한 콧등 융기술의 미용적 부작용 관리

늑연골, 이개연골, 근막 및 진피 지방과 같은 생체 콧등 이식물들 사용 후 미용적 부작용을 경험하는 것은 드물지 않다. 뒤틀림, 가시적인 윤곽선 또는 가장자리, 그리고 휜 콧등 등이 연골 이식물들의 사용 후 생기는 전형적인 부작용들이다. 윤곽선 불균일 및 콧등 높이의 저하 또한 근막 또는 진피 지방의 사용 후 생길 수 있다. 콧등에 이식된 늑연골의 뒤틀림 또는 윤곽선 가시성이 있을 경우, 그것을 먼저 제거한 후, 다시 조각하거나 또는 분쇄 연골로 만들어 콧등에 재이식한다. 환자가 늑연골의 딱딱한 느낌을 싫어하거나 또는 미관적인 완벽함을 원할 경우, 교정 수술에서 Gore-Tex® 또는 실리콘과 같은 무생물재료 이식물들을 사용할 수 있다. 근막, 근막 포장 주사위상 연골, 분쇄 연골, 진피 지방과 같은 생체 이식물들을 콧등에 이식할 경우 시간이 지나면서 흡수로 인한 체적 감소가 나타날 수 있으며, 이는 콧등 높이 손실 또는 윤곽선 불균일을 가져올 수 있다. 이러한 미관적 부작용들은 Gore-Tex® 또는 실리콘과 같은 무생물재료 이식물들을 이용한 교정 콧등 융기술로 치료된다.

7. 불균일한 코끝 높이와 코(콧구멍) 비대칭 관리

코 비대칭을 교정하기 위해서, 저자는 이개연골 복합이식 또는 외측각 구조물 이식을 선호한다. 변형이 심각하지 않을 경우, 이개연골 복합이식술이 선호된다. 비익함몰로 인한 코끝 높이의 불균일은 변연절개와 절개 부위 주변의 연조직을 박리하고undermining 콧방울연골 소엽alar lobule측으로의 이식물 삽입 및 봉합으로 교정될 수 있다. 코 비대칭이 매우 심각할 경우, 외측각 구조물 이

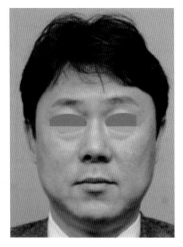 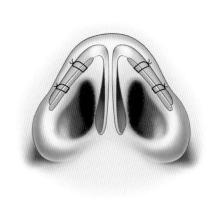 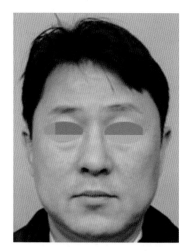

| 그림 35-8　외측각 버팀목 이식(lateral crural strut graft)을 통해 치료된 오른쪽 콧구멍 변형을 가진 환자

식이 훨씬 더 효과적인 방법이다. 비익 함몰 교정을 위해서 외측각 및 이식물 복합체를 보다 코끝(코끝쪽이 아니라 caudal)쪽에 위치한 포켓으로 재위치시키는 것이 중요하다(그림 35-8).

8. 가벼운 안장코 변형 교정

어떤 종류의 코성형술이든, 실시 후 사후 관리 기간 동안 안장코 변형 또는 코 측벽의 부분적인 오목함이 드물지 않게 발생할 수 있다. 변형의 정도가 심하지 않고 코끝 지지물이 비교적 온전할 경우, 가벼운 안장코 변형은 콧등 중첩이식dorsal onlay graft을 통해 교정될 수 있다. 콧등 융기 재료를 위한 여러 옵션들 중에 부분 콧등 융기술은 연골막이 부착된 주사위상 이개연골을 이용하여 시행할 수 있다. 연골막을 포함한 한쪽의 이개연골을 적출한 다음 이 연골을 절단하되 연골막을 자르지 않는 방식으로 시행한다. 이를 통해 연골 조각들이 연골막을 통

해 서로 붙어있게 된다(그림 35-9). 이 이식물은 그 용적을 유지하지만 이개연골의 본래 곡선을 갖지 않으므로 쉽게 다룰 수가 있다.

9. 부족하게 교정된 아시아인의 돌출 코 교정

콧등의 볼록함에 대한 불충분한 교정은 아시아인의 코성형술에서 매부리코 제거술의 가장 흔한 부작용이다. 비공점 주변의 작은 돌출은 코 안 접근을 통한 rasping으로 개선할 수 있다. 하지만 코성형술 후의 잔류성 또는 새로 발생한 콧등의 볼록함은 보다 균형 잡힌 측면 모습을 위해서 콧등을 낮추는 것보다 코끝 높이를 늘리는 것이 훨씬 더 중요하다. 교정 코끝 융기술, 매부리코 제거술 및 비근증대술radix graft로 치료될 수 있다. 이 이식술은 포개진 중첩 모양으로 또는 지지 이식물로 지지되는 다층 방패 이식술multilayer tip grafting로 실시될 수 있다(그림 35-10).

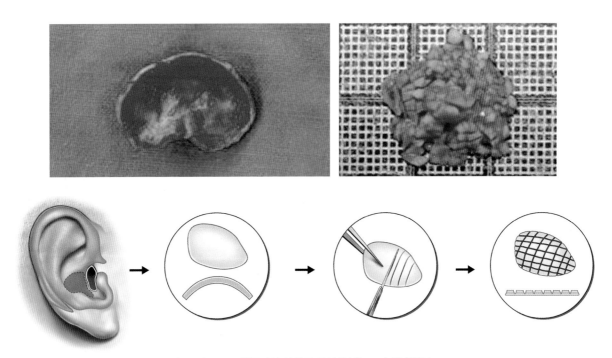

▎그림 35-9   연골막이 부착된 주사위상(diced) 이개연골

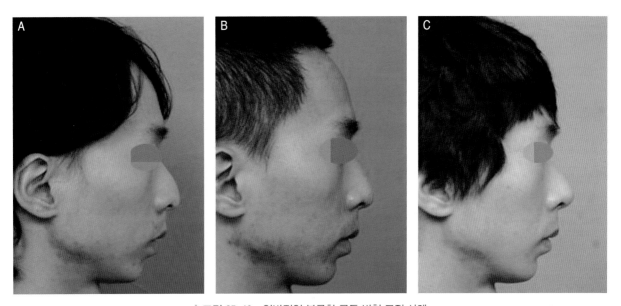

▎그림 35-10   일반적인 볼록한 콧등 변형 교정 사례

다층 코끝 이식술(multilayer tip grafting technique)과 추가적인 매부리코(hump) 제거술을 이용한 교정 코끝 융기(tip augmentation)가 시행되었다.
A. 수술 전. B. 일차 교정 수술 후. C. 이차 수술 후

10. 코끝 이식물이 드러나 보이는 경우

아시아인 코성형술, 코끝 높이의 연장은 대개 코끝 이식술을 통해 이루어진다. 하지만, 얇거나 중간 정도 두께의 피부를 가진 아시아인들에서의 코끝 이식 수술의 가장 흔한 부작용들 중 하나이며 지나친 코끝 이식술은 코끝 이식 윤곽선을 드러나게 만들어 미용적 불만을 일으킬 수 있다. 또한, 너무 크거나 많은 이식물을 코끝에 이식할 경우 코끝의 과도한 돌출을 가져올 수 있다. 이 문제는 제한적인 변연절개 후 이식된 연골을 가위로 다듬질함으로써 해결될 수 있다.

VI | 코성형 재수술 합병증

휨의 불충분한 교정, 재발성 휨recurrent deviation, 수술 후 감염, 그리고 특히 늑연골을 콧등 이식물 재료로 사용했을 경우의 미용적 불만족 등이 있다. 이러한 불만은 대개 뒤틀림, 윤곽선의 불균일, 콧등에 이식된 늑연골의 부자연스러운 돌출 등에 기인한다.

VII | 부작용들의 예방 및 관리

얼굴 비대칭을 가진 휘어진 코 환자들과 그들의 코에 과도하게 집착하고 염려하는 환자들은 수술 결과에서의 사소한 문제에도 결코 만족하지 않는 경우가 많다. 여러 번의 수술 후에도 계속되는 휨은 다루기가 가장 어려운 문제들 중 하나이다. 이러한 환자들에서, 환자의 마음가짐을 바꾸는 것이 매우 중요한 문제이다. 진지한 상담을 통해 환자에게 어떠한 경우라도 완전하게 반듯한 코를 만드는 데에는 기술적인 한계가 있음을 상기시켜 주어야 한다. 이는 특히 환자가 비대칭의 얼굴 골격을 가진 경우 더욱 중요하다. 코성형수술의사는 항상 환자의 기대들을 잘 관리해야 하며, 코성형술의 한계를 충분히 설명해야 한다. 수술 후 감염은 대개 많은 봉합물질들로 고정된 코끝 및 외측각의 늑연골 이식물들의 사용과 관련이 있다. 교정 수술에서, 피부와 연조직의 혈액순환이 손상되면, 연골 이식물들의 영양 부족 위험을 증가시켜 괴사를 일으키며 나중에는 감염이 된다. 코끝 이식물의 고정을 위해 사용된 PDS 봉합사가 때로 염증과 이차 감염을 일으킬 수 있다. 따라서, 절개 부위의 세심한 봉합, 늑연골 코끝 이식물들의 적절한 사용, 그리고 봉합 재료 사용의 최소화 등이 수술 후 감염 위험을 줄일 수 있다.

VIII | 수술 후 관리

재수술을 한 환자들을 위한 외래 치료는 일차 수술 환자들에 비해 더 많은 주의를 기울여야 한다. 수술 후 감염 위험은 2차 코성형술 환자들에서 더 높다. 따라서 적절한 기간 동안 항생제를 처방해야 한다. 비록 발표된 증거는 없지만, 경비주 봉합에 과도한 긴장이 가해질 경우 그리고 늑연골 이식물들이 당겨진 피부-연조직하에서 사용될 경우, 고압 산소의 사용이 유용한 방법일 수 있다. 이 방법은 수술 후 상처 및 감염을 예방할 수 있다. 외래 추적 관리 또한 보다 자주 시행해야 한다. 마지막으로, 환자들이 감염에 동반되는 여러 징후들과 증세들을 인식하도록 그리고 감염이 의심될 경우 바로 병원을 찾도록 교육을 실시해야 한다.

IX | 결론

2차 코성형술을 함에 있어서, 콧등 이식물과 관련된 휘어진 코, 짧은 코, 안장코 문제들의 외과적 교정 및 코끝수술 관련 부작용들이 이차 코성형술을 찾는 가장 흔한 이유들이다. 휘어진 코에 대한 교정 수술에서, 중격연골 L자형 구조물의 교정 및 강화가 성공을 위한 열쇠이다. 코 지지물의 적절한 재구축을 위해, 중격 재건을 위한 중격 뼈 및 늑연골의 사용이 대부분의 사례들에서 매우 중요한 과정이다. 연장펼침이식, 콧등 융기술 및 코끝수술은 실리콘 이식의 부작용으로 인해 발생하는 짧은 코 치료에서 중요한 역할을 한다. 감염 징후를 보이는 콧등 이식물들은 가능한 신속히 제거되어야 하며, 생체조직 이식물들을 이용하여 콧등 재융기술을 시행할 수 있다. 이차 시술 사례들에서 발견되는 코끝 높이의 불균일과 코 비대칭은 외측각 구조물 이식, 외측각 중첩 이식 또는 이개연골 복합이식을 사용하여 치료될 수 있다. 부족하게 아시아인의 돌출 코에 대한 교정 수술에서, 보다 균형 잡힌 윤곽을 얻기 위해서 콧등을 줄이는 것보다 코끝 높이를 늘리는 것이 훨씬 더 중요하다. 이차 수술 사례들에서 코끝 이식물이 보이는 현상은 변연절개를 통한 다듬질로 교정될 수 있다. 상담 동안, 환자의 성격 특성을 세심하게 검토함으로써, 수술 후 불만을 가질 가능성이 높은 환자들을 미리 파악하는 것이 매우 중요하며, 다음 범주들에 속한 환자들에 대한 수술을 시행할 것인지 여부를 심각하게 재고해야 한다.

수술에 대해 비현실적인 기대감을 갖고 있는 환자, 자신의 미용적 문제점에 대하여 정확하게 파악하지 못하고 있는 환자, 수술의 동기가 불명확한 환자, 신뢰하기 힘든 과장된 태도를 가진 환자, 의사소통이 어려운 환자, 비정상적인 정신심리 상태를 가진 환자, 이전 수술에 대하여 만족하지 못하는 환자 등이 수술 후 잠재적으로 문제가 될 소지가 있는 환자 범주에 속한다. 2차 코성형술의 부작용 발생률은 1차 수술 사례들에서보다 더 높다. 교정 코성형술의 부작용들로는 휨의 불충분한 교정, 재발성 휨, 수술 후 감염, 그리고 특히 콧등 이식물 재료로 늑연골을 사용했을 경우의 미관적 불만 등이 있다. 성공적인 수술 결과를 위해 자신의 기술적 능력 범위 내에서 적절한 환자를 선정하며 적절한 수술 후 관리를 제공하는 것이 중요하다.

참고문헌

1. Cho GS, Jang YJ. Deviated nose correction: different outcomes according to the deviation type. Laryngoscope 2013;12:1136-42.
2. Hyun SM, Jang YJ. Treatment outcomes of saddle nose correction. JAMA facial plastic surgery 2013;15:280-6.
3. Jang YJ, Kim JH. Classification of convex nasal dorsum deformities in Asian patients and treatment outcomes. Journal of plastic, reconstructive & aesthetic surgery 2011;64:301-6.
4. Jang YJ, Kim JM, Yeo NK. Use of nasal septal bone to straighten deviated septal cartilage in correction of deviated nose. Ann Otol Rhino Laryngol 2009;118:488-94.
5. Jang YJ, Min JY, Lau BC. A multilayer cartilaginous tip-grafting technique for improved nasal tip refinement in Asian rhinoplasty. Otolaryngology-head and Neck Surgery 2011;145:217-22.
6. Jang YJ, Moon BJ. State of the art in augmentation rhinoplasty: implant or graft? Curr Opin Otolaryngol Head Neck Surg 2012;20:280-6.
7. Jang YJ, Song HM, Yoon YJ, Sykes JM. Combined use of crushed cartilage and processed fascia lata for dorsal augmentation in rhinoplasty for Asians. Laryngoscope 2009;119:1088-92.
8. Jang YJ, Wang JH, Sinha V, Lee BJ. Percutaneous root osteotomy for correction of the deviated nose. Am J Rhinol 2007;21:515-9.
9. Jang YJ, Wang JH, Sinha V, Song HM, Lee BJ. Tutoplast-processed fascia lata for dorsal augmentation in rhinoplasty. Otolaryngol Head Neck Surg 2007;137:88-92.
10. Jang YJ, Yeo NK, Wang JH. Cutting and suture technique of the caudal septal cartilage for the management of caudal septal deviation. Arch Otolaryngol Head Neck Surg 2009;135:1256-1260.
11. Jang YJ, Yu MS. Rhinoplasty for the Asian nose. Facial Plast Surg 2010;26:93-101.
12. Kim JH, Jang YJ. Use of Diced Conchal Cartilage with Perichondrial Attachment in Rhinoplasty. Plast Reconstr Surg 2015;135:1545-53.
13. Lan MY, Jang YJ. Revision Rhinoplasty for Short Noses in the Asian Population. JAMA Facial Plast Surg 2015;17:325-32.
14. Moon BJ, Lee HJ, Jang YJ. Outcomes following rhinoplasty using autologous costal cartilage. Arch Facial Plast Surg

2012;14:175-80.

15. Song HM, Kim JS, Lee BJ, Jang YJ. Deviated nose cartilaginous dorsum correction using a dorsal L-strut cutting and suture technique. Laryngoscope 2008;118:981-6.

16. Song HM, Lee BJ, Jang YJ. Processed costal cartilage homograft in rhinoplasty: the Asan Medical Center experience Arch Otolaryngol Head Neck Surg 2008;134:485-9.

17. Yeo NK, Jang YJ. Rhinoplasty to correct nasal deformities in postseptoplasty patients. American journal of rhinology & allergy 2009;23:540-5.

18. Yi JS, Jang YJ. Frequency and characteristics of facial asymmetry in patients with deviated noses. JAMA Facial Plastic Surgery 2015;17:265-9.

CHAPTER

36

외비재건술

김양박이비인후과 **강제구**, 조선의대 이비인후과 **최지윤**

> **CONTENTS**

Ⅰ. 결손부위 분석

Ⅱ. 결손 정도에 따른 단계별 재건방법

Ⅲ. 외비재건술의 실제

HIGHLIGHTS 〉〉〉

- 올바른 모양과 기능을 얻기 위해서는 각층의 결손을 개별적으로 평가하고 각층이 가지는 독립적인 고려와 요구사항에 따라 재건이 이루어져야 함
- 결손의 크기, 깊이, 위치와 방향에 대한 철저한 분석을 시행하여 다양한 재건방법들 중에서 가장 적절한 술식을 찾도록 노력해야 함
- 코끝의 피부는 두껍고 피지선이 발달해 있고 하부의 골격구조에 단단히 붙어 있음. 따라서 코끝 결손은 코의 상부에서 피부를 전위시켜 재건이 가능하며 코끝이나 콧날개부위에서 전위는 어려움. 코끝자체의 작은 결손은 전층피부이식이 좋은 결과를 보이며 공여부는 피부두께, 색깔, 피부결이 맞아야 하는데 전이개피부조직이 가장 합당함
- 콧날개경계부의 전층결손은 결손부위가 1.5 cm 이하로 작은 경우에는 피부-연골 복합이식으로 재건이 가능함. 1.5 cm가 넘는 큰 전층결손의 경우에는 비구순피판(melolabial flap)이 유용함
- 골격구조(framework)의 재건은 코의 돌출과 형태를 제공하고 상처의 수축에 따른 변형을 예방하며 외측벽을 단단하게 만들어 기도를 지지하고 유지하는 것임

재건술에는 선택의 문제가 있다. 환자의 요구와 조건에 따라 피부이식 등의 빠르고 간단한 방법부터 복잡하고 여러 단계에 나누어 시행되는 피판술까지 해당 환자에 적합한 방법을 선택할 수 있다. 모양이나 기능이 중요하지 않은 부위는 간단하고 빠른 방법이 선호되며 심지어, 그대로 두어도 상처는 아문다heal by secondary intention. 하지만, 코는 신체의 어느 부위보다도 외형의 복원이 중요해서self-image/social relationship 대부분의 환자에서 어떠한 대가를 치르더라도 정상에 가까운 복원을 목표로 하는 곳이다. 이러한 요구가 기원전 700년부터 시작된 전두부피판을 중심으로 하는 코재건술의 발전을 가져왔고, 현재에 이르는 심한 외비결손의 경우도 정상에 가까운 모양으로 복원이 가능한 수준으로 발전하는 동력이 되었다. 이렇게, 외형의 복원이 최우선이 되는 코재건술은 타 부위 재건과는 다른 원칙과 우선순위를 가진다.

대표적인 예를 들면, ① 결손부위를 최소화하기보다는 아단위조직에 따라subunit principle 추가 절제를 하여 결손부위를 확장하는 것이 정당화되며, ② 자연스러운 코의 형태와 질감을 얻는 것을 공여부의 희생(전두부 반흔 및 결손)보다 중요시하여 전두부피판과 여러 단계에 걸친 복잡한 재건과정이 흔히 시행된다.

Burget과 Menick에 의해 재정립된 현대적 개념의 외비 재건술의 특징을 요약하면 다음과 같다(Burget GC, Menick FJ, 1985).

① 코를 이루는 세 층(외피/골격/내피)을 독립적으로 재건한다: 올바른 모양과 기능을 얻기 위해서는 각층의 결손을 개별적으로 평가하고 각층이 가지는 독립적인 고려와 요구사항에 따라 재건이 이루어져야 한다.

② 인지학적 근거에 따른 아단위의 복원법: 코는 크게 9개의 아단위(그림 36-1)로 구분되는데, 얼굴을 인

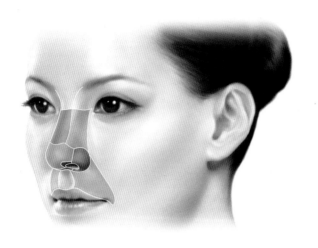

표 36-1 비결손을 초래하는 원인들
피부암
외상
이전의 코수술
질환 : 코카인, 유육종증, 베게너 육아종증
선천성
필러

┃ 그림 36-1 외비의 미용적 아단위

지할 때 코 전체를 한 번에 보는 것이 아니라 아단위로 스냅샷을 찍어 조립한 영상으로 인지하기 때문에 수술흔Scar이 그 경계 부위에 위치하면 눈에 덜 띄게 된다는 개념이다. 결손부위가 Convex한 아단위 tip, alar의 50%가 넘는 경우에는 피부를 추가로 절제하여 아단위 전체로 결손을 확장한 후 아단위 전체를 피판을 사용하여(주로, 전두부피판) 대체한다. 아단위로 대체를 하는 이유는 수술흔 때문이기도 하지만 술 후 생기는 Pincushioning이 아단위 내에서만 생기게 하여 아단위 밖에서 형태가 틀어지는 현상을 막기 위해서이다. 평평한 아단위의 경우엔(콧등, 측벽) 꼭 아단위 원칙을 따르지 않아도 되어 여분의 피부를 보존할 수 있다.

③ template를 사용하여 아단위의 결손부(크기, 형태)를 정확하게 반영하는 피판flap을 도안한다. 정상인 반대측 아단위에 대고 정확한 template를 제작하고 피판을 도안한다. 피판의 크기가 작으면 주변부 아단위를 잡아당기고 반대로 크면 일거나 피부가 울게 되어, 어느 경우나 코 형태의 왜곡을 가져오기 때문

에 정확한 크기와 모양으로 피판을 만드는 것이 중요하다.

④ Staged operation의 일반화: 코로 옮겨진 공여부 조직을 정상적인 코(모양/기능)에 가깝게 만들기 위해서는 단계별 수술을 통해 옮겨진 공여부 조직을 변형시켜야 한다. 전두부피판은 코의 피부보다 두꺼워 두께를 줄여야 하며 얇은 비점막(내피)을 재현하기 위해서는 점막을 대체하기 위해 사용된 피판의 두께를 줄여야 비강기도의 확보와 자연스러운 모양을 얻을 수 있다.

한편, 결손을 가져온 원인도 중요한 고려사항이다(표 36-1).

피부암이 가장 흔한 원인인 서양과는 달리, 우리는 사고와 인위적인 원인이 더 많다. 원인에 따라 흔한 결손부위와 결손의 정도와 양상이 달라지며 재건방법의 선택도 달라진다. 잘못된 코 성형 후 심한 결손이 생겨 재건을 하는 경우는 결손 피부보다 골격과 점막의 결손이 더 심한 편이며 코카인 중독의 경우는 비중격과 점막위주로 결손이 진행된다. 외상으로 인한 경우는 비골 골절도 생기지만 절단된 연부조직이 방치되어 생긴 구축이 문제를 복잡하게 만든다. 필러에 의한 결손은 그 정도가 다양하며 심한 경우 비익과 비첨부위의 괴사와 전층결

손full thickness을 유발하기도 한다.

성공적인 외비재건을 위해서는 코의 해부학과 창상 치유와 관련된 지식뿐 아니라 외비재건의 다양한 측면 (결손부위의 특징/다양한 재건방법과 그 장단점)에 대한 심도 있는 이해가 필요하다. 지면관계상 본 장에서는 다음의 주제를 중심으로 논의하고자 한다.

I | 결손부위 분석

아무리 작은 결손이 코에 발생한다 하더라도 결손부위에 대한 일차적인 분석defect analysis이 이루어져야 한다. 결손의 크기, 깊이, 위치와 방향에 대한 철저한 분석을 시행하여 다양한 재건방법들 중에서 가장 적절한 술식을 찾도록 노력해야 한다. 재건이 지연된 경우에는 구축된 피부를 이완시키고 흉살을 제거하며 골격부를 원위치시켜 원래의 결손형태로 전환시킨 후 분석이 이루어져야 한다. 결손부위를 분석하고 적절한 단계적 재건방법을 찾기위해 코를 상·중·하로 삼등분하여 분석하는 것이 도움이 된다. 다음으로 코의 결손을 피부, 뼈-연골로 이루어진 골격, 코 안쪽의 점막구조로 각각 분리해서 재건하여야 한다. 위치와 결손된 층에 대한 정확한 진단이 이루어지면 구획을 나누어서 단계적으로 재건이 이루어진다(Guo L et al., 2008).

II | 결손정도에 따른 단계별 재건방법

1. 단순봉합

코의 상부의 피부에 국한된 4~5 mm 이하의 결손은 단순봉합만으로 코끝이나 콧날개의 변형 없이 치료가 가능하다. 그러나 대부분의 코의 결손은 단순봉합simple suture closure만으로 해결되지 않는다.

2. 이차유합

모든 상처부위는 적절한 소독만 해주면 자연치유가 된다. 혈관이 재생되고 흉살이 결손부위를 채우고 주변의 정상피부가 안쪽으로 자라나 결손부를 줄여준다. 상피층이 흉살 위로 다시 자라나 상처부위를 덮게 된다. 최종적인 흉터는 평편하고 창백하게 보이게 된다. 결손부위는 일시적으로 붉게 보이나 시간이 지나면서 색깔이 점차 옅어지게 된다. 평편하거나 오목한 부위의 작은 상처에서 특별한 처치없이 이차유합으로 치유가 가능하다. 코끝이나 콧날개와 같이 볼록한 부위는 이차유합secondary intention healing으로 치료가 힘든 부위다.

3. 피부이식

안면부 피부이식skin grafts의 가장 이상적인 공여부는 전이개, 후이개, 쇄골상부, 전두부 피부다. 하지만 안면부 피부는 부위에 따라 두께의 차이가 심하므로 결손부의 두께를 잘 파악하여 그에 가장 잘 어울리는 공여부를 택해 이식해야 한다. 예를 들어 비첨부 결손에는 두께와 질감이 유사한 구순구nasolabial fold에서 얻은 피부가 이상적이다. 이식 피부연은 안면근육 운동에 따른 움직임을 고려하여 누빔quilting봉합으로 고정한다. 이식한 피부 위에는 건조방지를 위해 항상 받침bolster드레싱을 해주고 피부 이식 부위 주변부가 분화구처럼 올라오는 변형을 예방하기 위해 묶음봉합tie-over suture을 하여 받침을 눌러준다. 이식피부을 위해서는 아래쪽 혈액공급이 풍부하고 이식피부 아래에서 혈관이 신속히 성장할 수 있도록 이식피부가 움직이지 않아야 한다. 국소 감염 역시 있어서는 안 되며, 이식피부와 결손부 사이에 혈액이나 혈장이 존재해서는 안 된다. 대개 전층피부 이식은 결손부위와 일치하게 제작하고, 부분층 피부이식은 결손부위보다 크게 제작한 다음 받침드레싱을 풀 때 가장자리를 마름질 해준다. 최근 봉합재료의 발전으로 과거에 비해 피부이식술의 결과가 훨씬 나아졌으나 미용적 측면만 보면 피부이식보다 국소 피판을 이용한 안면재건의 결과가 더 좋다(Adams DC and Ramsey ML, 2005)(그림36-2).

4. 피판술

일반적으로 1.5 cm 이하의 피부에 국한된 결손은 국소피판local & regional flaps으로 재건이 가능하다. 그러나 1.5 cm 이상의 피하층을 포함한 결손은 골격부, 점막부를 포함한 좀 더 복잡한 재건을 필요로 한다. 이런 경우 local & regional flaps을 이용한 단계적 접근법이 유용하다(Baker SR, 2008)(표36-2).

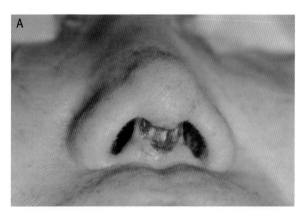
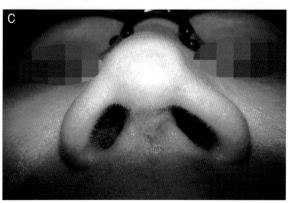
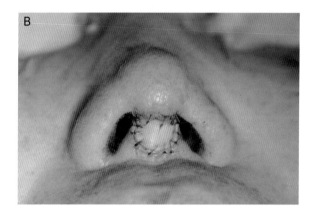

그림 36-2 **A.** 자가늑연골을 이용한 구축 코의 재수술 후 발생한 비주결손을 보여주는 50세 여자 환자. **B.** 전이개피부를 이용한 비주 결손의 재건. **C.** 피부이식을 이용한 비주 결손 재건 후 1개월 째 소견

| 표 36-2   국소피판을 이용한 코재건 알고리즘

코분할	아단위	방향	피판술
Proximal third	Central	Horizontal Round Vertical	Miter flap Glabella flap V-Y flap
	Lateral	Horizontal	Glabella flap, first choice; miter flap, second choice
	Combined	Vertical –	V-Y flap Forehead flap
Middle third	Central	Horizontal, round	Miter flap
		Vertical	V-Y flap
	Lateral	Horizontal	Miter flap
		Vertical	V-Y flap, first choice; nasolabial flap second choice
	Combined	–	Forehead flap
Distal third	Alar	–	Nasolabial, first choice; V-Y flap, second choice
	Domal-alar groove	–	Nasolabial, first choice; V-Y flap, second choice
	Dome	–	Bilobed flap
	Central tip	–	Bilobed flap
	Columella	–	Composite graft, skin graft, ascending helical free flap
	Nasal sill	–	Nasolabial flap
	Combined	–	Forehead flap, first choice; nasolabial or extended V-Y flap, second choice
Combined	–	–	Forehead flap

5. 이엽피판

이엽피판bilobed flap은 콧등이나 측면 또는 뺨의 1~2 cm 이하의 작은 결손에 흔히 사용된다. 이엽피판이 적합한 외비결손은 결손부가 코끝이나 외측벽에 위치하면서 크기가 1.5 cm 이하로 작고 콧구멍 경계에서 5 mm 이상 떨어져 있는 경우이다. 디자인은 외측에 기저부를 두는

피판이 선호되며 피판은 아래쪽 골격부를 덮고 있는 연골막과 골막의 직상방에서 분리시킨다. 피판을 이동하기 전에 주변부를 충분히 박리해 주어야 긴장을 줄이고 피판의 이동을 쉽게 하여 문지방모양흉터trap-door deformity를 줄일 수 있다.

이엽 피판은 전위 피판의 변형으로 공동의 기저부를 가진 두 개 피판이 이동하는 또 다른 전위 피판이다. 일

차 피판은 결손부를 메우고 이차 피판은 첫 번째 피판을 복구하는 데 쓰인다. 일차 피판은 결손과 같은 크기이거나 약간 더 작고, 이차 피판은 일차 피판보다 약간 더 작다. 원래는 각 피판이 90°로 만나게 도안하여 결국 전체 전위가 180°로 되면 이는 피판의 가장자리를 따라서 조직이 많이 중첩되거나 과도한 장력을 낳았다. 이 방법을 Zitelli는 결손기저부에서 삼각형 모양으로 정상 조직을 제거해 두엽 사이의 피판 회전 각도를 45~50° 정도로 줄여 결국 전체 전위가 90°가 되도록 디자인을 수정하여 중첩된 조직의 양을 줄이고 장력을 줄여 원추형변형 standing cone을 감소시켰다. 여기에 두 번째 피판 모양을 타원형이 아닌 삼각형으로 고치면 눈에 덜 띄는 반흔이 만들어진다. 수술이 끝나면 6주 후에 박피술dermabrasion을 시행하여 흉터를 감소시킬 수 있다(그림 36-6).

6. 비구순피판

콧날개의 결손은 크기가 작은 경우에도 이차적인 상처 치유에 의해 콧날개가 움푹 들어가거나 콧구멍의 함몰을 동반하게 된다. 따라서 콧날개의 재건이 요구되며 콧날개 피부의 재건에 비구순피판melolabial flap이 가장 선호된다. 콧날개는 alar facial sulcus와 alar groove에 의해 뺨과 구분되는 입체적인 구조이다. 주변의 피부를 이동시킬 때 코, 뺨과 입술을 구분할 수 있는 alar facial sulcus를 유지하는 것이 좋은 결과를 가져온다. 또한 비구순구를 따라 피판을 디자인하면 흉터를 가릴 수 있어 미용적으로 좋은 결과를 보인다. 내측 뺨 부위의 피부는 모공이 넓고 피지선이 발달해 있어 코의 하부와 비슷한 형태를 띠고 있다. 정상측 콧날개의 정밀한 형태를 포일이나 고무를 이용해 주형template을 제작할 수 있다.

1) Superiorly based single-staged melo-labial flap

고전적인 일단계 비구순피판은 유용하기는 하나 trap-door deformity가 잘 생기고 비구순구를 불명확하게 만들어 이차수술이 필요한 단점이 있다. Zitelli는 이러한 단점을 극복할 수 있도록 일단계 비구순피판의 변형을 시도하였는데 결손부의 위쪽에 내안각을 향하여 Burrow's triangle을 추가하고 피판의 심부를 piriform aperture의 골막에 고정하고 주변부를 넓게 박리하고 공여부의 피부를 최대한 얇게 디자인하였다. 공여부피판은 전위되고 뺨피판이 전진하여 비구순구를 유지시킨다.

2) Two-staged melolabial interpolation flap repair

1.5 cm가 넘는 큰 전층결손의 경우에는 비구순피판me-lolabial flap이 유용하다. 이단계 비구순구피판Nasofacial groove flap은 2단계 수술로 첫 번째 단계에는 비구순구 nasofacial groove를 따라 피판을 디자인 후 상처부위를 덮어주고 외측부는 피부를 붙여둔 상태로 3주 정도 유지 후에 결손부 피부가 안착이 되면 유경부를 자르고 피부를 얇게 만들어 재배치하는 것이다.

7. 전두부피판

전두부피판은 코의 심각한 결손을 재건하는 데 가장 많이 쓰이는 방법이다. 간통죄에 대한 처벌로 제거된 코를 전두피판을 이용해 재건한 기록이 고대 인도 때부터 내려올 정도로 오래된 안면 결손 재건방법 가운데 하나다.
결손의 형태나 위치, 범위에 상관 없이 유용한 피판이

다. 이마 피부의 질감, 색깔, 두께 등을 고려할 때 전두부는 코 재건술에 가장 이상적인 공여부로서, 이마에 생길 결손과 흉터가 눈에 크게 거슬리지 않아 광범위한 비배부 결손을 복원하는 데 가장 널리 사용한다. 비결손 재건에는 예전부터 방정중앙paramedian과 중앙선midline 전두부피판이 주로 사용되어 왔다. 중앙선 전두부피판은 방정중앙 피판과 비교할 때 피판 자체의 건실함은 비슷하지만 경을 1.5 cm 이하로 좁혀 원거리까지 더 원활하게 회전이동을 할 수 있다는 장점이 있다. 이마에 남을 흉터가 중앙선에 놓이는 것이 방정중앙에 생기는 것보다 미적인 관점에서의 결과도 더 우수하다. 또한 중앙선 전두부피판은 주로 활차상동맥supratrochlear artery에서 혈관을 공급받는 축성 피판이지만 이차적으로 안면동맥 가지로부터의 측부 순환collateral circulation이 이루어지고 있어 풍부하고 안정적인 혈액공급이 가능해 피판 생존 측면에서도 방정중앙 전두부피판보다 유리하다. 도플러Doppler를 이용하여 혈관의 위치를 확인 할 수 있다. 활차상동맥supratrochlear artery은 중앙에서 1.5 cm 외측에서 추미근corrugate muscle 사이로 나온다.

피판 도안의 개선과 함께 코의 미적 아단위aesthetic subunit란 개념이 도입되어 복원한 코의 미적 결과도 한층 나아졌다. 이 개념은 결손부를 항상 미적 아단위로 바꿔 흉터를 아단위 경계를 따라 생기게 하는 것으로 어떤 경우 정상적인 피부도 함께 제거되어 결손 부위가 더 늘어날 수 있으나 아단위 원칙에 따라 눈에 덜 띄는 자연스런 반흔이 만들어진다는 원리다. 심지어 미세하게 아단위에 걸쳐진 결손조차 정상 피부를 과감히 제거해 새로운 피판으로 복원하는 방법이 전두 피판의 길이가 변하지 않는 한 미적인 면에서 더 우수하다. 그러나 아단위 결손이 10% 미만이면 대개 주변이나 주위 아단위로부터 피판을 끌어와 복원한다. 또 한 반흔이 비배부상단 2/3 정중앙에 만들어지면 비배부 아단위를 이등분하게 되나 다행히 눈은 안면과 코 양쪽을 절반씩 인지하기

때문에 반흔이 눈에 그리 거슬리지 않는다. 그러므로 피판을 도안할 때는 미적 아단위 원칙을 철저히 따르되 주위의 여건을 고려하여 눈에 가장 덜 드러나는 방향으로 유연하게 제작한다.

수술은 마킹펜으로 미적 아단위를 직접 코 위에 그려놓고 시작한다. 대개 결손부에 정확히 맞는 주형template을 날카로운 모서리가 잘 유지되는 빳빳한 은박지로 제작한다. 실이나 거즈를 이용하여 결손부위에서 피판의 길이를 계산한다. 전두부에 주형template을 대고 피판을 디자인한다. 피판의 기저부는 1~1.5 cm의 폭으로 만들어 피판의 회전을 높이고 충분한 길이를 제공한다. 피판의 원위부는 피하박리를 시행하고 중간부위는 모상건막층galeal plane을 통해 박리를 시행하고 기저부의 1~2 cm 상방에서부터 모상건막하층subgaleal plane으로 박리를 시행하여 혈관의 손상을 막는다. 피판이 회전했을 때 상하좌우가 바뀌는 것을 고려하여 주형을 이마에 얹고 선을 그은 후, 그은 선을 따라 피판을 절개한다. 피판 전체 길이를 결정하는 것은 가장 아래쪽 비첨부가 아닌 반대쪽 모서리 끝이라는 것을 염두에 둔다. 피판의 가장 말단부는 코의 피부 두께와 일치하도록 피하판Subcutaneous plate만 남게 아주 얇게 박리한다. 이 부위 이외의 피판의 경우 대부분 혈관 분지를 보존하는 모상건막하층subgaleal plane으로 들어 올린다. 하지만 피부가 매우 두껍거나 소혈관질환 위험인자를 갖고 있는 환자에서는 다음 단계에서 부피를 줄이는 debulking 계획을 세우고 가장 말단 부위도 모상건막하로 피판을 들어준다. 원래 모발선이 이마 아래로 내려와 있는 환자는 모발이 있는 두피까지 피판이 연장되므로 이때는 모낭에서 피판을 완전히 제거해야 한다. 눈썹 근처의 기저부 박리때 나오는 추미근corrugator supercilii muscle은 그 위로 활차상혈관이 나와 안륜근을 뚫고 지나가므로 혈관이 다치지 않게 박리를 아래로 진행한다. 이후 박리는 골막을 잘라 이를 피판에 붙인 상태로 거상해 피판 생존력도 높이고

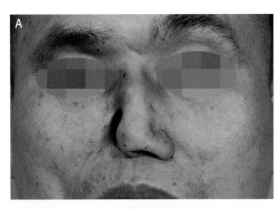

그림 36-3 **A.** 콧등에 발생한 악성흑색종으로 수술과 방사선치료 후 발생한 비배부와 비익결손을 보여주는 45세 남자 환자. **B.** 외비의 내측 점막부 재건을 위한 콧등과 뺨 피부를 이용한 내전 피판. **C.** 외비의 골격부 재건을 위한 자가 늑연골을 이용한 상, 하외측연골의 재건. **D.** 전두부피판을 이용한 피부결손의 재건

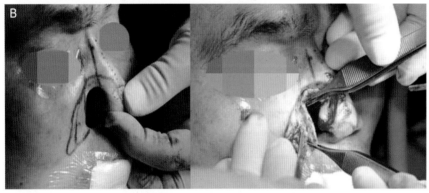

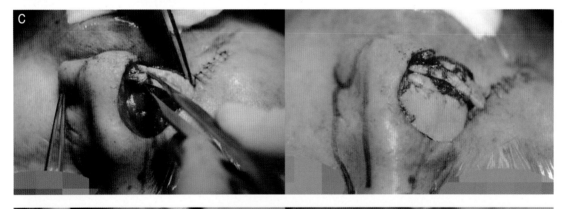

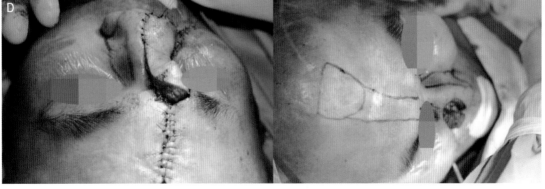

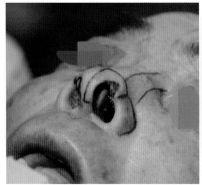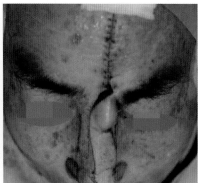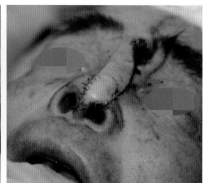

| 그림 36-4   전두부피판을 이용한 일측 코끝 피부결손의 재건

피판이 자유롭게 멀리 비첨부까지 내려갈 수 있게 한다. 눈썹 아래까지 박리를 연장하면 부가적인 길이를 더 얻을 수 있다.

코안의 점막층의 재건은 가장 어려운 부분인데 epidermal turn in flap이 유용한 방법이다. Epidermal turn in flap의 3~4 mm는 deepithelialization을 시행하여 cyst formation을 막는다. 외측에 존재하는 결손부위는 비구순피판melolabial flap 또는 뺨피판cheek flap을 이용하여 turn in flap을 디자인 할 수 있다. 또 다른 방법으로는 비중격피판septal flap을 디자인 하여 점막층mucosal lining을 만들어 줄 수 있다. 비중격 점막과 연골을 이용하여 코안쪽을 재건한 경우 비중격 천공의 가능성이 있다. 3주가 지나면 혈관경을 분리하고 근위부 피부를 원래의 자리로 돌려준다. 이때 눈썹의 위치가 양쪽이 대칭이 되도록 주의를 요한다.

공여부 결손은 주위 조직을 광범위하게 넓힌 다음 당길 경우, 너비 5 cm까지는 일차 봉합으로 복구가 가능하다. 결손이 과도해도 정기적인 드레싱을 통한 이차유합secondary intention으로 복구하면 피부 이식을 쓰거나 다른 방법을 이용하여 복원한 것과 비교할 때 미적인 면에서 결과에 차이가 없으므로 대부분 조직 확장술이나 다른 이식술은 불필요하다. 결손 부위를 덮고있는 피판

의 경은 3주 후 분리하고, 주변 피부와 질감, 두께 및 색깔 등 모든 면에서 피판 주위 피부와 자연스럽게 이행하도록 경사지게 다듬질하여 붙인다. 이마쪽 경의 말단 pedicle stump에는 눈썹의 모양과 위치가 변하지 않게 부피를 과감하게 줄이는 작업이 필요하다.

혈종과 괴사 그리고 바늘겨레pincushioning변형 등이 가장 흔히 보는 대표적 합병증이다. 혈종은 수술 중 철저한 지혈과 적절한 배출관 삽입 그리고 압박 드레싱 등으로 예방할 수 있다. 피판 괴사는 충분하지 못한 동맥 공급과 정맥 충혈로 피판의 영양공급이 부족한 경우에 발생하는데 피판과 결손부 가장자리의 외상을 줄이는 술기를 사용하면 피판괴사의 확률이 낮아진다. 바늘겨레 변형은 원인이 불분명하지만 대개 디자인을 잘못했거나 심한 부종 그리고 피판의 두께가 결손 부위 주변보다 두꺼울 때 발생한다. 결손부위 주위 모든 면을 넓게 박리하여 이를 예방하고 바늘 겨레가 생길 가능성이 있는 피판에는 triamcinolone을 주사하여 흉터구축scar contracture이 덜 일어나게 만든다. 변형이 이미 생긴 경우 Z 성형술이나 피판을 두께를 줄이는 defattening 방법 아니면 피판 주위 박리를 통해 장력을 분산하는 방법 등으로 변형을 최소화한다(Menick FJ, 2004)(그림 36-4).

III | 외비재건술의 실제

1. 콧등과 외측벽의 결손

콧등과 외측벽의 피부층에 국한된 결손은 전층피부이식을 통해 재건이 가능하다. 내안각부위는 이차유합secondary intention에 의해 잘 치료가 되는 부위이다. 그러나 이차유합에 의해 내안각부위에 피부수축이 발생할 수 있는데 이를 예방하기 위해 미간회전피판glabellar rotation flap을 사용할 수 있다. 그러나 이 피판은 작은 결손 부위에도 불구하고 상대적으로 긴 절개를 필요로 한다. 대부분 절개선은 잘 보이지 않는다(그림 36-5).

콧등 중앙의 작은 결손부위는 일차봉합 또는 단일 또는 이차 전위피판single or double transposition flap을 이용하여 봉합이 가능하다. 단일 전위피판Single transpositional flap의 봉합선은 비익구alar crease에 놓이는 게 좋다. 콧등의 비혹hump을 제거하면 긴장을 줄여주어 피판의 봉합에 도움이 된다. 만약 단일 전위피판single transpositional flap이 콧날개를 들어올리는 경우 이차 전위피판double transpositional flap이 이용된다.

콧등과 외측벽의 큰 결손은 비구순피판melolabial flap이나 전두부피판forehead flap을 이용하여 재건한다. 이 경우 코안의 점막과 연골의 재건이 필연적이다. 외측벽의 피부에 국한된 결손은 비구순피판melolabial flap을 이용하여 재건한다(Brian M et al., 2009).

2. 코끝 결손

코끝의 피부는 두껍고 피지선이 발달해 있고 하부의 골격구조에 단단히 붙어 있다. 따라서 코끝 결손은 코의 상부에서 피부를 전위시켜 재건이 가능하며 코끝이나

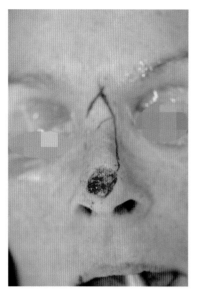

| 그림 36-5 미간 회전 피판술
코끝 피부 결손의 교정을 위한 콧등 회전 피판의 디자인

콧날개부위에서 전위는 어렵다. 코끝 자체의 작은 결손은 전층피부이식이 좋은 결과를 보이며 공여부는 피부 두께, 색깔, 피부결이 맞아야 하는데 전이개피부조직이 가장 합당하다. 또한 귓불 후방피부가 색깔이 일치한 경우 좋은 공여부가 될 수 있다.

코끝결손이 크거나 코끝상부피부를 함께 포함하는 경우 이엽피판bilobed flap이 효과적이다. Zitelli 변형은 각각의 피판lobe을 90도 대신 45~50도 전위시키는 경우로 원추형변형standing cone 형성을 감소시킨다(그림 36-6).

코끝과 콧날개를 포함하는 큰 결손은 비구순피판melolabial flap이나 전두부피판forehead flap으로 재건이 가능하다.

3. 비주 결손

연삼각부위는 재건이 어려운 부위로 봉합 시 함몰이 발

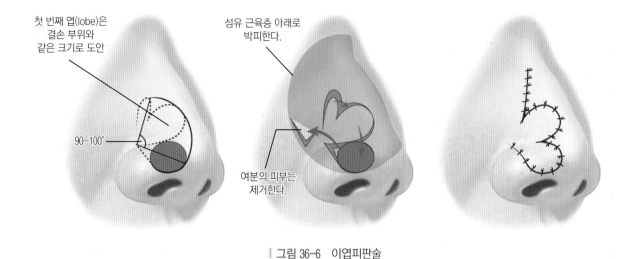

첫 번째 엽(lobe)은
결손 부위와
같은 크기로 도안

90~100°

섬유 근육층 아래로
박피한다.

여분의 피부는
제거한다.

▎그림 36-6 이엽피판술

생하지 않도록 주의가 필요하며 결손이 발생한 경우 개방된 상태로 유지하면서 육아조직이 채워지기를 기다리는 방법이 적합하다. 코끝이나 비주의 결손이 동반된 경우 코끝과 비주를 재건한 상태에서 연삼각부위를 개방된 상태로 유지한다.

비주의 작은 결손은 전층피부이식이나 피부-연골 복합이식으로 교정이 가능하고 비주의 큰 결손은 비구순피판melolabial flap이나 비하점피판subnasale flap 또는 nasolabial sulcus flap으로 교정이 가능하다. 코끝의 결손을 포함한 비주의 결손은 전두부피판forehead flap으로 교정이 가능하다. 윗입술의 결손을 동반한 경우에는 아베피판Abbe flap이 좋은 결과를 보인다(그림 36-7, 36-8).

4. 콧날개결손

콧날개경계부를 포함하지 않는 비구순구alar groove의 부분층 피부결손은 이차유합에 의해 잘 치료가 된다. 상처부위를 소독하고 항생제연고의 도포만으로 3-4주면 상처가 봉합된다. 그 밖에 콧날개의 부분층 결손은 이엽피판bilobed flap, 두단계비구순피판two stage melolabial flap, 비구순구피판nasofacial groove flap으로 가능하다.

비구순구피판Nasofacial groove flap은 2단계 수술로 첫 번째 단계에는 비구순구nasofacial groove를 따라 피판을 디자인 후 상처부위를 덮어주고 외측부는 피부를 붙여둔 상태로 3주 정도 유지 후에 결손부 피부가 안착이 되면 유경부 피부를 자르고 피부를 다듬어 부피를 줄여주고 마무리한다.

콧날개경계부의 전층결손은 결손부위가 1.5 cm 이하로 작은 경우에는 피부-연골 복합이식으로 재건이 가능하다. 주로 귓바퀴를 삼각형 형태로 절제하여 결손부위를 메워 준다. 공여부는 일차봉합을 시행한다. 결손부위가 큰 경우에는 비구순피판melolabial flap 또는 nasal skin turn in flap을 이용해서 코 안의 점막부를 만든 후 바깥쪽 결손은 복합이식composite graft을 이용하여 재건한다.

1.5 cm가 넘는 큰 전층결손의 경우에는 비구순피판melolabial flap이 유용하다. 반대측(정상측) 콧날개를 이용해 주형template을 제작한 후 피부의 수축을 대비하여 1~2 mm 여유있게 비구순구melolabial crease를 따라

A

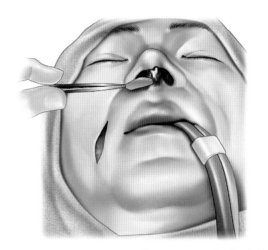

B

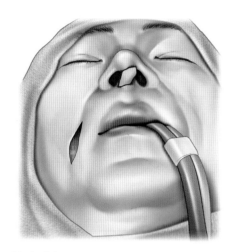

┃ 그림 36-7   비구순 피판을 이용한 비주결손의 재건

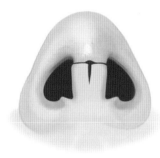
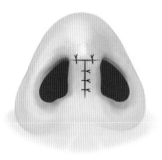

┃ 그림 36-8   비하점 피판을 이용한 비주결손의 재건

피판을 디자인한다. 피판의 양끝은 봉합 시 원추형변형 standing cone을 줄이기 위해 삼각형 형태로 끝을 가늘어지게 만든다. 피판의 디자인이 끝나면 피부절개를 시행하고 원위부에서 피하박리를 시행하여 피판을 거상한다. 근위부는 혈액공급을 위해 피하조직에 붙여 놓는다. 피판을 무디게 박리하여 원하는 위치에 도달시킨다. 비기저부는 재건이 어려우므로 가능한 보전하는 것이 재건에 도움이 된다. 이동된 비구순피판melolabial flap을 비기저부에 봉합하여 위치시킨다. 공여부는 뺨피판cheek flap을 이용하여 일차봉합을 시행한다. 안쪽 점막층의 재건

은 비구순피판melolabial flap을 안쪽으로 말아서 가능하다. 콧날개의 함몰을 예방하기 위해서 비중격 또는 귀연골을 이용해 콧날개연골의 재건 및 강화가 필수적이다. 콧날개 위쪽의 고랑은 삼각고정봉합triangular fixation suture 또는 볼스터 드레싱을 이용해 만들어 줄 수 있다. 수술 직후에 재건된 콧날개가 정상측에 비해 1~3 mm 정도 낮게 위치하는 것이 적절하다. 3주가 지난 후에 피판의 육경을 절제하고 원래자리로 위치시킨다(Driscoll BP and Baker SR, 2001).

5. 골격구조

외비재건술에서 골격구조framework의 재건은 3가지 의미를 가지고 있다. 첫째, 코의 돌출과 형태를 제공한다. 둘째, 상처의 수축에 따른 변형을 예방한다. 셋째, 외측벽을 단단하게 만들어 기도를 지지하고 유지하는 것이다. 재건된 피부는 점차적으로 수축을 하면서 아래쪽 골격구조에 밀착하여 모양, 윤곽, 굴곡을 형성한다. 따라서 골격구조가 최종적인 코의 형태를 결정하게 된다. 각진 모서리는 시간이 지남에 따라 돌출되어 환자들의 불만을 야기한다. 따라서 연결부위를 섬세하게 조각하고 부드럽게 다듬고 정밀하게 봉합하여야 한다. 미용적 코성형과 마찬가지로 코의 형태를 개선시키기위해 추가적인 연골이식을 필요로 한다. 외비의 피부수축은 내측과 상방으로 이루어지며 시간이 지남에 따라 코끝이 들리거나 콧날개의 함몰이 발생할 수 있다. 콧날개의 함몰을 예방하기 위해서 비중격 또는 귀연골을 이용해 콧날개연골의 재건 및 강화가 필수적이다. 연골의 이식은 피부의 수축을 지지하는 데 도움이 되며 약간의 과교정이 좋은 결과를 가져온다. 코의 위쪽 2/3는 비중격연골, 자가 가슴연골, 기증된 가슴연골로 골격의 재건이 가능하다. 아래쪽 1/3은 콧날개의 경우 귀연골과 비중격연골을 사용하여 정상적인 하비익연골보다 길게 디자인 후 코끝에서 이상와pyriform aperture 사이를 연결하고 하비익연골보다 아래쪽으로 위치시켜 고정하면 좋은 결과를 보인다. 코끝의 경우 비중격연골이 코끝을 지지하는 데 주로 이용이 된다(David AS and Wayne FL, 2009).

6. 점막 내피

1) 점막 내피 재건의 필요성

점막 내피intranasal mucosal lining는 비전정 피부vestibular skin와 비점막nasal mucosa으로 구성된다. 제1차 세계대전 이후 Gillies가 추가적인 점막 내피 재건이 코의 수축과 코 형태의 변형을 방지할 수 있음을 보고한 이후로 점막 내피 재건의 중요성이 대두되기 시작하였다. 점막 내피 재건을 시행하지 않으면 다음과 같은 문제점이 발생된다.

(1) 반흔구축에 의한 코 기본 골격의 변형
아주 작은 점막 내피 결손이라 할지라도 이차적 창상 치유secondary healing로 인해 발생되는 반흔구축scar contracture으로 시간이 지날수록 코 기본골격nasal framework의 변형이 유발된다.

(2) 구조이식물의 노출, 탈출 및 감염
점막 내피 위층에 위치한 구조이식물structural graft이 노출 혹은 탈출되어 세균 감염이 유발된다. 또한 이식물에 점막 내피를 통한 충분한 혈류 공급이 이루어지지 않아 이식물 생착graft survival이 감소된다.

이 같은 점막 내피의 결손을 방치하면 외부 결손을 아무리 잘 재건하더라도 결국 미용적, 기능적 문제점을 유발하게 된다. 점막 내피 재건의 방법은 단계별로 다음과 같이 정리할 수 있다(Menick FJ, 2009)(표 36-3).

2) 복합피부이식

복합피부이식composite skin graft 수술은 1.5 cm 이하의

| 표 36-3 | 골격구조의 재건 |

Donor tissue	Characteristics
Septal cartilage	Strong; straight; limited in quantity
Conchal cartilage	Weaker, intrinsic curve useful for alar batten or cartilage reconstruction
Costal cartilage	Stronger, from sixth to ninth ribs ideally; serve as central support elements; can form a L-strut that sits on nasal radix and bends sharply at proposed nasal tip to rest on anterior nasal spine
Cranial bone graft	From parietal skull; useful for reconstructing bony pyramid, nasal sidewall; provides strong central support; shaped and secured to maxilla and frontal bone with microplates
Iliac or costal bone graft	Alternative for nasal pyramid and dorsum reconstruction

경계부 전층 결손(콧구멍 변연 혹은 비주)이나 soft triangle 결손 시 사용 가능한 방법이다. 복합이식의 넓은 형태도 실제로 넓은 전층이식부위와 작은 복합이식이 합쳐진 형태로 이뤄진다. 주로 귀에서 채취하며, 그 중 helical root, helical rim 혹은 귓볼이 주로 쓰인다. 복합이식은 이식부위의 혈류가 풍부해야 하며, 세심하게 봉합하며 이식물의 이동이 없어야 생착 가능하다.

공여부에 국소마취제를 주입하기 전에 template을 대고 미리 디자인해야 정확한 이식물을 얻을 수 있다. 처음에는 흰색을 보이다가 2~3일 뒤에는 푸른 빛을 띄며, 이후 분홍색으로 변하며 생착이 이뤄진다(Woodard CR and Park SS, 2011).

3) 비내 점막 피판

비내 점막 피판intranasal mucosal flap은 얇고, 유연하며, 혈류가 비교적 좋아 점막 내피 재건에 이상적이다. 이에 더해, 점액섬모 운동, 가습, 흡기 온도 조절 등 생리적 기능이 원래 조직과 유사하다는 장점이 있다. 하지만, 크기가 제한되어 있어 큰 결손의 경우 사용이 어려울 수 있으며, 피판의 가장자리margin의 혈류가 좋지 않아 괴사

될 가능성이 있다. 또한 비내 점막 피판에 의해 재건된 콧구멍은 크기가 작은 경우가 많아 협착을 유발하거나 콧구멍 변연의 변위가 발생될 수 있다.

5 mm 이하의 비내 점막 결손은 일차봉합primary closure이 가능하며, 그 외 비내 점막 재건 방법으로는 양경 비전정 전진피판bipedicled vestibular advancement flap, 하비갑개 점막성골막피판inferior turbinate mucoperiosteal flap, 비중격 점막성연골막피판septal mucoperichondrial hinge flap, 비중격 복합 축피판septal composite pivotal flap이 있다.

(1) 양경 비전정 전진피판

양경 비전정 전진피판Bipedicled vestibular advancement flap은 비익nasal ala의 전층 소실 혹은 높이 1 cm 이하의 편측 비첨부hemitip 소실의 경우 사용할 수 있다. 동측에 연골간절개intercartilaginous incision를 비중격에서부터 비전정의 외측 바닥까지 가한다. 상외비연골과 비익연골의 비점막부위를 세심히 박리하여 피판의 손상을 최소화한다. 최대한 가동성을 확보하며 아래쪽으로 끌어내려 당김이 없이 콧구멍 변연이나 소실된 점막의 아래쪽 변연에 위치될 수 있도록 하며, 주로 귀연골을 이용하여 수평 매트리스 봉합horizontal mattress suture으로 고정한다.

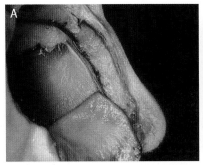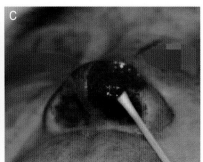

| 그림 36-9   일측 비중격 점막-연골막 경첩 피판술

공여부(주로 연골막에 손상이 없는 상외비연골)에는 전층 피부이식 혹은 비중격 피판으로 재건한다.

(2) 비중격 점막성연골막피판

비중격 점막성연골막피판septal mucoperichondrial hinge flap은 비중격 전하부의 혈류는 상순동맥의 비중격가지septal branch of superior labial artery로부터 공급된다. 혈류는 비교적 풍부하여 양측 비중격 점막을 비중격 연골의 유무와 관계 없이 공급 가능하며, 흡연 여부에 비교적 무관하다. 결손 부위와 동측 비중격 점막피판은 주로 하부 결손에 사용된다. 반대측 비중격 점막피판은 상부의 사골동맥으로부터 혈류 공급을 받으며, middle vault에 주로 사용된다. 큰 결손에 대해서는 양측(동측 및 반대측) 비중격 점막피판을 동시에 사용하게 된다(그림 36-9).

미측 비중격caudal septum을 기반으로 한 피판으로 코 외측 벽에 이식을 진행할 경우에는 pedicle에 의해 nasal airway의 near total obstruction이 발생되며, 수술 3주 뒤 septum으로부터 detach한다. 반대로, dorsal septal hinge flap의 경우에는 airway obstruction이 발생되지 않아 pedicle detachement가 필요치 않다.

(3) 비중격 복합 축피판

비중격 복합 축피판composite septal pivotal flap은 양측 비중격 점막과 연골로 이뤄진 피판으로서, 양측의 전층 비첨부 소실 및 비주 소실에 사용된다. 비극nasal spine주변에 1.5 cm 가량의 pedicle을 갖게 되며, 원위치와 비교했을 때 앞쪽으로 90~110도 회전시켜 central bridge support에 사용된다. 특히, 자유연단free edge을 양측으로 돌려 코 중심부 점막 결손에 사용될 수 있다. 하지만, 피판 길이에 제한이 있어 콧구멍 변연이나 코 기저부 결손에 사용될 수 없다.

피판을 디자인할 때는 충분한 크기 및 회전성을 확보하는 것이 중요하다. 결과적으로 피판이 90도 가량 회전되어 적용되므로, 피판의 수평길이는 tip projection에 관계된다. 피판의 너비는 양측 비익 및 미부 측벽의 점막 내피 높이와 관계된다. 하지만 피판을 크게만 확보한 피판을 크게 확보하더라도 피판의 가장 상부를 dorsal strut에 고정해야 하므로, 1 cm 이상의 dorsal strut을 남겨두는 것이 중요하다. 피판의 회전성이 확보되지 않으면 수술 후 코 길이가 짧아지고, 코끝이 들리게 된다 (Baker SR, 2008).

(4) 비갑개 피판

비갑개 피판turbinate flap은 하비갑개 전단부에 pedicle을 둔 피판이다. 이전에 비내 수술, 특히 하비갑개절제술을 시행받았던 환자에서는 시행되기 어려우므로 병력청

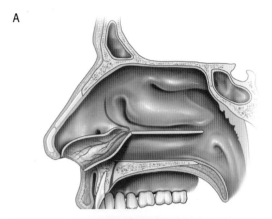

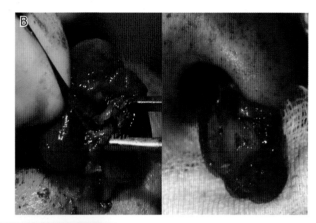

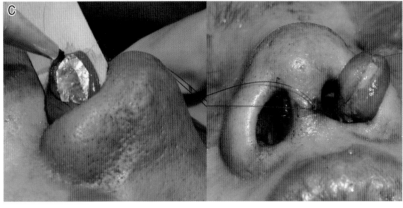

▍그림 36-10　**A.** 하비갑개피판술의 도식적 그림. **B.** 하비갑개골을 제거하여 하비갑개피판을 생성하는 수술 중 소견. **C.** 하비갑개피판술을 이용하여 외비의 점막부를 재건하는 수술 중 소견

취 시 주의가 요구된다. 뒤쪽에서 앞쪽으로 하비갑개 부착부위 맨 뒤에서 앞으로 절개를 가한 뒤 180도 돌려 코 밖으로 빼낸다. 말려진 점막을 편 뒤 속에 있는 뼈를 제거하고 이식부에 적용한다. 주로 비익부위 점막 결손에 사용되며, 크기 제한으로 인해 큰 결손에는 사용되기 어렵다(Murakami CS et al., 1999)(그림 36-10).

4) Hingeover flap

비익 결손 발생 후 남아있는 부분 혹은 중간뺨medial cheek을 전층 소실 부위에 뒤집어서 사용하는 방법이다. 결손 부위의 변연에 위치한 반흔조직의 피하 혈관경sub-

cutaneous pedicle을 기반으로한 피판이다. 피부층과 점막층이 함께 치유되며 혈류를 확보하기 위해서 전층 결손 발생 6~8주 뒤에 사용할 수 있는 방법이다.

　Hingeover flap은 두껍고, 딱딱한 특징이 있다. 피판이 두껍기 때문에 술 후 외비의 형태가 의도치 않게 변형될 수 있으며, 연골 이식을 통해서도 원하는 형태를 바로 얻기 힘든 경우가 많다. 혈류가 그다지 좋지 않기 때문에 1~1.5 cm 이하의 크기일 경우 사용할 수 있으며, salvage case의 경우에는 사용할 수 없다. 부족한 혈류로 인해 피판이 괴사되면, 지지를 위해 사용된 연골 이식물에 이차적인 감염이 발생되어 코 재건 전반에 문제를 일으킬 수 있으므로 유의해야 한다. 일부에서는 피판을 거상하고 다시 제 위치로 위치시킨 후 3주 뒤 이식하는 지연성 hingeover flapdelayed hingeover flap을 시도해 볼 수 있으나 생착률 증가에 미치는 영향은 미미한 것으로 보인다. nostril에는 문제가 없어 보여도 코 속은 좁아져 코막힘이 유발되는 경우가 있으며, 이럴 경우 콧속 접근도 쉽지 않아 코막힘을 해결하기 어렵다는 단점이 있다.

5) 전두부피판

점막재건을 위해 Menick은 전두부피판Modified menick folded forehead flap을 수정하여 적용하였다. 전두부피판은 혈류가 매우 좋기 때문에 점막 재건을 위해 접어서 사용해도 문제가 발생하지 않는다. 일단 치유가 되면, 주변 점막 내피와 융합되어 전두부피판 근위부를 통하지 않아도 자체적인 혈류 공급이 가능하다. 이같은 기본 개념을 바탕으로 총 3단계로 점막 내피를 재건하게 된다.

(1) Initial stage

혈류 공급이 원활한 정상 점막 내피와 맞닿게 전두부피판을 적용하여 점막 내피와 코 피부 결손에 동시에 이식한다. 점막 결손 부위와 동일한 크기로 template을 제작하여 전두부피판을 디자인할 때 이용해야 정확한 점막 재건이 가능하다. 또한 점막 내피 부위는 가측에서 내측으로 접혀들어가게 되는 형태를 취하게 되므로 피판의 점막 내피 부분과 코 외피 부분의 위치 관계를 잘 고려해야 한다. 이 단계에서는 피판이 두꺼워 지지를 위한 1차 연골이식은 효과적이지 못하므로 시행하지 않는다.

(2) Intermediate stage: flap debulking and delayed primary support graft

수술 4주째 피판의 피부부위proximal cover와 점막부위 distal lining를 최종적 nostril margin을 따라 분리한다.

피부부위를 2~3 mm 두께의 지방층과 함께 벗겨낸 뒤, 아래쪽에 남아있는 전두근, 지방층을 제거한다. 바닥에 남아있는 부드러운 점막 내피 위로 지지를 위한 연골 이식delayed primary support graft을 시행한다. 이후 미리 벗겨두었던 pedicle을 그 위에 이식한다.

(3) Pedicle division

중간 수술 이후 3주 뒤 pedicle을 분리한다. 이같은 Modified Menick folded forehead flap은 3.5 cm 이하의 점막 내피 결손을 동반한 전층 결손의 경우 사용할 수 있는 방법이다. 이는 코 내부를 다듬을 필요가 없어 수술 후 코피나 코막힘이 유발되지 않는다. 또한 혈류가 좋은 피판이므로 흡연가나 노인 혹은 혈류 공급에 장애를 줄 수 있는 기저질환이 동반된 환자에도 사용할 수 있으며, 비내 피판의 사용이 어려운 환자에도 적용될 수 있는 장점이 있다(Menick FJ, 2009).

6) 안면동맥근점막 피판

안면동맥근점막 피판Facial artery musculomucosal flap, FAMM flap은 구강점막, 점막하층, 협근buccinator muscle의 일부, 구륜근의 심층deeper plane of the orbicularis oris muscle, 안면동맥과 안면정맥총으로 구성된다. 상부에 혈관경을 두고 안면동맥을 중심으로하여 구강점막과 안면동맥을 거상한 뒤 alar base에서 비강으로 통과시킨다. 길이 8~9 cm, 너비 1.5~2 cm 크기로 재단하여 middle vault에 사용한다. 혈류가 매우 좋으며, 안면부에 반흔을 남기지 않는다는 장점이 있다. Middle vault의 고립된 점막 결손에 주로 사용되며, 콧등의 피부는 전두부피판을 이용하여 재건한다(그림 36-11).

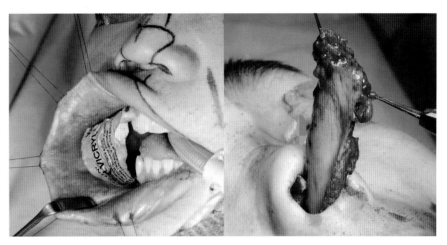

| 그림 36-11   안면동맥근점막피판술

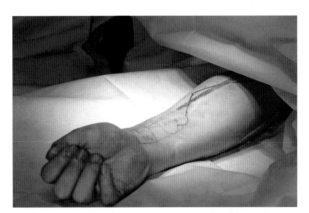

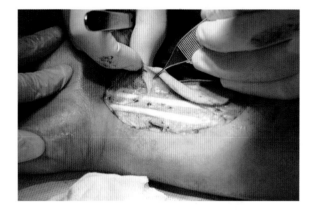

| 그림 36-12   전완부유리피판술

7) 유리피판 이식

코에 크고 깊은 결손이 있고, 위에서 언급한 국소 피판으로 결손부위를 충분히 재건할 수 없는 경우에 사용된다. 유리피판 이식Free tissue transfer으로 최상의 결과를 도출해내기 위해서는 수술 전 결손부위에 대해 충분한 고려가 필요하다. 코 결손을 재건하기에 앞서 먼저 중안면의 기반midfacial platform이 되는 뺨, 입술 등에 대한 재건이 선행되어야 한다. 중안면 기반이 제대로 재건되어야만 재건된 코가 정확한 위치 및 projection을 유지할 수 있다. 또한 결손 부위의 크기, 위치, 깊이를 정확히 측정해야 하며, 결손 부위 오염 유무 혹은 방사선치료의 기왕력 등 이식에 영향을 줄 수 있는 요소를 확인해야 한다. 환자에 따라 다르겠지만 양측 비익이 전부 소실 된 경우에는 가로로 평균 7~8 cm 가량이 필요하며, 비근으로부터 비첨부까지 세로로 4 cm 가량이 필요하게 된다. 이에 더해, 유리 피판 이식 이전에 콧등의 지지를 위한 연골 이식을 시행할 것인지 혹은 전두부피판 이식 시에 지연성 연골 이식delayed support graft을 시행할 것인지 결정해야 한다.

점막 내피 결손의 재건에는 전완유리피판radial forearm free flap, RFFF, 측두두정근막피판temporoparietal fascia flap이 주로 사용된다. 측두두정근막피판의 경우 전완유리피판에 비해 얇고, 유연하다는 장점이 있지만, 표피 재건을 위해서 피부이식이 추가적으로 필요하다. 전완유리피판은 해부학적으로 모든 사람에서 비슷하고, 중간 정도의 크기를 확보할 수 있으며, 비교적 유연한 피판을 얻을 수 있어 대부분의 술자에게 친숙한 방법이다. 긴 혈관경을 확보할 수 있으며, 뺨의 피부아래쪽으로 통과시켜 경부 혈관에 연결하게 된다. 점막 내피를 재건한 뒤 전두부피판으로 코 피부를 재건한다. 이식 5일까지는 이식물의 색깔과 Doppler 장비를 이용한 혈류 확인이 필요하다(그림 36-12).

참고문헌

1. Adams DC, Ramsey ML. Grafts in dermatologic surgery: review and update on full- and split-thickness skin grafts, free cartilage grafts, and composite grafts. Dermatol Surg 2005;31:1055-67.
2. Baker SR, Johnston TM, Nelson BR. The importance of maintaining the alar-facial sulcus in nasal reconstruction. Arch Otolaryngol Head Neck Surg 1995;121:617.
3. Baker SR. Local flaps in facial reconstruction. 2nd ed. St. Louis, Mosby 2008;415-74.
4. Barlow JO. The placement of structural cartilage grafts under full-thickness skin grafts: a case series and strategies for successful outcomes. Dermatol Surg 2010;36:1166-70.
5. Brian MP. Julian JP. An Algorithm forTreatment of Nasal Defects Clinics 2009.
6. Burget GC, Menick FJ. Aesthetic Reconstruction of the Nose. St Louis, MO: Mosby- Year Book Inc; 1993.
7. Byrd DR, Otley CC, Nguyen TH. Alar batten cartilage grafting in nasal reconstruction: functional and cosmetic results. J Am Acad Dermatol 2000;43:833-6.
8. David AS, Wayne FL. Principles of facial reconstruction, New York: Thieme 2009;102-60.
9. Driscoll BP, Baker SR. Reconstruction of nasal alar defects. Arch Facial Plast Surg 2001;3:91-99.
10. Murakami CS, Kriet D, Ierokomos AP. Nasal reconstruction using the inferior turbinate mucosal flap. Arch Facial Plast Surg 1999;1:97.
11. Pepper JP, Asaria J, Kim JC, Baker SR, Moyer JS. Patient assessment of psycho- social dysfunction following nasal reconstruction. Plast Reconstr Surg 2012;129:430-7.
12. van der Eerden PA, Verdam FJ, Dennis SCR, Vuyk H. Free cartilage grafts and healing by secondary intention: a viable reconstructive combination after excision of nonmelanoma skin cancer in the nasal alar region. Arch Facial Plast Surg 2009;11:18-23.
13. Woodard CR, Park SS. Reconstruction of nasal defects 1.5 cm or smaller. Arch Facial Plast Surg 2011;13:97-102.

수면생리

경희의대 이비인후과 **김성완**, 고려의대 이비인후과 **이승훈**

> **CONTENTS**

Ⅰ. 정상수면

Ⅱ. 수면단계

Ⅲ. 수면과 관련된 생리적인 변화

Ⅳ. 수면관련호흡장애의 정의 및 분류

Ⅴ. 수면호흡장애 관련 지표

HIGHLIGHTS　　　　　　　　　　　　　　　　　　　　》》》

- 수면은 생체시계와 일주기 리듬 및 수면항상성 과정의 상호작용에 의하여 조절됨

- 수면의 구조는 크게 비렘수면과 렘수면으로 구성된 수면주기가 하룻밤에 약 4~5회 정도 반복됨

- 비렘수면은 N1, N2, N3 수면으로 구분됨

- N3수면은 깊은 단계의 수면으로 전체 수면기간 중 초기에 많이 나타남

- 렘수면은 급속안구운동과 턱 근육의 긴장도 저하가 특징으로 수면의 중·후반부에 증가함

- 성인에서 무호흡은 혈중산소포화농도의 감소나 각성의 유무에 관계 없이 10초 이상 호흡진폭이 90% 이상 감소되어 있을 때로 정의함

- 성인에서 저호흡은 10초 이상 호흡진폭이 30% 이상 떨어지면서 3% 이상의 혈중산소포화농도 감소나 각성이 동반될 때로 정의함

- 소아에서 폐쇄성 무호흡은 혈중산소포화농도 감소나 각성의 유무에 관계없이 호흡노력의 증가를 동반하며, 두 번의 호흡주기 이상 동안 호흡진폭이 90% 이상 감소되어 있을 때로 정의함

- 소아에서 저호흡은 두 번의 호흡주기 이상의 기간 동안 호흡진폭이 30% 이상 떨어지면서 3% 이상의 혈중산소포화농도의 감소나 각성이 동반되었을 때로 정의함

I ｜ 정상수면

수면은 지각능력의 이탈로 인한 외부자극에 대한 인지능력의 감소와 수의근 운동 및 감각 반응의 저하를 특징으로 하는 가역적인 무반응 상태이다(Carskadon et al., 2011). 깨어 있는 상태에 비하여 자극에 대한 반응능력이 감소되어 있다는 점에서 구별되며 쉽게 의식이 돌아올 수 있다는 점에서 혼수상태와 차이가 있다. 하지만 수면은 단순히 외부자극에 대한 무반응의 수동적 상태가 아니라 다양한 중추신경계, 면역계, 호르몬 분비 및 다양한 생체대사 작용이 나타나는 능동적 과정으로 낮

시간 동안에 손상된 신체조직의 복구, 기억의 저장 및 정신 건강의 회복과 유지에 반드시 필요한 생리활동이다(Siegel, 2005).

수면과 각성은 시상하부hypothalamus의 신경교차상핵suprachiasmatic nucleus에 있는 생체시계biological clock와 다양한 외부 환경 및 사회적 요인 등이 관여하는 일주기 리듬circadian rhythm과 수면을 증진시키려는 수면항상성과정sleep homeostatic process의 상호작용에 의하여 조절된다(Achermann, 2011). 특히 신경생물학적으로 다양한 물질들이 수면의 유도와 각성에 관여하는데 아세틸콜린acetylcholine, 도파민dopamine, 히스타민histamine, 노르아데르날린noradrenaline, 히포크레틴hypocretin 등은 각성을 유도하고, 아데노신adenosine, 감마아미노부티르산gamma aminobutyric acid, GABA 등은 수면을 유도하는 것으로 알려져 있다(Saper et al., 2005).

II │ 수면단계

정상적으로 인간의 수면은 비렘수면non-rapid eye movement, non-REM sleep과 렘수면rapid eye movement, REM sleep으로 구성되어 있으며 약 90~110분 정도의 주기를 보이면서 하룻밤에 4~5번 정도 비렘수면과 렘수면으로 구성된 수면주기가 반복되어 나타난다(Roehrs et al., 2011)(그림 37-1). 비렘수면은 정상성인에서 전체수면의 75~80% 정도를 차지하며 수면의 깊이에 따라서 N1 수면stage N1 sleep, N2 수면stage N2 sleep, N3 수면stage N3 sleep으로 구분된다. 잠에 들게 되면 비렘수면 중 수

면의 깊이가 얕은 N1 수면에서 시작한 후 N2 수면을 거쳐 깊은 수면단계인 N3 수면으로 진행하게 된다. 과거에는 깊은 수면단계deep sleep or delta-wave sleep를 수면뇌파상 서파인 델타파가 수면단계에서 차지하고 있는 비율에 따라서 N3, N4로 나누었으나 최근에는 이 두 단계를 합쳐서 N3 수면으로 분류하고 있으며 이 시기에는 얕은 수면단계인 N1과 N2 수면에 비하여 주위의 자극에 반응하여 잘 깨어나지 않고 상대적으로 동기화된synchronized 양상의 뇌파를 보인다. 정상성인에서 N3 수면은 총 수면시간의 15~20% 정도를 차지하며 상대적으로 주로 전체 수면기간 중 초기에 많이 나타난다. 렘수면은 급속안구운동과 턱 근육의 긴장도가 현저히 저하되는 특징이 있고 꿈이 주로 나타나는 수면단계로 정상성인에서 전체수면의 20~25%를 차지한다. 일반적으로 성인에서 첫 번째 렘수면은 수면 직후 80~100분 후에 나타나게 되며 수면주기가 반복되면서 전체 수면기간 중 후반으로 갈수록 증가하는 추세를 보인다. 렘수면은 교감신경의 활성화로 인한 영향으로 급속안구운동, 근육의

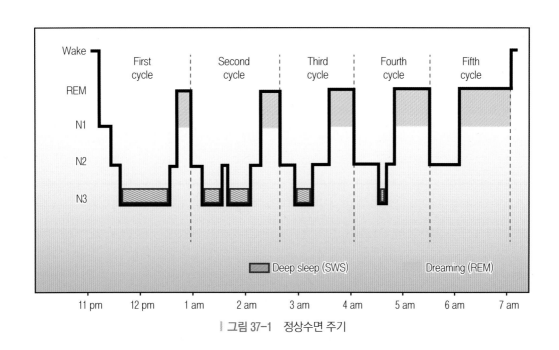

| 그림 37-1 정상수면 주기

떨림, 불규칙한 호흡이 특징인 위상성phasic 렘수면과 급속안구운동이 나타나지 않는 긴장성tonic 렘수면으로 구성되어 있다. 특히 비렘수면에 비하여 상대적으로 렘수면동안에는 근긴장도가 감소하게 되는데 이러한 근긴장도의 감소와 불규칙한 호흡은 수면 중 호흡장애의 악화에 영향을 줄 수 있다.

III | 수면과 관련된 생리적인 변화

수면 시에는 각성 시에 비하여 교감신경이 활성화되는 위상성 렘수면 이외에 대부분의 수면단계에서 각성 시보다 상대적으로 부교감신경의 활성이 증가되어 있다. 심혈관계 계통에서는 각성에서 비렘수면으로 들어가면 심박수, 혈압, 심박출량 등이 감소한다. 렘수면에서는 심박출량은 좀 더 감소하면서 서맥과 빈맥이 반복되어 불규칙한 패턴을 보이는 서빈맥이 나타나고 혈압의 변동성이 커지게 된다. 뇌혈류량은 비렘수면 시 감소하였다가 렘수면 시 급격히 증가하는 양상을 보이나 수면 전체로 보았을 때는 각성 시에 비해 감소하게 된다(Wetzel et al., 2003; Grant et al., 1998).

수면에 따른 호흡과 관련된 생리적인 변화로는 기능적 잔기용량functional residual capacity, FRC과 호흡수respiratory rate가 감소하고 폐포환기의 저하로 인하여 동맥혈 내 이산화탄소가 증가하며, 저산소나 과탄산 신호에 따라서 환기량ventilation, L/min이 증가하는 저산소환기반응성hypoxemia ventilation response이나 과탄산성환기반응성hypercapnic ventilator response이 저하된다. 또한 호흡을 유지하는 데 중요한 역할을 하는 호흡근도 영향을 받게 되는데 악설근genioglossus muscle, 악설골근geniohyoid muscle, 구개긴장근tensor veli palatine muscle 등과 같은 상기도 확장근들의 활성도가 수면 시에 감소하게 되어 이로 인해 각성 시에 비하여 상기도의 저항이 증가하게 된다(Ayappa and Rapoport, 2003; Sériès, 2002).

내분비계에 있어서 코르티졸cortisol의 경우에는 수면 초기에는 감소해 있다가 새벽에 잠에서 깰 무렵에는 급격히 증가하는 양상을 보이며, 성장호르몬growth hormone은 수면 직후 특히 서파수면 시기에 집중적으로 분비되었다가 새벽으로 가면서 감소한다. 특히 멜라토닌melatonin은 수면의 유도에 중요한 호르몬으로 눈을 통해 빛이 들어오면 시상하부의 시신경교차상핵에 대한 자극을 통해 송과선pineal gland에서 멜라토닌 분비가 억제되는데 어두워지면서 빛 자극이 사라지게 되면 이러한 멜라토닌 분비억제가 감소하여 멜라토닌이 증가되면서 수면이 유도된다(Brezezinski, 1997). 그밖에 수면 시에는 위장관 운동, 연하작용, 타액분비 등과 같은 생리작용이 각성 시에 비하여 저하된다.

IV | 수면관련호흡장애의 정의 및 분류

미국수면학회에서 2014년에 발간한 국제수면질환분류집 3판ICSD, International Classification of Sleep Disorder, 3rd edition에서는 수면장애를 불면증insomnia, 수면관련 호흡장애sleep related breathing disorders, 중추성 수면과다증central disorders of hypersomnolence, 일주기성 수면-각성장애circadian rhythm sleep-wake disorders, 사건수면parasomnia, 수면관련 운동장애sleep related movement disorders, 기타 수면장애other sleep disorders의 7가지 질환군으로 분류한다. 특히 이들 질환군들 중에서 수면관련호흡장애sleep related breathing disorders는 수면 중 호흡이상을 특징으로 하는 수면과 관련된 호흡장애질환으로

표 37-1　수면관련 호흡장애질환(수면질환 국제 분류 3판)	
Obstructive sleep apnea disorder	① Obstructive sleep apnea, adult ② Obstructive sleep apnea, pediatric
Central sleep apnea syndromes	① Central sleep apnea with Cheyne-Stokes breathing ② Central sleep apnea due to medical disorder without Cheyne-Stokes breathing ③ Central sleep apnea due to high altitude periodic breathing ④ Central sleep apnea due to a medication or substance ⑤ Primary central sleep apnea ⑥ Primary central sleep apnea of infancy ⑦ Primary central sleep apnea of prematurity ⑧ Treatment-emergent central sleep apnea
Sleep related hypoventilation disorders	① Obesity hypoventilation syndrome ② Congenital central alveolar hypoventilation syndrome ③ Late-onset central hypoventilation with hypothalamic dysfunction ④ Idiopathic central hypoventilation syndrome ⑤ Sleep related hypoventilation due to a medication or substance ⑥ Sleep related hypoventilation due to a medical disorder
Sleep related hypoxemia disorder	① Sleep related hypoxemia
Isolated symptoms and normal variants	① Snoring ② Catathrenia

폐쇄성수면무호흡질환obstructive sleep apnea disorders, 중추성수면무호흡증후군central sleep apnea syndromes, 수면관련저환기질환sleep related hypoventilation disorders, 수면관련저산소혈증질환sleep related hypoxemia disorder, 단독증상 및 정상변이isolated symptoms and normal variants를 포함하는 질환군이다(표 37-1).

V | 수면호흡장애 관련 지표

수면 중 호흡장애질환은 일반적으로 수면다원검사를 통해 확인된 호흡장애와 관련된 지표(무호흡apnea, 저호흡 hypopnea, 저환기hypoventilation)를 통해서 진단하게 되는데 주로 미국수면학회에서 제시된 수면판독기준The

AASM manual for the scoring of sleep and associated events, version 2.0, 2012에 따라서 시행하게 되고 일반적으로 성인과 소아에 있어 해당 호흡장애지표의 정의에 차이가 있다.

성인에서 폐쇄성 또는 중추성 무호흡은 동반되는 혈중산소포화농도의 감소나 각성의 유무에 관계없이 10초 이상 호흡진폭이 기저호흡진폭에 비하여 90% 이상 감소되어 있을 때로 정의하며, 저호흡은 10초 이상 기저호흡의 진폭에 비하여 호흡진폭이 30% 이상 떨어지면서 3% 이상의 혈중산소포화농도의 감소나 각성이 동반될 때로 정의한다. 소아에서 폐쇄성 무호흡은 동반되는 혈중산소포화농도의 감소나 각성의 유무와 관계없이 호흡노력의 증가와 함께 두 번의 호흡주기 이상의 기간 동안에 호흡진폭이 기저호흡진폭에 비하여 90% 이상 감소되어 있을 때로 정의하며 중추성 무호흡은 호흡노력이 감소되어 있으며 호흡진폭이 기저호흡진폭에 비해 90% 이상의 감소가 다음의 한 가지와 동반되는 경우이다. ① 20초 이상 호흡진폭의 90% 이상 감소가 지속되거나, ② 두 번의 호흡주기 이상 호흡진폭이 감소되어 있으면서 혈중 산소포화농도가 3% 이상 감소 또는 각성이 동반되어 있을 때, ③ 1세 이하의 경우에는 심장박동수heart rate가 적어도 5초 이상 분당 50회 이하 또는 15초 동안 분당 60회 이하로 감소되어 있을 때 정의할 수 있다. 소아에서의 저호흡은 두번의 호흡주기 이상의 기간 동안에 기저호흡의 진폭에 비하여 호흡진폭이 30% 이상 떨어지면서 3% 이상의 혈중산소포화농도의 감소나 각성이 동반되었을때로 정의한다.

저환기hypoventilation는 피부경유transcutaneous PCO_2 sensor나 호흡종기end-tidal PCO_2 sensor로 측정된 체내 또는 혈중 이산화탄소의 농도를 기준으로 진단한다. 성인의 경우에는 ① arterial PCO_2가 10분 이상 55 mmHg 보다 증가되어 있거나, ② arterial PCO_2가 수면 중 10분 이상 50 mmHg 보다 증가되어 있으면서 깨어있을 때에 비하여 10 mmHg 이상 증가되어 있을 때로 정의하며. 소아에서는 총 수면시간의 25%를 초과한 기간 동안에 PCO_2가 50 mmHg 보다 증가되어 있을 때 저환기증으로 진단한다.

참고문헌

1. Achermann P, Borbely AA. Sleep homeostasis and models of sleep regulation. In Kryger MH, Roth T, Dement WC, eds. Priciples and practice of sleep medicine. 5th ed. St. Louis: Elsevier Health Science 2011;431-44.
2. American Academy of Sleep Medicine, International classification of sleep disorders, 3rd ed. Darien, IL: American Academy of Sleep Medicine 2014.
3. Ayappa I, Rapoport DM. The upper airway in sleep: physiology of the pharynx. Sleep Med Rev 2003;7:9-33.
4. Berry RB, Brooks R, Gamaldo CE, Harding SM, Marcus CL and Vaughn BV for the American Academy of sleep Medicine. The AASM Manual for the Scoring of Sleep and Associated Events: Rules, terminology and Technical Specifications, Versioin 2.0, Darien, IL: American Academy of Sleep Medicine 2012.
5. Brezezinski A. Melatonin in humans. N Engl J Med 1997;336:186-95.
6. Carskadon MA, Dement WC. Normal human sleep : An overview. In Kryger MH, Roth T, Dement WC, eds. Principles and practice of sleep medicine. 5th ed. St. Louis: Elsevier Health Science 2011;16-26.
7. Grant DA, Franzini C, Wild J, Walker AM. Cerebral circulation in sleep: vasodilatory response to cerebral hypotension. J Cereb Blood Flow Metab 1998;18:639-45.
8. Roehrs T. Normal sleep and its varients. In Kryger MH, Roth T, Dement WC, eds. Priciples and practice of sleep medicine. 5th ed. St. Louis: Elsevier Health Science 2011;3-15.
9. Saper CB, Scammell TE, Lu J. Hypothalamic regulation of sleep and circadian rhythms. Nature 2005;437:1257-63.
10. Siegel JM. Clues to the functions of mammalian sleep. Nature 2005;437:1264-71.
11. Sèriés F. Upper airway muscles awake and asleep. Sleep Med Rev 2002;6:229-42.
12. Wetzel W, Wagner T, Balschun D. REM sleep enhancement induced by different procedures improves memory retention in rats. Eur J Neurosci 2003;18:2611-7.

폐쇄성 수면무호흡증의 진단과 치료

부산성모병원 이비인후과 **구수권**, 가톨릭의대 이비인후과 **박찬순**
한림의대 이비인후과 **홍석진**

> CONTENTS

Ⅰ. 진단기준 및 분류
Ⅱ. 폐쇄성 수면무호흡증의 진단
Ⅲ. 폐쇄성 수면무호흡증의 치료
Ⅳ. 치료 후 예후 및 환자관리

HIGHLIGHTS 〉〉〉

- 수면다원검사가 폐쇄성수면무호흡증의 진단과 중증도 판단에 가장 정확한 검사임
- 수면무호흡증 환자의 중증도 구분은 호흡장애지수(혹은 무호흡-저호흡지수)를 기준으로 경증은 5 이상 15 미만, 중등도는 15 이상 30 미만, 중증은 30 이상으로 정의함
- 상기도 기도저항 증후군은 무호흡-저호흡지수가 5 미만이지만 주간증상을 느끼면서 수면다원검사상 각성과 연관된 호흡노력이 증가되어 호흡장애지수가 5 이상으로 측정되는 경우로 정의함
- 무호흡-저호흡지수 및 호흡장애지수가 5 미만이며 코골이가 주로 관찰되는 경우를 원발성 코골이로 정의함
- 소아 수면무호흡증의 수면다원검사상 정의는 일반적으로 무호흡-저호흡 지수 1 이상으로 정의하며, 연령 기준은 검사실마다 다르나 13세 이상의 경우 성인 기준을 따르기도 함
- 성인에서 편도의 크기, 혀와 구개의 상대적 위치를 평가하는 Friedman staging가 높은 단계일수록 구개수구개인두성형술의 수술 성공률이 떨어질 수 있음
- 약물유도 상기도내시경검사는 재현성이 높고 검사자 간 신뢰도도 양호한 것으로 알려져 있으나, 실제 수면 시 폐쇄부위의 정확한 반영 여부를 알기 위해서는 많은 추가 연구가 필요함
- 폐쇄성 수면무호흡증의 치료는 크게 양압호흡기, 수술적 치료, 구강 내 장치, 그리고 비만에 대한 기타 치료 등으로 구분할 수 있음
- 수면무호흡증은 어떤 치료방법을 선택하더라도 환자와 지속적 관계를 유지하는 것이 필수적임
- 수면무호흡증은 환자의 신체 변화 상태 및 시간에 따라 수면무호흡 조절양상에 변화가 생길 수 있고, 이에 따른 추가적인 치료가 필요할 수 있는 만성질환으로 인식하는 것이 필요함

Ⅰ | 진단기준 및 분류

1. 진단기준

수면무호흡증의 진단에는 미국수면학회에서 제시한 기준이 널리 사용되고 있다(표 38-1).

2. 분류

1) 수면무호흡증

2014년 미국수면학회의 수면질환 국제분류 3판에서 성인의 수면무호흡증은 수면다원검사의 전체 수면시간이나 검사실외 수면검사out of center sleep testing, OCST의 검사시간에서 한 시간당 5회 이상의 폐쇄성 호흡사건(폐쇄성 또는 혼합성 무호흡, 저호흡, 각성과 연관된 호흡노력)

표 38-1   성인 폐쇄성수면무호흡증의 진단기준

(A 와 B) 또는 C의 기준을 만족해야 함

A. 다음의 내용 중 하나 이상이 있음:
   1. 환자가 졸림 증상이 있거나 자고 난 후에도 개운치 않거나 피로감을 호소하거나 불면증 증상을 호소하는 경우
   2. 숨이 막히거나 숨을 헐떡이거나 호흡이 중지되면서 잠에서 깨는 경우
   3. 같이 자는 사람에 의해 수면 중 습관적인 코골이 또는 호흡장애가 확인되는 경우
   4. 고혈압, 기분장애, 인지장애, 관상동맥질환, 뇌졸중, 울혈성 심부전, 심방세동, 제2형 당뇨 등을 진단받은 경우

B. 수면다원검사(PSG) 또는 검사실외 수면검사(OCST)에서:
   1. PSG 검사상 수면시간이나 검사실외 수면검사(out of center sleep testing, OCST)의 검사시간에서 한 시간당 5회 이상의 폐쇄성 호흡사건(obstructive or mixed apnea, hypopnea, RERAs)이 확인되는 경우

C. 수면다원검사(PSG) 또는 검사실외 수면검사(OCST)에서:
   1. PSG 검사상 수면시간이나 검사실외 수면검사(out of center sleep testing, OCST)의 검사시간에서 한 시간당 15회 이상의 폐쇄성 호흡사건(apnea, hypopnea, or RERAs)이 확인되는 경우

이 장의 내용은 대한비과학회 수면분과에서 만든 수면교과서를 기초로 편집 및 기술되었음

이 있으면서 환자에게 4가지 증상, 즉 ① 환자가 낮 시간에 자주 졸림, 자고 난 후에도 개운치 않거나 피로감 호소, 불면증 증상이 있는 경우, ② 숨이 막히거나 숨을 헐떡이거나 호흡이 중지되면서 잠에서 깨는 경우, ③ 같이 자는 사람에 의해 수면 중 습관적인 코골이 또는 호흡장애가 확인되는 경우, ④ 고혈압, 기분장애, 인지장애, 관상동맥질환, 뇌졸중, 울혈성 심부전, 심방세동, 제2형 당뇨 등을 진단받은 경우 중 한 가지 이상이 있을 경우 수면무호흡증으로 진단한다. 또한 수면다원검사의 전체수면시간이나 이동형 가정수면검사의 검사시간에서 한 시간당 15회 이상의 폐쇄성 호흡사건이 있을 때는 증상과 관계 없이 수면무호흡증으로 진단할 수 있다(International classification of sleep disorders, 2014).

수면무호흡증 진단 후 환자의 중증도를 구분지을 때 호흡장애지수respiratory distress index, RDI 혹은 무호흡-저호흡지수apnea-hypopnea index, AHI를 기준으로 경증mild OSA은 5 이상 15 미만, 중등도moderate OSA는 15 이상 30 미만, 중증severe OSA은 30 이상으로 정의한다. 수면다원검사에서 호흡장애지수 5 이상을 비정상으로 보는 근거는 역학적 연구결과 수면장애지수가 5 이상인 경우 수면무호흡증에 의한 고혈압, 주간졸림증, 교통사고의 위험이 증가하며 적절한 치료로 활력, 기분, 피로증상이 개선되고 주간졸림증과 인지기능이 호전되는 것이 밝혀졌기 때문이다(Young et al., 1997).

2) 상기도 기도저항 증후군

상기도 기도저항 증후군upper airway resistance syndrome, UARS은 무호흡-저호흡지수apnea-hypopnea index, AHI가 5 미만이라 하더라도 수면호흡장애 환자가 다양한 주간증상을 느끼면서 수면다원검사상 각성과 연관된 호흡노력respiration effort-related arousal, RERA이 증가되어 호흡장애지수RDI가 5 이상으로 측정되는 경우로 정의한다. 이를 별개로 독립된 질병군으로 인정할지 폐쇄성 호흡장애의 일부 특성으로 간주할지 여부는 아직 논의가 진행되고 있다.

3) 원발성 코골이

무호흡-저호흡지수apnea-hypopnea index, AHI 및 호흡장애지수RDI가 5 미만이며 코골이가 주로 관찰되는 경우를 원발성 코골이primary snoring로 정의한다. 연구자에 따라서는 이를 인정하지 않는 경우도 있다.

4) 소아 수면무호흡증

소아 수면무호흡증의 수면다원검사상 정의는 아직 확정된 것은 없으나 무호흡-저호흡 지수 1 이상으로 정의하는 것이 대체로 받아들여지고 있으며, 소아의 연령은 기본적으로 18세 미만이나 검사대상의 발육상태나 검사실에 따라 13세 이상의 경우 성인 기준을 따르기도 한다.

Ⅱ | 폐쇄성 수면무호흡증의 진단

1. 수면다원검사

수면질환을 진단하는 데 있어 가장 중요한 검사이다. 전야간 수면다원검사full-night PSG가 폐쇄성수면무호흡증의 진단과 중증도 판단에 가장 정확한 검사로 인정된다. 훈련된 검사자에 의해 시행되어야 하고 보통 정상수면 기간 동안 측정된다. 수면의 양과 질의 특성을 판단하기 위해 전기생리학적 변수인 뇌파, 안구운동, 턱밑 근육의 긴장도를 기록하고 심박동과 심장 리듬은 동시에 기록된다. 호흡의 측정은 배와 가슴의 변화, 코와 입의 기류 변화 및 산소포화도 변화를 통해 이루어지며, 급속안구운동과 비급속 안구운동, 체위 등을 포함한 전체 수면기

간중의 수면분절, 무호흡, 저호흡, 산소포화도의 형태와 정도를 측정, 기록한다. 다만 본 교과서의 다른 장에서 이에 대해 기술되어 있으므로 여기에서는 생략한다.

2. 해부학적 폐쇄부위에 대한 진단

해부학적 폐쇄부위를 찾기 위한 진단방법으로는 크게 비영상검사와 방사선학적 영상검사로 나눌 수 있다.

1) 비영상검사

(1) 신체검사

폐쇄성 수면무호흡증 환자 검사에서 가장 기본이 되는 방법으로 주로 각성 시 환자의 상기도 해부학적 구조 및 이상을 관찰하는 방법이다. 내시경 및 나안으로 폐쇄성 수면무호흡증과 연관 있는 상기도 각부위, 비강 및 비인강, 구인두, 하인두 및 후두, 안면골 및 구강부위를 세밀하게 검사하여야 한다. 비강 및 비인강 검사에서 비폐색 또는 비강기도저항을 증가시킬 수 있는 비중격만곡증, 비갑개의 비후, 비용종의 유무를 관찰하며 외비의 변형 및 비밸브의 함몰로 인한 비폐색이 의심되면 Cottle test를 시행하는 것도 도움이 될 수 있다. 구인두부 검사를 통해 편도, 연구개, 구개수, 혀, 경구개의 모양과 위치를 파악한다. 수면무호흡증 환자에서 흔히 나타나는 구인두부 소견으로는 과도한 인후부 조직, 낮게 위치한 연구개, 편도비대, 구개수 길이의 연장, 구강구조에 비해 비대한 혀, 좁고 높은 경구개 등을 들 수 있다. 선천적인 두개안면 기형, 안면골 발달 상태(하악 후위 및 안면중앙부 발달장애 등) 및 교합상태와 같은 구강구조의 이상도 파악하여야 하며 전체적인 신체 발달 및 발육상태 파악(체질량지수, 목 둘레, 허리/엉덩이 둘레 비교)도 중요하다. 비만에

의한 국소적인 경부 연부조직 및 설근부 비대 등은 기도 외부 조직에 의한 압력tissue pressure을 증가시키는 요소가 되며 골격구조의 지지를 받지 못하는 상기도collapsible airway의 길이가 길수록 상기도 개방성 유지가 어렵다는 보고가 있다. 그 외 상기도 단면적 및 모양과 같은 요소도 상기도 개방성 유지에 영향을 준다.

(2) 편도 크기검사/구개 위치검사

Friedman 등은 폐쇄성 수면무호흡증 환자들을 편도의 크기, 구개의 상대적 위치, 그리고 체질량지수BMI를 이용하여 분류하였는데 이를 Friedman 병기stage라고 한다(Friedman et al., 2002)(표 38-2). Friedman 병기를 측정하는 방법은 먼저 앉은 상태에서 환자가 입을 크게 벌리고 코로 숨을 쉴 때, 혀를 바깥으로 내밀지 않은 상태에서 구개의 상대적 위치를 측정하고, 이어서 설압자를 이용해 혀를 살짝 누른 다음 편도의 크기를 측정한다.

　Friedman 등은 이러한 분류법을 통하여 UPPP uvulopalatopharyngoplasty의 성공률이 Stage I(80%)에서 Stage III(10% 이하)로 갈수록 감소함을 보고하였고 stageII, III에서 다른 부위에 대한 수술을 병용 시 그 성공률을 증가시킬 수 있음도 보고하였다(Friedman et al., 2005).

(3) 기관 내 삽관 난이도 예측 검사

환자가 두위 정중위인 상태로 앉은 상태에서 입을 벌리고 발성하지 않으면서 혀를 최대한 앞으로 내밀 때 기도 구조물의 상대적 위치를 평가한다(Samsoon and Young, 1987). 그러나 폐쇄성 수면무호흡증의 대표적인 지표인 무호흡-저호흡 지수apnea-hypopnea index, AHI와 기관내 삽관 난이도 예측 검사modified Mallampati test와의 연관성에 대해서는 다양하고 상이한 결과가 보고되고 있다.

(4) 흡기 시 기도 폐쇄 평가

Muller 검사법Mueller maneuver은 각성 상태의 환자를 앉히거나 혹은 누운 자세를 취하게 한 뒤, 코와 입을 막고 최대한 강하게 흡기 시 비인두나 구개수 끝 그리고 후두 상부에 위치한 굴곡 비인두내시경으로 상기도 폐쇄부위를 확인하여 이를 평가한다. 흡기 시 상기도 폐쇄부위를 확인할 수 있는 동적검사라는 장점이 있으나 각성상태에서의 검사라는 한계점과 더불어 폐쇄성 수면무호흡증과의 연관성에 대해서 다양하고 상이한 결과가 보고되어 왔음을 유의하여야 한다.

| 표 38-2　Friedman 단계

	Friedman palate position	Tonsil size	Body mass index (kg/m²)
Stage I	1	3, 4	<40
	2	3, 4	<40
Stage II	1, 2	0, 1, 2	<40
	3, 4	3, 4	<40
Stage III	3	0, 1, 2	Any
	4	0, 1, 2	Any
Stage IV	Any	Any	>40

(5) 약물유도 수면내시경

1991년 Croft와 Pringle에 의해 처음으로 소개된 약물유도 수면내시경은 대부분의 기존 검사가 각성상태에서 이루어지는 한계가 있는 데 비해, 약물을 이용하여 인위적으로 수면을 유도한 상태에서 상기도의 폐쇄부위를 파악하는 검사방법이다(Croft and Pringle, 1991). 수면유도를 위해 사용되는 대표적인 약물로는 미다졸람midazolam과 프로포폴propofol이 있다. 특정 약물이 다른 약물에 비해 우위에 있다고 하기는 어려우며 진정을 유도하는 방법도 1회 정맥주입IV bolus, 지속적 정맥주입continuous infusion, 그리고 목표농도 정맥주입법target controlled infusion, TCI 등 검사자마다 다양하게 사용하고 있다(De Vito et al., 2011). 다만 미다졸람의 경우 약물의 과량 투여라든지 검사도중 발생하는 부작용 시 투여할 수 있는 플루마제닐flumazenil이라는 benzodiazepine 약물길항제가 있다는 장점이 있다. 약물 투여 후 수면이 유도된 후 검사를 바로 시행하기보다는 일정시간 후 수면상태가 안정된 후 검사를 시행하는 것이 좋다. 약물로 수면유도 후 내시경으로 상기도 폐쇄부위를 관찰하고 이를 기술하게 되는데 검사 결과의 일관성을 위해 폐쇄부위의 다양한 분류방법을 사용하는데 Kezirian 등에 의해 제시된 VOTE 분류법을 많이 사용한다(Kezirian et al., 2011). VOTE분류법은 연구개velum, 구인두oropharynx, 설근부tongue base, 후두개epiglottis 부위의 폐쇄정도를 각각 0, 1, 2로 구분하고 폐쇄의 방향과 모양을 추가로 기술하도록 구성되어 있다(표 38-3). 그 외에도 코(코막힘) 부위의 폐쇄를 추가한 NOHL (코nose, 구인두oropharynx, 하인두hypopharynx, 후두larynx) 분류 등도 있다(Vicini et al., 2012). 약물유도 수면내시경은 같은 환자에서 시간을 두고 두 번 검사하였을 때 검사 간 일치도test-retest reliability가 높은 것으로 알려져 있으며 (Rodriguez-Bruno et al., 2009), 검사자 간 신뢰도interrater reliability 또한 양호한 것으로 알려져 있어(Kezirian et al., 2010), 현재 폐쇄성 수면무호흡증 환자의 폐쇄부위 평가를 위해 많이 사용되고 있는 방법이다. 그러나 약물유도에 의한 수면이 정상 수면을 재현할 수 있는지, 정상 수면 시 나타나는 여러 수면단계를 충분히 반영할 수 있는지, 그리고 약물유도 수면 시 나타나는 상기도 폐쇄가 정상 수면시에도 재현되는지 등에 대해서 아직 이견이 있으며 추가적인 연구가 필요하다.

| 표 38-3 VOTE 분류법

Structure	Degree of obstruction* 0/1/2	Configuration†		
		AP	Lateral	Concentric
Velum				
Oropharynx lateral walls†		�		▇
Tongue base			▇	▇
Epiglottis				▇

*degree of obstruction has one number for each structure: 0, no obstruction (no vibration); 1, partial obstruction (vibration); 2, complete obstruction (collapse); X, not visualized, † oropharynx obstruction can be distinguished as related solely to the tonsils or including the lateral walls, with or without a tonsillar component, ‡ configuration noted for structures with degree of obstruction greater than 0. A-P: anteroposterior, VOTE: velum, oropharynx, tongue base, epiglottis

(6) 기타

코골이 음향분석을 통한 폐쇄부위 예측acoustic analysis of snoring sound, 상기도 압력측정 검사pressure level test, manometry, 음향반사 인두 측정기acoustic pahryngometry 등이 있다.

2) 방사선학적 영상검사

(1) 두개골계측

측면 두개골계측cephalometry은 Frankfurt plane (이개 안와하 평면)에 평행하게 머리 고정장치cephalostat에 두부를 고정시킨 후 호기말에 두개골부의 측면을 촬영하는 것으로 사진상에서 다양한 계측치를 측정하여 수면호흡장애 환자의 특성과 치료방법 결정에 이용한다(Woodson et al., 1997).

수면호흡장애 환자에서 주로 관찰되는 측면 두개골계측의 특징으로는 긴 연구개longer soft palate, 구개부위 최소 기도폭 감소reduced minimum palatal airway widths, 연구개의 두께 증가increased thickness of the soft palate, 상악과 하악의 후방전위retroposition of the mandible or the maxilla, 소하악증micrognathia, 중간안면 높이의 증가increased mid-facial height, 설골의 하방 전위more inferiorly positioned hyoid bone 등이 있으며 이러한 해부학적인 소견들이 폐쇄성 수면무호흡의 위험인자로 생각된다. 정상인과 차이를 보이는 이러한 두개안면골격의 특징들 중 설골의 하방전위는 비만에 상관없이 남녀모두에서 나타난다(Riha et al., 2005).

두개골 계측은 MADmadibular advancement device, 상하악 전진술maxillomandibular advancement, 양악수술maxillomandibular advancement surgery 등을 시행할 때 치아안면 특징dentofacial characteristics의 평가를 통해 수술에 적합한지 여부와 수술 후 결과 파악에 주로 사용된다.

이러한 여러 유용성에도 불구하고, 두개골계측은 연구자마다 사용하는 기준점landmark과 지표parameter가 다양하고, 각성 시 측정하며, 호흡상황을 동적이 아닌 정적으로static 측정하게 되며 2차원적 측정이라는 한계가 있다.

(2) 전산화 단층 촬영

수면호흡장애 진단에 있어 CT는 비침습적이고, 검사 시간이 짧으며, 수면 중에도 기도의 동적 평가가 가능하며, 여러 부위에서 기도의 단면적과 3차원적인 재구성을 통한 부피의 측정이 가능하다는 장점이 있으나, 방사능에 노출되고, 상기도 움직임에 의한 허상artifact이 생길 가능성과 검사 시간이 짧아서 짧은 호흡주기만을 검사할 수 있다는 단점 또한 있다. 정상인과 비교하여 폐쇄성 수면무호흡 환자에서 나타나는 CT 검사상 특징은 상기도가 더 좁은 것으로 측정되는데 특히 후구개 부분retropalatal region에서 더 좁은 것으로 측정되며 그 외에도 큰 후구개조직larger retropalatal tissue, 설부 비대, 부피가 크거나 두꺼운 연구개 등이 관찰된다. 그리고 3차원 CT 연구에서는 후구개 공간retropalatal space과 후구개 공간의 측면길이lateral diameter가 RDIRespiratory disturbance index와 높은 상관 관계를 보이기도 한다. 그러나 CT상 측정되는 상기도의 각종 수치들과 수면호흡장애 중증도 간의 연관성을 보고한 연구결과들이 다수 있으나 CT상 측정된 절대값으로 수면호흡장애를 진단하기는 아직 미흡하며 앞으로 많은 추가적인 연구가 필요하다. 다만 치료 효과 평가에 있어 CT를 이용하여 구강 내 장치, 상하악 전진술이나 구개수구개인두성형술 후 기도의 확장이 관찰되었으며 이것이 수술의 성공적인 결과와 관련되었다는 보고가 있다(Sittitavornwong and Waite, 2009).

(3) 자기공명영상

두개골계측이나 CT와 비교하여 MRI는 연부조직soft tissue을 관찰하기 더 용이하고, 조직 구조의 3차원적인 평가에도 더 훌륭하다. 또한 방사선에 노출될 위험성도 없어서 수면호흡장애가 있는 소아의 영상학적 평가에 적절하나 비용이 비싸고, 검사 시 발생하는 소음에 의한 입면이나 수면 유지가 어려운 단점 또한 있다(Sittitavornwong and Waite, 2009). 수면호흡장애 환자에 대한 MRI 연구에서 편도, 설편도, 아데노이드, 연구개의 크기가 소아 수면호흡장애와 연관성이 있을 것으로 생각되며 폐쇄성 수면무호흡 환자에서 혀의 크기와 측인두 근육벽의 두께가 기도협착을 일으키는 중요한 해부학적 요소임을 알 수 있다. 또한 폐쇄성 수면무호흡 환자는 정상인과 달리 각성 시에도 심각한 인두 기도의 협착이 관찰되며, 수면 시 더욱 심해지는 것을 알 수 있으며 비만하지 않은 폐쇄성 수면무호흡 환자의 경우에 지방이 상기도의 전면, 측면부에 축적되는 것이 관찰되기도 한다(Georgalas et al., 2001). 그러나 MRI 검사를 통한 수면호흡장애의 진단과 수술적 치료 결정을 위해서는 아직까지는 추가적인 연구가 필요하다.

(4) 투시검사

투시검사fluoroscopy는 수면 시 또는 수면유도 후 호흡 시 보이는 상기도 전체의 움직임을 파악할 수 있으며 호흡도중 발생하는 상기도 폐쇄나 협착 부위에 대해 동적인 실시간 시각 정보dynamic real-time visualization를 제공할 수 있다. 예를 들면 수면 중에 경추의 움직임과 설골의 하방 이동, 무호흡 말기에 턱의 움직임을 직접적으로 관찰할 수 있다(Sittitavornwong and Waite, 2009; Strauss and Burgoynes, 2008). 또한 수면검사 중에 상기도를 평가하기 위해서 수면다원검사와 투시검사를 동시에 시행somnofluoroscopy할 수도 있다(Thakkar and Yao, 2007). 그러나 검사를 위해 추가적인 수면 유도를 위한 약물의 투여가 필요하고, 투시 장비가 구비되어 있어야 하며, 방사능 노출과 이에 따른 검사 시간의 제한으로 수면시

간 전체를 기록할 수 없으며, 2차원적인 측면 영상만을 제공하고, 화면상 상기도 구조물이 겹쳐질 때 이에 대한 해석이 어렵다는 단점도 있다(Georgalas et al., 2001; Thakkar and Yao, 2007).

(5) 전산유체역학적 검사

최근에 컴퓨터 공학의 발달로 환자의 CT scan으로부터 기도 공간만을 3차원적으로 재건한 후 이를 토대로 호흡의 흐름을 예측 가능하게 되었다. 현재까지 전산유체역학적 검사와 무호흡 저호흡 지수AHI 간의 상관관계를 보고한 연구와 수술적 치료 후 전산유체역학적 검사Computational fluid dynamics, CFD의 여러 지표가 호전된다는 보고들이 있어 앞으로의 발전에 따라 수면호흡장애 환자의 진단과 치료 후 결과 예측 등에 유용할 것으로 생각된다(Sittitavornwong and Waite, 2009; Sittitavornwong et al., 2013).

3) 신경, 생리학적 진단

각성 상태에서 수면상태로 이완되면 신체에는 많은 변화가 따르며 각 수면단계에 따른 신체의 변화도 각각 차이가 난다. 상기도는 20개 이상의 많은 근육으로 둘러싸여 있으며 호흡주기 동안 단계적으로 활성화되어 기도 내부의 압력intraluminal pressure과 기도 외부 조직에 의한 압력tissue pressure 사이의 차transluminal pressure에 의한 기도의 확장과 수축을 적절히 유지하여 상기도 폐쇄를 방지한다. 각성상태에서 수면으로 이행 시 기본적으로 근육의 긴장도가 떨어지며 특히 이설근genioglossus muscle의 긴장도 저하에 의해 혀가 뒤로 처지게 되면 성문상부 저항이 증가하게 되는데 정상성인에서는 수면시작과 함께 4~5배 증가하고 수면무호흡증 환자에서는 더

증가하게 된다(Anch et al., 1982; Fogel et al., 2005).

수면 중 인두근육의 활성화 정도는 호흡관련 여러 신경에 의해 조절되는데 기관상부와 후두에 위치한 후두신경의 속가지internal branches of sup. laryngeal nerve가 구심신경으로 작용하며, 상기도의 감각 정보는 설인신경과 삼차신경을 통해 전달된다. 이런 현상은 REM 수면 시 더 심하게 되어 REM 수면시기가 수면무호흡증이 가장 잘 발생하게 되는 이유가 되기도 한다(Katz and White, 2004; Pierce et al., 2007; Hwang et al., 1983). 만약 수면 중 상기도의 폐쇄가 일어나게 되면 반사적으로 흉강의 흡기 활동을 저하시켜 기도 내 음압발생을 줄이는 동시에 상기도 기도근육을 활성화시켜 상기도를 확장하고 경직시킴으로써 기도의 개방성을 유지하게 된다(Thach et al., 1989). 이러한 상기도 반사 능력은 정상인에서도 일반적으로 각성 시에 비해 수면 시 저하되나, 수면무호흡증 환자의 경우 상기도 반사능력이 더욱 저하되어 있어 상기도 폐쇄가 더욱 쉽게 일어나는 원인이 된다(Horner, 2008). 그 외 코골이 등에 의해 상기도에 가해지는 반복적인 기계적인 외상mechanical trauma과 수면무호흡증으로 인한 상기도 염증 등에 의해 상기도에 분포하는 많은 mechanoreceptor 등이 손상받거나 민감도가 떨어지면 수면 중 상기도 근육의 활성화를 조절하는 신경학적 연결 중 구심성 신경에 장애가 생기므로 상기도 폐쇄를 방지하는 신경학적 방어기전이 약화되어 수면무호흡증이 일어나기 쉽다. 따라서 해부학적 요소와 더불어 근육신경학적 요소를 잘 이해하여 진단에 활용하는 것이 중요하다.

III | 폐쇄성 수면무호흡증의 치료

폐쇄성 수면무호흡증의 치료는 ① 수술적 치료, ② 양압호흡기positive airway pressure, PAP 치료, ③ 구강 내 장치oral upper airway expander, ④ 비만 등에 대한 기타 치료로 크게 네 가지로 구분지어 생각할 수 있다. 대상환자의 신중한 선택과 더불어 각 환자에 적합한 치료 술식을 선택하기 위해서는 각 치료의 장단점을 잘 숙지하여야 한다.

1. 수술적 치료

1) 비강 수술

전체 호흡기 저항의 50%를 담당하고 있는 코는 수면무호흡증에 있어 매우 중요하다. 역학연구들에 의하면 어떤 연구는 수면호흡장애를 가진 환자의 15%가 코막힘을 가지고 있다 하여, 코막힘과 폐쇄성 수면호흡장애가 연관성이 있다 하였고 반대로 코막힘에 대한 단독 치료만으로는 수면무호흡증이 치료된다는 연구는 드물어 반대되는 견해도 있다(Liistro et al., 2003; Koutsourelakis et al., 2008; Li et al., 2008). 코막힘이 수면호흡장애에 영향을 미치는 기전에 대해서는 기도 저항의 증가(비저항 증가 자체에 의한/구강호흡에 따른), 구강 호흡의 불안정성, 비반사nasal reflexes의 장애 등이 제시되고 있으므로 기도저항을 높이거나 구강호흡의 원인이 되는 여러 해부학적 이상과 질환을 치료하는 것은 수면무호흡에 도움이 될 것으로 생각된다. 그러나 비강 수술 단독으로 객관적으로 수면무호흡증을 호전시킨다는 보고는 드물며 주관적인 증상 호전을 보고한 연구들은 있다(Poirier et al., 2014; Nakata et al., 2005). 그 외 비강 수술과 양압호흡기 치료와의 관계에 대한 연구들에 따르면 양압호흡기 치료의 순응도를 높이고 처방압력을 낮추는 효과들은 보고되었다.

2) 구인두 수술

(1) 구개수구개인두성형술

코골이 및 폐쇄성 수면무호흡증에 대한 치료로 연구개와 구개수 부위를 절제하거나 변형시키는 수술적 치료법은 1952년 일본의 Ikematsu가 코골이를 치료하기 위해 처음 시행하였다. 1981년 Fujita에 의해 구개수구개인두성형술uvulopalatopharyngoplasty, UPPP이 시행되었으며 이후 코골이 및 폐쇄성 수면무호흡증에 대한 대표적인 수술법으로 널리 알려지게 되었고 지금까지도 가장 많이 사용되는 수술 방법이다(Fujita et al., 1981). UPPP는 구개, 인두측벽에 있는 잉여 연부조직을 절제하고 필요에 따라 편도 절제술을 함께 시행 함으로써 구인두oropharynx의 호흡 통로를 넓히는 수술법이다. 그러나 같은 UPPP로 명명된다 하더라도 술자마다 다양한 변형이 있어 어느 한 가지의 방법이 가장 좋다고 말할 수는 없으나 기본적으로 공통되는 부분을 소개하면 다음과 같다.

먼저 양측 편도를 최대한 완전히 절제하여 구인두를 최대한 넓힌 후 늘어지거나 낮은 연구개의 길이를 줄인다. 이를 위해 후인두궁posterior pillar을 앞으로 당겨 전인두궁anterior pillar에 봉합 고정하는 연구개성형술palatoplasty을 시행한다. 구개수를 전체 또는 부분적으로 절제할지 여부는 술자의 선택에 따라 시행할 수도 시행하지 않을 수도 있다. 수술 후의 성적은 보고자마다 편차가 크다. 수술 전 예상되는 치료실패 요인들을 살펴보면, 높은 BMI, 중증 수면무호흡증, 설근부 및 하인두의 기도폐쇄가 동반된 다발성 폐쇄multilevel obstruction 등을

들 수 있다. UPPP 후 대표적인 합병증으로는 기도 문제, 비인두협착nasopharyngeal stenosis, 구개인두부전velopharygeal insufficiency이 있다. 구개인두부전의 경우 수술 후 며칠 혹은 몇 주간 일시적으로 일어날 수 있고 간혹 지속적인 부전증이 발생하기도 한다. 이를 방지하기 위해서는 구개거근levator veli palatine m.이 다치지 않도록 구개 정중부의 과도한 절제를 피하고 연부조직의 괴사를 방지하는 것이 중요하다. 비인두협착도 후인두궁의 과도한 절제가 가장 큰 원인이므로 후인두궁이나 비인두 점막에 과도한 조작을 삼가는 것이 좋다. Sher 등은 폐쇄 부위를 고려하지 않았을 경우 UPPP의 성공률을 40.7%로 보고하였고 UPPP 단독으로는 경증의 OSA에도 효과가 없다는 보고도 있었으나 UPPP를 보완하기 위한 uvulopalatal flap, lateral pharyngoplasty, Z-plasty, radiofrequency technique 등 다양한 술식들이 개발되고 수술 전 다양한 상기도 폐쇄부위에 대한 평가를 통해 단독 또는 다른 부위의 수술과 복합으로multilevel 시행하게 되면서 수술 성공률의 향상을 보이고 있다(Sher et al., 1996; Senior et al., 2000).

(2) 구개수구개피판

구개수구개피판uvulopalatal flap, UPF은 Powell 등이 처음으로 소개한 술식으로 구개수를 경구개와 연구개의 경계부위를 향하여 당겨주었을 때 연구개와 중첩되는 점막만을 절개하여 제거한 후 구개수 피판을 봉합하는 술식이다. UPPP 시 조직의 과도한 절제로 발생할 수 있는 구개인두부전증의 예방을 위해 고안되었으며, "가역적 reversible"인 면에서 고전적 UPPP와 차이를 보이며, 구개인두 부전증뿐 아니라 비인강 협착, 술 후 통증 등도 적다고 보고하였다. 연구개의 근육이 두꺼운 경우 구개수의 근육과 중첩이 될 때 이물감과 연하곤란을 일으킬 수 있어 이런 환자에서는 상대적 금기증이 된다.

(3) 구개근 절제술

구개근 절제술palatal muscle resection은 구개를 거상하는 구개수근uvula muscle, 구개거근levator veli palatini muscle, 구개설근palatoglossus muscle을 잘라 길이를 줄여 단단문합함으로써 근육의 기능은 그대로 유지하고 구개를 더 거상시켜 근육의 긴장도와 상기도의 공간을 증가시키는 방법이다(Kim et al., 2008 ; Koo et al., 2012).

(4) 인두측벽 확장을 위한 술식

인두부 폐쇄는 전후 방향으로만 일어나는 것이 아니며 환자에 따라 인두부 측벽의 수축에 의한 인두부 폐쇄가 있을 수도 있다. 이런 경우 인두부 측벽lateral pharyngeal wall, LPW에 대한 수술로 인후부의 구조적(물리적)인 개방을 유도할 수 있으며 또한 인두부 측벽의 긴장도를 증가시켜 상기도 폐쇄를 방지하는 기능적 개방을 유도할 수 있다. 이를 위한 술식으로는 Lateral pharyngoplasty, Expansion sphincter pharyngoplasty, Suspension lateral pharyngoplasty, Transpalatal advancement pharyngoplasty 등이 있다(Cahali et al., 2004).

3) 설부 및 하인두 수술

(1) 골격에 대한 수술

안면골 골격에 대한 수술은 골격 안의 내용물은 정상적이나 작은 골격으로 인해 상대적으로 골격 내부의 정상 연부조직이 차지하는 비율이 높아져 기도가 막히는 경우 이를 교정하기 위한 술식이다.

① 이설근 전진술

이설근 전진술genioglossus advancement은 하악 안쪽에 위치한 하악융기genial tubercle를 포함한 하악 일부를 전방으로 전위시켜 하악의 두께만큼 재위치시키는 수술방법으로 하악 융기에 부착된 설근육의 긴장도를 향상시켜 수면 시 혀가 후방으로 처지는 것을 방지한다. 일반적으로 다른 구개부 수술과 병행되며 합병증으로 감염, 혈종, 이설근 손상, 하악치의 이상감각, 하악골절 등이 있을 수 있다(Li et al., 2001).

② 설골근 절개/거상술

설골근 절개/거상술Hyoid myotomy/suspension은 설골을 박리한 후 앞쪽으로 재위치하여 기도를 확장하는 술식으로 대개 이설근전진술 후 좋아지지 않는 경우 이차적으로 시행하나 구개수구개인두성형술과 동시에 시행하기도 한다(Kezirian and Goldberg, 2006 ; Riley et al., 1994 ; Hormann and Baisch, 2004).

(2) 설근부에 대한 수술

설근부에 대한 수술은 크게 골격구조의 이상은 보이지 않으나 설근부의 내용물의 비대 즉 설편도의 비대나 상대적인 설비대relative macroglossia의 소견을 보이는 환자에서 적용된다. 이 수술방법에는 고주파 에너지를 유곽유두circumvallate papillae 근처 중앙부의 설근부에 가해 조직을 경화시키고 부피를 줄여주어 기도를 확보하는 고주파 설근부 축소술tongue base reduction with radiofrequency, 레이저 등을 이용하여 설근 중심부를 절제하는 정중설절제술midline glossectomy, 절제용 코블레이터 Coblator 팁을 이용하여 설편도lingual tonsil를 포함하여 설근부를 절제하는 방법으로, 주변부 손상 및 출혈, 통증이 적은 고주파를 이용한 설근부절제술radiofrequency-assisted tongue base resection(Robinson et al., 2006 ; Maturo and Mair, 2006 ; Bock and Trask, 2008 ; Rotenberg and Tan, 2011), 봉합사proline를 이용하여 설근부를 앞쪽으로 당겨 구강저에 봉합해서 기도를 넓히는 설근부현수법 Tongue base suspension 등이 있다(Handler et al., 2014).

① 고주파 설근부 축소술

고주파 설근부 축소술Tongue base reduction with radiofrequency은 고주파 에너지를 유곽유두circumvallate papillae 근처 중앙부의 설근부에 가해 조직을 경화시키고 부피를 줄여주어 기도를 확보하는 술식이다. 치료는 최소 4주 간격으로 시행하며 동일한 위치에 재치료는 피한다. 혀의 부종, 농양, 점막 궤양, 통증, 연하곤란 등이 드물게 발생할 수 있다.

② 정중설절제술

정중설절제술midline glossectomy은 설근 중심부를 절제하는 술식으로 1991년 Fujita 등이 CO$_2$레이저를 이용하여 처음 보고하였다(Fujita et al., 1991).

(3) 고주파를 이용한 설근부절제술

고주파를 이용한 설근부절제술radiofrequency-assisted tonsue base resection은 절제용 코블레이터Coblator 팁을 이용하여 설편도lingual tonsil를 포함하여 설근부를 절제하는 방법으로, 주변부 손상 및 출혈, 통증이 적은 장점이 있다(Robinson et al., 2006; Maturo and Mair, 2006; Bock and Trask, 2008; Rotenberg and Tan, 2011).

(4) 설근부현수법

설근부현수법tongue base suspension은 피부 절개 없이 구강저에 2 cm가량의 절개부를 통해 하악결합의 설측 피질골에 골나사를 위치시켜 첨부된 봉합사proline를 이용하여 설근부를 앞쪽으로 당겨 봉합해서 기도를 넓히는 방법이다(Handler et al., 2014).

4) 양악전진술

양악전진술maxillomandibular advancement, MMA은 상악

maxilla에 대한 Le Fort I osteotomy와 함께 하악mandible에 sagittal split osteotomy를 시행하여 상악과 하악을 동시에 앞으로 이동시켜 고정하는 술식으로 상기도의 앞뒤 길이anteroposterior dimension를 늘릴 수 있을 뿐 아니라 측면 길이lateral dimension를 늘릴 수 있는 술식이다. 구조적으로 상기도를 확장시킬 수 있을 뿐 아니라 상기도 근육들의 긴장도를 높여 기도의 폐쇄성collapsibility을 낮출 수 있으므로 수면무호흡 치료를 위한 수술적 방법 중 가장 성공률이 높다(Li et al., 2002; El et al., 2011; Li, 2011). 상악과 하악을 전진시키는 정도는 일반적으로 12~15 mm 정도가 되어야 하나, 보고자에 따라서는 10 mm 정도의 전진으로도 좋은 수술결과를 보고하고 있다. 일반적인 수술의 적응증으로는 ① 심한 하악의 deficiency가 있는 경우(SNB <74°), ② 하인두 폐쇄가 있는 경우, ③ 중증의 폐쇄성 수면무호흡증(RDI >50, oxygen desaturation <70%), ④ 심한 비만환자, ⑤ 다른 수술적 방법에 실패했을 경우 등이 있다(Prinsell, 2002; Li et al., 2000). 최근에는 심한 수면무호흡증의 초기 치료로도 시도되고 있다. 다른 수면무호흡증 수술에 비해 다소 침습적인 수술이므로 합병증의 가능성이 높을 수 있는데 대표적인 합병증으로는 상하악의 무균괴사aseptic necrosis, 부정교합, 하치조신경inferior alveolar nerve의 손상, 구인두부 수술을 동시에 시행하는 경우 구인두부전Velopharyngeal insufficiency, VPI 등을 들 수 있다.

2. 양압호흡기

1981년 Sullivan에 의해 처음 수면무호흡증 치료에 이용된 양압호흡기는 이후 수많은 연구결과들에 기초하여 폐쇄성수면무호흡증의 매우 효과적인 치료방법으로 인정받았으며 현재 폐쇄성 수면무호흡증의 치료에 있어 주된 치료로 인정받고 있다(Epstein et al., 2009; Sullivan et al., 1981). 양압호흡기 치료는 마스크를 통해 상기도에 양압의 공기를 불어 넣어 공기부목pneumatic splint을 만들어서, 수면 중 반복적으로 발생하는 상기도 폐쇄를 방지하여 폐쇄성 수면무호흡을 치료한다.

1) 적응증

일반적으로 중등도 이상의 폐쇄성 수면무호흡증(moderate, 15≤ 무호흡-저호흡 지수 AHI 또는 RDI)에서는 표준standard 치료 방법으로 권유되고 있다. 경도의 폐쇄성 수면무호흡증에서는 주간졸리움 등의 증상이 동반되거나 고혈압, 심근경색증 등 전신 질환이 있을 경우 선택적optional or conditional 치료 방법으로 환자들에게 권유되고 있다. 최근 가이드라인에 따르면 과도한 주간졸리움이 있는 폐쇄성 수면무호흡증 환자의 경우 치료 효과가 입증되어 양압호흡기의 사용이 강하게 권고되고 있다(Susheel et al., 2019).

2) 양압호흡기의 구성 및 양압호흡기 치료의 종류

양압호흡기는 크게 본체와 가습기로 이루어진 주장치와 연결관, 마스크로 구성되어 있다. 주장치는 압력을 생성하는 펌프, 가습기, 기류저항을 측정하는 센서와 호흡 및 압력 정보를 저장하는 정보처리부로 구성되어 있다. 마스크의 종류는 비강형nasal type과 안면형oronasal type, full face type, 그리고 콧구멍형pillow type이 있으며, 일반적으로는 처음 사용하는 경우 비강형 마스크를 주로 사용한다(그림 38-1). 안면형은 가장 용적이 크며, 구강호흡이 심한 경우에 도움이 될 수 있다. 콧구멍형은 폐쇄공포증상이 있을 경우 쓸 수 있으며, 마스크 용적이 작아 피부접촉을 줄일 수 있으나, 수면 시 움직임이 심한 경우에는 벗겨지는 경우가 있다. 최근 연구결과는 비강형을 사용하는 것이 안면형에 비해 순응도를 유의하게 높일 수 있다고 보고하고 있다(Susheel et al., 2019). 공기누출air leak 등의 방지를 위해 적절한 크기나 종류의 마스크를 선택하는 것이 중요하다.

양압호흡기 치료의 종류는 환자 치료에 필요한 적

A

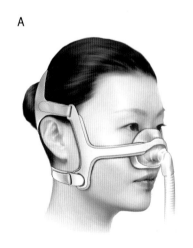

비강형(nasal type)

B

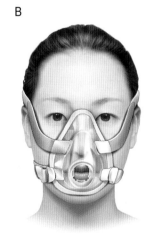

안면형(oronasal type, full face type)

C

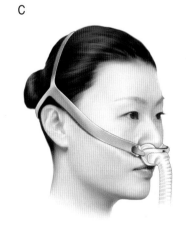

콧구멍형(pillow type)

▎그림 38-1 유형별 양압호흡기의 마스크

정압력의 수준, 동반 질환 여부와 선호도에 따라 지속성 양압호흡기continuous PAP, CPAP, 2단 모드 양압호흡기 bilevel PAP, BiPAP, 그리고 자동형 양압호흡기auto-titrating PAP, APAP 등을 선택할 수 있다(Kakkar et al., 2007; Epstein et al., 2009; Kushida et al., 2011)(그림 38-2).

(1) 지속성 양압호흡기 Continuous PAP, CPAP

환자 개개인에 맞는 적정 압력을 측정하여 흡기와 호기 시에 관계없이 지속적으로 일정한 압력이 제공된다. 최근에는 호기 시에 환자의 불편감을 줄여주기 위해 압력을 일시적으로 떨어뜨려 주는 기능Expiratory pressure relief, EPR, C-flex이 탑재되어 환자의 순응을 높이는 데 도움이 될 수 있다.

(2) 자동형 양압호흡기 Auto-titrating PAP, APAP

무호흡, 저호흡, 코골이를 치료하기 위해 최저 압력과 최고 압력을 정해 놓으면 그 범위안에서 압력이 자동으로 조절되는 방식이다. 일반적으로 REM 수면과 앙와위에서 높은 압력을 전달하고, 무호흡이 심하지 않은 상황에서는 낮은 압력을 전달하여 환자의 순응도를 높이는 데 도움이 될 수 있다.

(3) 2단 모드 양압호흡기 Bilevel PAP, BPAP

BPAP은 적정압력 15 cmH_2O 이상의 높은 압력이 요구되는 경우, 만성폐쇄성폐질환Chronic obstructive pulmonary disease, COPD, 고이산화탄소증을 동반한 중추성 무호흡증, 신경근병에 의해 폐포환기가 어려운 경우 등에 적용될 수 있다. 흡기압력inspiratory PAP, IPAP과 호기압력 expiratory PAP, EPAP을 달리하여 호기를 편안하게 해주며 이산화탄소의 축적을 막을 수 있다.

3) 적정 압력의 선택

양압 호흡기 치료에서 적정 압력은 모든 수면 단계 및 수면 자세에서 무호흡, 저호흡, 코골이를 없애며, 환자의 호흡노력관련 각성을 유도하지 않아야 한다. 적정압력은 특정압력에서 최소 15분 이상 호흡장애지수RDI를 시간당 5 이하로 유지하면서 산소포화도를 90% 이상 유지할 수 있는 압력이라고 정의할 수 있다(Kushida et al., 2008).

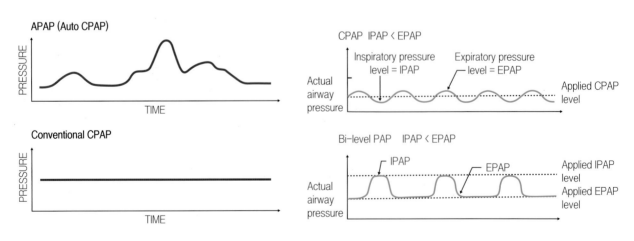

| 그림 38-2 양압호흡기 치료(모드)에 따른 압력 유형

(1) 전야간 적정압력검사 Full-night titration

전야간 적정압력검사는 첫 번째 야간 수면다원검사를 통하여 수면무호흡증으로 진단이 된 환자를 대상으로 두번째 수면 다원검사를 통하여 측정한다. 숙련된 수면 기사가 하룻밤 동안 검사실에서 직접 압력을 조정해서 적정압력을 구하는 방법으로 가장 추천되는 검사법이다. 적절한 마스크 선택을 하고, 공기 누출air leak과 구강호흡의 문제를 해결해 줄 수 있는 점이 효과적이다.

(2) 분할 야간 적정압력검사 Split night titration

분할 야간 적정압력검사는 하룻밤 동안 검사실에서 검사자가 전반기에는 수면다원검사를 진행하고, 후반기에는 적정압력검사를 시행하는 방법이다. 최소 2시간 이상의 진단 검사에서 무호흡-저호흡 지수가 ≥40인 경우 또는 무호흡-저호흡 지수가 20~40인 경우에서 심한 산소포화도 감소 소견이 있는 경우에 시행하며, 최소 3시간 이상 압력검사를 할 수 있는 시간이 남아 있어야 한다.

(3) 자동적정압력검사 Auto-PAP titration

자동형 양압호흡기를 수면검사실이 아닌 환자의 집에서 사용하면서 압력을 자동적으로 측정할 수 있어 편리

성이 있으며, 하룻밤의 결과가 아닌 1~2주 정도의 수면에 따른 압력 변화를 알 수 있다는 장점이 있다. 자동형 양압호흡기에서 압력에 따른 누적 사용 비율(%)을 분석한 결과에서 90% 또는 95% 압력을 적정 압력으로 결정한다.

2019년에 발표된 미국 수면의학회의 양압호흡기 치료 가이드라인에 따르면 자동적정압력검사로 양압호흡기 치료를 시작하는 경우와 검사실에서 적정압력검사를 시행한 후 양압호흡기 치료를 시작하는 경우를 비교한 결과 두군의 순응도, 주간졸림, 삶의 질 등에서 유의한 차이가 없음을 발표하였다(Susheel et al, 2019)(표 38-4).

4) 치료 효과

양압호흡기의 사용으로 주간졸림이 개선되고, 삶의 질이 향상될 수 있으며, 혈압 강하, 심혈관계 질환 감소, 자동차 사고의 위험도 감소 등에 효과를 보였다는 다양한 무작위 대조군 연구가 보고되고 있다(Gay et al., 2006; Kushida et al., 2011; Susheel et al., 2019)(표 38-5).

| 표 38-4 자동적정압력검사와 수면 검사실 적정압력검사 비교

자동적정압력검사(Auto-PAP titration)	수면 검사실 적정압력검사(In lab titration)
장점	장점
• 비용과 시간이 적게 든다. • 집에서 측정 가능하다. • 장기간의 상태를 반영할 수 있다. • 고정압 대신 변동압으로도 사용 가능하다.	• 수면 전문가에 의해 양압호흡기 사용 교육이 가능하다. • 양압호흡기 효과를 바로 파악하여 환자가 좀 더 편안하게 치료를 시작할 수 있다.
단점	단점
• 적정 압력 측정 결과가 부정확할 수 있다. • 환자 교육이 적절히 안될 수 있다. • 마스크, 누출 문제 등을 인지하지 못할 수 있다.	• 수면다원검사 이후 1번의 검사가 더 필요하다(비용과 시간적인 단점). • 단 하루만의 결과를 반영한다.

| 표 38-5   양압호흡기의 치료 효과

높은 수준의 근거(다수의 무작위 조절 연구들에 의해 보고된 효과)
- 무호흡-저호흡 지수의 감소(<10)
- 주관적 졸음의 호전
- 객관적 졸음의 호전

낮은 수준의 근거(비조절 연구들, 소수의 연구들, 또는 상충되는 결과들에 의해 보고된 효과)
- 삶의 질(quality of life)의 호전
- 야간 수면의 질(sleep quality)의 호전(3단계 비렘수면의 증가)
- 신경인지 기능(neurocognitive function)의 향상
- 야간 및 주간 혈압(systemic blood pressure)의 감소
- 폐동맥압(pulmonary arterial pressure)의 감소
- 심혈관계 질환(cardiovascular events)의 위험도 감소
- 자동차 사고(motor vehicle accidents)의 감소
- 야간 나트륨뇨 배설항진(nocturnal naturesis)의 감소
- 교감신경계 활성화(diurnal sympathetic activity)의 감소
- 염증 매개물질(infflammatory mediators)/혈액응고(coagulation)의 감소
- 야간 혈액농축(overnight hemoconcentration)의 감소
- 아침 섬유소원(morning fibrinogen)의 감소
- 혈관내피성인자의 감소
- 접합분자(adhesion molecules) 및 활성산소종(reactive oxygen species)의 감소
- 혈소판 활성/집합(platelet activation/aggregation)의 감소
- C-reactive protein 및 interleukin-6의 감소
- Cardioversion 후 심방세동재발(atrial fibrillation recurrence)의 감소
- 울혈성심부전(congestive heart failure)이 동반된 폐쇄성수면무호흡증 환자에서 박출계수(ejection fraction)의 향상

5) 양압호흡기 관리

양압호흡기 치료를 시작한 후 1달 이내에 환자와의 면담이 매우 중요하며 특히, 양압호흡기 사용 초기에 부작용이나 합병증이 발생한 경우 이를 해결해 주는 것이 치료 순응도를 높이는 데 매우 중요하다(Sullivan, 1981; Morgenthaler, 2008; Pepin, 1999). 추적관찰 시 양압호흡기 기기에 내장된 칩에 기록된 환자의 사용기록을 확인하게 되는데 "하루에 4시간 이상 사용한 날이 전체 사용한 기간의 70% 이상인 경우(PAP usage of ≥4h per night for >70% of days)"에 순응도가 좋다고 받아들여지고 있다(Berry, 2003). 그 외 호흡장애 정보 중 "사용 기간 동안의 평균 무호흡-저호흡 지수AHI", 누출air leakage 정보 등을 주의 깊게 살펴봐야 한다. 양압호흡기 치료 초기의 단기 추적관찰 이후 1~12개월마다 양압호흡기 장비(마스크 포함) 문제, 내과적 문제, 증상 등에 대한 평가 또는 점검이 필요하며 양압호흡기 치료에 대한 순응도, 부작용여부, 폐쇄성수면무호흡증으로 인한 합병증 발생여부, 증상 호전의 지속여부 등을 주기적으로 추적관찰하여야 한다. 외국문헌을 고찰했을 경우 양압호흡기 순응도는 대략 40~80%로 보고되고 있으나 국내문헌을 고찰했을 경우에는 이보다 낮은 것으로 보고되고 있다(Pepin et al., 1999; Kim et al., 2009). 그러므로 양압호흡기 치료 처방을 내리는 의사는 양압호흡기 기기의 구조, 마스크의 종류와 선택, 양압호흡기 사용 중 발생할 수 있는 문제점과 이의 해결 방법, 양압호흡기 순응도를 높이는 방법들을 잘 숙지하고 환자가 가질 수 있는 여러 문제점들을 적극적으로 해결해 줄 수 있어야 한다.

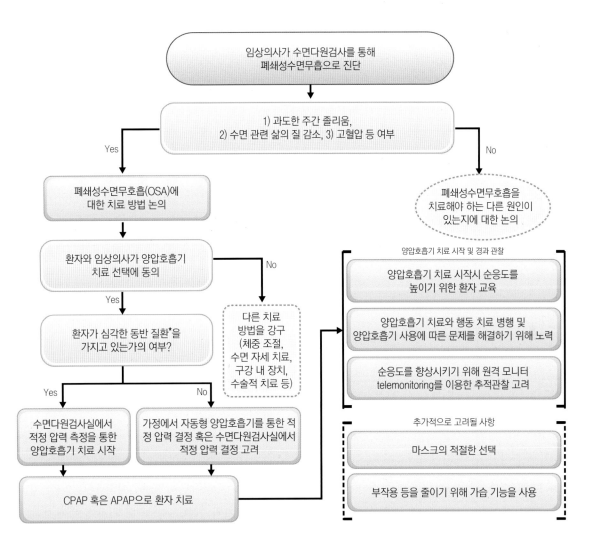

| 그림 38-3 양압호흡기 임상진료지침에 따른 치료 순서도

* 동반 질환 ; 울혈성 심부전(congestive heart failure), 만성 폐쇄성 폐질환(chronic obstructive pulmonary disease), 중추성 무호흡증(central sleep apnea), 폐포저환기증후군(hypoventilation syndrome) 등

일반적으로 양압호흡기 사용의 순응도를 높이기 위해서는 양압호흡기 치료의 중요성과 사용방법에 대해 집중적인 교육을 해야 한다. 또 다른 방법에는 적절한 마스크의 선택, 공기 누출을 줄이기, 가습 기능의 활용, 정기적인 추적관찰 등이 있다(Epstein et al., 2009; Susheel et al., 2019)(그림 38-3).

3. 구강 내 장치

2006년 발표된 미국수면의학회American Academy of Sleep Medicine, AASM의 가이드라인에 따르면, 구강 내 장치에 대한 일차적인 적응증은 단순 코골이, 호흡장애지수 30 미만의 경증과 중등도 수면무호흡증 환자이다(Kushida et al., 2005). 그리고, 구제개념의 적응증alternative therapy 으로 호흡장애지수 30 이상의 중증 환자에서 양압호흡 치료를 거부하거나 사용하다가 중단하는 경우에 처방할 수 있다(Kushida et al., 2005). 구강 내 장치는 작용기전에 따라 ① 연구개를 긴장시켜 연구개나 목젖이 아래로 처치는 현상을 막아주는 연구개 거상장치soft palate lifter, ② 상하악 전치 사이로 전방에 혀가 유지되도록 하는 혀 전방 유지장치tongue retaining device, ③ 하악을 전방으로 위치시킴으로써 하악에 부착되어 있는 혀가 이차적으로 전방에 유지되도록 하는 하악 전방이동장치mandibular repositioning appliances or mandibular advancement splints or mandibular advancement devices 등 크게 세 종류로 분류할 수 있다. 여러 편의 무작위 대조군 연구 결과들에 따르면, 구강 내 장치 치료는 중등도와 관계없이 모든 수면무호흡증 환자에서 수면다원검사상 무호흡-저호흡 지수 감소, 산소포화도 증가, 각성 횟수arousal index 의 감소가 나타난다(Ferguson et al., 2006). 특히, 수면무호흡증의 치료 성공을 호흡장애지수의 50% 이상 감소로 정의하였을 때, 구강 내 장치를 처방받은 환자의 약 65% 정도로 보고되었다. 상기도저항증후군upper airway resistance syndrome에 있어서도 구강 내 장치 치료는 각성 지수, 산소 포화도, 수면 효율sleep efficiency 개선에 효과적인 것으로 보고되고 있다(Yoshida, 2002). 코골이 개선 효과는 여러 연구에서 보고되었고 양압호흡기 치료와 유사한 혈압 강하 효과와 심혈관계 기능 개선 효과를 기대할 수 있다(Schmidt-Nowara, 1995; O'Sullivan et al., 1995; Gotsopoulos et al., 2004; Itzhaki et al., 2007). 임상적으로 구강 내 장치로 수면호흡질환의 개선효과를 기대할 수 있는 경우는 여성, 젊은 연령, 비만도가 낮은 경우, 목이 굵지 않은 경우, 그리고 하악의 전방이동량을 많이 얻을 수 있는 경우가 있으며, 두부방사선계측cephalometry에

서 연구개가 짧은 경우, 연구개 후방기도가 넓은 경우, MPHmandibular plain to hyoid가 짧은 경우 등을 들 수 있다(Paskow and Paskow, 1991; Liu et al., 2001).

구강 내 장치의 부작용의 빈도는 비교적 빈번하나 보통 미약한 정도이고 지속적으로 사용하면 사라지는 것이 대부분이며, 하악 또는 혀를 전방으로 위치시킴으로 인해 발생하게 된다. 가장 흔한 부작용으로는 저작 시 불편감, 타액분비 증가, 구강건조증, 구강, 치은, 혀 및 치아의 불편감, 저작근, 턱관절 부위 통증 및 두통, 그리고 교합변화 등을 들 수 있다(Hoffstein, 2007). 반면에, 장기간 구강 내 장치의 사용 시 발생되는 부작용으로는 교합의 문제occlusal change, 수직 및 수평 피개교합overbite의 감소, 안면 고경의 증가 및 전치 경사도의 변화, 하악평면각의 증가 등이 나타날 수 있으나 흔하게 나타나지는 않는다. 과거에는 이러한 비가역적 합병증은 대개 장착 후 2년 내에 생기며 그 후에는 안정적으로 유지가 되는 것으로 알려져 있었으나, 최근 연구 결과에 따르면, 이러한 교합 또는 골격의 변화는 장치를 사용하는 기간에 비례하여 진행된다고 보고되고 있다(Almeida et al., 2006; Lowe et al., 2000). 여러 연구결과에 따르면 구강내 장치의 순응도는 시간이 지남에 따라 감소하며, 장기적 순응도는 약 76~90% 정도로 보고되고 있다(Lowe et al., 2000). 특히 단순코골이 혹은 경증 및 중등도의 수면무호흡증 환자에 효과적이며 중증일지라도 양압호흡기 치료 혹은 수술로 실패한 경우 유용하게 처방할 수 있다(Kushida et al., 2006). 그러나, 최근 구강 내 장치를 적절히 사용하였다 하더라도 장기적으로 수면무호흡의 중증도가 악화되고 치료 효과가 떨어진다는 연구결과가 보고되었다(Marklund, 2015). 따라서 장기적인 부작용과 순응도 관점 이외에 수면무호흡에 대한 주기적으로 검사가 필요하므로 추적관찰이 역시 중요하다.

4. 기타

비만치료, 자세 치료, 동반질환에 대한 치료가 있다. 비만은 가장 잘 알려진 폐쇄성 수면무호흡증의 위험 요인이며, 특히 목둘레와 같은 중심부 비만증은 폐쇄성 수면무호흡증의 주요 위험인자이다. 비만은 상기도에 지방 침착을 유발하여 상기도를 좁게 하며 상기도의 기능을 변화시켜 호흡요구respiratory drive와 저항load 사이의 균형을 변화시키고, 폐의 기능적 잔기 용량과 폐활량을 감소시킨다. 또한 비만은 간헐적 저산소증을 악화시키고 체내 호르몬 변화를 야기한다. 폐쇄성 수면무호흡증으로 인한 수면 분절은 렙틴leptin의 수치를 떨어뜨리고, 그렐린ghrelin 수치를 높여 허기와 식욕을 증가시키며, 에너지 소비 패턴도 변하게 하여 체중을 증가시켜 수면무호흡증 증상을 더 악화시킬 수 있다. 그러므로 수면호흡장애의 발생률 및 중증도가 환자의 체중 증가와 직접적인 상관관계를 보이므로 체중감소는 수면호흡장애뿐만 아니라 수면호흡장애 관련 증상(수면단절과 주간증상 등)과 동반질환의 상태도 호전시킬 수 있다. 그러므로 폐쇄성 수면무호흡증의 진단과정에서 비만 및 과체중에 대한 고려를 해야 하며 치료 시 과체중 또는 비만 환자들에 대한 체중조절이 반드시 포함되어야 한다(Newman et al., 2005; Young et al., 2002; Strobel and Rosen, 1996; Smith et al., 1985).

갑상선기능저하증과 말단비대증과 같은 내분비기능 이상과 남성 호르몬인 테스토스테론 투여 등이 수면호흡장애에 영향을 미칠 수 있으므로 수면무호흡증 환자에서 이런 동반질환의 치료가 중요하다(Koutsourelakis et al., 2008).

Ⅳ | 치료 후 예후 및 환자관리

수면무호흡증 치료는 여러 치료방법 중 어느 것을 선택하더라도 환자와 지속적 관계를 유지하는 것이 필수적이며 초기에 선택된 치료방법이 최선이라 하더라도 환자의 신체 변화 상태 및 시간에 따른 수면무호흡증의 조절양상 변화에 따라 추가적인 치료가 필요할 수 있음을 유의하여야 한다. 또한 비수술적 치료 시 처방한 치료방법에 대한 환자 순응도를 면밀히 파악하여야 하며 환자가 도중에 치료를 포기하거나 순응도가 떨어질 때 환자에 대한 지지요법, 순응도를 향상시킬 추가적인 치료법, 또는 이전에 시행하지 않았던 다른 치료방법을 제시할 수 있어야 한다. 따라서 내과에서 만성병에 대한 관리를 하듯 수면무호흡증 치료도 환자의 전 생애에 걸친 질병의 관리 개념으로 환자에게 접근하는 것이 바람직할 것으로 생각된다.

참고문헌

1. Almeida FR, Lowe AA, Otsuka R, Fastlicht S, Farbood M, Tsuiki S. Long-term sequellae of oral appliance therapy in obstructive sleep apnea patients: Part 2. Study-model analysis. American journal of orthodontics and dentofacial orthopedics : official publication of the American Association of Orthodontists, its constituent societies, and the American Board of Orthodontics 2006;129:205-13.

2. Anch AM, Remmers JE, Bunce H, 3rd. Supraglottic airway resistance in normal subjects and patients with occlusive sleep apnea. Journal of applied physiology: respiratory, environmental and exercise physiology 1982;53:1158-63.

3. Berry RB. Sleep Medicine Pearls. 2nd ed. Philadelphia: Mosby 2003.

4. Bock JM, Trask DK. Coblation-assisted lingual tonsillectomy for dysphagia secondary to tongue base hypertrophy. The Annals of otology, rhinology, and laryngology 2008;117:506-9.

5. Cahali MB, Formigoni GG, Gebrim EM, Miziara ID. Lateral pharyngoplasty versus uvulopalatopharyngoplasty: a clinical, polysomnographic and computed tomography measurement comparison. Sleep 2004;27:942-50.

6. Croft CB, Pringle M. Sleep nasendoscopy: a technique of assess-

ment in snoring and obstructive sleep apnoea. Clinical otolaryngology and allied sciences 1991;16:504-9.

7. De Vito A, Agnoletti V, Berrettini S, et al. Drug-induced sleep endoscopy: conventional versus target controlled infusion techniques--a randomized controlled study. European archives of oto-rhino-laryngology : official journal of the European Federation of Oto-Rhino-Laryngological Societies (EUFOS) : affiliated with the German Society for Oto-Rhino-Laryngology - Head and Neck Surgery 2011;268:457-62.

8. El AS, El H, Palomo JM, Baur DA. A 3-dimensional airway analysis of an obstructive sleep apnea surgical correction with cone beam computed tomography. Journal of oral and maxillofacial surgery : official journal of the American Association of Oral and Maxillofacial Surgeons 2011;69:2424-36.

9. Epstein LJ, Kristo D, Strollo PJ, Jr., et al. Clinical guideline for the evaluation, management and long-term care of obstructive sleep apnea in adults. Journal of clinical sleep medicine : JCSM : official publication of the American Academy of Sleep Medicine 2009;5:263-76.

10. Ferguson KA, Cartwright R, Rogers R, Schmidt-Nowara W. Oral appliances for snoring and obstructive sleep apnea: a review. Sleep 2006;29:244-62.

11. Fogel RB, Trinder J, White DP, et al. The effect of sleep onset on upper airway muscle activity in patients with sleep apnoea versus controls. The Journal of physiology 2005;564:549-62.

12. Friedman M, Ibrahim H, Bass L. Clinical staging for sleep-disordered breathing. Otolaryngology--head and neck surgery : official journal of American Academy of Otolaryngology-Head and Neck Surgery 2002;127:13-21.

13. Friedman M, Vidyasagar R, Bliznikas D, Joseph N. Does severity of obstructive sleep apnea/hypopnea syndrome predict uvulopalatopharyngoplasty outcome? The Laryngoscope 2005;115:2109-13.

14. Fujita S, Conway W, Zorick F, Roth T. Surgical correction of anatomic azbnormalities in obstructive sleep apnea syndrome: uvulopalatopharyngoplasty. Otolaryngology--head and neck surgery : official journal of American Academy of Otolaryngology-Head and Neck Surgery 1981;89:923-34.

15. Fujita S, Woodson BT, Clark JL, Wittig R. Laser midline glossectomy as a treatment for obstructive sleep apnea. The Laryngoscope 1991;101:805-9.

16. Gay P, Weaver T, Loube D, et al. Evaluation of positive airway pressure treatment for sleep related breathing disorders in adults. Sleep 2006;29:381–401.

17. Georgalas C, Garas G, Hadjihannas E, Oostra A. Magnetic resonance imaging of the pharynx in OSA patients and healthy subjects. Eur Respir J 2001;17:79-86.

18. Gotsopoulos H, Kelly JJ, Cistulli PA. Oral appliance therapy reduces blood pressure in obstructive sleep apnea: a randomized, controlled trial. Sleep 2004;27:934-41.

19. Handler E, Hamans E, Goldberg AN, Mickelson S. Tongue suspension: an evidence-based review and comparison to hypopharyngeal surgery for OSA. The Laryngoscope 2014;124:329-36.

20. Hoffstein V. Review of oral appliances for treatment of sleep-disordered breathing. Sleep and breathing 2007;11:1-22.

21. Hormann K, Baisch A. The hyoid suspension. The Laryngoscope 2004;114:1677-9.

22. Horner RL. Pathophysiology of obstructive sleep apnea. Journal of cardiopulmonary rehabilitation and prevention 2008;28:289-98.

23. Hwang JC, St John WM, Bartlett D, Jr. Respiratory-related hypoglossal nerve activity: 4influence of anesthetics. Journal of applied physiology: respiratory, environmental and exercise physiology 1983;55:785-92.

24. Itzhaki S, Dorchin H, Clark G, Lavie L, Lavie P, Pillar G. The effects of 1-year treatment with a herbst mandibular advancement splint on obstructive sleep apnea, oxidative stress, and endothelial function. Chest 2007;131:740-9.

25. Kakkar RK, Berry RB. Positive airway pressure treatment for obstructive sleep apnea. Chest 2007;132:1057-72.

26. Katz ES, White DP. Genioglossus activity during sleep in normal control subjects and children with obstructive sleep apnea. American journal of respiratory and critical care medicine 2004;170:553-60.

27. Kezirian EJ, Goldberg AN. Hypopharyngeal surgery in obstructive sleep apnea: an evidence-based medicine review. Archives of otolaryngology--head & neck surgery 2006;132:206.

28. Kezirian EJ, Hohenhorst W, de Vries N. Drug-induced sleep endoscopy: the VOTE classification. European archives of oto-rhino-laryngology : official journal of the European Federation of Oto-Rhino-Laryngological Societies (EUFOS) : affiliated with the German Society for Oto-Rhino-Laryngology - Head and Neck Surgery 2011;268:1233-6.

29. Kezirian EJ, White DP, Malhotra A, Ma W, McCulloch CE, Goldberg AN. Interrater reliability of drug-induced sleep endoscopy. Archives of otolaryngology--head & neck surgery 2010;136:393-7.

30. Kim JH, Kwon MS, Song HM, Lee BJ, Jang YJ, Chung YS. Compliance with positive airway pressure treatment for obstructive sleep apnea. Clinical and experimental otorhinolaryngology 2009;2:90-6.

31. Kim TH, Koo SK, Han CW, Kim YC, Ahn GY. Palatal Muscle Resection(PMR) for the Treatment of Snoring Patients. Korean J Otorhinolaryngol-Head Neck Surg 2008;51:1119-23.

32. Koo SK, Myung NS, Choi JW, Kim YJ, Kwon SB. Clinical Safety of PMR(Palatal Muscle Resection) In Which Performed OSAS Patients. J Rhinol 2012;19:101-6.

33. Koutsourelakis I, Georgoulopoulos G, Perraki E, Vagiakis E, Roussos C, Zakynthinos SG. Randomised trial of nasal surgery for fixed nasal obstruction in obstructive sleep apnoea. The European respiratory journal 2008;31:110-7.

34. Kushida CA, Berry RB, Blau A, Crabtree T, Fietze I, Kryger MH, Kuna ST, Pegram Jr, Penzel T. Positive airway pressure initiation: a randomized controlled trial to assess the impact of therapy mode and titration process on efficacy, adherence, and outcomes. Sleep 2011;34:1083-92.

35. Kushida CA, Chediak A, Berry RB, Brown LK, Gozal D, Iber C, Parthasarathy S, Quan SF, Rowley JA. Positive airway pressure titration task force: American Academy of sleep Medicine. Clinical guidelines for the manual titration of positive airway pressure in patients with obstructive sleep apnea. J Clin Sleep Med 2008;4:157-71.

36. Kushida CA, Morgenthaler TI, Littner MR, et al. Practice parameters for the treatment of snoring and Obstructive Sleep Apnea with oral appliances: an update for 2005. Sleep 2006;29:240-3.

37. Li HY, Lin Y, Chen NH, Lee LA, Fang TJ, Wang PC. Improvement in quality of life after nasal surgery alone for patients with obstructive sleep apnea and nasal obstruction. Archives of otolaryngology--head & neck surgery 2008;134:429-33.

38. Li KK, Guilleminault C, Riley RW, Powell NB. Obstructive sleep apnea and maxillomandibular advancement: an assessment of airway changes using radiographic and nasopharyngoscopic examinations. Journal of oral and maxillofacial surgery : official journal of the American Association of Oral and Maxillofacial Surgeons 2002;60:526-30; discussion 31.

39. Li KK, Powell NB, Riley RW, Zonato A, Gervacio L, Guilleminault C. Morbidly obese patients with severe obstructive sleep apnea: is airway reconstructive surgery a viable treatment option? The Laryngoscope 2000;110:982-7.

40. Li KK, Riley RW, Powell NB, Troell RJ. Obstructive sleep apnea surgery: Genioglossus advancement revisited. J Oral Maxfacial Sur 2001;59:1181-4.

41. Li KK. Maxillomandibular advancement for obstructive sleep apnea. Journal of oral and maxillofacial surgery : official journal of the American Association of Oral and Maxillofacial Surgeons 2011;69:687-94.

42. Liistro G, Rombaux P, Belge C, Dury M, Aubert G, Rodenstein DO. High Mallampati score and nasal obstruction are associated risk factors for obstructive sleep apnoea. The European respiratory journal 2003;21:248-52.

43. Liu Y, Lowe AA, Fleetham JA, Park YC. Cephalometric and physiologic predictors of the efficacy of an adjustable oral appliance for treating obstructive sleep apnea. American journal of orthodontics and dentofacial orthopedics : official publication of the American Association of Orthodontists, its constituent societies, and the American Board of Orthodontics 2001;120:639-47.

44. Lowe AA, Sjoholm TT, Ryan CF, Fleetham JA, Ferguson KA, Remmers JE. Treatment, airway and compliance effects of a titratable oral appliance. Sleep 2000;23 Suppl 4:S172-8.

45. Marklund M. Long-term efficacy of an oral appliance in early treated patients with obstructive sleep apnea. Sleep and Breathing 2016.

46. Maturo SC, Mair EA. Submucosal minimally invasive lingual excision: an effective, novel surgery for pediatric tongue base reduction. The Annals of otology, rhinology, and laryngology 2006;115:624-30.

47. Medicine AAoS. International classification of sleep disorders, 3rd ed.: Diagnostic and Coding Manual. 3rd ed. IL: Darien; 2014.

48. Morgenthaler TI, Aurora RN, Brown T, et al. Practice parameters for the use of autotitrating continuous positive airway pressure devices for titrating pressures and treating adult patients with obstructive sleep apnea syndrome: an update for 2007. An American Academy of Sleep Medicine report. Sleep 2008;31:141-7.

49. Nakata S, Noda A, Yagi H, et al. Nasal resistance for determinant factor of nasal surgery in CPAP failure patients with obstructive sleep apnea syndrome. Rhinology 2005;43:296-9.

50. Newman AB, Foster G, Givelber R, Nieto FJ, Redline S, Young T. Progression and regression of sleep-disordered breathing with changes in weight: the Sleep Heart Health Study. Archives of internal medicine 2005;165:2408-13.

51. O'Sullivan RA, Hillman DR, Mateljan R, Pantin C, Finucane KE. Mandibular advancement splint: an appliance to treat snoring and obstructive sleep apnea. American journal of respiratory and critical care medicine 1995;151:194-8.

52. Paskow H, Paskow S. Dentistry's role in treating sleep apnea and snoring. New Jersey medicine : the journal of the Medical Society of New Jersey 1991;88:815-7.

53. Pepin JL, Krieger J, Rodenstein D, et al. Effective compliance during the first 3 months of continuous positive airway pressure. A European prospective study of 121 patients. American journal of respiratory and critical care medicine 1999;160:1124-9.

54. Pierce R, White D, Malhotra A, et al. Upper airway collapsibility, dilator muscle activation and resistance in sleep apnoea. The European respiratory journal 2007;30:345-53.

55. Poirier J, George C, Rotenberg B. The effect of nasal surgery on nasal continuous positive airway pressure compliance. The Laryngoscope 2014;124:317-9.

56. Powell N, Riley R, Guilleminault C, Troell R. A reversible uvulopalatal flap for snoring and sleep apnea syndrome. Sleep 1996;19:593-9.

57. Prinsell JR. Maxillomandibular advancement surgery for obstructive sleep apnea syndrome. Journal of the American Dental Association (1939) 2002;133:1489-97; quiz 539-40.

58. Riha RL, Brander P, Vennelle M,Douglas NJ. A Cephalometric Comparison of Patients With the Sleep Apnea/Hypopnea Syndrome and Their Siblings. Sleep 2005;28:315-20.

59. Riley RW, Powell NB, Guilleminault C. Obstructive sleep apnea and the hyoid: a revised surgical procedure. Otolaryngology-head and neck surgery : official journal of American Academy of Otolaryngology-Head and Neck Surgery 1994;111:717-21.

60. Robinson S, Ettema SL, Brusky L, Woodson BT. Lingual tonsillectomy using bipolar radiofrequency plasma excision. Otolaryngology--head and neck surgery : official journal of American Academy of Otolaryngology-Head and Neck Surgery 2006;134:328-30.

61. Rodriguez-Bruno K, Goldberg AN, McCulloch CE, Kezirian EJ. Test-retest reliability of drug-induced sleep endoscopy. Otolaryngology--head and neck surgery : official journal of American Academy of Otolaryngology-Head and Neck Surgery 2009;140:646-51.

62. Rotenberg B, Tan S. Endoscopic-assisted radiofrequency lingual tonsillectomy. The Laryngoscope 2011;121:994-6.

63. Samsoon GL, Young JR. Difficult tracheal intubation: a retrospective study. Anaesthesia 1987;42:487-90.

64. Schmidt-Nowara W, Lowe A, Wiegand L, Cartwright R, Perez-Guerra F, Menn S. Oral appliances for the treatment of snoring and obstructive sleep apnea: a review. Sleep 1995;18:501-10.

65. Senior BA, Rosenthal L, Lumley A, Gerhardstein R, Day R. Efficacy of uvulopalatopharyngoplasty in unselected patients with mild obstructive sleep apnea. Otolaryngology--head and neck surgery : official journal of American Academy of Otolaryngology-Head and Neck Surgery 2000;123:179-82.

66. Sher AE, Schechtman KB, Piccirillo JF. The efficacy of surgical modifications of the upper airway in adults with obstructive sleep apnea syndrome. Sleep 1996;19:156-77.

67. Sittitavornwong S, Waite PD, Shih AM, et al. Computational fluid dynamic analysis of the posterior airway space after maxillomandibular advancement for obstructive sleep apnea syndrome. Journal of oral and maxillofacial surgery : official journal of the American Association of Oral and Maxillofacial Surgeons 2013;71:1397-405.

68. Sittitavornwong S, Waite PD. Imaging the upper airway in patients with sleep disordered breathing. Oral and maxillofacial surgery clinics of North America 2009;21:389-402.

69. Smith PL, Gold AR, Meyers DA, Haponik EF, Bleecker ER. Weight loss in mildly to moderately obese patients with obstructive sleep apnea. Annals of internal medicine 1985;103:850-5.

70. Strauss RA, Burgoyne CC. Diagnostic imaging and sleep medi-

cine. Dental clinics of North America 2008;52:891-915, viii.

71. Strobel RJ, Rosen RC. Obesity and weight loss in obstructive sleep apnea: a critical review. Sleep 1996;19:104-15.

72. Sullivan CE, Issa FG, Berthon-Jones M, Eves L. Reversal of obstructive sleep apnoea by continuous positive airway pressure applied through the nares. Lancet (London, England) 1981;1:862-5.

73. Susheel P Patil, Indu A Ayappa, Sean M Caples, R Joh Kimoff, Sanjay R Patel, Christopher G Harrod. Treatment of adult obstructive sleep apnea with positive airway pressure: an American academy of sleep medicine clinical practice guideline. Journal of Clinical Sleep Medicine 2019;15:335-343.

74. Susheel P Patil, Indu A Ayappa, Sean M Caples, R Joh Kimoff, Sanjay R Patel, Christopher G Harrod. Treatment of adult obstructive sleep apnea with positive airway pressure: an American academy of sleep medicine systematic review, Meta-analysis, and GRADE Assessment. Journal of Clinical Sleep Medicine 2019;15:301-334.

75. Thach BT, Schefft GL, Pickens DL, Menon AP. Influence of upper airway negative pressure 5reflex on response to airway occlusion in sleeping infants. Journal of applied physiology (Bethesda, Md : 1985) 1989;67:749-55.

76. Thakkar K, Yao M. Diagnostic studies in obstructive sleep apnea. Otolaryngologic clinics of North America 2007;40:785-805.

77. Vicini C, De Vito A, Benazzo M, et al. The nose oropharynx hypo-pharynx and larynx (OHL) classification: a new system of diagnostic standardized examination for OSAHS patients. European archives of oto-rhino-laryngology : official journal of the European Federation of Oto-Rhino-Laryngological Societies (EUFOS) : affiliated with the German Society for Oto-Rhino-Laryngology - Head and Neck Surgery 2012;269:1297-300.

78. Woodson BT, Conley SF, Dohse A, Feroah TR, Sewall SR, Fujita S. Posterior cephalometric radiographic analysis in obstructive sleep apnea. The Annals of otology, rhinology, and laryngology 1997;106:310-3.

79. Yoshida K. Oral device therapy for the upper airway resistance syndrome patient. The Journal of prosthetic dentistry 2002;87:427-30.

80. Young T, Bluestein J, Palta M. Sleep-disordered breathing and motor vehicle accidents in a population-based sample of employed adults. Sleep 1997;20:608-13.

81. Young T, Peppard P, Palta M, et al. Population-based study of sleep-disordered breathing as a risk factor for hypertension. Archives of internal medicine 1997;157:1746-52.

82. Young T, Shahar E, Nieto FJ, et al. Predictors of sleep-disordered breathing in community-dwelling adults: the Sleep Heart Health Study. Archives of internal medicine 2002;162:893-900.

CHAPTER

39

소아수면질환

아주의대 이비인후과 **김현준**, 연세의대 이비인후과 **조형주**

> **CONTENTS**

Ⅰ. 임상적 특징 및 병태생리

Ⅱ. 진단

Ⅲ. 치료

HIGHLIGHTS 〉〉〉

- 소아수면무호흡증은 2~8세의 소아에서 발생빈도가 매우 높으며, 편도 및 아데노이드 비대가 주요 원인으로 작용함
- 유전적 요인으로 다양한 증후군이 있는 경우 폐쇄성 수면무호흡이 발생함
- 소아수면무호흡에서는 주간에 졸리는 증상을 덜 호소하며, 비만한 경우 무호흡증이 많이 발생하나 비만 유무와 관계없이 무호흡증이 동반되는 경우가 많음
- 소아수면무호흡증에서는 저체중과 성장부진을 보이기도 하며, 수면무호흡증을 치료한 뒤에는 성장속도의 증가가 자주 관찰됨
- 소아에서는 수면다원검사상 AHI가 1 이상인 경우 수면무호흡증으로 간주함
- 편도 및 아데노이드 수술은 소아에서 가장 흔히 사용되는 치료법으로 성공률이 높고 주관적 및 객관적 지표에서 많은 효과를 보임
- 좁은 상악골과 high arch palate이 있는 경우 비저항을 증가시키고 혀의 후방전위로 인하여 무호흡을 악화시킬 수 있으므로 이런 경우 급속 상악골 확장이 도움이 될 수 있음

I | 임상적 특징 및 병태생리

소아에서 수면 시 호흡과 관련된 질환Sleep breathing disorder은 습관적 코골이habitual snoring, 상기도 저항 증후군upper airway resistance syndrome, 그리고 폐쇄성 수면무모흡증obstructive sleep apnea을 포함한다. 소아에서 단순 습관적 코골이는 소아의 약 10%에서 관찰되며(Ali et al., 1993) 코골이 외에 수면다원검사상 수면의 형태나 산소포화도의 변화는 동반되지 않는다. 상기도 저항 증후군은 흡기 시 흉곽 내 과도한 음압으로 인하여 수면 중 자주 각성이 발생하며, 수면다원검사에서 무호흡이나 저호흡을 보이지 않고 산소포화도에는 큰 영향을 미치지 않는 것이 특징이다(Bower et al., 2000). 수면무호흡의 유병률은 보고자마다 차이가 있으나 약 1.2~5.7% 정도로

보고되고 있다(Bodenner et al., 2014). 호발연령은 2~8세의 소아에서 발생빈도가 매우 높은데, 이는 편도 및 아데노이드 비대와 연관성이 높다(Guilleminault et al., 1976; DelRosso, 2016; Marcus, 2001). 2세 미만의 경우는 조산의 과거력이 있거나 유전자 변이로 인한 증후군이 있는 경우 발생할 수 있으며, 인종적으로 흑인종인 경우 연관성이 높다는 보고가 있다. 사춘기 중후반기에도 호발하는데 사춘기 전에는 남녀가 비슷한 정도로 발생하나 사춘기 이후에는 남성에서 더 많이 발생한다(DelRosso, 2016).

신체 및 인지기능이 발달하는 소아기에 발생하는 소아수면무호흡증은 성인과 비교하여 많은 차이점이 존재한다. 소아 코골이는 지속적으로 발생하며 무호흡보다는 저호흡이 많이 나타나는 경향이 있다. 수면다원검사상 수면의 효율, 수면단계에 의한 주간각성장애도 성인과 달리 드물게 발생한다. 즉 소아에서는 주간에 졸리는 증

상을 덜 호소한다(Leach et al., 1992). 비만한 경우 무호흡증이 많이 발생하나 비만 유무와 관계없이 무호흡증이 동반되는 경우가 많다(Bower et al., 2000). 수면 중 여기저기 돌아다니며 땀을 많이 흘리고 수면이 힘들어 보이며, 자주 깨고 목을 뒤로 젖히거나 앉는 자세를 취하며 잠을 자기도 한다. 저체중과 성장부진을 보이기도 하는데, 수면무호흡증을 치료한 뒤에는 성장속도가 증가되는 것이 자주 관찰된다. 이는 편도 비대로 인한 섭식장애, 항진된 호흡운동으로 인한 열량소비, 성장호르몬 분비장애 등이 원인으로 추정된다.

소아수면무호흡증의 경우도 성인과 유사하게 심혈관계 질환이 유발될 수 있다. 특히 심기형을 동반한 Down 증후군에서는 무호흡이 동반될 때 폐혈관성 고혈압의 발생빈도가 높다. 수면 중 발한, 야뇨증, 위식도 역류증, 두통 등의 증상을 호소하기도 한다.

소아에서의 수면무호흡 발생은 상기도 폐쇄를 일으키는 해부학적 요인들로 편도 및 아데노이드 비대증, 비만, craniofacial anomaly 등이 있으며, 상기도의 neuromotor tone의 이상, 그리고 유전적 요인 등이 단독 혹은 복합적으로 상호 영향을 주며 원인이 될 수 있다(그림 39-1).

해부학적 요인으로는 편도 및 아데노이드 비대증이 가장 흔한 원인으로 수면내시경검사를 통해 약 70% 정도에서 편도 및 아데노이드 비대가 수면 시 폐쇄를 유발하는 주요 원인으로 보고되었다(Galluzzi et al., 2015). 그 외에 거대혀macroglossia, 비저항이 증가된 경우, 하악발달 부전 혹은 후방전위의 경우도 원인이 될 수 있다. 설편도lingual tonsil가 큰 경우 후두개를 뒤로 밀어 하인두 부위의 폐쇄를 유발할 수 있다. 만약 편도 및 아데노이드 제거술 이후에도 코골이와 수면무호흡이 지속되는 경우 설편도 비대를 의심해 보아야 한다(Kuo et al., 2014). 소아수면무호흡증 환자가 항상 비만하지는 않지만, 연관은 매우 높으며, 비만 환아의 66%에서 수면무호

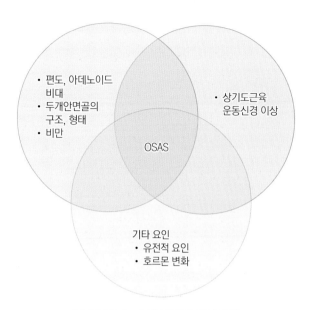

| 그림 39-1 소아수면무호흡의 요인

흡이 발견된다(Bodenner et al., 2014). 비만의 경우 편도 및 아데노이드 비대가 주된 원인이나 상기도에 증가된 지방조직 혹은 neuromuscular tone의 변형도 요인으로 작용할 수 있다. 비만환아에서는 편도 및 아데노이드 절제수술 후에도 많은 경우에 수면무호흡증이 남아 있을 수 있으며, 체중조절이 증상을 조절하는 데 중요한 요소가 될 수 있다(Tan, et al., 2013; Slaats et al., 2015; Silvestri et al., 1993).

유전적 요인으로 다양한 증후군이 있는 경우 폐쇄성 수면무호흡이 발생할 수 있다. Pierre Robinson syndrome, Treacher Collins syndrome, Crouzon syndrome, Apert syndrome, Achondroplasia, Down syndrome, Prader-Willi syndrome 등은 골격의 구조 및 연부조직 혹은 상기도 neuromotor tone에 다양한 이상이 원인이 되어 상기도 폐쇄가 수면 중 빈번히 발생할 수 있다. 이들 증후군에서는 해부학적 요인도 동반되어 수면무호흡증이 발생하게 되는데, 가령 Down 증후군은 설편도 비대, 거대혀, hypotonia 등이 복합적으로 원

인이 된다(Tan et al., 2013). Achondroplasia는 hypotonia, midface hypoplasia, for amen magnum의 협착으로 인한 호흡근육조절 신경의 압박 등이 수면무호흡을 유발한다(DelRosso et al., 2013).

수면다원검사에서 REM 수면 단계에서 무호흡이 주로 발생하는 경우가 있는데, 이는 상기도를 확장시키는 근육과 호흡을 유발시키는 자극의 기능이 저하된 것과 연관될 수 있다(Marcus, 2001). 염증작용 편도 조직 혹은 상기도 점막의 부종을 유발하여 수면 중 상기도 폐쇄를 쉽게 유발시킬 수 있는 원인이 될 수 있다(DelRosso, 2016). TNF-α, interleukin 6, interleukin1α 등이 수면무호흡이 있는 환아의 편도 혹은 아데노이드 조직에서 증가되어 있다는 보고가 있고, 분비된 침에서는 eosinophil이 많이 발견되기도 한다(Tan, 2013; Chan et al., 2015; Mills et al., 2004).

II | 진단

소아수면무호흡증의 진단은 증상과 병력 청취, 신체검사, 영상학적 검사, 수면다원검사 등 다양한 검사와 진찰을 통해 종합적으로 판단해야 한다.

1. 증상 및 병력

코골이, 호흡 정지와 같은 비정상적인 호흡, 자면서 힘들어 하고, 자세나 위치를 계속 바꾸고, 잦은 각성, 구강 호흡, 야뇨증 등이 나타나고, 과다 행동, 졸리움, 행동이나 학습 장애 등이 흔한 증상이다. 알레르기 비염이나 부비동염 등의 질환을 동반한 환자의 경우 비부비동 병변의 악화로 인하여 코골이나 수면무호흡의 증상이 동반될 수 있으므로 주의 깊게 병력을 청취하여야 한다.

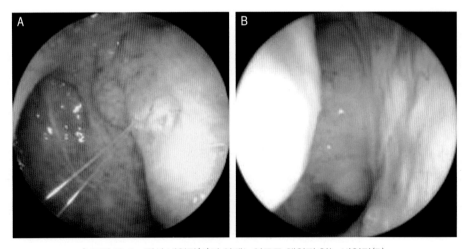

| 그림 39-2 정상 비인강(A)과 아데노이드로 채워져 있는 비인강(B)

2. 신체검사

구개 및 설편도나 아데노이드(그림 39-2), 경구개의 모양, 혀의 위치와 크기, 비강 및 후두 상태와 악안면 상태를 확인하고, 키나 체중 등 전반적인 성장에 대해서도 관찰한다.

3. 영상학적 검사

Caldwell view, Waters view, lateral view 등의 단순 방사선 촬영을 흔히 사용되며, 비강이나 부비동 내 병변, 아데노이드 크기 등을 확인하는 데 도움이 된다(그림 39-3). 경우에 따라 CT나 MRI가 필요한 경우도 있다.

4. 수면다원검사

소아에서 수면무호흡 등의 수면 질환을 진단하는데, 수면다원검사는 매우 유용하지만, 접근성, 시간이나 비용

등 여러 측면에서 어려움이 있다. 아직까지 소아에서 수면다원검사의 적응증은 정확하지 않다. 미국 수면 학회에서는 다음과 같은 경우에 소아에서 수면다원검사를 고려하라고 하였다(Aurora et al., 2011; Aurora et al., 2012)(표 39-1).

성인에서는 first night effect로 수면 효율이나 구조가 영향을 받아 부정확한 결과가 나올 수 있지만, 여러 연구에서 소아에서는 이런 영향이 적어서 하루만의 검사도 적당하다고 보고되었다. 소아에서 수면다원 검사 항목들의 판독 기준은 성인과 다르다. 2007년 미국 수면학회에서는 소아에서 검사 판독 기준에 대해 기술하였으며, 2012년 개정되어 두 번의 호흡 주기 이상의 시간에서 90% 이상의 호흡 기류의 감소 시 apnea로 정의하였고, 역시 두 번의 호흡 주기 이상의 시간에서 30% 이상의 호흡 기류의 감소와 더불어and 3% 이상의 산소 포화도의 감소 혹은or 각성이 동반되는 경우 hypopnea로 정의하였다. 성인에서는 AHI가 5 이상인 경우를 기준으로 하나, 소아에서는 1 이상인 경우를 비정상으로 간주한다(표 39-2).

수면다원검사의 접근성이나 제한성 때문에 성인에서

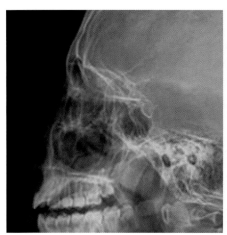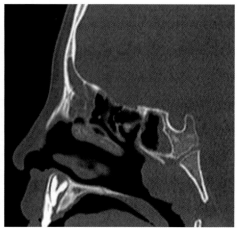

▎그림 39-3   아데노이드 비대를 보이는 환자의 영상 사진

| 표 39-1   소아 수면 다원검사의 적응증

1. 임상적 평가상 소아수면무호흡증의 진단이 필요할 때
2. 경증의 수면무호흡 환아에서 수술 후에도 수면무호흡증 증상이 남아 있는 경우
3. 중등도 이상의 수면무호흡 환자에서 수술 이후, 비만, 기도 폐쇄를 유발할 수 있는 두개안면기형, 다운 증후군, Prader-Willi 증후군, 척수수막류 등의 신경학적 질환 등의 경우
4. 선천성 중추 수면 저환기 증후군(congenital central alveolar hypoventilation syndrome), 신경근육 질환이나 흉벽 이상으로 인한 수면 관련 저환기(sleep-related hypoventilation)
5. 신생아에서 생명에 위험할 정도의 수면 관련 호흡 질환이 있을 때
6. 수면무호흡증으로 편도, 아데노이드 수술을 고려할 때
7. 양압호흡기 사용 시작 시, 장기간 양압호흡기 사용 중 양압호흡기의 효과 확인, 양압호흡기 사용 중 증상 재발 시, 혹은 다른 치료법을 시작할 때
8. 급속 상악 확장법(rapid maxillary expansion)이나 구강 내 장치 사용 후 상태 확인
9. 비침습적 양압 환기(noninvasive positive pressure ventilation)를 위한 압력 결정 시
10. 기계 환기(mechanical ventilaton)사용을 위해 설정 시
11. 기관 절개술로 삽관 중인 환자에서 삽관 제거를 위해
12. 만성 천식, 낭성 섬유 증, 폐고혈압, 기관지폐이형성증(bronchopulmonary dysplasia), 척추측만증과 같은 흉벽 이상 환자에서 수면 호흡 질환이 임상적으로 의심될 때
13. 그 외 periodic limb movement disorder (PLMD), Multiple Sleep Latency Test (MSLT), NREM parasomnias, epilepsy, or nocturnal enuresis, restless legs syndrome (RLS) 등의 질환에서

| 표 39-2   수면다원검사상 폐쇄성 무호흡과 저호흡의 판독(2012년 AASM scoring manual)

무호흡(apnea)	• 호흡의 진폭이 이전 호흡 기준선보다 90% 이상 최대 신호가 감소 경우 • 기간은 적어도 2번 호흡의 시간 이상 발생
저호흡 (hypopnea)	• 호흡의 진폭이 이전 호흡 기준선보다 30% 이상 최대 신호가 감소한 경우 • 기간은 적어도 2번 호흡의 시간 이상 발생 • 3% 이상의 산소포화도 감소 혹은 각성과 연관된 경우 　다음 중 한 가지가 충족될 때 　i) 기록되는 동안의 코골이 　ii) 비강압력 측정 혹은 양압호흡기를 통하여 흡기 평탄화가 보이는 경우 　iii) 흉부-복부의 역설적 움직임과 연관

| 표 39-3   소아 폐쇄성 수면무호흡 진단기준(International Classification of Sleep Disorders, ICSD-3)

폐쇄성 수면무호흡은 A와 B는 모두 충족하여야 한다.
A. 다음 중 적어도 하나 이상 존재
　1. 코골이
　2. 힘들어하거나 역설적 혹은 폐쇄성 호흡
　3. 졸림, 과다 활동, 행동이나 학습 문제
B. 수면다원검사상 폐쇄성 무호흡, 혼합성 무호흡, 저호흡이 적어도 시간당 하나 이상 존재
C. $PaCO_2 > 50$ mm Hg이상의 고탄산혈증(hypercapnia)이 전체 수면 시간의 25% 초과인 폐쇄성 저환기가 다음 중 하나 이상과 동반되는 경우
　1. 코골이
　2. 흡기 시 비강압력의 편평함(flattening)
　3. 역설적 흉복부 움직임(Paradoxical thoracoabdominal motion)

는 이동형 수면 검사portable sleep monitoring device가 도입되었다. 여러 연구에서 성인에서는 높은 정확도와 유용성 때문에 사용이 증가하고 있지만, 아직 소아에서는 권장되지는 않는다. 최근 소아에서도 여러 연구에서 이동형 수면 검사의 유용성이나 정확성 등이 연구되고 있지만, 아직 제한이 있다(Roland et al., 2011; Certal et al., 2015).

2014년 개정된 International Classification of Sleep DisordersICSD-3에서는 소아 폐쇄성 수면무호흡 진단 기준을 **표 39-3**과 같이 제시하였다.

III | 치료

1. 약물치료

국소 스테로이드 분무가 흔히 사용되고, 이는 비강 및 구인두 점막의 염증성 반응이 수면무호흡의 병인 기전에 중요한 요소로 작용한다는 사실에 근거한다. 실제로도 국소 스테로이드 분무를 사용한 경우 그렇지 않은 경우에 비해 비강의 공기 흐름이 개선되어 AHI 등의 수치가 감소할 수 있음이 확인되었다(Chohan et al., 2015). 또한 스테로이드와 함께 국소적 항염 작용을 갖는 류코트리엔 조절제 역시 내과적 치료의 방법으로 무호흡의 개선 효과를 보인다(Kheirandish-Gozal et al., 2014; Goldbart et al., 2006). 성인에서 점막 수축제가 비저항을 감소시켜서 수면무호흡을 호전시켰다는 보고는 있지만, 소아에서의 증거는 부족하다.

2. 수술

편도 및 아데노이드 수술은 소아에서 가장 흔하게 행해지는 치료법이다. 여러 연구에서 높은 성공률이 확인 되었으며, 수술 후 주관적인 혹은 객관적인 지표로 삶의 질, 증상, 행동, 무호흡, 성장 등의 측면에서 많은 효과를 보임도 보고되었다(Brietzke et al., 2006; Friedman et al., 2009; Tahara et al., 2015; Venekamp et al., 2015). 그러나, 심한 비만, 악안면 기형, 신경 근육계 질환 환자 등의 고위험군 환자에서는 수술 후에도 증상이 남을 수 있다.

수술 후에도 증상이 지속되거나 재발의 경우에는 다음과 같은 원인을 확인해야 한다.
① 편도나 아데노이드의 불완전 제거나 재생
② 비만: 비만은 수술 후에도 무호흡이 지속될 수 있는 위험 인자이다. Shine 등은 19명의 비만한 소아 환자에서 편도, 아데노이드 제거술 이후 약 56%의 환자에서 증상이 지속될 수 있음을 보고하였다.
③ 알레르기 비염 등의 코질환
④ 악안면 기형
⑤ 신경계 혹은 신경 근육계 질환

3. 양압호흡기

양압호흡기positive airway pressure, PAP는 80% 이상의 소아에서 우수한 적응 성과를 보였으며, 1세 이하의 어린 환자에서도 효과를 확인할 수 있었다(Kushida et al., 2008). 그러나, 현재 사용되는 마스크는 대부분 성인의 얼굴 형태에 맞게 개발된 것으로 소아에서는 선택에 어려움이 있다. 양압호흡기는 수술이 어렵거나, 수술로 효과를 기대할 수 없는 경우 혹은 보호자가 수술을 거부할 경우 선택할 수 있는 좋은 대안으로 미국 수면 학회에서

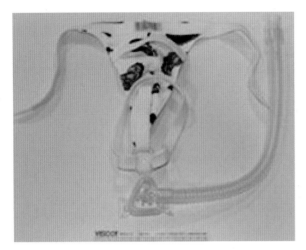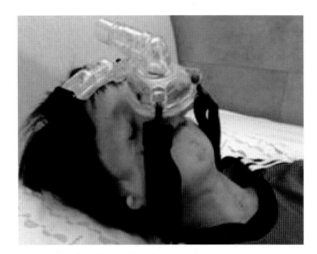

| 그림 39-4   심한 수면후호흡이 있는 환아에서 양압호흡기 착용모습

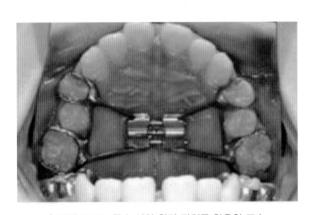

| 그림 39-5   급속 상악 확장 장치를 착용한 모습

치시켜서 무호흡을 악화시킨다. 급속 상악골 확장은 이런 환자에서 단기간 내에 좁은 상악골궁을 넓혀서 기도를 확장시키는 방법이며(그림 39-5), 편도나 아데노이드 비대를 동반한 환자에서도 효과가 있다는 보고가 있다. 상악골의 확장으로 비강 면적을 증가시켜서 호흡 기류를 증가시키고, 구강과 구인두 공간도 증가되어 혀의 위치를 전방으로 이동시키는 효과도 있다고 보고되었다 (Villa et al., 2014).

는 소아에서 적정 압력을 측정하는 알고리즘을 제시하고 있다(그림 39-4).

4. 급속 상악 확장 장치

소아수면무호흡 환자에서 좁은 상악골과 구개궁high-arched palate은 흔한 소견이다. 또한, 상악골 수축은 비저항을 증가시키고, 기류를 감소시키며, 혀를 뒤쪽으로 위

참고문헌

1. Ali NJ, Pitson DJ, Stradling JR. Snoring, sleep disturbance, and behaviour in 4-5 year olds. Archives of disease in childhood 1993;68:360-6.

2. Aurora RN, Lamm CI, Zak RSet al. Practice parameters for the non-respiratory indications for polysomnography and multiple sleep latency testing for children. Sleep 2012;35:1467-73.

3. Aurora RN, Zak RS, Karippot Aet al. Practice parameters for the respiratory indications for polysomnography in children. Sleep 2011;34:379-88.

4. Bodenner KA, Jambhekar SK, Com G, Ward WL. Assessment and treatment of obstructive sleep-disordered breathing. Clin Pediatr (Phila) 2014; 53:544-8.

5. Bower CM, Gungor A. Pediatric obstructive sleep apnea syndrome. Otolaryngol Clin North Am 2000;33:49-75.

6. Brietzke SE, Gallagher D. The effectiveness of tonsillectomy and adenoidectomy in the treatment of pediatric obstructive sleep apnea/hypopnea syndrome: a meta-analysis. Otolaryngol Head Neck Surg 2006;134:979-84.

7. Certal V, Camacho M, Winck JC, Capasso R, Azevedo I, Costa-Pereira A. Unattended sleep studies in pediatric OSA: a systematic review and meta-analysis. Laryngoscope 2015;125:255-62.

8. Chan CC, Au CT, Lam HS, Lee DL, Wing YK, Li AM. Intranasal corticosteroids for mild childhood obstructive sleep apnea--a randomized, placebo-controlled study. Sleep Med 2015;16:358-63.

9. Chohan A, Lal A, Chohan K, Chakravarti A, Gomber S. Systematic review and meta-analysis of randomized controlled trials on the role of mometasone in adenoid hypertrophy in children. Int J Pediatr Otorhinolaryngol 2015;79:1599-608.

10. Cote V, Ruiz AG, Perkins J, Sillau S, Friedman NR. Characteristics of children under 2 years of age undergoing tonsillectomy for upper airway obstruction. Int J Pediatr Otorhinolaryngol 2015; 79:903-8.

11. DelRosso LM, Gonzalez-Toledo E, Hoque R. A three-month-old achondroplastic baby with both obstructive apneas and central apneas. J Clin Sleep Med 2013;9:287-9.

12. DelRosso LM. Epidemiology and Diagnosis of Pediatric Obstructive Sleep Apnea. Curr Probl Pediatr Adolesc Health Care 2016;46:2-6.

13. Friedman M, Wilson M, Lin HC, Chang HW. Updated systematic review of tonsillectomy and adenoidectomy for treatment of pediatric obstructive sleep apnea/hypopnea syndrome. Otolaryngol Head Neck Surg 2009;140:800-8.

14. Galluzzi F, Pignataro L, Gaini RM, Garavello W. Drug induced sleep endoscopy in the decision-making process of children with obstructive sleep apnea. Sleep Med 2015;16:331-5.

15. Goldbart AD, Krishna J, Li RC, Serpero LD, Gozal D. Inflammatory mediators in exhaled breath condensate of children with obstructive sleep apnea syndrome. Chest 2006;130:143-8.

16. Guilleminault C, Eldridge FL, Simmons FB, Dement WC. Sleep apnea in eight children. Pediatrics 1976;58:23-30.

17. Kheirandish-Gozal L, Bhattacharjee R, Bandla HP, Gozal D. Antiinflammatory therapy outcomes for mild OSA in children. Chest 2014;146:88-95.

18. Kuo CY, Parikh SR. Can lingual tonsillectomy improve persistent pediatric obstructive sleep apnea? Laryngoscope 2014;124:2211-2.

19. Kushida CA, Chediak A, Berry RB, et al. Clinical guidelines for the manual titration of positive airway pressure in patients with obstructive sleep apnea. J Clin Sleep Med 2008;4:157-71.

20. Leach J, Olson J, Hermann J, Manning S. Polysomnographic and clinical findings in children with obstructive sleep apnea. Arch Otolaryngol Head Neck Surg 1992;118:741-4.

21. Marcus CL. Sleep-disordered breathing in children. Am J Respir Crit Care Med 2001;164:16-30.

22. Mills PJ, Dimsdale JE. Sleep apnea: a model for studying cytokines, sleep, and sleep disruption. Brain Behav Immun 2004;18:298-303.

23. Roland PS, Rosenfeld RM, Brooks LJet al. Clinical practice guideline: Polysomnography for sleep-disordered breathing prior to tonsillectomy in children. Otolaryngol Head Neck Surg 2011;145:S1-15.

24. Silvestri JM, Weese-Mayer DE, Bass MT, Kenny AS, Hauptman SA, Pearsall SM. Polysomnography in obese children with a history of sleep-associated breathing disorders. Pediatr Pulmonol 1993;16:124-9.

25. Slaats MA, Van Hoorenbeeck K, Van Eyck Aet al. Upper airway imaging in pediatric obstructive sleep apnea syndrome. Sleep Med Rev 2015;21:59-71.

26. Tahara S, Hara H, Yamashita H. Evaluation of body growth in prepubertal Japanese children with obstructive sleep apnea after adenotonsillectomy over a long postoperative period. Int J Pediatr Otorhinolaryngol 2015;79:1806-9.

27. Tan HL, Gozal D, Kheirandish-Gozal L. Obstructive sleep apnea in children: a critical update. Nat Sci Sleep 2013;5:109-23.

28. Venekamp RP, Hearne BJ, Chandrasekharan D, Blackshaw H, Lim J, Schilder AG. Tonsillectomy or adenotonsillectomy versus non-surgical management for obstructive sleep-disordered breathing in children. Cochrane Database Syst Rev 2015;10:CD011165.

29. Villa MP, Castaldo R, Miano Set al. Adenotonsillectomy and orthodontic therapy in pediatric obstructive sleep apnea. Sleep Breath 2014;18:533-9.

CHAPTER

40

안질환의 진단과 치료

인제의대 이비인후과 **박성국**, 가톨릭의대 이비인후과 **박용진**

> **CONTENTS**

Ⅰ. 기초 해부학

Ⅱ. 갑상선 안질환

Ⅲ. 비루관 폐쇄

Ⅳ. 시신경병증

HIGHLIGHTS 〉〉〉

- Graves병으로 인한 안구돌출은 특징적으로 외안근 비대로 기인하며 하직근, 내직근, 상직근, 외직근 순의 빈도로 침범됨
- 내시경적 안와감압술의 장점은 안와 후방부 및 첨부의 조작이 용이하여 시신경 감압 효과가 큼
- 내시경을 이용한 감압술과 상악동 경유 접근법 모두에서 복시가 새롭게 발생할 수 있음
- 내시경적 비내누낭비강문합술의 가장 흔한 합병증은 비강측 개구부의 육아종 혹은 유착으로 인한 재폐쇄임
- 내시경적 시신경감압술의 목적은 시싱경관 내 압력을 낮추어 시신경기능을 회복시켜 주는 것으로 표준화된 시행 시기는 없으나 방사선학적 검사에서 시신경 압박의 증거가 있어야 시행함

안와orbit 및 안와 주변 구조물은 해부학적으로 비강 및 부비동과 연접해 있으며, 비내시경의 발달로 인하여 안질환을 비부비동을 통하여 치료하는 예가 많아지고 있다. 이 장에서는 안와 및 안와 주변 구조물의 기본적인 해부학적 지식과 비내시경을 이용한 안와감압술orbital decompression, 누강비강문합술dacryocystorhinostomy, 시신경 감압술optic nerve decompression에 대하여 알아보고자 한다.

Ⅰ | 기초 해부학

1. 안와

안와는 사각 피라미드를 닮은 구조물로서 안와첨orbital apex 부위로 갈수록 삼면체로 된다. 이러한 모양의 변화는 뒤로 갈수록 안와하벽이 없어지고 안와외벽과 안와내벽이 만나기 때문이다. 성인에서 양쪽 안와내벽은 약 25 mm의 간격을 두고 평행하게 후방으로 향하다가 안와첨 부위 가까이에서 약간 안쪽으로 휘어진다.

안와는 내·외·상·하의 네 벽을 가지며 전두골frontal bone, 협골zygomatic bone, 상악골maxillary bone, 누골lacrimal bone, 접형골sphenoid bone, 사골ethmoid bone, 구개골palatine bone 등 7개의 뼈로 이루어진다(그림 40-1).

1) 안와내벽

안와내벽은 상악골, 누골, 사골, 그리고 접형골에 의해 구성되며, 상악골의 전두돌기frontal process로 이루어진 내벽의 앞쪽 부위는 두께가 두껍지만 누골에서 뒤쪽의 사골로 갈수록 얇아지며 특히 지판lamina papyracea에서 제일 얇아지다가 최후방의 접형골에 이르러서는 다시 두꺼워진다.

전루능anterior lacrimal crest에서 뒤쪽으로 약 24 mm 지점에 전사골동맥이 위치하고 전사골동맥의 약 12 mm

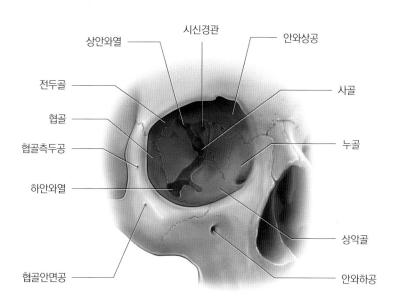

상안와열 ─── 시신경관 ─── 안와상공

전두골 ───

협골 ───

협골측두공 ───

하안와열 ───

협골안면공 ───

─── 사골

─── 누골

─── 상악골

─── 안와하공

│ **그림 40-1** 안와의 골 구조

뒤에 후사골동맥이 위치하며 후사골동맥의 6 mm 뒤쪽에 시신경이 위치한다.

이 혈관들은 전두골과 사골의 봉합선 부위에 위치하고, 이 봉합선 상방에는 사골의 사상판cribriform plate이 존재하므로 안와감압술이나 누강비강문합술을 시행할 때 이 봉합선 위쪽으로 과도하게 조작하면 뇌척수액누출이 생길 수 있으므로 조심하여야 한다.

안와내벽은 지판 부위가 매우 얇아 외상에 의한 골절이 잘 발생하고, 부비동염이 심할 때 염증이 안와 내로 파급되는 통로가 되기도 한다.

2) 안와하벽

안와하벽은 삼각형 모양이며 3개의 뼈로 구성되는데 대부분은 상악골의 안와판으로 구성되며 뒤쪽의 일부는 구개골, 앞은 협골로 이루어진다. 출생 시에는 안와하공 infraorbital foramen이 안와가장자리에 위치하다가 성장

할수록 아래쪽으로 이동하여 성인이 된 경우에는 하안와 가장자리로부터 약 10 mm 아래쪽에 놓이게 된다. 그러므로 소아에서는 안와하벽을 수술할 때 안와가장자리 가까이에 하안와공이 있음을 유의해야 한다. 안와하신경 infraorbital nerve이 지나가는 경로의 앞쪽 부분은 관canal 으로 되어있지만 뒤쪽에서는 홈groove으로 되어있고 뼈가 덮고 있지 않으므로 안와하벽의 골막을 박리할 때 수술자는 하안와신경을 손상시키지 않도록 주의하여야 한다. 외안근 중 유일하게 안와첨 부위에서 기시하지 않는 하사근inferior oblique muscle은 비루관nasolacrimal duct 시작부의 바로 바깥쪽에서 기시하므로 안와감압술 또는 안와골절정복술을 시행할 때 골막을 박리하면서 하사근에 손상을 주지 않도록 유의하여야 한다.

3) 안와상벽

상벽의 앞쪽은 전두골의 안와부에 의해, 안와첨부는 접

형골의 작은날개lesser wing of sphenoid bone로 이루어져 있다. 안와상벽은 약간 불룩한 모양을 가지며 안와의 내벽과 외벽에 비하여 비교적 외부충격에 강하지만 외상이 심할 때는 골절이 발생할 수도 있다.

4) 안와외벽

안와가장자리의 위쪽 1/4은 전두골, 아래쪽 3/4은 협골에 의해 이루어지며 외부충격에 잘 견딘다. 안와외벽은 안와벽 중 가장 단단하여, 앞쪽은 협골, 뒤쪽은 접형골의 큰날개greater wing of sphenoid bone로 구성된다.

5) 안와첨

안와첨orbital apex에는 시신경공, 상안와열superior orbital fissure, 그리고 하안와열inferior orbital fissure의 세 가지 중요한 구조물이 위치하는데 이들은 뇌, 해면정맥동, 익상악와pterygo-palatine fossa와 연결되는 통로이다.

이 부위의 좁은 공간 내에 많은 신경과 혈관들이 서로 매우 밀접하게 위치하기 때문에 이 부위에 종양이나 염증이 발생하면 여러 신경과 혈관에 손상을 일으켜 구심성동공장애를 동반한 시력장애와 뇌신경 마비를 보이게 되며 이를 안와첨증후군orbital apex syndrome이라고 한다(양재욱, 2015).

2. 안구와 외안근

1) 안구

안구는 안와의 앞쪽에 위치하며 안와 중심보다 약간 상외측에 놓인다. 성인 안구의 용적은 약 6.5 cc이고 앞뒤방향으로의 직경은 24 mm, 위아래방향으로의 직경은 23 mm, 좌우방향으로의 직경은 23.5 mm이다. 앞뒤방향의 직경은 태어났을 때는 약 16 mm이지만 20개월 경에 성인 크기의 90%에 도달한다.

2) 외안근

외안근에는 내직근medial rectus muscle, 외직근lateral rectus muscle, 상직근superior rectus muscle, 하직근inferior rectus muscle, 상사근superior oblique muscle, 하사근inferior oblique muscle이 있으며 모든 외안근은 하사근을 제외하고는 안와첨부에서 기시한다. 4개의 직근은 안와첨부의 진씨총건륜annulus of Zinn에서 기시하는데, 진씨총건륜은 안와의 시신경공optic foramen 주위에 4개의 직건의 힘줄고리tendinous ring로서 상안와열superior orbital fissue의 중심부와 시신경공 주변의 골막periorbita과, 시신경초optic nerve sheath와 연결되어 있다(그림 40-2).

상사근은 안와첨부의 위쪽 안에 위치한 접형동의 작은날개에서 기시한다. 하사근은 안와하벽의 비루관 시작부의 바로 바깥쪽에서 기시한다(양재욱, 2015).

외안근의 신경지배는 내직근, 상직근, 하직근, 하사근 모두 제3 뇌신경인 동안신경oculomotor nerve의 지배를 받고 외직근은 제6 뇌신경인 외향신경abducens nerve, 상사근은 제4 뇌신경인 활차신경trochlear nerve의 지배를 받아 안구의 운동을 관장한다.

수평직근의 길이는 약 40.5 mm이며 상직근은 이보다 조금 더 길고 하직근은 이보다 조금 짧다. 근육 전체 덩어리의 크기를 비교할 때 내직근이 가장 크며 상직근이 제일 작다. 내직근은 안와내벽의 지판과 매우 근접하게 기시부에서 앞쪽으로 주행하다가 근육의 앞쪽 1/3지점에서 안구쪽으로 휘어진 후 안구에 부착한다. 이러한

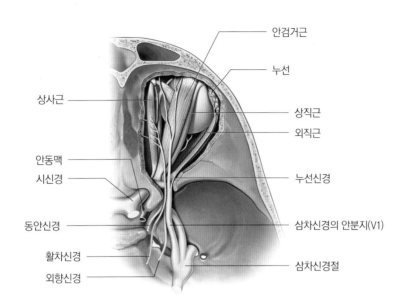

안검거근

누선

상사근

상직근

외직근

안동맥

시신경

누선신경

동안신경

삼차신경의 안분지(V1)

활차신경

외향신경

삼차신경절

┃ 그림 40-2 안와첨의 주요 구조물

지판과의 근접성 때문에 안와내벽골절이 발생할 때 골절부위로 내직근이 잘 끼게 된다. 또한 내직근은 진씨총건륜의 코쪽에서 시작하여 안구의 내측, 각막윤부에서 5 mm 떨어진 공막sclera에 부착하여 부비동염이나 사골동 수술을 할 때 손상되기 쉽다.

하직근은 안와 뒤쪽에서는 안와하벽 바로 위에 위치하지만 앞쪽으로 오면서 안와지방에 의하여 안와하벽과 멀리 떨어진다. 그러나 하직근의 근막과 섬유사이막fibrous septae이 안와하벽을 향하여 방사상으로 뻗어있어, 안와하벽골절에서 하직근의 근막이나 섬유사이막이 골절된 틈새로 끼어 안구의 하방운동을 제한할 수 있다(이상렬 등, 2004).

3. 눈물기관

눈물기관lacrimal apparatus은 눈물을 분비하는 누선lacri-

mal gland과 이를 배출하는 누도lacrimal passage로 이루어진다. 누선에서 분비된 눈물은 각막과 결막을 지나 눈의 안쪽에 모여 상·하 누점lacrimal punctum을 통과한 후 누소관lacrimal canaliculus, 누낭lacrimal sac, 비루관nasaolacrimal duct을 지나 하비도로 배출된다. 이 때 눈꺼풀 깜박임은 눈물길 내에 양압과 음압을 만들어 눈물을 배출한다(그림 40-3).

1) 누선

누선은 주선과 부누선으로 구성되며, 누선은 눈물층 중 수성층aqueous layer의 형성을 담당한다.

주누선은 안와 내 위 바깥쪽의 누와lacrimal fossa에 위치하며 무게는 약 80 g이고 크기는 17×10×5 mm이다. 안와엽orbital lobe과 안검엽palpebral lobe으로 나누어지며 안와엽은 안검엽보다 크기가 크다.

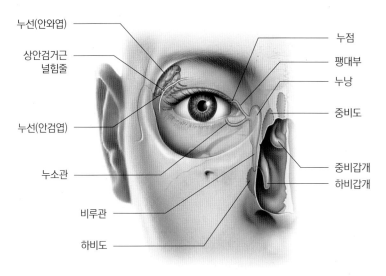

누선(안와엽)
상안검거근 널힘줄
누선(안검엽)
누소관
비루관
하비도

누점
팽대부
누낭
중비도
중비갑개
하비갑개

| 그림 40-3 눈물기관의 구조

안와엽의 분비관은 10~12개 정도로 이것은 안검엽을 통과하거나 안검엽의 피막에 부착된 채로 내려와 결막낭의 위 바깥쪽에 개구된다.

부누선은 부교감신경지배를 받지 않는다는 점에서 주눈물샘과 다르며 상 결막원개superior and inferior conjunctival fornix에 약 20~30개, 하 결막원개inferior conjunctival fornix에 약 10개 존재한다. 부누선은 기본눈물분비basic lacrimal secretion를, 주누선은 반사눈물 분비reflex tearing를 담당하는 것으로 생각한다.

2) 누도

상·하누점은 직경이 0.3 mm이며 내안각medial cantus에서 5~7 mm 바깥쪽에 위치하고 대개 하누점, 상누점보다 1~2 mm 바깥쪽에 있다. 눈물점 주위로 불룩한 섬유조직이 존재하는데 이를 눈물유두lacrimal papilla라고 한다.

누소관은 누점으로부터 2 mm 길이만큼 수직방향으

로 향하다가 누소관팽대부위ampulla에서 직각으로 꺾여 8 mm 수평방향으로 누낭을 향한다. 수평방향의 누소관은 약간 기울어져 있으며 상누소관은 약간 아래로, 하누소관은 약간 위로 기울어져 있다.

약 90%에서 상·하누소관은 서로 합쳐져서 공통누소관common canaliculus을 형성하며, 공통누소관은 내안각인대medial canthal ligament의 앞·뒤 갈래 사이에 위치한다. 눈물주머니와 합쳐지는 공통눈물소관의 안쪽 끝에는 Rosenmüller판valve of Rosenmüller이 있어 눈물이 역류되는 것이 방지되며 이 기능이 약화되면 코를 풀 때 공기가 누점을 통하여 눈으로 빠져 나오게 된다.

누낭은 전누릉과 후누릉anterior and posterior lacrimal crest 사이의 누낭와 내에 위치하며 단단한 골막과 눈물근막에 의해 둘러싸여 있다. 누낭와은 앞쪽 2/3는 상악골, 뒤쪽 1/3은 얇은 누골로 구성된다.

누낭의 크기는 전후 4~8 mm, 좌우 3~5 mm, 상하 12~15 mm로 하방으로 내려오다 갑자기 좁아져 비루관이 된다.

비루관 중 뼈로 둘러싸인 부위의 길이는 12.5 mm 정

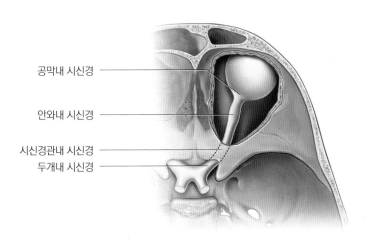

공막내 시신경

안와내 시신경

시신경관내 시신경
두개내 시신경

| 그림 40-4   시신경의 4개 부분

도이고, 약 2~5 mm 정도는 하비도 부위에 위치한다. 비루관의 방향은 동측의 비익nasal alae을 연결하는 선과 일치하며, 길이는 약 15~24 mm로 하비도의 개구부에서 점막판인 Hasner 판막으로 구멍이 열린다. Hasner 판막은 출생 시 10~70%에서 폐쇄되어 있는 것으로 보고되고 있고, 생후 6개월 이내에 대부분 저절로 개방된다(양재욱, 2015; Berry et al., 1995).

4. 시신경

다른 안와신경과는 달리 수막meninges으로 덮여있고 순환하는 뇌척수액에 의해 둘러싸여 있으며 신경아교세포neuroglial cell를 함유하고 있다. 시신경은 공막내intraocular, 안와내intraorbital, 시신경관내intracanalicular, 그리고 두개내intracranial의 4개 구역으로 나뉘어진다(그림 40-4).

공막 내 시신경은 공막사상판amina cribrosa에서 안구로부터 나오는 망막신경절세포retinal ganglial cell의 축삭axon에 의해 형성되며, 길이는 1 mm이며, 직경은 사상

판 내에는 수초myelin가 없으므로 1.5 mm이고 그 다음부터는 수초가 있어 3 mm가 된다. 안와 내 시신경은 근원추muscle cone 내 안와지방에 둘러싸여 있어 움직임이 가능하다. 안와 내 시신경의 길이는 24 mm로 공막의 시신경부착부위로부터 시신경구멍까지의 실제 길이보다 6 mm가 길며, 이것은 안와 내에서 자유로운 안구운동도 가능하게 하지만 안구가 돌출될 수 있는 여건이 되기도 한다. 시신경 관내 시신경의 길이는 4~6 mm이며 두개강내 신경의 길이는 10 mm이다.

시신경공은 시신경관optic canal의 안와쪽 출구로 접형골의 작은날개에 위치한다. 시신경관의 축은 정면에서 보았을 때 안와중심축 방향보다 상내측을 향하여 비스듬히 기울어져 있다. 시신경공을 통과하는 구조물은 시신경, 안동맥ophthalmic artery, 교감신경이며, 안동맥은 시신경관에 들어갈 때는 시신경의 하내측에 위치하지만 시신경관을 지나면서 시신경의 아래를 지나 점점 시신경의 바깥쪽으로 위치가 변하여 시신경공에서는 완전히 시신경의 바깥쪽에 위치한다. 따라서 비강을 통한 시신경관감압술을 시행할 때 시신경관의 앞쪽에서는 안동맥의 손상 가능성이 적지만 뒤로 갈수록 안동맥 손상에 유

의하여야 한다.

시신경은 뼈로 된 시신경관 안에 위치하기 때문에 이마부의 둔한 외상에 의하여 간접적으로 손상을 받을 수 있으며 또한 시신경관의 골절이 있을 때 깨진 뼈조각에 의하여 직접 손상을 받을 수도 있다(양재욱, 2015; Rosse and Goddum-Rosse, 1997).

II | 갑상선 안질환

갑상선과 관련된 안질환thyroid ophthalmopathy, dysthyroid orbitopathy, Graves' exophthalmopathy 갑상선 질환과 흔히 관련되어 있으며 원인은 정확히 밝혀져 있지 않으나 Graves병에서처럼 자가항체들autoantibodies이 외안근과 안구 내 지방조직에 직접 작용하여 안구 조직 내 림프구lymphocytic 염증을 자극하고 뮤코다당질mucopolysaccharides을 쌓이게 한다. 이로 인하여 안와 내의 용적이 증가하여 압력을 높이고 안구돌출proptosis이 일어난다(Platt and Metson, 2009).

1. 임상 양상

모든 연령에서 발병할 수 있으나 주로 30~50세 사이에 발병하며, 시신경장애는 주로 50세 이후에 나타난다. 질환의 경과는 급성기와 만성기로 구분되며 급성기는 6~18개월 정도 지속되며 안와 내용물의 염증 및 충혈 반응으로 안압이 지속적으로 상승되고 결과적으로 안구돌출이 나타난다(Metson et al., 1994). 만성기는 발병 후 3년 정도 경과하면 나타나며 이 단계에서는 외안근의 비대 및 섬유화와 안구 내 지방 증가 등 영구적인 변화가 나타난다.

임상증상은 안검에 대한 증상, 충혈성 안구병변, 안구돌출, 외안근마비external ophthalmoplegia, 시신경장애 또는 시력소실 등으로 크게 다섯 가지로 나누어진다(Henick and Kennedy, 1995). 안검에 대한 증상은 안검부종eyelid edema, 안검후퇴eyelid retraction 등으로 갑상선 기능항진증 환자의 50% 정도에서 나타나며 갑상선 기능이 호전되면 회복된다. 출혈성 안구병변으로는 상안검거근의 섬유화로 인하여 결막충혈, 결막부종, 노출성 각막염, 각막궤양 등이 발생할 수 있다. 안구돌출은 병의 초기에는 한쪽 눈에만 나타날 수 있으나 병이 진행함에 따라 대부분 양쪽 눈을 침범하며 항갑상선 치료에 반응하지 않고 환자의 70%에서는 영구적이다. 악성 안구돌출증은 이러한 증상이 급격히 진행되는 것으로 돌출성 안근마비exophthalmic ophthamoplegia, 복시, 사시 등이 발생한다. 시신경병증은 비대해진 안근에 의하여 시신경자체가 눌리거나 혈액공급이 차단되어 발생하며 시력장애를 일으키는 시신경염이 나타날 수 있다.

2. 진단 및 방사선 촬영

안와감압술을 시행할 환자를 대상으로 철저한 안과적인 검사를 실시하여 안구 및 안와의 상태를 평가하고 갑상선 안질환과 유사한 안와 내 가성종양, 신생물, 봉와직염, 경동맥해면동우, 축성 근시axial myopia 등을 감별하여야 한다. 안과적 검사는 병의 중증도를 평가하고 수술적 치료의 적응을 결정하는 데 필수적인 요소이다. 안구돌출은 일측 또는 양측으로 나타나며 안구돌출계로 측정한다. 양측 안구의 차이가 2 mm 이상일 때 비정상으로 간주하며, 안구돌출계로 17 mm 이상의 수치를 보일 때 비정상으로 간주하나, 남녀 및 인종 간 차이가 있어 흑인에서는 최대 25 mm까지도 정상으로 간주한다.

방사선검사로 전산화단층촬영을 하여 외안근의 팽대부가 두꺼워졌는지를 관찰한다. 그러나 근육의 부착부는 대부분 특이한 소견을 보이지 않는다. 전산화단층촬영은 안와 내측벽의 위치에 관한 정보를 제공하고 안와 하벽의 두께를 평가하는 데 도움을 준다. 외안근이 침범되는 빈도는 하직근, 내직근, 상직근, 외직근 순서이다(Kulwin and Kersten, 1995).

3. 치료

갑상선 안질환의 치료방법은 내과적 치료와 외과적 치료로 나누어진다.

1) 내과적 치료

흡연은 갑상선 안질환의 발생과 경과 및 치료 후 재발에 확실한 연관이 있어 꼭 금연하여야 하며 갑상선 기능의 조절 또한 중요하다(Vilar-Genzalez et al., 2015).

갑상선 안질환이 초기이거나 경도인 경우 증상의 치료와 selenium 투약으로 호전된다(Marcocci et al., 2011). 그러나 Selenium은 장기간 투약 시 2형 당뇨병, 주변 혈관 질환peripheral vascular disese, 녹내장gluacoma 등이 발생할 수 있으므로 6개월 이상 투약하지 않는다(Vilar-Genzalez et al., 2015). 스테로이드corticosteroid 치료와 방사선치료는 중등도 이상의 갑상선 안질환 환자에게 사용된다.

스테로이드는 염증 침착 성분을 감소시키기 위하여 장기간 사용되며 환자의 65~85%까지 증상이 조절된다. 약을 끊으면 많은 환자에서 증상이 재발하며 장기간 사용 시 고혈당, 고혈압, 면역 억제, 간 질환, 정신적 장애 등 알려진 많은 부작용들이 나타난다(Vilar-Genzalez

et al., 2015). 방사선치료는 항염증효과와 안와 내 임파구가 방사선에 민감radiosensitive하여 사용하며(Kahaly et al., 1999) 중등도 이상의 심한 갑상선 안질환뿐만 아니라 안구 감압술 후 임상적 증세들이 불완전하게 해결되면 사용할 수 있으나 망막병증retinopathy이 있거나 조절되지 않는 당뇨병 환자에서는 사용할 수 없다(Vilar-Genzalez et al., 2015). 합병증으로는 안구 건조, 백내장, 망막병증 자극에 의한 혈관 합병증들 발생한다(Lee et al., 2006). 스테로이드를 단독으로 사용하는 것에 비하여 스테로이드 치료와 방사선치료를 동시에 하면 시신경병증optic neuropathy의 발생 위험을 감소시킨다(Shams et al., 2014).

2) 내시경을 이용한 안와감압술

안와감압술은 심한 안구 돌출증으로 인하여 이차적으로 노출성 각막염이나 각막 궤양이 있거나 안구운동에 장애가 발생한 경우, 내과적 치료에 반응이 없는 압박성 시신경증이 발생한 경우, 안구돌출로 인해 외관상으로 문제가 될 때 시행한다.

안와감압술의 방법으로 상악동 경유 접근법, 안와 주위접근법 등 여러 가지가 있으나 여기서는 비 내시경을 이용한 안와감압술만 기술한다.

(1) 장점 및 단점

장점으로는 안와 후방부, 특히 안와 첨부 근처의 감압을 극대화하여 시신경 감압효과가 향상된 것이며, 내측 및 정상부위의 안와 감압 정도가 안와 주위접근법에 비하여 크며, 피부 절개나 구순하 절개가 필요 없어 안면부종, 반흔, 안와하신경 손상 및 치아 손상을 피할 수 있고 출혈이 적으며 수술 후 입원기간이 짧다.

단점으로는 상악동 경유 접근법에 비하여 안와 하벽

의 앞쪽부분의 제거가 제한적이며, 안와하신경보다 바깥쪽의 안와 하벽에 대한 감압이 불가능하다. 또한 안와벽의 골성 비후가 있는 경우 수술이 어려운 제한점이 있다.

(2) 수술수기

안와를 넓게 노출시키기 위하여 중 비갑개를 자른 후 구상돌기를 제거한 후 상악동의 자연공을 노출시킨다. 접형동사골절제술을 시행하여 사골동은 상방으로 사골와, 외측으로 지판이 노출되도록 하여 안구 내벽과 두개기저부skull base를 골격화한다.

상악동 개방술은 가능한 크게 확장하여 300 비내시경을 이용하여 확장된 부분wide antrostomy site을 통하여 안와하벽orbit floor에서 안와하신경의 경로를 확인할 수 있게 한다. 스푼 큐렛spoon curette같은 기구를 이용하여 지판을 통과한 후 거상기elevators로 지판과 안와골막periobita을 분리시킨 후 골편들을 제거한다. 뼈의 제거는 상방으로는 두개기저부까지, 후방으로는 접형동의 전벽, 그리고 전방으로는 상악선maxillary line까지이며 전두와frontal recess 부근의 안와내벽은 보존하여 탈출된 안구지방에 의한 전두동 입구가 막히지 않도록 피한다. 후방 박리에서 접형동 앞면 2 mm 내에 있는 안와첨 부근에서 희고 두꺼운 안와골막을 만나게 되는데 이 부위가 진씨총건륜으로 이 경계표landmark가 표준적 안와감압술standard decompression의 후방한계이다. 안와하벽의 내측 부분은 스푼 큐렛이나 유양동 큐렛mastoid curette 등을 사용하여 뼈를 아랫방향으로 골절하여 제거한다. 안와하신경관 측면이 한계이며, 아랫방향으로 골절하는 동안 안와하신경관은 자연적으로 분열된다.

모든 안와 골막이 노출되면 먼저 안와하연부터 900 구부러진 뇌경막용 칼arachnoid Knife 등을 사용하여 뒤에서 앞으로 평행하게 절개를 가한다. 안와 내용물이 빠져나와 시야를 가릴 수 있기 때문에 처음 절개는 안와하신

경 주변 가장 바깥쪽부터 시작하여 안와하벽의 외측부터 내측으로 가한다. 다음으로 안와 내측은 감압술의 후방한계인 접형동의 전벽에서 겸상도sickle knife를 이용하여 탈출된 안구지방이 시야를 가리지 않도록 뒤에서 앞방향으로 절개를 가한다. 절개할 때 외안근 등 안와 속의 구조물이 다치지 않게 겸상도의 끝이 안구 내에 묻히지 않도록 조심한다.

또한 안구지방 내에 자주 발견되는 섬유띠fibrous band를 겸상도를 이용하여 조심스럽게 절개한다. 안구를 외부에서 눌러주면 섬유띠를 분간하는 데 도움을 줄수 있고 지방 탈출을 쉽게 할 수 있다. 환자가 술 전 복시diplopia나 시신경병증optic neuropathy이 없으면 내안근 부위에 있는 안와골막을 약 10 mm 정도 보존하여 안와 걸이orbital sling를 만들어 내안근의 탈출을 감소시켜 술후 복시를 최소화한다(Metson and Samaha, 2002). 비강 패킹은 안와첨과 시신경주위는 압력을 피하기 위하여 하지 않는다(Platt and Metson, 2009).

(3) 수술 결과 및 합병증

내시경을 이용한 안와감압술은 안와 하벽에 접근할 때 기존의 상악동 경유접근법에 비하여 제한이 많음에도 불구하고 안와돌출의 감소는 큰 차이가 없으며 평균 3.5 mm (2~12 mm)이며(Platt and Metson, 2009) 측방 안와절제술을 같이 시행하면 2 mm 정도 더 안구 감압을 할 수 있다(Metson et al., 1994).

합병증으로는 내시경 부비동수술의 합병증인 출혈, 감염, 급격한 시력 손실, 뇌척수액 비루, 비루관협착 등이 있으면 탈출된 안와 내용물로 인한 부비동염이 발생할 수 있다(Bough et al., 1994; Kaperbauer et al., 2005). 또한 안구신경이나 혈관에 대한 직접적 외상으로 시력 손실이 올 수 있다. 무엇보다 많이 발생하는 합병증으로는 복시와 사시로 술 전 복시가 없는 경우에도 복시가 생길 가능성이 있으며, 감압 후 2~3개월 동안 계속 증상

이 있으면 안과적 수술을 해야 한다고 환자에게 반드시 설명 하여야 한다.

최근 내비게이션navigation을 이용하여 비내시경 안와 감압술을 하고 있으나 내비게이션의 이용이 수술 결과를 좋게 하는지는 아직 연구 중이다(Dubin et al., 2008).

Ⅲ ｜ 비루관 폐쇄

정상적으로 눈이 외부 자극을 받으면 눈물기관을 따라 눈물이 흐르는데, 외부 자극이 없는 상태에서 눈물 분비와 배출의 불균형으로 많은 눈물이 고이고 흐르는 것을 유루증epiphora이라 한다. 눈물이 많으면 시야가 흐려지고 뺨으로 흘러 일상생활에 많은 불편함을 유발한다. 유루증의 원인은 크게 눈물과다분비와 눈물배출장애로 나눌 수 있다. 식사와 연관된 미각성 눈물과다분비로 알려져 있는 원발성 눈물과다분비는 선천성 혹은 안면마비, 감염, 외상 등이 원인일 수 있다. 결막이 자극되어 눈물이 과다하게 분비되는 반사성 눈물과다분비가 더 흔하며, 원인으로는 첩모증trichiasis, 이물질, 안검질환, 안구건조증 등이 있다. 눈물배출장애는 눈물기관의 구조적 폐쇄나 기능적 장애로 발생하는데, 기능적 폐쇄로는 노화에 따른 하안검 처짐, 누점이나 안검외반증, 안면마비나 보톡스 시술 시 안륜근orbicularis oculi 마비에 의한 눈물기관 펌프기능 이상이 있을 수 있다. 눈물기관의 해부학적 폐쇄는 여러부위에서 가능하다. 따라서 유루증 환자들의 정확한 치료를 위해 원인에 대한 감별진단이 매우 중요하며, 이를 위해 눈물기관의 전체 경로를 철저히 검사해야 한다. 여기에서는 흔한 비루관 폐쇄를 주로 다루고자 한다.

1. 원인

비루관 폐쇄는 선천적 혹은 후천적으로 발생한다. 선천적 비루관 폐쇄의 유병률은 1.25~12.5%까지 다양하며 대부분이 생후 1년까지 자연적으로 뚫리나 일부는 비루관이 끝나는 Hasner 판막 부위에 막이 남아 비루관이 막힌다(Han et al., 2015). 후천적 원인으로는 누관계나 비강의 감염, 염증, 종양, 외상, 비루관 결석, 부비동수술 후유증, 안면부 방사선치료 등이 있을 수 있다.

2. 임상증상 및 진단

주된 증상은 눈물이 하안검을 따라 넘쳐흐르는 유루 증상이며, 이외에 눈꼽이 많이 끼는 등의 반복되는 결막염 및 누낭염 증세가 나타난다. 과거 병력을 포함한 유루 증상의 발병 시기, 심한 정도, 분비물의 성상, 악화인자, 동반 증상 등에 대한 상세한 문진을 실시한다. 임상 검사로는 안구와 부속기관에 대한 시진을 실시하여 염증, 안검내외반증, 첩모증 등을 확인하며 내안각 및 누낭을 촉진하여 단단한 종물 등을 확인한다. 눈물과다분비유무 검사로 Schirmer검사와 세극등현미경slit-lamp biomicroscope을 사용한 눈물띠tear meniscus 높이, 눈물막 파괴 시간 검사를 할 수 있다. 누낭 부위를 눌렀을 때 누점으로부터 점액성 및 농성 분비물의 역류를 확인할 수 있으면 비루관 폐쇄를 의심해야 한다. 또한 비내시경검사를 실시하여 비루관 폐쇄를 유발할 수 있는 비부비동 질환 여부를 확인해야 한다. 누액배출계 검사로는 누소관 관류술irrigation, 누소관 탐침법probing, 형광염색약 배출검사 등을 한다. 방사선학적 검사로 누낭조영술dacryocystography을 시행하여 정확한 폐쇄부위를 확인할 수 있으며, 누낭조영술에서 폐쇄 부위가 없는 기능적 비루관 폐쇄의 경우에는 누관신티그래피dacryoscintigraphy를 통해 기능적 폐쇄 부위를 확인할 수 있다. 또한 부비동 CT를 촬영하여 누낭 결석, 누낭 종양, 부비동염, 비중격 만곡증 등을 확인한다.

누소관 탐침법 및 관류술은 눈물배출장애의 표준 검사로 안구에 국소마취 후 하안검을 바깥쪽으로 잡아당겨 누소관의 꼬임 현상을 막은 다음 Bowman 누도 탐침자를 누점과 누소관 팽대부에 삽입한 뒤 90° 수평방향으로 바꾸어 진행한다. 누소관이 잘 개통되어 있으면 삽입한 탐침자가 누낭 안쪽의 딱딱한 뼈에 닿는 느낌을 느낄 수 있고, 막혀있는 경우에는 뼈에 닿는 느낌을 느낄 수 없다. 3 cc 주사기에 연결된 21 혹은 23 게이지의 누관 튜브를 누소관에 직접 삽입한 후 식염수를 주입하여 코나 목뒤로 넘어가는지를 본다. 누소관을 관류할 때 반대쪽 누점으로 역류되지 않고 검사하는 누점으로만 역류되어 나온다면 해당 누소관의 폐쇄를 의미하며, 하부 누점을 통해 식염수를 관류시켰을 때 상부 누점으로 역류해 나오면 누낭이나 비루관의 완전 폐쇄가 있음을 나타낸다.

형광염색약 배출검사는 기능적 폐쇄 여부감별을 위한 검사로 Jones일차염색검사는 형광염색약 한 방울을 눈 위에 떨어뜨린 후 하비도에서 자연 유출되는지를 확인하는 방법이며, Jones이차염색검사는 누소관에 직접 튜브를 삽입한 후 형광염색약이 섞인 식염수를 압력을 주어 주입하는 방법이다. 염색약이 삽입된 누점으로 역류해 나오고 반대쪽 누점이나 하비도로 나오지 않으면 삽입된 누소관이 막힌 것이며 반대쪽 누점으로 역류하면 누낭 또는 누낭 하부 협착을 의미한다. 염색약이 하비도로 나오면 부분협착이나 기능적 폐쇄를 생각해야 한다.

3. 치료

선천성비루관 폐쇄인 경우 항생제 안약 점안과 누낭을 마사지하면서 경과를 보는데 증세가 호전이 없으면 생후 6~10개월 사이 외래에서 전신마취 없이 눈에 점안마취 후 뚫어준다. 여러 번 탐침 및 세척 후에도 호전이 없으면 돌이 지나 전신마취하에서 누관에 실리콘 관을 삽입한 후 약 6개월이 경과한 후 관을 제거한다(Örge and Boente, 2014).

성인에서 눈물기관 폐쇄 초기에는 원인 질환에 대한 비수술적 방법인 항생제 점안과 누낭 세척, 누낭 마사지 또는 탐침법 등으로 치료하나 만성화된 경우에는 수술을 고려하는데, 폐쇄부위에 따라 누점성형술, 결막누낭비강문합술, 비외 및 비내 누낭비강문합술 등 여러 수술 방법이 있다. 누점 협착 혹은 폐쇄의 경우에는 누점을 넓혀주고 실리콘 관을 일시적으로 삽입하여 누점성형술을 시행한다. 결막누낭비강문합술(Jones 튜브 삽입술)은 기능적 폐쇄나 누소관 폐쇄의 경우에 시행하는데, 안쪽 눈구석의 결막에서 비강 안쪽으로 탐침자를 이용하여 Jones 유리관을 삽입하여 누관계를 우회하는 비교적 간단한 시술로 삽입된 유리관이 이탈하거나 막힐 수가 있으므로 정기적인 외래 추적관찰이 필요하다. 누낭비강문합술은 비루관이 막힌 경우에 막힌 부위보다 상부인 누낭과 비강을 연결하는 우회로를 만드는 술식으로 비외 및 비내 수술방법이 있다.

1) 비외 누낭비강문합술

피부를 절개하여 누낭에 접근하는 방법으로 누선와의 심한 손상, 누도결석, 누낭 피부 누공, 종양 등이 있는 경우에 선호된다. 성공률은 91~95% 정도로 높은 편이나 술자의 경험이 필요하며 피부 절개부위에 흉터가 남는 단점이 있다(Mills and Meyer, 2006).

2) 비내 누낭비강문합술

누낭 이하 부위에 폐쇄가 있는 경우에 시행하며, 누점을 통해 누낭 안에 삽입하는 광섬유광원과 비내시경을 사용하여 비강 내 연결부위에 구멍을 만드는 방법으로 처음에는 레이저를 사용하였으나 최근에는 드릴 등의 기구를 사용하는 추세이다. 비내 수술법은 수술과정이 간단하고 피부 수술 흉터가 생기지 않으며, 눈물 펌프 기전을 손상시키지 않는 장점이 있으나, 성공률은 75~88%로 비외 수술법보다 약간 떨어진다(Mandeville and Woog, 2002).

최근 메타분석한 결과에 따르면 비내수술법의 성공률은 77%로 87%인 비외수술법 보다 떨어지나, 드릴 등의 기구만을 사용한 기계식 비내수술법인 경우에는 비외수술법과 동일한 성공률을 보였다(Huang et al., 2014). 비내내시경 접근법을 통한 누낭비강문합술의 방법은 다음과 같다. 수술은 국소마취 혹은 전신마취하에 정맥

압을 낮추기 위해 앙와위로 상체를 약간 올린 자세에서 시행한다. 전처치로 4% lidocaine과 1:100,000 epinephrine의 혼합액으로 적신 거즈를 비강 내에 삽입하여 비점막을 수축시킨 후, 비내시경하에 상악선, 구상돌기, 중비갑개 상부 부착부위를 확인하고 1% lidocaine과 1:200,000 epinephrine 혼합액을 주사한다. 하누점을 통해 광섬유광원 튜브를 누낭 안에 넣고 비강 내에서 투영되는 빛으로 비강 내 누낭의 위치를 확인한다. 상악선은 수직으로 주행하는 두꺼운 뼈인 상악 전두돌기와 얇은 뼈인 누골이 융합되는 부위로 비강 내 누낭의 지표가 되는데, 가장 밝게 투영되어 보이는 부분이 누골이 가장 얇은 누낭 후부의 끝부분에 해당한다(그림 40-5).

절개는 중비갑개 부착 상부 5~10 mm 부위에서 겸상도로 시작하여 앞으로 평행하게 5~10 mm 진행한 후 수직으로 중비갑개 기시부와 하비갑개 기시부 사이의 중간지점까지 진행한 후 여기서 후방으로 구상돌기까지 절개한다. 이후 상악 전두돌기와 누골의 경계를 확인하면서 거상기로 점막을 후방으로 누골 혹은 구상돌기까지 박리한 후 박리된 점막을 작은 절단겸자 혹은 미세분쇄흡입기로 제거하거나(Ramakrishnan et al., 2007), 노출된 골부를 덮어주기 위한 점막 피판으로 사용하기도 한

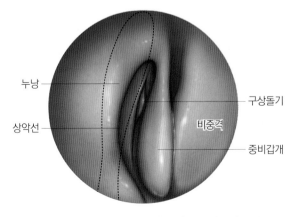

┃ 그림 40-5 상악선과 누낭 위치의 비내시경 소견

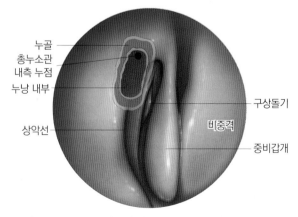

┃ 그림 40-6 내시경적 비내누낭비강 문합술의 모식도

다(Wormald, 2006).

누골과 구상돌기의 얇은 뼈를 거상기 혹은 큐렛으로 제거하여 누낭의 후부를 노출시킨다. 누낭 상후부에 잘 발달된 비제봉소가 있는 경우에는 이를 완전히 제거해 야 누낭을 완전히 노출시킬 수 있다. 이후 전방으로 진 행하면서 두꺼운 상악 전두돌기를 골겸자 혹은 다이어 몬드 드릴로 충분히 제거한다. 누낭이 충분히 노출되면 탐침자를 넣어 누낭 내측 점막을 비강 쪽으로 거상시켜 겸상도 등으로 상하절개를 가한 후 절개된 점막을 작은 절단겸자 혹은 미세분쇄흡입기로 제거하여 총누소관 내 측 누점이 충분히 노출되도록 한다(그림 40-6).

최종 노출 구멍은 지름이 약 15 mm 정도가 되게 해 야 한다(Marcet et al., 2014).

이후 필요시 실리콘 튜브 또는 스텐트를 상하누소관 을 거쳐 누낭 개구부를 지나 비강 내에 위치시킨다. 수 술 후 출혈이 있으면 비패킹을 한다. 또한 동반된 비부 비동 질환을 치료하거나 수술 시 누낭 접근을 수월하게 함으로써 술 후 성공률을 높이기 위해 구상돌기절제술, 비중격교정술, 중비갑개 부분절제술 등을 할 수도 있다.

3) 술후 합병증 및 처치, 예후

술 후 처치는 비내시경수술 후의 치료를 반영해서 실시 한다. 누낭비강문합술의 합병증으로 출혈, 안와합병증, 두개내합병증 등이 발생할 수 있으나 임상적으로 흔한 문제점은 수술 실패의 가장 흔한 원인인 비강측 개구부 의 육아종 혹은 유착, 협착이다. 이들을 예방하기 위해 시도되고 있는 다양한 방법 중 하나로 누낭-비점막 피판 을 만들어 노출된 골부를 덮어주는 방법의 유용성이 보 고되기도 하였으나(Emanuelli et al., 2013), 유용성이 없 다는 다른 연구결과도 있다(Khalifa et al., 2012).

또한 술 후 누낭 개구부의 유지를 위해 실리콘 튜브

를 사용하지만 이에 대한 유용성은 없으며(Chong et al., 2013), 오히려 육아종을 촉진시켜 실패율을 증가시킨다 는 보고도 있다(Mohamad et al., 2013). 일차 수술 후 비 강측 개구부의 협착이 발생한 환자에서 풍선누낭술bal- loon dacryoplasty이 재수술 대안으로 유망하다(Lee et al., 2014).

이외에 섬유세포의 교원질 생산 감소 효과로 안과 수 술에 사용하는 mitomycin C를 누낭비강문합술 중 혹은 후에 비강 내 개구부에 사용하여 수술 성공률을 높이고 있으나 아직까지 사용 용량, 적용 및 전달 방법, 노출시 간 등에 대해 의견 수렴이 부족하다(Nair and Ali, 2015). 광범위한 세포자멸 없이 사람 비점막 섬유세포의 증식 을 방해하는 mitomycin C의 최소 농도-시간이 0.2 mg/ ml-3분이라는 최근 연구 결과가 있다(Ali et al., 2013).

IV | 시신경병증

시신경병증은 시신경에 대한 직간접 손상의 결과로 비 교적 드물게 발생하지만 영구적인 시력소실을 유발할 수 있어 임상적으로 매우 중요한 질환이다. 시신경 손상 의 원인으로는 외상 이외에 시신경병변과 연관된 갑상 선안구증, 섬유성 골이형성증fibrous dysplasia, 시신경 수 막종meningioma, 비부비동 종양 등이 있다. 시신경의 연 속성이 파괴되지 않은 상태에서 시력 악화의 증거가 있 으면 시신경 감압술의 적응증이 되지만 시신경이 완전 히 파열되거나 위축된 경우, 경동맥해면정맥동루carotid- cavernous fistula, 전신마취를 방해하는 내과적 동반질환 이 있을 경우에는 시신경 감압술의 금기가 된다.

1. 외상성 시신경병증

대개는 직접적인 시신경 손상보다는 두부, 특히 이마 외상으로 가해진 충격이 시신경관에 집중되면서 발생하는 간접손상이 외상성 시신경병증의 가장 흔한 형태이다. 외상성 시신경병증은 충격을 받은 위치에 따라 시신경 머리 부위인 공막 내부, 안와 내부, 시신경관 내부, 두개강 내부의 4부위로 나눌 수 있는데, 간접적 손상의 가장 흔한 2부위는 시신경초가 골막에 유착되어 있는 시신경관 내부 부위와 경막주에 근접해 있는 두개강 내부 부위이다. 시신경 파열을 동반한 직접적인 외상성 시신경병증은 비가역적인 손상이므로 간접적인 외상성 시신경병증인 경우에만 시신경감압술이 행해진다.

1) 기전

간접적인 외상성 시신경병증에서 시력소실의 병태생리 기전은 항상 명확하지는 않으나, 가능한 원인으로는 신경내 부종, 혈종, 신경에 대한 비틀리는 손상, 혈관파열, 전위된 골편에 의한 신경압박 등이 있으며 이러한 경우가 시신경감압술의 적응증이 될 수 있다.

2) 임상증상 및 진단

안면 중앙부 및 두개 외상환자는 시신경 손상의 징후가 없더라도 외상성 시신경병증을 강하게 의심해봐야 한다. 특히 간접적인 외상성 시신경병증인 경우 망막을 비롯한 안구는 정상소견을 보이나 구심성 동공운동 장애afferent pupillary defect만이 유일한 객관적인 소견이 될 수 있다.

외상성 시신경병증이 의심되는 모든 환자는 다음과 같은 평가를 포함하는 포괄적인 안과 검사를 받아야 한다: ① 눈 부속기관 검사(안와연 및 안와벽 골절 유무, 안구돌출 혹은 안구함몰, 외안근 장애, 안검부종 등을 검사한다.) ② 시력 검사(즉시 1차 시력검사를 한 후 지연성 시신경병증인 경우를 구분하기 위해 1차 시력 검사 24시간 내에 2차 시력 검사를 실시한다), ③ 동공반응검사(정상적으로 한쪽 눈에 비추어진 빛은 직접 및 간접 동공 빛 반사작용으로 양측 동공을 동시에 수축시킨다. 구심성 동공운동 장애가 있는 경우 손상된 눈에 비추어진 빛은 양측 동공을 단지 약간 수축시키나 손상되지 않은 눈에 비추어진 빛은 양측 동공을 정상적으로 수축시킨다. 이러한 동공 반응은 플래쉬라이트 빛을 한쪽 눈에서 다른 눈으로 빠르게 2~3초 간격으로 번갈아 비추는 플래쉬라이트 테스트로 평가한다), ④ 안압검사(안구혈종 혹은 출혈, 안구 기종 시 안압이 올라갈 수 있다), ⑤ 산동제를 사용한 검안경검사를 실시하여 시신경 머리 모양 및 주변부 출혈 여부를 평가한다, ⑥ CT 촬영을 하여 시신경관의 골절 유무를 확인해야 한다. 이외에 진단과 예후에 유용한 시유발전위검사visual evoked potential test를 실시한다.

3) 치료

현재 시도되고 있는 치료방법으로는 단지 관찰만 하는 방법, 고용량 전신 스테로이드 약물치료, 시신경감압술 등이 있다. 하지만 위의 세 가지 방법을 비교해 보았을 때 증거에 입각한 가장 효과적인 치료법에 대한 정설은 없다.

(1) 전신 스테로이드 요법

2013년에 발표된 간접적 외상성 시신경병증 환자에서 고농도 정맥 스테로이드 사용에 대한 코크란 자료에 따르면 시력의 자연 회복률이 높으며 단지 관찰만 한 경우에 비해 스테로이드 약물치료의 장점을 보여주는 확실한 자료는 없다(Yu-Wai-Man and Griffiths, 2013).

그럼에도 불구하고 전신 스테로이드 요법이 주된 치료법으로 사용되고 있으나, 두개안면외상 후 발생한 외상성 시신경병증 환자의 대부분은 동반된 두개 내 손상을 가지고 있으므로 전신 스테로이드 사용의 잠재적인 부작용을 고려하여 사용은 제한적이어야 한다.

(2) 시신경감압술

시신경감압술의 목적은 시신경관 내 압력을 낮추어 신경기능을 회복시키는 것이다. 시행 시기에 대해서는 논란이 많고 표준화된 기준이 없다. 수상 직후 즉시 시력이 완전 소실 혹은 저하되면서 CT상 시신경관 골절 및 전위가 있는 경우, 전신 스테로이드 치료를 받는 동안에도 떨어진 시력이 더 악화되거나 혹은 호전되지 않는 경우에 감압술이 고려될 수 있으나 방사선학적 검사에서 시신경 압박의 증거가 있어야 한다(Kumaran et al., 2015).

시신경 감압을 위한 수술 접근법은 다양하며 비내내시경 접근법을 통한 수술도 그 중 하나의 방법이다. 이 수술의 주된 대상 부위가 시신경관 내부 부위인 점을 고려할 때, 다른 방법들과 성공률이 비슷하면서도 합병증이 적고 미용학적 우수성 등의 장점이 크나 비내 접근법이므로 시신경관의 외측과 위쪽으로 접근하기 어려운 단점도 있다.

비내내시경 접근법을 통한 시신경감압술의 방법은 다음과 같다. 우선 완전한 사골동절제술 및 접형동개방술을 실시하여 안와 내측벽과 접형동 내의 외측벽을 충분히 노출시킨 후 접형동 외측벽 상부나 천장에서 시신경 융기를, 시신경의 하방 및 후방에서 내경동맥 융기를 추적 관찰한다. 접형사골봉소가 발달된 경우에는 후사골동에서 이들의 융기를 확인할 수 있다. 시신경관의 주행 방향이 확인되면 후사골동과 접형동 사이의 두꺼운 뼈 부위인 시신경 결절의 10~15 mm 전방에서 안와막이

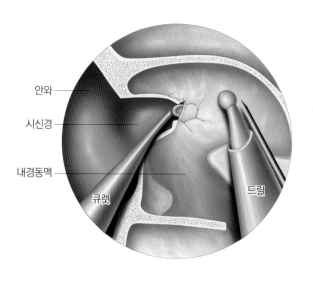

그림 40-7　비내 접근법을 통한 우측 시신경 감압술의 모식도

손상되지 않도록 주의하면서 작은 거상기나 큐렛으로 지판을 제거하여 시첨부를 노출시킨다. 지판을 완전히 제거한 후 시신경 결절 부위에서 시신경관과 안와 경계 부위에 부착되어 있는 진씨총견륜을 확인할 수 있다. 접형동 내 시신경관 융기와 시신경 결절과의 연속성을 확인한 후 처음 만나는 두꺼운 뼈 부위인 시신경 결절 부위에서부터 시신경관의 뼈를 드릴로 얇게 갈아낸 후 미세거상기 등으로 골절을 만든 후 조심스럽게 제거한다(그림 40-7).

시신경관을 덮고 있는 뼈를 드릴로 얇게 갈아내면서 얇아진 골편을 큐렛을 이용하여 내측방향으로 제거한다. 드릴 사용 시 충분한 세척을 통해 열로 인한 시신경 손상을 방지해야 한다. 시신경관을 가능하면 접형동 측벽에서 180° 개방되도록 감압해야 하나, 노출시켜야만 하는 적절한 시신경의 길이에 대한 보고된 자료는 없다. 시신경관내 혈종 제거가 필요한 경우에는 시신경초 절개가 도움이 되나 유용성은 확립되지 않았다. 진씨총견륜을 통해 시신경관의 하내측 사분면에 위치해 있는 안동맥을 피해 상내측 사분면에서 시신경초 절개를 시행

한다. 시신경초 절개 시 뇌척수액 누출, 시신경 섬유 손상, 출혈 등의 합병증이 발생할 수 있다. 술 후 처치는 비내시경수술 후의 치료를 반영해서 실시한다.

2. 섬유성 골이형성증 및 다른 원발성 골질환

다발성 섬유성 골이형성증과 맥쿤-알브라이트 증후군 McCune Albright Syndrome과 연관된 섬유성 골이형성증은 종종 접형골을 침범하여 비정상적인 골로 시신경관을 둘러싸서 좁게 만든다. 그러나 시력소실과 시신경 협착 과는 상관관계가 없는 것으로 보고되고 있다(Lee et al., 2002).

섬유성 골이형성증에서 시신경병증의 기전은 시신경 관의 협착에 의한 점진적인 시신경 압박의 결과로 발생한 만성 허혈ischemia 이외에 정·동맥 손상에 의한 허혈, 시신경 견인으로 생각된다. 급성 시력 저하는 골낭종, 사골-접형동 점액종, 혹은 육종성 변성과 같은 이차적인 종괴 병변에 의한 급성 압박으로 설명될 수 있다. 이러한 환자에서 예방적인 시신경관 감압술만이 합리적인 치료가 될 수 있는 것은 아니나, 안와두개기형에 대해 행해지는 비정상적인 골의 광범위한 두개기저부 절제술 시 함께 시행되어야 한다(Satterwhite et al., 2015). 시신경감압술은 시력 소실을 유발하는 경우에만 행해져야 한다(Amit et al., 2011).

시신경 협착으로부터 시력 소실이 발생할 수 있는 다른 골 질환으로는 신성골이영양증renal osteodystrophy, 골화석증osteopetrosis, 골수외조혈증extramedullary hae-mopoiesis 등이 있다(Acheson, 2004).

참고문헌

1. 양재욱. 성형안과학, 3판. 내외학술 2015;1-40.
2. 이상렬, 김윤덕, 곽상인. 안성형학, 1판. 내외학술 2004; 281-313.
3. Acheson JF. Optic nerve disorders: role of canal and nerve sheath decompression surgery. Eye 2004;18:1169-74.
4. Ali MJ, Mariappan I, Maddileti S, Ali MH, Naik MN. Mitomycin C in dacryocystorhinostomy: The search for the right concentration and duration - A fundamental study on human nasal mucosa fibroblasts. Ophthal Plast Reconstr Surg 2013;29:469-74.
5. Amit M, Fliss DM, Gil Z. Fibrous dysplasia of the sphenoid and skull base. Otolaryngol Clin North Am 2011;44:891-902.
6. Berry MM, Standring SM, Bannister LH. Peripheral visual apparatus. In: Willians PL, Bannister LH, Berry MM, et al. eds. Gray's Anatomy, 38th ed. New York: Churchill Livingstone 1995;1321-67.
7. Bough ID, Huang JJ, Pribitkin EA. Orbital decompression for Graves' disease complicated by sinusitis. Ann Otolaryngol Rhinol laryngol 1994;103:988-90.
8. Chong KK, Lai FHP, Ho M, Luk A, Wong BW, Young A. Randomized trial on silicone intubation in endoscopic mechanical dacryocystorhinostomy (SEND) for primary nasolacrimal duct obstruction. Ophthalmology 2013;120:2139-45.
9. Dubin MR, Tabaee A, Scruggs JT, Kazim M, Close LG. Image-guided endoscopic orbital decompression for Graves' orbitopathy. Ann Otol Rhinol Laryngol 2008;117:177-85.
10. Emanuelli E, Pagella F, Dane G, Pusateri A, Giourgos G, Carena P, et al. Posterior lacrimal sac approach technique without stenting in endoscopic dacryocystorhinostomy. Acta Otorhinolaryngol Ital 2013;33:324-8.
11. Han JY, Lee H, Chang M, Park M, Lee JS, Baek S. Clinical effectiveness of monocanalicular silicone intubation for congenital nasolacrimal duct obstruction under nasal endoscopic visualization of the terminal end of the obstructed nasolacrimal duct. J Craniofac Surg 2015;26:1328-31.
12. Henick DH, Kennedy DW. Endoscopic orbital decompression-Graves disease. In: Stankiewicz JA, ed. Advanced Endoscopic Sinus Surgery. St. Louis: Mosby-Year Book 1995;103-13.
13. Huang J, Malek J, Chin D, Snidvongs K, Wilcsek G, Tumuluri K, et al. Systematic review and meta-analysis on outcomes for endoscopic versus external dacryocystorhinostomy. Orbit 2014;33:81-90.
14. Kahaly GJ, Roesler HP, Kutzner J, Pitz S, Müller-Forell W, Beyer J, et al. Radiotherapy for thyroid-associated orbitopathy. Exp Clin Endocrinol Diabetes 1999;107:S201-S7.
15. Kaperbauer JL, Hinkley L. Endoscopic orbital decompression for Graves' ophthalmopathy. Am J Rhinol 2005;19:603-6.
16. Khalifa MA, Ragab SM, Saafan ME, El-Guindy AS. Endoscopic dacryocystorhinostomy with double posteriorly based nasal and lacrimal flaps: a prospective randomized controlled trial. Otolaryngol Head Neck Surg 2012;147:782-7.
17. Kulwin DR, Kersten RC. Orbital decompression for dysthyroid optic neuropathy. In: Donald PJ, Gluckmann JL, Rice DH, eds. The sinuses. New York: Raven Press 1995;553-62.
18. Kumaran AM, Sundar G, Chye LT. Traumatic optic neuropathy: a review. Craniomaxillofac Trauma Reconstr 2015;8:31-41.

19. Lee A, Ali MJ, Li EY, Wong AC, Yuen HK. Balloon dacryoplasty in internal ostium stenosis after endoscopic dacryocystorhinostomy. Ophthal Plast Reconstr Surg 2014;30:7-10.

20. Lee HB, Rodgers IR, Woog JJ. Evaluation and management of Graves' orbitopathy. Otolaryngol Clin North Am 2006;39:923-42.

21. Lee JS, Fitzgibbon E, Butman JA, Dufresne CR, Kushner H, Wientroub S, et al. Normal vision despite narrowing of the optic canal in fibrous dysplasia. N Engl J Med 2002;347:1670-6.

22. Mandeville JT, Woog JJ. Obstruction of the lacrimal drainage system. Curr Opin Ophthalmol 2002;13:303-9.

23. Marcet MM, Kuk AK, Phelps PO. Evidence-based review of surgical practices in endoscopic endonasal dacryocystorhinostomy for primary acquired nasolacrimal duct obstruction and other new indications. Curr Opin Ophthalmol 2014;25:443-8.

24. Marcocci C, kahaly Gj, Krassas CE, Bartalena L, Prummel M, Stahl M et al. Selenium and the course of mild Graves' orbitopathy. N Engl J Med 2011;364:1920-31.

25. Metson R, Dallow RL, Shore JW. Endoscopic orbital decompression. Laryngoscope 1994;104:950-7.

26. Metson R, Samaha M. Reduction of diplopia following endoscopic orbital decompression: the orbital sling technique. Laryngoscope 2002;112:1753-7.

27. Mills DM, Meyer DR. Acquired nasolacrimal duct obstruction. Otolaryngol Clin North Am 2006;39:979-99.

28. Mohamad SH, Khan I, Shakeel M, Nandapalan V. Long-term results of endonasal dacryocystorhinostomy with and without stenting. Ann R Coll Surg Engl 2013;95:196-9.

29. Nair AG, Ali MJ. Mitomycin-C in dacryocystorhinostomy: From experimentation to implementation and the road ahead: A review. Indian J Ophthalmol 2015;63:335-9.

30. Örge FH, Boente CS. The lacrimal system. Pediatr Clin North Am 2014;61:529-39.

31. Platt M, Metson R. Endoscopic management of exophthalmos. Facia Plast Surg 2009;25:38-42.

32. Ramakrishnan VR, Hink EM, Durairaj VD, Kingdom TT. Outcomes after endoscopic dacryocystorhinostomy without mucosal flap preservation. Am J Rhinol 2007;21:753-7.

33. Rosse C, Goddum-Rosse P. hollinshead's Textbook of Anatomy, 5th ed. Philadelphia: Lippincott-Raven 1997;812-27.

34. Satterwhite TS, Morrison G, Ragheb J, Bhatia S, Perlyn C, Wolfe SA. Fibrous dysplasia: management of the optic canal. Plast Reconstr Surg 2015;135:1016e-24e.

35. Shams PN, Ma R, Pickles T, Rootman J, Dolman PJ. Reduced risk of compressive optic neuropathy using orbital radiotherapy in patients with active thyroid eye disease. Am J Ophthalmol 2014;157:1299-305.

36. Vilar-Genzalez S, Lamas-Oliveira C, Fagundez-Vargas MA, Núñez-Quintanilla AT, Pérez-Rozos A, Merayo-Lloves J et al. Tyroid orbitopathy, an overview with special attention to th57e role of radiotherapy. Endocrinol Nutr 2015;62:188-99.

37. Wormald PJ. Powered endoscopic dacryocystorhinostomy. Otolaryngol Clin North Am 2006;39:539-49.

38. Yu-Wai-Man P, Griffiths PG. Steroids for traumatic optic neuropathy. Cochrane Database Syst Rev. 2013;17;6:CD006032.

CHAPTER 41

뇌척수액 비루

가천의대 이비인후과 **김선태**, 성균관의대 이비인후과 **정용기**

> **CONTENTS**

Ⅰ. 뇌척수액의 생리
Ⅱ. 발생 원인에 따른 분류와 병태생리
Ⅲ. 진단 및 수술 전 검사
Ⅳ. 뇌척수액 비루의 치료
Ⅴ. 수술 후 처치

HIGHLIGHTS〉〉〉

- 뇌척수액 비루의 진단에서 병력청취는 매우 중요하며 뇌수막염 병력, 반복되는 일측성 수양성, 짜거나 금속 맛이 느껴지는 비루 등이 있다면 가능성을 염두에 두어야 한다.
- 뇌척수액 비루는 발생 원인과 유출 부위에 따라 분류할 수 있으며 치료 방법 및 예후가 다르다.
- 뇌척수액 비루의 진단의 가장 기본적인 검사는 고해상도 컴퓨터단층촬영과 더불어 부비동 내시경검사이며, 그 이외에 생화학적 검사, 자기공명영상, 뇌수조조영술, 경막 내 형광색소 주입법 등이 있다.
- 외상성 뇌척수액 비루에 대한 보존적 치료는 크게 행동조절, 약물치료, 요추배액이 있으며 7~14일 경과 후에도 지속되면 수술적 치료를 고려한다.
- 수술적 치료의 기본적인 원칙은 유출 부위 주변 점막을 충분히 정리하여 유출 부위에 대한 깨끗한 시야를 확보하고, 이식편과 유출 부위 사이에 혈괴 및 괴사 조직 등이 놓이지 않도록 하는 것이다.

뇌척수액 비루cerebrospinal fluid (CSF) rhinorrhea는 뇌척수액이 코를 통하여 유출되는 현상으로 정상적으로 뇌척수액과 비강 또는 부비동 사이에 존재하는 구조물인 점막, 뼈, 경막dura, 지주막arachnoid membrane이 모두 손상되어 지주막하 공간subarachnoid space과 비강 또는 부비동이 연결될 때 발생한다. 뇌척수액 비루가 발생하면 유출되는 양이 많을 경우 두통이 발생할 수 있으며 비강 또는 부비동 내의 세균에 의한 상행 감염ascending infection으로 뇌수막염이 발생할 가능성이 높다. 또한 기침을 하는 등 비강 내 압력이 증가할 때 공기가 두개강 내로 침투하여 기뇌증pneumocephalus을 유발할 수 있기 때문에 뇌척수액 비루가 의심되면 반드시 적절한 진단과 치료를 시행해야 한다. 1990년대까지 뇌척수액 비루에 대한 대부분의 치료는 신경외과 의사에 의해 이루어졌고 많은 경우 개두술craniotomy을 시행하였다. 그러나 1990년대 말 이후 부비동 내시경수술 술기 및 장비의 발달에 힘입어 뇌척수액 비루의 대부분은 내시경적 접근

을 통해 정확한 진단과 치료가 가능해졌고 90%가 넘는 수술 성공률이 보고되고 있다. 따라서 현대 의학에서 뇌척수액 비루의 진단 및 치료에 대한 이비인후과의사의 역할은 절대적이라고 할 수 있으며 내시경적 치료 또한 표준으로 자리잡고 있다(Banks et al., 2009). 본 장에서는 뇌척수액 비루에 대한 원인, 발생 위치 및 기저 질환에 따른 분류와, 진단 방법, 그리고 치료 원칙에 대해서 설명하고자 한다.

I | 뇌척수액의 생리

뇌척수액 비루의 발생 원인과 치료 원칙을 이해하기 위해서 뇌척수액의 정상 생리에 대해 이해할 필요가 있다. 뇌척수액은 두개골과 척추 안에서 뇌brain와 척수spinal cord를 감싸고 있는 무색의 투명한 체액으로 지주막하 공간에 존재한다. 뇌척수액은 뇌실ventricle 내의 맥락얼 기choroid plexus에서 만들어지며 하루 생산량은 약 500 ml 정도로 대략 0.35 ml/min의 속도로 생성된다. 생성된 뇌척수액은 지주막하공간을 순환한 뒤 지주막 융모 villi에서 흡수되며 100~160 ml 정도의 양으로 유지되고 하루 3.7회 정도 교환이 된다(Saunders et al., 1999). 융모는 뇌척수액이 흡수되는 일방 판막one-way valve으로써 작용하며 흡수가 원활하게 이루어지기 위해서 1.5~7 cmH$_2$O의 압력 차이가 필요하다. 뇌척수액은 박동성으로 지속적으로 흐르며 앙아위supine position에서 요추 천자lumbar puncture를 통하여 압력을 측정하였을 때 10~18 cmH$_2$O (8~15 mmHg)이며 기립자세에서 측정하였을 때에는 20~30 cmH$_2$O (16~24 mmHg)의 압력을 나타낸다. 뇌척수압은 환자의 나이, 활동 정도, 하루 중 측정 시기에 따라 다를 수 있고 일반적으로 측정된 압력이 앙아위 기준으로 15~20 cmH$_2$O 이상 올라가면 두통 등 뇌척수액 고혈압에 의한 증상이 나타날 수 있다 (Wang et al., 2011).

II | 발생 원인에 따른 분류와 병태생리

뇌척수액 비루는 발생 원인과 유출 부위에 따라 분류할 수 있다. 임상에서 만나게 되는 증례에 따라 뇌척수액 유출이 발생하는 해부학적 위치 및 기저질환 등 환자 특성이 모두 다르기 때문에 발생 원인에 따라, 그리고 발생 위치에 따라 서로 다른 치료적 접근이 필요하다. 발생 원인에 따라 분류하면 크게 외상성과 비외상성 뇌척수액 비루로 분류할 수 있으며 비외상성 뇌척수액 비루는 뇌척수압의 상승 유무에 따라 정상뇌척수압

성 비루와 고뇌척수압성 비루로 나눌 수 있다. 전체 뇌척수액 비루의 80%는 수술 등 의인성iatrogenic 손상을 제외한 두부외상으로 인하여 발생하며, 16%는 부비동내시경수술이나 개두술과 같은 수술 과정 또는 후에 발생한다. 그리고 3~4% 정도의 뇌척수액 비루는 특별한 원인 없이 자발성으로 발생한다고 알려져 있다(Loew et al., 1984).

1. 외상성 뇌척수액 비루

외상성 뇌척수액 비루traumatic CSF rhinorrhea는 두부에 발생한 둔상, 총기와 같은 무기에 의한 관통상, 또는 내

| 표 41-1 발생 원인에 따른 뇌척수액 비루의 분류

Traumatic
  • Accidental
      Immediate
      Delayed
  • Surgical
      Complication of rhinologic procedures :
          Sinus surgery
          Septoplasty
          Reduction procedure for facial bone fracture
          Other combined skull base procedure
Nontraumatic
  • Elevated Intracranial Pressure
      Intracranial neoplasm
      Hydrocephalus
      Non-communicating :
          Obstructive
          Benign intracranial hypertension (BIH)
  • Normal Intracranial Pressure
      Congenital anomaly
      Skull base neoplasm :
          Nasopharyngeal carcinoma
          Sinonasal malignancy
          Other anterior skull base malignancy
      Skull base erosive process :
          Sinus mucocele
          Osteomyelitis
Idiopathic

부비동 내시경수술 등의 비과적 수술이나 개두술 등의 신경외과 수술에 의해 발생한다. 외상에 의한 뇌척수액 비루는 50%에서 외상 후 48시간 이내에 유출이 발생하고, 70%에서는 수상 후 일주일 이내에 발생하며 대부분은 외상 후 3개월 이내에 발생한다(Loew et al., 1984). 뇌척수액의 유출이 두개저 손상 직후 발생하지 않고 지연성으로 발생하는 이유는 초기에 상처 부위 조직 부종, 대뇌 부종, 혈괴 등으로 인하여 손상부위가 눌려 유출이 억제되지만 시간이 지나 상처 주변 조직이 수축되고, 뼈나 연조직 변연부의 괴사, 뇌 부종이나 연조직 부종이 호전되면서 손상 부위에 공간이 발생하고 이를 통해 지연성 유출이 발생한다(Kamochi et al., 2013; Tarkan et al., 2012).

이러한 외상성 뇌척수액 비루가 발생하는 환자군은, 두부 및 안면골의 외상이 호발하는 환자군과 유사하며 젊은 남자에서 더 자주 발생하고 모든 두부 외상의 2%, 그리고 두개저 골절의 12~30%에서 발생한다(Friedman et al., 2001). 부비동 내시경수술과 연관되어 발생하는 뇌척수액 비루는 사골동ethmoid sinus과 사상판cribriform plate에서 가장 흔하게 발생하며(80%), 뒤이어 전두동 frontal sinus(8%)과 접형동sphenoid sinus(4%)순으로 발생한다. 사골동의 외측기판lateral lamella과 사상판 주변에 손상이 자주 발생하는 이유는 해당 부위 뼈의 두께가 1 mm 이하로 매우 얇고 경막과 뼈가 단단하게 부착되어 외상을 받았을 때 뼈와 경막이 함께 손상되기 때문이다(그림 41-1). 반면 신경외과 수술과 관련된 유출의 경우 접형동에서 가장 흔하게 발생하며(67%) 이는 최근 경접형동transsphenoid approach 뇌하수체 수술의 빈도가 증가한 것이 원인으로 여겨진다. 접형동 다음으로 호발하는 부위는 전두동이며, 전두동이 넓게 함기화된 경우 전두골을 통한 개두술craniotomy을 시행할 때 전두동이 손상받아 지주막하 공간과 전두동 사이에 누공이 발생할 수 있다. 대부분의 외상성 뇌척수액유출은 수술적 치료

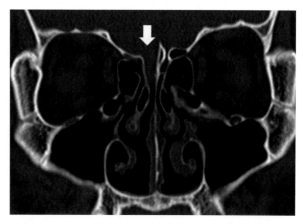

그림 41-1 비중격 수술 중 발생한 우측 수양성 비루를 주소로 내원한 환자의 관상면 컴퓨터단층촬영 영상
우측 사상판에 골 결손이 관찰되며(white arrow) 후열 주변에 연조직 음영이 관찰되어 수막류, 또는 뇌수막류가 의심된다.

를 필요로 하지만 손상부위가 크지 않은 폐쇄성 두부 외상의 경우 보존적 치료를 시행할 수 있다. 그러나 비수술적 치료를 시행한 경우 5년 내 뇌수막염의 발생빈도가 29%에 달한다는 보고가 있어 주의 깊게 추적관찰해야 한다(Bernal-Sprekelson et al., 2000).

2. 자발성 뇌척수액 비루

자발성 또는 비외상성 뇌척수액 비루spontaneous CSF rhinorrhea는 뇌척수액 압력에 따라 고뇌척수압성과 정상뇌척수압성으로 분류할 수 있다. 외상성 뇌척수액 비루에 대한 수술 성공률이 높은 것과 달리 자발성 뇌척수액 비루의 치료 성적은 적절한 내과적 및 수술적 치료에도 불구하고 높은 재발률을 보이며 보고에 따라 25~87%에 달한다(Hubbard et al., 2000; Schlosser et al., 2003). 이처럼 재발률이 높은 이유는 자발성 유출의 원인을 정확하게 파악하고 치료방침을 수립하는 것이 어렵기 때문이다. 하지만 자발성 뇌척수액 비루에 대한 지속적인 연

구와 뇌척수압을 조절할 수 있는 여러 방법 및 약제가 개발되며 최근 치료 성공률이 비약적으로 상승하였다 (Schlosser and Bolger, 2003, Schlosser and Bolger, 2003).

1) 고뇌척수압성 뇌척수액 비루

고압성 뇌척수액 비루는 오랫동안 지속적으로 두개 내 압력이 상승되어 지주막하공간의 압력이 증가하고 이로 인하여 뼈가 얇은 곳에 미란erosion으로 인한 결손이 발생하거나 신경이나 주요 구조물이 지나가는 통로가 넓어져 이 틈으로 뇌척수액이 비강이나 부비동으로 유출되는 현상을 말한다. 뇌기저부에서 자발성 뇌척수액 비루 및 뇌수막류가 가장 흔하게 발생하는 부위는 접형동의 외측함요lateral recess이다(Woodworth et al., 2008)(그림 41-2).

뇌척수액압은 두개 내 종양과 같이 공간을 차지하는 병변이 있을 경우에도 상승하지만, 종양에 의한 경우를 제외하면 대부분 양성 두개강내 고혈압benign intracranial hypertension (BIH)으로 진단되는 경우가 많다. BIH는 modified Dandy criteria에 의해 진단할 수 있으며(Bandyopadhyay and Jacobson, 2002) 자발성 뇌척수액 비루환자의 약 70% 정도가 BIH의 진단기준에 해당한다(Schlosser et al., 2006). BIH는 특발성 두개강내 고혈압idiopathic intracranial hypertension 또는 가성뇌종양pseudotumor cerebri으로도 불리며 두개내 종양, 수두증hydrocephalus, 또는 경막동 혈전증dural sinus thrombosis 등의 원인 질환 없이 두개내압이 상승하는 상태를 말한다(Friedman, 2014). 주요 증상으로는 두통, 박동성 이명, 망막의 유두부종papilledema, 그리고 시력 저하 등을 호소할 수 있으며 상승된 압력에 의해 신경이 눌려 외전신경abducens nerve 마비가 발생하는 경우 복시가 발생한다(Kosmorsky, 2014). 뇌척수액 비루가 성공적으로 치료된

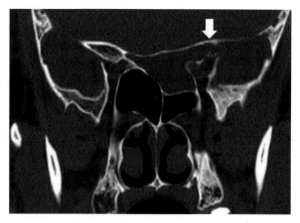

▎그림 41-2 자발성 뇌척수액 비루 환자의 관상면 컴퓨터단층촬영 영상
좌측 접형동의 외측함요와 중두개저 사이에 골 결손이 관찰되며(white arrow) 접형동 내 액체음영이 관찰된다.

뒤 뇌수막염의 소견 없이 지속적인 두통을 호소하는 경우 BIH를 의심해 볼 수 있으며 뇌척수압이 상승된 환자에서 반복적으로 발생하는 뇌척수액 비루의 경우 비정상적으로 높은 뇌척수압의 감압을 위한 자연 현상이라는 견해도 있다. 따라서 뇌척수액 비루가 발생하고 수술 전 측정된 뇌척수압이 정상인 환자라 하더라도 유출 부위 재건 후에 상승하는 경우가 있으므로 한번 측정된 뇌척수압이 정상인 환자라도 BIH를 가지고 있을 가능성을 배제할 수 없다.

BIH 환자의 많은 경우가 비만한 중년 여성이고 BIH 환자의 82%가 비만에 해당한다는 보고가 있으며(Woodworth et al., 2008) 이러한 환자의 특성은 자발성 뇌척수액 비루가 호발하는 환자군과 매우 유사하다(Badia et al., 2001). BIH 환자의 영상학적 특성으로는 공터키안증후군empty sella syndrome이 관찰되는 경우가 많으며 상승된 지주막하 압력에 의해 경막이 터키안 가로막sella diaphragm을 통해 터키안 내로 탈출되어 발생한다. 그리고 경막의 탈출 이외에도 지주막 구덩이arachnoid pit, 시신경초의 이상, 멕켈즈강Meckel's cave의 확장, 경막 확장

증dural ectasia 등이 관찰되기도 한다(Woodworth et al., 2008). 비만이 두개내압을 올리는 이유에 대해서는 아직 명확하게 밝혀진 것은 없지만 몇 가지 가설이 제시되고 있다. 비만으로 인하여 복강 내 압력이 증가하면 대뇌정맥의 혈류가 심장으로 돌아오는 것이 줄어들어 두개 내 혈류가 증가하고 정상적인 뇌척수액의 흡수가 억제되어 두개 내 압력이 증가할 수 있다(Bloomfield et al., 1997). 또 하나의 가설로는 비만환자에서 흔하게 동반되는 폐쇄성 수면무호흡 증후군이 반복적인 저산소혈증hypoxemia을 유발하고 이러한 변화가 뇌혈관확장을 일으켜 압력이 증가한다고 설명하기도 한다(Lee et al., 2002).

2) 종양 및 선천성원인에 의한 뇌척수액 비루

부비동 및 두개저에 발생한 종양이 뇌기저부를 침범하여 정상적인 구조를 파괴할 경우에도 뇌척수액 비루가 발생할 수 있으며 이러한 종양에 대한 방사선이나 항암치료 후 종양이 작아지거나 부분적인 괴사가 발생하여도 유출이 발생할 수 있다. 해당 부위의 종양에 대한 수술적 치료를 시행하게 될 경우 수술 후 두개 내와 비강 사이에 결손이 발생함에 따라 뇌척수액 유출이 발생하고 위치에 따라 여러 가지 이식편이나 피판을 이용하여 뇌기저부를 재건하게 된다. 재건 후에 뇌척수액 비루가 재발하는 이유로는 피판이 부분적으로 찢어져 결손이 발생하거나, 수술 후 상처 치유과정에 피판의 혈행 부족과 염증 등에 의한 괴사가 발생하기 때문이다. 이러한 2차 결손이 발생하여도 대부분의 경우 내시경적으로 재건할 수 있으나 이전에 방사선치료를 받은 경우 성공률이 떨어질 수 있다.

두개저에 발생하는 선천성 뇌수막류는 전두sincipital 뇌수막류와 기저basal 뇌수막류로 분류한다(David et al., 1984). 기저 뇌수막류는 해부학적으로 비강 안에 위치하며 예전에 경사골동transethmoidal, 접형사골동sphenoethmoidal, 접형상악동sphenomaxillary, 접형안와spheno-orbital, 경접형동transsphenoidal 등으로 기술되었던 형태의 뇌수막류를 통칭한다. 임상적으로 중비갑개의 상측 접합부에 인접한 사상판 오목cribriform niche과 접형동의 상측, 외측벽에서 호발한다. 경접형동 뇌수막류는 형태에 따라 접형동내intrashpenoidal 뇌수막류와 진성 경접형동true-trasnphenoidal 뇌수막류로 나뉜다. 전자의 경우 뇌수막류가 접형동주변의 골 결손으로 발생하였으나 접형동 내부에 국한되어 있는 경우를 말하며 후자의 경우 뇌수막류가 두개강내에서 접형동을 통해 비강이나 비인강으로 돌출된 것을 말한다. 진성 경접형동 뇌수막류의 경우 정중 안면열 증후군median cleft facial syndrome에 해당하며 안면과, 시신경 및 뇌에 이상을 동반하는 경우가 많다. 또한 뇌하수체-시상하부pituitary-hypothalamic 구조가 뇌수막류 조직과 연결되어 있는 경우가 흔하기 때문에 수술적 치료를 시행할 때 주의해야 한다(Peter and Fieggen, 1999). 경사골동 뇌수막류는 막구멍foramen cecum에서 유래하며 특징적으로 계관crista galli이 반대측으로 기울어져 있다. 선천적으로 경사골동 뇌수막류가 발생하는 경우 발생학적으로 전두 천문fonticulus frontalis이 제대로 닫히지 않아 발생하게 된다. 이러한 경우 전두개저가 특징적으로 낮게 놓여 있으며 대부분 어린나이에 증상이 나타나기 때문에 내시경적 재건을 할 때 수술적 접근 공간이 좁아 수술적 치료가 쉽지 않다. 위에 설명한 선천성 뇌수막류는 뇌척수액 유출이나, 뇌수막염, 안면 기형 등이 흔하게 동반되지만 이러한 증상이 없는 경우 진단이 늦어질 수 있다.

III | 진단 및 수술 전 검사

뇌척수액 비루의 진단은 이론적으로는 특별한 어려움이 없을 것처럼 여겨지지만 실제 임상에서 환자를 진료할 때는 다음과 같은 이유로 정확한 진단이 어려운 경우가 많다. 첫째, 뇌척수액 비루 자체가 흔하지 않은 현상이며 수양성 비루를 유발하는 알레르기 비염 및 혈관운동성 비염등의 질환이 상대적으로 훨씬 흔하기 때문에 명확한 두부 외상 병력이나 CT 등 영상 검사에서 명확한 두개저 결손을 보이는 경우가 아니라면 뇌척수액 비루를 의심하는 것이 어렵다. 따라서 의사가 먼저 뇌척수액 비루를 의심하지 않을 경우 진단을 놓칠 수 있다. 둘째, 뇌척수액 비루 환자라 하더라도 뇌척수액이 항상 유출되는 것이 아니라 간헐적으로 유출되는 경우가 많아 검사를 시행하는 시점에 비루가 발생하지 않을 수 있으며 이러한 경우 정확한 검사를 시행하기 어렵다. 셋째, 뇌척수액이 존재하는 지주막하 공간과 비강의 압력차이가 크지 않기 때문에 뇌척수액 비루가 유출된다고 하더라도 양이 많지 않은 경우가 대부분이다. 따라서 검사를 위해 충분한 양을 모으기 어려우며, 비염이 동반되거나 눈물이 흐를 경우 뇌척수액과 체액이 혼합되어 검사의 정확성이 낮아진다. 뇌척수액 비루에 대한 검사는 크게 두 단계로 이루어지며 먼저 환자가 호소하는 비루가 뇌척수액인지 확인하는 것이 중요하고, 뇌척수액으로 판단될 경우 다음 단계로 다양한 검사를 통해 유출 부위를 찾는다.

1. 병력 청취

비강 및 부비동에 발생하는 다른 질환처럼 뇌척수액 비루의 진단은 환자의 자세한 병력을 청취하는 것에서 시작된다. 뇌척수액 비루는 흔하게 발생하는 질환이 아니기 때문에 뇌척수액 유출 가능성을 의심하지 않으면 환자를 놓치기 쉽다. 따라서 일측성 수양성 비루를 호소하는 환자를 진료할 때 항상 뇌척수액 비루의 가능성을 염두에 두어야 한다. 뇌척수액 비루가 흐르는 경우 환자가 후비루에서 종종 짜거나 금속성인 맛이 느껴진다고 말하기도 하며 고개를 숙일 때, 특히 신발을 신거나 끈을 묶을 때 일측성 수양성 비루로 나타나게 된다. 대부분의 경우 일측성으로 발생하지만 이전 수술로 비중격에 천공이 있거나, 비중격을 포함한 전두개저 중앙부에 병변이 있는 경우, 또는 양측성 병변이 있는 경우에는 양측성 비루로 나타날 수 있기 때문에 드물지만 이러한 가능성도 고려해야 한다. 뇌척수액 누공이 측두골에 존재하고 고막의 천공이 없는 경우 유출된 뇌척수액이 유양동과 중이강에 고이게 되며 이관을 통해 비강으로 유출될 수도 있다. 따라서 수양성 비루를 호소하는 환자에서 일측성 이충만감ear fullness을 함께 호소하면 뇌척수액이루와 이를 통해 발생한 비루의 가능성도 생각해야 한다. 부비동 내시경수술 후 식염수를 이용한 부비동 세척을 시행할 경우 세척액이 접형동이나 상악동 등의 공간에 저류되었다가 시간이 지나 환자가 고개를 숙이는 행동을 할 때 비공을 통해 흐를 수 있으며, 수술의 병력이 있을 경우 수술 중의 손상으로 발생한 뇌척수액 비루인지 저류된 세척액이 흘러 나오는 것인지 감별이 어려울 수 있다. 이러한 경우 환자에게 비강 세척을 중단하게 하고 증상이 지속되는지 관찰하여 진단에 도움을 얻는다.

외상성 뇌척수액 비루인 경우 교통사고, 낙상 또는 비과적 수술의 병력이 동반되기 때문에 외상이나 수술 후 발생한 일측성 비루의 경우 뇌척수액 비루 가능성을 높게 의심할 수 있다. 드물게는 심하게 코를 푼 후 갑작스럽게 일측성 비루가 발생할 수도 있으며 이러한 경우도 외상성 뇌척수액 비루로 분류할 수 있다. 자연성 뇌척수액 비루의 경우 대부분 BIH와 관련이 되어 있기 때문에 두통, 박동성 이명, 시력 저하 등의 증상을 보이며 외상의 병력이 없는 경우 BIH에 의한 고압성 뇌척수액 비루를 의심할 수 있다.

유출부위, 또는 유출을 유발한 병변의 위치가 사상판을 포함한 뇌기저의 중앙인 경우 수양성 비루 이외에 후각 저하, 무후각증 또는 이상 후각을 호소할 수 있다. 외상이 없는 환자에서 뇌척수액 비루와 함께 이러한 후각 증상을 호소할 경우 전두개저에 발생한 종양의 가능성을 의심해야 한다.

뇌척수액 비루가 의심되는 환자를 진료할 때 기본적으로 부비동 및 비강의 염증성 질환을 의심할 수 있는 증상 및 병력에 대해서 확인해야 한다. 뇌척수액 비루와 함께 부비동염 등의 세균성 감염이 동반되어 있을 경우 뇌척수액 비루에 대한 치료방침이 달라질 수 있으며, 드물게는 오래 전에 받은 부비동 및 비강 수술에 의한 지연성 외상성 뇌척수액 비루의 가능성이 있기 때문이다. 수양성 비루 이외에 가장 주의 깊게 물어봐야 할 증상 중 하나가 두통의 동반 여부 및 발생 양상이다. 지속적인 두통을 호소하는 환자가 갑작스런 일측성 비루가 발생한 후 두통이 호전되고, 비루가 멈춘 후 다시 두통이 발생한다면 BIH나 공터키안증후군과 동반된 비외상성 뇌척수액 비루를 의심할 수 있다. 비루의 발생에 따라 두통 양상이 변하는 것은 뇌척수압이 증가하여 두통이 발생하다가 뇌기저부의 누공을 통하여 뇌척수액이 유출되면 상승된 두개강 내 압력이 감압되어 증상이 호전되기 때문이다. 원인이 밝혀지지 않은 반복적인 뇌수막염의 병력이 동반되어 있을 경우에도 뇌척수액 비루와 비강 및 부비동으로부터의 상행 감염에 의한 뇌수막염을 의심해야 한다.

2. 부비동 내시경검사를 포함한 신체검진

뇌척수액 비루의 진단에 있어서 가장 기본적인 검사는 컴퓨터단층촬영computed tomography, CT과 더불어 부비동 내시경검사이다. 자발성 유출과 같이 유출의 양이 많지 않고 유출 부위를 내시경으로 관찰하기 어려운 경우에는 내시경의 역할이 크지 않을 수 있다. 그러나 외상 또는 수술 후 발생한 의인성 손상으로 유출의 양이 많은 경우 내시경을 통해 대략적인 위치를 추정할 수 있으며 부비동 내시경수술 중 발생한 뇌척수액 비루의 경우 내시경을 통해 유출 부위의 직접 확인이 가능하다. 따라서 뇌척수액 비루가 의심되는 모든 환자에서 철저한 내시경검사가 필요하다. 검사 중 환자에게 Valsalva 조작을 시키면 두개내압이 상승하고 뇌척수액 유출이 있는 경우 양이 증가하여 위치 파악에 도움이 된다. 전두개저 부위에 종괴가 관찰될 경우 수막종meningioma 또는 후신경아세포종olfactory neuroblastoma 등의 종양성 병변과 수막류, 뇌수막류 등의 낭성 병변을 감별해야 하며 점막으로 덮인 매끈한 표면의 박동성 종괴인 경우 후자의 가능성이 높다.

비루의 특성을 확인하기 위해 휴지나 손수건에 비루를 떨어뜨려 확산시킨 후handkerchief test 그 양상을 통해 뇌척수액 여부를 유추할 수 있다. 혈액이 약간 섞인 비루를 흡수가 잘 되는 헝겊이나 휴지 등에 떨어뜨리면 중앙부위가 혈액에 의한 붉은색으로 변하며 혈액보다 확산이 잘되는 뇌척수액은 주변부로 멀리 확산되어 붉은색 주변으로 번져 보이게 되는데 이런 현상을 halo현상이라고 한다. 간편하고 유용한 검사이지만 심한 알레르기에 의한 비루, 눈물 또는 타액 등에 의한 위양성의 가능성이 있기 때문에 확진 검사로 사용할 수는 없다. 시력 저하를 호소하는 경우 검안경검사funduscopy를 시행하여 유두부종이 동반되어 있는지 확인할 필요가 있으며 복시를 호소하는 경우 외전신경마비를 진단하기 위해 외안근의 기능을 평가해야 한다.

3. 뇌척수액 대한 생화학적 검사

위에서 언급한 대로 뇌척수액 비루가 의심되는 경우 가장 먼저 시행해야 할 검사는 환자가 호소하는 비루가 뇌척수액인지 판단하는 것이다. 지난 수십년간 화학적 검사에서 당은 뇌척수액 여부를 판단하는 유용한 지표로 사용되어왔으며 당이 30 mg/dL 이상 검출되거나 glucose oxidase strip test에서 양성인 경우 뇌척수액으로 판단해왔다. 당 검사는 간편하게 뇌척수액 여부를 판단할 수 있다는 장점이 있으나 눈물이나 비강 점액에서도 양성이 나올 수 있어 이 검사법의 위 양성률이 높다는 보고도 있다(Katz and Kaplan, 1985). 또한 뇌척수액 비루와 동반된 뇌수막염이 있을 경우 뇌척수액의 당이 감소하기 때문에 위음성으로 나올 수 있다.

1979년 전기영동분석을 통해 β-2 transferrin이 눈물이나 비강 점액, 혈장에는 존재하지 않으며 뇌척수액에만 존재한다는 사실이 밝혀지면서 뇌척수액을 감별할 수 있는 효과적인 표지자로 소개되었다(Meurman et al., 1979). 이후 많은 연구에서 β-2 transferrin이 믿을만한 민감도와 특이도를 보이는 검사라는 것이 입증되었고 검출하기 위한 검사법도 보다 간단해졌다. 따라서 비강 분비물에서 β-2 transferrin이 검출되지 않는다면 뇌척수액 비루는 없다고 판단하여 침습적인 추가 검사는 고려하지 않는다(Nandapalan et al., 1996). 그러나 β-2 transferrin검사를 시행할 때 염두에 두어야 할 사항이 있다. 우선 검사에 충분할 정도의 샘플을 모으는 것이 쉽지 않으며 채취 후 검사를 시행할 때까지 과정 중에 단백이 분해될 가능성이 있다. 또한 알코올성 만성 간질환을 앓는 경우 위양성으로 나올 수 있다는 보고가 있다(Storey et al., 1987).

β-2 transferrin 이외에 유용하게 사용되는 표지자로 β-trace 단백이 있다(Sampaio et al., 2009). 뇌척수액 내에서 알부민에 이어 두 번째로 많이 존재하는 단백으로 뇌수막과 맥락얼기에서 생성되어 뇌척수액 내로 분비되는 물질이다. 뇌척수액뿐만 아니라 혈장 내에도 존재하지만 농도가 훨씬 낮다. β-trace 단백은 100%에 가까운 민감도와 특이도를 보이는 유용한 검사이지만 만성 신부전 환자에서는 농도가 상승하고 뇌수막염에서 감소할 수 있기 때문에 이러한 환자에서는 해석에 주의를 기울여야 한다. β-2 transferrin이나 β-trace 단백 모두 매우 유용한 검사이지만 검사를 위해 특수한 장비가 필요하기 때문에 많은 병원에서 시행되지는 않으며, 우리나라에서 거의 시행되지 않고 있다. 또한 검사 후 결과를 받기까지 24시간 정도의 시간이 필요한 단점이 있다.

4. 컴퓨터단층촬영

뇌척수액 유출의 진단을 위한 CT를 시행할 때에는 관

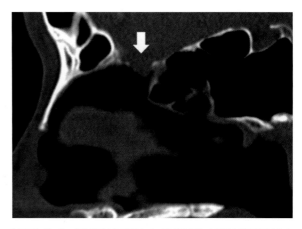

| **그림 41-3** 부비동 내시경수술 후 발생한 수양성 비루를 주소로 내원한 환자의 시상면 컴퓨터단층촬영.
전두개저를 따라 1.5 cm 크기의 결손이 관찰되며 연조직 음영이 비강 내로 돌출되어 있다(white arrow).

표 41-2	뇌척수액 비루 환자의 전산화 단층촬영 확인 요소
Plane	**Anatomical site**
Axial	Posterior table of frontal sinus, posterior and lateral wall of sphenoid sinus,
Coronal	Lateral lamella of ethmoid roof, cribriform plate, planum sphenoidale, lateral recess of sphenoid sinus,
Sagittal	Posterior table of frontal sinus, post wall of sphenoid sinus, planum sphenoidale

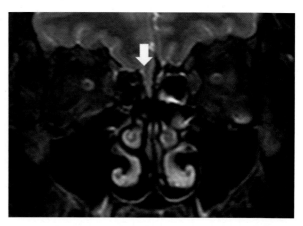

그림 41-4　비중격 수술 후 발생한 일측성 수양성 비루를 주소로 내원한 환자의 관상면 T2 조영증강 자기공명영상 우측 사상판 결손부위를 통해 뇌실질이 비강으로 밀려나온 소견을 보여 외상에 의한 뇌수막류에 합당한 소견을 보인다(white arrow).

상면coronal과 축상면axial 영상을 기본으로 하며 시상면 sagittal 영상도 함께 시행하면 많은 정보를 얻을 수 있다 (그림 41-3). CT는 검사의 특성상 골 조직을 정확하게 구별할 수 있으며 전두개저 및 중두개저의 내측에 발생한 매우 작은 골 결손bony defect, bony dehiscence을 정확하게 구분하고 해부학적 위치를 특정할 수 있다. 그러나 결손이 확인되어도 주변의 음영이 점막 부종 등에 의한 음영인지 뇌척수액 유출에 의한 음영인지 구분하기 어려운 단점이 있으며, CT상 보이는 골 결손이 실제 존재하는 결손인지 아니면 CT의 특성상 결손처럼 보이는 것인지partial volume effect 구분하기 어렵다. "Partial volume effect"에 의한 위양성을 줄이기 위해서 2 mm 이하의 세절편thin section으로 영상을 얻어야 하며 경우에 따라 1 mm 이하의 영상이 도움이 되기도 한다. 각 촬영면에서 주의 깊게 보아야 할 해부학적 구조물을 표에서 정리하였다(표 41-2).

　컴퓨터단층촬영을 시행할 때 경막 내로 조영제를 투여하면 뇌척수액 유출의 진단에 도움을 받을 수 있다CT cisternography. 부비동 또는 함기봉소에 조영제가 고여있을 경우 주변에 뇌척수액 유출이 있을 것으로 판단할 수 있다. 특히 접형동에서 유출이 있을 경우 조영제를 쉽게 관찰할 수 있어 이 부위의 유출을 진단하는 데 도움이 된다. 그러나 영상을 촬영할 당시에 유출이 없을 경

우 진단의 효용성이 떨어지며 연구자에 따라 48~96% 까지 다양한 검사 민감도를 보고하고 있다(Schlosser and Bolger, 2004).

5. Magnetic Resonance Image

뇌척수액 비루의 진단에 있어서 자기공명영상의 가장 중요한 역할은 뇌 실질 또는 경막이 비강 내로 탈출이 있는지(수막뇌탈출증meningoencephalocele 또는 수막탈출증meningocele) 확인하는 것이다(그림 41-4). 컴퓨터단층촬영상의 골 결손 주변에 연 조직음영이 관찰된 경우 점막부종 등과 감별하는 데 유용하다. T1 강조영상에서 뇌 실질과 연결된 연 조직음영이 비강 내로 탈출되는 것이 확인될 경우 수막뇌탈출증으로 판단할 수 있으며 T2 강조영상에서 고신호강도를 보이는 뇌척수액 음영만이 비강 내에서 관찰될 경우 수막탈출증으로 판단한다. MRI 에서 빈 안장empty sella이 관찰되는 경우 뇌압 상승을 의

심할 수 있다. MRI는 이러한 장점을 가지고 있지만 골조직을 관찰할 수 없어 단독으로는 유출부위를 추정하기 어려운 단점이 있으며 CT와 함께 시행할 때 진단적 가치가 높아진다.

6. Radiolabelled Cisternography

CT 뇌수조조영술cisternography은 검사 당시 유출이 있어야 진단이 가능한 반면 동위원소를 이용한 뇌수조조영술은 일정 시간 내 유출이 있을 경우 발견할 수 있는 장점이 있다. 경막 내로 동위원소를 투여한 후 내시경 시야에서 양측 비강의 유출이 의심되는 부분에 거즈를 수 시간 동안 넣어둔다. 이후 거즈를 수거하여 동위원소에 의한 방사선량을 측정하여 유출 여부를 판단한다. 유출이 지속적이지 않고 간헐적으로 발생하는 경우에도 진단할 수 있는 장점은 있으나 검사의 특성상 정확한 유출부위를 특정하기 어려우며 유출이 어느 측 비강에서 발생하였는지를 추정할 뿐이다(Grantham et al., 2006). 검사가 침습적이며 민감도와 특이도가 낮기 때문에 최근에는 자주 사용되지 않는다(Schlosser and Bolger, 2004).

7. Intrathecal Fluorescein

뇌척수액유출 여부를 판단하기 위한 침습적 검사로 가장 많이 사용되는 것은 경막내 형광색소 주입법intrathecal fluorescein dye injection이다. 이 방법이 처음 소개된 것은 1960년이나(Kirchner and Proud, 1960) 이후 1972년 사용방법에 대한 보다 체계적인 발표가 있은 후 널리 사용되기 시작하였다(Messerklinger, 1972). 시행방법은 다음

과 같다. 요추천자를 시행한 뒤 뇌척수압을 측정하고 뇌척수액 10 ml를 채취하여 형광색소를 희석한 뒤 30분에 걸쳐 천천히 다시 주사한다. 형광색소를 혼합하는 과정을 포함하여 모든 과정은 무균적으로 이루어져야 한다. 이후 투여한 형광색소가 두개 내의 지주막하 공간으로 충분하게 순환될 수 있도록 머리를 낮추고 30분 정도 안정을 취한 뒤 내시경을 통하여 좌우 후각열olfactory cleft, 접형사골함요sphenoethmoidal recess, 중비도middle meatus, 접형동 전벽을 세심하게 관찰한다. 뇌척수액 유출이 있는 경우 특징적인 밝은 형광녹색의 액체를 관찰할 수 있으며 유출의 양이 작더라도 확인하는 데 큰 어려움은 없다. 필요에 따라 청색광 필터blue-light filter를 사용하기도 하지만 대부분의 경우 필터 없이 유출을 관찰할 수 있으며 오히려 필터 장착 후 내시경 광량이 줄어들어 불편할 수도 있다.

형광색소 주입법에서 가장 중요한 것은 올바른 색소를 사용하고 정확한 농도로 희석하는 것이다. 형광색소는 안과 처치용이 아닌 정맥 주사용 색소를 사용해야 한다. 1 ml 주사기를 이용하여 0.1 ml의 10% 형광색소를 뽑아낸 뒤 채취한 뇌척수액에서 0.9 ml를 추가로 흡입하여 1 ml를 맞춘 뒤 충분히 희석한다. 이후 희석된 1 ml의 뇌척수액을 남아있는 9 ml의 뇌척수액과 혼합한 후 다시 충분히 흔들어 골고루 섞일 수 있도록 한다. 경막 내 형광색소 주입법과 연관된 부작용으로는 대발작grand mal seizure 등이 보고되고 있으나 잘못된 용량 계산 등으로 색소가 과량 주입되었을 경우 발생한다고 알려져 있다. 이러한 위험성 때문에 아직 미국식품의약청Food and drug administration, FDA의 승인을 받지 못하여 적응증 외 사용off-label us을 하고 있으며 검사 전 환자에게 이러한 부분을 충분히 설명하고 동의를 구한 후 진행해야 한다.

IV | 뇌척수액 비루의 치료

여러 검사 과정을 통해 환자가 호소하는 비루가 뇌척수액 비루임을 확인하고 유출 부위를 찾았다면 다음 단계로 뇌척수액 비루의 발생 원인과 각 원인에 따른 자연 경과를 고려하여 가장 적절한 치료방침을 세워야 한다. 뇌척수액 비루가 발생하는 해부학적 위치를 고려하여 치료방침을 결정할 때는 이비인후과 단독으로 결정할 수도 있지만 필요에 따라 신경외과, 영상의학과와 상의해야 한다. 뇌수액 유출 부위를 통한 뇌수막염이 의심된다면 감염내과와도 상의하여 적절한 항생제를 투여하도록 한다. 자발적 뇌척수액 비루 환자의 뇌척수압 상승이 의심될 경우 안과협진을 통하여 유두부종 여부를 확인하고 영상에서 공터키안증후군 소견이 관찰될 경우 내분비내과와의 협진을 통해 뇌하수체 기능에 대해 평가해야 한다.

1. 비수술적 치료

뇌척수액 비루에 대한 보존적 치료는 주로 외상성 뇌척수액 비루에서 시도해 볼 수 있다. 신경 손상이나 동반 외상이 심하지 않은 두부 외상환자에서 수상 후 7일 이내에 뇌척수액 비루가 확인되었을 경우 우선 보존적 치료를 시행해 볼 수 있다. 또한 경접형동 뇌하수체 수술이나 부비동 내시경수술과 같은 외과적 치료 시행 후 수일이 지나 발생한 지연성 뇌척수액 비루의 경우에도 보존적 치료의 적응이 된다. 그러나 7일에서 14일간 보전적 치료를 시행하여도 비루가 지속되거나 보존적 치료를 시행하는 중 비루가 증가하는 등 악화되는 소견을 보일 경우 수술적 치료를 고려한다.

뇌척수액 비루에 대한 보존적 치료는 크게 행동조절,

약물치료, 요추배액으로 이루어진다. 보존적 치료를 통해 지주막하 공간과 비강 또는 부비동 사이의 압력 차이pressure gradient를 줄여 유출을 멈추게 한 뒤 유출 부위가 자연적인 상처 치유과정을 통해 막히는 것을 유도한다. 행동조절은 두개내압을 올릴 수 있는 행동을 하지 않도록 주의하는 것이다. 1~2주 동안 침상에서 절대 안정을 취하며 침상의 등받이를 10~15도 올린 상태로 유지하여 두개 내 정맥의 순환을 원활하게 하면 두개내압을 줄이는 효과가 있다. 또한 필요 없는 헛기침을 하지 않도록 하며 몸을 구부리거나 일어나려고 팔을 딛는 동작 등을 할 때 지속적으로 숨을 내쉬고 들이쉬도록 한다. 가장 중요한 행동조절 중 하나는 코를 풀지 않도록 해야 한다. 코를 푸는 행동은 비강 내 압력을 크게 올리는 작용을 하며 뇌척수액이 유출되는 누공이 아무는 것을 방해할 뿐 아니라 비강의 공기가 누공을 통해 두개강 내로 침투하여 기뇌증을 유발할 수 있기 때문에 절대 해서는 안 되는 행동이다. 약물치료로는 기침을 억제시키기 위한 약제와, 비염이 있는 경우 재채기를 줄이기 위해 항히스타민 등을 투여한다. 비부비동염의 소견이 있는 경우 상행 감염의 위험을 줄이기 위해 항생제를 투여할 수 있다(Cummings et al., 2015). 배변 시 과도하게 두개내압이 상승하는 것을 막기 위해 변비약stool softner을 6주 정도 반드시 투여하며 뇌척수압이 올라가 있는 경우 필요에 따라 acetazolamideDiamox나 이뇨제를 추가한다. 행동조절과 약물치료를 시행하고 72시간이 경과하여도 뇌척수액 비루가 지속될 경우 요추배액을 고려해 볼 수 있다. 그러나 BIH, 또는 공터키안증후군 등 뇌척수압이 높을 것으로 예상되는 임상징후가 있는 경우 요추 배액 시 갑작스런 두개내압과 척수내압차이에 의해 천막뇌이탈tentorial herniation이 발생할 위험이 있으므로 주의해야 한다. 요추배액의 자세한 방법에 대해서 수술 후 관리에서 따로 기술하였다.

2. 수술적 치료의 원칙

수술적 치료의 방법은 뇌척수액 비루의 유출 부위, 유출 부위의 범위, 그리고 원인질환에 따라 달라질 수 있으며 다양한 방법들이 보고되어 있지만 유출 부위를 막는 기본적인 원칙은 크게 다르지 않다. 내시경적으로 유출 부위를 재건할 때 가장 먼저 해야 할 것은 충분히 넓고 깨끗한 시야를 확보하는 것이다. 유출 부위 주변을 충분하게 박리를 하여 수술 중 사용하는 기구 및 장비가 움직일 수 있는 공간을 확보해야 한다. 또한 유출 부위 주변의 골 격막bony septa을 충분히 정리하여 이식물과 유출 부위 사이에 빈 공간dead space이 발생하지 않고, 유출 부위에 충분히 밀착될 수 있도록 한다. 비중격 피판nasoseptal flap과 같은 혈관 유경 피판을 사용할 때 피판의 중간 부위가 골 격막 등에 의해 뜰 경우 원활한 혈행을 방해하여 피판 괴사를 유발하며 실패의 원인이 된다. 따라서 피판이 놓일 부분 또는 피판의 뿌리pedicle가 놓이는 부분을 평평하게 정리하는 것이 필요하다.

결손부위를 확인한 후 변연부의 괴사된 조직을 포함하여 점막을 3~4 mm 정도 제거하여 골 조직을 노출시킨다. 이렇게 하는 이유는 이식편이 바로 점막위에 놓일 경우 점막에서 분비되는 점액에 의해 이식물이 불안정해지는 것을 방지하고 점막 제거 후 노출된 골 조직이 상처 회복과정에서 골신생형성osteoneogenesis 과정을 거치며 누공의 폐쇄에 도움을 줄 수 있기 때문이다. 이후 누공 변연부의 철저한 지혈을 시행하여 출혈에 의해 이식편이 탈락하는 것을 방지한다. 특히 수막류나 뇌수막류가 있었던 경우 절제된 말단부에서 출혈이 될 경우 수술 후 두개 내 출혈의 원인이 될 수 있기 때문에 정확하고 세심한 지혈이 필요하다.

뇌기저 결손부의 크기가 크거나 높은 뇌척수압으로 인하여 점막 피판 또는 이식편만으로 충분한 지지가 어려울 것으로 판단되면 골편 또는 근막을 이용하여 추가

적인 지지를 시행할 수 있다. 대퇴근막, 측두근막, 사골 수직판 등이 자주 사용된다. 충분한 자가 이식물을 얻기 어려울 경우 상품화된 동종대퇴근막을 사용할 수도 있다(Fiorindi et al., 2015).

두개저 종양 제거 후 발생한 결손의 경우, 수술 후 방사선 치료를 계획하는 경우가 많으며, 유리 골 이식편은 방사선에 매우 취약하여 골 괴사의 위험성이 있기 때문에 사용하지 않는 것이 바람직하며 혈행이 좋은 혈관 피판vascularized flap을 사용하는 것이 좋다. 최근 두개저 재건에 있어 가장 많이 사용되는 혈관 피판은 비중격 피판nasoseptal flap이며 이전에 비중격 수술을 시행한 병력이 있는 경우 하비갑개, 또는 중비갑개 피판을 사용할 수 있다. 개두술을 함께 시행한 경우 머리덮개이마근막 피판galeal facial flap 또는 측두근막 피판temporalis fascial flap을 사용할 수 있다(수술 방법은 Chapter 23 참조).

3. 요추배액

요추배액lumbar drain은 뇌척수액 비루의 치료에 있어 매우 유용한 방법 중 하나이다. 특히 유출여부 판단 및 유출부위 추정을 위한 경막 내 형광색소 주입법을 시행하기 위해 요추천자가 요구되며 색소 주입 후 삽입된 배액관을 제거하지 않고 유지할 수 있다. 요추배액의 이론적 근거는 상승되어 있는 뇌척수압을 낮추고 수술 중 재건을 위한 이식물 또는 피판을 위치기기 직전 배액관을 열어 시간당 5~10 ml 정도 배액되게 유지하여 이식물이 탈락되지 않고 생착하는 데 도움을 줄 수 있다. 처음 요추천자를 시행하였을 때 뇌척수압이 상승되어 있었던 환자의 경우 재건 수술 후 뇌척수압이 더욱 상승할 수 있기 때문에 요추 배액을 통해 압력을 낮춰 도움을 받을 수 있다. 배액을 시행하는 동안 침상에서 절대 안정하는 것이 필요하며 배액량은 뇌척수액이 만들어지는 양

과 동일하게 유지하며 8시간에 50 ml 정도 배액될 수 있도록 배액관의 높이를 조정한다. 배액을 과도하게 할 경우 뇌척수액저혈압에 의한 심한 두통을 유발할 수 있으며 뇌척수액이 부족하여 두개 내 압력이 낮아질 경우 비강의 공기가 누공 또는 수술부위를 통해 두개 내로 침투하여 기뇌증을 유발할 수 있어 주의를 요한다.

요추 배액 중 뇌척수압을 측정할 경우 측정하기 8시간 전 배액관을 차단한 후 측정해야 환자의 뇌척수압을 정확하게 반영할 수 있다. 측정 카테타가 지주막하 공간에 정확하게 위치하고 있는지 확인하기 위해 양측 경정맥을 압박하면 뇌척수압이 상승하는 것을 확인할 수 있다Quecknstedt test. 그러나 뇌척수액 비루에 대한 내시경적 재건술 성공률을 분석하였을 때 요추 배액이 수술 성공률에 미치는 영향이 없다는 보고도 있기 때문에 이 부분에 대해서는 추가 연구가 필요할 것으로 판단된다(Caballero et al., 2012).

V | 수술 후 처치

재건 수술 후 5~7일이 경과하여 유출이 확인되지 않거나, 요축 배액을 제거한 후 환자에게 서서히 보행ambulation을 시킬 수 있으며 보행을 시작하기 전에 환자에게 뇌척수압을 올리지 않기 위한 행동 교육을 시행한다. Valsalva 조작을 하지 않아야 하며 숨을 참는 행동도 피하는 것이 좋다. 자세를 바꿀 경우 움직이는 중 지속적으로 숨을 들이마시고 내쉬도록 하여 뇌척수압이 올라가는 것을 방지한다. 배변 중 뇌척수압이 올라가는 것을 막기 위해 재건 수술 후 6주간은 변비약을 투여하는 것이 좋으며 뇌척수액 유출에 대한 비수술적 치료와 다르지 않다. 또한 비강 내에 팩킹 물질이 남아 있을 때 까지

는 포도상구균을 억제할 수 있는 경구 항생제를 처방한다.

참고문헌

1. Badia L, Loughran S, Lund V. Primary spontaneous cerebrospinal fluid rhinorrhea and obesity. Am J Rhinol 2001;15:117-9.
2. Bandyopadhyay S, Jacobson DM. Clinical features of late-onset pseudotumor cerebri fulfilling the modified dandy criteria. J Neuroophthalmol 2002;22:9-11.
3. Banks CA, Palmer JN, Chiu AG, O'Malley BW, Jr., Woodworth BA, Kennedy DW. Endoscopic closure of CSF rhinorrhea: 193 cases over 21 years. Otolaryngol Head Neck Surg 2009;140:826-33.
4. Bernal-Sprekelsen M, Bleda-Vazquez C, Carrau RL. Ascending meningitis secondary to traumatic cerebrospinal fluid leaks. Am J Rhinol 2000;14:257-9.
5. Bloomfield GL, Ridings PC, Blocher CR, Marmarou A, Sugerman HJ. A proposed relationship between increased intra-abdominal, intrathoracic, and intracranial pressure. Crit Care Med 1997;25:496-503.
6. Caballero N, Bhalla V, Stankiewicz JA, Welch KC. Effect of lumbar drain placement on recurrence of cerebrospinal rhinorrhea after endoscopic repair. Int Forum Allergy Rhinol 2012;2:222-6.
7. David DJ, Sheffield L, Simpson D, White J. Fronto-ethmoidal meningoencephaloceles: morphology and treatment. Br J Plast Surg 1984;37:271-84.
8. Fiorindi A, Gioffre G, Boaro A, Billeci D, Frascaroli D, Sonego M, et al. Banked Fascia Lata in Sellar Dura Reconstruction after Endoscopic Transsphenoidal Skull Base Surgery. J Neurol Surg B Skull Base 2015;76:303-9.
9. Friedman DI. The pseudotumor cerebri syndrome. Neurol Clin 2014;32:363-96.
10. Friedman JA, Ebersold MJ, Quast LM. Post-traumatic cerebrospinal fluid leakage. World J Surg 2001;25:1062-6.
11. Grantham VV, Blakley B, Winn J. Technical review and considerations for a cerebrospinal fluid leakage study. J Nucl Med Technol 2006;34:48-51.
12. Hubbard JL, McDonald TJ, Pearson BW, Laws ER, Jr. Spontaneous cerebrospinal fluid rhinorrhea: evolving concepts in diagnosis and surgical management based on the Mayo Clinic experience from 1970 through 1981. Neurosurgery 1985;16:314-21.
13. Kamochi H, Kusaka G, Ishikawa M, Ishikawa S, Tanaka Y. Late onset cerebrospinal fluid leakage associated with past head injury. Neurol Med Chir (Tokyo) 2013;53:217-20.
14. Katz RT, Kaplan PE. Glucose oxidase sticks and cerebrospinal fluid rhinorrhea. Arch Phys Med Rehabil 1985;66:391-3.
15. Kirchner FR, Proud GO. Method for the identification and localization of cerebrospinal fluid, rhinorrhea and otorrhea. Laryngoscope 1960;70:921-31.
16. Kosmorsky GS. Idiopathic intracranial hypertension: pseudotumor cerebri. Headache 2014;54:389-93.

17. Lee AG, Golnik K, Kardon R, Wall M, Eggenberger E, Yedavally S. Sleep apnea and intracranial hypertension in men. Ophthalmology 2002;109:482-5.

18. Loew F, Pertuiset B, Chaumier EE, Jaksche H. Traumatic, spontaneous and postoperative CSF rhinorrhea. Adv Tech Stand Neurosurg 1984;11:169-207.

19. Messerklinger W. Nasal endoscopy: demonstration, localization and differential diagnosis of nasal liquorrhea. HNO 1972;20:268-70.

20. Meurman OH, Irjala K, Suonpaa J, Laurent B. A new method for the identification of cerebrospinal fluid leakage. Acta Otolaryngol 1979;87:366-9.

21. MJ C. Cerebrospinal fluid rhinorrhea. In: Cummings CW, Flint PW, Harker LA, et al, eds. Otolaryngology: Head and Neck Surgery, 6th ed. St Louis: Mosby Year Book 2015;803-15.

22. Nandapalan V, Watson ID, Swift AC. Beta-2-transferrin and cerebrospinal fluid rhinorrhoea. Clin Otolaryngol Allied Sci 1996;21:259-64.

23. Peter JC, Fieggen G. Congenital malformations of the brain-a neurosurgical perspective at the close of the twentieth century. Childs Nerv Syst 1999;15:635-45.

24. Sampaio MH, de Barros-Mazon S, Sakano E, Chone CT. Predictability of quantification of beta-trace protein for diagnosis of cerebrospinal fluid leak: cutoff determination in nasal fluids with two control groups. Am J Rhinol Allergy 2009;23:585-90.

25. Saunders NR, Habgood MD, Dziegielewska KM. Barrier mechanisms in the brain, I. Adult brain. Clin Exp Pharmacol Physiol 1999;26:11-9.

26. Schlosser RJ, Bolger WE. Nasal cerebrospinal fluid leaks: critical review and surgical considerations. Laryngoscope 2004;114:255-65.

27. Schlosser RJ, Bolger WE. Significance of empty sella in cerebrospinal fluid leaks. Otolaryngol Head Neck Surg 2003;128:32-8.

28. Schlosser RJ, Bolger WE. Spontaneous nasal cerebrospinal fluid leaks and empty sella syndrome: a clinical association. Am J Rhinol 2003;17:91-6.

29. Schlosser RJ, Wilensky EM, Grady MS, Bolger WE. Elevated intracranial pressures in spontaneous cerebrospinal fluid leaks. Am J Rhinol 2003;17:191-5.

30. Schlosser RJ, Woodworth BA, Wilensky EM, Grady MS, Bolger WE. Spontaneous cerebrospinal fluid leaks: a variant of benign intracranial hypertension. Ann Otol Rhinol Laryngol 2006;115:495-500.

31. Storey EL, Anderson GJ, Mack U, Powell LW, Halliday JW. Desialylated transferrin as a serological marker of chronic excessive alcohol ingestion. Lancet 1987;1:1292-4.

32. Tarkan O, Soylu L, Aydogan B, Ozdemir S, Surmelioglu O. Delayed cerebrospinal fluid leakage: an unusual septoplasty complication. J Oral Maxillofac Surg 2012;70:e298-300.

33. Wang EW, Vandergrift WA, Schlosser RJ. Spontaneous CSF Leaks. Otolaryngol Clin North Am 2011;44:845-56, vii.

34. Woodworth BA, Prince A, Chiu AG, Cohen NA, Schlosser RJ, Bolger WE, et al. Spontaneous CSF leaks: a paradigm for definitive repair and management of intracranial hypertension. Otolaryngol Head Neck Surg 2008;138:715-20.

CHAPTER

42

비과 관련 전신질환

대구가톨릭의대 이비인후과 **예미경**, 울산의대 이비인후과 **정유삼**

> **CONTENTS**

Ⅰ. Wegener 육아종증

Ⅱ. 악성 림프종

Ⅲ. 원발성 섬모운동이상증

Ⅳ. Churg-Strauss 증후군

Ⅴ. 사르코이드증(유육종증)

Ⅵ. 비결핵

Ⅶ. 비매독

HIGHLIGHTS　》》》

- Wegener 육아종증은 조직검사에서 혈관염, 괴사성 염증, 만성 육아종성 염증의 3대 소견이 모두 나오거나, ANCA 양성이면서 조직검사의 소견이 2개 이상일 경우 확진함
- Wegener 육아종증의 치료는 크게 약물치료와 수술적 치료로 나뉘는데 약물치료가 주가 되며 대표적인 관해유도 약물에는 cyclophosphamide, methotrexate, glucocorticoid 등임
- 비부비동에 발생하는 림프종은 주로 비호지킨 림프종이며 동양인에서는 NK/T세포 림프종이 흔함
- Churg-Strauss 증후군은 Wegener 육아종증과 다르게 pANCA가 70%에서 양성, cANCA는 음성이며 임상적으로는 천식과 양측성 비용이 동반되는 점으로 감별함
- 비매독은 임상증상만으로는 다른 육아종성 질환과 감별하기 어려워 동반되는 다른 증상들도 관찰해야 하며 조직검사를 포함하여 VDRL, TPHA, FTA, TPI 등의 혈청 검사가 진단에 도움이 됨

I ｜ Wegener 육아종증

Wegener 육아종증Wegener's granulomatosis은 1936년 Friedrich Wegener에 의해 상, 하기도의 혈관염, 괴사성 육아종, 전신적인 혈관염, 국소적인 괴사성 신우신염 등의 증상을 나타내는 질환으로 처음 기술되었다. Wegener 육아종증은 어떤 장기에도 침범할 수 있는 전신질환으로 전신성과 국한성으로 나눌 수 있다. 국한성 Wegener 육아종증은 전신성에 비하여 드문 편이며 신장의 침범 없이 상·하부 기도의 병변을 나타내며 수주간 상기도 증상을 보이나 낫지 않고 만성적인 경과와 비교적 양호한 예후를 보인다(Carrington and Liebow, 1988). 두경부에서는 코에서 가장 흔히 발견되며 두경부의 피부나 안와로 침범하기도 한다. 국내에서는 비중격, 연구개, 안면, 손가락을 침범하거나(Paik, 1969), 비중격, 경구개, 비강을 침범한 경우(Kang, 1976) 비강, 비중격,

경구개를 침범한 경우 등(Kim et al., 1981 ; Maeng et al., 1986 ; Park et al., 2000 ; Oh et al., 2002 ; Choi et al., 2004)이 보고되었다. 대부분 성인에서 발견되고, 소아에서는 성인과 유사한 양상을 보이나 호흡기 침범이나 안구에 위종양의 양상으로 나타나는 경우가 성인에 비해 더 많다(Lee and Kim, 1997).

코 증상은 비폐색, 가피 형성, 비출혈, 비루 등이다. 전체 환자의 반수에서 재발성 부비동염이 나타나는데 초기에는 단순한 만성 부비동염으로만 여겨지는 경우도 많아 진단이 지연되기 쉽다. 비중격 천공이 발생하여 연골부나 골부의 괴사로 인해 안비saddle nose나 비공협착 등의 외비 기형이 초래되기도 한다(Park, 2009). 구강에서는 점막궤양, 치은염 등이 발생하며, 만일 딸기양 치은비대strawberry gum hyperplasia가 있으면 Wegener 육아종증일 가능성이 매우 높다(Cacloni et al., 2005). 후두에 침범하기도 하는데 가벼운 애성부터 심각한 호흡곤란에 이르기까지 증상이 다양하며 특히 소아환자 중 50%에

서는 성문하 협착이 있다(Gluth et al., 2003). 폐 침범 증상은 기침, 객혈, 늑막염, 호흡곤란, 폐렴 등이다. 초기에 폐증상이 나타나는 확률은 45%이고 궁극적으로는 환자의 90%에서 폐의 침범이 있다. 신장 침범 초기에는 15%에서 증상 없이 혈중 크레아티닌 수치만 상승한다. 사구체신염이 진행되면 증상이 나타나며 궁극적으로는 환자의 75%에서 침범된다(Klippel, 2001). 특히 만성 신부전이 주된 사망원인으로 신장 침범 여부는 예후의 가장 중요한 인자이다(Lee et al., 1997).

1990년 미국 류마티스 학회에서 발표한 Wegener 육아종증의 분류 범주에 따르면 첫째 코나 구강 내의 염증, 둘째 흉부 방사선의 이상 소견, 셋째 혈뇨 또는 적혈구 원주, 넷째 조직검사에서 혈관 내 또는 혈관 주위 육아종 등의 네 가지 범주 중에 두 가지 이상 해당할 경우 88.2%의 민감도와 92.0%의 특이도로 이 질병을 진단할 수 있다고 하였다(Leavitt et al., 1990). 하지만 이 진단기준은 Wegener 육아종증의 특징적인 임상 양상과 신체검진, 조직학적 소견에 대한 설명이 부족하고, ANCAanti-neutrophil cytoplasmic antibody가 진단 기준에 포함되지 않아 이 분류만으로 진단을 내리기에는 어려운 점이 많다(Park et al., 2008). 또한 환자들은 대부분 부비동염, 비염, 중이염 등 이비인후과에서 흔히 볼 수 있는 단순 염증질환처럼 발병하는 경우가 92%에 이를 만큼 많아 질환에 대한 이해가 부족할 경우 진단이 늦어질 수 있다. 또한 상하부기도와 신장의 3대 장기를 모두 침범하고, 조직검사에서도 혈관염, 괴사성 염증, 만성 육아종성 염증의 3대 소견이 모두 관찰되는 전형적인 환자는 많지 않다(Devaney et al., 1990). 그러므로 진단을 위해서는 문진과 신체검진을 두경부 영역에 국한하지 말고 시행하여야 하며, 동반되는 전신 증상과 다장기 침범이 있을 경우 Wegener 육아종증을 의심해야 한다. 이때 흉부 단순 촬영, 소변검사, 혈액검사에서 이상 소견이 나올 경우 진단에 특이적인 ANCA검사와 조직학적 검사를 시도해 볼 수 있다. 조직검사는 진단에 결정적인 증거를 제시할만한 진단적 가치가 있으므로 활성 부위에서 정확하게 병변을 채취하고 ANCA는 활성도와 신장의 침범 유무에 따라 민감도가 떨어지기 때문에 음성이어도 완전히 감별진단에서 배제해서는 안 된다(Park et al., 2008). 조직검사에서 혈관염, 괴사성 염증, 만성 육아종성 염증의 3대 소견이 모두 나오거나, ANCA 양성이면서 조직검사의 소견이 2개 이상 나올 경우 Wegener 육아종증으로 확진할 수 있다. 1개의 병리 소견만 있거나 ANCA만 양성일 경우, 혹은 1개의 병리 소견과 함께 ANCA 양성일 경우는 Wegener 육아종증일 가능성이 높으므로 재검을 시도해보거나 임상적으로 계속 추적관찰을 하도록 한다. 첫 번째 검사에서 음성이 나왔다 하더라도 재검에서 양성으로 나올 수도 있으므로 최소 2회 이상의 반복적인 검사가 요구된다. 조직학적 확증 없이 면역 억제 치료를 시작할 수 있느냐에 대하여 확립된 의견은 없지만, 임상적으로 강력히 의심이 되는 상황에서 ANCA만 양성이거나 혹은 전신 상태가 매우 나빠 치료를 하지 않으면 치명적이라고 판단될 경우 치료를 시작할 수도 있다. 하지만 이런 특수한 경우라도 추후에 확진을 위한 조직검사가 시도되어야 한다(Park et al., 2008).

ANCA는 중성구 과립 물질 중 proteinase 3PR3와 myeloperoxidaseMPO에 대한 항체를 말하는 것으로, 면역형광측정법 시 염색되는 형태에 따라 PR3에 대한 cytoplasmic ANCAc-ANCA와 MPO에 대한 perinuclear ANCAp-ANCA의 두 가지 형태로 나눌 수 있다. p-ANCA는 궤양성 대장염, 자가면역성 간염에서도 나타날 수 있는 데 반해, c-ANCA는 Wegener 육아종증에 특이적으로 나타난다. ANCA 양성인 Wegener 육아종증 환자의 80~90%에서 c-ANCA 양성 소견을 보이고 나머지에서 p-ANCA 양성이 나타나기 때문에 c-ANCA가 양성으로 나올 경우 Wegener 육아종증을 강력히 의심할 수 있겠다. c-ANCA와 p-ANCA가 동시에 발현되는 경우는 드물며, 만약 이런 경우가 있다면 전신 홍반성 루프스와 같은 다른 질환을 의심해야 한다. ANCA검사의 민감도는 검사 당시 병변의 범위, 심각성, 활동성에 영향을 받는다. 전신성 Wegener 육아종증의 활성기에 90%에서 ANCA 양성이고 국한성 Wegener 육아종증에서는 40%에서 음성으로 나올 수 있다. ANCA검사가 특이적이긴 하지만 질환의 활성도가 낮거나 신장을 침범하지 않은 경우 양성률이 낮으므로 이를 잘 고려해서 해석해야 한다. 또한 ACNA가 음성이라도 Wegener 육아종증을 진단에서 배제할 수 없으므로 의심이 될 경우 재검사를 시도해야 한다(Park et al., 2008).

Wegener 육아종증과 감별해야 할 전신 혈관염들 중 하나인 현미경적 다발성 혈관염microscopic polyangitis은 Wegener 육아종증의 임상양상이 비슷하다. 대부분 p-ANCA 양성이고 c-ANCA는 소수에서 관찰되는 점에서(Guillevin et al., 1999) Wegener 육아종증과 감별할 수 있으나, 두 질환에서 모두 p-ANCA와 c-ANCA가 나타날 수 있으므로 ANCA가 아주 특이적인 것은 아니다. 현미경적 다발성 혈관염은 폐나 신장을 잘 침범하고 두경부 증상은 드물며 조직검사상 육아종성 염증이 없다는 것이 감별점이 될 수 있다. 결절성 다발성 동맥염poly-arteritis nodosa도 임상증상이 비슷하여 감별이 필요한데, 두경부 및 신장과 폐를 잘 침범하지 않고 ANCA에 대부분 음성이다. Churg-Strauss 증후군은 ANCA검사상 c-ANCA와 p-ANCA가 다양한 비율로 검출될 수 있어 이를 감별진단에 이용하기는 힘들다(Guillevin et al., 1999). 하지만 천식의 과거력, 혈중 호산구가 10% 이상, 단발신경증 및 다발신경증, 조직검사상 혈관 주위에 호산구 침범, 부비동 주변의 이상, 이동성 혹은 일시적 폐결절이 방사선학적으로 관찰되는 경우 중 네 가지 이상 존재할 경우 85%의 민감도와 99.7%의 특이도로 진단할 수 있다(Masi et al., 1990).

Wegener 육아종증의 치료는 약물치료와 수술적 치료가 있는데 주치료는 약물치료로 관해유도 요법과 관해유지요법의 두 단계로 이루어져 있다. 관해유도요법으로 사용되는 약물에는 cyclophosphamide, methotrexate, glucocorticoid 등이 있다. Cyclophosphamide는 1970년대 치료에 도입된 이래 관해유도요법의 주치료제로 이용되고 있고 cyclophosphamide와 prednisolone의 병용요법이 가장 좋은 치료 성적을 보이고 있다. 158명의 Wegener 육아종증 환자를 대상으로 시행한 전향적 연구에서 cyclophosphamide와 prednisolone의 병용요법이 90% 이상에서 임상적으로 호전을, 75%에서 완전관해를 보였다고 보고된 바가 있다(Hoffman et al., 1992).

Cyclophosphamide의 용량은 매일 2 mg/kg/day로 사용하여 최대 200 mg/day까지 사용 가능하다(Erickson et al., 2007). 보통 3~6개월 후에 안정적인 관해에 도달하는데, 백혈구 수치를 정기적으로 확인하여 백혈구 감소증과 같은 부작용을 피해야 한다. 관해에 도달하면 감량하다가 끊는데 최소 1년간 매 2~3개월마다 25 mg씩 감량하면서 써야 한다는 보고도 있다(Hoffman et al., 1992). Glucocorticoid는 0.5~1.0 mg/kg/day로 최대 60~80 mg/day까지 쓸 수 있고, 질병의 중등도, 범위, 활성도, 치료 반응에 따라 감량방법이 다르지만 보통 최초 용량을 2~4주간 사용한 후 증상의 호전이 있을 시 감량하기 시작하여 7~9개월 내에 하루 20 mg으로 줄이는 것을 목표로 한다. 증상이 경하거나 국한성 Wegener 육아종증의 관해유도 시 methotrexate를 cyclophosphamide 대신에 사용할 수 있다. 단, 혈청 creatinine이 2.0 mg/dL 이상일 때 사용하면 신독성 가능성이 있으므로 사용하지 말아야 하고, 초기 0.3 mg/kg/week로 시작하여 매주 2.5 mg씩 증량하여 최대 20~25 mg/week까지 증량할 수 있다(Buhaescu et al., 2005). 이때 잠재적인 독성을 줄이기 위해 엽산을 1~2 mg/day씩 복용하는 것이 좋다. 관해에 도달하면 재발 방지를 위해서 보통 12~18개월간 유지요법을 시행한다. 이때 cyclophosphamide를 methotrexate나 azathioprine으로 교체하여 사용하는데 용법은 methotrexate의 경우 관해유도와 동일하고, azathioprine의 경우 2 mg/kg/day로 관해유도 치료를 하고 1년 후부터 1.5 mg/kg/day로 감량할 수 있다. 이 때 prednisolone을 7.5 mg/day의 저용량으로 병행할 수도 있다(Park et al., 2008).

수술적 치료는 Wegener 육아종증의 질병경과를 바꿀 수 없으나 두경부와 연관된 합병증을 줄이는 데 도움이 될 수 있다. 수술은 면역억제치료에 반응하지 않는 경우에 시행하여야 하고 일반적으로 수술은 질병의 안정기에 시행하는 것이 결과가 좋다. 가장 흔하게 발생하는 비염 및 부비동염은 항생제와 코 세척 등의 보존적 치료로 호전될 수 있고, 선택적인 경우 내시경수술을 통한 괴사 조직 제거가 증상에 도움을 줄 수 있다(Erickson et al., 2007). 안장코에 대한 성형 수술은 관해에 이른 후에 수술하면 다시 재발하는 일 없이 성공적인 결과를 얻을 수 있다(Congdon et al., 2002). 성문하 협착은 면역 치료에도 불구하고 종종 잘 호전되지 않아 상기도가 폐쇄되는 응급 상황이 발생할 수 있고 처음에 증상이 없었다 하더라도 추적관찰 결과 80%에서 수술을 받았다는 보고가 있다(Lebovics et al., 1992). 기관절개술을 받은 Wegener 육아종증 환자의 경우 약물치료를 통해 안정기에 접어들면 성공적으로 캐뉼라를 제거할 수 있기 때문에(Gluth et al., 2003) 상기도 침범이 의심되는 상황에서 약물치료에만 의존하지 말고 필요시에는 기관절개술을 적극적으로 시행하여야 한다.

주사망원인은 만성신부전증으로 치료하지 않으면 평균 생존기간이 5개월에 불과하나 치료하면 90%에서 완전 관해에 도달하며 재발이 잦고 점진적으로 진행하는 질환으로 전체 사망률은 20%에 달한다. 10년 이상 지속적인 추적관찰이 필요하다(Lee et al., 1997; Park, 2009).

II | 악성 림프종

림프종은 면역 림프구에서 발생하는 악성종양으로서 신체의 어느 부위에서나 발생 가능하지만 주로 림프절에 침범하는 경우가 많고, 림프절 외에서 발생하는 경우 뼈, 뇌, 피부, 위장관, 구강, 구개편도, 비강 및 부비동, 비인두, 후두 등에서 호발한다(Choi et al., 1997). 림프종에는 호지킨 림프종Hodgkin lymphoma과 비호지킨 림프종Non-Hodgkin lymphoma이 있다. 비부비동에 발생하는 림프종은 주로 비호지킨 림프종인데, 환자들은 비부비동염과 유사한 증상을 호소하여 진단과 치료가 늦어질 수 있다. 서양에서는 B세포 림프종이 흔하지만 동양에서는 NK/T 세포 림프종이 흔하다. 국내연구 결과에서도 NK/T 세포 림프종의 빈도가 74.1%에서 98% 정도인데 반하여, 미만성 거대 B세포 림프종Diffuse large B cell lymphoma의 경우 2%에서 15%의 빈도로 발생하였다(Ko et al., 1998; Woo et al., 2004).

비부비동 림프종 환자에서 가장 흔한 증상은 비폐색이고 비내 종괴나 비출혈과 같은 증상이 다음으로 많다(Quraishi et al., 2000). NK/T세포 림프종 환자들의 증상은 비부비동염의 증상과 비슷한 비폐색, 비루, 비출혈 등을 가장 흔하게 호소하여 조직 생검이 지연되기 쉽다. 그러나 B세포 림프종 환자들은 안구 주위 부종과 같은 심한 증상을 호소하는 경우가 많아 상악동암과 같은 질환을 감별하기 위하여 조직 생검이 비교적 빨리 이루어진다(Han et al., 2005). 비내시경검사에서 NK/T세포 림프종은 주로 비갑개에 국한된 작은 병변을 보이고 궤양성 병변 주위로 가피가 소량있는 경우가 많고 조직 생검 시에 약한 자극에도 쉽게 출혈을 일으키는 양상을 보인다. 부비동 전산화단층촬영에서도 부비동을 침범하는 경우는 드물고, 골파괴 소견 역시 드물다. 반면에 B세포 림프종은 안구주위부종을 유발할 정도로 침습성이 강한 크기가 큰 종괴의 소견을 보이고, 부비동 전산화단층촬영에서도 골파괴와 부비동을 침범한 소견이 흔하다(Han et al., 2005). 전신적인 B증상을 보이는 경우는 NK/T세포 림프종에서 24%인 반면에, B세포 림프종에서는 드물다(Kim et al., 2004). 전산화 단층촬영은 종양의 경계와 인접 장기로의 침범여부를 파악하는 데 가장 유용하며, 초기 병변의 경우에는 연조직을 구분하는 데 민감도가 높은 자기 공명 촬영이 질병의 감별에 도움이 된다(Yasumoto et al., 2000). 확진을 위해서는 조직 검사가 필수적으로 면역염색을 시행하여야 한다. NK/T세포에 특이적인 표식자로 CD2, CD3, CD7 그리고 CD56이 이용되고(Emile et al., 1996), 미만성 거대 B세포 림프종의 경우에는 B 세포 표지자인 CD19, CD20, CD22, CD79a 중 한 가지 이상에서 양성반응을 보이며, 25~50%에서 Bcl-2 단백질을 발현하고, 70%에서는 Bcl-6단백질을 발현한다(Skinnider et al., 1999).

전신적인 전이 여부나 병기 결정을 위해 복부 및 흉부 전산화 단층촬영, 양자 방출 단층촬영 등의 영상학적인 검사와 함께 골수 검사나 척수액 검사 등을 시행한다.

B 증상은 10% 이상의 체중감소, 38도 이상의 발열, 야간발한의 세 가지 모두가 나타나는 것을 의미하는데, B 증상은 3기와 4기의 진행된 병기일수록 빈도가 높고 B 증상이 있는 경우 5년 생존율과 완전관해율이 낮다(Woo et al., 2008). 악성 림프종에서는 LDH-3 분획이 증가하여 LDH 총활성도가 증가하는데, 완전관해 시 LDH 총 활성도는 정상화된다. 악성 림프종 환자에서 LDH 활성도가 높은 경우 예후가 불량하다(Woo et al., 2008, Wood et al., 2011). NK/T세포 림프종은 항암요법과 방사선요법에 대한 반응이 낮기 때문에 두경부에 발생하는 림프종의 다른 아형에 비해 예후가 불량하여 높은 치사율을 보인다. 진단 후 평균 생존기간은 약 12.5개월로, 첫 번째 치료에 대해 완전 관해를 보이는 환자는 단지 56%이며 이 중에서도 2년 동안 생존할 확률은 45%에 지나지 않는다. 또한 림프절 이외에 피부, 위장관, 폐, 골수 등으로의 원격전이도 많이 발생한다(Wood et al., 2011).

NK/T 세포형의 5년 생존율이 28.6%로 미만성 거대 B 세포 림프종 88.9%, peripheral T세포형의 생존율 40%보다 낮다(Woo et al., 2008). 1993년 International Non-Hodgkin's Lymphoma Prognostic Factor Project에서 2,301명의 비호지킨 림프종에 대한 예후인자 분석을 시행하여 IPIInternational Prognostic index를 개발하였다. 60세 이상의 연령, 정상치를 초과한 혈청 LDH치, 2~4점의 ECOG 활동도, 3~4기의 Ann Arbor 병기, 림프절 외 침범extranodal involvement 부위의 수가 2개 이상인 경우를 불량한 예후를 시사하는 5가지 독립예후인자로 제시하였고, 이들 중 몇 개에 해당하는지를 점수로 나타낸 것으로 IPI 점수가 높을수록 예후가 좋지 않다(Shipp et al., 1993 ; Kim et al., 2007). 또한 항암화학요법이나 방사선치료 등의 단독요법보다 병합요법으로 치료한 경우 예후가 좋다(Woo et al., 2008).

III | 원발성 섬모운동이상증

원발성 섬모운동이상증Primary ciliary dyskinesia은 유전적인 경향을 가지며, 기도를 비롯하여 신체의 여러 곳에 존재하는 섬모의 선천적 구조이상에 의해 섬모운동이 저하되거나 없어져 발생하는 질환이다. 이 질환의 병인은 주로 dynein arm의 결함이 가장 많다(Schildlow, 1994). 국내에서는 19례의 원발성 섬모운동이상증이 보고된 바 있고 52%에서 부비동염과 만성기관지확장증을, 이외에도 기관지염과 비용 발생을 동반하였다(Min et al 1995).

태생기에 섬모운동결함은 무작위한 기관 회전을 일으켜 원발성 섬모운동이상증의 약 반수에서 정상인과는 반대방향의 내부장기회전을 보이는 액위증을 동반한다 (Park et al., 1997).

원발성 섬모운동이상증이 의심되는 환자를 진단하기 위해서는 가족력을 포함한 임상적인 병력, 전산화단층촬영을 포함한 방사선촬영 및 폐기능검사 등을 시행할 수 있다(Schildlow, 1994). 우심증dextrocardia이나 내장좌우역전증 등이 있을 경우 흉부방사선 촬영이 유용하고, 그 외에 폐의 과도팽창, 구역성 허탈, 폐중엽 및 폐하엽과 설상부lingula에 호발하는 기관지확장증 등이 보일 수 있다(Nadel et al., 1985). 초기 선별검사의 하나로 사용되는 saccharine test는 점액섬모 제거율을 평가하는 검사법으로 값이 싸고 간단하며 반복검사가 가능하여 임상에서 시행하기 편리한 장점이 있어 유용하나, saccharine이 느껴지는 것이 주관적이라는 것이 단점이다(Andersen et al., 1974). 확진은 주로 하비갑개 조직생검을 통한 전자현미경검사로 한다(Park et al., 1997).

감별해야 하는 질환으로는 만성 기관지염, 천식, 기관지 확장증, 낭포성 섬유증 및 면역결핍질환 등이 있다. 치료는 대증적으로 시행되며, 적절한 항생제의 선택이 중요하나 예방적 항생제의 투여는 대부분의 경우 효과가 없다. 그 외 적절한 수액요법, 체위성 배액과 물리요법, 호흡기 감염에 대한 예방 및 조기진단과 치료, 기관지 확장제, 거담제 등이 있고, 경우에 따라서는 외과적인 처치가 필요할 수도 있다. 보존적 요법으로 잘 듣지 않는 만성부비동염의 경우 내시경적 비내수술이 도움이 될 수 있으며, 재발성 삼출성 중이염의 치료에는 환기관 삽입술이 요구된다(Fawcett, 1977). 기관지 확장증, 반복되는 호흡기 감염 등으로, 폐질환의 유병률은 높으나, 폐기능의 저하 속도는 매우 느려서 적절한 치료를 통해 정상적인 생활과 수명에는 큰 차이가 없다(Park et al., 1997).

IV | Churg-Strauss 증후군

Churg-Strauss 증후군Churg-Strauss syndrome은 중·소혈관을 침범하는 전신 괴사성 혈관염의 일종으로 매우 드물게 발생한다. 임상적으로 기관지 천식, 알레르기 비염, 호산구증다증, 신경염, 폐침윤, 부비동염 등을 동반하며 조직 병리학적으로는 혈관 외 호산구 침윤, 괴사성 혈관염, 육아종 등이 특징적이다(Churg and Strauss, 1951). 이 증후군은 전신 장기를 침범하여 각 장기와 연관된 다양한 증상이 나타나는데 이비인후과와 관련된 증상으로는 알레르기 비염, 비용, 부비동염 등이 나타난다(Sinico and Bottero, 2009; Olsen et al., 1980).

국내에서는 1986년 알레르기성 육아종으로 진단된 증례가 처음으로 보고된 후 최근 보고가 있었다(Yang et al., 1986; Jang et al., 2014). Churg-Strauss 증후군은 한 해에 백만 명당 1~3명 정도로 발생한다. 발병의 평균 연령은 50세 전후이고 성별에 따른 차이는 없다.

세 가지의 단계로 이루어져 있는데 먼저 알레르기 비염과 천식을 동반하는 초기 단계와 만성호산구폐렴이나 장염을 보이는 호산구 침윤 단계, 그리고 육아종성 염증이 전신에 치명적인 혈관염을 유발하는 단계로 이루어진다(Landam et al., 1984).

진단에는 1990년 American College of Rheumatology ACR에서 제시한 기준이 많이 사용되고 있는데 ① 천식, ② 말초 혈액 백혈구수의 10% 이상 호산구 증다증, ③ 방사선 사진상 일과성 또는 이동성 폐침윤, ④ 부비동염, ⑤ 단발성 또는 다발성 신경병증, ⑥ 혈관 외 호산구 침윤의 여섯 가지 소견 중 네 가지 이상을 보이는 경우 Churg-Strauss 증후군으로 진단한다(Masi et al., 1990).

비강소견으로는 가피형성과 비용을 관찰할 수 있고, Wegener 육아종증과는 양측성 비용과 천식이 동반되는 점으로 감별할 수 있다. P-ANCA는 70%에서 양성이나

c-ANCA는 음성이다. 또한 사르코이드증sarcoidosis에는 없는 천식, 호산구 증다증, 괴사성 육아종을 동반한 혈관염이 특징적이다. 조직검사에서는 괴사성 혈관염, 혈관 외 괴사성 육아종, 혈관과 혈관 외 호산구 침윤 등이 특징적인 소견이다(Davis et al., 1997).

치료에서 일차약제는 glucocorticoids이고, 용량은 하루 0.5~1.5 mg/kg으로 가장 흔히 투여된다(Noth et al., 2003). 천식이 동반되면 흡입용 스테로이드를 함께 사용한다. 혈청 크레아티닌 상승(>1.58 mg/dL), 단백뇨(>1 g/day), 위장관 침범, 심근증, 중추신경계 침범의 다섯 가지는 나쁜 예후와 관련이 있다. 나쁜 예후 인자가 없는 경우는 스테로이드 치료만으로 대부분의 환자에서 호전을 보이나, 하나 이상의 나쁜 예후 인자가 있거나 스테로이드 치료에 반응이 없는 경우는 면역억제제인 cyclophosphamide 병합 요법이 권장된다(Guillevin et al., 1999 ; Guillevin et al., 1999).

과거에는 치료하지 않으면 혈관염 발생 후 3개월 이내 사망률이 50%였으나 스테로이드를 사용하면서부터 1년 생존율은 약 90%, 5년 생존율은 약 60% 이상으로 증가하여 현재는 다른 전신적 혈관염에 비하여 좋은 예후를 보이고 있다. 또한 전반적인 관해율이 81~92%로 높다(Guillevin et al., 1999 ; Guillevin et al., 1999).

V | 사르코이드증(유육종증)

사르코이드증Sarcoidosis은 신체 내 다양한 장기를 침범하는 만성 육아종성 질환으로 약 90%에서 폐와 종격동을 침범한다. 유병률은 인구 100,000명당 5~65명 정도이며, 백인종Caucasian과 아프리카계 미국인에서 더 흔하다(Long et al., 2001 ; Damrose et al., 2000 ; Zeithlin

et al., 2000). 비부비동에 발생하는 경우는 매우 드물어 2,319명의 사르코이드증 환자 중 17명만이 비부비동 사르코이드증으로 확진되어 대략 1% 정도만이 비부비동을 침범한다(McCaffrey and Mcdonald, 1983). 비부비동 사르코이드증sinonasal sarcoidosis은 주로 비중격과 하비갑개에서 발생하며 주된 증상으로 비폐색과 비점막의 각질증이 나타난다(Fergie et al., 1999). 비강 내시경 소견은 부종성의 비후된 점막소견을 보이는 경우가 대부분이며, 홍반성의 부서지기 쉬운 점막 소견을 보이기도 한다(Deshazo et al., 1999).

사르코이드증은 국내에서 1999년도까지 300명의 환자만 보고된 드문 질환이며, 비부비강의 사르코이드증은 2예가 보고된 바 있다(Lee et al., 2007 ; Hong et al., 2008). 사르코이드증은 조직학적으로 다발성 상피양 육아종, 유리섬유화, 백혈구 침윤을 보이는 비건락성noncaseating 육아종으로 나타나고 Wegener 육아종증, 매독, 결핵, 베릴륨 중독증, 아스페르길루스증, 방선균증, Churg-Strauss 증후군, 임파종 등과 같은 다른 육아종성 병변 및 진균, 미코박테리아 감염과 감별해야 한다(Hong et al., 2008).

비부비동 사르코이드증 진단 기준으로 첫째, 방사선학적 소견상 부비강의 점막비후와 혼탁 소견, 둘째, 조직학적으로 비건락성 육아종을 보이나 염색상 진균과 미코박테리아 존재 및 혈관염의 증거가 없어야 한다. 셋째, 혈청학적 검사상 매독에 음성, cANCA에 음성이어야 하며 넷째, 다른 비강 내 육아종성 질환을 배제하여야 한다(DeShazo et al., 1999).

사르코이드증의 치료는 스테로이드 치료가 기본이다. I병기는 경하며, 가역적인 비질환으로 비갑개의 비후, 점막 부종, 부분적인 비강의 폐쇄는 있지만 부비동 침범이 없는 상태를 말하며, II병기는 중등도이지만 가역적이며 가피, 비출혈, 비유착, 비전정 육아종, 하나의 부비동이 침범된 경우이다. III병기는 비가역적인 상태로서 궤양,

광범위한 비강 내 유착, 비강 협착, 연골파괴, 피부누공, 다발성 부비동 침범을 동반한다(Krespi et al., 1995). 병기에 따른 치료로 I병기의 경우 비부비강 세척, 국소스테로이드 분무, II병기에서는 I병기의 치료에 병합하여 병변 내 스테로이드 주입을 하며, III병기의 경우 전신적인 스테로이드 치료를 시행한다. 수술적 치료는 아직 논란이 있고, 짧은 기간 증상 완화에는 도움을 줄 수 있으나 수술 단독으로는 병의 완치 및 재발 방지에 큰 도움이 되지 못한다(Hong et al., 2008). 비부비강에서 발생한 사르코이드증의 임상경과는 매우 다양하여 적극적 치료에도 불구하고 완전 관해는 드물고 만성적인 경과를 보이므로 장기적 추적관찰이 필요하다(Hong et al., 2008).

VI | 비결핵

비중격 연골부에 결절이나 궤양으로 나타나나 비측벽에도 생길 수 있다. 대부분 폐결핵에 이차적으로 감염되어 발생한다고 하나 국내의 보고에 의하면 폐결핵이 동반되는 경우가 그리 많지 않다(Krespi et al., 1995). 국내에서 비부비동에 발생한 결핵 22예를 분석한 결과 여성이 남성에 비해 3배 많았고 하비갑개, 비중격, 부비동 순으로 침범되었다(Krespi et al., 1995). 증상으로 비분비물의 증가, 통증, 비폐색과 비내시경 소견상 궤양이 없는 연한 적색의 결절성 비대소견이 보인다. 병의 경과는 빠르고 궤양의 주위는 예리하고 함입, 잠식되어 있으며 비저부나 하비갑개로 퍼질 수 있다. 비중격 천공을 동반하기도 하고 비중격의 앞쪽이나 비갑개의 앞쪽에 먼저 이환된다. 폐결핵의 과거력이 있는 경우 비결핵Nasal tuberculosis의 진단에 결정적으로 도움이 된다(Krespi et al., 1995). 폐결핵 유무를 먼저 검사하고 세균검사에 결핵균이 검출되거나 조직검사에서 전형적인 결핵결절이 관찰되면 확진한다(Lee and Kim, 1997; Krespi et al., 1995). 그러나 전형적인 결핵결절이 보이지 않고 만성육아종성 염증소견만 보이는 경우 확진을 내리기 어렵고 항결핵제에 대한 반응을 통해서 진단을 내릴 수 있다. 조직을 채취하여 결핵균에 대한 PCR을 통해서 진단할 수 있으나 음성으로 나오는 경우도 있다(Krespi et al., 1995).

치료로는 비강세척 및 항결핵제를 투여한다. 6개월내지 12개월요법으로 항결핵제를 투여하면 치유율이 높다(Krespi et al., 1995). 비결핵 환자에서 부비동염을 보이는 경우 수술을 시행하는 것에 대해서는 논란이 있고 반드시 수술이 필요한 것은 아니나 수술을 시행하는 경우 점막을 모두 제거하지 않는 보존적인 수술로 충분하다(Krespi et al., 1995).

VII | 비매독

비매독Nasal syphilis은 항생제의 발달과 혈청 검사를 통한 선별법의 발달로 매독이 감소하는 추세에 따라 국내 보고 증례가 매우 희귀하다(Leavitt et al., 1990). 비강 소견만으로는 다른 육아종성 질환과 비슷하여 감별하기가 어렵다. 감염 후 6~10주가 지난 이차 매독인 경우에는 인두의 점막반점, 피부의 장미진, 발열, 림프절 비대 등이 동반되며 민감도가 높은 혈청 검사들로 충분히 진단이 가능하다. 삼차 매독이나 선천성 매독의 경우에는 고무종gumma이 출현하고 골부의 이환으로 외비함몰, 안비, 비중격 천공, 비점막 위축 등의 비변형이 나타난다(Klippel, 2001). 조직 검사와 VDRL, TPHA, FTA, TPI 등의 혈청 검사를 병행하면 진단에 도움이 된다. 치료에는 페니실린을 사용한다.

참고문헌

1. Andersen IB, Camner P, Jensen PL, Philipson K, Proctor DF. Nasal clearance in monozygotic twins. Am Rev Respir Dis 1974;110:301-5.

2. Buhaescu I, Covic A, Levy J. Systemic vasculitis: still a challenging disease. Am J Kidney Dis 2005;46:173-85.

3. Cacloni G, Prelajacle D, Campobasso E. Wegener's granulomatosis: a challenging disease for otorhinolaryngologists. Acta Otolaryngol 2005;125:1105-10.

4. Carrington CB, Liebow AA. Limited forms of angiitis and granulomatosis of Wegener's type. Am J Med 1988;41:497-572.

5. Choi CY, Jo YK, Lee BH, Lee YW, Lee KD, YU TH. Analysis of treatment in the patient with non-Hodgkin's lymphoma of the head and Neck. Korean J Otolaryngol-Head Neck Surg 1997;40:1820-5.

6. Choi JH, Jeong JY, Shin SH, et al. Wegener's Granulomatosis Involving Nasal Cavity. Korean J Otolaryngol 2004;47:540-4.

7. Churg J, Strauss L. Allergic granulomatosis, allergic angiitis, and periarteritis nodosa. Am J Pathol 1951;27:277-301.

8. Congdon D, Sherris DA, Specks U, McDonald T. Long-term follow-up of repair of external nasal deformities in patients with Wegener's granulomatosis. Laryngoscope 2002;112:731-7.

9. Damrose EJ, Huang RY, Abemayor E. Endoscopic diagnosis of sarcoidosis in a patient presenting with bilateral exophthalmos and pansinusitis. Am J Rhinol 2000;14:241-4.

10. Davis MD, Daoud MS, McEvoy MT, Su WP. Cutaneous manifestations of Churg-Strauss syndrome: a clinicopathologic correlation. J Am Acad Dermatol 1997;37:199-203.

11. Deshazo RD, O'Brien MM, Justice WK, Pitcock J. Diagnostic criteria for sarcoidosis of the sinuses. J Allergy Clin Immunol 1999;103:789-95.

12. Devaney KO, Travis WD, Hoffman G, Leavitt R, Lebovics R, Fauci AS. Interpretation of head and neck biopsies in Wegener's granulomatosis. A pathologic study of 126 biopsies in 70 patients. Am J Surg Pathol 1990;14:555-64.

13. Emile J-F, Boulland M-L, Haioun C, Kanavaros P, Petrella T, Del—fau-Larue MH, et al. CD5- CD56+ T-cell receptor silent peripheral T-cell lymphomas are natural killer cell lymphomas. Blood 1996;87:1466-73.

14. Erickson VR, Hwang PH. Wegener's granulomatosis: current trends in diagnosis and management. Curr Opin Otolaryngol Head Neck Surg 2007;15:170-6.

15. Fawcett DW. What makes cilia and sperm tails beat? N Engl J Med 1977;297:46-8.

16. Fergie N, Jones NS, Havlat MF. The nasal manifestations of sarcoidosis: A review and report of eight cases. J Laryngol Otol 1999;113:893-8.

17. Gluth MB, Shinners PA, Kasperballer JL. Subglottic stenosis associated with Wegener's granulomatosis. Laryngoscope 2003;113:1304-7.

18. Gluth MB, Shinners PA, Kasperbauer JL. Subglottic stenosis associated with Wegener's granulomatosis. Laryngoscope 2003;113:1304-7.

19. Gottschlich S, Ambrosch P, Gross WL, Hellmich B. Wegener's granulomatosis in the head and neck region. HNO 2004;52:935-45.

20. Guillevin L, Cohen P, Gayraud M, Lhote F, Jarrousse B, Casassus P. Churg-Strauss syndrome. Clinical study and long-term follow-up of 96 patients. Medicine (Baltimore) 1999;78:26-37.

21. Guillevin L, Durand-Gasselin B, Cevallos R, Gayraud M, Lhote F, Callard P, et al. Microscopic polyangiitis: Clinical and laboratory findings in eighty-five patients. Arthritis Rheum 1999;42:421-30.

22. Hahn JS, Chung HC, Kim JH, Lee SJ, Koh EH, Roh JK, et al. Significance of serum total lactate dehysrogenase (LDH) level and isoenzyme patterns in non-Hodgkin's lymphomas as a prognostic factor. J Korean Cancer Assoc 1990;22:476-89.

23. Han KW, Choi SJ, Pae KH, Chung YS, Jang YJ, Lee BJ. Comparison of Clinical Characteristics of B Cell Lymphoma and NK/T cell Lymphoma of the Nose and Paranasal Sinuses. J Rhinol 2005;12:101-4.

24. Hoffman GS, Kerr GS, Leavitt RY, Hallahan CW, Lebovics RS, Travis WD, et al. Wegener granulomatosis: An analysis of 158 patients. Ann Intern Med 1992;116:488-98.

25. Hong YS, Choi HS, Lee SS, Lim SC. A Case of Primary Sarcoidosis of the Nasal Cavity. Korean J Otorhinolaryngol-Head Neck Surg 2008;51:938-41.

26. Jang CS, Lee DW, Choi MS, Shim WS. A Case of Churg-Strauss Syndrome Involving Nasal Cavity. Korean J Otorhinolaryngol-Head Neck Surg 2014;57:870-3.

27. Kang DH. Wegeners granulomatosis. Korean J Otolaryngol 1976;19:107-10.

28. Kim DH, Yoon JH, Kang SO, Park JS, Hong SP, Kahng HS, et al. Prognostic Factors of Nasal NK/T Cell Lymphoma. Korean J Otolaryngol 2007;50:37-42.

29. Kim GE, Koom WS, Yang WI, Lee SW, Keum KC, Lee CG. Clinical relevance of three subtypes of primary sinonasal lymphoma characterized by immunophenotypic analysis. Head Neck 2004;26:584-93.

30. Kim HS, Kim HS, Kim CG. Wegeners granulomatosis. Korean J Otolaryngol 1981;24:695-8.

31. Kim YS. Sarcoidosis in Korea: Report to the second nationwide survey. Sarcoidosis Vasc Diffuse Lung Dis 2001;18:176-80.

32. Klippel JH. Primer on the Rheumatologic Disease. 12th ed. Atlanta, USA: Arthritis Foundation 2001;392-4, 643.

33. Ko YH, Kim CW, Park CS, Jang HK, Lee SS, Kim SH, et al. REAL classification of malignant lymphomas in the Republic of Korea: incidence of recently recognized entities and changes in clinicopathologic features. Hematolymphoreticular Study Group of the Korean Society of Pathologists. Revised European-American lymphoma. Cancer 1998;83:806-12.

34. Krespi YP, Kuriloff DB, Aner M. Sarcoidosis of the sinonasal tract: a new staging system. Otolaryngol Head and Neck Surg 1995;112:221-7.

35. Lanham JG, Elkon KB, Pusey CD, Hughes GR. Systemic vasculitis with asthma and eosinophilia: a clinical approach to the Churg-Strauss syndrome. Medicine (Baltimore) 1984;63:65-81.

36. Leavitt RY, Fauci AS, Bloch DA, Michel BA, Hunder GG, Arend WP, et al. The American College of Rheumatology 1990 criteria for the classification of Wegener's granulomatosis. Arthritis Rheum 1990;33:1101-7.

37. Lebovics RS, Hoffman GS, Leavitt RY, Kerr GS, Travis WD, Kammerer W, et al. The management of subglottic stenosis in patients with Wegener's granulomatosis. Laryngoscope 1992;102:1341-5.

38. Lee JG, Kim KS. Nasal cavity disease. Clinical Rhinology. 1st ed.

Seoul. Korea: Ilchokak 1997;149-68.

39. Lee JH, Kim NS, Cho JH, Lee YS. A case of ethmoidal sarcoidosis. Korean J Otorhinolaryngol-Head Neck Surg 2007;50:716-8.

40. Long CM, Smith TL, Loehrl TA, Komorowski RA, Toohill RJ. Sinonassal disease in patients with sarcoidosis. Am J Rhinol 2001;15:211-5.

41. Maeng HS, Shin IS, Kim MS, Won KH, Cho SH. Wegener's granulomatosis. Korean J Otolaryngol 1986;29:912-22.

42. Masi AT, Hunder GG, Lie JT, Michel BA, Bloch DA, Arend WP, et al. The American College of Rheumatology 1990 criteria for the classification of Churg-Strauss syndrome (allergic granulomatosis and angiitis). Arthritis Rheum 1990;33:1094-100.

43. McCaffrey TV, McDonald TJ. Sarcoidosis of the nose and paranasal sinuses. Laryngoscope 1983;93:1281-4.

44. Min YG, Shin JS, Choi SH, Chi JG, Yoon CJ. Primary ciliary dyskinesia: ultrastructural defects and clinical features. Rhinology 1995;33:189-93.

45. Nadel HR, Stringer DA, Levinson H, Turner JAP, Sturgess JM. The immotile cilia syndrome: Radiologic manifestations. Radiology 1985;154:651-5.

46. Noth I, Strek ME, Leff AR. Churg-Strauss syndrome. Lancet 2003;361:587-94.

47. Oh KJ, Park BC, Kim WH, Han KH. A Case of Limited form of Wegener's Granulomatosis in a Child. Korean J Otolaryngol 2002;45:1018-22.

48. Olsen KD, Neel HB 3rd, Deremee RA, Weiland LH. Nasal manifestations of allergic granulomatosis and angiitis (Churg-Strauss syndrome). Otolaryngol Head Neck Surg (1979) 1980;88:85-9.

49. Paik KW. A Wegener's granulomatosis. Korean J Otolaryngol 1969; 12:57-61.

50. Park CH, Kim HY, Rha KS, Park CI. Tuberculosis of the Nasal Cavity and Paranasal Sinuses. Korean J Otolaryngol 2003;46:979-83.

51. Park CW, Koh JS, Kim KR, Lee HS. A Clinical Study on Primary Ciliary Dyskinesia. Korean J Otolaryngol 1997;40:1079-84.

52. Park KH, Song YH, Kim YB, Cho JS. Localized Wegener's granulomatosis in maxillary sinus. Korean J Otolaryngol 2000;43:1255-8.

53. Park KT, Kong IG, Han DH, Kim DW, Kim SH, Rhee CS, et al. Clinical Experiences of Diagnosis and Treatment for Wegener's Granulomatosis. Korean J Otorhinolaryngol-Head Neck Surg 2008;51:1109-18.

54. Park SW. External nose and nasal cavity disease. Otolaryngol-

ogy Head and Neck Surgery. 2nd ed. Seoul Korea: Ilchokak 2009;1059-69.

55. Quraishi MS, Bessell EM, Clark DM, Jones NS, Bradley PJ. Aggressive sino-nasal non-Hodgkin's lymphoma diagnosed in Nottinghamshire, UK, between 1987 and 1996. Clin Oncol 2001;13:269-72.

56. Quraishi MS, Bessell EM, Clark DM, Jones NS, Bradley PJ. Non-Hodgkin's lymphoma of the sinonasal tract. Laryngoscope 2000;110:1489-92.

57. Reinhold-Keller E, Herlyn K, Wagner-Bastmeyer R, Gross WL. Stable incidence of primary systemic vasculitides over five years: results from the German vasculitis register. Arthritis Rheum 2005; 53:93-9.

58. Schildlow DV. Primary ciliary dyskinesia (the immotile cilia syndrome). Ann Allergy 1994;73:457-68.

59. Shipp MA, Harrington DP, Anderson JR, Armitage JO, Bonadonna G, Brittinger G, et al. A predictive model for aggressive non-Hodgkin's lymphoma. The International Non-Hodgkin's Lymphoma Prognostic Factors Project. N Engl J Med 1993;329:987-94.

60. Sinico RA, Bottero P. Churg-Strauss angiitis. Best Pract Res Clin Rheumatol 2009;23:355-66.

61. Skinnider BF, Horsman DE, Dupuis B, Gascoyne RD. Bcl-6 and Bcl-2 protein expression in diffuse large B-cell lymphoma and follicular lymphoma: correlation with 3q27 and 18q21 chromosomal abnormalities. Hum Pathol 1999;30:803-8.

62. Woo HJ, Bae CH, Song SY, Park SC, Kim YD. Prognostic Factors of Malignant Lymphoma in the Sinonasal Tract and Nasopharynx. Korean J Otorhinolaryngol-Head Neck Surg 2008;51:888-93.

63. Woo JS, Kim JM, Lee SH, Chae SW, Hwang SJ, Lee HM, et al. Clinical analysis of extranodal non-Hodgkin's lymphoma in the sinonasal tract. Eur Arch Otorhinolaryngol 2004;261:197-201.

64. Wood PB, Parikh SR, Krause JR. Extranodal NK/T-cell lympho-¬ma, nasal type. Proc (Bayl Univ Med Cent) 2011;24:251-4.

65. Yang KJ, Moon HS, Lee WK, Song JS, Ro JC, Park SH, et al. A case of allergic granulomatosis. Tuberc Respir Dis 1986;33:247-51.

66. Yasumoto M, Taura S, Shibuya H, Honda M. Primary malignant lymphoma of the maxillary sinus: CT and MRI. Neuroradiology 2000;42:285-9.

67. Zeitlin JF, Tami TA, Baughman R, Winget D. Nasal and sinus manifestations of sarcoidosis. Am J Rhinol 2000;14:157-61.

CHAPTER
43

코질환의 감정

가톨릭의대 이비인후과 **이주형**
국민건강보험 일산병원 이비인후과 **장정현**

> ## CONTENTS

Ⅰ. 후각/호흡장애
Ⅱ. 코의 추상장해의 평가
Ⅲ. 진단서 작성
Ⅳ. 상해진단서 작성을 위한 각 상병별 치료기간

HIGHLIGHTS 〉〉〉

- 코의 감정은 코의 기능적 측면(후각/호흡)과 미적측면(코의 외형)으로 나누어 생각할 수 있음
- 후각/호흡장애는 병력청취 및 다양한 검사를 토대로 미국의학협회(AMA) 평가방식, 국가배상법, 산업재해보상보험법 등을 사용하여 평가함
- 추상장해란 역시 후각과 마찬가지로 가장 흔히 사용되는 맥브라이드 장해평가 방식에 별도의 항목이 없어 일반적으로 국가배상법에 의한 신체장해등급을 준용하여 사용하고 있음
- 의료법 제17조상 진단서는 환자에게 교부하는 것을 원칙으로 하되, 만약 환자가 사망한 경우에는 배우자, 직계존비속 또는 배우자의 직계존속에게 교부하거나 또는 검안서라면 담당 검사에게 교부할 수 있음

복잡한 현대사회에서 발생하는 여러 가지 사고들은 코의 손상을 일으킬 수 있으며 보험이나 법적인 배상문제가 수반되기에 이비인후과의사들은 코의 감정을 흔히 의뢰받게 되는데 코의 감정은 코의 기능적 측면(후각/호흡)과 미적측면(코의 외형)으로 나누어 생각할 수 있다.

여기에서 감정에 자주 사용되지만 혼동되는 어휘인 '장애障礙'와 '장해障害'를 구분해 보면, '장애'의 사전적 의미는 '신체 기관이 본래의 제 기능을 하지 못하거나 정신 능력에 결함이 있는 상태'이고 '장해'는 '하고자 하는 일을 막아서 방해함 또는 그런 것'을 뜻한다. 장애의 한자를 보면 모두 막는다, 꺼리다의 의미를 가지고 있는데 반해 장해의 경우 막는다의 의미와 실제 해로움을 주는 측면을 같이 가지고 있다. 예를 들어 보자면 '흡연은 우리의 건강에 큰 '장해'가 된다. 왜냐하면 여러 가지 호흡기 계통의 '장애'를 가져올 수 있기 때문이다'와 같이 사용될 수 있겠다. '장애판정'은 신체가 얼마나 기능이 저하되었는지를 판정하는 것이라면, '장해판정'은 이와 함께 어떤 요인들이 이러한 신체장애를 일으켰는가에 대한 분석을 포함하는 의미로 사용될 수 있을 것이다. 하지만 법률 등 여러 문서에서는 장애와 장해를 구분없이 혼용하여 사용되고 있는 실정이지만 대부분의 경우 장애라는 표현이 맞는 경우가 많은 것으로 생각된다.

Ⅰ | 후각/호흡장애

후각장애는 청각이나 시각에서와 같이 객관적인 유발전위 검사evoked potential test를 아직까지는 임상에서 이용할 수 없기 때문에 자세한 병력청취와 함께 다음과 같은 다양한 검사를 통해 위후각자malingerer를 가려내고 후각/호흡장애의 정도를 정확히 평가하기 위해 노력해야 한다.

1. 기본검사 항목

① 이학적검사
② 내시경검사(구강, 비강, 인두, 후두)
③ 방사선학적 검사PNS/Brain/Facial bone CT/MRI
④ 비강통기도검사/음향비강통기도검사
⑤ 후각기능검사

1) 역치검사

- CCCRCConneticut Chemosensory Clinical Research Center test
- T&T olfactometer
- Dynamic olfactometer
- Alinamine 정맥주사법

2) 인지검사

- KVSS testKorean Version of Sniffin' Sticks test
- CCCRC test
- UPSITUniversity of pennsylvania Smell Identification Test
- CCSITCross-cultural smell identification test
- Odorant confusion matrix
- T & T olfactometer

2. 보완(추가, 필요시)검사 항목

① Neck CT or MRI
② Chest PA
③ pulmonary function test
④ Bronchoscopy

3. 후각/호흡장애의 평가

1) 맥브라이드식 평가법

① 후각장애-후각에 대한 특별한 언급이 없다. 다만 심한 뇌신경 마비(제1, 2, 3, 4, 5, 6 및 8): 눈 및 귀의 평가를 참조하라고 되어 있다.
② 호흡장애

	전신기능에 대한 장애비율	옥내근로자	옥외근로자
호흡장애를 일으키는 코(비)의 손상	7	9	9

2) 미국의학협회(AMA) 평가방식

(1) 후각장애

① 말초 환부에서 기인한 후각 또는 미각의 부분 또는 완전 소실은 전신 장해 1~5% 범위의 등급 부여를 권장한다.
② 특정 산업종사자(음식, 향)에 있어서 더욱 심각한 장애가 유발될 수 있으나 전신장애의 평가에서는 이를 반영하지 않는다.

(2) 호흡장애

가장 흔한 공기 통로 결함은 폐쇄이며, 협착증과 같이 부분 폐쇄이거나 폐색과 같이 완전 폐쇄인 경우가 있다. 공기 통로 결함을 가진 환자에 대한 장해 평가는 AMA 지침서, 11 4a 호흡Respiration 항의 **부록표 1**에 분류되어 있다.

3) 국가배상법 시행령 일부개정 2012.04.23 [대통령령 제23749호, 시행 2012.04.23] 법무부

[별표 2] 신체장애의 등급과 노동력상실률표

등급	신체장애	노동력 상실률 (%)
제9등급 5	코가 결손되어 그 기능에 뚜렷한 장해가 남은 자	40
제12등급 12	국부에 완고한 신경증상이 남은 자	15
제14등급 9	국부에 신경증상이 남은 자	5

[별표 3] 2개 부위 이상의 신체장해 종합평가 등급 표 – 부록 참조

4) 산업재해보상보험법 시행령 일부개정 2016.03.22 [대통령령 제27050호, 시행 2016.03.28] 고용노동부

산업현장에서 발생하는 산업재해와 그 원인물(질)과의 인과관계에 대한 감정의뢰를 받았을 경우 다음의 '업무상 질병에 대한 구체적인 인정 기준'을 참고할 만하다.

[별표 3] 업무상 질병에 대한 구체적인 인정 기준(제34조 제3항 관련)

(호흡기계 질병)
가. 목재 분진, 짐승 털의 먼지, 항생물질 등에 노출되어 발생한 알레르기 비염
나. 아연·구리 등의 금속흄(기체)에 노출되어 발생한 금속열

다. 크롬 또는 그 화합물에 2년 이상 노출되어 발생한 비중격 궤양·천공
라. 불소수지·아크릴수지 등 합성수지의 열분해 생성물 또는 아황산가스 등에 노출되어 발생한 기도점막 염증 등 호흡기 질병
마. 톨루엔·크실렌·스티렌·시클로헥산·노말헥산·트리클로로에틸렌 등 유기용제에 노출되어 발생한 비염. (다만, 그 물질에 노출되는 업무에 종사하지 않게 된 후 3개월이 지나지 않은 경우만 해당한다.)

(신경정신계 질병)
가. 다음 어느 하나에 해당하는 말초신경병증
카드뮴 또는 그 화합물에 2년 이상 노출되어 발생한 후각신경마비

(직업성 암)
가. 6가 크롬 또는 그 화합물(2년 이상 노출된 경우에 해당한다), 니켈 화합물에 노출되어 발생한 폐암 또는 비강·부비동(副鼻洞)암
나. 목재 분진에 노출되어 발생한 비인두암 또는 비강·부비동암
다. 포름알데히드에 노출되어 발생한 백혈병 또는 비인두암

(급성 중독 등 화학적 요인에 의한 질병)
가. 급성중독
황화수소에 노출되어 발생한 의식소실, 무호흡, 폐부종, 후각신경마비 등 급성 중독 증상 또는 소견)
불화수소·불산에 노출되어 발생한 점막자극 증상, 화학적 화상, 청색증, 호흡곤란, 폐수종, 부정맥 등 급성 중독 증상 또는 소견

(물리적 요인에 의한 질병)
가. 고기압 또는 저기압에 노출되어 발생한 다음 어느 하나에 해당되는 증상 또는 소견
폐, 중이(中耳), 부비강(副鼻腔) 또는 치아 등에 발생한 압착증
물안경, 헬멧 등과 같은 잠수기기로 인한 압착증

그 밖에 근로자의 질병과 업무와의 상당인과관계相當因果關係가 인정되는 경우에는 해당 질병을 업무상 질병으로 본다.

[별표 6] 산업재해보상보험법 시행령에서의 장해등급의 기준(제53조제1항 관련)

등급	신체장애
제9급 5	코에 고도의 결손이 남은 사람
제10급 3	코에 중등도의 결손이 남은 사람
제12급 6	코에 경도의 결손이 남은 사람
제12급 7	코로 숨쉬기가 곤란하게 된 사람 또는 냄새를 맡지 못하게 된 사람
제12급 15	국부에 심한 신경증상이 남은 사람
제14급 10	국부에 신경증상이 남은 사람

시행규칙 [별표 5] 신체부위별 장해등급 판정에 관한 세부기준(제48조 관련)

1) 영 별표 6에서 "코로 숨쉬기가 곤란하게 된 사람"이란 일상생활에서 구강호흡의 보조를 받지 않는 상태에서 코로 숨쉬는 것만으로는 정상적인 호흡을 할 수 없다는 것이 비강 통기도 검사 등 의학적으로 인정된 검사로 확인되는 사람을 말한다.
2) 영 별표 6에서 "냄새를 맡지 못하게 된 사람"이란 후각인지검사, 후각역치검사 등 의학적으로 인정된 검사로 후각이 완전히 소실된 것으로 확인되는 사람을 말한다.

5) 보건복지부 장애인 장애 등급 판정

후각장애는 해당사항이 없으며, 호흡기장애는 1, 2, 3, 5급

으로 나눈다. 단 장애인 등록 직전 2개월 이상 진료한 의료기관의 내과(호흡기분과, 알레르기분과), 흉부외과, 소아청소년과, 결핵과 또는 산업의학과 전문의가 판정한다.

6) 국가 유공자 등 예우 및 지원에 관한 법률 시행령 일부개정 2016.06.21 [대통령령 제27249호, 시행 2016.06.23] 국가보훈처

[별표 3] 상이등급 구분표(제14조 제3항 관련)

등급	분류번호	신체 상이 정도
6급 1항	2301	외부 코의 70퍼센트 이상을 잃어 호흡에 고도의 기능 장애가 있는 사람
6급 2항	2302	외부 코의 50퍼센트 이상을 잃어 호흡에 고도의 기능 장애가 있는 사람
6급 3항	2303	외부 코의 40퍼센트 이상을 잃어 호흡에 고도의 기능 장애가 있는 사람
7급	2304	외부 코의 30퍼센트 이상을 잃어 호흡에 고도의 기능 장애가 있는 사람

7) 근로기준법 시행령 타법개정 2014.12.09 [대통령령 제25840호, 시행 2015.01.01] 고용노동부

[별표 6] 신체장해의 등급(제47조 제1항 관련)

등급	신체장해
제 9급 5	코가 결손되어 그 기능에 뚜렷한 장해가 남은 사람
제12급 12	국부에 완고한 신경증상이 남은 사람
제14급 9	국부에 신경증상이 남은 사람

8) 국민연금법 시행령

해당사항 없음

9) 공무원연금법 시행령 일부개정 2016.07.28 [대통령령 제27415호, 시행 2016.07.28] 인사혁신처

[별표 3] 〈개정 2012.3.2〉 장애등급(제45조제1항 관련)

등급	신체 장애
제9급 5	코가 결손되어 그 기능에 뚜렷한 장해가 남은 사람
제12급 12	신체 일부에 뚜렷한 신경증상이 남은 사람
제14급 10	신체 일부에 신경증상이 남은 사람

시행규칙 [별표 1] 〈개정 2012.3.9〉 신체 부위별 장애 등급 판정기준(제23조 관련)

가. 영 별표 3에 따른 코의 "결손"은 코 연골부의 전부 또 는 대부분을 잃은 경우로 한다.

나. 영 별표 3에 따른 코의 "기능에 뚜렷한 장애가 남은 사람"은 코로 숨쉬기가 곤란한 사람 또는 후각 상실 한 사람으로 한다.

다. 코가 결손된 경우에는 제7급으로 본다.

라. 후각을 상실하거나 코로 숨쉬기가 곤란한 사람은 제 12급으로 본다.

마. 후각이 감퇴된 사람의 경우에는 제14급으로 본다.

10) 자동차손해배상보장법시행령 타법개정 2015.12.31 [대통령령 제26844호, 시행 2015.12.31] 국토교통부

[별표 2] 후유장해의 구분과 보험금등의 한도금액 (제3조 제1항 제3호 관련)

장해급별	한도금액	신체 장해
제9급 5	2천 250만원	코가 결손되어 그 기능에 뚜렷한 장해가 남은 사람
제12급 12	1천 250만원	국부에 뚜렷한 신경증상이 남은 사람
제14급 10	630만원	국부에 신경증상이 남은 사람

11) 생명, 손해보험 표준약관

장해의 분류	지급률(%)(2006)
코의 기능을 완전히 잃었을 때	15

- "코의 기능을 완전히 잃었을 때"라 함은 양쪽 코의 호흡 곤란 내지는 양쪽 코의 후각기능을 완전히 잃은 경우를 말하며, 후각감퇴는 장해의 대상으로 하지 않는다.
- 코의 추상(추한 모습)장해를 수반한 때에는 기능장해와 각각 합산하여 지급한다.

Ⅱ | 코의 추상장해의 평가

코는 그 기능적 측면뿐만 아니라 미적 측면도 중요한 기관이기 때문에 기능적 문제와 함께 모양에 문제가 있는 경우 추상장해로서 장해율을 가산하고 있다.

추상장해란 사고 또는 위법행위의 결과로 외모에 추한 모습이 남아 있는 상태를 말하며, 성형수술을 충분히 한 후에도 교정되지 않는 부분에 대해 평가한다. 후각과 마찬가지로 가장 흔히 사용되는 맥브라이드 장해평가 방식에 추상장해 역시 별도의 항목이 없어 일반적으로 국가배상법에 의한 신체장해등급을 준용하여 사용하고 있다.

1. 국가배상법 시행령에서의 코/얼굴과 관련한 추상장해에 대한 신체장해 등급과 노동력 상실률 일부개정 2012.04.23 [대통령령 제23749호, 시행 2012.04.23] 법무부

등급	신체장애	노동력 상실률 (%)
제7급 12	외모에 현저한 추상이 남은 자	60
제9급 5	코가 결손되어 그 기능에 현저한 장해가 남은 자	40
제12급 13	외모에 추상이 남은 자	15

코의 결손이 제9급 5에 해당되므로 코와 관련하여서는 최고의 등급으로 생각된다. 코와 관련한 추상장해에 참고할 만한 또 다른 규정으로 산업재해보상보험법 시행령과 생명보험표준약관이 있다.

2. 산업재해보상보험법 시행령 일부개정 2016.03.22 [대통령령 제27050호, 시행 2016.03.28] 고용노동부

[별표 6] 산업재해보상보험법 시행령에서의 장해등급의 기준(제53조제1항 관련)

등급	신체장애
제9급 5	코에 고도의 결손이 남은 사람
제10급 3	코에 중등도의 결손이 남은 사람
제12급 6	코에 경도의 결손이 남은 사람
제12급 7	코로 숨쉬기가 곤란하게 된 사람 또는 냄새를 맡지 못하게 된 사람
제12급 15	국부에 심한 신경증상이 남은 사람
제14급 10	국부에 신경증상이 남은 사람

시행규칙 [별표 5] 산업재해보상보험법 시행령에서의 신체부위별 장해등급 판정에 관한 세부기준(제48조 관련)

가. 외부 코의 장해

1) 외부 코는 비골鼻骨 · 비연골鼻軟骨과 이를 덮고 있는 피부 및 피하조직을 말한다.
2) 영 별표 6에서 "코에 고도의 결손이 남은 사람"이란 외부 코의 3분의 2 이상을 잃은 사람을 말한다.
3) 영 별표 6에서 "코에 중등도의 결손이 남은 사람"이란 외부 코의 2분의 1 이상 3분의 2 미만을 잃은 사람을 말한다.
4) 영 별표 6에서 "코에 경도의 결손이 남은 사람"이란 외부 코의 3분의 1 이상 2분의 1 미만을 잃은 사람을 말한다.

3. 생명, 손해보험 표준약관

장해의 분류	지급률(%) (2006)
외모에 뚜렷한 추상(추한 모습)을 남긴 때	15
외모에 약간의 추상(추한 모습)을 남긴 때	5

여기서 '외모'는 얼굴(눈, 코, 귀, 입 포함), 머리, 목을 말하며, 얼굴의 뚜렷한 추상이란 다음과 같은 경우를 지칭한다.

- 손바닥크기 1/2 이상의 추상
- 길이 10 cm 이상의 추상 반흔
- 직경 5 cm 이상의 조직함몰
- 코의 1/2 이상의 결손

또, 얼굴의 약간의 추상이란

- 손바닥크기 1/4 이상의 추상
- 길이 5 cm 이상의 추상 반흔
- 직경 2 cm 이상의 조직함몰
- 코의 1/4 이상의 결손

을 말한다.

Ⅲ | 진단서 작성

진단서 발행은 의사에게 진료와 함께 권한과 의무가 수반된 매우 중요한 업무이며 사회적으로나 법적으로는 공문서와 비슷한 가치를 가진다. 따라서 의사는 환자를 자세히 진찰하고, 정확한 검사 등을 시행한 후 그 정도를 객관적이고 구체적으로 기록하여 진단서를 발급하여야 한다. 일반진단서와 상해진단서는 사용상의 구분일

뿐 법률적으로는 모두 진단서에 해당되므로 그에 따른 의무와 책임은 같다고 볼 수 있다.

1. 진단서에 관한 법률적 사항

비밀유지의 의무

의료법 제17조(진단서 등)는 진단서를 환자에게 교부하는 것을 원칙으로 하되, 만약 환자가 사망한 경우에는 배우자, 직계존비속 또는 배우자의 직계존속에게 교부하거나 또는 검안서라면 담당 검사에게 교부할 수 있다고 하였다.

의료법 제19조(비밀 누설 금지)는 "의료인은 이 법이나 다른 법령에 특별히 규정된 경우 외에는 의료 · 조산 또는 간호를 하면서 알게 된 다른 사람의 비밀을 누설하거나 발표하지 못한다."고 하였고, 형법 제317조(업무상 비밀누설)은 "① 의사, 한의사, 치과의사, (중략) 그 직무상 보조자 또는 차등의 직에 있던 자가 그 직무처리 중 지득한 타인의 비밀을 누설한 때에는 3년 이하의 징역이나 금고, 10년 이하의 자격정지 또는 700만원 이하의 벌금에 처한다."고 하였다.

> **〈의료법〉**
> 제17조(진단서 등) ① 의료업에 종사하고 직접 진찰하거나 검안(檢案)한 의사[이하 이항에서는 검안서에 한하여 검시(檢屍)업무를 담당하는 국가기관에 종사하는 의사를 포함한다], 치과의사, 한의사가 아니면 진단서 · 검안서 · 증명서 또는 처방전[의사나 치과의사가 「전자서명법」에 따른 전자서명이 기재된 전자문서 형태로 작성한 처방전(이하 "전자처방전"이라 한다)을 포함한다. 이하 같다]을 작성하여 환자(환자가 사망한 경우에는 배우자, 직계존비속 또는 배우자의 직계존속을 말한다) 또는 「형사소송법」제222

조 제1항에 따라 검시(檢屍)를 하는 지방검찰청검사(검안서에 한한다)에게 교부하거나 발송(전자처방전에 한한다)하지 못한다. 다만, 진료 중이던 환자가 최종 진료 시부터 48시간 이내에 사망한 경우에는 다시 진료하지 아니하더라도 진단서나 증명서를 내줄 수 있으며, 환자 또는 사망자를 직접 진찰하거나 검안한 의사·치과의사 또는 한의사가 부득이한 사유로 진단서·검안서 또는 증명서를 내줄 수 없으면 같은 의료기관에 종사하는 다른 의사·치과의사 또는 한의사가 환자의 진료기록부 등에 따라 내줄 수 있다. 〈개정 2009. 1. 30〉

② 의료업에 종사하고 직접 조산한 의사·한의사 또는 조산사가 아니면 출생·사망 또는 사산 증명서를 내주지 못한다. 다만, 직접 조사한 의사·한의사 또는 조산사가 부득이한 사유로 증명서를 내줄 수 없으면 같은 의료기관에 종사하는 다른 의사·한의사 또는 조산사가 진료 기록부 등에 따라 증명서를 내줄 수 있다.

③ 의사·치과의사 또는 한의사는 자신이 진찰하거나 검안한 자에 대한 진단서·검안서 또는 증명서 교부를 요구받은 때에는 정당한 사유 없이 거부하지 못한다.

④ 의사·한의사 또는 조산사는 자신이 조산(助産)한 것에 대한 출생·사망 또는 사산증명서 교부를 요구받을 때에는 정당한 사유 없이 거부하지 못한다.

⑤ 제1항부터 제4항까지의 규정에 따른 진단서, 증명서의 서식·기재사항, 그밖에 필요한 사항은 보건복지부령으로 정한다. 〈신설 2007.7.27., 2008.2.29., 2010.1.18.〉

〈의료법 시행규칙〉
제9조(진단서의 기재 사항) ① 의사·치과의사 또는 한의사가 발급하는 진단서에는 별지 제5호의2서식에 따라 다음 각 호의 사항을 적고 서명 날인하여야 한다.

〈개정 2012.4.27.〉
환자의 주소·성명 및 주민등록번호
병명
발병 연월일
향후 치료에 대한 소견
진단 연월일
의료기관의 명칭·소재지, 진찰한 의사·치과의사 또는 한의사(부득이한 사유로 다른 의사 등이 발급하는 경우에는

발급한 의사 등을 말한다)의 성명·면허자격·면허번호
② 질병의 원인이 상해(傷害)로 인한 것이 경우에는 별지 제5호의3서식에 따라 제1항 각호의 사항을 적어야 한다.

〈개정 2012.4.27.〉
상해의 원인 또는 추정되는 상해의 원인
상해의 부위 및 정도
치료기간
입원의 필요 여부
외과적 수술 여부
합병증의 발생 가능 여부
통상활동의 가능 여부
식사의 가능 여부
상해에 대한 소견
③ 제1항의 병명 기재는 「통계법」 제22조 제1항 전단에 따라 고시된 한국표준질병·사인 분류에 따른다.
④ 진단서에는 연도별로 그 종류에 따라 일련번호를 붙이고 진단서를 발급한 경우에는 그 부본(副本)을 갖추어 두어야 한다. (이 경우 부본의 보존기간은 최소 3년임)

제10조(사망진단서 등) ① 의사·치과의사 또는 한의사가 발급하는 사망진단서 또는 시체검안서는 별지 제6호 서식에 따른다.

제11호(출생증명서, 사산 또는 사태증명서) 의사·한의사 또는 조산사가 발급하는 출생증명서는 별지 제7호 서식에 따르고, 사산(死産) 또는 사태(死胎) 증명서는 별지 제8호 서식에 따른다.

IV | 상해진단서 작성을 위한 각 상병별 치료기간

비과분야

상병명	상병 번호	치료 기간
1. 코뼈 골절(Nasal bone Fx.)	S02.2	
– 단순 골절	S02.2	2~3주
– 분쇄 골절	S02.2	2~3주
2. 코출혈(Nasal bleeding)	R04.0	1주
3. 얼굴 타박상(Contusion on the face)	S00.8	1~2주
4. 얼굴 찢긴상처(Facial laceration)	S01.8	1~2주
5. 코연골 골절(FX. of the nasal cartilage)		
– 폐쇄(closed)	S02.20	2~3주
– 개방(open)	S02.21	2~3주
6. 코중격 골절에 의한 휨증(만곡증) (Septal deviation due to septal Fx.)	S02.2	
– 앞(anterior)		2~3주
– 뒤(posterior)		2~3주
7. 위턱뼈 골절(Fx. of the maxilla)	S02.4	
– 폐쇄(closed)	S02.41	3~4주
– 개방(open)	S02.40	3~4주
8. 아래턱뼈 골절(Fx. of the Mandible)		
– 몸통(body)		4주
– 관절돌기(condyle)	S02.6	
– 30세 이전		4주
– 30세 이후		4~5주
9. 광대뼈(관골) 골절 (Fx. of the Zygoma)	S02.40	4주
– 폐쇄(closed)	S02.41	4주
– 개방(open)		
10. 이마뼈(전두골) 골절(머릿속 손상이 없는) (Fx. of the Frontal bone)	S02.1	4주
11. 벌림뼈(사골) 골절(머릿속 손상이 없는) (Fx. of the Ethmoidal bone)	S02.1	4주
12. 눈확골절(안와, Orbital bone Fx) – 눈확골절 되맞춤	S02.8	8주

상병명	상병 번호	치료 기간
13. 눈확파열골절(blow-out 골절) –눈확 골절 되맞춤 –수술을 하지 않고 외래 치료만 하는 경우	S02.8	8주 3~4주

참고문헌

1. 상이판정심사. 국가보훈심사위원회편.
2. 이비인후과 감정지침서. 대한이비인후과학회편. 2007.
3. 국가법령정보센터. http://www.law.go.kr/lsInfoP.do?lsiSeq=105298&efYd=20100520#AJAX.
4. 국가법령정보센터. http://www.law.go.kr/lsInfoP.do?lsiSeq=124864&efYd=20120423#AJAX.
5. 국가법령정보센터. http://www.law.go.kr/lsInfoP.do?lsiSeq=96888&efYd=20091021#AJAX.
6. 대한민국 법원 종합법률정보. http://glaw.scourt.go.kr/wsjo/intesrch/sjo030.do?q=%EC%9E%A5%ED%95%B4&tabGbnCd=#1475895750799
7. 생명보험협회. http://www.klia.or.kr.

한글

ㄱ

가골······························635

가려움증··· 180, 186, 188, 198, 235

가장자리 세포 ······················ 49

가족력······················ 198, 218, 843

가피 110, 118, 137, 220, 239, 277,
　　　　279, 302, 313, 360, 447, 699,
　　　　838, 844

각간봉합술·························716

각성·······························766

간경화증···························491

간엽성 종양 ·······················511

간엽조직성 비치성 종양 ···········592

간엽조직성 치성 종양 ·············592

간유리·····························521

감각신경성 후각장애 ···············489

감각신경아세포종·····················605

감염성 비염 ················ 230, 232

감염성 질환 ················ 279, 354

감입골절···························634

감작············· 178, 180, 210, 233

감지역치검사·······················504

갑개판····························· 17

갑개형 접형동 ·····················621

갑상선기능저하증·····················198

강도변조 방사선치료 ···············541

개구비도단위·······················394

개구장애···························531

개두술···························555

개방골절·····················634

개방성 비음 ················ 82

개방성 외비성형술 접근법 ·········282

개방적 접근법 ···················556

거대세포···················· 130, 547

거대세포종·······················511

거대세포종양·······················547

거대혀·····························795

거짓중층원주세포·····················513

건성 전비염 ···················· 79

건조감················ 187, 237, 239, 351

건조성 비염 ··············· 237, 239

검판봉합술·························563

겔·······························40

겔층·······························41

견인검사···························667

견치와 ······ 22, 97, 126, 330, 349,
　　　　　　425, 444, 450, 598

결막부종········· 186, 466, 467, 810

결막충혈···················· 233, 810

결절성 다발성 동맥염 ···············840

결체조직··· 12, 183, 237, 292, 345,
　　　　688

결합조직성 섬유종 ·················511

결합조직 육종 ·················528

결핵········· 79, 144, 279, 281, 844

결핵균···················· 135, 282

경결막절개·························669

경구용 스테로이드　352, 372, 376,
　　　　　　　　　482, 497

경구용 스테로이드제　208, 213, 222

경막········· 143, 434, 436, 454, 465

경막외 공간 ·························465

경막외 농양 ············ 464, 467

경막하 공간 ············ 465, 467

경막하 농양 ············ 464, 468

경비강···························608

경비강 내시경수술 ··············625

경비주절개·······················738

경비주 접근법 ···················622

경비중격 내시경수술 ··············625

경비중격 접근법 ···················622

경상악골···························608

경상악동 관상면 절제 ···········570

경상악동사골동 절제술 ···········450

경상악동접형사골동 절제술 ······450

경안면···························608

경안면접근·························566

경안면 접근법 ···················612

경안와···························608

경접형동 접근법 ···················622

경험적 항생제 치료 ···············326

계관·························· 28, 603

계단상변형·······················642

계수······························· 86, 94

계절성 알레르기 비염 ······ 199, 211

고무종···························845

고삭신경·························502

고식적 화학요법 ···················541

고용량의 스테로이드 ·············517

고유층···················· 141, 345

고주파······ 134, 310, 314, 781, 782

고주파 설근부 축소술 ··············781

고주파 점막하 절제술 ·············302

고혈압 80, 144, 145, 212, 329, 440,
　　　　549, 773, 795, 811, 825

곡비······················· 295, 678
곡선 연골 이식 ····················304
골결손···············66, 396, 645
골 균열 ·····················599
골막하 농양125, 395, 467, 470, 585
골모세포·······················520
골성 종양······················511
골성 중격 ·······················8
골성형 전두동 폐쇄술 ·············423
골성형피판·······················457
골성형피판술·····················455
골수성 육종 ····················528
골수염·······················467
골수외 형질세포종···············528
골신생·······················416
골아세포종······················605
골염·······················416
골육종················528, 545, 606
골종········ 510, 511, 519, 592, 605
골파괴·······················512
골화섬유종·····················605
골화성 섬유종 ········ 511, 520, 592
곰팡이 ··· 43, 125, 172, 173, 176,
              213, 343, 375, 414
곰팡이덩어리·····················108
공기액체층·············123, 349, 595
과망간산칼륨·····················136
과오종··················511, 521
과탄산성환기반응성·················768
관상동맥질환·····················773
관상절개·······················643
관상피판·······················676
관통절개·······················693

괄호 변형 ·····················296
광범위 근치술 ····················512
광범위큰B세포림프종·············528
광범위한 외과적 절제 ·············545
광범위 항생제 ····· 284, 449, 462,
                    563, 586
괴사성 근막염·····················586
괴사성 육아종 ····················838
교감신경··· 30, 230, 231, 255, 308,
              768
교차절개·······················266
교환혈관·······················33
구강건조증·············500, 502, 788
구강 내 상기도 확장기······ 779, 787
구강 내 장치 ··· 678, 777, 787, 798
구강상악동누공············· 582, 584
구강상악동누공 폐쇄술 ·············583
구강상악동루····················· 22
구강저 봉와직염 ··················583
구개·······················56
구개거근····················· 780, 781
구개근 절제술 ····················781
구개긴장근······················768
구개설근······················781
구개수구개인두성형술················780
구개수구개피판·····················780
구개수근······················781
구개열················· 45, 82, 257
구개인두부전····················780
구개점막피판·····················585
구더기증·······················136
구비막······················· 57
구상돌기······················ 11, 61

구상돌기 절제술 ·····················402
구상상악낭······················587
구순구·······················748
구순하 안면중심접근법 ··· 557, 558
구순하 안면중앙 접근법 ···········612
구순하 절개 ·····················446
구순하 접근법 ············ 556, 622
구축··········· 696, 707, 732, 748
구취·······················479
구호흡·······················198
국소마취··· 86, 164, 270, 284, 374,
              398, 651, 728
국소 비강스테로이드제············166
국소 비충혈제거제 ················586
국소 스테로이드제 ········ 208, 212
국소 알레르기 비염 ········ 180, 190
국소용 스테로이드제 ·············351
국소용 항히스타민제 ·············187
국소용 혈관수축제 ···············186
굴곡형 내시경 ······· 68, 86, 479
균상 유두종 ············ 510, 511
그렐린·······················789
근상피세포암종·····················528
근치적 상악절제술 ········ 562, 612
급성 부비동염 119, 123, 320, 321,
              596
급성 비부비동염 ················478
급성 비염 ··········· 77, 79, 320
급성 세균성 비부비동염 ············478
급성 화농성 비부비동염 ············324
급속 상악골 확장 ················794
급속 상악 확장 장치················800
급속안구운동·····················767

기관내 삽관 난이도 예측 검사 …775
기관지 천식 …………… 172, 186
기뇌……………………………642
기능성 외비성형술 ……………264
기능성 자기공명영상 …………496
기도상피세포……………………345
기도저항……………………… 40
기생충……………… 81, 144, 200
기수면……………………………642
기원 불명 종양 …………………592
기저막………… 33, 371, 373, 512
기저부……………………………683
기저세포……………… 40, 49
기저세포 선종 …………………513
기저영상………… 104, 634, 658
기저판……………………… 10, 114
기질화 혈종 ……………………120
기타 종양성 병변 ………………592
기판11, 26, 114, 152, 405, 406, 417
기형… 56, 67, 68, 72, 73, 144, 221,
    257, 321, 453, 510, 605, 651
기형 암육종 ……………………528
기형종……………………… 62
긴장성 두통 ………… 82, 159, 396
꽃가루…… 43, 172, 175, 176, 213
꽃양배추…………………………511

ㄴ

나무분진…………………………527
나비 이식 ………………………299

나비절개 …………………………643
낭성 섬유증 … 368, 372, 376, 383,
    425, 445
낭 전적출술 ……………………588
낭종………………………………531
낭포성 섬유증 ………… 350, 843
내경동맥…… 21, 24, 80, 141, 253,
    407, 423, 514
내돌근……………………………629
내비공……………………………… 6
내비 밸브 ………………………291
내상악동맥…… 129, 253, 447, 514
내시경 Lothrop 수술 …………619
내시경 부비동수술………………394
내시경 안면 절제술 ……………619
내시경적 부분 상악절제술 ……569
내시경적 비중격 성형술 ………279
내시경적 접근법 ………… 556, 568
내시경 전두개저 접근법 …………618
내시경하 접형구개동맥 결찰술 …150
내악동맥……………… 141, 152, 676
내안각……… 73, 82, 448, 537, 653,
    672, 734, 808
내안각인대…………………………448
내직근………………… 436, 668, 804
내직근의 손상 …………………437
내측각……………………………687
내측각-중격 봉합술 ……………716
내측비판……………………………687
내측상악동 절제술 ……………512
내측상악절제술………… 555, 612
냉동요법……………………………590

노인성 비염 ………… 236, 237
녹내장……………… 212, 330, 811
뇌농양……………………………468
뇌두개골…………………………603
뇌류……………………… 66, 62
뇌막염……… 56, 67, 126, 285, 434,
    546, 574, 609, 617
뇌부종………………… 462, 567, 617
뇌수막염…………………………467
뇌신경…… 48, 423, 468, 488, 502,
    538, 567, 602, 621, 806
뇌염………………………………468
뇌자기도검사……………………496
뇌척수액 검사 …………………567
뇌척수액 누공…………………608
뇌척수액 비루 …………………433
뇌척수액 유출 417, 453, 620, 645
뇌하수체선종……………………605
뇌하수체종양……………………621
누낭비강문합술…………………657
누두봉소 ……………………… 15
누빔………………………………734
누소관……………………………654
눈가려움증………………………208
눈물……… 43, 164, 208, 655, 807
눈썹내 절개 ……………………452
눈썹아래 절개 …………………452
눈썹위 절개 ……………………452
눈썹절개…………………………453
능동적 전방 비강통기도 검사…… 92
니코틴……………………………231

ㄷ

다골성 섬유성 이형성증 ·············520
다발경화증·························493
다발성 폐쇄 ·······················780
다병용요법························555
다형선종유래암종·················528
다형성 선종 ·······················513
다형성세망증······················548
다형성 저등급선암종 ··········528
단골성 섬유성 이형성증 ···········521
단독······························135
단순골절··························634
단순봉합··························748
단순성····························587
단순코골이························788
단자검사··························202
단핵구····························178
당뇨··· 78, 277, 322, 351, 356, 490,
    773
당뇨병··········· 323, 491, 502, 811
대구개공··························399
대구개동맥········· 9, 27, 141, 254
대구개신경········· 141, 255, 628
대식세포··············· 31, 181, 345
대식세포육아종···················592
덧 비갑개 ·························307
델타파····························767
도뇨관····························644
독성 쇼크 증후군 ·················440
동력단백팔························322
동맥류····························605
동맥류성 골낭 ····················587

동맥색전술·······················153
동물 항원 ·················· 173, 176
동시화학방사선요법···············541
동안신경················ 604, 639, 806
동정맥 기형 ······················605
동통··· 80, 97, 136, 323, 545, 587,
    591, 654, 739
돼지코변형·······················654
두개강화··························565
두개골계측·······················777
두개골막 피판 ····················608
두개내 합병증····················463
두개안면분리·····················674
두개안면절제술·········· 563, 609
두개인두종·······················605
두개저 16, 131, 262, 394, 396, 408,
    415, 423, 444, 528, 532
두개저 손상 ······················377
두개화···························· 455
두부손상·············· 502, 639, 673
두통··· 67, 81, 157, 410, 429, 511,
    621, 795
들창코····························297
딸기양 치은비 ····················838
뚜껑문변형·······················670

ㄹ

락토페린··························· 43
랑게르한스 세포 조직구증 ········528
레이저····· 134, 154, 290, 313, 518
렘수면····························767

렙틴······························789
류코트리엔 178, 182, 212, 222, 231
류코트리엔 수용체 길항제 ········388
림프관종·························511
림프상피암·······················528

ㅁ

막성 중격 ··························· 7
만성 감염성 비염 ······ 79, 290, 310
만성 부비동염 ·····················123
만성 비부비동염 ····· 77, 159, 172,
    184, 334, 478
만성 비부비동염의 급성 악화······338
만성 비부비동염의 급성 악화기···482
만성 비염 ··················· 77, 130
만성 비후성 비염 ··················· 77
말단 비대증 ············ 78, 230, 233
망상기····························517
매독···················· 81, 279, 844
매트리스 봉합 ·····················759
맥관육종··························528
맹출성낭··························587
멜라토닌··························768
면역결핍········· 325, 368, 372, 375
면역결핍질환·····················843
면역글로불린··· 172, 343, 384, 414
면역요법···················· 95, 218
모균증····························323
모낭염····························135
모반·····························592
모상건막················ 456, 564, 603

모상건막하면····················644
모상하면·························455
무미각증·························500
무비증····························· 72
무섬모원주상피··················· 40
무증상 알레르기 ················204
무호흡····························769
무호흡-저호흡지수 ···········773
미각······························· 49
미각감퇴·························500
미각과민·························500
미각기능검사····················504
미각성 비염 ·····················235
미각세포·····················49, 505
미각 수용체 세포 ··············· 49
미각신경통·······················502
미각유발전위검사···············505
미각장애·························499
미간회전피판····················755
미뢰······························· 49
미만성 거대 B세포 림프종 ·······841
미분화 모세혈관망기 ··············516
미분화암·························543
미세관쌍·························· 40
미세절삭기·················402, 432
밀월비염·························238

▌ ㅂ

바이러스··· 42, 181, 240, 320, 340,
         476
바이러스성·······················477

반관통절개·······················692
반관통절개법····················271
반대측 상악절제술 ··············555
반월열공························· 86
반작용성 비 폐색 ···············233
반전성 유두종   108, 510, 511, 531
반흔경축·························758
발육성낭·························587
방사선성 골괴사 ················571
배상세포····················32, 323
배세포························37, 40
배튼 이식물 ·····················735
백악골 이형성증 ················592
법랑모세포성 섬유육종 ·········592
법랑모세포성 섬유종 ···········592
법랑모세포성 섬유치아종 ·······592
법랑모세포성 치아종 ···········592
법랑모세포종·····················592
베르누이법칙·····················292
벤츄리 효과 ··············292, 296
벨모양기·························579
변형 Cottle 검사법 ···············264
변형된 Killian 절개법 ···········271
병합요법·············543, 572, 842
보철물·························568
복시   145, 433, 458, 511, 531, 648
복잡골절·························634
복잡치아종·······················592
복합치아종·······················592
복합피부이식·····················758
부공·······················12, 86
부구·····························122
부분 상악절제술 ················555

부비동 개구복합체 ··············480
부비동 내시경수술 ·······373, 822,
                    824, 829
부비동 재수술 ···················414
부비동 컴퓨터단층촬영 ···········397
부신경절종·······················605
부정교합·························649
부정맥·················212, 237, 852
분쇄골절·························634
불면증·························768
브래디키닌·······················231
비갑개······················ 9, 40, 307
비갑개 붙음 ·····················307
비갑개 비대 ·····················302
비갑개 외 골절술 ···············302
비갑개 절제술 ···················302
비갑개 점막하 절제술 ···········302
비갑개 피판 ·····················760
비강····························· 6, 57
비강기류························· 38
비강 내 스테로이드제 185, 219, 222,
                        382
비강분무스테로이드···············244
비강 세척 ·······················410
비강 유착 ·······················440
비강의 유두종 ···················511
비강점막간 반사 ················· 44
비강통기도 검사 ················· 87
비강통기도검사···················265
비강 패킹 ·······················410
비강 항원 유발검사 ··············236
비결핵·························845
비경·····················83, 84, 85

비골······················· 2, 57
비골 골절 ······················636
비공상 및 쐐기형비익 동시절제술 727
비공상절제술···················727
비공점···················· 5, 740
비구개관낭··············· 587, 590
비구개신경···················· 9
비구순각······················ 2
비구순구·····················756
비구순피판·············· 751, 757
비근························· 2
비근부······················683
비근증대술···················740
비낭···················· 13, 56
비내시경검사 85, 279, 346, 515, 813
비내시경수술······ 18, 348, 421, 816
비내신경교종·················· 65
비내유발 검사 ·················205
비내 점막 피판 ···············759
비내접근법···················696
비능························ 57
비도························· 9
비렘수면·····················767
비루관··············· 11, 22, 57, 438
비루관 폐쇄 ··············· 71, 136
비루낭······················ 57
비만세포········· 31, 165, 180, 182
비매독······················845
비배························· 2
비배부······················683
비밸브················· 76, 290
비밸브각················· 77, 291
비밸브구역··················· 77

비밸브 영역 ················291
비부비동 미분화암종 ·············490
비부비동염··················476
비사골복합체··················648
비상피성낭···················587
비상피성 악성종양··············544
비석························136
비성 두통 ·············· 81, 159
비성형부전증················· 72
비세포 검사 ············· 98, 201
비소엽······················690
비순각······················683
비순낭················· 587, 591
비습도측정법················· 87
비신경교종················· 62, 65
비안반사···················· 45
비알레르기 비염················230
비역························291
비외········ 66, 158, 443, 612, 814
비외사골동절제술··············447
비외 사골절제술 절개 ··········612
비외신경교종·················· 65
비외접형동 절제술 ············450
비용························531
비용종······················118
비이상근····················· 6
비익························· 2
비익 강화 이식···············302
비익구······················755
비익 기능 장애 ···············294
비익연골····················· 3
비익연골간 봉합술 ············715
비익연 이식 ···············304

비익연절개······················691
비익장개························725
비익저부절제술··········· 724, 726
비익함몰························687
비익 확장······················263
비인강 혈관섬유종 ··············514
비인두························· 6
비인두내시경···················775
비인두혈관섬유종···············531
비장형 선암··················528
비저항························ 39
비전두각·······················683
비전두관······················ 17
비전두관골절···················641
비전두사골복합체골절·············653
비전위골절·····················635
비전정····················· 6, 40
비전정 각화 유두종 ·············511
비전정염·······················136
비전정 확장···················· 39
비점막 13, 27, 137, 145, 162, 201,
       279, 308, 360, 445, 477,
       619, 700, 747, 758
비제봉소··············· 14, 16, 17
비주························· 2
비주 결손 재건 ················749
비주기··············· 39, 95, 294
비주 수축 ·····················653
비주 위축 ·····················263
비주 지주 ·····················718
비주 퇴축 ·····················624
비중격····················· 7, 57
비중격 농양 ············· 277, 283

비중격막성부······················691
비중격 만곡 ······················106
비중격 만곡증 ····················262
비중격 복합 축피판 ················760
비중격 비후 ······················259
비중격성형술······················262
비중격연골························ 7
비중격 점막성연골막피판 ·········760
비중격 천공 ······················279
비중격 피판 ·········· 608, 619, 833
비중격 혈종 ······················286
비즙··· 31, 190, 230, 235, 243, 355
비첨····························· 2
비첨부··························· 57, 57
비첨상부··························690
비첨성형술························708
비첨정점 봉합술 ··················715
비첨하부··························690
비출혈··· 8, 80, 117, 139, 329, 356,
　　　　　　360, 398, 514, 543, 624,
　　　　　　642, 838
비충혈 제거제 ·····················237
비치성낭·························587
비치성 종양 ······················592
비특이 투명세포암종 ··············528
비판······························ 39, 40
비폐반사·························· 45
비폐색 33, 65, 136, 230, 483, 494,
　　　　　514, 532, 543, 621, 714, 774
비하점 피판 ······················757
비호산구성 비용 ··················344
비호지킨 림프종 ··················548
비혹····························· 683, 755

비혹제거술························700
비확장근·························· 40
비후····························512
빈맥····················· 399, 638, 768
빈 안장 ·························830
빈코증후군························240

ㅅ

사각골절·························658
사건수면·························768
사골누두···················· 11, 16, 403
사골동·························· 13
사골와·························654
사골포···················· 11, 16, 404
사골포 뒤의 공간 ··················404
사대···························· 603, 608
사람 유두종 바이러스 ·············511
사르코이드증······················844
사비···························· 264
사비교정술·······················694
사상판·························603
사카라인-염색약 방법 ·········· 41
사판·························654
삼각골절·························658
삼각연골·························688
삼차신경-혈관 복합체 ·············165
상기도 저항증후군 ········· 773, 788
상부구조 상악절제술 ······ 555, 560
상비갑개 ···················· 11, 61
상비도 ····················· 12, 62
상비익연골························688

상사골포봉소···················· 17
상순동맥························760
상악골 회전 접근법 ········ 612, 615
상악동······················ 22, 59
상악동 개방술····················619
상악동 거상술····················594
상악동 자연공 개방 ··············403
상악동절개술····················533
상악동 천자법 ·················· 97
상악동후비공비용··················514
상악동후비공용종··················118
상악신경························532
상악전돌기························580
상악 전부 ·······················561
상악전적출술················ 555, 560
상악 전절제술 ···················557
상안와봉소··············· 13, 17, 115
상피 근상피세포암종 ··············528
상피성낭·························587
상피성 비치성 종양 ··············592
상피성 악성종양 ··········· 528, 542
상피성 종양 ·····················511
상피성 치성 종양 ··············592
색전술·························607
색전화·························607
생식세포 악성종양 ··············528
생체시계························766
서골···························· 24, 57
석회화 상피성 치성 종양···········593
석회화 치성낭 ···················587
선암························· 527, 528
선암종·························543
선양낭성암·····················528

선양낭성암종·············· 543, 605

선양치성 종양 ···············592

선인···············683

선종···············511

선천성 뇌수막류 ···············826

선천성 비루관 폐쇄 ·········· 71

선천성 후비공폐쇄 ·········· 57

선천적 이상구 협착증 ············ 71

선행화학요법···············541

설골근 절개/거상술 ············781

설근부···············781

설근부절제술···············781

설근부현수법···············781

설신경···············502

설인신경···············502

설편도···············795

설하면역요법···············218

섬모···············40

섬모운동···············40

섬모원주상피···············40

섬유기질···············520

섬유성 이형성증 ·········· 511, 520

섬유아세포···············518

섬유육종 ·········· 528, 546

섬유이형성증···············592, 605

섬유종·············· 511, 531, 592

성곽유두···············49

성인의 치은낭···············587

성장기···············579

소타액선 종양 ···············511

속발위축성 비염···············240

수막뇌류···············62

수막류···············62

수막종·············· 511, 605

수면관련 운동장애 ···············768

수면관련 저산소혈증질환 ··········769

수면관련 저환기질환 ···············769

수면관련 호흡장애 ···············768

수면다원검사·············· 769, 773

수면단계···············767

수면호흡장애···············773

수정 Cottle검사 ···············295

수평매트리스 봉합법···············267

수평석상봉합···············696

수평절개···············655

수포성 갑개 ···············16

순수외향골절···············666

순응···············48

술후성 협부낭종 ···············445

스플레이 이식 ···············297

시상하부···············39

시신경교차상핵···············768

시신경 손상···············438

식별···············493

신경교종···············65

신경내분비종···············528

신경섬유종 ·········· 511, 518

신경외배엽 악성종양···············528

신경원성육종···············547

신경종양 ·········· 511, 518

신경초종·············· 511, 518, 605

신체 악취 증후군···············492

실유두···············49

심경부의 림프절 ···············530

쐐기형비익절제술···············727

ㅇ

아데노이드 비대 ···············794

아데노이드형 얼굴 ···············278

악설골근···············768

악설근···············768

악성말초신경초종양···············528

악성 법랑모세포종 ···············592

악성 섬유성 조직구증 ···············547

악성섬유조직구종···············528

악성 신경초종 ···············606

악성 전이성 기형종 ···············528

악성종양···············514

악성 치성 종양 ···············592

안검성형술절개···············669

안구돌출···············531

안구적출···············555

안구함몰···············574

안구후 혈종 ···············664

안면동맥근점막 피판 ···············762

안면두개골···············603

안면위험삼각···············135

안면중앙부 노출술 ···············516

안면중앙 접근법···············608

안비·············· 263, 653

안와감압술···············437

안와격막···············464

안와 골막하 농양 ···············466

안와내향 골절 ···············666

안와 농양 ···············466

안와 봉와직염 ···············466

안와상신경···············449

안와외향 골절 ···············666

안와 주위 반상출혈 ·················436
안와주위 봉와직염 ········ 464, 466
안와하신경·····················445
안와하주름절개·················669
안와 합병증 ············· 436, 463
안와 혈종 ·············· 417, 437
알레르기 행진 ·················217
알츠하이머병·····················491
약목골절················ 634, 645, 678
약물성 비염 ·····················211
약물유도 수면내시경 ···········776
약물유발성 비염 ·········· 230, 233
양경 비전정 전진피판 ·········759
양성 두개강내 고혈압 ·········825
양성 백악아세포종 ···········592
양성종양················ 510, 511
양성 치성 종양 ·················578
양악전진술·····················782
양압호흡기·····················779
양이측반맹·····················621
양전자방출단층촬영·················496
양측관상절개·····················563
얼굴 전위 접근 방식·················608
엡스타인바바이러스·················527
여포성낭·····························589
역곡중비갑개·················· 16, 307
역곡 중비갑개 이상 ·············307
역치검사·····················494
연골간절개············ 688, 691, 693
연골육종············ 528, 545, 606
연골절개·····················692
연골점액유사 섬유종 ·············511
연골종························ 511, 592

연관통························· 83
연립·····························579
연립기·····························579
연삼각부·····················690
연장 이식 ·····················302
연조직 육종 ·····················528
염증성낭·····················587
영상유도수술·····················420
와류························· 38
외골종·····················511
외과적 폐쇄장치 ·················568
외비················ 2, 57, 264
외비공························· 6
외비 밸브 ·····················291
외비접근법·····················512
외비 확장기구 ············· 39
외상성·····················587
외상성 뇌척수액 비루 ·············823
외안각 절개술 ·················437
외안근 포착 ·····················573
외익돌판·····················629
외장성 유두종 ·················511
외측각·····················687
외측각 spanning 봉합술 ···········718
외측각 steal 봉합술 ·················716
외측각의 두측으로 변위 ···········304
외측각 지주 이식 ·················304
외측비연골····························· 3
외측비절개·················· 557, 608
외측비절개술·····················558
외측 비절개 접근법 ·················612
외측 코끝 기형 ············· 73
요붕증·····························622

요추배액·····················833
요추천자·····················608
용상유두························· 49
원발 부위의 다중심 ·················511
원발성 골낭 ·····················587
원발성 섬모운동이상증 ···········842
원발성 코골이 ·················774
원발위축성 비염 ·················239
원시성신경외배엽종양·················528
원통형 유두종 ············· 510, 511
위축성 비염 ········ 230, 237, 238
유골·····························520
유골골종·····················511
유두························· 49
유두종················ 510, 592
유아기 흑색 신경외배엽성 종양···592
유아의 치은낭 ·················587
유잉 육종 ·····················528
유전성 출혈성 모세혈관확장증 ···154
유착·····························277
유피낭························· 62
유피동························· 62
유피종························· 62
육아종성 질환·····················414
육종················ 527, 544
융비술·····························705
음식유발성 비염 ·········· 235, 237
음향 비강 통기도 검사 87, 232, 265
이동형 가정수면검사 ·············773
이상구························· 2, 22
이상미각·····················500
이설근 전진술 ·················781
이엽피판·····················750

이차구개······················ 57
이차암··························533
이차유합······················755
익구개신경절·················· 22
익돌판························ 22
인간유두종 바이러스 ···········527
인공입천장닫개················558
인공치관······················594
인공치근······················594
인두부 측벽 ··················781
인지··························493
인지검사······················494
인지역치검사··················504
인후두림프절··················530
일주기 리듬 ··················766
일주기성 수면-각성장애 ·········768
일차구개······················ 57
일차성 골내암종 ···············592
임시 폐쇄 장치 ···············568
입중간점······················683
잎새유두······················ 49

ㅈ

자가늑연골····················749
자가조직······················707
자발성 뇌척수액 비루 ···········824
잔류··························587
장액선세포···················· 37
장형 선암 ····················528
재순환 현상 ·········· 404, 415
저류낭종······················106

저산소환기반응성·····················768
저작근··························604
저호흡··························769
저환기··························770
전기미각검사법············· 504, 505
전기생리학적 검사 ···········493
전기 후각검사 ···········495
전도성 후각장애 ···········489
전두개두술············· 608, 646
전두개저··············· 603, 608
전두골··························603
전두골내 판간형 정맥동 ···········463
전두동···················· 21, 60
전두동 골절 ··················640
전두동 천공술 ········· 451, 646
전두봉소···························· 17
전두부피판·················· 751, 762
전두사골 부위 ···············519
전두와···························· 11
전두와 개방 ··················407
전두와봉소··················· 13, 17
전두포······························ 14
전두포봉소···························· 17
전비공 패킹 ··················148
전비극························687
전사골동························ 60
전사골 동맥 ··················417
전사골동 제거 ··············404
전사골봉소······················ 59
전사골 봉합선 ···············604
전산유체역학적 검사 ···········778
전안구염························574
전완유리피판······················764

전위피판···························755
전이개피부···························749
전이성 종양 및 골육종·········592
전이암··························528
전인두궁························780
전진접근법······················400
전천문·························· 12
절골도···················· 561, 697
절골술··························696
절단 후 봉합법 ···············270
절치공··························141
점막 악성흑색종··············528
점막 접촉점 두통··············162
점막하절제술····················263
점막하 파괴술 ···············302
점막 흑색종 ··················538
점액낭종··························126
점액류···················· 605, 641
점액선세포···························· 37
점액섬모수송기능····················· 40
점액섬모제거율······················ 96
점액층····························· 40
점액표피양 암종 ···············528
접구개공··························141
접사함요···················· 12, 60
접시안면변형····················654
접형골··························603
접형구개동맥····················141
접형동···················· 23, 60
접형동 자연공 개방 ·············406
접형동절개술····················533
접형사골함요······················ 86
접형평면··························612

정신물리학적 검사 ·················493
정중구개낭·······················587
정중비열·························· 72
정중비주절개·····················694
정중설절제술·····················781
정중안면열증후군·················· 72
젤 ······························ 33
조대술··························· 588
족성 섬유성 이형성증 ·············592
졸 ···························· 33, 40
종양성 유두종 ···················513
주변성 대식세포육아종 ···········592
중간엽연골육종···················528
중간이마절개·····················456
중간 절골술 ·····················698
중두개저··························603
중복 비갑개 ·····················307
중비갑개·······················10, 61
중비도·························11, 61
중비도 개방술 ···················417
중심망막동맥·····················437
중심성 대식세포육아종 ···········592
중추성 수면과다증 ···············768
중추성수면무호흡증후군···········769
중합체··························· 636
지방종··························· 511
지주대··························· 594
지판 손상 ·······················436
직접/간접골절 ···················634
진균성 부비동염 ·················· 79
진동톱··························· 561
진주종··························· 605

짧은 코변형 ·····················732

ㅊ

착후각······················489, 498
척삭종······················528, 605
천막뇌이탈·······················832
철조법··························· 98
첩모하절개·······················669
청소년코인두혈관섬유종···········129
초역치농도·······················494
초역치미각강도검사···············504
총정맥마취·······················399
최대흡기유량 검사···············232
최상비갑개······················· 61
최상비도························· 62
최종 보철물 ·····················568
축소수술························· 572
측동··························· 19
측두골··························· 603
측두하와························· 608
측두하와 절제술 ·················555
측방··························· 587
측방 치주낭 ·····················587
측비열··························· 72
측안구절골술·····················604
층류··························· 38
치근··························· 579
치근낭······················587, 589
치근단··························· 587
치밀골형·························519

치성각화낭·················587, 590
치성 감염 ·······················578
치성낭······················578, 587
치성 낭종 ·······················587
치성 부비동염 ·················· 79
치성 상악동염 ··············578, 582
치성섬유종·······················592
치성점액종·······················592
치성 종양 ··················591, 592
치성 질환·······················578
치순기··························· 579
치아종······················592, 593
치아주변낭·······················587
치은협구··························659
치조골··························· 580
치판기··························· 579

ㅋ

카타지너 증후군 ················ 42
코기둥··························· 690
코르티졸························· 768
코뼈점··························· 687
코뿌리점························· 687
코초석··························· 688
콧구멍··························· 690
콧날개··························· 751
콧날개결손·······················756
콧등 융기술 ·····················731
콧방울아래·······················690

ㅌ

타액선종양 · · · · · · · · · · · · · · · · · · · 605
타액선 호산성 과립세포종 · · · · · · · · 513
투시검사 · 778
특발성 비염 · · · · · · · · · 230, 237, 242

ㅍ

파골세포 · 641
파키슨씨병 · · · · · · · · · · · · · · · · · · · 491
편평상피성 치성 종양 · · · · · · · · · · · · 592
편평상피암종 · · · · · · · · · · · · · · · · · · 542
편평세포암 · · · · · · · · · · · · · · 527, 528
편평세포암종 · · · · · · · · · · · · · 542, 605
펼침 봉합술 · · · · · · · · · · · · · · · · · · · 297
펼침 이식 · 296
평활근육종 · 528
폐쇄성 비성 · · · · · · · · · · · · · · · · · · · 45
폐쇄성 비음 · · · · · · · · · · · · · · · · · · · 82
폐쇄성수면무호흡증 · · · · · · · · · · · · · 773
폐쇄성수면무호흡질환 · · · · · · · · · · · 769
포도주색 모반 · · · · · · · · · · · · · · · · · 517
포이쉴리 원리 · · · · · · · · · · · · · · · · · 292
포착 · 667
풍선-보조 부비동수술 · · · · · · · · · · · 424
풍선 카테터 부비동 확장술 · · · · · · · 483
풍선폐색 · 607
프로스타글란딘 · · · · · · · · · · · · · · · · 231
플립플랍 술식 · · · · · · · · · · · · · · · · · 306
피막 형성 · 732
피부이식 · 748

피하면역요법 · · · · · · · · · · · · · · · · · · 218
피하 안와 기종 · · · · · · · · · · · · · · · · 440
피하주사면역치료 · · · · · · · · · · · · · · 214

ㅎ

하부구조 상악절제술 · · · · · · 555, 557
하비갑개 · 10
하비갑개 외골절 · · · · · · · · · · · · · · · · 311
하비갑개 절제술 · · · · · · · · · · · · · · · · 311
하비갑개 점막하 절제술 · · · · · · · · · · 312
하비도 · · · · · · · · · · · · · · · · · · · 11, 57
하비익연골 · 688
하악골 골절 · · · · · · · · · · · · · · · · · · · 636
하악융기 · 781
하안검절개 · 557
하안와봉소 · 115
하측두와 내 관상면 절제 · · · · · · · · · 570
하측두와접근법 · · · · · · · · · · · · · · · · 516
함치성낭 · · · · · · · · · · · · · · · 587, 589
항전간제 · 618
항콜린제제 · 238
항히스타민제 · · · · · · · · · · · · · · · · · · 237
해면골형 · 519
해면 정맥동 · · · · · · · · · · · · · · · · · · · 608
해면 정맥동 혈전 · · · · · · · · · · · · · · · 467
헌터설염 · 502
현미경적 다발성 혈관염 · · · · · · · · · · 840
현수 봉합 · 299
혈관내 항암화학요법 · · · · · · · · · · · · 541
혈관섬유종 · 511
혈관운동성 비염 · · · · · · · · · · · 80, 242

혈관종 · · · · · · · · · 511, 516, 592, 605
혈관주위세포암 · · · · · · · · · · · · · · · · 605
혈관주위세포종 · · · · · · · · · · · · · · · · 547
혈액림프계 악성종양 · · · · · · · · · · · · 528
협골 골절 · · · · · · · · · · · · · · · 636, 657
협골궁골절 · · · · · · · · · · · · · · 658, 660
협골융기 · 659
협부 장액종 · · · · · · · · · · · · · · · · · · · 599
협피판 · 585
호르몬성 비염 · · · · · · · · · · · 230, 233
호산구성 비알레르기 비염 · · · · · · · · 80
호산구 증가 동반 비알레르기 비염
　　증후군 · · · · · · · · · · · · · · · · · · · 230
호산성 세포종 · · · · · · · · · · · · · · · · · 511
호흡상피 · 40
호흡장애지수 · · · · · · · · · · · · · · · · · · 773
호흡진폭 · 769
혼합성 치성 종양 · · · · · · · · · · · · · · · 592
혼합종양 · 511
혼합형 · 520
화농성 육아종 · · · · · · · · · · · · · · · · · 518
화학미각검사법 · · · · · · · · · · · · · · · · 504
확장 Shield 이식술 · · · · · · · · · · · · · 720
환기량 · 768
환상미각 · 500
환후각 · 489
활시위 징후 · · · · · · · · · · · · · · · · · · · 655
활차상동맥 · 752
활차상신경 · 449
활차신경 · 448
황색포도상구균 · · · · · · · · · · · · · · · · 134
회전 · 710
회피요법 · 210

회화 상피성 치성 종양 ··············592

횡문근육종 ······ 527, 528, 546, 605

후각 ····································· 46

후각감퇴 ·····························489

후각검사 ·····························493

후각과민 ·····························489

후각 기억 ······························ 48

후각소실 ································ 79

후각신경아세포종 ······ 528, 538, 544

후각원 ·······························494

후각유발전위 검사 ··············495

후각의 역치 ·······················493

후각장애 ·····························488

후각 훈련 ····························499

후구 ····························· 496, 47

후구출혈 ·····························437

후두개저 ·····························603

후두골 ·······························603

후비공 ······························ 6, 57

후비공 패킹 ·······················149

후비공폐쇄 ··························· 68

후사골동 ···························· 60

후사골동 제거 ·····················405

후사골봉소 ······················ 20, 59

후열 ····························· 9, 496

후인두궁 ·····························780

후진접근법 ·························400

후천문 ······························· 12

흉터구축 ·····························754

흑색종 ·······························543

히스타민 ·····························231

영어

A

above-and-below technique ······ 453

abutment ····························594

accessory ostia ·····················403

adenocarcinoma ······ 527, 528, 543

adenoid cystic carcinoma ··············

··························· 528, 543, 605

adenomatoid odontogenic tumor ···

······································· 592

ageusia ·······························500

agger nasi cell ······················405

alar base ·····························690

Alar base resection ········ 724, 726

alar cartilage ·······················683

alar collapse ························687

alar flare ·····························725

alar graft ·····························687

alar wedge excision ·················727

alkaline phosphatase ··············521

alloplastic implant ··················706

alloplastic material ················609

Alzheimer병 ························493

ameloblastic fibroma ··············592

ameloblastic fibroodontoma ······592

ameloblastic fibrosarcoma ·······592

ameloblastic odontoma ···········592

ameloblastoma ·····················592

amoxicillin ··························481

amoxicillin-clavulanate ··········481

ANCA ·······························839

aneurysm ····························605

aneurysmal bone cyst ·············587

angiofibroma ·············· 514, 605

Angiosarcoma ·······················528

anosmia ·····························489

anterior ethmoidal artery ·······417

anterior nasal spine ················687

anterior septal angle ··············722

anti-Trendelenburg ···············400

antral puncture ······················ 97

antrochoanal polyp ················118

apical ·······························587

apposition ···························579

arterial chemotherapy ·············541

arteriovenous malformation ······605

Asch 겸자 ···························652

augmentation ·······················706

Autologous tissue ··················707

azithromycin ·······················481

B

backbiting forcep ···················402

bacterial reservoir ··················483

balloon occlusion ···················607

balloon seeker ·······················425

ball-tipped probe ···················402

basal cell adenoma ·················513

basal lamella ························405

batten ·······························735

bell stage ···························579

Bell stage · · · · · · · · · 579

benign cementoblastoma · · · · · · · 592

Bernoulli · · · · · · · · · 292

bicoroanal incision · · · · · · · 563

bicoronal scalp flap · · · · · · · 676

Biller 분류 · · · · · · · · 517

bitemporal hemianopsia · · · · · · · 621

blepharoplasty incision · · · · · · 669

Boies 기자 · · · · · · · · 651

bony-hump · · · · · · · · 704

Bony pyramid · · · · · · · · 687

bow string sign · · · · · · · · 655

buccal flap · · · · · · · · 585

buccal seroma · · · · · · · · 599

bud stage · · · · · · · · 579

butterfly incision · · · · · · · · 643

C

calcifying epithelial odontogenic
  tumor · · · · · · · · 592, 593

calcifying odontogenic cyst · · · · · 587

Caldwell-Luc 수술 · · · · · · · 444

Caldwell-Luc접근법 · · · · · · · 152

Caldwell 영상 · · · · · · · 480

callus · · · · · · · · 635

camouflage graft · · · · · · · 733

canine fossa · · · · · · · · 404

cap stage · · · · · · · · 579

capsulated hydrophilic carrier
  polymer (CAP) · · · · · · · 200

capsule formation · · · · · · · 732

Carcinoma ex pleomorphic adenoma
  · · · · · · · · 528

cartilage splitting technique · · · · · 711

cartilaginous hump · · · · · · · 703

Cartilaginous pyramid · · · · · · · 688

cartilaginous septum · · · · · · · 688

Caudal septal incision (CSI) · · · · · 692

cauliflower · · · · · · · · 511

CC-SIT (Cross-Cultural Smell
  Identification Test) · · · · · · · 495

ceftriaxone · · · · · · · · 481

cement-osseous dysplasia · · · · · 592

central giant cell granuloma · · · · · 592

central retinal artery · · · · · · · 437

CHARGE증후군 · · · · · · · 68

cherubism · · · · · · · · 592

cholesteatoma · · · · · · · · 605

chondroma · · · · · · · · 592

chondrosarcoma · · · · · 528, 545, 606

chordoma · · · · · · · · 528, 605

Churg-Strauss syndrome · · · · · · 843

Churg-Strauss 증후군 · · · 840, 843

clarithromycin · · · · · · · · 481

Clear cell carcinoma not otherwise
  specified · · · · · · · · 528

clivus · · · · · · · · 603, 608

coagulase-negative Staphylococcus
  · · · · · · · · 478

collumellar retraction · · · · · · · 624

columella · · · · · · · · 690

Columellar plumping graft · · · · · · 720

Columellar strut · · · · · · · · 718

combined nostril sill/alar wedge

excision · · · · · · · · 727

compact type · · · · · · · · 519

complex odontoma · · · · · · · 592

Composite graft · · · · · · · 707

compound-composite odontoma
  · · · · · · · · 592

compression plate · · · · · · · 636

Conchal cartilage · · · · · · · 707

conchal type · · · · · · · · 621

concurrent chemoradiotherapy 541

Connecticut Chemosensory Clinical
  Research Center · · · · · · · 495

Connective tissue malignancies 528

contralateral maxillectomy · · · · · 555

coronal incision · · · · · · · 643

Corrective rhinoplasty · · · · · · 694

Costal cartilage · · · · · · · 707

cottle 검사 · · · · · · · · 687

Cottle 검사법 · · · · · · · 264

cranialization · · · · · · · 565, 610

craniofacial dysjunction · · · · · · 674

craniofacial resection · · · · · · 563

craniofacial resection (CFR) · · · · 609

craniopharyngioma · · · · · · · 605

craniotomy · · · · · · · · 555

cribriform plate · · · · · · · 603, 654

crista galli · · · · · · · · 603

crown · · · · · · · · 594

crusting · · · · · · · · 302

CSF fistula · · · · · · · · 608

cutting and suture technique · · · 735

cutting forcep · · · · · · · · 402

cylindrical papilloma · · · · · · · 510

cyst ················531

D

dacryocystorhinostomy ············657

danger triangle of the face ······135

dark cell ·······················49

definite prosthesis ·················568

degloving approach ······ 557, 558

dental alveolus ····················580

dental lamina stage ················579

dentigerous cyst ···················587

Dermis-fat ························707

developmental cyst ················587

deviated nose ·················694

diabetes insipidus ·············622

Diffuse large B-cell lymphoma ······

···························· 528, 841

diffuse transillumination ···········426

diploic venous system ···········463

dish-face deformity ················654

doorstop 방법 ··················267

dorsal augmentation ·············731

drooping tip ·····················693

Duoderm® ························640

dysgeusia ·······················500

E

EBV ····························527

electrogustometry ···············505

Electroolfactogram (EOG) ········495

embolization ····················607

empty sella ··················830

encephalocele ··············531

endonasal approach ··········696

endoscopic approach ··········556

endoscopic maxillary antrostomy

·························533

endoscopic partial maxillectomy ···

························569

Endoscopic sphenopalatine artery

ligation (ESPAL) ·············150

Endoscopic transcribriform cranial

base resection ·········569

enophthalmos ·················574

entrapment ··········· 573, 667

enucleation ····················588

Epithelial malignancies ··········528

Epithelial-myoepithelial carcinoma

························528

epithelial odontogenic tumor ···592

Epstein-Barr Virus ·········527

Epstein's pearls ············587

eruption cyst ················587

esthesioneuroblastoma ··· 544, 605

ethmoid bulla ·············404

ethmoid infundibulum ·········403

Ewing sarcoma ··········528

exophytic papilloma ·········511

Extended shield graft ··········720

external approach ·········703

external ethmoidectomy ········447

external ethmoidectomy incision ···

···························612

Extramedullary myeloid sarcoma

···························528

Extramedullary plasmacytoma ···528

Extranodal natural killer ··········528

F

facial translocation approach ···608

familial fibrous dysplasia of the jaws

···························592

fibroma ·················· 531, 592

fibrosarcoma ············· 528, 546

fibrous dysplasia ······ 520, 592, 605

fibrous stroma ···················520

Fisch 분류 ·······················517

fixture ·························594

flaring suture ···················696

focused transillumination ·········426

follicular cyst ···················587

forced duction test ··············667

fovea ethmoidalis ···········654

Frankfort line ···············684

Frankfort plane ·············683

freer 거상기 ···············402

Friedman 병기 ··············775

frontal bone ··············603

frontal craniotomy ········ 608, 646

frontal sinus trephination ·········646

frontoethmoidal region ···········519

frontoethmoid suture line ·········604

fungal ball ······················108

fungiform papilloma ·············510

funtional MRI (fMRI) ············496

Furstenberg 검사·················· 64

G

Germ cell malignancies ···········528

giant cell granuloma ··············592

giant cell tumor ·······512·······547

Gigli saw ·····················561

Gillies 방법·····················661

gingival cyst of adults············587

gingival cyst of infants ··········587

gingivobuccal sulcus ·············659

globulomaxillary cyst ·············587

glucose oxidase strip test ·········829

Gore-Tex ·····················706

granulomatous disease ···········414

greater palatine foramen ·········399

greenstick fracure ···············678

grenstick fracture ···············645

ground glass ···················521

gustatory evoked potentials ······505

gustatory neuralgia ·············502

H

Haemophilus influenzae non-type b

···························478

Haller cell ····················· 13

halo현상·······················828

hamartoma ····················521

handkerchief test················828

Hardy 견인기 ··················623

Hasner's valve ·················· 71

hemangioma ············ 516, 592

hemangiopericytoma ······ 547, 605

Hematolymphoid malignancies 528

hemitransfixion incision ··· 271, 692

high craniotomy ···············610

Holman-Miller sign ·············515

horizontal mattress suture ······696

HPV ························527

human papilloma virus ··· 511, 527

human rhinovirus···············478

Hump reduction ···············700

Hunter's glossitis···············502

hybrid procedure···············427

hydrocolloid dressing·············640

hypergeusia ···················500

hyperosmia ···················489

hypogeusia ····················500

hypoophthalmos ···············574

hyposmia ·····················489

I

idiopathic bone cyst ·············587

image-guided system··············425

Implementation of intensity-

modulated radio- therapy (IMRT)

··························541

incisive canal cyst ··············587

incisive foramen ···············141

inferior maxillectomy ·············557

infracartilaginous incision ·········691

infraorbital ····················532

infraorbital cell ·················115

infraorbital nerve ···············445

infrastructure maxillectomy ······555

infratemporal fossa approach ···516

infratemporal fossa dissection ···555

infratip ·······················690

intercartilaginous incision ···········

···················688, 691, 693

Intercrural suture ···············716

Interdomal suture ··············715

interim obturator ···············568

intermediate cell ··············· 49

internal nasal valve ·············687

Intestinal-type adenocarcinoma ···

··························528

intra or trans cartilaginous incision

··························692

intravenous anesthesia (TIVA) ···399

inverted papilloma ··· 108, 510, 605

inverted papillomas··············531

inverted-V deformity ············705

J

juvenile nasopharyngeal

angiofibroma ···············531

Juvenile nasopharyngeal

angiofibroma ···············129

K

Kadish 분류 ·················· 517

Kadish분류법 ··············· 538

Kallmann 증후군 ·········· 492, 499

kartagener syndrome ············· 42

Kerrison rongeur ··············· 417

keystone area ················· 688

Kiesselbach's area ················ 27

Killian 술식····················· 454

Killian 절개법···················· 271

Kisselbach's plexus ············· 80

Krouse 병기 분류················ 512

KVSS (Korean Version of Sniffin'
   Sticks) ···················· 495

L

lacrimal canaliculus ················ 654

lamina papyracea ········· 405, 512

Langerhans cell histiocytosis ···528

lateral ···························· 587

lateral canthotomy ················· 437

lateral crura ····················· 687

Lateral crural steal suture ········ 716

Lateral crura spanning suture ···718

lateral orbital osteotomy ········· 604

lateral periodontal cyst ··········· 587

lateral pterygoid muscle ········· 629

lateral pterygoid plate············· 629

lateral rhinotomy ··········· 557, 608

lateral rhinotomy approach ······612

Le Fort 1형 절골 접근법 ··········614

Le Fort III형 골절 ·············674

Le Fort II형 골절 ················674

Le Fort I형 골절 ················674

Leiomyosarcoma················528

Liesegang rings ···············593

light cell ························· 49

lingual nerve ·····················502

Little's area ··················· 27

Little 부위 ·····················516

Lockwood 인대 ················654

Lothrop 술식····················454

low craniotomy ················610

low profile plate ···············636

L-strut ·····················265

Ludwig's angina ·················583

lumbar drain ·············· 608, 833

Lynch incision ············· 557, 612

Lynch 전두사골동절제술 ········454

Lynch 절개 ············ 437, 470

L-지주····················301

M

magnetoenchephalography (MEG)
   ·····························496

malar eminence ················659

Malassez 잔류조직 ··············580

malignant ameloblastoma·········592

malignant fibrous histiocytoma ···
   ························· 528, 547

malignant melanoma ·············543

malignant odontogenic tumors ···
   ····························592

Malignant peripheral nerve sheath
   tumor ····················528

malignant schwannoma ········606

malocclusion ················649

marsupialization ···············588

maxillary nerve ·················532

maxillary swing approach ·········612

McCune-Albright 증후군 ·········521

McGovern's nipple ············· 69

medial canthal ligament············612

Medial crural-septal suture ······716

medial crus ··················687

medial maxillectomy ······ 555, 612

Medial osteotomy ···············704

median palatal cyst··············587

Medpor® ·····················670

mega-antrostomy ··············417

melanotic neuroectodermal tumor of
   infancy ···················592

membranous septum·············691

meningioma ·················605

Mersilene mesh ··············733

Mesenchymal chondrosarcoma 528

mesenchymal odontogenic tumor
   ····························592

Messerklinger ·················400

Metastatic carcinoma·············528

microdebrider ·················402

microplate···················636

microscopic polyangitis ··········840

Midcolumellar incision ·········694

middle meatal antrostomy ······417

midfacial degloving ················608

midfacial degloving approach ······

··························· 516, 612

mid-forehead incision··············456

miniplate ························636

mixed odontogenic tumor·········592

mixed type ······················520

modified Lothrop procedure······619

modified Lynch incision ···········448

monostotic fibrous dysplasia ···521

Moraxella catarrhalis ·············478

MR cysternography ···············436

mucocele ············ 126, 605, 641

Mucociliary clearance·············· 96

mucociliary flow ·················483

Mucoepidermoid carcinoma······528

Mucosal contact point headache

····························162

Mucosal malignant melanoma···528

mucosal melanoma ···············538

Muller 검사법 ····················775

multicentricity ···················511

multimodal treatment·············555

multiple allergen simultaneous test

(MAST)·························200

mushroom punch ················417

Myoepithelial carcinoma ········528

N

N1 수면 ··························767

N2 수면 ··························767

N3 수면 ··························767

NARES ··························235

nasal cycle ······················ 95

nasal dorsum ····················683

nasal hump ······················683

nasal lobule ·····················690

nasal polyp ······················118

nasal polyps ·····················531

nasal root ·······················683

nasal septal flaps················608

Nasal syphilis ···················845

nasal tip························ 683, 690

Nasal tip surgery ·················708

Nasal tuberculosis ···············845

nasal vestibule ···················687

nasal vestibulitis ·················136

nasion ··························687

nasoalveolar cyst·················587

nasoethmoidal complex ········648

nasofrontal angle··········· 702, 703

nasofrontal duct fracture ·········641

nasofrontoethmoid complex fracture

····························653

nasolabial angle ·················683

nasolabial cyst ··················587

nasolacrimal duct ···············438

nasopalatine duct cyst ··········587

nasoseptal flap··············· 619, 833

necrotizing fasciitis ···············586

neoadjuvant or induction

chemotherapy ···············541

neurilemmoma·····················518

neurocranium ····················603

Neuroectodermal malignancies 528

Neuroendocrine tumors···········528

neurofibroma ····················518

neurogenic sarcoma ·············547

neurogenic tumor ···············518

nevus ···························592

NK/T 세포 림프종 ················841

NK/T세포림프종 ················528

NOHL 분류 ·····················776

Nondelivery approach ···········711

nondisplaced fracture ···········635

non-Hodgkin's lympoma (NHL)

····························548

Non－intestinal-type

adenocarcinoma ·········528

normosmia ······················489

NOSE 계수

nasal obstruction symptom

evaluation ················ 86

nostril ···························690

nostril sill excision ···············727

O

obturator ························558

obturator prosthesis ·············568

occipital bone ···················603

odontogenic cyst ···············587

odontogenic fibroma ············592

odontogenic infection············578

odontogenic keratocyst···········587

odontogenic myxoma ··········592

odontoma ·····················592

Ohngren's 선 ·················538

olfactory cleft ···············489

olfactory fissure ·············496

olfactory globe ···············489

olfactory hallucination·········489

olfactory neuroblastoma ·········

························ 528, 538, 544

oncocytic papilloma ··········513

oncocytoma ·················513

on-lay이식 ····················718

Onodi cell ·················· 13, 20

open alcohol pad test ········493

open approach ···············556

Open approach ···············556

open-sky incision ············655

orbital blow-in fracture ·······666

orbital blow-out fracture ·····666

orbital complication ··········436

orbital decompression ········437

orbital exenteration ·········555

orbital hematoma ············417

orbital septum ···············464

oroantral fistula ·············582

oscillating saw ···············561

ossifying fibroma ····· 520, 592, 605

osteitis ·····················416

osteoblast·····················520

osteoblastoma·················605

osteoclast ···················641

osteogenic sarcoma ··········606

osteoid ·····················520

osteoma ············· 519, 592, 605

osteoma spongiosum type ······520

osteoneogenesis ·················416

osteoplastic flap ··········· 457, 644

osteoradionecrosis ··············571

osteosarcoma ·················545

Osteosarcoma ·················528

osteotome················· 561, 697

osteotomy·····················696

ostiomeatal unit (OMU) ···········394

P

palatal flap·····················585

panophthalmitis ·················574

papilloma ·····················592

paradental cyst ·················587

paraganglioma·················605

Paranasal sinus computed

tomography (PNS CT)·········397

parenthesis ·····················295

Parkinson병 ·····················493

parosmia ·····················489

partial maxillectomy ············555

peiorbital emphysema ···········432

pericranial flap ·················608

periorbital cellulitis ··············464

periorbital ecchymosis ··· 432, 436

peripheral giant cell granuloma 592

peripheral T-cell lymphoma ······548

Phantogeusia ·················500

phantosmia ·····················489

pig snout ·····················654

Pindborg tumor ·········· 592, 593

pituitary adenoma ··············605

pituitary tumor ·················621

planum sphenoidale ·············612

pleomorphic adenoma ··········513

pneumocephalus··················642

polly beak deformity ·············705

polyarteritis nodosa ·············840

polymer ·····················636

Polymorphous low-grade

adenocarcinoma ··············528

polyostotic fibrous dysplasia ···521

port wine stain·················517

Positron Emitting Tomography (PET)

·····························496

posterior fontanelle··············403

postoperative cheek cyst ········445

Pott 종괴 ·····················467

premaxillary process ············580

premaxillary segment ············561

Prick test ·····················202

Primary ciliary dyskinesia ········ 42

primary intraosseous carcinoma 592

Primitive neuroectodermal tumor528

projection ·····················722

proptosis ·····················531

pseudohump ·················704

pure blow-out fracture ···········666

pyogenic granuloma ·············518

pyriform aperture··········· 648, 688

Q

Quecknstedt test ···················834
Quickert 튜브 ··················657
quilting mattress ···················734

R

radical maxillectomy 557, 562, 612
radicular cyst ·····················587
radioallergosorbent test (RAST) ···
···························200
radix graft ·······················740
rasping ·························740
recirculation ················ 404, 415
recurrent acute rhinosinusitis ···425
residual ··························587
resistant-pneumococci ···········482
rests of Malassez ·············580
retention cyst ·················106
retractor·························623
retrobulbar hemorrhage··· 437, 664
retrobullar space ··············404
retropharyngeal node············530
reversed-V shaped incision ······694
revision rhinoplasty ···············731
rhabdomyosarcoma ·················
············· 527, 528, 546, 605
rhinion ·······················687
rhinitis medicamentosa ···········211
rhinogenic headache ·············159

S

saddle nose ················· 653, 691
salivary gland tumor ··············605
Salivary gland – type carcinomas528
sarcoma ················· 527, 544
schneiderian 유두종 ··············510
schwannoma ······················605
Schwann 세포 ······················518
scoliotic nose ··················694
secondary malignancy ···········533
Self-retaining speculum···········626
sensitization} ·····················178
Septal extension graft ·········722
Sessions 분류 ····················517
Sewell-Boyden피판·············646
Shield graft ·····················720
Shield 이식술 ···················720
short nose deformity ··············732
sickle knife ·····················402
silicone ·························706
simple··························587
Sinonasal teratocarcinosarcoma···
·····························528
Sinonasal undifferentiated

Riedel 술식 ·····················453
root ·························579
Rosenmuller fossa ················· 85
Rotation ·························710
Rowe-Killey 겸자 ·····················676

carcinoma ·····················528
sinus barotrauma ··············425
sliding microtubule 가설··········· 40
Sniffin' Sticks (SS) test ··········495
Soft tissue malignancies ········528
soft triangle of converse ········690
sphenoethmoidal recess   406, 417
sphenoid bone···················603
sphenoidotomy ················533
sphenoid punch ··················417
sphenopalatine artery······ 141, 619
sphenopalatine foramen ········141
spreader graft ··················696
squamous cell carcinoma············
·············· 527, 528, 542, 605
squamous odontogenic tumor ···
·····························592
Staphylococcus aureus··· 134, 478
step deformity ··················642
strawberry gum hyperplasia······838
Streptococcus pneumonia ······478
subciliary incision············ 557, 669
subcutaneous immunotherapy
(SCIT) ·····················218
subgaleal plane ··········· 455, 644
sublabial approach ········· 556, 622
sublingual immunotherapy (SLIT)
·····························218
subnasale ·····················683
superior deep cervical node······530
supraorbital cell ···················115
suprastructure maxillectomy ···555

supratip ·················· 690

surgical obturator ············· 568

swinging door 방법 ·············· 267

T

tarsorrhapy ················· 563

T-cell lymphoma ·············· 528

temporal bone ··············· 603

tentorial herniation ············ 832

Teratoma with malignant

    transformation ·········· 528

terminal recess ·············· 15

tetrapod fracture ·············· 658

through and through ··········· 734

tip-defining point ············· 702

Tip onlay graft ··············· 720

tip ptosis ·················· 715

tongue-in-groove 방법 ··········· 267

total maxillectomy ············· 555

toxic shock syndrome ··········· 440

transcolumellar approach ········ 622

transcolumellar incision ········· 738

Transdomal suture ············· 715

transfacial ·················· 608

transfacial approach ··········· 566

transfixion incision ············ 693

transillumination ·········· 98, 425

transmaxillary ··············· 608

transnasal ·················· 608

transorbital ················· 608

transseptal approach ··········· 622

transsphenoidal approach ······· 622

trapdoor deformity ············ 670

traumatic or hemorrhagic ········ 587

triangular cartilage ············ 688

tripod fracture ··············· 658

trismus ···················· 531

T & T olfactometer ············ 495

tumor of unknown origin ········ 592

Turner 증후군 ··············· 493

twisted nose ················· 694

T세포 림프종 ··············· 548

U

UCLA 분류 ·················· 517

undifferentiated capillary network

    stage ··················· 517

undifferentiated carcinoma ······ 543

University of Pennsylvania Smell

    Identification Test (UPSIT) ··· 495

V

vestibule ·················· 690

viscerocranium ··············· 603

von Recklinghausen병 ·········· 518

von Willebrand병 ············· 145

VOTE 분류법 ················ 776

W~Z

Waters 영상 ················· 480

Weber-Ferguson 접근법 ········ 557

Weber-Fergusson ············· 612

Wegener 육아종 ·········· 79, 838

Whole-mouth taste test ········· 504

Wigand ···················· 400

Woodruff 영역 ··············· 80

xenon-enhanced computed

    tomography ··············· 607

xenon 증강전산화단층촬영 ······ 607

zygomatic arch fracture ········· 658

Z 성형술 ··················· 754

기타

α-hemolytic Streptococcus ······ 478

β-2 transferrin ·············· 829

β2-transferrin ·············· 436

β-trace 단백 ··············· 829

1형 가족성 자율신경이상증 ······· 503

2차 코성형술 ················ 731

3차원 내시경 ················ 428